Г Р А Н Д   Л И Б Р И С

 ГУДЬЯЛ
ПРЕСС

Thomas
WOLFE

Look Homeward,
Angel

A NOWEL

Томас ВУЛФ

Взгляни на дом свой, ангел

РОМАН

Перевод с английского

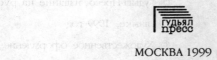

МОСКВА 1999

УДК 821.111(73)Вулф
ББК 84(7Сое)-6
    В88

Серия «Гранд Либрис»

По вопросам приобретения книг издательства
«Гудьял-Пресс» обращаться по телефонам:
(095) 306-91-20
(095) 306-91-21
(095) 306-91-20 (факс)

ISBN 5-8026-0039-X

ТОМАС ВУЛФ И ЕГО ЭПОПЕЯ

Эта книга открывает русскому читателю еще один мощный талант, рожденный в плодотворнейшее для американской литературы двадцатилетие между двумя мировыми войнами. Шервуд Андерсон, Ф. Скотт Фицджеральд, Драйзер периода «Американской трагедии», Синклер Льюис — автор «Бэббита» и «Главной улицы», молодой Фолкнер, молодой Хемингуэй, молодой Стейнбек и, наконец, Томас Вулф — все они, вслед за Твеном, заново перепахали литературную почву Америки, стремительно вывели американскую прозу на скрещение мировых духовных магистралей. По сути своей — реалисты, кровно связанные с жизнью страны, все они были удивительно несхожими художниками. Каждый из них писал свою Америку, и все вместе создали грандиозный портрет Америки первых десятилетий XX века — с ее горизонтами и духотой, натиском и блужданиями, жестокими горестями и неукротимыми надеждами. В этой плеяде мастеров и новаторов Томас Вулф кажется самым «немастеровитым», неровным, — в каком-то смысле он остался в истории американской литературы «вечным юношей». Но не было среди его современников, да и писателей последующих поколений, человека, для которого эта цель — создание портрета Америки — в такой степени стала смыслом и содержанием короткой жизни, наполненной поистине яростным литературным трудом.

Как летописцу Вулфу посчастливилось: он пришел в литературу в год исторического перелома всей жизни американской нации. «Взгляни на дом свой, ангел», объемистый роман никому не ведомого молодого автора, вышел в издательстве Скрибнерс в начале октября 1929 года — за считанные недели до краха нью-йоркской биржи. Много позже, возвращаясь к этой поре своей жизни, Томас Вулф говорил: «Я не сознавал тогда, что 1929 год, который так много значил непосредственно и лично для меня, должен был стать таким значительным, роковым годом для всей страны». Экономический кризис в Соединенных Штатах, разрастание фашизма в Европе — вот две темы, настойчиво звучащие в позднем творчестве Вулфа. Он умер за год до начала второй мировой войны, предчувствуя приближение катастрофы и упорно повторяя свой символ веры, обретенный в мучительных и страстных размышлениях: «Я считаю, что Америка заблудилась, но я верую, что она выйдет на истинный путь».

Художник необычайной раскрытости, обнаженной восприимчивости ко всему, что происходит вокруг, Томас Вулф с самого начала проявлял огромный интерес к явлениям социальной жизни; с годами набирал силы и его незаурядный сатирический дар. Однако по внутреннему складу и темпераменту Вулф был прежде всего лириком, и мир существовал для него как нечто глубоко личное, как родина — или место ссылки — романтической души поэта. В лучшем, что создал Вулф, всегда возникает этот особый сплав интенсивного мятущегося лиризма, поэтического пафоса — и суровой эпичности зоркого реалиста, сатирика, человека, глубоко встревоженного социальными бедствиями эпохи.

Томас Вулф считается автором четырех романов: «Взгляни на дом свой, ангел» (1929), «О времени и о реке» (1935) и посмертно изданных «Паутина и скала» (1939) и «Домой возврата нет» (1940). Но, по существу, он всегда работал над одним монументальным произведением — историей своего лирического героя. В первых двух книгах и внешне, и по жизненным обстоятельствам герой максимально приближен к автору и зовется Юджином Гантом; начиная с «Паутины и скалы» главное действующее лицо получает имя Джордж Уэббер и наделяется диаметрально противоположной внешностью, правда, столь же необычной. Но если исключить некоторые варианты и повторы, то вся история героя развертывается последовательно, от книги к книге. Это не только цепь событий, вплотную следующих за биографией самого Вулфа, но и биография духа, повествующая о бурном «воспитании чувств», о любви и ненависти, о страстной привязанности к родине и бегстве от нее и, наконец, о том, что точнее всего будет назвать старомодным выражением «творческие муки писателя»,

Вулф был на редкость откровенен во всем, что касалось его профессиональных принципов, методов и трудностей. В нем жила потребность «выводить наружу» все эти проблемы, и говорит он о своей работе с наивной безоглядностью, подчас высокопарно, охотно пользуясь такими уподоблениями, как «лава», «поток», «вулканическое извержение». Но дело в том, что Вулф, во-первых, ничуть не самодоволен, наоборот, относится к себе беспощадно, а во-вторых, совершенно точен. Именно так он и писал, не различая дня и ночи, заполняя ящики, чемоданы, громадные коробы из-под книг (специально взятые в издательстве) тысячами страниц рукописного и машинописного текста, зная, конечно, что лишь небольшая часть этих залежей реально «пойдет в дело». А затем из глыб этой окаменевшей лавы Томас Вулф и энтузиасты-редакторы высекали, обтесывали, собирали воедино фрагменты и части, которым суждено было образовать отдельные книги. Романы «Взгляни на дом свой, ангел» (единственное произведение, которое Вулф представил в издательство в законченном, на его взгляд, виде) и «О времени и о реке» обрабатывались автором и редактором издательства Скрибнерс Максуэллом Перкинсом почти по году каждый. Две последние книги были подготовлены к печати редактором издательства Харпер Эсуэллом, с участием Перкинса, таким же образом. Томаса Вулфа тогда уже не было в живых. Доныне в американском литературоведении существует мнение, что, быть может, и не следовало выкраивать из миллиона с лишним слов неопубликованного рукописного наследия писателя именно эти две книги, поскольку неизвестно, как построил бы их сам Вулф (он успел передать Эсуэллу лишь общий план — контур повествования). Может быть, следовало, ничего не додумывая и не комбинируя, опубликовать целый ряд маленьких повестей и отрывков, не связывая их между собой? Но большинство исследователей творчества Вулфа убеждено в том, что все было сделано правильно, несмотря на неизбежные композиционные просчеты и натяжки. Ведь Томас Вулф оставил не рассказы и повести (написанные им рассказы и повести именно в этом виде и публиковались), а *книгу,* как он называл ее. Замыслы его были обширны — эпопея должна была включать по меньшей мере еще шесть книг, действие которых охватило бы примерно полтораста лет истории Америки. Посмертное издание двух романов было завершением хотя бы части этих планов. Что еще важнее, в этих книгах Вулф предстает как художник и человек, идущий к зрелости.

Личность Томаса Вулфа «спроецирована» Вулфом-художником на громадном полотне его повествования. Но и сам Вулф, прототип Ганта и Уэббера, был фигурой немалых масштабов во всех своих привлекательных свойствах и недостатках. Человек очень эмоциональный, всегда следующий диктату своей натуры — открытой, доверчивой, но в высшей степени эгоцентричной, порой болезненно мнительный, он много давал близким людям, еще больше требовал и бывал способен на бессознательную жестокость. Важные для него человеческие связи обычно заканчивались драматическим разрывом; несмотря на большую общительность, Вулф, по существу, был очень одинок. Личная судьба его сложилась трудно и неустроенно.

* * *

Томас Вулф родился 3 октября 1900 года в Эшвилле (Северная Каролина) — небольшом городке, окруженном горами. Мать Вулфа, Джулия Уэстолл, была местной уроженкой, выросла в огромной фермерской семье, которая вела жестокую борьбу за существование. Предки Джулии были выходцами из Ирландии и Шотландии; во время Гражданской войны мужчины из семейства Уэстоллов сражались против армии Севера. У.-О. Вулф, вдовец, за которого Джулия вышла замуж в 1884 году, был в Эшвилле человеком пришлым. Потомок иммигрантов из Германии и Голландии, Вулф родился в пенсильванском городке близ Геттисберга — места исторической битвы Гражданской войны, он видел отступление разгромленного войска южан. Скитаясь из штата в штат, Вулф стал искусным мастером-камнерезом, в Эшвилле он открыл мастерскую надгробий и памятников.

Столь основательно смешанное — и в национальном и в историческом смысле — происхождение Томаса Вулфа сделало его наследником многих контрастных, враждующих между собой свойств и традиций. К тому же брак родителей Вулфа был, по выражению его биографа Тэрнбелла, «эпическим мезальянсом»; трудно было представить себе большую несовместимость не просто характеров — человеческих натур. Подобно Элизе Гант, миссис Вулф занималась скупкой и перепродажей земельных участков, постепенно забирая в свои руки все финансовые дела разраставшегося семейства. В 1906 году она открыла пансион для приезжавших в Эшвилл курортников, «Старый Кентукки», и перебралась в него с младшими детьми, — самым младшим был Томас; отец остался в прежнем их доме, и семья фактически раскололась. Томас Вулф рано обнаружил необычайные способности. Пяти лет он по собственной инициативе отправился в школу со старшими братьями и сестрами и оказался столь многообещающим учеником, что позже родителей уговорили отдать его в частную школу. Маргарет Робертс, жена директора этой школы, преподававшая литературу, сразу выделила двенадцатилетнего мальчика и горячо привязалась к нему. Нескольким людям суждено было сыграть особую, формирующую роль в жизни Томаса Вулфа, и Маргарет Робертс была первым таким человеком; привязанность к ней он сохранил до самой своей смерти.

У Робертсов Вулф проучился около четырех лет, а затем родители, которым не терпелось вывести сына на практический путь, поспешили послать его (единственного из всех детей) в университет штата Северная Каролина в Чейпел-Хилле. Шестнадцати лет Вулф становится студентом. Мать хотела видеть Томаса юристом, а отец — крупной политической фигурой, но устремления молодого Вулфа были направлены совсем в другую сторону. Он продолжает жадно поглощать книги (чтением он увлекался с детства) и делает попытки писать пьесы. Последние два года в университете были тяжелыми для Вулфа. Он пережил сердечную драму, уехал на каникулах в Норфолк — портовый город, работал в доках учетчиком, бродяжничал, пил и явился домой перед самым началом учебного года, исхудавший и оборванный.

Осенью 1918 года в семье произошло несчастье, глубоко потрясшее Вулфа. От воспаления легких умер его любимый брат Бен, человек, видимо, необычный, но «несостоявшийся». Миссис Вулф, поглощенная делами, всегда небрежно относилась к здоровью детей, а организм Бена был с юности подорван ночной работой в типографии. Томас Вулф не мог забыть и простить родным эту безвременную, нелепую смерть.

Вулф стал студентом так рано, что окончание университета не внесло определенности в его жизненные планы; больше всего ему хотелось продолжать занятия литературой и драматургией в Гарварде, где вел семинар известный в то время профессор Дж. П. Бейкер. Очень трудно было убедить родителей выделить нужные для этого средства. В конце концов Джулия Вулф согласилась послать сына в Гарвард на год; проучился же он три года; за это время не раз возникали неприятности из-за невзноса платы, пока он не подписал бумагу об отказе от своей доли наследства в обмен на содержание в университете. Летом 1922 года умер У.-О. Вулф. Утрата отца оказалась гораздо менее болезненной для Томаса Вулфа, чем смерть Бена, но и она вросла в плоть его писательской памяти. С отцом были связаны ярчайшие впечатления раннего детства, когда семья жила еще вместе, с отцом Вулфа роднила любовь к торжественной, празднично украшенной речи, любовь к поэзии (старый Вулф знал наизусть и часто декламировал целые куски из Шекспира), от отца он унаследовал отвращение к деловитости и скопидомству — черту, позднее определившую образ жизни Томаса Вулфа, когда он стал известным и хорошо оплачиваемым автором.

В Гарварде Вулф выбрал для изучения несколько гуманитарных дисциплин, но все его помыслы были сосредоточены на драматургии. Дж. П. Бейкер становится для него в эти годы высочайшим авторитетом. Вулф еще не понимает, что театр противопоказан самой природе его дарования: четкая форма, сжатость, фабульность — все это были не его добродетели. Но эти ранние опыты — одноактные пьесы с фольклорными мотивами — говорили о художественном темпераменте и фантазии. Наиболее интересные пьесы студентов ставились на сцене университетского театра: в мае 1923 года этой чести была удостоена обличительная драма Вулфа «Добро пожаловать в наш город», на которую он возлагал большие надежды.

«Теперь я знаю: я неизбежен, верю в это всецело, — патетично пишет Вулф матери из Гарварда. — Теперь меня может остановить лишь безумие, болезнь либо смерть...» «Мир не столь уж плох, но и не столь уж хорош, не так уж безобразен и не так уж прекрасен. Все это — жизнь, жизнь, жизнь, и это единственное, что имеет значение. Жизнь свирепая, жестокая, добрая, благородная, страстная, великодушная, тупая, уродливая, красивая, мучительная, радостная — все это есть в ней, и еще много другого, и все это я хочу узнать... Я готов пойти на край света, чтобы постичь ее, чтобы обрести ее. Я буду знать свою страну, как собственную ладонь, и все, что узнаю, перенесу на бумагу так, чтобы в этом была правда и красота».

Наивный самозабвенный «гигантизм», прорывающийся в пылком послании студента, был неизменно присущ Вулфу, до конца он сохранил это жадное, ненасытное стремление вобрать в себя *всю* жизнь, *всю* Америку, воспринять ее и сердцем, и разумом, и всеми пятью чувствами писателя-великана. И он действительно видел жизнь крупным планом, — каждая деталь, каждая коллизия предстает на страницах его книг в телескопически увеличенных масштабах.

Окончив Гарвард в 1923 году, Вулф сделал тщетную попытку поставить свою пьесу на профессиональной сцене и довольно скоро убедился, что драматургия его не прокормит. Скрепя сердце Вулф решает заняться преподаванием. Ему удалось найти место преподавателя литературы в нью-йоркском университете. Это было огромное учебное заведение с очень «плебейским», большей частью иммигрантским составом студентов. Вулф мало годился в педагоги, и работа эта раздражала его, хотя порой он и увлекался, читая вслух отрывки из любимых своих поэтов: Шекспира, Бен Джонсона, романтиков. В Нью-Йорке Вулф сначала поселился с несколькими товарищами студенческих лет, затем снял себе дешевую отдельную комнату; в течение всего времени, что он прожил в Нью-Йорке, — а туда он возвращался после всех поездок и путешествий, — Вулф переменил много жилищ. Иногда это был номер в захудалом отеле, иногда — в конце жизни — двухкомнатная квартира, но всегда он жил один и почти всегда обиталище его, заваленное рукописями и книгами, выглядело одинаково неуютно. Нью-Йорк занимает важнейшее место в «географии» писательских пристрастий Вулфа; осваивать город — в чисто топографическом, социальном, психологическом планах, вживаться в него как художник — он начал с первых же дней. По вечерам Вулф продолжает писать и постепенно переходит от драматургии к прозе. Возникают фрагменты воспоминаний об Эшвилле, о семье, — внутренняя связь с родиной ощущалась Вулфом тем сильнее, чем дальше и бесповоротнее он уходил от дома. Осенью 1924 года, получив от родных некоторую дотацию, Вулф взял отпуск и отправился в свою первую европейскую поездку, которая продолжалась почти год. Происходит знакомство с Парижем, также занимающим большое место в его поздних книгах. Возвращаясь в США в августе 1925 года, на борту парохода Томас Вулф познакомился с Алин Бернстайн — театральной художницей, женой богатого бизнесмена, матерью двух взрослых детей. Вулф и Алин сблизились, связь их продолжалась более пяти лет. Эта полная энергии и жизнелюбия женщина, поглощенная своей работой, имела огромное влияние на Вулфа, была убеждена в его таланте и относилась к нему с необыкновенной любовью и заботливостью. По удачному выражению Э. Тэрнбелла, «Алин Бернстайн и Максуэлл Перкинс, как два мотора, оторвали от земли тяжелый самолет творчества Томаса Вулфа». Не без воздействия Алин Вулф вплотную подошел к замыслу большого прозаического произведения, источником которого должны были стать воспоминания детства и юности.

Будущий свой роман «Взгляни на дом свой, ангел» (первоначально называвшийся «О, затерянный» и написанный от первого лица) Вулф начал писать в Лондоне летом 1926 года. Почти два года спустя, в марте 1928 года, работа была завершена. Вулф предпослал рукописи «Пояснительные заметки для рецензента издательства», и начались странствия романа по редакциям, на первых порах безуспешные. Мучительно самолюбивый молодой автор бежал от этих испытаний характера за границу, но А. Бернстайн — энтузиастка книги — продолжала поиски издателя. Наконец роман приплыл к своей пристани: старший редактор издательства Скрибнерс Максуэлл Перкинс (на «личном счету» которого была публикация первых книг Хемингуэя и Фицджеральда) проявил самый горячий интерес к новому таланту. Человек точного вкуса, большой проницательности, бескорыстно преданный литературе, умевший скромно и ненавязчиво помогать писателям, Перкинс оказался тем самым вторым «мотором», который поднял ввысь Вулфа-художника.

В январе 1929 года Вулф вернулся в Нью-Йорк, и началась повседневная работа автора и редактора над рукописью, заключавшаяся, главным образом, в сокращениях (что давалось Вулфу трудно) и перекомпоновке. В августе того же года отрывок из романа был напечатан в журнале «Скрибнерс мэгезин». Сотрудничество Вулфа с Перкинсом, которое завершилось в октябре того же года выходом романа, положило начало их многолетней тесной дружбе.

Критика отнеслась к «Ангелу», в общем, очень хорошо, но в Эшвилле, жители которого немедленно «обнаружили» прототипов чуть не всех персонажей и «припомнили» эпизоды, даже сочиненные автором, разыгрался скандал; Эшвилл воспринял книгу как пасквиль или сенсационно-разоблачительную хронику. Вулф стал получать множество писем, анонимных и подписанных: его стыдили, корили, порой грозили судом Линча и выражали глубокое соболезнование его несчастным родственникам. Горше всего было то, что и семья, и Робертсы, и другие близкие ему люди если и не разделяли злобы обывателей, то, во всяком случае, были глубоко огорчены «бесцеремонностью» и «жестокостью», с которой Вулф говорил о прошлом. Нельзя сказать, что все это было для него полной неожиданностью. Но Вулф не ожидал, что книгу сочтут оскорбительной. Совершенно искренне писал он в «Заметках для рецензента издательства»: «Мне, связанному с людьми, которые изображены в этой книге, страстными эмоциональными узами, всегда казалось, что это самые замечательные люди из всех, кого я знал, а сама ткань их бытия — самая богатая и необычная».

До последних дней жизни Томас Вулф терзался памятью о своем моральном изгнании с родины в час первого своего писательского триумфа. Он не приезжал в Эшвилл семь лет, до весны 1937 года, когда многое в отношении к нему сгладилось или было пересмотрено; но осадок остался до конца.

В 1930 году Вулф прекратил преподавательскую работу; гонорары от американского и английского изданий «Ангела» и премия Гуггенгейма на некоторое время обеспечили ему существование. Писатель снова покидает Америку. Во Франции Вулф познакомился с Фицджеральдом, в Лондоне — с Синклером Льюисом, который незадолго до того, принимая в Стокгольме Нобелевскую премию, восторженно отозвался о романе «Взгляни на дом свой, ангел».

Что заставляло Томаса Вулфа часто и надолго оставлять родину? Ответить на этот вопрос не так просто. Тянуло в иные края ненасытное, лихорадочное любопытство художника, выталкивала из Америки вечная беспокойная неприкаянность, личные неурядицы (отношения с А. Бернстайн складывались драматично, приближался разрыв, которого она не хотела). Но, помимо всего, Вулфу нужно было периодически отдаляться от Америки, чтобы приблизиться к ней.

«Я жил один в чужой стране до тех пор, пока на перестал спать из-за мыслей об Америке, ее пространствах, и звучании, и красках, из-за непереносимой памяти об Америке — ее неистовстве, дикости, необъятности, красоте, уродстве и великолепии...»

Это строки из письма 1930 года, — и таких строк у него много. В автобиографическом эссе «История романа» (1936) — откровеннейшем писательском документе — Вулф пытается разобраться в причинах характерного тогда явления, бегства писателя «из дома» (он ведь был в этом смысле совсем не одинок), и приходит к суровому выводу, что, по сути, это было бегством от себя, попыткой уйти от решения насущных проблем — человеческих и писательских. И все же он повторяет: «В те годы я понял: чтобы открыть свою страну, надо покинуть ее; чтобы найти Америку, надо найти ее в своем сердце, памяти и духе, находясь в чужой стране».

Память — интенсивное, чувственное, детальнейшее воссоздание виденного и пережитого — работала у Вулфа с чудовищной нагрузкой, бесперебойно подавая энергию этому творческому динамо. Сидя в парижском уличном кафе, он припоминал «...железные перила вдоль тротуара в Атлантик-сити... тяжелую железную трубу, ее шероховатую гальванизированную поверхность...», или «...старый мост, переброшенный через реку в Америке, шум проходящего поезда... глинистые склоны, медленное, густое, желтоватое движение американской реки...», или «...самый одинокий, самый щемящий звук из всех, что я слышал, — стук колес молочного фургона, въезжающего на улицу американского городка на сером рассвете, неторопливое одинокое цоканье копыт по мостовой...».

Около пяти лет продолжалась работа Вулфа над второй его книгой «О времени и о реке». Большую часть этого времени он прожил в Бруклине — пролетарском, иммигрантском районе Нью-Йорка, ставшем в годы кризиса средоточием нищеты, безработицы и отчаяния. Выбираясь из своей подвальной комнаты после многочасового напряженнейшего труда, Вулф начинал бродить по улицам. Он видел голод, деградацию, отупение исстрадавшихся, потерявших надежду людей, которые коротали зимние ночи на платформах метро и в общественных уборных. Повседневность этого горя и ужаса не просто ложилась грузом на сердце, она заставляла размышлять о том, что раньше было очень далеко от писателя. Роман вышел в марте 1935 года. Положение Вулфа упрочилось, снова появились деньги, пожалуй ничего не изменившие существенно в его образе жизни.

Последние годы Томаса Вулфа были омрачены разрывом с издательством Скрибнерс и связанным с этим расхождением с Максуэллом Перкинсом, которое тяжело переживалось обоими. Статья критика Б. Де Вото «Гениальности недостаточно», появившаяся в 1936 году в «Сатердей ревью», сыграла здесь поистине роковую роль. В каких-то моментах проницательная и точная, статья эта вместе с тем обнаруживала ограниченность критической мысли Де Вото, неспособного воспринять художественное явление в его целостности. Критик настойчиво рекомендовал писателю «отделить» в своем творчестве «объективный» реализм от «персонального» поэтического пафоса и выбросить последний за борт. Вулфу всегда давали много советов: на посторонний взгляд, все его слабости, источником которых была чрезмерная сила, безудержность творческой энергии, бушевавшей в нем всю жизнь, казались легко устранимыми. Любопытен в этом смысле его обмен письмами с Ф. С. Фицджеральдом, советовавшим Вулфу учиться у Флобера и вообще у писателей, которые как можно больше «убирают». Вулф, вполне резонно, называет в своем ответе писателей, которые как можно больше «вбирают» — Достоевского, Стерна, Сервантеса... Но в статье Де Вото содержалось отравленное зерно: недвусмысленное утверждение, что романы Вулфа «собираются» в редакционных комнатах издательства из отдельных фрагментов-деталей, как изделия на поточной линии, и что сам автор имеет к этому очень мало отношения. Это было сказано зло и несправедливо; для такого ранимого автора, как Томас Вулф, обвинение в художественной несамостоятельности звучало убийственно и требовало немедленного действия. Вулф должен был доказать, что он существует как писатель без Скрибнерса и Максуэлла Перкинса. Конечно, не одна лишь инсинуация Де Вото была здесь причиной; скорее она оказалась поводом, придавшим определенность настроениям, характерным для Вулфа; его тянет к независимости, все усиливается желание «избавиться от опеки», «вырваться на волю». Он начинает переговоры с несколькими издательствами и в декабре 1937 года подписывает договор с Харпером; редактор Э. Эсуэлл, не столь опытный, как Перкинс, но с энтузиазмом относившийся к книгам Вулфа, был выделен для работы с ним. Отправляясь в июне 1938 года в длительную поездку по стране, Вулф передал Эсуэллу несколько ящиков с рукописями «книги», — все, что он написал за последние два-три года, и все, что было отсечено в свое время по совету Перкинса от первоначального варианта романа «О времени и о реке». За месяц с небольшим, — пока Вулф выступал в университете Пардью и совершил, в обществе приятелей, автомобильное путешествие по всем национальным паркам-заповедникам Запада США, — Эсуэлл внимательно познакомился с материалом. Было условлено, что, как только писатель вернется, они приступят к совместной работе над рукописями, придерживаясь авторского плана, который уже находился у редактора. Но этому не суждено было осуществиться. На обратном пути, близ Сиэттла, Томас Вулф заболел гриппом, перешедшим в воспаление легких; затем активизировался перенесенный когда-то туберкулез, начались страшные головные боли, — инфекция проникла в мозг. В начале сентября ему попытались сделать операцию, но положение было безнадежным. 15 сентября Томас Вулф скончался от туберкулезного менингита в балтиморском госпитале Джона Гопкинса. Вместе с родными, дежурившими в эти последние дни и часы возле его палаты, был и Максуэлл Перкинс. Они давно не виделись, но последнее письмо, которое написал Вулф (15 августа, из больницы, вопреки запрету врачей), было адресовано Перкинсу, — короткие строки, полные печали, смирения и любви.

Э. Эсуэлл довел до конца огромный труд, завещанный ему писателем; под его редакцией вышли в свет романы «Паутина и скала», «Домой возврата нет», «Там, за холмами» — главы из задуманной Вулфом исторической хроники о Пентлендах, предках Элизы Гант, вместе с не опубликованными еще рассказами и этюдами (сборник рассказов Вулфа «От смерти до утра» вышел в 1935 г.). Позже, уже после войны, были изданы два тома писем, — эту работу осуществлял М. Перкинс, назначенный литературным душеприказчиком Вулфа, — и полный текст речи в университете Пардью. На протяжении последующих десятилетий в американской и европейской критике стало складываться более четкое и целостное, чем прежде, представление о месте Томаса Вулфа в истории литературы США. Сейчас библиографическая вулфиана насчитывает десятки книг и многие сотни статей. Появились фундаментальные биографии писателя, авторы которых использовали богатейший материал — опубликованный, рукописный, изустный. И вот когда отчетливо выявилось, какую огромную художественную трансформацию претерпел жизненный материал даже в самом автобиографичном произведении Вулфа — в романе «Взгляни на дом свой, ангел»[1].

«Самым автобиографичным» назвал его автор в 1938 году, выступая перед студентами университета Пардью, и в этом видел его «главную слабость». Но имел он в виду нечто иное. Вулф вообще был убежден, что каждое серьезное художественное произведение автобиографично. Слабость своего первого романа он видел в том, что реальный человеческий облик автора-героя «...вырастал не только из действительно пережитого, но был и основательно расцвечен романтическим эстетизмом... Короче говоря, герой был «художником» — необыкновенным, страдающим сверхчувствительным существом в конфликте со всем окружением, с Бэббитом, с мещанином, с провинцией, с семьей». Все это были настроения, усвоенные Вулфом-студентом в его гарвардские дни, когда «...существо, фигурировавшее в нашем воображении в качестве «художника», было своего рода эстетическим Франкенштейном. Уж во всяком случае, не живым человеком».

Вулф здесь, несомненно, слишком суров к первой своей книге, что не мешает ему с добрым чувством добавить: «В замысле и его воплощении было нечто от пылающей интенсивности юности». «Ангел» — книга, созданная Вулфом, каким он был, но еще больше — каким он будет. И хотя герой, изменив имя и облик, становится взрослее, умудреннее жизненным

---

[1] Заглавие романа взято из поэмы Джона Милтона «Лисидас». в которой он оплакивает гибель молодого друга.

опытом, по существу он остается прежним. Джордж Уэббер — это подросший Юджин Гант, он одержим той же «фаустианской» жаждой познания мира. Ощущая всегда и каждой клеточкой, что он ведет неравный поединок со Временем, герой Вулфа яростно спешил объять весь мир, остановить все мгновения, выйти за рубежи памяти, за пределы отпущенных человеку природой возможностей, словом — подчинить ошеломляющий поток жизни гигантскому «чувствилищу» художника. Таким образом, сама концепция образа, романтическая в своей основе, остается неизменной во всех четырех книгах Вулфа. И все же он имел основания говорить о первой своей книге «с пригорка», — не только и не столько из-за юношеской ее неровности и незрелости (оба эти качества есть и в поздних произведениях писателя), но и потому, что этот роман вобрал в себя впечатления самой важной, формирующей эпохи жизни Томаса Вулфа, и когда он писал его, эпоха эта бесповоротно ушла в прошлое. Все остальное писалось по горячим следам, автор продолжал жить проблемами своего героя, даже отделенный от него несколькими годами. Здесь же — на это обращает внимание американский критик А. Кэйзин — есть особая дистанция между автором и героем, и этот пафос дистанции, ощущение полностью изжитой полосы определяет и патетику, и ностальгический лиризм, и великодушный юмор повествования о Юджине Ганте — мальчике и юноше.

В «Заметках для рецензента издательства», которые Вулф предпослал рукописи, он четко определил свои писательские цели; автор понимал, что не так-то легко будет продраться сквозь эту чащу:

«Быть может, в книге отсутствует фабула, но нельзя сказать, что в ней отсутствует план. Этому плотно построенному плану строго следует все повествование. Рассказ движется в двух основных направлениях: одно ведет наружу, другое — вглубь. Движение наружу связано с усилиями ребенка, мальчика, юноши вырваться на волю, обрести одиночество и независимость в чужих краях. Движение вглубь воплощено в непрерывных раскопках погребенной жизни группы людей и проходит по циклической кривой истории семьи — ее возникновения, союза, упадка и разрушения».

Первая линия — сквозная и главенствующая. «Взгляни на дом свой, ангел» прежде всего «роман воспитания» в самой классической его форме. Характер героя складывается и обрастает подробностями на наших глазах, от первых смутных впечатлений и порывов ребенка, почти младенца (романтическая исключительность Юджина подчеркнута его невероятно далеко уходящей, чуть не утробной, осмысленной памятью), до сложнейшего внутреннего мира юноши — талантливого и, на посторонний взгляд, весьма странного. Раблезианская, чувственная жадность к жизни соседствует в Юджине с душевной брезгливостью недотроги, с деликатностью почти болезненной; насмешливая, злая подчас наблюдательность, физическое отвращение к мелким уродствам быта — с детской доверчивостью; жажда тепла и людского признания — с высокомерной замкнутостью мечтателя.

Внутренний мир Юджина — словно бесконечный туннель, пробивающийся сквозь житейскую толщу. Но туннель этот совсем не герметичен, и общение героя с другими людьми обычно сопровождается коллизиями, иногда комического, чаще — драматического свойства. Не один лишь закон отталкивания действует в отношениях Юджина с теми, кто его окружает. Этот странный мальчик связан с лоном обширной, по-своему столь же странной, семьи Гантов узами не просто кровного, но и сердечного родства. Семья действительно необычная, взрывчато темпераментная, полная конфликтов, несчастливая, одаренная и до корней *американская,* — перед нами проходит как бы спектр самых разнородных, но характерно «национальных» свойств, показанных крупно, гиперболизированно и в то же время по-человечески проникновенно. Юджин Гант ведет непрерывный поединок с семьей, рвется из домашних пут, но семья завораживает его, притягивает, в доме вершится бесконечное театральное действо, которое мальчик впитывает с неосознанной жадностью художника. Широкий размах, мужественность, актерская праздничность старого Ганта, перемежаемая приступами пьяного буйства, ребяческого эгоизма и малодушия; Элиза со своей алчной хлопотливостью, с терпением ломовой лошади, со своим невыносимым «официальным оптимизмом», потоками пустых речей, пошлой «житейской мудростью» — и скрытой где-то на дне этой очерствевшей в корысти и работе души робкой добротой, неумелой и мучительной любовью к детям. Ничтожный, рано развращенный «коммерческим духом» Стив; грубоватый, полный юмора Люк; истеричная, деятельная, одаренная Хелен; благонравная и безликая Дейзи и, наконец, Бен — одинокая душа, самый лучший и чуждый им всем, кроме Юджина. Бен как будто бы хочет быть «человеком как все», идти по той же проторенной стезе, ведущей (но так редко приводящей) к успеху и процветанию, однако внутренне он остается «вне игры».

Смерть Бена, окруженного всей семьей, которая лишь на какие-то мгновения сумела подняться над дрязгами и распрями и ощутить весь трагизм гибели благородного, ничего не успевшего сделать со своей жизнью юноши, описана Вулфом поразительно, с той мерой «правды и красоты», о которой он мечтал еще в начале своего писательского пути.

Семья — теплая и душная раковина, первая арена, на которой пробует свои силы Юджин, его первая миниатюрная вселенная. Эта раковина заключена в другую, большую — пансион Элизы Гант «Диксиленд», с его разношерстными обитателями, иным из которых довелось сыграть роль в жизни Юджина. Следующая, еще большая раковина — Алтамонт, патриархальный пока городок, надежно упрятанный среди гор, существующий в спокойном, несколько сонном ритме, — ажиотаж послевоенного бума и катастрофа тридцатых годов далеко впереди. И наконец, университетский Пулпит-Хилл, студенческий быт, первое каникулярное бродяжничество Юджина, которому изменила возлюбленная; его работа в доках... Все это изображено с добротной реалистичностью.

Различные стилистические пласты повествования обычно связаны с несколькими планами действия.

Нетрудно заметить, что почти вся линия Юджина вызывает у автора желание говорить языком приподнятым, метафоричным, вычурно патетичным. Разрядка наступает лишь в комических ситуациях, которые Вулф чувствует и передает великолепно. Комизм этот бывает груб и подчас жесток в своей жизненной основе (описание визита Бена и Юджина к старому врачу Макгайру), а иногда — добродушно ироничен (рассказ об участии Юджина в городском шекспировском празднестве, о его «киномечтах», о его первом знакомстве с «божеством в бутылке»). А когда речь идет о городе и его нравах, происходит резкое и вместе с тем естественное переключение в иную тональность — поэтический пафос уступает место приземленному, лапидарному языку наблюдателя-реалиста. Но многостильность романа не всегда органична. В бурлящем повествовательном потоке обнаруживаются и наносные течения. Приверженность Вулфа к пышной, торжественной речи «елизаветинцев» нередко оборачивается архаизацией; стремление к романтической широте — попыткой «объять необъятное» в рамках одного предложения.

Отчетливо проступает в первом романе Вулфа и влияние его современника Джеймса Джойса, которого молодой писатель горячо почитал. Оно чувствуется и в технике рассказа (внутренние монологи, «поток сознания», — вспомним, как старый Гант едет в трамвае ранним утром, вернувшись в Алтамонт из Калифорнии), и в самой склонности автора к мифологизации обыденного, И все же это — не родство, а внешнее сходство. По сравнению с «Улиссом», этим романом-лабиринтом, «Взгляни на дом свой, ангел» — сама целеустремленность и открытость.

В ночь накануне окончательного отъезда из Алтамонта молодой Юджин приходит на городскую площадь, где еще сохранилась вывеска над заброшенной мастерской отца и на крыльце по-прежнему стоят каменные ангелы — символы профессии старого Ганта и символы его неудовлетворенного стремления к красоте, к творчеству. Здесь происходит долгий разговор Юджина с призраком Бена, — разговор философский, — о смысле и направлении жизненных поисков.

«Где, Бен? Где мир?» — «Нигде, — сказал Бен. — Твой мир — это ты».

Путь самопознания Юджина Ганта — Джорджа Уэббера — Томаса Вулфа неизбежно вел к людям, вел через преграды эгоцентрических страстей и трудно изживаемых предрассудков провинциала и южанина. Иначе быть не могло, потому что в самой сердцевине этой противоречивой натуры жила огромная, неугасимая, активная человечность.

* * *

Этот путь, растянувшийся на полтора десятилетия, провел писателя и его героев по дорогам чуть не всей Америки и всех крупных государств предвоенной Западной Европы. Во втором и обширнейшем своем романе «О времени и о реке. Легенда о юношеском голоде человека» Вулф повествует о студенческих годах Юджина, поступившего в Гарвард, о его приезде в Нью-Йорк, работе в колледже, скитаниях по Европе. Автор оставляет своего героя на борту парохода, на котором Юджин возвращается в Штаты; здесь происходит его знаменательная встреча с Эстер Джек — художницей, богатой светской женщиной; сложные, бурные перипетии романа Эстер и Юджина займут очень большое место в двух последних книгах эпопеи.

«О времени и о реке» — произведение, наиболее сильно и, пожалуй, фатально отмеченное «универсалистскими» тенденциями молодого Вулфа. Сами многозначительные названия частей книги: «Язон», «Кронос», «Орест», «Фауст» — говорят о намерении автора придать монументально-эпические, мифологические масштабы жизненной Одиссее провинциального юнца. Вместе с тем во многих главах книги чувствуется крепнущее мастерство Вулфа — реалиста и психолога.

Третий роман эпопеи, «Паутина и скала», начинается с детства нового героя Вулфа, Джорджа Уэббера в южном городке Либиа-Хилл.

Одной из причин, побудивших Вулфа начать снова и по-другому историю своего молодого провинциала, была возмущенная реакция Эшвилла на «Ангела». Сыграли свою роль и другие моменты, также связанные с обостренной чувствительностью писателя к чужим мнениям: многие критики подчеркивали автобиографичность творчества Вулфа как нечто уничижительное, не понимая, что только могучая художественная фантазия могла преобразить «жизненное сырье» в произведение искусства. Однако сам Томас Вулф, с такой настойчивостью защищавший свои художественные принципы в «Истории романа», был вместе с тем мучительно не уверен в себе, болезненно самолюбив. Потребность доказать многообразие своих возможностей заставила его обратиться к «совершенно объективному», как писал он, роману и к герою, как будто бы полностью противоположному Юджину Ганту. Однако Джордж Уэббер оказался духовным двойником Ганта, и примерно с середины книги история предшествующего героя, в новом его облике, возобновилась с того места, где автор расстался с Юджином. Связь Уэббера с Эстер Джек, поначалу полная душевного огня и раблезианских радостей, постепенно превращается в кошмар. Уэббер начинает писать книгу, и творческие муки доводят его чуть не до безумия. Спасаясь от всех этих эмоциональных сложностей, герой уезжает за границу. В Германии («германская тема» имела особое значение для Вулфа) Джорджа Уэббера жестоко избили в пьяной стычке. Медленно поправляясь в мюнхенской больнице, он впервые с достаточной строгостью к себе пересматривает события последних лет, осуждает свой дикий эгоцентризм «мятежного молодого гения» и впервые осознает, что прошлое ушло окончательно — «домой возврата нет».

Эта финальная фраза «Паутины и скалы» закономерно стала названием последнего, во многих отношениях знаменательного произведения Вулфа.

В нем герой почти «догнал» автора — действие романа «Домой возврата нет» начинается весной 1929 года и заканчивается во второй половине тридцатых годов. Джордж Уэббер вернулся в Штаты, вышла его первая книга, принесшая молодому писателю некоторую известность. Уэббер снова сблизился с Эстер Джек и вновь расстался с ней, теперь уже бесповоротно, не в запальчивости и сумбуре эмоций, а с глубокой печалью, с ясным ощущением, что ее мир богатых и праздных людей, бизнесменов, модных пророков, претенциозных лжехудожников, снобов и болтунов глубоко чужд и опасен ему как писателю. Неторопливо, с мельчайшими подробностями, словно любуясь «совершенством форм» этого буржуазного бытия, пишет Вулф-сатирик историю одного фатального дня в доме миссис Джек, посвятив ему десять глав — центральную часть книги. Происходит крах биржи, и это событие, не сразу и не всеми оцененное по-настоящему, все расширяющимися концентрическими кругами охватывает жизнь нации. Джордж посещает Либиа-Хилл, еще недавно объятый спекулятивным ажиотажем, — теперь это мертвый город, город самоубийц и отчаявшихся безработных. Когда экономическое положение в стране несколько стабилизируется, Уэббер уезжает в Германию, где уже переведена его книга и где его встречают с распростертыми объятиями. Все это довольно точно следует за личным опытом Томаса Вулфа. Чувство «кровной» родственности (через отца), преклонение перед великим искусством прошлого, нежность к немецким ландшафтам, увлечение народными традициями и празднествами — все это связывало Вулфа с Германией куда крепче, чем с Европой вообще. К «европейскому декадансу» он относился враждебно. Тем труднее и болезненнее было для Вулфа «открытие» германского фашизма, — он долго не хотел верить тому, что было уже хорошо известно в мире в середине тридцатых годов, и, даже убеждаясь в истине, все еще пытался вести для себя «список благодеяний и преступлений» нового режима. Лишь последняя поездка в эту страну в 1936 году поставила все на свои места: боль, ужас и гнев звучат в романе «Домой возврата нет», в рассказах и письмах Вулфа, который увидел главное — попранную фашизмом человечность.

В последней книге Вулфа есть два ключевых эпизода, отмеченных особой силой. Это описание пожара в небоскребе — финал званого вечера у Джеков — и рассказ об аресте, на глазах Уэббера, его попутчика-еврея, который пытался выехать из фашистской Германии. Реальное, конкретное становится в этих сценах символичным, не теряя пронзительной достоверности.

Роман завершается размышлениями, которые звучат как подведение итогов жизни.

«Домой возврата нет, — говорит автор о Джордже Уэббере, вернувшемся из нацистской Германии. — Нет возврата домой к детству, к романтической любви, к юношеским мечтам о славе и великолепии, нет возврата к добровольному изгнанию, к скитаниям по Европе, по чужим странам, нет возврата к лирике, к песне ради песни, к эстетизму, к юношескому представлению о «художнике» и главенствующем, всеохватывающем значении «искусства», «красоты» и «любви», нет возврата к башне из слоновой кости, к загородным домикам, к коттеджу на Бермудских островах, подальше от всех мировых конфликтов и потрясений, нет возврата к отцу, которого ты потерял и жаждешь обрести вновь, нет возврата к кому-то, кто может тебе помочь, спасти, облегчить твою ношу, нет возврата к прежним формам жизни и к системам, которые раньше казались вечными, но которые меняются непрерывно, нет возврата к убежищам, которые предоставляют Время и Память».

Это декларация независимости от прежних тем творчества, которые столько лет не отпускали художника, и декларация причастности к тому, что происходит в мире. Это декларация причастности к борьбе против фашизма — и не только германского — борьбы против «вездесущего и древнего врага» — эгоизма и жадности, мысли об изменении самой структуры общества. В огромном, завершающем книгу, письме Джорджа Уэббера другу, дороги с которым расходятся, письме страстном, патетичном, предельно искреннем, герой и стоящий за ним писатель отвергают позицию духовного невмешательства, отстранения от социальных зол, безнадежной покорности судьбе.

«Человек рожден, чтобы жить, страдать и умереть, ему уготован трагический удел. В конечном счете опровергнуть это нельзя. Но мы должны, дорогой Фокс, опровергать это всю свою жизнь».

Исторический оптимизм Томаса Вулфа, который роднит его с Уитменом, горячая вера в то, что «настоящее открытие Америки еще впереди», не противоречат этой простой и глубокой мысли.

В ней — выстраданный итог всей его жизни человека, писателя, сына Америки.

И. Левидова

Взгляни на дом свой, ангел

Когда-то Земля, вероятно, была раскаленным шаром, таким же, как Солнце.

Тарр и Макмерри*

A. Б.

Поелику Тобой я сущ в раю
(Всегда, везде из чувств моих любое
И живо, и ведомо лишь тобою),
Но раму бренную души мою
Оставил здесь, то мышцы, жилы, кровь
Одеть вернутся кости плотью вновь.

К ЧИТАТЕЛЮ

Это — первая книга, и автор писал в ней о том, что теперь ушло и утрачено, но когда-то составляло самую ткань его жизни. А потому, если кто-нибудь из читателей назовет эту книгу «автобиографической», писателю нечего будет возразить — ведь, по его мнению, все сколько-нибудь серьезные литературные произведения всегда автобиографичны, и трудно вообразить более автобиографичную книгу, чем «Путешествия Гулливера».

Однако это небольшое предисловие обращено главным образом к тем, с кем автор, возможно, был знаком в период, которому посвящены эти страницы. И этим людям он хотел бы сказать то, что они, как ему кажется, уже знают — что книга эта была написана в наготе и невинности духа и что автор думал только о том, как придать достоверность, жизнь и полнокровие действию и персонажам книги, которую он создавал. Теперь, перед ее опубликованием, он решительно утверждает, что книга эта — вымысел и что он не давал в ней портретов живых людей.

Но мы — сумма всех мгновений нашей жизни: все, что есть мы, заключено в них, и ни избежать, ни скрыть этого мы не можем. Если для создания своей книги писатель употребил глину жизни, он только воспользовался тем, чем должны пользоваться все люди, без чего не может обойтись никто. Художественный вымысел — это не факт, но художественный вымысел — это факты, отобранные и понятые во всей их полноте, художественный вымысел — это факты, переработанные и заряженные целью. Доктор Джонсон* сказал, что человеку приходится перелистать половину библиотеки, чтобы создать одну книгу, и точно так же романист может перелистать половину жителей города, чтобы создать один персонаж в своем романе. Этим не исчерпывается весь метод, но автор полагает, что и этого достаточно, чтобы дать иллюстрацию ко всему методу создания книги, которая написана со среднего расстояния, без злобы и без обидных намерений.

Часть первая

...камень, лист, ненайденная дверь; о камне, о листе, о двери. И о всех забытых лицах.

Нагие и одинокие приходим мы в изгнание. В темной утробе нашей матери мы не знаем ее лица; из тюрьмы ее плоти выходим мы в невыразимую глухую тюрьму мира.

Кто из нас знал своего брата? Кто из нас заглядывал в сердце своего отца? Кто из нас не заперт навеки в тюрьме? Кто из нас не остается навеки чужим и одиноким?

О тщета утраты в пылающих лабиринтах, затерянный среди горящих звезд на этом истомленном негорящем угольке, затерянный! Немо вспоминая, мы ищем великий забытый язык, утраченную тропу на небеса, камень, лист, ненайденную дверь. Где? Когда?

О утраченный и ветром оплаканный призрак, вернись, вернись!

I

Судьба, которая ведет англичанина к немцам*, уже необычна, но судьба, которая ведет из Эпсома в Пенсильванию, а оттуда в горы, укрывающие Алтамонт, ведет через гордый коралловый крик петуха и кроткую каменную улыбку ангела — эта судьба овеяна темным чудом случайности, творящей новое волшебство в пыльном мире.

Каждый из нас — итог бесчисленных сложений, которых он не считал: доведите нас вычитанием до наготы и ночи, и вы увидите, как четыре тысячи лет назад на Крите началась любовь, которая кончилась вчера в Техасе.

Семя нашей гибели даст цветы в пустыне, алексин* нашего исцеления растет у горной вершины, и над нашими жизнями тяготеет грязнуха из Джорджии, потому что лондонский карманник избежал виселицы. Каждое мгновение — это плод сорока тысячелетий. Мимолетные дни, жужжа, как мухи, устремляются в небытие, и каждый миг — окно, распахнутое во все времена.

Вот — один такой миг.

Англичанин по имени Гилберт Гонт, или Гант, как он стал называться впоследствии (возможно, это была уступка произношению янки), приплыв в 1837 году на парусном судне в Балтимор из Бристоля, вскоре опрокинул все прибыли купленного им там трактира в свою беззаботную глотку. Он отправился на запад, в сторону Пенсильвании, добывая рискованное пропитание с помощью боевых петухов, которых выставлял против местных чемпионов, и нередко еле уносил ноги после ночи, проведенной в деревенской кутузке,— его боец валялся мертвым на поле боя, в его карманах не позвякивало ни единого медяка, а на его беспечной физиономии подчас багровел след дюжего кулака какого-нибудь фермера. Но ему всегда удавалось улизнуть, и когда он в дни жатвы добрался до немцев, его так восхитило богатство их края, что он бросил там якорь. Не прошло и года, как он женился на крепкой румяной вдовушке, хозяйке недурной фермы; она, как и остальные немцы, была покорена его видом бывалого путешественника и витиеватой речью — особенно когда он читал монологи Гамлета в манере великого Эдмунда Кина*. Все говорили, что ему следовало бы пойти в актеры.

Англичанин стал отцом дочери и четырех сыновей, жил весело и беззаботно и терпеливо сносил бремя суровых, но справедливых попреков своей супруги. Шли годы, его ясные, пристальные глаза потускнели, под ними вздулись мешки; теперь высокий англичанин подагрически волочил ноги, и как-то утром, когда жена явилась выбранить его за то, что он, по обыкновению, заспался, она обнаружила, что он умер от апоплексического удара. После него осталось пять детей, закладная на ферму и — в его странных темных глазах, снова ясных и пристально смотрящих вдаль, — что-то, что не умерло: неутолимая и смутная жажда путешествий.

Тут мы оставим этого англичанина с его наследством и теперь будем заниматься тем, кому он его завещал, — его вторым сыном, мальчиком по имени.Оливер. Было бы слишком долго рассказывать, как этот мальчик стоял у дороги вблизи материнской фермы и провожал взглядом пыльные полки мятежников, уходившие к Геттисбергу*, как потемнели его холодные глаза, когда он услышал гордое слово «Виргиния», как в год окончания войны, когда ему еще было пятнадцать лет, он шел по улице в Балтиморе и увидел в маленькой лавке гладкие гранитные плиты смерти, вырезанных из камня агнцев и херувимов и ангела, застывшего на холодных немощных ногах с улыбкой кроткого каменного идиотизма. Но я знаю, что его холодные, неглубокие глаза темнели от той же смутной и неутолимой жажды, которая жила в глазах мертвеца и когда-то вела его с Фенчерч-стрит мимо Филадельфии. Мальчик глядел на большого ангела, сжимающего резной стебель лилии, и им овладевало холодное безымянное волнение. Длинные пальцы его больших рук сжались в кулаки. Он почувствовал, что больше всего на свете хочет ваять. Он хотел вогнать в холодный камень то темное и неназываемое, что жило в нем. Он хотел изваять голову ангела.

Оливер вошел в лавку и спросил у широкоплечего бородача с деревянным молотком в руке, нет ли для него тут работы. Он стал подмастерьем резчика по камню. Он проработал в этом пыльном дворе пять лет. Он стал резчиком по камню. Когда годы его ученичества кончились, он был уже мужчиной.

Он так и не обрел того, чего искал. Он так и не изваял. голову ангела. Голубку, агнца, сложенные в покое смерти мраморные руки, и буквы, тонкие и изящные, — все это он умел. Но не ангела. И все годы тщеты и утрат — буйные годы в Балтиморе, годы труда, яростного пьянства и театра Бута и Сальвини*, губительно влиявшего на резчика по камню, который запоминал все переливы благородной декламации и шагал по улицам, бормоча и быстро жестикулируя огромными красноречивыми руками — все это слепые блуждания на ощупь в нашем изгнании, закрашивание нашей жажды, когда, немо вспоминая, мы ищем великий забытый язык, утерянную тропу на небеса, камень, лист, дверь. Где? Когда?

Он так и не обрел того, чего искал, и, шатаясь, пошел через континент на Реконструируемый Юг* — странная дикая фигура в шесть футов четыре дюйма ростом, холодные, тревожные глаза, широкая лопасть носа, раскаты пышной риторики и нелепое, комическое проклятье, формально-условное, точно классические эпитеты, которые он пускал в ход совершенно серьезно, хотя в уголках его узкого стонущего рта пряталась неловкая усмешка.

Он открыл мастерскую в Сиднее, маленькой столице одного из штатов среднего Юга, вел трудовую и трезвую жизнь под взыскательными взглядами людей, еще не оправившихся от поражения и ненависти, и, наконец, завоевав себе доброе имя и добившись, что его признали своим, женился на тощей чахоточной старой деве, которая была старше его на десять лет, но сохранила кое-какое состояние и неукротимое желание выйти замуж. Через полтора года он вновь превратился в буйного сумасшедшего, его маленькое дело лопнуло, а Синтия, его жена, продлению жизни которой, как утверждали соседи, он отнюдь не способствовал, как-то ночью внезапно умерла после сильного легочного кровотечения.

Так все снова исчезло — Синтия, мастерская, купленное дорогой ценой трезвости уважение, голова ангела; он бродил по улицам в темноте, выкрикивая пентаметры своего проклятия, обличая обычаи мятежников и их праздную лень; однако, томимый страхом, горем утраты и раскаянием, он съежился под негодующим взглядом городка; и, по мере того как его огромное тело все больше худело, он проникался убеждением, что болезнь, убившая Синтию, теперь вершит месть над ним.

Ему было немногим больше тридцати, но выглядел он гораздо старше. Лицо его было желтым, щеки запали; восковая лопасть носа походила на клюв. Длинные каштановые усы свисали прямо и печально.

Чудовищные запои разрушили его здоровье. Он был худ, как жердь, и постоянно кашлял. Теперь в одиночестве враждебного городка он думал о Синтии, и в нем рос страх. Он думал, что у него туберкулез и он скоро умрет.

Вот так, совсем один, опять все потеряв, не утвердившись в мире, не обретя в нем места, утратив почву под ногами, Оливер возобновил свои бесцельные скитания по континенту. Он повернул на запад, к величественной крепости гор, зная, что по ту их сторону его дурная слава никому не известна, и надеясь найти там уединение, новую жизнь и прежнее здоровье.

Глаза тощего призрака снова потемнели, как когда-то в дни его юности.

Весь день Оливер под серым мокрым октябрьским небом ехал на запад через огромный штат. Он уныло глядел в окно на бесконечные просторы дикой земли, лишь кое-где испещренной заплатками крохотных полей крохотных жалких ферм, и его сердце наливалось холодным свинцом. Он вспоминал огромные пенсильванские амбары, клонящееся золото налитых колосьев, изобилие, порядок, чистенькую бережливость тамошних людей. И он вспоминал, как сам отправился в путь, чтобы найти порядок и прочное положение для себя, — и думал о буйной путанице своей жизни, о неясном смешении прожитых лет и о багряной пустыне своей юности.

«Черт побери! — думал он. — Я старею. Почему здесь?»

В его мозгу развертывался угрюмый парад призрачных лет. Внезапно он понял, что его жизнь определил ряд случайностей: сумасшедший мятежник, распевавший об Армагеддоне*, звук трубы на дороге, топот армейских мулов, глупое белое лицо ангела в пыльной лавке, зазывное покачивание бедер проходившей мимо проститутки. Он, шатаясь, ушел от тепла и обилия в этот бесплодный край, и пока он смотрел в окно и видел необработанную целину, крутой суровый подъем Пидмонта, размокшую глину рыжих дорог и неопрятных людей на станциях, глазеющих на поезд, — худого фермера, покачивающегося над поводьями, зеваку-негра, щербатого парня, хмурую болезненную женщину с чумазым младенцем, — загадочность судьбы поразила его ужасом. Как попал он сюда, как сменил чистенькую немецкую бережливость своей юности на эту огромную, пропащую, рахитичную землю?

Поезд, громыхая, катил над дымящейся землей. Не переставая, шел дождь. В грязный плюшевый вагон вошел со сквозняком кондуктор и высыпал совок угля в большую печку в дальнем углу. Визгливый, бессмысленный смех сотрясал компанию парней, растянувшихся на двух обращенных друг к другу диванчиках. Над клацающими колесами печально позванивал колокол. Потом было долгое жужжащее ожидание на узловой станции вблизи предгорий. Затем поезд снова покатил через огромные волнистые просторы.

Наступили сумерки. Туманно возникла тяжелая громада гор. В хижинах по склонам загорались тусклые огоньки. Поезд, подрагивая, проползал по высоким виадукам, переброшенным через серебристые тросы воды. Далеко вверху, далеко внизу по обрывам, откосам и склонам лепились игрушечные хижины, увенчанные перышками дыма. Поезд, упорно трудясь, гибко пробирался вверх по рыжим выемкам. Когда совсем стемнело, Оливер сошел в маленьком городке Олд-Стокейд, где рельсы кончались. Прямо над ним вставала последняя великая стена гор. Когда Оливер вышел из унылого станционного здания и уставился на масленый свет ламп в деревенской лавке, он почувствовал, что, словно могучий зверь, заполз в кольцо этих гигантских пиков, чтобы умереть.

На следующее утро он отправился дальше в дилижансе. Он ехал в городок Алтамонт, который лежал в двадцати четырех милях оттуда за гребнем великой внешней стены гор. Пока лошади медленно тащились вверх по горной дороге, Оливер немного воспрянул духом. Был серо-золотой день на исходе октября, ясный и ветреный. Горный воздух покусывал и сверкал; над головой плыл кряж — близкий, колоссальный, чистый и бесплодный. Деревья раскидывали тощие голые ветки — на них уже почти не осталось листьев. Небо переполняли мчащиеся белые клочья облаков, под отрогом медленно плескалась полоса густого тумана.

Прямо внизу по каменистому ложу клубился горный поток, и Оливер разглядел крохотные фигурки людей, прокладывавших дорогу, которой предстояло спиралью обвить гору и подняться к Алтамонту. Затем взмыленная упряжка свернула в ущелье, и среди величественных пиков, растворяющихся в лиловой дымке, они начали медленно спускаться к высокому плато, на котором был построен город Алтамонт.

Среди торжественной извечности этих гор, в обрамлении их гигантской чаши он нашел раскинувшийся на сотне холмов и седловин город с четырьмя тысячами жителей.

Это были новые края. И на сердце у него стало легко.

Город Алтамонт возник вскоре после Войны за независимость. Это была удобная стоянка для погонщиков скота и фермеров на их пути на восток, из Теннесси в Южную Каролину. А в течение нескольких десятилетий перед Гражданской войной туда съезжалась на лето фешенебельная публика из Чарлстона и с плантаций жаркого Юга. К тому времени, когда туда добрался Оливер, Алтамонт приобрел некоторую известность не только как летний курорт, но и как местность, целебная для больных туберкулезом. Несколько богатых северян построили в окрестных горах охотничьи домики; а один из них купил там огромный участок и с помощью армии импортированных архитекторов, плотников и каменщиков намеревался возвести на нем самый большой загородный дом во всей Америке — нечто из известняка с крутыми шиферными крышами и ста восемьюдесятью тремя комнатами. За образец был взят замок в Блуа. Тогда же была построена и колоссальная новая гостиница — пышный деревянный сарай, удобно раскинувшийся на вершине холма, с которого открывался прекрасный вид.

Однако население Алтамонта в основном все еще составляли местные жители, и пополнялось оно обитателями гор и близлежащих ферм. Это были горцы шотландско-ирландского происхождения — закаленные, провинциальные, неглупые и трудолюбивые.

У Оливера было около тысячи двухсот долларов — все, что осталось от имущества Синтии. На зиму он снял сарай в дальнем конце главной площади городка, купил несколько кусков мрамора и открыл мастерскую. Однако вначале у него почти не было никакого другого занятия, кроме размышлений о близкой смерти. В течение тяжелой и одинокой зимы, пока он думал, что умирает, тощий, похожий на огородное пугало янки, который, что-то бормоча, мелькал на улицах городка, стал излюбленным предметом пересудов. Все его соседи по пансиону знали, что по ночам он меряет свою спальню шагами запертого зверя и что на его тонких губах непрерывно дрожит тихий долгий стон, словно вырывающийся из самого его нутра. Но он ни с кем об этом не разговаривал.

А потом пришла чудесная горная весна — зелено-золотая, с недолгими порывистыми ветрами, с волшебством и ароматом цветов, с теплыми волнами запаха бальзамической сосны. Тяжкая рана Оливера начала заживать. Вновь зазвучал его голос, порой опять ало вспыхивала его былая алая риторика, возрождалась тень его былого жизнелюбия.

Как-то в апреле, когда Оливер, весь пробужденный, стоял перед своей мастерской и следил за суетливой жизнью площади, он услышал позади себя голос какого-то прохожего. И этот голос, глуховатый, тягучий, самодовольный, внезапно осветил картину, которая двадцать лет безжизненно хранилась в его мозгу.

— Он близится! По моим расчетам, быть ему одиннадцатого июня тысяча восемьсот восемьдесят шестого года.

Оливер обернулся и увидел удаляющуюся дюжую и убедительную фигуру пророка, которого он в последний раз видел уходящим по пыльной дороге к Геттисбергу и Армагеддону.

— Кто это? — спросил он у человека, стоявшего неподалеку. Тот посмотрел и ухмыльнулся.

— Это Бахус Пентленд, — сказал он. — Чудак, каких поискать. У него тут полно родни.

Оливер лизнул огромную подушечку большого пальца. Потом с узкогубой усмешкой сказал:

— Армагеддон уже настал, а?

— Он ждет его со дня на день, — ответил его собеседник.

Потом Оливер познакомился с Элизой. Как-то в ясный весенний день он лежал на скользком кожаном диване в своей маленькой конторе и прислушивался к веселому щебету площади. Его крупное разметавшееся тело обволакивал целительный покой. Он думал о черноземных пластах земли, внезапно загорающейся юными огоньками цветов, о пенистой прохладе пива и об облетающих лепестках цветущих слив. Затем он услышал энергичный стук каблучков женщины, проходящей между глыбами мрамора, и поспешно поднялся с дивана. Когда она вошла, он уже почти надел свой отлично вычищенный сюртук из тяжелого черного сукна.

— Знаете ли, — сказала Элиза, поджимая губы с шутливым упреком, — я очень жалею, что я не мужчина и не могу валяться весь день напролет на мягком диване.

— Добрый день, сударыня, — сказал Оливер с изящным поклоном. — Да, — продолжал он, и легкая лукавая усмешка изогнула уголки его узкого рта, — я и правда вздремнул. На самом-то деле я редко когда сплю днем, но последний год мое здоровье совсем расстроилось, и я уже не могу работать, как прежде. — Он умолк, и лицо его сморщилось в выражении унылого отчаяния. — О Господи! Прямо не знаю, что со мной будет.

— Пф! — энергично и презрительно сказала Элиза. — На мой взгляд, вы совсем здоровы. Настоящий силач в самом расцвете лет. А это все воображение. Да в половине случаев, когда мы думаем, что больны, — это только воображение, и ничего больше. Я помню, как три года назад я заболела воспалением легких, когда была учительницей в поселке Хомини. Все думали, что мне не выжить, но я все-таки выкарабкалась; вот, помню, сидела я в постели — выздоравливающая, как говорится; а помню я это потому, что старый доктор Флетчер только что ушел, а когда он выходил, я видела, как он покачал головой, глядя на мою двоюродную сестру Салли. «Да как же это, Элиза, — сказала она, едва он вышел,— он говорит, что ты кашляешь кровью: у тебя чахотка, это ясно, как день». «Пф!» — отвечаю я и, помню, рассмеялась, потому что твердо решила считать все это шуткой; а про себя я подумала: не поддамся и всех их еще оставлю в дураках. «Не верю, — говорю я. Она встряхнула головой и поджала губы. — А к тому же, Салли, — говорю я, — все мы когда-нибудь там будем, так что нечего беспокоиться! Это может случиться завтра, а может попозже, да ведь когда-нибудь случится же!»

— О Господи! — сказал Оливер, грустно покачивая головой. — Тут вы попали в самую точку. Лучше не скажешь. «Боже милосердный, — подумал он с полной муки внутренней усмешкой. — И долго еще это будет продолжаться? Но она красотка, что верно, то верно».

Он одобрительно оглядел ее подтянутую стройную фигуру, заметил ее молочно-белую кожу, темно-карие глаза, смотревшие как-то по-детски, и иссиня-черные волосы, которые были зачесаны кверху, открывая высокий белый лоб. У нее была странная привычка поджимать губы перед тем, как что-нибудь сказать; она любила говорить неторопливо и переходила к делу только после бесконечных блужданий по закоулкам памяти и по всей гамме обертонов, с эгоцентрическим наслаждением смакуя золотую процессию всего, что она когда-нибудь говорила, делала, чувствовала, думала, видела или отвечала.

Пока он разглядывал ее, она вдруг умолкла, прижала к подбородку руку, аккуратно затянутую в перчатку, и стала смотреть прямо перед собой, задумчиво поджав губы.

— Ну, — сказала она затем, — если вы заботитесь о своем здоровье и много лежите, вам нужно чем-то занимать свои мысли.

Она открыла кожаный саквояж и достала из него визитную карточку и две толстые книги.

— Меня зовут, — произнесла она внушительно, с неторопливой четкостью, — Элиза Пентленд, и я представляю издательство Ларкина.

Она выговаривала каждое слово важно, с гордым самодовольством.

«Боже милосердный! Она продает книги!» — подумал Гант.

— Мы предлагаем, — сказала Элиза, открывая огромную желтую книгу с прихотливыми виньетками из пик, флагов и лавровых венков, — стихотворный альманах «Жемчужины поэзии для очага и камина», а также сборник Ларкина «Домашний врач, или Книга домашних средств», в котором даны указания о лечении и предупреждении свыше пятисот болезней.

— Ну, — со слабой усмешкой сказал Гант, лизнув большой палец, — тут уж я наверное отыщу, какая у меня болезнь.

— Конечно! — ответила Элиза с уверенным кивком. — Как говорится, стихи можете почитать для блага души, а Ларкина — для блага тела.

— Я люблю стихи, — сказал Гант, перелистывая альманах и с интересом задержавшись на разделе, озаглавленном «Песни шпор и сабель». — В детстве я мог по часу декламировать их наизусть.

Он купил обе книги. Элиза убрала в саквояж свои образчики и выпрямилась, обводя внимательным взглядом пыльную маленькую контору.

— Как идет торговля? — спросила она.

— Не очень, — грустно ответил Оливер. — Даже на хлеб не хватает. Я чужак в чужой земле.

— Пф! — весело сказала Элиза. — Просто вам надо почаще выходить из дома и знакомиться с людьми. Вам надо отвлечься и поменьше думать о себе. На вашем месте я бы даром времени не теряла и постаралась внести свою лепту в развитие нашего города. У нас тут есть все, что требуется для большого города, — пейзаж, климат, естественные богатства, и мы все должны работать вместе. Будь у меня две-три тысячи долларов, я бы знала, что делать. — Она деловито ему подмигнула и продолжала, как-то странно, по-мужски, взмахивая рукой, полусжатой в кулак с вытянутым указательным пальцем. — Видите этот угол? Тут, где ваша мастерская? В ближайшие годы он будет стоить вдвое дороже. Да, будет, — она повторила тот же мужской жест. — Тут когда-нибудь проложат улицу, это ясно как Божий день. А тогда, — она задумчиво поджала губы, — эта недвижимая собственность будет стоить больших денег.

Она продолжала говорить о недвижимой собственности со странной задумчивой жадностью. Город был для нее гигантским чертежом, ее голова была набита цифрами и оценками: кому принадлежал участок, кто его продал, продажная цена, реальная стоимость, будущая стоимость, первая и вторая закладные и так далее. Когда она кончила, Оливер, вспоминая Сидней, произнес со жгучим отвращением:

— У меня больше никогда в жизни не будет никакой недвижимости — кроме, конечно, дома. Это страшное проклятие: одни заботы, а в конце концов все заберет сборщик налогов.

Элиза посмотрела на него с испугом, как будто его слова были неслыханным кощунством.

— Послушайте! Так нельзя, — сказала она. — Вы же хотите скопить что-то на черный день, верно?

— Мой черный день уже пришел, — ответил он угрюмо. — И всей недвижимости мне нужно восемь футов земли для могилы.

Потом, сменив мрачный тон на более веселый, он проводил ее до двери мастерской и смотрел, как она чинно шествует через площадь, придерживая юбки с чопорным изяществом. Потом он вернулся к своему мрамору, ощущая в душе радость, которую уже считал потерянной для себя навеки.

Семейство Пентлендов, к которому принадлежала Элиза, было самым странным из племен, когда-либо спускавшихся с гор. На фамилию Пентленд особых прав у них не было: носивший ее полушотландец-полуангличанин горный инженер и дед нынешнего главы рода приехал в горы вскоре после Войны за независимость в поисках меди и провел там несколько лет, прижив нескольких детей с одной переселенкой. Когда он исчез, женщина присвоила себе и своим детям фамилию Пентленд.

Нынешним вождем племени был отец Элизы, брат пророка Бахуса, майор Томас Пентленд. Еще один брат был убит в Семидневной битве*. Майор Пентленд заслужил свой чин честно, хотя тихо и незаметно. Пока Бахус, который так и не поднялся выше капрала, мозолил жесткие ладони под Шайло*, майор в качестве командира двух отрядов местных волонтеров охранял крепость родных гор. Эта крепость не подвергалась ни малейшей опасности до самых последних дней войны, когда волонтеры, укрывшись за подходящими деревьями и скалами, дали три залпа по роте, отставшей от арьергарда Шермана*, и без шума разошлись по домам защищать своих жен и детей.

Семейство Пентленд было одним из самых старых в округе, но и одним из самых бедных, и не особенно претендовало на аристократизм. Благодаря брачным союзам вне рода, а также внутри него, оно могло похвастать связями с видными семействами, а также наследственным безумием и малой толикой идиотизма. Но, поскольку пентлендцы бесспорно превосходили своих соседей умом и закалкой, они пользовались у них большим уважением.

У клана Пентлендов были свои наследственные черты. Как всегда бывает у богато одаренных натур в чудаковатых семьях, эти фамильные признаки производили тем более внушительное впечатление, чем меньше были похожи их носители друг на друга в остальном. У них были широкие могучие носы с мясистыми, глубоко вырезанными ноздрями, чувственные рты, удивительным образом сочетавшие деликатность с грубостью и поразительно подвижные в минуты задумчивости, широкие умные лбы и плоские, чуть запавшие щеки. Мужчины отличались краснотой лица; как правило, они были плотными, сильными и довольно высокими, однако встречалась в их роду и долговязая худоба.

Майор Томас Пентленд был отцом многочисленного потомства, но из всех его дочерей в живых осталась только Элиза. Ее младшая сестра умерла за несколько лет до описываемых событий от болезни, которую в семье печально называли «золотухой бедняжки Джейн». Сыновей у него было шестеро: старшему, Генри, исполнилось тридцать, Уиллу — двадцать шесть, Джиму — двадцать два, а Тэддесу, Элмеру и Грили соответственно восемнадцать, пятнадцать и одиннадцать. Элизе было двадцать четыре года.

Детство четверых старших детей — Генри, Уилла, Элизы и Джима — прошло в послевоенные годы. Нищета и лишения этих лет были так страшны, что они никогда о них не упоминали, но злая сталь искромсала их сердца, оставив незаживающие раны.

Эти годы развили в старших детях скаредность, граничившую с душевной болезнью, ненасытную любовь к собственности и желание как можно скорее покинуть дом майора.

— Отец, — сказала Элиза с чопорным достоинством, когда она впервые привела Оливера в гостиную их домика. — Познакомься с мистером Гантом.

Майор Пентленд медленно поднялся с кресла-качалки у камина, закрыл большой нож и положил яблоко, которое чистил, на каминную полку. Бахус благодушно поднял глаза от наполовину обструганной палки, а Уилл оторвался от своих толстых ногтей, которые он, по обыкновению, подрезал, и, подмигнув, приветствовал гостя птичьим кивком. Мужчины в этом доме постоянно развлекались с помощью карманных ножей.

Майор Пентленд медленно пошел навстречу Ганту. Это был дородный коренастый человек пятидесяти пяти лет, с красным лицом, патриаршей бородой, толстым фамильным носом и фамильным самодовольством.

— У. О. Гант, не так ли? — произнес он протяжным четким голосом.

— Да, — ответил Оливер. — Именно так.

— Ну, судя по тому, что мне рассказывала Элиза, — сказал майор, подавая сигнал своим слушателям, — я подумал, что вернее было бы так: «эЛ. И. Гант».

По комнате прокатился жирный благодушный смех Пентлендов.

— Ой! — вскрикнула Элиза, прикладывая руку к мясистой ноздре своего широкого носа. — Постыдился бы ты, папа! Хоть присягнуть!

Гант изобразил узкими губами фальшиво-веселую улыбку.

«Старый мошенник! — подумал он. — Заготовил эту шуточку неделю назад, не меньше».

— Ну, с Уиллом вы уже знакомы, — продолжала Элиза.

— И знаком мы и словом мы знакомы, — подтвердил Уилл, лихо подмигивая.

Когда они кончили смеяться, Элиза сказала:

— А это, как говорится, дядя Бахус.

— Он самый, сэр, — сказал Бахус, просияв. — В натуральную величину и вдвое живее.

— Все его называют «Бах-ус», — сказал Уилл, деловито подмигивая, — но у нас в семье мы зовем его «Брит-ус»!

— Полагаю, — внушительно начал майор Пентленд, — вы пишете свою фамилию сокращенно?

— Нет, — ответил Оливер с замороженной усмешкой, решив стерпеть самое худшее. — А почему вы так решили?

— Потому что, — сказал майор, снова обводя взглядом всех присутствующих, — потому что, мне кажется, вы большой га-ла-нт.

В разгар их смеха дверь отворилась, и в гостиную вошли другие члены семьи: мать Элизы — некрасивая изможденная шотландка, Джим — румяный кабанчик, безбородый двойник своего отца, Тэддес — кроткий, румяный, с каштановыми волосами и карими бычьими глазами, и, наконец, Грили, младший — мальчик с вислогубой идиотической улыбкой, постоянно издававший всякие странные звуки, над которыми все они очень смеялись. Это был одиннадцатилетний, слабый, золотушный дегенерат — но его белые потные руки умели извлекать из скрипки музыку, в которой было что-то неземное и незаученное.

Они все сидели в маленькой жаркой комнате, полной теплого запаха дозревающих яблок, а с гор срывались воющие ветры, вдали гремели обезумевшие сосны и голые сучья бились о голые сучья. И, чистя яблоки, подрезая ногти, обстругивая палочки, они от глупых шуток перешли к разговорам о смерти и похоронах — протяжно и монотонно, со злобной жадностью они обсуждали

недавно умерших людей. И под жужжание их беседы Гант слушал
призрачные стоны ветра и был погребен в одиночестве и мраке,
а его душа низверглась в бездну ночи, ибо он понял, что должен
умереть чужаком, что все люди — все, кроме этих торжествую-
щих Пентлендов, для которых смерть лишь пиршество, — должны
умереть.

И как человек, гибнущий в полярной ночи, он начал вспоми-
нать зеленые луга своей юности, колосья, цветущую сливу и зре-
ющее зерно. Почему здесь? Утрата, утрата!

II

Оливер женился на Элизе в мае. После свадебного путешествия
в Филадельфию они вернулись в дом, который он построил для
нее на Вудсон-стрит. Своими огромными руками он закладывал
фундамент, рыл в земле глубокие сырые погреба и покрывал
высокие стены слоями штукатурки теплого коричневого тона. У
него было мало денег, но этот странный дом вырос таким, каким
виделся его богатой фантазии. Когда он кончил, то получилось
нечто, прислоненное к склону узкого, круто уходящего вверх
двора, нечто с высоким парадным крыльцом-верандой и теплыми
комнатами, в которые приходилось подниматься или спускаться,
как подсказала ему прихоть. Он построил этот дом вблизи тихой
крутой улочки; он посадил в чернозем цветы; он выложил короткую дорожку к ступенькам высокого крыльца большими квадрат-
ными плитками разноцветного мрамора; он поставил между своим
домом и миром железную решетку.

Затем на прохладной длинной поляне двора, который протянул-
ся за домом на четыреста футов, он посадил деревья и виноградные лозы. И все, чего он касался в этой богатой крепости его
души, наливалось золотой жизнью, — с годами яблони, сливы,
вишни и персиковые деревья разрослись и низко клонились под
грузом плодов. Его виноградные лозы достигли толщины каната,
коричневыми петлями оплели проволочные изгороди его участка
и густым покровом повисли на его трельяжах, дважды обвившись
вокруг его дома. Они взобрались на веранду и заплелись в тенистые беседки вокруг верхних окон. А в его дворе буйно цвели
цветы — бархатистые настурции, исполосованные сотней коричне-
во-золотых оттенков, розы, калина, красные тюльпаны и лилии.
Жимолость тяжелым водопадом висела на изгороди. Всюду, где
его большие руки касались земли, она плодоносила для него.

Для него этот дом был образом его души, одеянием его воли. Но для Элизы он был недвижимостью, стоимость которой она определила с глубоким знанием дела, первым вкладом в ее кубышку. Как все старшие дети майора Пентленда, она с двадцати лет начала понемногу приобретать землю — на сбережения от маленького жалованья учительницы и агента книготорговца она уже купила два участка. На одном из них, возле площади, она уговорила его построить мастерскую. И он ее построил своими руками с помощью двух негров: двухэтажный кирпичный сарай с широкими деревянными ступенями, спускающимися к площади от мраморного крыльца. На крыльце по сторонам деревянной двери он поставил мраморные фигуры; у самой двери он поместил тяжеловесного, сладко улыбающегося ангела.

Но Элизу не удовлетворяло его ремесло — смерть не была выгодным помещением капитала. По ее мнению, люди умирали слишком неторопливо. И она предвидела, что ее брат Уилл, который в пятнадцать лет начал работать подручным на лесопильне, а теперь уже имел собственное маленькое дело, в конце концов разбогатеет. Поэтому она убедила Ганта стать компаньоном Уилла Пентленда, однако к концу года его терпение лопнуло, истомившийся эгоизм вырвался из пут, и он возопил, что Уилл, который в рабочие часы либо что-то вычислял огрызком карандаша на грязном конверте, либо задумчиво подрезал свои толстые ногти, либо без конца каламбурил, подмигивая и по-птичьи кивая, кончит тем, что всех их разорит. Тогда Уилл спокойно выкупил долю своего компаньона и продолжал идти к богатству, а Оливер вернулся к своему уединению и чумазым ангелам.

Непонятная фигура Оливера Ганта отбрасывала свою знаменитую тень на весь город. По вечерам и по утрам люди слышали, как его проклятие обрушивается на Элизу. Они видели, как он стремительно идет в мастерскую и стремительно возвращается домой, они видели, как он сгибается над своим мрамором, они видели, как он творит огромными ручищами — с проклятиями и воплями, со страстным упорством — богатую ткань своего жилья. Они смеялись над буйным избытком его слов, чувств и жестов. Они смолкали перед маниакальным бешенством его запоев, которые случались регулярно каждые два месяца и длились два-три дня. Они поднимали его — грязного и обеспамятевшего — с булыжника и относили домой: банкир, полицейский и дюжий преданный швейцарец по имени Жаннадо, чумазый ювелир, который снимал небольшое огороженное пространство среди могильных

памятников Ганта. И они всегда несли его с заботливой осторож-
ностью, чувствуя, что в этих пьяных развалинах Вавилона погибло
что-то необычное, гордое и великолепное. Он был для них чужаком: никто никогда не называл его по имени, — даже Элиза. Он
был — и остался навсегда — «мистером» Гантом.

А что терпела Элиза в муке, страхе и радости, не знал никто.
Он обдавал их всех жарким львиным дыханием алчбы и ярости, —
когда он бывал пьян, ее белое лицо с поджатыми губами и медленные осьминожьи переходы ее настроения доводили его до багрового безумия. В такие минуты ей грозила настоящая опасность, и
она должна была запираться от него. Ибо с самого начала между
ними — более глубокая, чем любовь и ненависть, глубокая, как
самый костяк жизни, — шла глухая и беспощадная война. Элиза
плакала или молча выслушивала его проклятие, коротко огрыза-
лась на его риторику, поддавалась его натиску, как пуховая
подушка, и медленно, неумолимо добивалась своего. Год за годом, вопреки его протестующим воплям, они — он не понимал,
как и почему — приобретали маленькие кусочки земли, платили
ненавистные налоги и вкладывали оставшиеся деньги в новые
участки. Попирая в себе жену, попирая в себе мать, женщина-
собственница, которая во всем была подобна мужчинам, медленно шла вперед.

За одиннадцать лет она родила ему девять детей, из которых в
живых осталось шестеро. Старшая девочка умерла на двенадцатом
месяце от холерины, еще двое родились мертвыми. Остальные,
выброшенные в мир так же угрюмо и раздраженно, выдержали
эту встречу с жизнью. Старший мальчик родился в 1885 году. Ему
дали имя Стив. Через пятнадцать месяцев после него родилась
девочка — Дейзи. Через три года родилась еще девочка — Хелен.
Затем в 1892 году родились близнецы — мальчики, которых Гант,
всегда имевший вкус к политике, назвал Гровером Кливлендом и
Бенджамином Гаррисоном*. И наконец, два года спустя, в 1894
году, родился Люк.

Дважды на протяжении этого времени с промежутком в пять
лет периодические короткие запои Ганта удлинялись в непрерывное пьянство, продолжавшееся неделями. Он тонул, захлестнутый
волнами своей жажды. Оба раза Элиза отсылала его лечиться от
алкоголизма в Ричмонд. Однажды Элиза и четверо детей одновременно заболели тифом. Но когда наступило медленное, томительное выздоровление, она угрюмо поджала губы и увезла их всех во
Флориду.

Элиза упорно шла через все это к победе. Пока она шагала по этим необъятным годам любви и потерь, расцвеченным пышными красками боли, гордости, смерти и ослепительным диким блеском его чужой и страстной жизни, ее ноги подкашивались, но она продолжала идти вперед через болезни и истощение к торжествующей силе. Она знала, что в этом было великолепие: хотя он часто бывал бесчувственным и жестоким, она помнила буйные пульсирующие цвета его жизни и то, утраченное в нем, чего ему никогда не будет дано найти. И в ней поднимался страх и безъязыкая жалость, когда по временам она видела, как маленькие беспокойные глаза вдруг замирают и темнеют от обманутой неутоленной жажды. Утрата, утрата!

III

В великой процессии лет, на протяжении которых слагалась история Гантов, немногие годы были так обременены болью, ужасом и несчастьями и ни один год не оказался настолько чреват решающими событиями, как тот, который ознаменовал начало двадцатого века. Ганту и его жене год тысяча девятисотый, в котором они в один прекрасный день оказались, достигнув зрелости в другом столетии (переход, который повсюду должен был вызвать недолгую, но пронзительную тоску у тысяч людей, наделенных воображением), принес ряд совпадений с другими рубежами их жизни, совпадений слишком поразительных, чтобы их можно было не заметить.

В этом году Гант встретил свой пятидесятый день рождения — он знал, что был вдвое моложе умершего века, и знал, что люди редко живут столь же долго, как река. И в этом же году Элиза, беременная последним ребенком, которого ей суждено было иметь, взяла последний барьер ужаса и отчаяния и в щедрой темноте летней ночи, распластавшись на постели и сложив руки на вздутом животе, начала планировать свою жизнь на те годы, когда ей уже не будет грозить новое материнство.

И над разверзающейся пропастью, на противоположных сторонах которой покоились основания их раздельных жизней, она начала готовиться к будущему с тем бесконечным спокойствием, с безграничным терпением, которое позволяет половину жизненного срока ожидать чего-то, о чем предупреждает не трезвая уверенность, а лишь пророческий смутный инстинкт. Эта ее черта, эта почти буддийская безмятежность, которую она не могла ни

подавить, ни спрятать, ибо тут дело шло об основе основ ее
существа, была чертой, менее всего ему понятной я разъярявшей
его больше всего. Ему исполнилось пятьдесят лет, он трагически
ощущал ход времени, он видел, что страстная полнота его жизни
начинает идти на ущерб, и бросался из стороны в сторону, ища
жертвы, как лишенный разума разъяренный зверь. Возможно, у нее
было больше оснований для спокойствия, чем у него: она с самого
жестокого начала своей жизни шла через болезни, физическую
слабость, бедность, постоянную угрозу смерти и нищеты — она
потеряла своего первого ребенка и благополучно провела остальных через каждую новую беду; и вот теперь, в сорок два года,
когда у нее под сердцем шевелился ее последний ребенок, она
почувствовала убеждение — подкрепленное ее шотландской суе-
верностью и слепым тщеславием ее семьи, которая верила в небытие для других, но не для себя, — что она предназначена для
какой-то высокой цели.

И, лежа в кровати, она заметила в западной части неба пылаю-
щую звезду, которая как будто медленно поднималась по небосво-
ду. Хотя она не могла бы сказать, к какой вершине движется ее
жизнь, она увидела в грядущем неведомую прежде свободу, силу,
власть и богатство, стремление к которым неугасимо жило в ее
крови. И, думая обо всем этом в ночном мраке, она поджала губы
с задумчивым удовлетворением, без тени усмешки представляя,
как будет трудиться на карнавале, легко отбирая у веселого лег-
комыслия то, что оно никогда не умело сохранить.

«Я добьюсь! — думала она. — Я добьюсь! Уилл добился. Джим
добился. А я умнее их обоих».

И с сожалением, окрашенным болью и горечью, она начала
думать о Ганте:

«Пф! Если бы я не стояла у него над душой, у него теперь не
было бы ничего своего. За ту малость, которая у нас есть, мне
приходилось драться; у нас и своей крыши над головой не было
бы; мы доживали бы жизнь в арендованном доме». Для нее это
было пределом падения, ожидающего тех транжир, которые не
умеют беречь и копить.

Она продолжала думать:

«На деньги, которые он каждый год выбрасывает на выпивку,
можно было бы купить хороший участок — мы были бы теперь
состоятельными людьми, если бы занялись этим с самого начала.
Но ему всегда была противна всякая мысль о том, чтобы что-то
иметь, — с тех самых пор, сказал он мне однажды, как он

потерял все свои деньги, когда вложил их в эту мастерскую в Сиднее. Если бы я была там, то — хоть последний доллар поставьте! — обошлось бы без убытков. Разве что их понесла бы другая сторона», — добавила она мрачно.

И, лежа в своей постели, пока ветры ранней осени проносились по южным горам, крутили в черном воздухе сухие листья и заставляли глухо гудеть огромные сосны, она думала о чужаке, который поселился в ней, и о том, другом чужаке, причине стольких страданий, который прожил с ней без малого двадцать лет. И, думая о Ганте, она вновь ощутила изначальное болезненное удивление при воспоминании о яростном раздоре между ними и о скрытой под этим раздором великой тайной борьбе, опирающейся на ненависть к собственности и на любовь к ней; в своей победе она не сомневалась, но чувствовала растерянность и. недоумение.

— Хоть присягнуть! — шептала она. — Хоть присягнуть! В жизни не видела другого такого человека.

Гант, столкнувшись с неизбежностью потери чувственных радостей, понимая, что приблизилось время, когда ему придется обуздать свои раблезианские эксцессы в еде, питье и любви, не видел, что могло бы возместить ему утрату плотских удовольствий; кроме того, он испытывал муки сожаления, чувствуя, что попусту растрачивал силы и упускал возможности — не захотел, например, остаться компаньоном Уилла Пентленда, что принесло бы ему положение в обществе и богатство. Он знал, что кончилось столетие, в котором прошла лучшая часть его жизни; он больше, чем когда-либо, ощущал всю непонятность и одиночество нашего недолгого пребывания на земле — он думал о своем детстве на немецкой ферме, о днях в Балтиморе, о бесцельном блуждании по континенту, о том, что вся его жизнь пугающе зависела от ряда случайностей. Безмерная трагедия случайности серой тучей нависала над его жизнью. Яснее, чем когда-либо прежде, он видел, что он — чужак в чужом краю, среди людей, которые всегда будут ему чужими. А самым странным, думал он, был этот брачный союз, в котором он стал отцом, создал зависящие от него жизни — с женщиной, такой далекой от всего, что он понимал.

Он не знал, знаменует ли для него год тысяча девятисотый начало или конец, но с обычным слабоволием сенсуалиста решил сделать его концом, чтобы догорающее пламя, вспыхнув, рассыпалось гаснущими искрами. В первой половине месяца января, все еще верный новогоднему раскаянию, он сотворил ребенка; к весне, когда стало очевидно, что Элиза опять беременна, он устроил запой, перед которым поблекли даже достопамятные четыре месяца непрерывного пьянства 1896 года. День за днем он напивался до потери рассудка, пока не впал в безумие. В мае Элиза опять послала его в санаторий в Пидмонте для «лечения», состоявшего в том, что его в течение шести недель кормили самой простой пищей и оберегали от алкоголя, — режим, который распалял не только его аппетит, но и жажду. К концу июня он вернулся домой внешне образумившийся, но внутри — пылающая топка. Накануне его возвращения Элиза, чья беременность была уже очевидна для всех, со спокойным самодовольством на белом лице, не думая об усталости, обошла все четырнадцать питейных заведений города — обращаясь к хозяину или к буфетчику за стойкой, она говорила громко и внятно, так, что ее слышали все подвыпившие посетители:

— Послушайте-ка, я зашла сказать вам, что мистер Гант возвращается завтра, и я хочу, чтобы все вы знали одно: если я услышу, что кто-нибудь из вас налил ему хоть рюмку, я засажу вас в тюрьму.

Они понимали нелепость такой угрозы, но белое властное лицо, задумчиво поджимаемые губы и правая рука, которую она, как мужчина, небрежно сжимала в кулак, вытянув указательный палец и подчеркивая свои слова спокойным, но почему-то внушительным жестом, оледенили их таким ужасом, какого не могли бы вызвать самые яростные крики. Они выслушивали ее заявление в пивном отупении и в лучшем случае растерянно бормотали слова согласия.

— Ей-богу, — сказал какой-то горец, посылая коричневый неточный плевок в сторону плевательницы, — она на своем настоит. Бой-баба.

— У, черт! — воскликнул Тим О'Доннел, шутовски выставляя над стойкой свою обезьянью физиономию. — Да теперь У. О. не получит от меня ни капли, хоть бы цена была пятнадцать центов кварта и мы с ним остались с глазу на глаз в сортире. Ушла она?

Раздался оглушительный алкогольный хохот.

— Да кто это? — спросил один посетитель.

— Сестра Уилла Пентленда.

— Ну, так она, черт побери, своего добьется, — воскликнуло несколько голосов, и зал снова содрогнулся от хохота.

У Логрена Элиза застала Уилла Пентленда. Она не поздоровалась с ним. Когда она ушла, он повернулся к соседу и сказал, предварив слова птичьим кивком и подмигиванием:

— Бьюсь об заклад, вам этого не сделать.

Когда Гант вернулся и в баре ему публично отказали в праве выпить, он совсем обезумел от ярости и унижения. Конечно, достать виски ему было совсем нетрудно: стоило послать за ним ломовика со ступенек его мастерской или какого-нибудь негра. Но, хотя его привычки были известны всему городу и, как он прекрасно знал, давно стали местной легендой, его ранил каждый случай, который показывал, на что он способен; год от году он не только не свыкался с этим, а, наоборот, становился все уязвимее, и его стыд, его болезненное смущение на утро после запоя, рожденные исполосованной гордостью и истерзанными нервами, были так мучительны, что на него было жалко смотреть. Его особенно задело, что Элиза со злобным расчетом опозорила его публично, — вернувшись домой, он набросился на нее с обличениями и руганью.

Все лето Элиза с белым зловещим спокойствием шла через ужас — к этому времени она пристрастилась к нему и с жуткой невозмутимостью ждала еженощного возвращения страха. Злясь на ее беременность, Гант зачастил в заведение Элизабет в Орлином тупике, откуда измученные и перепуганные проститутки выводили его поздно вечером и поручали заботам Стива, его старшего сына, который уже научился обходиться с женщинами этого квартала развязно и фамильярно, а они всегда готовы были добродушно и грубовато приласкать его, весело смеялись его бойким двусмысленностям и даже позволяли ему отвешивать им полновесные шлепки — после чего он ловко увертывался от угрожающе занесенной ладони.

— Сынок, — говорила Элизабет, энергично встряхивая бессильно болтающуюся голову Ганта, — вот вырастешь, так не бери примера с этого старого кочета. Он, правда, очень милый старичок, когда возьмет себя в руки, — добавила она, целуя его в плешь и ловко всовывая в руку мальчика бумажник, который Гант подарил ей в приливе щедрости. Она отличалась щепетильной честностью.

В этих случаях мальчика обычно сопровождали Жаннадо и Том Флэк, негр-извозчик, которые терпеливо ждали перед решетчатой дверью заведения, пока нараставший внутри шум не извещал, что Ганта наконец уговорили уйти. И он уходил, либо неуклюже сопротивляясь и осыпая красочными ругательствами тех, кто виновато и уважительно тащил его к дверям, либо охотно, во всю глотку распевая непристойную песню своей юности — перед закрытыми ставнями тупика и дальше по затихшим в час ужина улицам:

> По чуланчикам, чуланам,
> Где клопы и блохи!
> Эх, ребята, жалко вас,
> Дела ваши плохи!

Дома его уговаривали подняться на высокое крыльцо-веранду, упрашивали лечь в постель; а иногда вопреки всем улещиваниям он бросался искать жену, которая обыкновенно запиралась у себя в спальне, выкрикивал оскорбительные слова и обвинения в неверности, потому что в нем гнездилось черное подозрение, плод его возраста, его угасающей силы. Робкая Дейзи, побелев от ужаса, убегала в соседские объятия Сьюзи Айзекс или к Таркинтонам, а десятилетняя Хелен, уже тогда его любовь и радость, укрощала его, кормила его с ложки горячим супом и больно била маленькой детской рукой, когда он упирался.

— А ну, ешь! А не то!..

Ему это чрезвычайно нравилось — они оба были подвешены на одних нитках.

Иногда же с ним не было никакого сладу. В буйном безумии он разжигал камин в гостиной и заливал пляшущее пламя керосином; ликующе плевал в ревущую стену огня и выкрикивал, пока не срывал голос, кощунственный гимн — несколько однообразных нот, которые он повторял и повторял иногда по сорок минут кряду:

> А-а-а! В бога мать,
> В бога мать!
> А-а-а! В бога мать,
> В бога мать!

Обычно он пел это в том ритме, в каком бьют часы.

А снаружи, обезьянами повиснув на прутьях решетки, Сэнди и Фергюс Данкены, Сет Таркинтон — а иногда к приятелям присоединялись также Бен и Гровер — ликующе пели в ответ:

> Старый Гант
> В стельку пьян!
> Старый Гант
> В стельку пьян!

Дейзи под защитой соседских стен плакала от стыда и страха. Но Хелен, маленькая разъяренная фурия, не отступала, и в конце концов он опускался в кресло и с довольной усмешкой глотал горячий суп и жгучие пощечины. Элиза лежала наверху, настороженная, с белым лицом.

Так промелькнуло лето. Последние гроздья винограда сохли и гнили на лозах; вдали ревел ветер; кончился сентябрь.

Как-то вечером сухой доктор Кардьяк сказал:

— Думаю, завтра к вечеру все будет позади.

Он ушел, оставив с Элизой пожилую деревенскую женщину. Она была грубой и умелой сиделкой.

В восемь часов Гант вернулся домой сам. Стив не уходил, чтобы быть под рукой в случае, если понадобится бежать за доктором, — на некоторое время хозяин дома отодвинулся на второй план.

Внизу его мощный голос ревел непристойности, разносясь по всей округе; когда Элиза услышала в трубе внезапный вой пламени, сотрясший дом, она подозвала к себе Стива.

— Сынок, он нас всех сожжет! — напряженно прошептала она.

Они услышали, как внизу тяжело упало кресло, как он выругался; услышали его тяжелые петляющие шаги в столовой, потом в передней; услышали скрипение лестничных перил, на которые наваливалось его непослушное тело.

— Он идет! — прошептала она.— Он идет! Запри дверь, сынок! Мальчик запер дверь.

— Ты тут? — взревел Гант, колотя по непрочной двери огромным кулаком. — Мисс Элиза, вы тут? — выкрикнул он иронически почтительное обращение, которое пускал в ход в подобные минуты.

И он разразился монологом, громоздя кощунственные ругательства и обвинения:

— Мнил ли я, — начал он, немедленно впадая в нелепую напыщенность, полубешеную, полушутовскую, — мнил ли я в тот день, когда впервые увидел ее восемнадцать горьких лет назад, когда она, извиваясь, выскочила на меня из-за угла, как змея на брюхе (излюбленная метафора, которая от частых повторений стала для него целительным бальзамом) — мнил ли я, что... что... что это приведет вот к этому, — докончил он неуклюже.

Затаившись в тяжелой тишине, он ждал какого-нибудь ответа, зная, что там, за дверью, она лежит с белым спокойным лицом, и его душила извечная дикая ярость, так как он знал, что она не ответит.

— Ты тут? Я спрашиваю, ты тут? — зарычал он, выбивая свирепую дробь костяшками пальцев и почти обдирая их в кровь.

Ничего, кроме белого дышащего молчания.

— О-ох! — вздохнул он, преисполняясь жалости к себе, и разразился вымученными захлебывающимися рыданиями, которые служили аккомпанементом к его обличениям.

— Боже милосердный! — рыдал он. — Это страшно, это ужасно, это жесто-око! Что я сделал, чтобы Бог так наказывал меня на старости лет?

Тишина.

— Синтия! Синтия! — возопил он внезапно, обращаясь к тени своей первой жены, тощей чахоточной старой девы, продлению жизни которой, как говорили, его поведение отнюдь не способствовало, но к которой он теперь любил взывать, понимая, насколько это ранит и сердит Элизу. — Синтия! О Синтия! Взгляни на меня в час моей нужды! Помоги мне! Спаси меня! Охрани меня от этого исчадия ада!

И он продолжал тягостную комедию рыданий и всхлипываний:

— У-у-о-о-хо-хо! Сойди на землю, спаси меня, прошу тебя, взываю к тебе, умоляю тебя — или я погибну!

Ответом было молчание.

— Неблагодарность, зверя лютого лютей, — продолжал Гант, сворачивая на другой путь, изобилующий перепутанными и изуродованными цитатами. — Тебя постигнет кара, и это так же верно, как то, что в небесах есть справедливый Бог. Вас всех постигнет кара. Пинайте старика, бейте его, вышвырните на улицу — он больше ни на что не годен. Он больше не может обеспечивать семью — так в овраг его, в богадельню. Там самое ему место. Тащи его тело*, едва охладело. Чти отца твоего, да долголетен будеши. О Господи!

> Смотрите! След кинжала — это Кассий,
>
> Сюда удар нанес завистник Каска.
>
> А вот сюда любимый Брут разил;
>
> Когда ж извлек он свой кинжал проклятый,
>
> То вслед за ним кровь Цезаря метнулась*.

— Джими, — сказала в эту минуту миссис Данкен своему мужу. — Пошел бы ты туда. Опять он расходился, а она-то на сносях.

Шотландец отодвинул свой стул, внезапно оторванный от привычного распорядка жизни и теплого запаха пекущегося хлеба.

У ворот Ганта он встретил терпеливого Жаннадо, за которым сбегал Бен. Деловито поздоровавшись, они бросились на крыльцо, потому что из дома донесся грохот и женский крик. Дверь им открыла Элиза в ночной рубашке.

— Скорее, — прошептала она. — Скорее!

— Разрази меня Бог, я ее убью! — вопил Гант, скатываясь по лестнице с опасностью в основном для собственной жизни. — Я ее убью и положу конец моим горестям!

В руке он сжимал тяжелую кочергу. Мужчины схватили его, и дюжий ювелир уверенно и спокойно отобрал у него кочергу.

— Он расшиб лоб о спинку кровати, мама, — сказал Стив, спускаясь по лестнице. Голова Ганта действительно была в крови.

— Сходи за дядей Уиллом, сынок. Быстрее!

Стив умчался, как борзая.

— По-моему, на этот раз он в самом деле хотел... — прошептала она.

Данкен захлопнул дверь — у ворот, вытягивая шеи, толпились соседи.

— Вы эдак простудитесь, миссис Гант.

— Не пускайте его ко мне! Не пускайте! — крикнула она.

— Будьте спокойны, — ответил шотландец.

Она начала подниматься по лестнице, но на второй ступеньке тяжело осела на колени. Сиделка, появившаяся из ванной, где она заперлась, бросилась к ней на помощь. Поддерживаемая сиделкой и Гровером, она с трудом поднялась по лестнице. Снаружи Бен ловко спрыгнул с невысокого карниза на клумбу лилий, и Сет Таркинтон, висевший на решетке, приветствовал его веселым криком.

Гант, ошалев, покорно пошел со своими стражами; он расслабленно рухнул в качалку, и они его раздели. Хелен уже давно возилась на кухне и теперь появилась с горячим супом.

При виде ее мертвые глаза Ганта ожили.

— А, деточка! — взревел он, плачевно разводя огромными руками. — Как живешь?

Она поставила тарелку, и он притиснул ее худенькое тельце к своей груди, щекоча ей щеку и шею жесткими усами, обдавая ее вонючим перегаром.

— Он поранился! — Маленькая девочка почувствовала, что вот-вот заплачет.

— Посмотри, что они со мной сделали, деточка! — Он указал на свою рану и захныкал.

Вошел Уилл Пентленд, истинный сын клана, члены которого никогда не забывали друг про друга и видели друг друга только в дни смерти, мора и ужаса.

— Добрый вечер, мистер Пентленд, — сказал Данкен.

— Да, не очень злой, — ответил Уилл со своим птичьим кивком и подмигиванием, добродушно адресуясь к ним обоим. Он встал перед топящимся камином, задумчиво подрезая толстые ногти тупым ножом. Он всегда подрезал ногти, когда бывал на людях: ведь невозможно догадаться о мыслях человека, который подрезает ногти.

При виде него Гант мгновенно очнулся от летаргии — он вспомнил, как перестал быть его компаньоном. Знакомая поза Уилла Пентленда у камина вызвала в его памяти все приметы этого клана, которые внушали ему такое отвращение: развязное самодовольство, непрерывное острословие, жизненный успех.

— Горные свиньи! — взревел он. — Горные свиньи! Низшие из низших! Гнуснейшие из гнусных!

— Мистер Гант! Мистер Гант! — умоляюще сказал Жаннадо.

— Что с тобой, У. О.? — спросил Уилл Пентленд как ни в чем не бывало, поднимая взгляд от ногтей. — Объелся чего-нибудь не ко времени? — Он развязно подмигнул Данкену и снова занялся ногтями.

— Твоего подлого старикашку отца, — завопил Гант, — отодрали кнутом на площади за неплатеж долгов!

Это оскорбление было чистейшим плодом воображения, но в сознании Ганта оно, тем не менее, укоренилось, как святая истина, подобно многим другим словечкам и фразам, ибо позволяло ему немножко спустить пары бешенства.

— Отодрали кнутом на площади, да неужто? — Уилл снова подмигнул, не устояв перед соблазном. — А они ловко это от всех скрыли, верно? — Но за сугубым добродушием лица его глаза были злыми. Он продолжал подрезать ногти, задумчиво поджав губы. — Но я тебе про него кое-что скажу, У. О., — продолжал он через мгновение со спокойной, но зловещей неторопливостью. — Он позволил своей жене умереть естественной смертью в ее постели. Он не пробовал ее убить.

— Конечно, черт подери! — возразил Гант. — Он просто уморил ее голодом. Если старухе когда-нибудь доводилось поесть досыта, то только в моем доме. Уж одно вернее верного: она успела бы дважды сходить в ад и обратно, прежде чем Том Пентленд или кто-нибудь из его сыновей дал бы ей хоть черствую корку.

Уилл Пентленд сложил свой тупой нож и спрятал его в карман.

— Старый майор Пентленд за всю свою жизнь и дня не потрудился честно! — взревел Гант, которого осенила новая счастливая мысль.

— Ну послушайте, мистер Гант! — с упреком сказал Данкен.

— Шш! Шшш! — яростно зашипела девочка, становясь перед ним с миской. Она поднесла дымящийся половник к его губам, но он отвернулся, чтобы выкрикнуть еще одно оскорбление. Она хлестнула его рукой по рту. — Ешь сейчас же! — прошептала она. Он поглядел на нее и, покорно ухмыляясь, начал глотать суп.

Уилл Пентленд внимательно посмотрел на девочку и, переведя взгляд на Данкена и Жаннадо, кивнул и подмигнул. Затем, не сказав больше ни слова, он вышел из комнаты и поднялся по лестнице. Его сестра лежала на спине, спокойно вытянувшись.

— Как ты себя чувствуешь, Элиза?

В комнате было душно от густого аромата дозревающих груш; в камине непривычным огнем горели сосновые сучья — он встал перед камином и начал подрезать ногти.

— Никто не знает... никто не знает, — заплакав, сказала она сквозь быстрый поток слез, — что я перенесла.

Через мгновение она вытерла глаза уголком одеяла — ее широкий, могучий нос, красневший посредине белого лица, был как пламя.

— Что у тебя есть вкусненького? — спросил он, подмигивая ей с комической жадностью.

— Вон там на полке груши, Уилл. Я положила их на прошлой неделе дозревать.

Он вошел в маленькую кладовую и тут же вернулся с большой желтой грушей, снова встал перед камином и открыл малое лезвие своего ножа.

— Хоть присягнуть, Уилл, — сказала она негромко. — Я больше терпеть этого не могу. Не знаю, что с ним сделалось. Но хоть последний доллар поставь — я больше этого терпеть не буду. Я сумею сама прожить, — докончила она, энергично кивнув.

Он узнал этот тон. И почти забылся.

— Послушай, Элиза, — начал он, — если ты думаешь строиться, то я... — но он вовремя спохватился. — Я... я продам тебе материалы по самой сходной цене, — договорил он и торопливо сунул в рот кусок груши.

Элиза несколько секунд быстро поджимала губы.

— Нет, — сказала она. — Об этом я пока не думала, Уилл. Я дам тебе знать.

Головешка в камине рассыпалась на угольки.

— Я дам тебе знать, — повторила она. Он сложил нож и сунул его в карман брюк.

— Покойной ночи, Элиза, — сказал он. — Петт к тебе заглянет. Я ей скажу, что ты себя чувствуешь неплохо.

Он тихо спустился по лестнице и открыл входную дверь. Пока он сходил с высокого крыльца, во двор из гостиной тихо вышли Данкен и Жаннадо.

— Как У. О.? — спросил он.

— Да все в порядке, — бодро ответил Данкен. — Спит как убитый.

— Сном праведника? — спросил Уилл Пентленд, подмигивая.

Швейцарцу не понравилась скрытая насмешка над его титаном.

— Ошень грустно, — с акцентом сказал Жаннадо, — что мистер Гант пьет. С его умом он мог бы пойти далеко. Когда он трезв, лучше человека не найти.

— Когда он трезв? — переспросил Уилл, подмигивая ему в темноте. — Ну, а когда он спит?

— И стоит Хелен за него взяться, как он сразу затихает, — заметил Данкен своим глубоким басом. — Просто чудо, как эта девчушка с ним справляется.

— Вот подите же! — благодушно засмеялся Жаннадо. — Эта девочка знает своего папу, как никто.

Девочка сидела в большом кресле в гостиной возле угасающего камина. Она читала, пока над углями не перестало плясать пламя, а тогда она тихонько присыпала их золой. Гант, погруженный в пучину сна, лежал на гладком кожаном диване у стены. Она уже укрыла его одеялом, а теперь положила на стул подушку и устроила на ней его ноги. От него несло перегаром, от его храпа дребезжала оконная рама.

Так в глубоком забытьи промелькнула его ночь; когда в два часа у Элизы начались родовые схватки, он спал — и продолжал спать сквозь всю терпеливую боль и хлопоты доктора, сиделки и жены.

IV

Новорожденному — переиначивая избитую фразу — потребовалось бессовестно долгое время, чтобы появиться на свет, но когда Гант, наконец, окончательно проснулся на следующее утро около десяти часов, поскуливая и с болезненным стыдом что-то смутно вспоминая, он, пока допивал горячий кофе, который принесла ему Хелен, услышал громкий протяжный крик наверху.

— Боже мой, Боже мой, — простонал он и, указывая вверх, откуда доносился звук, спросил: — Мальчик или девочка?

— Я еще не видела, папа, — ответила Хелен. — Нас туда не пустили. Но доктор Кардьяк вышел и сказал нам, что мы должны хорошо себя вести, и тогда он, может быть, принесет нам маленького мальчика.

Оглушительно загремело кровельное железо, раздался сердитый деревенский голос сиделки, и Стив кошкой спрыгнул с крыши крыльца на клумбу лилий перед окном Ганта.

— Стив, постреленыш проклятый! — взревел владыка дома, на мгновение обретая здоровье и силы. — Что ты, черт подери, затеял?

Мальчик перемахнул через изгородь.

— А я его видел! А я его видел! — стремительно прозвучал его голос.

— И я! И я! — завопил Гровер, вбегая в комнату и сразу же выбегая, весь во власти телячьего восторга.

— Если вы еще раз влезете на крышу, озорники, — кричала сверху сиделка, — я с вас шкуру спущу!

Услышав, что его последний отпрыск оказался мальчиком, Гант сначала было приободрился, но теперь он начал расхаживать по комнате и завел бесконечную ламентацию:

— Боже мой, Боже мой! Еще и это должен я терпеть на старости лет! Еще один голодный рот! Это страшно, это ужасно, это жесто-око! — И он аффектированно зарыдал. Но, тотчас сообразив, что вокруг нет никого, кого могла бы тронуть его скорбь, он внезапно умолк, потом ринулся в дверь, пробежал через столовую и вышел в переднюю, громогласно причитая: — Элиза! Жена моя! Ах, деточка, скажи, что ты меня прощаешь! — Он поднимался по лестнице, старательно рыдая.

— Не впускайте его, — с замечательной энергией резко распорядился предмет его мольбы.

— Скажите ему, что сейчас сюда нельзя, — сказал сиделке доктор Кардьяк своим сухим голосом, не отводя взгляда от весов. — К тому же у нас тут нет ничего, кроме молока, — добавил он.

Гант остановился у самой двери.

— Элиза, жена моя! Будь милосердной, умоляю! Если бы я знал...

— Да, — сказала деревенская сиделка, сердито открывая дверь. — Если бы собака не остановилась поднять ножку, она бы изловила кролика! Уходите, нечего вам тут делать! — И она захлопнула дверь перед его носом.

Гант с унылым видом спустился по лестнице, однако ухмыляясь на слова сиделки. Он быстро облизнул большой палец.

— Боже милосердный, — сказал он и ухмыльнулся. Потом снова завел свою жалобу запертого зверя.

— Мне кажется, этого будет достаточно, — сказал доктор Кардьяк, поднимая за пятки что-то красное, блестящее и морщинистое и звонко шлепая его по задику, чтобы немного приободрить.

Наследник престола, собственно говоря, вступил в свет полностью снабженный всеми приспособлениями, принадлежностями, винтиками, краниками, вентилями, крючками, глазами, ногтями, которые считаются необходимыми для полноты внешнего вида, гармонии частей и единства впечатления в этом преисполненном энергии, натиска и конкуренции мире. Он был законченный мужчина в миниатюре, крохотный желудь, из которого предстояло вырасти могучему дубу, преемник всех веков, наследник несбывшейся славы, дитя прогресса, баловень нарождающегося Золотого века, а к тому же, что важнее всего, Фортуна и ее феи не ограничились тем, что почти задушили его всеми этими дарами эпохи и семьи, но тщательно сберегли его до той поры, когда прогресс, перезрев, уже почти лопался от славы и блеска.

— Ну-с, и как же вы думаете назвать его? — с развязной врачебной грубостью осведомился доктор Кардьяк, имея в виду этого более чем августейшего младенца.

Элиза оказалась более чуткой к вселенским вибрациям. И с полным, хотя и неточным ощущением всего, что это знаменовало, она дала Дитяти Счастья наименование «Юджин» — имя, возникшее из греческого слова «евгениос», которое в переводе означает «благорожденный», но отнюдь — как может подтвердить каждый — не означает и никогда не означало «благовоспитанный».

Этот избранный огонь, имя которому было уже дано и который составляет в этой хронике для большинства включенных в нее событий центральный обозревательный пункт, родился, как мы уже говорили, на самом острие истории. Но, может быть, читатель, ты успел сам подумать об этом? Как, нет? Ну, так позволь освежить в твоей памяти ход событий.

К 1900 году Оскар Уайлд и Джеймс Мак-Нейл Уистлер* уже почти кончили говорить то, что, по утверждению современников, они говорили и что Юджину было суждено услышать через двадцать лет; большинство Великих Викторианцев скончалось до начала обстрела; Уильям Мак-Кинли был избран президентом на второй срок, а личный состав испанского военного флота вернулся домой на буксирном судне.

За границей угрюмая старая Британия в 1899 году послала ультиматум южноафриканцам; лорд Робертс («Малыш Бобс», как его нежно называли солдаты) был назначен главнокомандующим после того, как англичане несколько раз потерпели поражение; Трансваальская республика была аннексирована Великобританией в сентябре 1900 года, и официально аннексия была объявлена в тот месяц, когда родился Юджин. Два года спустя собралась мирная конференция.

Ну, а что происходило в Японии? Я вам расскажу: первый парламент был созван в 1891 году, в 1894—1895 годах велась война с Китаем. Формоза была уступлена в 1895 году. Кроме того, Уоррен Гастингс* был обвинен в злоупотреблениях, и его судили; папа Сикст Пятый* родился и умер; Далмация была усмирена Тиберием*; Велизарий был ослеплен Юстинианом*; бракосочетание и погребение Вильгельмины-Шарлотты-Каролины Бранденбург-Ансбахской и короля Георга Второго свершились со всей торжественностью, а венчание Беренгарии Наваррской с королем Ричардом Первым было почти забыто; Диоклетиан, Карл Пятый и Виктор-Амедей, король Сардинии, все трое отреклись от своих престолов; Генри Джеймс Пай, поэт-лауреат Англии, отошел к праотцам; Кассиодор, Квинтилиан, Ювенал, Лукреций, Марциал и Альберт Медведь Бранденбургский явились на последнюю поверку; битвы при Антьетаме, Смоленске, Друмклоге, Инкермане, Маренго, Кавнпоре, Килликренки, Слюйсе, Акциуме, Лепанто, Тьюксбери, Брэндиуайне, Хохенлиндене, Саламине и в Диких Землях произошли на суше и на море; Гиппий был изгнан из Афин алкмеонидами и лакедемонянами; Симонид, Менандр, Страбон, Мосх и Пиндар покончили свои земные счеты; блаженный Евсевий, Афанасий и Златоуст встали в свои небесные ниши; Менкаура построил Третью Пирамиду; Аспальта возглавил победоносные армии; далекие Бермуды, Мальта и Подветренные острова были колонизированы. Вдобавок испанская Великая армада потерпела поражение; президент Авраам Линкольн* был убит, а галифакский рыболовный фонд заплатил Англии пять миллионов пятьсот тысяч долларов за преимущественное право ловли в течение двадцати лет. И наконец, всего за тридцать — сорок миллионов лет до этого наши самые первые предки выползли из первобытного ила и, так как подобная перемена вряд ли пришлась им по вкусу, без сомнения, тут же уползли обратно.

Таково было состояние истории, когда Юджин вступил на сцену человеческого театра в 1900 году.

Мы весьма охотно рассказали бы подробнее о мире, с которым его жизнь соприкасалась в первые несколько лет, и раскрыли бы со всей полнотой и со всеми ассоциациями смысл жизни, какой она представляется с пола или из колыбели, но в то время, когда все эти впечатления могли бы быть преданы гласности, о них молчат — не из-за какой-либо умственной ущербности, но из-за неумения управлять мышцами и правильно артикулировать звуки, а также из-за постоянных приливов одиночества, из-за усталости, уныния, потери перспективы и полной пустоты, которые ведут войну против упорядоченности мыслительных процессов человека, пока ему не исполнится три-четыре года.

Лежа в сумраке колыбели, вымытый, присыпанный тальком и накормленный, он тихонько думал об очень многом, пока не впадал в сон — в почти непрерывный сон, который стирал для него время и порождал чувство, что он навеки лишается еще одного дня ликующей жизни. В такие минуты он преисполнялся томительным ужасом при мысли о мучениях, слабости, немоте, бесконечном непонимании, которое ему придется терпеть, пока он не обретет хотя бы физической свободы. Он страдал при мысли о томительном пути, который ему предстояло пройти, об отсутствии координации между центрами контроля, о недисциплинированном и буйном мочевом пузыре, о спектакле, который он против воли вынужден был давать своим хихикающим, лапающим братьям и сестрам, когда его, вытертого и чистенького, вертели перед ними.

Он испытывал тягостные страдания, потому что был нищ символами; его интеллект был опутан сетью, потому что у него не было слов, на которые он мог бы опереться. Он не располагал даже названиями для окружавших его предметов — возможно, он определял их для себя с помощью собственного жаргона или изуродованных обломков речи, которая ревела вокруг него и к которой он напряженно прислушивался изо дня в день, понимая, что путь к спасению лежит через язык. Он постарался побыстрее дать знать о своей мучительной потребности в картинках и печатном слове — иногда они приносили ему огромные книги со множеством иллюстраций, и он с упорством отчаяния подкупал их, воркуя, радостно попискивая, нелепо гримасничая и проделывая все прочее, что они умели в нем понимать. Он злобно старался представить себе, что они почувствовали бы, если бы вдруг догадались, о чем он думает; иногда он смеялся над ними и над их дурацкой комедией ошибок, когда они скакали вокруг него, чтобы его развеселить, трясли головами и грубо его щекотали, так что он против воли начинал хохотать. Его положение было одновременно и отвратительным и смешным: он сидел на полу и смотрел, как они входят, видел, как лицо каждого из них искажается глупой ухмылкой, слышал, как их голоса становятся сладкими и сюсюкающими, едва они заговаривали с ним и произносили слова, которых он еще не понимал и которые они (это он, во всяком случае, знал) коверкали в нелепой надежде сделать понятным то, что уже было искалечено. И, несмотря на досаду, он не мог не засмеяться над дураками.

А когда его оставляли спать одного в комнате с закрытыми ставнями, где на пол ложились полоски густого солнечного света, им овладевало неизбывное одиночество и печаль: он видел свою жизнь, теряющуюся в сумрачных лесных колоннадах, и понимал, что ему навсегда суждена грусть, — запертая в этом круглом маленьком черепе, заточенная в этом бьющемся укрытом от всех сердце, его жизнь была обречена бродить по пустынным дорогам. Затерянный! Он понимал, что люди вечно остаются чужими друг другу, что никто не способен по-настоящему понять другого, что, заточенные в темной утробе матери, мы появляемся на свет, не зная ее лица, что нас вкладывают в ее объятия чужими, и что, попав в безвыходную тюрьму существования, мы никогда уже из нее не вырвемся, чьи бы руки нас ни обнимали, чей бы рот нас ни целовал, чье бы сердце нас ни согревало. Никогда, никогда, никогда, никогда, никогда.

Он видел, что огромные фигуры, которые возникали и суетились вокруг него, чудовищные ухмыляющиеся головы, которые жутко всовывались в его колыбель, оглушительные голоса, которые бессмысленно грохотали над ним, немногим лучше понимают друг друга, чем понимают его, что даже их речь, легкость и свобода их движений — лишь весьма скудные средства передачи их мыслей и чувств и часто не только не способствуют пониманию, а, наоборот, углубляют и ожесточают раздоры, злобу и предубеждения.

Его мозг чернел от ужаса. Он видел себя немым чужаком, забавным крошкой-клоуном, которого эти гигантские остраненные фигуры могут нянчить и тетешкать в свое удовольствие. Из одной тайны его ввергали в другую — где-то не то внутри, не то во вне своего сознания он слышал слабые отголоски звона огромного колокола, как будто доносящиеся со дна моря, и пока он слушал, в его сознании прошествовал призрак воспоминания, и на миг ему почудилось, что он почти обрел то, что утратил.

Иногда, подтянувшись к высокому краю колыбели, он глядел с головокружительной высоты на узор ковра далеко внизу; окружающий мир прокатывался через его сознание, как волны прилива, то на мгновение запечатляясь там резкой подробной картиной, то откатываясь в сонную смутную даль, пока он по кусочкам складывал непонятные впечатления, видя только отблески огня на кочерге, слыша загадочное поклохтывание разнежившихся на солнце кур — где-то там, в далеком колдовском мире. И он слышал их утреннее будоражащее кудахтанье, громкое и четкое, и внезапно становился полноправным гражданином жизни; или же чередующимися волнами фантазии и факта на него налетал и вновь откатывался волшебный гром музыкальных упражнений Дейзи. Много лет спустя он вновь услышал этот гром, и в его мозгу распахнулась дверца — Дейзи сказала ему, что это «Менуэт» Падеревского.

Колыбелью ему служила большая плетеная корзина с добротным матрасиком и подушками внутри; окрепнув, он начал выделывать в ней отчаянные акробатические номера — кувыркался, изгибался в кольцо и, без усилий поднимаясь на ножки, стоял совершенно прямо; или, упорно и терпеливо добиваясь своего, переваливался через край на пол. Там он полз по бескрайнему узору ковра к большим деревянным кубикам, наваленным бесформенной грудой. Это были кубики его брата Люка, и на них яркими красками пестрели все буквы алфавита.

Он неуклюже держал их в крохотных ручонках и часами изучал символы речи, зная, что перед ним камни храма языка, и всеми силами пытаясь найти ключ, который внес бы порядок и осмысленность в этот хаос. Высоко над ним раскатывались оглушительные голоса, гигантские фигуры появлялись и исчезали, возносили его на головокружительную высоту, с неистощимой силой укладывали в колыбель. В глубинах моря звонил колокол.

Однажды, когда щедрая южная весна развернулась во всей своей пышности, когда губчатая черная земля на дворе покрылась внезапной нежной травкой и влажными цветами, а большая вишня медленно набухала тяжелым янтарем клейкого сока и вишни зрели богатыми гроздьями, Гант вынул его из корзинки, стоявшей на залитом солнцем высоком крыльце, и пошел с ним вокруг дома, мимо лилий на клумбах, в дальний конец участка — к дереву, певшему невидимыми птицами.

Здесь лишенную тени сухую землю плуг разбил на комья. Юджин знал, что это было воскресенье, — из-за тишины; от высокой решетки пахло нагретым бурьяном. По ту ее сторону корова

Свейна жевала прохладную жесткую траву, время от времени поднимая голову и сильным глубоким басом изливая свою воскресную радость. В теплом промытом воздухе Юджин с абсолютной ясностью слышал все деловитые звуки соседних задних дворов, он с особой остротой осознал всю картину, и когда корова Свейна снова запела, он почувствовал, как в нем распахнулись створки переполненного шлюза. И он ответил «муу!», произнеся эти звуки робко, но четко, и повторил их уже уверенно, когда корова отозвалась.

Гант обезумел от восторга. Он повернулся и кинулся к дому во весь размах своих длинных ног. На бегу он щекотал жесткими усами нежную шейку Юджина, трудолюбиво мычал и каждый раз получал ответ.

— Господи помилуй! — воскликнула Элиза, глядя из окна кухни, как Гант очертя голову мчится через двор. — Он когда-нибудь убьет мальчика!

И когда он взлетел на кухонное крыльцо — весь дом, за исключением задней стены, был приподнят над землей, — она вышла на маленькую закрытую веранду. Руки у нее были в муке, нос пылал от жара плиты.

— Что это вы затеяли, мистер Гант?

— «Муу»! Он сказал: «Муу»! Да-да! — Гант говорил это не столько Элизе, сколько Юджину.

Юджин немедленно ему ответил: он чувствовал, что все это довольно глупо, и предвидел, что ближайшие дни ему придется без отдыха подражать корове Свейна, но все-таки он был очень возбужден и обрадован: в стене появился первый пролом.

Элиза тоже восхитилась, но выразила это по-своему: скрыв удовольствие, она вернулась к плите и сказала:

— Хоть присягнуть, мистер Гант! В жизни не видывала такого олуха с ребенком!

Позже Юджин лежал, не засыпая, в корзинке на полу гостиной и следил за тем, как нетерпеливые руки всех членов семьи расхватывают полные тарелки — Элиза в ту пору готовила великолепно, и каждый воскресный обед был событием. В течение двух часов после возвращения из церкви младшие мальчики, облизываясь, бродили возле кухни: Бен, гордо хмурясь, прятал свой интерес под маской невозмутимого достоинства, но часто проходил через дом поглядеть, как подвигается стряпня; Гровер являлся прямо в кухню и откровенно не спускал глаз с плиты, пока его не выставляли вон, а Люк, чью широкую веселую мордашку разрезала попо-

лам ликующая улыбка, стремительно бегал по всем комнатам и
ликующе вопил:

Ви-ини, ви-иди, ви-ики,
Ви-ини, ви-иди, ви-ики,
Ви-ини, ви-иди, ви-ики,
Ви! Ви! Ви!

Он слышал, как Дейзи и Джозефина Браун вместе переводили
Цезаря, и его песенка была вольной интерпретацией краткой
похвальбы Цезаря*: Veni, vidi, vici[1].

Лежа в колыбели, Юджин слушал шум обеда, доносящийся через открытую дверь столовой: стук посуды, возбужденные голоса
мальчиков, звонкий скрежет ножа о нож, когда Гант приготовился
разрезать жаркое, и рассказ о великом утреннем событии, который повторялся снова и снова без каких-либо вариаций, но со все
возрастающим увлечением.

«Скоро, — подумал он, когда до него донеслись густые ароматы
съестного, — и я буду там с ними». И он сладострастно задумался
о таинственной и сочной еде.

Весь этот день Гант на веранде рассказывал о случившемся,
собирая соседей и заставляя Юджина демонстрировать свое дости-
жение. Юджин ясно слышал все, что говорилось в этот день;
ответить он не мог, но понимал, что вот-вот обретет дар речи.

Именно так перед ним позднее вставали первые два года его
жизни — яркими отдельными вспышками. Свое второе Рождество
он помнил смутно, как праздничное время, и все же, когда пришло третье Рождество, он был к нему готов. Благодаря чудотвор-
ному ощущению привычности, которое вырабатывается у детей,
он словно всегда знал, что такое Рождество.

Он осознавал солнечный свет, дождь, танцующий огонь, свою
колыбель, угрюмую темницу зимы; в теплый день второй весны он
увидел, как Дейзи идет в школу на холме — она приходила домой
обедать во время большой перемены. Дейзи училась в школе для
девочек мисс Форл; это был кирпичный дом на краю крутого
холма — он увидел, как у самой вершины она догнала Элинор
Данкев. Ее волосы были заплетены в две длинные косы, падающие
на спину, — она была скромной, робкой, застенчивой и легко
краснеющей девочкой; но он боялся ее забот, потому что она
купала его с яростным неистовством, давая выход тем элементам

---

[1] Пришел, увидел, победил *(лат.)*.

вспыльчивости и агрессивности, которые прятались где-то под ее флегматичным спокойствием. Она растирала его буквально до крови. Он жалобно вопил. Теперь, когда она поднималась по холму, он вспомнил ее и осознал, что это — один и тот же человек.

Прошел второй день его рождения, и свет все усиливался. В начале следующей весны он на время ощутил себя заброшенным — в доме стояла мертвая тишина, голос Ганта больше не грохотал вокруг него, мальчики приходили и уходили на цыпочках. Люк, четвертая жертва эпидемии, был тяжело болен тифом, и Юджина почти полностью предоставили заботам молодой неряшливой негритянки. Он ясно помнил ее высокую нескладную фигуру, лениво шаркающие подошвы, грязные белые чулки и исходивший от нее крепкий и душный запах. Как-то она вывела его поиграть у бокового крыльца. Было весеннее утро, пропитанное влагой оттаивающей земли. Нянька села на ступеньки и, зевая, смотрела, как он копошился в своем грязном платьице сначала на дорожке, а потом на клумбе лилий. Вскоре она задремала, прислонившись к столбику перил. А он тихонько протиснулся между прутьями решетки и очутился в засыпанном шлаком проулке, который уходил вниз к дому Свейнов и вился вверх к изукрашенному деревянному дворцу Хильярдов.

Они принадлежали к высшей аристократии города — они переехали сюда из Южной Каролины, «из-под Чарлстона», и уже одно это в те времена давало им величайший престиж. Их дом, внушительное строение с мансардами и башенками орехово-коричневого цвета, казалось, состоял из множества углов и был воздвигнут без всякого плана на вершине холма, склон которого спускался к дому Ганта. Ровную площадку перед домом занимали величественные дубы, а ниже вдоль засыпанного шлаком проулка, окаймляя плодовый сад Ганта, росли высокие поющие сосны.

Дом мистера Хильярда считался одним из лучших особняков города. В этом квартале жили люди среднего достатка, но местоположение было чудесным, и Хильярды держались с величественной недоступностью: хозяева замка, которые спускаются в деревню, не замечая ее обитателей. Все их друзья приезжали в каретах издалека; каждый день точно в два часа старый негр в ливрее быстро проезжал вверх по извилистому проулку в экипаже, запряженном двумя ухоженными гнедыми кобылами, и ждал в боковых воротах появления своего господина и госпожи. Пять минут спустя они уезжали и возвращались через два часа.

Этот ритуал, за которым Юджин внимательно следил из окна отцовской гостиной, завораживал его еще много лет спустя — люди и жизнь соседнего дома были зримо и символично выше него.

В это утро он испытывал огромное удовлетворение от того, что оказался наконец в проулке Хильярдов — это было для него первое бегство, и оно привело его в запретное и священное место. Он копошился на самой середине дороги, разочарованный свойствами шлака. Гулкие куранты на здании суда пробили одиннадцать раз.

А каждое утро ровно в три минуты двенадцатого — настолько незыблем и совершенен был порядок, заведенный в этом вельможном доме, — огромный серый битюг медленной рысцой взбирался по склону, таща за собой тяжелый фургон бакалейщика, пропитанный пряными, застоявшимися ароматами бакалейных товаров и занятый исключительно хильярдовскими припасами, возница же, молодой негр, по традиции в три минуты двенадцатого каждого утра всегда крепко спал. Ведь ничего не могло случиться: битюга не отвлекла бы от выполнения его священной миссии даже мостовая, устланная овсом.

И битюг тяжеловесно поднялся вверх по склону, громоздко свернул в проулок и продолжал продвигаться вперед все той же неторопливой рысцой, пока не почувствовал под огромным кругом правого переднего копыта какую-то крохотную помеху: битюг поглядел вниз и медленно снял копыто с того, что еще совсем недавно было лицом маленького мальчика.

Затем, старательно расставляя ноги как можно шире, он протащил фургон над телом Юджина и остановился. Возница и нянька проснулись одновременно; в доме раздался крик, и из дверей выбежали Элиза и Гант. Перепуганный негр поднял маленького Юджина, который не осознавал, что вдруг вернулся на авансцену, и передал мальчика в могучие руки доктора Макгайра, а тот замысловато его выругал. Толстые чуткие пальцы врача быстро ощупали окровавленное личико и не обнаружили ни одного перелома.

Макгайр коротко кивнул, глядя на их полные отчаяния лица.

— Ничего, он еще станет членом конгресса, — сказал он. — Судьба одарила вас невезеньем и твердыми лбами, У. О.

— Черт бы тебя побрал, черномазый мошенник! — закричал Гант, с невыразимым облегчением набрасываясь на возницу. — Я тебя за это упрячу в тюрьму!

Он просунул длинные ручищи сквозь решетку и принялся душить негра, который бормотал молитвы, не понимая, что с ним происходит, — он видел только, что оказался центром дикого смятения.

Нянька, хлюпая носом, убежала в дом.

— Это не так плохо, как выглядит, — заметил Макгайр, укладывая героя на диван. — Принесите теплой воды, пожалуйста.

Тем не менее потребовалось два часа, чтобы привести Юджина в чувство. Все очень хвалили лошадь.

— У нее куда больше соображения, чем у этого черномазого, — сказал Гант, лизнув большой палец.

Но Элиза в глубине души знала, что все это было частью плана Вещих Сестер*. Внутренности были сплетены и прочитаны давным-давно, и хрупкий череп, хранитель жизни, который мог быть раздавлен так же легко, как человек разбивает яйцо, остался цел. Но Юджин в течение многих лет носил на лице метку кентавра, хотя увидеть ее можно было только, когда свет падал на нее определенным образом.

Став старше, Юджин иногда гадал, вышли ли Хильярды из своего горнего обиталища, когда он так кощунственно нарушил порядки господского дома. Он никого не спрашивал, но думал, что они не вышли: он представлял себе, как в лучшем случае они величественно стояли у спущенных штор, не зная точно, что произошло, но чувствуя, что это — что-то неприятное, окропленное кровью.

Вскоре после этого случая мистер Хильярд поставил у границы своих владений доску с надписью: «Посторонним вход запрещен».

V

Люк поправился после того, как несколько недель проклинал почем зря доктора, сиделку и всех родных,— это был очень упорный тиф.

Гант был теперь главой многочисленного семейства, которое ступенями поднималось от младенчества к юноше Стиву — ему исполнилось восемнадцать лет — и почти взрослой девушке Дейзи. Ей было семнадцать, и она училась в школе последний год. Она была робкой и впечатлительной, занималась прилежно и усидчиво — все учителя считали ее самой лучшей своей ученицей. В ней почти не было собственного огня и сопротивляемости; она послушно воспринимала все наставления и возвращала то, что получала. Она играла на рояле, не питая к музыке особой любви, но с прелестным четким туше воспроизводила написанное композитором. И она упражнялась часами.

С другой стороны, было очевидно, что Стива образование не влечет. Когда ему было четырнадцать, директор школы вызвал его в свой маленький кабинет, чтобы высечь за постоянные прогулы и дерзость. Но Стиву не была свойственна покорность — он выхватил розгу из рук директора, переломил ее, изо всей мочи стукнул директора в глаз и, торжествуя, спрыгнул с третьего этажа на землю.

Это был один из лучших поступков в его жизни — в других отношениях он вел себя гораздо хуже. Уже давно — когда он начал прогуливать школу, и после того, как его исключили, и по мере того, как он быстро ожесточался в порочности,— антагонизм между ним и Гантом перешел в открытую и горькую вражду. Возможно, Гант узнавал в большинстве пороков сына свои собственные пороки, однако в Стиве не было того качества, которое искупало их в Ганте: вместо сердца у него был кусок застывшего топленого сала.

Из всех детей Ганта ему приходилось хуже всего. С раннего детства он был свидетелем самых диких дебошей отца. И он ничего не забыл. Кроме того, он, как старший, был предоставлен самому себе — все внимание Элизы сосредоточивалось на младших детях. Она кормила грудью Юджина еще долго после того, как Стив отнес свои первые два доллара дамам Орлиного тупика.

Внутренне он очень обижался на брань, которой осыпал его Гант; он не был совсем слеп к своим недостаткам, но оттого, что его называли «праздношатающимся бродягой», «никчемным дегенератом» и «завсегдатаем бильярдных», его хвастливая и дерзкая манера держаться становилась только еще более вызывающей. Одетый с дешевым франтовством — желтые штиблеты, полосатые брюки режущей расцветки и широкополая соломенная шляпа с пестрой лентой — он нелепой раскачивающейся походкой прогуливался по улицам с мучительно самоуверенной улыбкой на губах и заискивающе здоровался со всеми, кто его замечал. А если ему кланялся состоятельный человек, его израненное, раздутое тщеславие жадно хваталось за эту кроху, и дома он жалко хвастал:

— Малыша Стиви все знают! Его уважают все стоящие люди в городе, вот как! У всех найдется доброе слово для Малыша Стиви, кроме его родни. Знаете, что мне сегодня сказал Дж. Т. Коллинз?

— Что сказал? А кто это? Кто это? — смешно зачастила Элиза, отрываясь от чулка, который она штопала.

— Дж. Т. Коллинз — вот кто! Он стоит всего только двести тысяч долларов. «Стив,— сказал он. Вот прямо так.— Да будь у меня твоя голова...»

И он продолжал с угрюмым удовлетворением живописать картину своего будущего успеха, когда все те, кто пренебрегает им теперь, восторженно стекутся под его знамя.

— Да-да! — говорил он. — Они все тогда будут счастливы пожать руку Малыша Стиви.

Когда его исключили из школы, Гант в ярости жестоко избил его. Этого Стив не забыл. В конце концов ему было сказано, что он должен сам себя содержать, и он начал подрабатывать, то продавая содовую воду, то разнося утренние газеты. Как-то раз он отправился посмотреть свет с приятелем — Гусом Моди, сыном литейщика. Чумазые после путешествия в товарных вагонах, они слезли с поезда в Ноксвилле в Теннесси, истратили все свои небольшие деньги на еду и в публичном доме и вернулись домой через два дня, угольно-черные, но чрезвычайно гордые своими приключениями.

— Хоть присягнуть! — ворчала Элиза. — Просто не знаю, что выйдет из этого мальчишки.

Таков был трагический недостаток ее характера — всегда с опозданием осознавать самое существенное: она задумчиво поджимала губы, отвлекалась — а потом плакала, когда беда приходила. Она всегда выжидала. Кроме того, в глубине души она любила старшего сына не то чтобы больше остальных, но совсем по-другому. Его бойкая хвастливость и жалкая заносчивость нравились ей, она усматривала в них доказательство его «умения жить» и часто приводила в ярость своих прилежных дочерей, одобрительно отзываясь об этих качествах. Глядя, например, на исписанный им листок, она говорила:

— Ничего не скажешь, почерк у него куда лучше, чем у всех вас, сколько бы вы там ни учились!

Стив рано вкусил радостей бутылки — еще в те дни, когда ему приходилось быть свидетелем отцовских дебошей, он украдкой отхлебывал из полупустой фляжки глоток-другой крепкого скверного виски. Вкус виски вызывал у него тошноту, зато было чем похвастать перед приятелями.

Когда Стиву было пятнадцать, они с Гусом Моди, забравшись в соседский сарай покурить, обнаружили завернутую в мешок бутылку, которую почтенный обыватель укрыл тут от придирчивого взгляда жены. Хозяин, явившись для очередного тайного возлияния и заметив, что бутылка наполовину опустела, твердой рукой подлил туда кротонового масла — и несколько дней мальчиков непрерывно тошнило.

Однажды Стив подделал на чеке подпись отца. Гант обнаружил это только через несколько дней — чек был всего на три доллара, но гнев его не знал границ. Дома он разразился речью, настолько громовой, что поступок Стива стал известен всем соседям: он говорил, что отправит мерзавца в исправительное заведение, в тюрьму, что его опозорили на старости лет (этого периода своей жизни он еще не достиг, но в подобных случаях всегда на него ссылался).

Гант, конечно, оплатил чек, но теперь к его запасу бранных эпитетов прибавился еще и «фальшивомонетчик». Несколько дней Стив уходил из дома и возвращался домой крадучись и ел в одиночестве. Когда он встретился с отцом, сказано не было почти ничего: сквозь глазурь злобы оба заглядывали в самую сущность друг друга; они знали, что не могут скрыть друг от друга ничего — в обоих гноились одни и те же язвы, одни и те же потребности и желания, одни и те же низменные страсти оскверняли их кровь. И от этого сознания что-то и в том и в другом отворачивалось с мучительным стыдом.

Гант и это прибавил к своим филиппикам против Элизы — все, что было в мальчике дурного, он получил от матери.

— Горская кровь! Горская кровь! — надрывался он. — Он — точная копия Грили Пентленда. Помяни мое слово, — добавил он после того, как некоторое время лихорадочно метался по дому, что-то бормоча себе под нос, и наконец опять ворвался в кухню,— помяни мое слово: он кончит тюрьмой.

Элиза, чей нос багровел от брызг кипящего жира, поджимала губы и молчала или же, выйдя из себя, отвечала так, чтобы разъярить его и уязвить побольнее.

— Ну, может быть, он был бы лучше, если бы в детстве ему не приходилось бегать по всем кабакам и притонам в поисках своего папочки.

— Ты лжешь, женщина! Клянусь Богом, ты лжешь! — гремел он величественно, но не в полном соответствии с истиной.

Гант теперь пил меньше, — если не считать отчаянных запоев, которые повторялись через каждые полтора-два месяца и длились два-три страшных дня. Элизе в этом отношении жаловаться было не на что. Но ее колоссальное терпение совсем истощилось из-за ежедневных потоков брани, которые обрушивались на нее. Теперь они спали наверху в разных спальнях. Гант вставал в шесть или в половине седьмого и спускался вниз, чтобы затопить плиту на кухне и камин в гостиной. Все время, пока он разводил огонь в плите и ревущее пламя в камине, он непрерывно бормотал себе под нос, иногда вдруг по-ораторски возвышая голос. Так он сочинял и доводил до совершенства свои бесконечные инвективы. Когда все требования риторики и выразительности были наконец удовлетворены, он внезапно появлялся перед ней на кухне и разражался речью без каких-либо предисловий как раз в тот момент, когда туда входил негр-рассыльный, который доставлял свиные отбивные или вырезку для бифштексов.

— Женщина, скажи, был бы у тебя сегодня кров над головой, если бы не я? Обеспечил бы его тебе никчемный старикашка, твой отец Том Пентленд? Или твой брат Уилл, или твой брат Джим? Ты когда-нибудь слышала, чтобы они кому-нибудь что-нибудь дали? Ты когда-нибудь слышала, чтобы их заботило что-нибудь, кроме их гнусных шкур? Слышала, а? Кто-нибудь из них подал бы черствую корку умирающему с голоду нищему? Нет и нет, Богом клянусь! Будь даже у любого из них пекарня! Увы мне! Черным был день, когда я приехал в этот проклятый край, не ведая, к чему это приведет! Горные свиньи! Горные свиньи! — И прилив достигал апогея.

Иногда, пытаясь отразить его атаки, она начинала плакать. Это его радовало: ему нравилось смотреть, как она плачет. Но обычно она только бросала резкие язвительные ответы. В скрытых глубинах между их слепо враждующими душами шла безжалостная отчаянная война. И все же если бы Гант узнал, до чего могли довести ее эти ежедневные атаки, он удивился бы, — они порождались глубоким лихорадочным недовольством его духа, инстинктивной потребностью в объекте для поношений.

К тому же его собственная любовь к порядку была так велика, что он страстно ненавидел всякую неряшливость, беспорядок, сумбур. По временам он впадал в настоящую ярость, обнаруживая, как тщательно она сберегает обрывки бечевок, пустые банки и бутылки, оберточную бумагу и прочий всевозможный хлам. Мания стяжательства, еще не развившаяся у Элизы в душевную болезнь, приводила его в бешенство.

— Во имя Господа! — кричал он с искренним гневом. — Во имя Господа! Почему ты не выбросишь этот мусор? — И он угрожающе приближался к причине распри.

— Нет, мистер Гант! — резко возражала она. — Это все может в любой день для чего-нибудь понадобиться.

Пожалуй, в этом скрывалась какая-то глубокая нелогичность: неутоленная жажда странствий была свойственна человеку, наделенному величайшей любовью к порядку, благоговейно почитавшему всякий ритуал, превращавшему в обряд даже свои ежедневные бранные тирады, а бесформенная хаотичность, одушевляемая всепоглощающей тягой к обладанию, была присуща практичной, будничной натуре.

В Ганте жила страсть истинного скитальца — того, кто уходит от чего-то определенного. Он нуждался в упорядоченности, в семейном очаге — он в первую очередь был главой семьи, их теплота и сила, сосредоточивавшиеся вокруг него, были его жизнью. После очередной утренней филиппики, брошенной в лицо Элизе, он шел будить спящих детей. Как ни смешно, для него было невыносимо утреннее ощущение, что в доме на ногах только он один.

Формула побудки, произносимая с комической утрированной ворчливостью на нижней ступеньке лестницы, была такова:

— Стив! Бен! Гровер! Люк! Эй вы, проклятые лентяи, вставайте! Господи, что из вас выйдет! Всю жизнь останетесь ничтожествами!

Он продолжал вопить на них снизу так, словно они наверху чутко внимали каждому его слову.

— В вашем возрасте я к этому часу успевал выдоить четырех коров, сделать всю работу по дому и пройти по снегу восемь миль!

Собственно говоря, когда бы он ни заговаривал о своих школьных годах, он неизменно рисовал пейзаж, погребенный под трехфутовым слоем снега и скованный жестоким морозом. Казалось, он не посещал школы иначе, как в условиях полярной зимы.

Пятнадцать минут спустя он снова начинал кричать:

— Из вас никогда ничего не выйдет, никчемные бездельники! Да если одна стена обрушится, вы только перекатитесь к другой и опять захрапите!

Вслед за этим наверху раздавался быстрый топот босых ног, и мальчики один за другим нагишом скатывались по лестнице, держа одежду в охапке. Они одевались в гостиной перед ревущим камином, который он так старательно растопил.

Во время завтрака Гант, если не считать отдельных ламентаций, бывал почти в хорошем настроении. Ели они до отвала — он накладывал на их тарелки большие ломти жареного мяса, яичницу со шкварками, поджаренный хлеб, джем, печеные яблоки. Он уходил в свою мастерскую примерно в девять, когда мальчики, еще судорожно доглатывая горячую еду и кофе, стремглав выбегали из дома, а мелодичный школьный колокол предостерегающе звонил в последний раз перед началом уроков.

Возвращаясь к обеду, он был словоохотлив, пока не истощались утренние новости; вечером, когда вся семья опять собиралась вместе, он разводил в камине жаркий огонь и начинал заключительную инвективу — эта церемония требовала полчаса на подготовку и еще три четверти часа на исполнение со всеми повторениями и добавлениями. Затем они ужинали — вполне мирно и счастливо.

Так прошла зима. Юджину исполнилось три года. Ему купили буквари и картинки, изображавшие животных, под которыми помещались рифмованные басни. Гант неутомимо читал их мальчику, и через полтора месяца Юджин помнил их все до последнего слова.

В конце зимы и всю весну он несчетное число раз устраивал для соседей одно и то же представление: держа перед собой книгу, он притворялся, будто читает то, что знал наизусть. Гант был в восторге и покрывал этот обман. Все говорили, что просто неслыханно, чтобы такой малыш и так хорошо читал!

Весной Гант снова запил; но за две-три недели его жажда сошла на нет, и он пристыженно вернулся в обычную колею. Однако Элиза готовила перемену в их жизни.

Шел 1904 год, и в Сент-Луисе предстояло открытие Всемирной ярмарки — она должна была дать зрительное представление об истории цивилизации и быть лучше, больше и величественнее всех прежних подобных выставок. Многие алтамонтцы думали ее посетить, и Элиза была заворожена возможностью соединить путешествие с выгодой.

— Знаете что, — как-то вечером задумчиво начала она, отложив газету. — Пожалуй, надо бы сложиться и уехать.

— Уехать? Куда?

— В Сент-Луис, — ответила она. — А если все пойдет гладко, мы могли бы и совсем туда перебраться.

Она знала, что мысль о полном изменении налаженной жизни, о путешествии в новые края в поисках нового счастья не может не показаться ему заманчивой. Об этом много было переговорено в прошлом, когда он решил расторгнуть свой договор с Уиллом Пентлендом.

— Что ты там намерена делать? Как быть с детьми?

— А вот что, сэр,— ответила она самодовольно, *с* хитренькой улыбочкой поджимая губы.— Я просто подыщу хороший большой дом и буду сдавать комнаты приезжим из Алтамонта.

— Боже милосердный, миссис Гант! — возопил он трагически. — Вы же ничего подобного не сделаете! Умоляю вас.

— Пф, мистер Гант! Что еще за глупости! В том, чтобы брать жильцов, ничего зазорного нет. У нас в городе этим занимаются самые почтенные люди.

Она знала, как уязвима его гордость, — он не мог вынести мысли, что его сочтут неспособным содержать семью: он любил хвастливо повторять, что он «хороший добытчик». Кроме того, постоянное пребывание под его кровом тех, кто не был плотью от его плоти, насыщало атмосферу угрозой, разрушало стены его замка. И наконец, он питал неодолимое отвращение к самой идее жильцов — есть хлеб, оплаченный презрением, насмешками и деньгами тех, кого он именовал «постояльцами-голодранцами», было немыслимым унижением.

Она знала все это, но не понимала его чувства. Не просто владеть собственностью, но и извлекать из этой собственности доход — это входило в религиозное кредо ее семьи, и она превзошла их всех, когда задумала сдать внаем часть своего жилища. Из всех Пентлендов она одна была готова отказаться от маленького дома-замка, отделенного рвами от остального мира; только она одна, казалось, не ценила укромности, которую даруют замковые стены. И только она одна из них носила юбку.

Она еще продолжала кормить Юджина грудью, когда ему пошел четвертый год, но в эту зиму она отняла его от груди. Что-то в ней кончилось, что-то началось.

В конце концов она добилась своего. Иногда она задумчиво и убедительно доказывала Ганту осуществимость своего проекта. Иногда во время его вечерних филиппик она, огрызаясь, использовала свою поездку на Всемирную ярмарку как угрозу. Что именно должно было это ей принести, она не знала. Но она чувствовала, что это станет каким-то началом. И в конце концов добилась своего.

Гант не устоял перед приманкой новых краев. Он должен был остаться дома — и приехать позднее, если все пойдет хорошо. Его прельщала и мысль о временном освобождении. В нем пробудились отзвуки былых стремлений его юности. Его оставляли дома, но мир для одинокого человека полон притаившихся невидимых теней. Дейзи училась в последнем классе — она осталась с ним. Но разлука с Хелен причинила ему боль. Ей уже почти исполнилось четырнадцать лет.

В начале апреля Элиза отбыла со своим взбудораженным выводком, держа Юджина на руках. Он был совсем сбит с толку этой калейдоскопической суетой, но полон любопытства и энергии.

В дом нахлынули Таркинтоны и Данкены, начались слезы и поцелуи. Миссис Таркинтон взирала на нее с почтительным ужасом. Все соседи были несколько сбиты с толку этим событием.

— Ну, как знать... как знать... — говорила Элиза со слезливой улыбкой, наслаждаясь сенсацией, которую вызвало ее решение. — Если все пойдет хорошо, мы, пожалуй, там и останемся.

— Вернетесь, вернетесь! — объявила миссис Таркинтон с бодрой уверенностью. — Лучше Алтамонта места не найти!

На вокзал они поехали в трамвае. Бен и Гровер сидели рядом, весело охраняя корзину со съестными припасами. Хелен нервно прижимала к груди ворох свертков. Элиза оценивающе поглядела на ее длинные прямые ноги и вспомнила, что Хелен предстоит ехать за полцены — по детскому билету.

— Послушайте-ка, — начала она, пряча смешок в ладони и толкая Ганта локтем, — ей придется свернуться улиткой, верно? Все будут думать, что ты уж очень рослая для одиннадцати-то лет, — продолжала она, обращаясь прямо к девочке.

Хелен нервно заерзала на сиденье.

— Зря мы так сделали, — пробормотал Гант.

— Пф! — сказала Элиза. — Никто на нее и внимания не обратит.

Он усадил их в спальный вагон, где ими занялся услужливый кондуктор.

— Пригляди за ними, Джордж, — сказал Гант и сунул кондуктору монету. Элиза впилась в нее ревнивым взглядом.

Он ткнулся усами в их щеки, а костлявые плечики своей девочки погладил огромной ладонью и крепко ее обнял. Элизу что-то больно укололо внутри.

Они неловко молчали. Необычность, нелепость всего ее проекта и чудовищная неразбериха, в которую превращалась жизнь, мешали им говорить.

— Ну, — начал он, — наверное, ты знаешь, что делаешь.

— Ну, я же вам говорила, — сказала она, поджимая губы и глядя в окно. — Как знать, что из этого выйдет.

Он почувствовал неясное умиротворение. Поезд дернулся и медленно двинулся вперед. Он неуклюже ее поцеловал.

— Дай мне знать, как только вы доберетесь до места,— сказал он и быстро пошел к двери.

— До свидания, до свидания! — кричала Элиза и махала ручонкой Юджина высокой фигуре на перроне.

— Дети, — сказала она, — помашите папе.
Они сгрудились у окна. Элиза заплакала.

Юджин смотрел, как заходящее солнце льет багрянец на порожистую реку и на пестрые скалы теннессийских ущелий — заколдованная река навеки запала в его детскую память. Много лет спустя она возникала в его снах, населенных неуловимой таинственной красотой. Затихнув от великого изумления, он уснул под ритмичный перестук тяжелых колес.

Они жили в белом доме на углу. Перед домом был маленький газон, и еще узкая полоска травы тянулась вдоль тротуара. Он смутно понимал, что дом находится где-то далеко от центральной паутины и рева большого города: кажется, он слышал, как кто-то сказал — «в четырех-пяти милях». А где была река?

Два маленьких мальчика — близнецы с длинными белобрысыми головами и остренькими хитрыми лицами — все время носились взад и вперед по тротуару перед домом на трехколесных велосипедах. На них были белые матросские костюмчики с синими воротниками, и он их свирепо ненавидел. Он смутно чувствовал, что их отец был плохим человеком — упал в шахту лифта и сломал ноги.

У дома был задний двор, обнесенный красным дощатым забором. В дальнем его конце был красный сарай. Много лет спустя Стив, вернувшись домой, сказал: «Этот район там весь теперь застроен». Где?

Как-то на жарком пустом заднем дворе выставили проветривать две кровати с матрасами. Он блаженно растянулся на одной, дыша нагретым матрасом и лениво задирая маленькие ноги. На второй кровати лежал Люк. Они ели персики.

К персику Юджина прилипла муха. Он ее проглотил. Люк взвыл от хохота.

— Муху съел! Муху съел!

Его сразу затошнило, тут же вырвало, и потом он еще долго не мог ничего есть. И старался понять, почему он проглотил муху, хотя все время видел ее.

Наступило раскаленное лето. На несколько дней приехал Гант и привез Дейзи. Как-то вечером они пили пиво в Делмарских садах. Сидя за маленьким столиком, он сквозь жару жадно смотрел на запотевшую пенящуюся пивную кружку — он представлял, как сунул бы лицо в эту прохладную пену и упился бы счастьем. Элиза дала ему попробовать, и они все покатились со смеху, глядя на его горько удивленное лицо.

Еще много лет спустя он помнил, как Гант с брызгами пены на усах могучими глотками осушал кружку — красота этого великолепного утоления жажды зажгла в нем желание сделать то же, и он подумал, что, может быть, не все пиво горькое и что, может быть, наступит время, когда и он будет приобщен к блаженству, которое дарит этот великий напиток.

Время от времени всплывали лица из прежнего полузабытого мира. Кое-кто из алтамонтцев приезжал и останавливался в доме Элизы. Однажды с внезапно нахлынувшим ужасом он увидел над собой зверское бритое лицо Джима Лайда. Это был алтамонтский шериф; он жил у подножия холма ниже Гантов. Когда Юджину шел третий год, Элиза уехала в Пидмонт, куда ее вызвали свидетельницей в суд. Она отсутствовала два дня, а он был поручен заботам миссис Лайд. Он никогда не мог забыть игривой жестокости Лайда в первый вечер.

Теперь вдруг это чудовище благодаря какому-то дьявольскому фокусу появилось вновь, и Юджин смотрел снизу вверх в гнетущее зло его лица. Юджин увидел, что Элиза стоит рядом с Джимом, и когда ужас на маленьком лице стал еще отчаяннее, Джим сделал вид, будто собирается с силой опустить руку на ее плечо. Его вопль, полный гнева и страха, вызвал смех у них обоих, и Юджин две-три слепые секунды впервые испытывал к ней ненависть — он обезумел от беспомощности, ревности и страха.

Вечером Стив, Бен и Гровер, которых Элиза сразу же отправила на заработки, возвращались с Ярмарки и продолжали возбужденно болтать, еще полные дневных событий. Тайком похихикивая, они говорили про хучи-кучи — Юджин понял, что это танец. Стив напевал однообразный навязчивый мотивчик и чувственно извивался. Они пели песню; жалобные и далекие звуки преследовали его. Он выучил песню наизусть:

> Встретимся в Сент-Луисе, Луи,
> Буду ждать я там.
> Встретимся на Ярмарке с тобой,
> Ты увидишь сам.
> Мы станцуем хучи-кучи...

И так далее.

Иногда, лежа на солнечном одеяле, Юджин начинал осознавать кроткое любопытное лицо, мягкий ласковый голос, не похожий на голоса остальных ни тембром, ни выражением, нежную смуглую кожу, черные волосы, черные глаза, деликатную, чуть грустную доброту. Он прижимался мягкой щекой к лицу Юджина, ласкал и целовал его. На коричневой шее алело родимое пятно — Юджин снова и снова удивленно трогал алую метку. Это был Гровер — самый кроткий, самый грустный из них всех.

Элиза иногда позволяла им брать его с собой на прогулки. Один раз они поехали прокатиться на речном пароходе — он спустился в салон и смотрел в иллюминатор, как совсем рядом могучая желтая змея медленно, без усилий ползла и ползла мимо.

Мальчики работали на территории Ярмарки. Они были рассыльными в месте, которое называлось гостиница «Ницца». Название зачаровало его — оно то и дело всплывало в его сознании. Иногда сестры, иногда Элиза, иногда мальчики таскали его по движущейся чаще шума и фигур мимо богатого изобилия и разнообразия Ярмарки. Он был одурманен сказкой, когда его вели мимо Индийского чайного домика и он увидел внутри людей в тюрбанах и впервые ощутил, чтобы уже никогда не забыть, медлительный фимиам Востока. Как-то в гигантском здании, полном громового рева, он окаменел перед могучим паровозом, величайшим из виденных им чудовищ, чьи колеса стремительно вертелись в желобах, чьи пылающие топки, из которых в яму под ним непрерывно сыпался дождь раскаленных углей, вновь и вновь загружали два чумазых, обагренных огнем кочегара. Эта картина горела в его мозгу, одетая всем великолепием ада; она пугала и влекла его.

Потом он стоял у края неторопливой жуткой орбиты «колеса обозрения», брел, пошатываясь, в оглушительной сумятице Главной аллеи, чувствовал, что его потрясенное сознание беспомощно тонет в безумной фантасмагории карнавала; он слышал, как Люк рассказывает нелепые истории о пожирателе змей, и закричал вне себя от дикого ужаса, когда они погрозили, что возьмут его с собой в балаган.

Один раз Дейзи, поддавшись кошачьей жестокости, которая таилась где-то под ее тихой кротостью, взяла его с собой в беспощадные кошмары «видовой железной дороги». Они провалились из света в бездонный мрак, а когда его первый вопль стих и вагончик сбавил скорость, они бесшумно въехали в чудовищную полутьму, населенную огромными жуткими изображениями, красными пастями дьявольских голов, искусными воплощениями смерти, бреда и безумия. Его неподготовленное сознание захлестнул сумасшедший страх, — вагончик катился из одной освещенной пещеры в другую, его сердце сморщилось в сухую горошину, а люди над ним громко и жадно смеялись, и с ними смеялась его сестра. Его сознание, только-только выбиравшееся из ирреальной чащи детских фантазий, не выдержало Ярмарки, и он был парализован убеждением, которое постоянно возвращалось к нему в последующие годы, что его жизнь — один невероятный кошмар, что хитростями и заговорщицкими уловками его вынудили отдать все надежды, чаяния и веру в себя на сладострастную пытку демонам, замаскированным человеческой плотью. В полуобмороке, посинев от удавки ужаса, он наконец выбрался на теплый и будничный солнечный свет.

Последним его воспоминанием о Ярмарке был вечер в начале осени — опять с Дейзи он сидел рядом с шофером автобуса и в первый раз прислушивался к чуду трудолюбиво урчащего мотора, пока они катили сквозь секущие полосы дождя по блестящим мостовым и мимо Каскадов, которые неустанно струили воду перед белым зданием, усаженным брильянтами десяти тысяч лампочек.

Лето миновало. Осенние ветры шелестели отголосками отшумевшего веселья — карнавал кончился.

И дом затих — Юджин почти не видел матери, он не выходил из дома, он был поручен заботам сестер, и ему все время повторяли, чтобы он не шумел.

Однажды во второй раз приехал Гант — Гровер лежал в тифу.

— Он сказал, что съел на Ярмарке грушу, — в сотый раз повторяла Элиза. — Он пришел домой и пожаловался, что ему нехорошо. Я положила ему руку на лоб: он весь горел. «Как же это, детка, — сказала я, — С чего бы...»

Черные глаза на белом лице блестели — она боялась. Она поджимала губы и говорила с бодрой уверенностью.

— Здорово, сын, — сказал Гант, входя в спальню: когда он увидел мальчика, его сердце ссохлось.

После каждого посещения врача Элиза поджимала губы все более и более задумчиво; она жадно хватала любую случайную кроху ободрения и преувеличивала ее, но на сердце у нее было черно. Потом как-то вечером она быстро вышла из спальни мальчика, внезапно срывая маску.

— Мистер Гант, — сказала она шепотом, поджимая губы; она затрясла белым лицом, словно не в силах сказать ни слова, и вдруг стремительно договорила: — Он умер, умер, умер.

Юджин спал крепким полуночным сном. Кто-то начал трясти его, медленно высвобождая из дремоты. Вскоре он осознал себя в объятиях Хелен, которая сидела на кровати и держала его на коленях. Приблизив к нему горестное маленькое лицо, она заговорила четко и раздельно, приглушенным голосом, полным странного и жадного напряжения.

— Хочешь посмотреть на Гровера? — прошептала она. — Его положили на остывальную доску.

Он задумался над тем, что это за доска: дом был полон зловещей угрозы. Хелен вышла с ним в тускло освещенную переднюю и понесла его к двери комнаты, выходившей окнами на улицу. Там слышались тихие голоса. Хелен бесшумно открыла дверь; яркий свет падал на кровать. Юджин смотрел, и темный ужас ядом разливался в его крови. Лежавшее на кровати маленькое истощенное тело вдруг вызвало в его памяти теплое смуглое лицо и мягкие глаза, которые некогда были устремлены на него, — подобно сумасшедшему, вдруг обретшему рассудок, он вспомнил это забытое лицо, которого не видел уже давно, это странное ясное одиночество, которое больше не придет назад. О утраченный и ветром оплаканный призрак, вернись, вернись!

Элиза сидела на стуле, тяжело поникнув, опершись рукой на ладонь. Она плакала, и ее лицо искажала комичная уродливая гримаса, которая много ужаснее тихой благодати горя. Гант неловко утешал ее, но, несколько раз поглядев на мальчика, он вышел в переднюю и вскинул руки в терзающей тоске, в недоумении.

Гробовщики положили тело в корзину и унесли его.

— Ему же было ровно двенадцать лет и двадцать дней, — снова и снова повторяла Элиза, и это, казалось, мучило ее больше всего остального.

— Ну-ка, дети, пойдите поспите немного, — распорядилась она неожиданно, и тут она увидела Бена, который стоял, растерянно хмурясь, и глядел прямо перед собой своим странным старческим взглядом. Она подумала о разлуке близнецов — они появились на свет, разделенные только двадцатью минутами; ее сердце сдавила жалость при мысли об одиночестве мальчика. Она снова заплакала. Дети ушли спать. Некоторое время Элиза и Гант продолжали сидеть в комнате вдвоем. Гант спрятал лицо в мощных ладонях.

— Самый лучший из моих сыновей, — бормотал он. — Клянусь Богом, он был лучшим из них всех.

В тикающем безмолвии они вспоминали его, и сердце каждого терзали страх и раскаяние; он был тихим мальчиком, а детей было много, и он прожил незамеченным.

— Я никогда не смогу забыть его родимое пятно, — прошептала Элиза. — Никогда, никогда.

Потом они вспомнили друг о друге; и внезапно оба ощутили ужас и чуждость того, что их окружало. Оба подумали об увитом виноградом доме в далеких горах, о ревущем пламени, о хаосе, проклятиях, боли, о их слепых запутанных жизнях, о бестолковой судьбе, которая здесь, в этом далеком городе, в завершение карнавала принесла им смерть.

Элиза старалась понять, зачем она сюда приехала, и искала ответа в жарких и полных отчаяния лабиринтах прошлого.

— Если бы я знала, — начала она, — если бы я знала, как это обернется...

— Ничего, — сказал он и неуклюже погладил ее по плечу. — Клянусь Богом, — прибавил он растерянно через секунду. — Очень все это странно, как подумаешь.

И теперь, когда они сидели, чуть успокоившись, в них поднялась жалость: не к себе, а друг к другу — из-за бессмысленности потерь и бестолковой путаницы случайностей, которая есть жизнь.

Гант вдруг вспомнил о своих пятидесяти четырех годах, об исчезнувшей юности, об убывающей силе, о безобразии и скверне, въевшихся в них; и его охватило спокойное отчаяние человека, который знает, что скованную цепь нельзя расклепать, вышитый узор нельзя спороть, сделанное нельзя разделать.

— Если бы я знала, если бы я знала, — сказала Элиза, и потом добавила: — Я так жалею...

Но он знал, что в эту минуту она жалела не его, и не себя, и даже не мальчика, которого бессмысленный случай подставил под бич моровой язвы,— в эту минуту воспламенения ее ясновидящей шотландской души она впервые прямо, без притворства посмотрела на неумолимые пути Необходимости, и жалела она всех, кто жил, кто живет или будет жить, раздувая своими молитвами бесполезное пламя алтарей, вопиющее их надеждами к глухому духу, посылая крохотные ракеты своей веры в далекую вечность и чая помилования, помощи и избавления на вращающемся и забытом уголке Земли. Утрата! Утрата!

Они немедленно уехали домой. На каждой станции Гант и Элиза совершали лихорадочные паломничества к багажному вагону. Стоял серый осенний ноябрь, горные леса были простеганы сухими бурыми листьями. Листья летали по улицам Алтамонта, лежали глубокими слоями в проулках и канавах, шуршали, катились, гонимые ветром.

Трамвай, лязгая, перевалил через гребень холма. Ганты сошли — тело еще раньше отправили с вокзала домой. Когда Элиза начала медленно спускаться по склону, навстречу ей с рыданиями выбежала из своего дома миссис Таркинтон. Ее старшая дочь умерла месяц назад. Обе женщины закричали и бросились в объятия друг друга.

В гостиной Гантов гроб уже был установлен на козлах, и соседи с похоронными лицами перешептывались, ожидая их.

И все.

VI

Смерть Гровера была самой страшной раной в жизни Элизы — ее мужество сломилось, медленный, но могучий порыв к свободе сразу оборвался. Когда она вспоминала далекий город и Ярмарку, ее плоть словно разлагалась — она в ужасе никла перед скрытым противником, который сразил ее.

С ожесточением горя она замкнулась в своем доме и семье, опять приняла жизнь, от которой была готова отречься, заполняла день хлопотами и пыталась в труде испить забвенье. Но в чащах памяти внезапным, неуловимым фавном мелькало смуглое утраченное лицо, она вспоминала родимое пятно на его коричневой шее и плакала.

Тянулась угрюмая зима, и медленно рассеивались тени. Гант возродил ревущее пламя в плите и камине, изобильный, ломящийся стол, щедрый и взрывчатый ритуал каждодневной жизни. Прилив их былого жизнелюбия поднимался все выше.

И с уходом зимы пронизанный вспышками сумрак в мозгу Юджина начал понемногу светлеть, дни, недели, месяцы начали слагаться в ясную последовательность; его сознание очнулось от сумятицы Ярмарки — жизнь распахнулась в своей конкретности.

Уютно укрытый надежной и понятной теперь силой родного дома, он лежал на туго набитом животике перед жгучим буйством огня и ненасытно впивался в толстые тома из книжного шкафа, наслаждаясь благоуханной затхлостью страниц и резким запахом нагревшихся переплетов. Особенно он любил три огромных переплетенных в телячью кожу фолианта «Всемирной истории» Ридпата. Эти неисчислимые страницы были иллюстрированы сотнями рисунков, гравюр и литографий, и, еще не научившись читать, он зрительно прослеживал движение столетий. Больше всего ему нравились картинки, изображавшие битвы. Упоенный воем ветра, терпящего поражение у стен дома, и громом могучих сосен, он предавался темной буре, выпуская на волю таящегося во всех людях ненасытного сумасшедшего дьявола, который жаждет мрака, ветра и неизмеримой скорости. Прошлое развертывалось перед ним отдельными колоссальными видениями; он сплетал бесконечные легенды вокруг картинок, на которых цари Египта мчались на колесницах, запряженных летящими конями, и какие-то древние воспоминания словно пробуждались в нем, когда он смотрел на сказочных чудовищ, на шнурочные бороды и огромные звериные туловища ассирийских царей, на стены Вавилона. Его мозг был переполнен картинами — Кир, ведущий войска, лес копий македонской фаланги, сломанные весла и хаос кораблей при Саламине, пиры Александра, бушующая рыцарская сеча, разлетающиеся вдребезги копья, боевой топор и меч, строй ландскнехтов, стены осажденного города, валящиеся осадные лестницы с гроздьями солдат, швейцарец, кинувшийся на пики, атаки конницы и пехоты, дремучие леса Галлии и легионы Цезаря. Гант сидел позади него, бурно раскачиваясь в крепкой качалке, и время от времени сильно и метко сплевывал табачный сок через голову сына в шипящий огонь.

Или же Гант со звучной и витиеватой выразительностью декламировал ему отрывки из шекспировских трагедий: чаще всего он слышал надгробную речь Марка Антония, монолог Гамлета, сцену пира из «Макбета» и сцену Отелло и Дездемоны перед тем, как он ее задушил. Или же он декламировал стихи, которые во множестве цепко хранила его восприимчивая к ним память. Особенно он любил: «О, почему дух смертного так горд» («Любимое стихотворение Линкольна», — имел он обыкновение повторять.); «Мы погибли!* — зашатавшись, так воскликнул капитан»; «Помню, помню дом родимый»; «Мальчик стоял на пылающей палубе»* и «В полулиге, в полулиге, в полулиге впереди»*.

Иногда он заставлял Хелен декламировать: «И школьный дом еще стоит, как нищий у дороги; плющом, как прежде, он увит...»*

Потом она сообщала, как травы уже сорок лет вырастают над головой девушки и как седовласый старик узнал в суровой школе жизни, что мало было таких, кто не хотел возвышаться над ним, потому что, видите ли, был он ими любим, и Гант с тяжелым вздохом говорил, покачивая головой:

— Э-эх! Лучше не скажешь!

Семья пребывала в самом расцвете и полноте совместной жизни. Гант изливал на нее свою брань, свою нежность и изобилие съестных припасов. Они научились с нетерпением ждать его появления, потому что он приносил с собой буйную любовь к жизни и обрядам. По вечерам они смотрели, как он размашистым бодрым шагом выходит из-за угла внизу, и внимательно следили за неизменным ритуалом его действий с той минуты, когда он бросал провизию на кухонный стол, вновь разжигал огонь, с которым всегда начинал воевать, едва войдя, и щедро скармливал ему поленья, уголь и керосин. Покончив с этим, он снимал сюртук и энергично умывался в тазу, — его огромные ладони терли жесткую вечернюю щетину на бритых щеках со специфическим мужским и очищающим шорохом наждачной бумаги. После этого он прижимался спиной к косяку и чесал ее, энергично двигаясь из стороны в сторону. Покончив с этим, он свирепо выплескивал в завывающее пламя еще полбидона керосина и что-то бормотал себе под нос.

Затем он откусывал порядочный кусок крепкого яблочного табака, который всегда лежал на каминной полке, и начинал бешено метаться по комнате, готовя очередную филиппику и не замечая своего ухмыляющегося потомства, которое следило за всем этим церемониалом с радостным возбуждением. В конце концов он врывался на кухню и с сумасшедшим воплем обрушивал на Элизу свои обличения, сразу беря быка за рога.

Благодаря постоянной и неизменной практике его буйное и прихотливое красноречие до некоторой степени приобрело стройность и выразительность классической риторики — его уподобления были невероятны, и порождались они духом простецкой насмешки, а присущее всей семье (вплоть до самого младшего ее члена) острое восприятие смешного получало ежедневно все новую пищу. Дети теперь ждали вечерних появлений отца с ликующим нетерпением. И даже сама Элиза, медленно и с трудом залечивавшая свою жестокую рану, черпала в них некоторую поддержку. Однако в ней по-прежнему жил страх перед его запоями и где-то в глубине пряталось упрямое и непрощающее воспоминание о прошлом.

Но с течением зимы, по мере того как смерть медленно снимала свою руку с их сердец под натиском буйной и целительной веселости детей, этих всесильных божков бегущего мгновения, она вновь начинала обретать подобие надежды. Их жизнь замыкалась в них самих — они и не подозревали о своем одиночестве, но знакомы с ними были почти все, а настоящих друзей у них не было вовсе. Их положение было особым: если бы они поддавались сословному определению, то их, пожалуй, пришлось бы отнести к зажиточному мещанству, однако ни Данкены, ни Таркинтоны, ни остальные их соседи, а также и все прочие их знакомые в городе никогда не были по-настоящему близки с ними, никогда не приобщались сочным краскам их жизни—потому что они разбивали все рамки размеренной упорядоченности, потому что в них крылось сумасшедшее, пугающее своеобразие, о котором они не догадывались. Дружба же с избранными — людьми вроде Хильярдов — была столь же невозможна, даже если бы они обладали нужными для этого дарованиями и искали ее. Но они ими не обладали и не искали ее.

Гант был великим человеком, а не чудаком, потому что чудачество не поклоняется жизни с исступленной преданностью.

Когда он ураганом проносился по дому, меча накопленные грома, дети весело бежали за ним и восторженно взвизгивали, когда он сообщал, что Элиза, «извиваясь, выскочила на него из-за угла, как змея на брюхе» или когда, вернувшись с мороза, он обвинял ее и всех Пентлендов в злокозненном господстве над стихиями.

— Мы все замерзнем, — вопил он, — мы все замерзнем в этом адском, проклятом, жестоком и Богом забытом климате. А брату Уиллу есть до этого дело? А брату Джиму есть до этого дело? А Старому Борову, твоему презренному папаше, было до этого дело? Боже милосердный! Я попал в лапы доподлинных дьяволов, более злобных, более свирепых, более ужасных, чем звери полевые. И эти исчадия ада будут сидеть и смаковать мои смертные муки, пока я не испущу дух!

Несколько минут он расхаживал по прачечной, примыкавшей к кухне, и что-то бормотал себе под нос, а Люк, ухмыляясь, подбирался поближе.

— Но жрать они умеют! — вопил он, внезапно врываясь в кухню. — Жрать они умеют, когда их кто-нибудь кормит! Я до смертного часа не забуду Старого Борова! Хрясть! Хрясть! Хрясть!

Они все покатывались от хохота, потому что на его лице появлялось выражение неописуемой жадности, и он продолжал визгливо и медленно, якобы изображая покойного майора:

— «Элиза, с твоего разрешения я возьму еще кусочек курочки!» А сам запихнул ее себе в глотку с такой поспешностью, старый негодяй, что нам пришлось его унести от стола на руках!

Когда его обличения достигали головокружительных высот, мальчики хохотали как одержимые, а Гант, втайне польщенный, исподтишка посматривал по сторонам, и в уголках его узкогубого рта пряталась усмешка. Элиза тоже смеялась, а потом, оборвав смех, говорила грозно:

— Убирайтесь отсюда! На сегодня с меня хватит ваших представлений!

Иногда все это приводило его в такое победоносно добродушное настроение, что он пытался неуклюже приласкать Элизу и неловко обнимал ее одной рукой за талию, а она сердилась, смущалась и, вырываясь, хотя и не очень энергично, говорила:

— Оставьте. Ну оставьте же. Время для этого давно прошло.

Ее белая смущенная улыбка была одновременно и жалкой и смешной — где-то совсем близко за ней прятались слезы. При виде этих редких, неестественных проявлений нежности дети неуверенно смеялись, переминались с ноги на ногу и говорили:

— Ну, пап, не надо!

Юджин впервые осознал одну из подобных сцен, когда ему шел пятый год,— в нем колючими сгустками поднялся стыд, царапая горло; он конвульсивно дернул шеей и улыбнулся отчаянной улыбкой, как улыбался впоследствии, когда смотрел на скверных клоунов или на актеров, разыгрывающих сладенькую сентиментальную сцену. И с этих пор всякая нежность между ними вызывала в нем это первозданное мучительное чувство унижения: проклятия, вопли, грубость стали для них настолько привычными, что даже намек на ласку воспринимался как безжалостная аффектация.

Однако по мере того, как медлительные месяцы, замутненные горем, начали проясняться, в Элизе постепенно вновь пробуждалось могучее врожденное стремление к собственности и свободе, а вместе с этим возобновилась и былая скрытая борьба их противоположных натур. Дети подрастали, у Юджина уже завелись приятели — Гарри Таркинтон и Макс Айзекс. Женская природа в ней угасала, как зола.

Одно время года сменялось другим, и вновь разгорался старый раздор из-за налогов, с которыми было связано владение землей. Возвращаясь домой с налоговой повесткой в руке, Гант кричал с искренним бешенством:

— Во имя Бога, женщина! К чему это приведет? Не пройдет и года, как мы все окажемся в богадельне. О Господи! Я очень хорошо знаю, чем все это кончится. Я разорюсь, все наши деньги до последнего гроша перекочуют в карманы этих вымогателей, а остальное пойдет с молотка. Да будет проклят тот день, когда я был таким дураком, что купил первый клочок земли. Помяни мое слово, мы будем хлебать благотворительный супчик еще прежде, чем кончится эта ужасная, эта жуткая, эта адская и проклятая зима!

Элиза задумчиво поджимала губы и внимательно читала графу за графой, а он глядел на нее с невыразимой мукой на лице.

— Да, и вправду ничего хорошего нет, — говорила она и прибавляла. — Жаль, что вы не послушали меня прошлым летом, мистер Гант, когда был случай избавиться от усадьбы Оуэнби, которая не приносит ни гроша, и приобрести взамен те два дома на Картер-стрит. Мы бы получали за них аренды по сорок долларов в месяц, начиная с того самого времени.

— Не желаю больше приобретать никакой земли до самой смерти! — вопил он. — Из-за нее я был бедняком всю мою жизнь, а когда я умру, им придется выделить мне даром шесть футов на кладбище для нищих!

Тут он принимался мрачно философствовать о тщете человеческих усилий, о том, что и богатые и бедные одинаково упокоятся в могиле, о том, что «с собой все равно ничего не возьмешь», завершая свою речь чем-нибудь вроде: «Да что говорить! Конец-то один, куда ни кинь!»

Или он начинал декламировать строфы из «Элегии»* Грея, применяя эту энциклопедию оптовой меланхолии довольно невпопад:

> …ждут часа неизбежного равно,
> И лишь к могиле славы путь ведет.

Но Элиза угрюмо оберегала то, чем они владели.

При всей своей ненависти к земельной собственности Гант гордился тем, что живет под собственным кровом, да и вообще все, что ему принадлежало, было освящено привычкой и служило для его комфорта. Он не стал бы отказываться от ничем не обремененного богатства — от крупных сумм в банке и в кармане, возможности путешествовать со всеми удобствами и роскошью и жить на широкую ногу. Ему нравилось носить при себе большие суммы наличными — Элиза очень не одобряла эту его манеру и постоянно упрекала его за нее. Раза два, когда он был пьян, его дочиста обирали. Под влиянием виски он имел обыкновение размахивать пачкой банкнот и раздавать их своим детям — десять, двадцать, пятьдесят долларов каждому, сопровождая это действо слезливыми выкриками: «Берите! Берите все, чтобы черт их побрал!» Но на следующий день он с такой же настойчивостью требовал деньги обратно. Обычно Хелен заранее забирала деньги у упирающихся братьев, а на следующий день возвращала их отцу.

Ей шел шестнадцатый год, но ростом она была уже почти в шесть футов — высокая, очень худая девочка с большими руками и ногами. За крупными чертами ее скуластого лица пряталось постоянное почти истерическое возбуждение.

Близость между ней и отцом крепла с каждым днем — она была такой же нервной, вспыльчивой, раздражительной и несдержанной на язык, как и он. Его она обожала. Он же заметил, что любовь Хелен к нему и его к ней все больше и больше сердит Элизу, а потому всячески подчеркивал и преувеличивал их взаимную привязанность, особенно когда бывал пьян, и его яростное отвращение к жене и непристойные жалобы на нее демонстративно уравновешивались слезливой покорностью, с которой он выполнял требования дочери.

И обида Элизы усугублялась сознанием, что самая сущность его раскрывалась именно в те минуты, когда любое ее движение приводило его в бешенство. Она была вынуждена прятаться от него, запираться у себя в комнате, а ее младшая дочь победоносно брала над ним верх.

Отношения Хелен и Элизы портились все больше — они разговаривали друг с другом резко и грубо, болезненно ощущали присутствие друг друга в тесноте дома. И причина была не только в тайном соперничестве из-за Ганта: девочку, как и его самого, раздражали те же особенности натуры Элизы — иногда Хелен приводила в бешенство медлительная речь матери, постоянно поджимаемые губы, ее спокойное самодовольство, звук ее голоса, ее глубокое невозмутимое терпение.

Ели они гомерически. Юджин уже начал замечать соответствия между едой и временами года. Осенью в подвал закатывались бочки огромных зимних яблок. Гант покупал у мясника целые свиные туши и, возвратившись домой пораньше, сам засаливал их, надев длинный рабочий фартук и закатав рукава на жилистых волосатых руках. В кладовой висела копченая грудинка, внушительные бочонки были полны муки, глубокие темные полки ломились под тяжестью банок с вишнями, персиками, сливами, айвой, яблоками, грушами. Все, чего он касался, наливалось сочной пахучей жизнью — на его весенних грядках влажной черной земли, вскопанной под плодовыми деревьями, благоденствовали огромные курчавые листья салата, которые легко выдирались из чернозема, усеивавшего их хрустящие черешки мелкими черными комочками, пухлая красная редиска, тяжелые помидоры. На траве валялись лопнувшие сочные сливы, толстые стволы его вишен источали янтарь вязкой смолы; его яблони гнулись, обремененные зеленой ношей. Земля плодоносила для него, как широкобедрая женщина.

Весна принесла с собой прохладные росистые утра, порывистые ветры, пьянящие метели цветочных лепестков, и среди этого чародейства Юджин впервые ощутил щемящую тоску и манящие обещания времен года.

Поутру они вставали в доме, наполненном ароматом стряпни, и садились за благоухающий стол, на котором теснились яичница с мозгами, ветчина, горячий поджаренный хлеб, печеные яблоки, тонущие в густом сиропе, мед, золотистое масло, бифштексы, обжигающий рот кофе. Или же на нем красовались груды оладьев, красновато-желтая патока, душистые коричневые колбаски, миска влажных вишен, сливы, жирная сочная свинина, варенье. Они плотно ели и за обедом — огромный кусок жаркого, обильно политые маслом бобы, нежные горячие кукурузные початки, толстые красные ломтики помидоров, жестковатый пряный шпинат, теплый желтый кукурузный хлеб, воздушные бисквиты, большое блюдо с запеканкой из персиков и яблок, сдобренных корицей, нежная капуста, глубокие стеклянные вазы с консервированными фруктами — вишнями, грушами, персиками. За ужином они ели бифштексы, шкварки, обжаренные в яйце на сливочном масле, свиные отбивные, рыбу, жареных цыплят.

Для пиршеств в День Благодарения и на Рождество покупались и откармливались четыре жирные индейки: Юджин несколько раз в день наполнял их кормушки лущеной кукурузой, но отказывался присутствовать при том, как их резали, — к этому времени их веселое кулдыканье западало ему в сердце. Элиза начинала печь и варить еще задолго до праздника, и вся энергия семьи посвящалась великому церемониалу пиршества. За день-два от бакалейщика начинали прибывать дополнительные яства — к привычной еде добавлялось волшебство чужеземных лакомств и плодов: глянцевитые липкие финики, прохладные мясистые винные ягоды, плотно уложенные в маленьких коробочках брюшко к брюшку, матовый изюм, всяческие орехи (миндаль, пекан, бразильские, грецкие), мешочки с разным конфетами, груды желтых флоридских апельсинов, мандарины — острые, резкие, томительные запахи.

Восседая перед индейкой или жарким, Гант гремел ножом о нож и накладывал на каждую тарелку гигантские порции. Юджин пировал на высоком стульчике рядом с отцом и набивал свой переполненный животик, пока он не натягивался, как барабан, — бдительный родитель только тогда разрешал ему отложить вилку, когда его желудок больше не проминался под сильным толчком могучего гантовского пальца.

— Вот тут есть еще пустое местечко! — вопил отец и наваливал на выскобленную тарелку своего малолетнего сына новый ломоть мяса. То, что их пищеварение продолжало функционировать после подобных сокрушительных натисков, делало честь выносливости их организма и кулинарному искусству Элизы.

Гант ел жадно и быстро. Он очень любил рыбу и, когда ел ее, обязательно давился костью. Это случалось сотни раз, но каждый раз он внезапно поднимал голову от тарелки с воплем мучительного ужаса и продолжал стонать и вскрикивать, пока десяток кулаков молотил его по спине.

— Боже милосердный! — охал он наконец. — Я уж думал, что на этот раз мне пришел конец.

— Хоть присягнуть, мистер Гант! — сердилась Элиза. — Ну, почему вы не смотрите в свою тарелку? Не ели бы так быстро, и не давились бы.

Дети, все еще возбужденные, с облегчением возвращались на свои места.

Он питал истинно немецкую любовь к изобилию— вновь и вновь он описывал гигантские забитые зерном амбары пенсильванцев, купающихся в избытке.

По дороге в Калифорнию он был зачарован в Новом Орлеане дешевизной и разнообразием тропических фруктов — уличный разносчик предложил ему огромную гроздь бананов за двадцать пять центов, и Гант тут же ее купил, а потом на пути через континент никак не мог понять, зачем он купил эти бананы и что дальше с ними делать.

VII

Эта поездка в Калифорнию была последним большим путешествием в жизни Ганта. Он совершил его через два года после возвращения Элизы из Сент-Луиса, когда ему было пятьдесят шесть лет. В его огромном теле уже начинались процессы разрушения и смерти. Невысказанное, неоформленное, в нем жило сознание, что в конце концов он попал в капкан жизни и оседлости, что он проигрывает борьбу со страшной в своем упорстве волей, которая хотела владеть землей, а не познавать ее. Это была последняя вспышка старой жажды, которая когда-то темнела в маленьких серых глазах и уводила мальчика в новые края и к кроткой каменной улыбке ангела.

И, пространствовав девять тысяч миль, он в пасмурный день на исходе зимы вернулся в унылую нагую темницу гор.

За восемь с лишним тысяч дней и ночей, прожитых с Элизой, сколько раз он трезво и перипатетически воспринимал окружающий мир*, бодрствуя от часа до пяти часов утра? Таких ночей было не больше девятнадцати: та, когда родилась Лесли, первая дочь Элизы, и та, когда двадцать шесть месяцев спустя она умерла от холерины; та, когда умер майор Том Пентленд, отец Элизы, — в мае 1902 года; та, когда родился Люк; та, когда он ехал в поезде в Сент-Луис навстречу смерти Гровера; та, когда в «Плейхаусе» (в 1893 году) умер дядюшка Тэддес Ивенс, дряхлый и благочестивый негр; та, когда они с Элизой в марте 1897 года отдавали последний долг у смертного ложа старого майора Айзекса; те три в конце июля 1897 года, когда уже никто не ждал, что Элиза, превратившаяся в костяк, обтянутый белой кожей, все-таки выздоровеет от тифа; и еще — в начале апреля 1903 года, когда в тифу при смерти лежал Люк; та, когда умер Грили Пентленд, двадцатишестилетний прирожденный золотушный, туберкулезный скрипач, пентлендовский каламбурист, по мелочам подделывавший чеки и отсидевший полтора месяца в тюрьме; те три ночи, с одиннадцатого по четырнадцатое января 1905 года, когда ревматизм распинал его правый бок, а он, участник собственного горя, вопиял, понося себя и Бога; и еще в феврале 1896 года у смертного ложа, на котором лежало тело одиннадцатилетнего Сэнди Данкена; и еще в сентябре 1895 года — мучимый раскаянием и стыдом в городской «каталажке»; в палате клиники Кили в Пидмонте, штат Северная Каролина, 7 июня 1896 года; и 17 марта 1906 года, между Ноксвиллом, штат Теннесси, и Алтамонтом, в ночь завершения семинедельной поездки в Калифорнию.

Каким же показался тогда Ганту Скитальцу край, где стоял его дом? Сочился серый свет, тая над порожистой речкой, дым паровоза полосами холодного дыхания ложился на зарю, горы были большими, но оказались ближе, ближе, чем он думал. И среди гор лежал сырой иссохший Алтамонт, унылое зимнее пятно. Он осторожно сошел в убогом Игрушечном Городе, замечая, как при его гулливеровском появлении все становится приземистым, близким и съежившимся. Он был большим, все было маленьким; аккуратно прижимая локти к бокам, он придавил своей тяжестью натопленный игрушечный трамвай, тоскливо глядя на грязную, оштукатуренную, инкрустированную камешками стену отеля «Писга», на дешевые кирпичные и дощатые склады Вокзальной улицы, на рыжую фанерную недолговечность железнодорожной гостиницы «Флоренция», подрагивающую от раскормленного блуда.

«Такие маленькие, маленькие, маленькие, — думал он. — А я не замечал. Даже здешние горы. Мне скоро будет шестьдесят».

Его желтоватое лицо со впалыми щеками было унылым и испуганным. Когда трамвай, взвизгнув на стрелке разъезда, остановился, он с угрюмой грустью уставился на плетеное сиденье; вагоновожатый, охрипший от курения, отодвинул дверь и вошел в вагон, держа ручку контроллера. Он задвинул дверь и сел, позевывая.

— Где это вы были, мистер Гант? — спросил он.

— В Калифорнии,— ответил Гант.

— То-то я гляжу, вас что-то не видно, — сказал вагоновожатый.

Теплый электрический запах мешался с запахом раскаленной горелой стали.

Мертв — кроме двух месяцев! Мертв — кроме двух месяцев! О, Господи! Вот к чему все пришло. Боже милосердный, этот гнусный, жуткий, проклятый климат. Смерть, смерть! Может быть, еще не поздно? Край жизни, край цветов. Каким прозрачным было прозрачное зеленое море. И столько в нем плавает рыб. Санта-Каталина. Кто живет на Востоке, должен ехать на Запад. Как я очутился тут? Южнее, южнее, все время южнее, а знал ли я — куда? Балтимор, Сидней... во имя Божье — почему? Лодочка со стеклянным дном, чтобы можно было смотреть вниз. Она приподняла юбки, когда спускалась. Где она сейчас? Два яблочка.

— Джим-то Боуэлс помер, пожалуй, пока вас не было, — сказал вагоновожатый.

— Что?! — возопил Гант. — Боже милосердный, — печально поахал он, снижая тон, и спросил: — А отчего?

— Воспаление легких, — сказал вагоновожатый. — Поболел четыре дня — и все.

— Да как же это? Он ведь был здоровяк в расцвете лет, — сказал Гант. — Я же с ним перед самым отъездом разговаривал, — солгал он, навеки внушая себе, что так оно и было.— Он же и не болел никогда.

— Пришел в пятницу домой простуженный, — сказал вагоновожатый, — а во вторник уже помер.

Рельсы завибрировали нарастающим гуденьем. Толстым пальцем перчатки он протер дырочку в мохнатом слое инея на окне, и как сквозь туман увидел рыжий срез откоса. В конце разъезда возник другой трамвай и с режущим визгом свернул на стрелке.

— Да, сэр, — сказал вагоновожатый, отодвигая дверь, — этого уж заранее не угадаешь, чей черед следующий. Сегодня человек жив, а завтра нет его. И бывает, что первыми ноги протягивают те, кто покрепче.

Он задвинул за собой дверь и включил ток сразу на три деления. Трамвай рванулся с места, как заведенная игрушка.

Во цвете лет, думал Гант. Вот и я когда-нибудь так. Нет, другие, не я. Матери скоро восемьдесят шесть. Ест за четверых, писала Огеста. Надо послать ей двадцать долларов. Вот сейчас — в ледяной глине, замороженный. Долежит до весны. Дождь, тление, прах. Кто ставил памятник? Брок или Сол Гаджер? Отбивают мой хлеб. Покончить со мной — с чужаком. Мрамор из Джорджии, основание из песчаника — сорок долларов.

> Любимый друг покинул нас,
> Но смолкни, скорби стон:
> Нас подкрепляет веры глас —
> Он жив, не умер он.

Четыре цента буква. За такую работу это еще дешево, Бог свидетель. Мои буквы самые лучшие. Мог бы стать писателем. И рисовать люблю. А мои? Я бы уже знал, если бы что-нибудь... он бы мне сказал. Со мной этого не будет. Выше пояса все в порядке. Уж если что и случится, то ниже. Там все разъело. Дырки от виски по всем кишкам. У Кардьяка в приемной на картинках больной раком. Ну, это должны подтвердить несколько врачей. А не то — уголовное преступление. Ну, да если самое худшее — вырезать, и все тут. Убрать, пока он не разросся. И живи. Старику Хейту сделали окошко в брюхе. Выгребли в чашку. Макгайр — проклятый мясник. Но он все может сделать. Отрежет здесь, пришьет там. Этому, из Хомини, приставил взамен носа кусочек берцовой кости. От настоящего не отличить. Наверное, и это можно. Перерезать все веревочки, потом опять связать. Пока ты ждешь. Работа прямо для Макгайра — раз-два, и готово. Так и будет. Когда меня не будет. Вот так: ничего об этом не известно — но убить тебя может. У Бычихи слишком велики. До весны уже недалеко. Вот и умрешь. Маловаты. А в голове черт знает что. Полные чаши бычьего молока. Юпитер и эта...* как ее там.

Теперь на западе он увидел вершину Писги и западный кряж. Там было больше простора. Горы в солнечной стороне громоздились к солнцу. Там было что охватить глазом — туманный, пронизанный солнцем размах, мир, изгибающийся и открывающийся в другой мир гор и равнин, туда, на запад. Запад для желаний, восток для дома. На востоке, всего в миле, над городом заботливо нависали горы. Бердсай, Сансет. Над законченно-белым особняком судьи Бака Севьера на фешенебельной стороне Писга-авеню в небо густым курчавым столбом валил дым, над негритянскими лачугами внизу в овраге курились жидкие дымки. Завтрак. Жареные мозги и яичница с полосатыми шкварками мягкой грудинки. Проснитесь, проснитесь, проснитесь, горные свиньи! А она еще спит, неряшливо завернувшись в три старые одеяла в душном, затхлом, желтоватом холоде. Потрескавшиеся руки тошнотворно сладковаты, наглицеринены. Пузырьки с сургучом на горлышках, шпильки, обрывки бечевки. Входить к ней сейчас не позволено. Стыдится.

Разносчик газет номер семь кончил свой обход на углу Вайн-стрит, как раз когда трамвай остановился, сворачивая с Писга-авеню к сердцу города. Мальчишка ловко сложил, согнул и расплющил свежие газетные листы и запустил увесистый кирпичик за тридцать ярдов на крыльцо Шиллса, ювелира. Газеты звонко шлепнулись об стенку и отскочили. А разносчик зашагал с утомленным облегчением в гущу времени навстречу двадцатому веку, с наслаждением ощущая призрачный поцелуй отсутствующей ноши на своем правом, теперь уже свободном, но все еще перекошенном плече.

Лет примерно четырнадцать, думал Гант. Это будет весна 1864 года; мулы в Гаррисбергском лагере*. Тридцать долларов в месяц и довольствие. От солдат воняло хуже, чем от мулов. Я спал на третьем ярусе нар, Джил на втором. Убери свое проклятое копыто из моего рта. Оно побольше, чем у мула. Это сказал солдат. Если оно тебе наподдаст, сукин ты сын, так ты пожалеешь, что это не мул, сказал Джил. Потом они получили свое. Нас отправила мать. Выросли уже, пора работать, сказала она. Родился в самом сердце мира — почему здесь? В двенадцати милях от Геттисберга. Они шли с Юга. В краденых цилиндрах. Без сапог. Дай напиться, сынок. Это был Фицхью Ли*. На третий день нас разгромили. Чертов Овраг. Кладбищенский Гребень. Смрадные груды рук и ног. В ход шли и мясницкие пилы. Стал этот край еще богаче? Огромные амбары — больше домов. Мы все большие едоки. Я спрятал скотину в чаще. Белл Бойд* — красавица, шпионка конфедератов. Четыре раза приговорена к расстрелу. Вытаскивала у него депеши из кармана, пока танцевала с ним. Потаскушка, должно быть.

Свиные шкварки и горячий хрустящий хлеб. Надо позаботиться. Целая свиная туша или ничего. Всегда был хорошим добытчиком для семьи. А для себя ничего не сделал.

Трамвай, все еще карабкаясь вверх, полз мимо дощатого непрочного рыже-серого похабства Скайленд-авеню.

Американская Швейцария. Страна Небес. Иисусе Христе! Старик Боумен говорил, что будет богачом. До Пасадены все застроено. Уехать туда. Слишком поздно. Пожалуй, он был в нее влюблен. Неважно. Слишком стар. Она ему нужна там. Седина в бороду... Белые брюшки рыб. Был бы ручей, чтобы омыться дочиста. Снова стать чистым как дитя. Новый Орлеан в тот вечер, когда Джим Корбетт нокаутировал Джона Салливена. Человек, который хотел меня обокрасть. Одежда и часы. Пять кварталов по Канал-стрит в одной ночной рубашке. Два часа ночи. Бросил кучей — часы упали сверху. Драка в моем номере. На матч в город съехались все мошенники и воры. Будет о чем рассказать. Полицейский через полчаса. Выходят на улицу и упрашивают тебя зайти. Француженки. Креолки. Богатая красавица креолка*. Пароходные гонки. Капитан, они нагоняют. Я не потерплю, чтобы мы проиграли. Дрова кончились. Топите окороками, сказала она гордо. Произошел ужасный взрыв. Он схватил ее, когда она в третий раз шла ко дну, и поплыл к берегу. Они пудрятся перед витриной и причмокивают тебе. Для стариков, может, так и лучше. Как у них там с нашим делом? Хоронят только над землей. На глубине в два фута уже вода. И они гниют. Почему бы и нет? И какие заказы. Италия. Каррара и Рим. А Брут* — весьма достойный человек. Что такое креолка? Французская и испанская кровь? А может, есть и негритянская? Спросить у Кардьяка?

Трамвай ненадолго остановился перед трамвайным депо на виду у своих отдыхающих собратьев. Потом он неохотно расстался с пронизанной энергией атмосферой «Электрической компании», резко свернул на серую замерзшую ленту Хэттон-авеню, которая мягко уходила вверх, вливаясь в безмолвие Главной площади.

О Господи! Как сейчас помню. Старик предложил мне весь участок за тысячу долларов через три дня после того, как я сюда приехал. Был бы сейчас миллионером, если бы...

Дребезжа на восьмидесятиярдовом склоне перед площадью, вагон проехал мимо «Таскиджи». Пухлые глянцевые потертые кожаные стулья выстроились между сверкающими рядами только что вычищенных медных плевательниц, которые припадали к земле по обеим сторонам входной двери перед толстыми зеркальными стеклами, кончавшимися в неприличной близости от тротуара.

Сколько жирных мужских задов полировало эту кожу. Как рыбы в аквариуме. Изжеванная мокрая сигара коммивояжера, плевком повисшая на сальных губах. Ест глазами всех женщин. Не стоит оглядываться. Себе же в убыток.

Негр-коридорный сонно водил по коже серой тряпкой. Внутри перед огнем, пляшущим на поленьях, ночной портье лежал, утопая в уютном брюхе кожаного дивана.

Трамвай выехал на площадь, задержался на пересечении с юго-северной линией и остановился на северной стороне мордой к востоку. Расширив проталинку в замерзшем окне, Гант поглядел на площадь. В бледно-сером свете морозного утра она смыкалась вокруг него, замороженная и неестественно маленькая. Он внезапно ощутил судорожную тесную неподвижность площади — это было единственное место в мире, которое копошилось, развивалось и постоянно менялось у него на глазах, и его охватил тошнотный зеленый страх, морозом стиснувший сердце, потому что средоточие его жизни выглядело теперь таким съежившимся. Он почти не сомневался, что стоит ему раскинуть руки, и они упрутся в кирпичные стены трех-четырехэтажных домов, которые неряшливо обрамляли площадь.

Теперь, когда он наконец был прочно прикован к земле, на него внезапно обрушилось все, что накопилось в нем за два месяца, — все, что он видел, слышал, ел, пил и делал. Безграничный простор, леса, поля, прерии, пустыни, горы, побережье, убегающее назад под его взглядом; твердая земля, качавшаяся перед его глазами на станциях; незабытые призраки — суп из бамии, устрицы, огромные колюшки во Фриско, тропические фрукты, напоенные бесконечной жизнью, беспрерывное плодоношение моря. И только теперь, здесь, в этой нереальности, в этом противоестественном видении того, что он знал в течение двадцати лет, жизнь утратила свой напор, движение, цвет.

Площадь была проникнута жуткой конкретностью сна. Напротив, в юго-восточном ее углу, он увидел свою мастерскую: свою фамилию, намалеванную большими грязно-белыми лупящимися буквами по кирпичу над карнизом: «У. О. Гант. Памятники, могильные плиты, кладбищенские принадлежности». Это был словно снящийся ад, когда человек видит собственное имя, горящее в гроссбухе сатаны; это было словно снящаяся смерть, когда тот, кто пришел на похороны, видит в гробу самого себя, или же, присутствуя на казни, понимает, что вешают его.

В трамвай тяжело влез сонный негр, истопник из гостиницы «Мейнор», и устроился на одном из задних сидений, отведенных для людей с его цветом кожи. Через секунду он начал легонько похрапывать, раздувая толстые губы.

В восточном конце площади по ступеням городской ратуши медленно спустился Большой Билл Месслер, не застегнув до конца жилета на перепоясанном брюхе, и с деревенской неторопливостью звучно зашагал по металлически холодному тротуару. Фонтан, охваченный толстым браслетом льда, в четверть силы струил тонкую простыню льдисто-голубой воды.

Трамваи один за другим, полязгивая, занимали свои исходные позиции, вагоновожатые притоптывали ногами и переговаривались, выдыхая пар. Город начинал оживать. Рядом с ратушей над своими повозками спали пожарные — за запертой дверью стучали по дереву большие копыта.

В восточном конце площади перед ратушей загрохотала подвода — старый конь, приседая на задние ноги, осторожно спускался к ломовой бирже по булыжнику кривого переулка, который отделял мастерскую Ганта от биржи и «каталажки». Когда трамвай возобновил свой путь на восток, Ганту в этом переулке на мгновение открылся вид на Негритянский квартал. Над убогими крышами, как страусовые перья, поднимались десятки струек дыма.

Трамвай быстро покатил вниз по Академи-стрит, повернул на Айви-стрит там, где верхний край Негритянского квартала круто вторгался из оврага в обитель белых, и двинулся на север по улице, окаймленной с одной стороны закопченными оштукатуренными домиками, а с другой — величественной дубовой рощей, в глубине которой уныло высился обветшавший и заброшенный «Пансион для благородных девиц» старого профессора Боумена. Трамвай снова повернул и остановился на вершине холма на углу Вудсон-стрит перед огромным, холодным, деревянным пустым сараем гостиницы «Айви», которая так себя и не окупила.

Гант прошел по проходу, подталкивая коленями тяжелый саквояж, поставил его на несколько секунд у обочины, а потом начал спускаться с холма по немощеному проулку. Замерзшие комья глины, подпрыгивая, тяжело катились по склону. Склон оказался круче, короче, ближе, чем он думал. Только деревья выглядели большими. Он увидел, как Данкен в подтяжках вышел на крыльцо и поднял газету. Пока не стоит его окликать. Потом. А то разговор затянется. Как он и ожидал, из трубы шотландца валили густые клубы утреннего дыма, а над его трубой не поднималось ничего.

Он спустился с холма, бесшумно открыл свою железную калитку и пошел через двор к боковому крыльцу, чтобы не подниматься по крутым ступенькам веранды. Толстые обнаженные виноградные лозы обвисали на стенах дома, как узловатые канаты. Он тихонько вошел в гостиную. В ней пахло холодной кожей. В камине лежал тонкий слой холодной золы. Он положил саквояж и через прачечную прошел в кухню. Элиза в его старом сюртуке и шерстяных перчатках с отрезанными пальцами ворошила чуть тлеющие угли.

— Ну, я вернулся, — сказал Гант.

— Подумать только! — воскликнула она, как он знал заранее, и всполошилась, нерешительно шевеля руками. Он неуклюже положил ладонь ей на плечо. Они неловко постояли, не двигаясь. Потом он схватил бидон и облил поленья керосином. Из плиты с ревом вырвалось пламя.

— Господи помилуй, мистер Гант! — вскрикнула Элиза. — Вы нас спалите!

А он, схватив охапку растопки и бидон, яростно устремился в гостиную.

Когда огонь, загудев, взметнулся над облитыми керосином сосновыми сучьями и Гант почувствовал, как задрожало полное пламени горло камина, он вновь обрел радость. Он привез с собой необъятность пустыни; гигантскую желтую змею реки, влекущей взвеси почв со всего континента, пышное зрелище груженых кораблей, вздымающих мачты над молами, — кораблей, пропитанных тоской по всему миру, несущих в себе отфильтрованные и сконцентрированные запахи земли, чувственного темного рома и патоки, дегтя, зреющих гуайяв, бананов, мандаринов и ананасов, заполняющих теплые трюмы тропических судов и таких же дешевых, изобильных и щедрых, как ленивая экваториальная земля и все ее женщины; великие названия — Луизиана, Техас, Аризона, Колорадо, Калифорния; спаленный дьявольский мир пустыни и колоссальные полые древесные стволы, сквозь которые может проехать карета; воду, которая падала с горной вершины дымящимися бесшумными извивами, кипящие озера, взметываемые в небо пунктуальным дыханием земли, бесконечное разнообразие судорог, воплотившееся в гранитные океаны, прорезанные бездонными каньонами, которые играют радугой ежечасно по-хамелеоньи меняющихся оглушительных красок, лежащих вне человека, вне природы, под нечеловечески радужным сиянием небес.

Элиза, все еще взволнованная, уже обрела дар речи, вошла вслед за ним в гостиную и рассказывала, держа на животе растрескавшиеся руки в перчатках без пальцев:

— Я только вчера говорила Стиву: «Я не удивлюсь, если ваш папенька войдет в комнату хоть сию минуту» — у меня было такое предчувствие, уж не знаю, как вы это назовете, — сказала она, задумчиво морща лицо при этом внезапном сотворении легенды, — но если подумать, так это очень странно. Я на днях заглянула к Гаретту заказать кое-чего — ванилину, соды и фунт кофе, и тут ко мне подошел Алек Картер и говорит: «Элиза, а когда вернется мистер Гант? У меня, наверное, будет для него работа». «Алек, — говорю я, — раньше первого апреля я его не жду». И что же вы думаете, сэр, чуть только я вышла на улицу — наверное, я о чемто другом задумалась, потому что, помню, Эмма Олдрич шла мне навстречу и окликнула меня, а я даже ей и не ответила, пока она не прошла, и мне пришлось кричать ей вслед: «Эмма! — меня прямо так и осенило. — Знаешь что? Мистер Гант едет домой». Говорю и чувствую, что это вернее верного.

«Господи, — подумал Гант. — Уже началось».

Ее память ползла по океанскому дну события подобно гигантскому осьминогу, который слепо, ничего не пропуская, ощупывает каждый подводный грот, ручеек и эстуарий, сфокусированная с пентлендовским засасывающим упорством на всем, что делала, чувствовала и думала она, Элиза Пентленд, одна из Пентлендов, ради которых сияло солнце или спускалась ночь, лил дождь и род людской возникал, говорил и умирал, перенесенный на один миг из пустоты в пентлендовскую суть, связь и цель вещей.

Гант же, укладывая большие поблескивающие куски угля на дрова, бормотал себе под нос, и в его мозгу складывались в нарастающей последовательности уравновешенные взрывчатые периоды тщательно сбалансированной риторики.

Да, душный хлопок, зашитый в тюки и сложенный под длинными навесами товарных станций, и душистые сосновые леса на равнинах Юга, напитанные коричневатым сказочным светом и расчерченные высокими прямыми безлистыми столбами древесных стволов; женская нога под краем элегантно приподнятой юбки на подножке экипажа на Канал-стрит (француженка, а может быть, креолка); белая рука, протянутая к шторке окна, оливковые лица, мелькающие в окнах, жена доктора из Джорджии, которая спала над ним на пути туда, неукротимое, полное рыбы изобилие неогороженного, синего, медлительного, ленивого Тихого океана; и река, все выпивающая, желтая, медленно катящаяся змея, которая осушает континент. Его жизнь была подобна этой реке — богатая собственными влекущимися в ней взвесями, насыщенная размытыми отложениями, неутомимо заполняемая жизнью, чтобы со все большей пышностью быть самой собой: и вот эту жизнь, эту великую целеустремленность реки он направил в бухту своего дома, достойный его приют, где ради него толстые старые лозы трижды обвивали стены, земля одевалась изобилием плодов и цветов и бешено пылал огонь.

— Что у тебя есть на завтрак? — спросил он у Элизы.

— Ну,— сказала она, в раздумье поджимая губы, — может, съедите яичницу?

— Да, — сказал он, — со свиными шкварками и парой колбасок.

Он широкими шагами пересек столовую и вышел в переднюю.

— Стив! Бен! Люк! Бездельники окаянные! — загремел он.— Вставайте!

Их ноги почти одновременно стукнулись об пол.

— Папа вернулся! — завопили они.

Мистер Данкен следил, как сливочное масло впитывается в горячую булочку. Он поглядел вниз и наискосок за оконную занавеску и увидел, что над домом Ганта в небо тяжело вгрызаются густые клубы едкого дыма.

— Он вернулся, — сказал он с довольным видом.

И в эту же минуту Таркинтон, повелитель красок, сказал:

— У. О. вернулся.

Вот так, совершив свой путь на Запад, вернулся домой Гант Скиталец.

VIII

Юджин бродил теперь по безграничным лугам ощущений — его сенсорный аппарат был настолько совершенным, что в момент восприятия чего-то одного охватывался и весь фон цвета, температуры, запаха, звука и вкуса, так что позднее горьковатый аромат нагретого одуванчика воскрешал в памяти теплую траву зеленых весенних пригорков — такой-то день, такое-то место и шелест молодой листвы; или страница книги — слабый экзотический запах мандарина, зимнюю терпкость больших яблок; или — как было с «Путешествиями Гулливера» — ясный ветреный мартовский день, внезапные наплывы тепла, дробную капель и запах оттаивающей земли, жар огня.

Он сделал первый шаг к освобождению из замкнутости дома — ему еще не исполнилось шести лет, когда он настоял на своем и начал ходить в школу. Элиза не хотела пускать его, но Макс Айзекс, его единственный близкий товарищ, который был на год старше его, поступил в школу, и сердце Юджина сжималось от мучительного страха перед новым одиночеством. Элиза твердо сказала, что ему еще рано учиться, — она смутно чувствовала, что школа положит начало медленному, но бесповоротному разрыву всех связей, соединявших ее с ним, — однако, увидев как-то утром в сентябре, что он тихонько выбрался за калитку и со всех ног помчался к углу, где его ждал Макс, она не окликнула его и не заставила вернуться. В ней лопнула перенапряженная струна — она вспомнила, как он испуганно оглянулся через плечо, и заплакала. Но оплакивала она не себя, а его: через час после его рождения она поглядела в его темные глаза и увидела в них то, что, как она знала, будет сумрачно прятаться в них всегда — неизмеримые глубины неуловимого и неопределенного одиночества; она поняла, что в ее темной и печальной утробе обрел жизнь чужак, вскормленный утраченными заветами вечности, свой собственный призрак, привидение, блуждающее по собственному дому, одинокий и в себе самом, и в мире. Утрата, утрата!

У его братьев и сестер, занятых томительной болью собственного взросления, не было времени для него — он был почти на шесть лет моложе Люка, младшего из них, — но иногда они дразнили и мучили его с жестокостью, с которой дети постарше любят мучить тех, кто меньше их, с веселым любопытством наблюдая его бешеные вспышки, когда, насильно оторванный от своих грез и доведенный до исступления, он хватал кухонный нож и кидался на них или бился головой об стену.

Они чувствовали, что он «свихнутый», — и, когда его преследователям попадало за эти издевательства, они, согласно законам самодовольной трусости, управляющим детским стадом, оправдывались тем, что хотят сделать из него «настоящего мальчика». А в нем росла глубокая привязанность к Бену, который бесшумно проходил по дому, уже тогда пряча свою тайную жизнь за хмурыми глазами и угрюмой речью. Бен сам был чужим, и какой-то глубокий инстинкт влек его к маленькому брату, — часть своего небольшого заработка разносчика газет он тратил на подарки и развлечения для Юджина, ворчливо одергивал его, иногда награждал подзатыльниками, но оберегал от остальных.

Гант, наблюдавший, как он часами сосредоточенно разглядывает картинки на озаренных огнем книжных страницах, пришел к выводу, что мальчику нравятся книги, и довольно неопределенно решил, что сделает из него адвоката, настоит, чтобы он занялся политикой, и еще увидит, как он будет выбран губернатором, сенатором, президентом. И время от времени он рассказывал Юджину весь набор примитивных американских легенд о деревенских мальчиках, которые стали великими людьми потому, что были деревенскими мальчиками, бедными мальчиками, и прилежно трудились на фермах. Но Элизе он представлялся книжником, ученым человеком, профессором, и с обычным своим уменьем задним числом видеть все наперед, которое так раздражало Ганта, она узрела в этой страсти к книгам результат своего собственного продуманного плана.

— Летом, перед тем как он родился, я каждую свободную минуту тратила на чтение, — сказала она и с безмятежно-самодовольной улыбкой, которая, как знал Гант, всегда предшествовала упоминанию о ее семье, добавила: — Вот послушайте, все это может расцвести в третьем поколении.

— Да будь оно проклято, это третье поколение! — в ярости ответил Гант.

— Вот что я хочу сказать, — продолжала она задумчиво, подкрепляя свои слова взмахами указательного пальца. — Люди же всегда говорили, что из его деда вышел бы настоящий ученый, если бы только...

— Боже милосердный! — внезапно вскрикнул Гант и, вскочив, принялся с ироническим смехом расхаживать по комнате. — Я мог бы заранее знать, что этим кончится! Уж будьте уверены, — возопил он бурно, быстро облизнув большой палец, — если выйдет что-нибудь хорошее, так я, конечно, окажусь ни при чем. Уж ты об этом позаботишься! Скорее умрешь, чем признаешь тут мою заслугу! И я тебе скажу, что ты устроишь — будешь хвастать этим никчемным старикашкой, который в жизни и одного дня не потрудился как следует!

— На вашем месте я бы не стала этого говорить, — начала Элиза, быстро шевеля губами.

— Иисусе! — мечась по комнате, воскликнул он с обычным пренебрежением к обоснованным аргументам, — Иисусе! Какая насмешка! Какая насмешка над природой! В аду нет фурии* опасней, чем женщина отвергнутая! — выкрикивал он с жаром, хотя и без всякой логики, а потом разразился громким, горьким, вымученным хохотом.

Вот так, замкнутый в своей темной душе, Юджин раздумывал над озаренной огнем книгой — чужак на шумном постоялом дворе. Врата его жизни затворялись, укрывая его от всех них, огромный воздушный мир фантазий воздвигал зыбкие туманные постройки. Юджин погружал свою душу в бурлящий поток образов, он рылся по книжным полкам в поисках картинок и находил там такие сокровища, как «Со Стэнли в Африке» — книгу, овеянную таинственностью экваториального леса, полную схваток, чернокожих воинов, летящих копий, огромных деревьев со змеящимися корнями, хижин, крытых пальмовыми листьями, золота и слоновой кости; или «Чтения» Стоддарда, на тяжелых глянцевитых страницах которой были запечатлены наиболее знаменитые места Европы и Азии; или «Книгу чудес» с завораживающими изображениями всех самых последних достижений века — Сантос-Дюмон* на своем воздушном шаре, жидкий воздух, льющийся из чайника, все военные флоты мира, поднятые на два фута из воды одной унцией радия (сэр Уильям Крукс*), постройка Эйфелевой башни, автомобиль с рычажным управлением, подводная лодка. После землетрясения в Сан-Франциско появилась книжка с его описанием: ее дешевая зеленая обложка нагоняла ужас — на ней рушились башни, ломались колокольни, многоэтажные дома клонились над разверстой огненной пастью земли. И еще была книга «Дворцы Греха, или Дьявол в Светском Обществе», якобы написанная благочестивым миллионером, который растратил все свое огромное состояние, обличая запудренные язвы на безупречных репутациях сильных мира сего, — увлекательные картинки изображали автора, который шел в цилиндре по улице, полной великолепных дворцов греха.

Его задумчивое воображение превращало эту хаотичную галерею в мозаичный мир, который непрерывно рос и ширился — темные падшие ангелы «Потерянного рая» Доре* слетали на могучих крыльях в недра ада где-то вне этой верхней земли стройных или рушащихся колоколен, машинных чудес, романтики мечей и кольчуг. И когда он думал о том, как в будущем свободным выйдет в этот героический мир, где все краски жизни ярко пылают вдали от дома, сердце затопляло его лицо озерами крови.

Он уже слышал звон дальних церковных колоколов, разносящийся над горами в воскресный вечер; внимал земле, погруженной в задумчивую симфонию мрака и миллионоголосых маленьких ночных существ; он слышал уносящийся вопль гудка в дальней долине и тихий рокот рельсов; он чувствовал безграничную глубину и широту золотого мира в кратких соблазнах тысяч и тысяч сложных, смешанных, таинственных запахов и звуков, которые в ослепляющем взаимодействии и многоцветных вспышках сплетались и переходили друг в друга.

Он еще помнил Индийский чайный домик на Ярмарке — сандаловое дерево, тюрбаны и халаты, прохладу внутри и запах индийского чая; и он уже познал ностальгическую радость росистых весенних утр, вишенный аромат, звенящую трубную землю, влажную черноземность огорода, пряные запахи завтрака и плавную метель лепестков. Он знал полуденный восторг нагретых одуванчиков в молодой весенней траве, запах погребов, паутины и потаенной, застроенной земли, июльский запах арбузов, укрытых душистым сеном в фургоне фермера, запах дынь и уложенных в ящики персиков и горьковато-сладкое благоухание апельсинной корки возле пылающих в камине углей. Он знал добротный мужской запах отцовской гостиной, скользкого потертого кожаного дивана с конским волосом, торчащим из зияющей прорехи, потрескавшейся лакированной каминной полки, нагретых переплетов из телячьей кожи, плоской влажной плитки яблочного табака с красным флажком на ней; древесного дыма и горелых листьев в октябре, бурой, усталой осенней земли, ночной жимолости, нагретых настурций; чистоплотного румяного фермера, который каждую неделю привозит бруски масла с выдавленной меткой, яйца и молоко; жирной мягкой недожаренной грудинки и кофе; хлебной печи на ветру, больших, темноцветных бобов, исходящих горячим паром и обильно сдобренных солью и маслом; давно запертой комнаты со старыми сосновыми половицами, в которой сложены ковры и книги; винограда «конкорд» в длинных белых корзинах.

Да, и волнующий запах мела и лакированных парт; запах толстых ломтей хлеба, намазанных маслом и переложенных кусками холодного жареного мяса; запах новой кожи в лавке шорника или теплого кожаного кресла; меда и немолотого кофе; маринадов в бочонках, сыров и прочих душистостей бакалейной лавки; запах яблок в погребе, и на ветках в саду, и под прессом во время изготовления сидра; груш, дозревающих на солнечной полке, и спелых вишен, томящихся в сахарном сиропе на горячей плите; запах обструганного дерева, свежих досок, опилок и стружек; персиков, начиненных гвоздикой и вымоченных в коньяке; сосновой смолы и зеленых сосновых игл; подрезаемого лошадиного копыта; жарящихся каштанов, мисок с орехами и изюмом; горячих шкварок и жареного молочного поросенка; масла с корицей, тающего на горячих засахаренных ямсах.

Да, и застойной медлительной речки; и помидоров, гниющих на стебле; запах влажных от дождя слив и варящейся айвы; гниющих семенных коробочек на лилиях и вонючих водорослей, гниющих в зеленой болотной пене; и изысканный запах Юга, чистый, но душноватый, как крупная женщина; намокших деревьев и земли после долгого ливня.

Да, и утренний запах нагретых лужаек с маргаритками; расплавленного чугуна в литейной; зимний запах конюшни, полной дымящегося навоза и лошадиного тепла; старого дуба и ореха; запах мясной лавки — крепенькой тушки ягненка, пухлой подагрической печени, фаршированных колбас и красной говядины; и жженого сахара, смешанного с шоколадной крошкой; и растертых листьев мяты, и мокрого куста сирени; магнолии под полной луной, шиповника и лавра; старой прокуренной трубки и ржаного виски, выдержанного в бочонках из обожженных дубовых досок; резкий запах табака; карболовой и азотистой кислоты; грубый псиный запах собаки; запертых старых книг; прохладный папоротниковый запах возле родников, ванили в сладком тесте и огромных рассеченных сыров.

Да, и скобяной лавки — но в основном добротный запах гвоздей; химикалий в темной комнате фотографа; и юный запах масляных красок и скипидара; пшеничной опары и черного сорго; и негра, и его лошади; варящейся помадки; морской запах чанов для солений; сочный запах зарослей на южных холмах; осклизлой банки из-под устриц и охлажденной выпотрошенной рыбы; распаренной кухарки-негритянки; керосина и линолеума; сарсапариллы и гуайяв; и зрелой осенней хурмы и запах ветра и дождя; и едкокислого грома; холодного света звезд и хрупких замерзших травинок; тумана и затянутого дымкой зимнего солнца; времени прорастания семян, времени цветения и времени сбора спелого осыпающегося урожая.

И теперь, когда все это неутолимо раздразнило его, он в школе погрузился в плодоносную романтику, которая зовется географией, и начал вдыхать смешение ароматов всей земли, ощущая в каждом пузатом бочонке на пристани бесценный клад золотистого рома, бархатного портвейна и маслянистого бургундского; чуя буйные джунгли тропиков, тяжелую духовитость плантаций, запах соленой рыбы, пропитавший гавани; путешествуя по огромному, пленительному, но простому и ясному миру.

Теперь неисчислимые острова архипелага остались позади, и он твердой ногой вступил на неизвестный, но ждущий его материк.

Читать он научился почти сразу — его могучая зрительная память мгновенно запечатлевала облик слов, но прошел не один месяц, прежде чем он научился писать или хотя бы списывать слова. Время от времени на уроках в его ясном утреннем сознании всплывали обломки и взлохмаченная пена прежних фантазий и утраченного мира, и, хотя все другие объяснения учительницы он слушал внимательно, когда они начинали писать буквы, он укрывался в стенах своего былого, отгороженного от всех мира. Дети выводили корявые буковки под строчками прописи, но у него получалась только зубчатая линия кривых копейных наконечников, и он упоенно тянул и тянул ее, не замечая и не понимая разницы.

«Я научился писать», — думал он.

Затем в один прекрасный день Макс Айзекс внезапно оторвался от прописи, заглянул в тетрадку Юджина и увидел зубчатую линию.

— Так не пишут, — сказал он.

И, стиснув карандаш в немытой бородавчатой лапке, Макс поперек всей страницы скопировал пропись.

Эта линия жизни, эта прекрасная развертывающаяся конструкция языка, которая возникала под карандашом его товарища, сразу разрубила в нем тот узел, который не удавалось развязать никаким объяснениям учительницы, и, схватив карандаш, он написал все нужные слова буквами более четкими и красивыми, чем буквы Макса. А потом он с подавленным криком открыл следующую страницу и уверенно скопировал пропись на ней — а потом открыл следующую страницу, и еще следующую. Они с Максом поглядели друг на друга с тем спокойным удивлением, с каким дети приемлют чудеса, и больше никогда не заговаривали об этом.

— Вот как пишут, — сказал Макс, но тайна осталась известной только им одним.

Юджин впоследствии вспоминал про это событие: он всегда чувствовал, что в нем вдруг распахнутся врата и прилив вырвется на свободу, и вот это случилось — однажды и сразу. Он все еще был мал и близок к живой шкуре земли, и видел много такого, что трепетно хранил в строжайшей тайне, ибо рассказать — значило бы навлечь на себя кару насмешек, и он это знал. Как-то весной в субботу они с Максом Айзексом остановились на Сентрал-авеню у глубокой ямы, на дне которой рабочие чинили водопровод. Глинистые края ямы поднимались гораздо выше их голов, а позади их согнутых спин виднелась широкая дыра, окошко, пробитое в стенке какого-то темного подземного хода. И, разглядывая эту дыру, мальчики внезапно крепко ухватились друг за друга, потому что за отверстием скользнула плоская голова огромной змеи — скользнула, скрылась, и потянулось чешуйчатое тело толщиной с тело взрослого мужчины. Чудовище бесконечно долго уползало в недра земли за спиной ничего не подозревающих рабочих. Оглушенные страхом мальчики ушли: они шепотом обсуждали этот случай и тогда и потом, но никому другому про него не рассказали.

Юджин без труда приспособился к школьному ритуалу: по утрам он вместе с братьями молниеносно уписывал завтрак, одним глотком выпивал обжигающий кофе и выбегал из калитки под зловещее предупреждение последнего звонка, сжимая в руке горячий мешочек с завтраком, на котором уже проступали пятна жира. Он мчался за братьями, и от волнения его сердце билось где-то в горле, а когда он скатывался в ложбину у подножия холма Сентрал-авеню, у него от волнения подгибались ноги, потому что удары школьного колокола стихали и привязанная к языку веревка раскачивалась в такт замирающим отголоскам.

Бен, злокозненно ухмыляясь и хмурясь, прижимал ладонь к его заду, и он с визгом стремглав взбирался по склону, не в силах сопротивляться неумолимому нажиму.

Прерывающимся голосом он, запыхавшись, подхватывал утреннюю песню, которую допевал класс:

> ...весело, весело, весело,
> Ведь жизнь — это только сон!

Или в морозные осенние утра:

> Рог охотничий трубит,
> На горах заря горит.

Или про спор Западного Ветра с Южным Ветром. Или песенку Мельника:

> Никому, никому не завидую я,
> И никто не завидует мне.

Он читал быстро и без запинки, он писал грамотно. Ему легко давалась арифметика. Но он ненавидел уроки рисования, хотя коробочки цветных карандашей и красок приводили его в восторг. Иногда класс отправлялся в лес и приносил оттуда образчики цветов и листьев — изгрызенный пламенеющий багрец клена, бурую гребенку сосны, бурый дубовый лист. Их они и срисовывали. Или весной — веточку цветущей вишни, тюльпан. Он сидел, почтительно благоговея перед властью толстенькой женщины, его первой учительницы, и больше всего боялся сделать что-нибудь, что могло бы показаться ей недостойным или гадким.

Класс томился — мальчики щипали и дергали девочек или подбрасывали им записочки с нехорошими словами. А самые отчаянные и самые ленивые под любым предлогом старались сбежать: «Разрешите выйти!» И брели в уборную, хихикая, еле волоча ноги, чтобы затянуть время.

Он ни за что не произнес бы этих слов, потому что они изобличили бы его перед учительницей в стыдной потребности.

Как-то раз он молча и упрямо боролся с невыносимой тошнотой, пока в конце концов его не вырвало в сложенные ладошки.

Он боялся перемен и ненавидел их, трепетал перед шумной и грубой возней на площадке для игр, но гордость не позволяла ему украдкой остаться в классе или спрятаться где-нибудь поодаль от них. Элиза не подстригала ему волосы и каждое утро накручивала их пряди на свой палец, чтобы он ходил в пышных фаунтлероевских локонах*. Эти локоны причиняли ему невыносимые муки, но она не могла или не хотела понять, каким униженным он себя чувствует, и на все мольбы остричь его задумчиво и упрямо поджимала губы. Срезанные локоны Бена, Гровера и Люка она хранила в маленьких коробочках и иногда плакала, глядя на кудри Юджина: для нее они были символом нежного детства, и ее печальное сердце, так остро воспринимавшее все символы расставаний, не допускало и мысли о том, чтобы ими пожертвовать. Даже когда вши Гарри Таркинтона основали в густых волосах Юджина процветающую колонию, она не стала его стричь, а дважды в день зажимала между колен его извивающееся тельце и скребла кожу на его голове частым гребешком.

В ответ на его страстные, полные слез мольбы она улыбалась подчеркнуто снисходительной добродушной улыбкой, поддразнивающе покашливала и говорила: «Да ведь ты же еще не вырос. Ты мой маленький-маленький мальчик!» И, теряясь перед гибкой неуступчивостью ее характера, который можно было подвигнуть на действие только непрерывными свирепыми уколами, Юджин в ис-

ступленном припадке бессильной ярости начинал понимать бешенство Ганта.

В школе он был отчаявшимся и затравленным зверьком. Стадо
благодаря безошибочному коллективному инстинкту мгновенно рас-
познало чужака и было беспощадно в своих преследованиях. На
большой перемене Юджин, прижимая к груди свой большой про-
масленный мешочек с завтраком, стремглав бежал на площадку для
игр, а за ним гналась воющая стая. Вожаки, двое-трое великовозрастных олухов, физически переразвитых и умственно отсталых, наго-
няли его с просительным воплем: «Ты ж меня знаешь, Джин, ты ж
меня знаешь!» И на бегу он открывал мешочек и кидал в них
большим бутербродом — на мгновение они задерживались, вырывая
куски бутерброда у того, кто первым успел им завладеть, а потом
с той же воющей настойчивостью загоняли Юджина в дальний угол
двора, протягивая жадные лапы и упрашивая. Он отдавал им все,
что у него было, иногда с внезапной яростью вырывая из алчных
пальцев половину бутерброда и пожирая ее. Когда они убеждались,
что у него больше ничего нет, они уходили.

Он по-прежнему преданно верил в великую сказку Рождества.
В этом Гант был его неутомимым товарищем. Вечер за вечером в
конце осени и в начале зимы он старательными каракулями выво-
дил просьбы Санта-Клаусу, составляя бесконечные списки подарков, которые он больше всего хотел бы получить, и доверчиво
бросал их в бушующее пламя камина. Когда огонь выхватывал
бумажку из его рук и с ревом уносил ее обуглившийся призрак,
Гант кидался с ним к окну, указывал на хмурящийся тучами север-
ный край неба и кричал: «Вон она! Видишь?»

Юджин видел. Он видел, как его молитва, окрыленная верным
попутным ветром, уносилась на север к причудливым рифмован-
ным башенкам Игрушечной страны, в морозную веселую Эльфландию; он слышал серебристый звон наковален, басистый хохоток
гномов, нетерпеливое фырканье запертых в конюшне воздушных
оленей. И Гант тоже видел и слышал их.

В сочельник Юджин получал множество ярких игрушек, и в
глубине души он ненавидел тех, кто был сторонником «полезных»
подарков. Гант покупал ему тележки, санки, барабаны, трубы, а
однажды купил самое лучшее — пожарную повозку с лестницей,
которая сначала вызвала восхищение всего околотка, а потом
стала его проклятием. Месяц за месяцем он все свободные часы
проводил в подвале с Гарри Таркинтоном и Максом Айзексом —
они подвесили лестницы над повозкой на проволоке так, что

стоило дернуть, и лестницы опускались на землю аккуратными штабелями. Они притворно клевали носами, как настоящие пожарные, потом внезапно один из них изображал набат: «Бом! Бом! Бом-бом-бом!», и они начинали лихорадочно суетиться. Затем рассудку вопреки они проскакивали через узкую дверь, — Гарри и Макс в упряжке, а Юджин на козлах, — сломя голову неслись к дому кого-нибудь из соседей, устанавливали лестницы, открывали окна, забирались внутрь, гасили воображаемый пожар и возвращались, не замечая визгливой брани хозяйки дома.

Несколько месяцев они жили этой игрой, во всем подражая городским пожарным и Жаннадо, который был помощником брандмейстера и по-детски гордился этим — они не раз видели, как при звуке набата он, словно сумасшедший, отскакивал от своего окна в мастерской Ганта, оставив на столе в беспорядке часовые колесики и пружинки, и оказывался на своем посту в тот самый момент, когда огромная повозка вихрем вылетала из ворот на площадь. Пожарные любили поражать обывателей эффектными зрелищами: блистая касками, они свисали с повозок в гимнастических позах — один поддерживал другого над стремительно убегающим назад булыжником, а номер второй подхватывал на лету тяжелое тело швейцарца, который, сознательно рискуя шеей, прыгал на мчащуюся повозку. И на один упоительный миг они застывали треугольником во власти раскачивающейся скорости, и по спине города пробегали блаженные мурашки.

А когда набат прорывался ночью сквозь затопляющие волны ветра, демон Юджина врывался в его сердце, рвал все узы, связующие его с землей, и обещал ему одиночество и власть над морем и сушей, обиталищем мрака; он глядел вниз, на кружащийся диск темных полей и леса, слетал над поющими соснами к съежившемуся городку, зажигал кровли над упрятанным, зарешеченным огнем их же собственных очагов, а сам носился на обузданной буре над обреченными пылающими стенами, смеясь пронзительным смехом высоко над поникшими в ужасе головами и дьявольским голосом призывая сокрушительный ветер.

Или же, властвуя над бурей и тьмой и над всеми черными силами колдовства, заглянуть вампиром в исхлестанное бурей окно, на мгновение посеяв невыразимый ужас в укромном семейном уюте; или же всего лишь человеком, но храня в своем не просто смертном сердце демонический экстаз, припасть к стене одинокого стонущего под бурей дома, глядеть сбоку сквозь залитое дождем стекло на женщину или на твоего врага и в разгар ликующего восторга твоего победоносного, темного всевидящего одиночества почувствовать на плече прикосновение и увидеть (настигнутый преследователь, затравленный гонитель) зеленый разлагающийся адский лик злобной смерти.

Да, и мир женщин в постелях, проблески красоты в тяжелодышащем мраке, когда ветры сотрясают крышу и он проносится с другого конца света между душистыми столпами восторга. Великая тайна их тела слепо бродила в нем, но в школе он нашел наставников в желании — великовозрастных олухов из Дабллдея с пробивающимися усами. Они вселяли страх и изумление в сердца мальчиков помоложе и посмирнее, потому что Дабллдей был страшным кварталам городских горцев, которые зловеще прятались в ночном мраке и в канун Дня всех святых, когда завязывалась драка и начинали летать камни, они являлись проламывать головы членам других шаек.

Конопатый, усатый, низколобый немчик Отто Краузе, худой и быстроногий, хриплый, всегда готовый залиться идиотским смехом, открыл ему сады восторга. Моделью служила Бесси Барнс, черноволосая высокая тринадцатилетняя девочка с развитыми формами. Отто Краузе было четырнадцать лет, Юджину восемь — они учились в третьем классе. Немчик сидел рядом с ним, рисовал в своих учебниках непристойные картинки и украдкой перебрасывал похабные записочки через проход на парту Бесси.

Нимфа отвечала вульгарной гримасой и шлепала себя по изящно вздернутой ягодице, — Отто считал этот жест недвусмысленным обещанием и начинал хрипло хихикать.

Бесси шествовала в его сознании.

На уроках они с Отто тайком развлекались тем, что изукрашивали непристойностями свои учебники по географии, наделяя обитателей тропиков отвислыми грудями и огромными органами. А на клочках бумаги он писал грязные стишки об учителях и директоре. Их учительницей была тощая краснолицая старая дева со злобно сверкающими глазами: глядя на нее, Юджин всегда вспоминал солдата, огниво и собак, мимо которых тому приходилось пробираться — с глазами, как блюдце, как мельничные жернова и как луна. Ее звали мисс Гуди, и Отто с тупым пристрастием к бессмысленным непристойностям, обычным у маленьких мальчиков, написал про нее:

> У старухи Гуди
> Хорошие груди.

А Юджин, направив свой огонь против директора, толстого, пухлого, щеголеватого молодого человека по фамилии Армстронг, всегда носившего в петлице гвоздику, которую он, кончив сечь провинившегося ученика, имел обыкновение изящно брать двумя пальцами и, полузакрыв глаза, нюхать чуткими ноздрями, создал в первых радостных потугах творчества десятки стишков в поношение Армстронга, его предков и его знакомства с мисс Гуди.

Теперь он весь день напролет как одержимый сочинял стихи — все новые непристойные вариации на ту же тему. И у него не поднималась рука уничтожить их. Его парта была набита стишками, смятыми в комочки, и однажды на уроке географии учительница поймала его врасплох. Когда она, сверкая глазами, подскочила к нему, его кости словно стали резиновыми, а она выхватила заложенную между страниц учебника бумажку, на которой он писал. На перемене она очистила его парту, прочла все стихи и со зловещим спокойствием велела ему после конца уроков пойти к директору.

— Зачем это? Как ты думаешь, зачем это? — прошептал он пересохшими губами Отто Краузе.

— Влепит он тебе, и все, — ответил Отто Краузе с хриплым смехом.

И все остальные ученики исподтишка дразнили его: перехватив его взгляд, они принимались тереть себя ладонью пониже спины и гримасничали, изображая невыносимое страдание.

У него все оледенело внутри. К физическому унижению он испытывал мучительное отвращение, источником которого не был страх и которое он сохранил на всю жизнь. Он завидовал наглой душевной бесчувственности других мальчишек, но был не в силах подражать им — когда их наказывали, они громко вопили, чтобы смягчить наказание, а десять минут спустя хвастливо делали вид, будто им все нипочем. Он думал, что не вынесет того, чтобы его сек жирный молодой человек с цветочком, — в три часа, белый как полотно, он вошел в кабинет директора.

Когда Юджин вошел, Армстронг, щуря глаз и плотно сжав губы, несколько раз со свистом рассек воздух тростью, которую держал в руке. Позади него на столе аккуратной разглаженной стопкой лежали роковые рифмованные оскорбления.

— Это написал ты? — спросил директор, суживая глаза в крохотные щелочки, чтобы напугать свою жертву.

— Да, — сказал Юджин.

Директор снова рассек воздух тростью. Он несколько раз бывал в гостях у Дейзи и ел за обильным столом Ганта. Он прекрасно это помнил.

— Что я тебе сделал, сынок, что ты так ко мне относишься? — спросил он, внезапно переходя на тон хнычущего великодушия.

— Н-н-ничего, — сказал Юджин.

— Как ты думаешь, это когда-нибудь повторится? — спросил директор прежним грозным голосом.

— Н-нет, сэр, — прошелестел Юджин.

— Ну, хорошо, — величественно сказал Бог, отбрасывая трость. — Можешь идти.

Ноги Юджина перестали подгибаться, только когда он дошел до площадки для игр.

Зато и чудесная осень, и песни, которые они пели; сбор урожая и раскраска листьев; и «сегодня нет занятий», и «взмывая в высоту», и еще про поезд — «станции мелькают мимо»; тихие золотые дни, распахивающие врата желания, дымчатое солнце, дробный шорох падающих листьев.

— Каждая маленькая снежинка отличается по форме от всех остальных.

— Гошподи! Каждая-каждая, мишш Пратт?

— Да, каждая маленькая снежинка из всех, какие когда-либо были. Природа никогда не повторяется.

— Ух ты!

У Бена росла борода, он уже брился. Он валил Юджина на кожаный диван и часами играл с братишкой, царапая нежные щеки щетинистым подбородком. Юджин визжал.

— Вот когда ты сумеешь так сделать, ты будешь мужчиной, — говорил Бен.

И пел негромко шелестящим голосом призрака:

> Школьную дверь дятел долбил,
> Долбил и долбил и клюв разбил.
> Школьный колокол дятел долбил,
> Долбил и долбил и клюв починил.

Они смеялись — Юджин заливчато и взахлеб, Бен негромко и спокойно. У него были глаза цвета серой морской воды и желтоватая бугристая кожа. Голова у него была красивой формы, лоб высокий и выпуклый. Волосы у него были волнистые, каштаново-коричневые. Лицо под вечно хмурыми бровями было маленьким и заостренным, необычайно чуткий рот улыбался коротко, вспышками, про себя — как блик пламени, пробегающий по лезвию. И он всегда отпускал оплеухи вместо ласки: он был гордым и нежным.

IX

Да, и в тот месяц, когда возвращается Прозерпина и воскресает мертвое сердце Цереры, когда все леса окутаны нежной дымкой, а птицы величиной с молодой листок снуют между поющими деревьями, и когда становится мягче духовитый вар на улицах и мальчишки скатывают из него языком шарики, а их карманы вздуваются волчками и разноцветными камешками; а по ночам грохочет гром и проносится проливной тысяченогий дождь, и утром из окна видишь бурное небо, все в рваных тучах; и когда мальчишка-горец носит воду своим родным, которые чинят изгородь, и, пока ветер змеей пробирается в траве, слышит, как внизу в долине раздается длинный вопль гудка и слабо доносится звон колокола; и огромная синяя чаша гор кажется совсем близкой, потому что услышано неясное обещание, — тогда его пронзила весна, этот острый нож.

И жизнь сбрасывает свою побуревшую старую кожу, и земля источает нежную неистощимую силу, и чаша человеческого сердца до краев наполнена бессрочным ожиданием, бессловесным обещанием, неопределимым желанием. Что-то накапливается в горле, что-то слепит его глаза, и сквозь толщу земли звучат дальние доблестные трубы.

Маленькие девочки с аккуратными косичками чинно и послушно торопятся в школу; но юные боги медлят: они слышат тростниковую флейту*, переливы свирели, перестук козьих копыт* в набухшем лесу, тут, там и всюду, — они останавливаются, слушают, особенно стремительные именно тогда, когда ждут, а потом рассеянно бредут к единственному назначенному им дому, потому что земля полна извечного ропота и они не находят пути. Все боги утратили этот путь.

Но то, что у них было, они оберегали от варваров. Юджин, Макс и Гарри правили своим небольшим мирком и его окрестностями. Они вели войну с неграми и евреями, которые их забавляли, и с обитателями Поросячьего тупика, которых они ненавидели и презирали. Они по-кошачьи крались в многообещающем вечернем сумраке, а иногда сидели на заборе в возбуждающем свете уличного фонаря, который выбрасывал венчик пылающего газа и время от времени шумно подмигивал.

Или, скорчившись в густых кустах под гантовской изгородью, они выжидали появления какой-нибудь влюбленной негритянской парочки, и когда их жертвы на пути домой начинали подниматься по склону, тянули бечевку, выволакивая на дорогу набитый чулок, похожий на черную змею. И темнота содрогалась от хохота, потому что громкие звучные смешные голоса вдруг запинались, смолкали и начинали визжать.

Или они бросали камни в черного мальчишку-посыльного, когда он, ловко повернув велосипед, въезжал в проулок. Но они не питали ко всем ним ни малейшей ненависти: черный цвет — цвет клоунов. И они знали, что обычай и приличия требуют колотить этих людей добродушно, осыпать их ругательствами весело и кормить щедро. Люди снисходительны к верному, виляющему хвостом псу, но ему не следует заводить привычку разгуливать постоянно на двух ногах. Они знали, что не должны «давать черномазым спуску» и что положить конец возражениям проще всего с помощью дубинки и проломленной головы. Да только разве черномазому голову проломишь!

Они радостно плевали в евреев. Топи еврея, бей негра.

Они подстерегали евреев и шли за ними по пятам, выкрикивая: «Гусиный жир! Гусиный жир!» — в полном убеждении, что семиты в основном питаются именно гусиным жиром; или же с той слепой и неколебимой верой, с какой маленькие мальчики усваивают традиционные, изуродованные или воображаемые оскорбительные словечки, они вопили вслед своей замученной, что-то сердито бормочущей жертве: «Овешмир! Овешмир!» — не сомневаясь, что это ругательство, непереносимое для еврейского слуха.

Юджина погромы не интересовали, но у Макса это было настоящей манией. Главной мишенью их издевательств был мальчишка с пройдошливой физиономией, которого звали Айзек Липинский. Они по-кошачьи бросались на него, стоило ему появиться, и гнали его по проулкам, через заборы, по дворам в сараи, в конюшни и в его собственный дом — он увертывался от них с неимоверной быстротой и ловкостью, ускользал у них прямо из рук, провоцировал их на погоню, показывал им нос и постоянно ухмылялся широко и глумливо.

Или, проникнутые кошачьей ночной злокозненностью, они блуждали по исполненным смутных обещаний соседским улицам, бесшумно подбирались к еврейскому дому и, свившись в хихикающий клубок, слушали звучные возбужденные голоса и гортанные восклицания женщин, или хохотали до колик, когда разражалась одна из тех истерических ссор, которые почти ежевечерне сотрясали стены еврейских домов.

Однажды, захлебываясь от смеха, они долго бежали по улице вслед за дерущимися на ходу молодым евреем и его тестем — то тесть бил зятя и гнался за ним, то зять в свою очередь бил и преследовал тестя. А в тот день, когда Луис Гринберг, бледный студент-еврей, покончил с собой, выпив карболовой кислоты, они стояли, глазея, перед убогой горющей лачужкой, и внезапно их охватило злорадное веселье — они увидели, что его отец, бородатый правоверный старик еврей в порыжелом засаленном черном сюртуке и помятом ветхом котелке, бежит вверх по склону к своему дому, машет руками и ритмично причитает:

> Ой-ой-ой-ой-ой,
> Ой-ой-ой-ой-ой,
> Ой-ой-ой-ой-ой!

Но белоголовых детей Поросячьего тупика они ненавидели без всякого добродушия, самой жестокой, ничем не смягчаемой отчуждающей ненавистью. Поросячий тупик был грязным проселком, который уходил вниз по склону от нижнего конца Вудсон-стрит и кончался как-то неопределенно в резкой вони тинистого гниющего болотца. По одну сторону ухабистой дороги тянулся неровный ряд беленых лачужек, в которых жила белая беднота, — тамошние дети почти все были белобрысыми, а костлявые нюхающие табак женщины и жующие табак мужчины тупо восседали в солнечной вони на шатких дощатых крылечках. По вечерам в темном нутре лачуг уныло помаргивали коптящие лампочки, пахло чем-то жарящимся и грязными телами, надрывно бранились женщины, в пьяном бешенстве рычали мужчины — визг и проклятие, проклятие и визг.

Как-то раз, в пору созревания вишен, когда «белая восковка» Ганта была вся усыпана ягодами и по ее гибким и крепким ветвям расселись соседские дети — евреи и христиане вперемежку, — которые под начальством Люка обрывали вишни, получая в свою пользу четверть того, что успевали собрать, во двор нерешительно, с унылой опаской вошел один из этих белобрысых мальчишек.

— Давай-давай, сынок, — крикнул своим ласковым голосом пятнадцатилетний Люк. — Бери корзину и лезь сюда.

Мальчишка кошкой вскарабкался по липкому стволу. Юджин раскачивался на тонкой верхней ветке, наслаждаясь своей легкостью, надежной упругостью дерева и всем огромным, по-утреннему ясным, душистым миром заднего двора. Тупиковый наполнил корзинку с невероятной быстротой, ловко соскользнул на землю, высыпал вишни в таз и уже снова карабкался по стволу, когда через двор к нему устремилась его тощая мать.

— Эй, Риз! — пронзительно крикнула она. — Ты чего тут делаешь?

Она свирепо сдернула его на землю и полоснула прутом по загорелым икрам. Он завопил.

— А ну, иди домой! — распорядилась она, снова стегнув его прутом.

Она гнала его перед собой, сердито и хрипло выговаривая ему и время от времени стегая, когда в отчаянии он пытался из гордости замедлить свое унизительное отступление или упрямо останавливался совсем — но прут опускался на его короткие ноги и он с воплем опять убыстрял шаг.

Мальчишки на ветках хихикали, но Юджин, который успел увидеть страдание на изможденном суровом лице женщины, яростную жалость в ее сверкающих глазах, вдруг почувствовал, что в нем что-то лопнуло с пронзительной болью и вскрылось, как нарыв.

— Он не взял своих вишен, — сказал он брату.

Или они дразнили Лони Шайтл, от которой несло затхлостью, когда она проходила мимо в широкополой шляпе с перьями на грязных тускло-рыжих волосах, в грязных белых чулках с продранными пятками. Она когда-то вызвала кровосмесительное соперничество между своим отцом и братом, на шее у нее бугрился шрам, оставленный бритвой ее матери, и она шла походкой больной, широко расставляя негнущиеся ноги в стоптанных башмаках.

Однажды, когда они сомкнулись вокруг захваченного врасплох оборвыша из Поросячьего тупика и он медленно, боязливо, злобно вжался в вонючую стену, Уилли Айзекс, младший брат Макса, ткнул в него пальцем и сказал с хихиканьем:

— Его мать берет стирку.

А затем, перегнувшись почти пополам от небывалого взлета остроумия, добавил:

— Его мать берет стирку от старого негра.

Гарри Таркинтон хрипло захохотал. Юджин уставился в никуда, судорожно вывернул шею и резко оторвал одну ногу от земли.

— Нет, не берет! — неожиданно крикнул он им в недоумевающие лица. — Не берет!

Родители Гарри Таркинтона были англичане. Он был года на три-четыре старше Юджина — неуклюжий плотный силач, от которого всегда пахло красками и олифой его отца, с грубым лицом, мясистым срезанным подбородком и насморочно опухшим носом и губами. Он был крушителем видений, инспиратором грязных делишек. Как-то на закате, когда они болтали, лежа в прохладной, густой вечерней траве гантовского двора, он вдребезги и навеки разбил чары Рождества; но взамен он принес запах краски, туманный запашок тупого разврата, ничем не украшенную, потную, лишенную образов страсть пошляков. Однако Юджин не смог воспринять эту страсть задворок — ему помешали сильная вонь курятника, таркинтоновский запах краски и гадостный гнилостный запах, который прятался под грязным мусором заднего двора.

Как-то под вечер, когда они с Гарри шарили по нежилому верхнему этажу дома Ганта, они нашли полупустой флакон восстановителя для волос.

— У тебя есть волосы на животе? — спросил Гарри.

Юджин неопределенно хмыкнул, робко намекнул на большую мохнатость, признался. Они расстегнули пуговицы, растерли маслянистыми ладонями животы и несколько упоительных дней ждали появления золотого руна.

— Волосы делают человека мужчиной, — сказал Гарри.

По мере того как расцветала весна, он теперь все чаще ходил в мастерскую Ганта на площади. Он любил площадь: яркое, остуженное горами солнце; колышащуюся завесу брызг над фонтаном; разговорчивых пожарных, очнувшихся от зимнего оцепенения; ломовиков, лениво растянувшихся на деревянных ступеньках мастерской его отца, ловко хлопающих кнутами по тротуару, затевающих тяжеловесную возню; Жаннадо за грязным засиженным мухами стеклом, сосредоточенно изучающего через лупу распахнутое брюшко часов; сыроватую обомшелость фантастического кирпичного сарая Ганта; пыльную огромность переднего помещения, осевшего под могильными памятниками, — там теснились маленькие полированные плиты из Джорджии, громоздкие безобразные глыбы вермонтского гранита, скромные надгробия с урной, херувимом или лежащим агнцем, внушительные, засиженные мухами ангелы из Каррары, которых Гант купил за большие деньги и так и не продал, потому что они были радостью его сердца.

За деревянной перегородкой была его умывальная, занесенная каменной пылью, грубые деревянные козлы, на которых он высекал надписи, полки для инструментов, заполненные резцами, сверлами и деревянными молотками, ножное корундовое колесо, которое Юджин яростно крутил часами, наслаждаясь его нарастающим ревом, сваленные друг на друга плиты песчаника для оснований, железная закопченная печурка, кучи угля и дров.

Между мастерской и складом, слева от входа, находилась контора Ганта, утопавшая в пыли, накопившейся за двадцать лет, со старомодным письменным столом, перевязанными пачками грязных документов, кожаным диваном и еще одним небольшим столом, на котором лежали круглые и квадратные образчики гранитов и мраморов. Грязное, никогда не открывавшееся окно выходило на пологую Рыночную площадь, которая под косым углом отпочковывалась от Главной площади и была заставлена фургонами деревенских торговцев и ломовыми телегами; дальше виднелись лачуги белой бедноты, а еще дальше — склад и контора Уилла Пентленда.

Когда Юджин входил, его отец стоял, беззаботно навалившись на шаткую грязную витрину Жаннадо или на скрипучий барьерчик, отмечавший границу владений часовщика, и говорил о политике, о войне, о смерти, о голоде, понося демократов со ссылками на скверную погоду, налоги и благотворительные кухни, которые сопутствовали их пребыванию у власти, и восхваляя все действия, высказывания и начинания Теодора Рузвельта*. Жаннадо, педантично рассудительный, по-швейцарски гортанный, преклоняющийся перед статистикой, во всех спорных случаях прибегал к помощи своей библиотеки — растрепанного экземпляра «Всемирного альманаха» трехлетней давности и, полистав его грязным пальцем, через секунду торжествующе объявлял: «А! Как я и думал: муниципальное налоговое обложение в Милуоки при демократическом правительстве в тысяча девятьсот пятом году составляло два доллара двадцать пять центов на сто и было самым низким за многие годы. Не могу понять, почему здесь не приведена общая цифра». И он принимался воодушевленно спорить, ковыряя в носу черными тупыми пальцами, а по его широкому желтому лицу разбегались дряблые складки, когда он гортанно смеялся над нелогичностью Ганта.

«И помяните мое слово, — продолжал Гант, как будто его не перебивали и он не слышал никаких возражений, — если они опять победят на выборах, мы все будем есть благотворительный супчик, банки начнут лопаться один за другим, а ваши кишки еще до конца зимы прилипнут к становому хребту».

Или же он заставал отца в мастерской — склонившись над козлами, он легко и точно бил тяжелым деревянным молотком по резцу, который его рука уверенно вела по лабиринту надписи. Гант никогда не носил рабочей одежды; он работал в тщательно вычищенном костюме из тяжелого черного сукна и только снимал сюртук, заменяя его широким и длинным полосатым фартуком. И, глядя на него, Юджин чувствовал, что перед ним не простой ремесленник, а художник, безошибочно выбирающий инструменты для создания шедевра.

«Во всем мире никто не умеет делать это лучше, чем он», — думал Юджин, в нем на миг вспыхивало его темное воображение, и он думал, что труд его отца пребудет вечным — в людском летосчислении, — и когда этот огромный скелет рассыплется в прах под землей, на многих и многих забытых, заросших кладбищах, в гуще буйных кустов и бурьяна, эти буквы все еще будут сохраняться такими же, как сейчас.

И он с жалостью думал обо всех бакалейщиках, и пивоварах, и суконщиках, которые были и сгинули, а их бренный труд исчез с забытым экскрементом или сгнившей тряпкой; о водопроводчиках, вроде отца Макса, чей труд ржавеет в земле, или о малярах, вроде отца Гарри, чей труд осыпается со сменой времен года или исчезает под другой, более свежей и яркой краской. И великий страх смерти и забвения, разложения жизни, памяти и желаний в гигантском кладбище земли бурей проносился через его сердце. Он оплакивал всех тех, кто исчез бесследно, потому что не выбил своего имени на скале, не выжег своего знака на утесе, не отыскал чего-то непреходящего и не высек на нем какого-нибудь символа, какой-нибудь эмблемы, чтобы хоть в чем-нибудь оставить память о себе.

А иногда, когда Юджин входил, Гант, заложив руки за спину, бешеным шагом расхаживал по мастерской, исступленно мечась между рядами ее мраморных стражей, и что-то зловеще бормотал то громче, то тише. Юджин ждал. Вскоре Гант, пройдясь так по мастерской раз восемьдесят, с яростным воплем кидался ко входной двери, выскакивал на крыльцо и обрушивал свою иеремиаду на возмутивших его ломовиков.

— Вы низшие из низших, подлейшие из подлых! Вы вшивые никчемные бездельники, вы обрекли меня на голодную смерть, вы отпугиваете заказчиков и лишили меня даже той малой работы, которая обеспечила бы меня хлебом и избавила бы от нужды. Клянусь Богом, я вас ненавижу, потому что вы воняете на целую милю! Вы жалкие дегенераты, проклятые разбойники! Вы украдете медяки с глаз покойника, как украли с моих, ужасные и кровожадные горные свиньи!

Он кидался назад в мастерскую только для того, чтобы сразу же снова выйти на крыльцо с притворным спокойствием, которое вскоре разрешалось воплем:

— Слушайте, что я вам говорю: предупреждаю вас раз и навсегда. Если я опять увижу вас на моем крыльце, я вас всех упрячу за решетку!

Тогда они начинали расходиться к своим телегам, пощелкивая кнутами по тротуару.

— И чего это старик взбеленился?

Час спустя, точно басисто жужжащие мухи, они снова рассаживались на широких ступеньках, появляясь неизвестно откуда.

Когда Гант выходил из мастерской на площадь, они весело и даже с нежностью приветствовали его:

— Наше вам, мистер Гант!

— Прощайте, ребята, — отвечал он добродушно и рассеянно и уходил прочь своим размашистым голодным шагом.

Когда появлялся Юджин, Гант, если он работал, бросал короткое: «Здорово, сын!» — и продолжал полировать мраморную плиту пемзой и водой. Кончив, он снимал фартук, надевал сюртук и говорил томившемуся в ожидании мальчику:

— Ну, идем. Наверное, пить хочешь.

И они, перейдя площадь, вступали в прохладные глубины аптеки, останавливались перед опаловым великолепием фонтанчика под вращающимися деревянными лопастями вентиляторов и пили ледяные газированные напитки — лимонад, такой холодный, что ломило в висках, или пенящуюся крем-соду, которая резкими восхитительными толчками врывалась в его нежные ноздри.

После этого Юджин, разбогатев на двадцать пять центов, покидал Ганта и остаток дня проводил в библиотеке на площади. Теперь он читал быстро и легко; он с алчной жадностью поглощал романтичные повести и приключенческие романы. Дома он пожирал пятицентовые книжки, которыми были забиты полки Люка; он с головой погружался в еженедельные приключения «Юного Дальнего Запада», по вечерам в постели фантазировал о платоническом и героическом знакомстве с прекрасной Ариэттой, вместе с Ником Картером* рыскал по лабиринту преступного мира больших городов, разделял спортивные триумфы Фрэнка Мерриуэлла, подвиги Фреда Фирнота и бесконечные победы «Бойцов свободы семьдесят шестого года» над ненавистными красномундирниками*.

Вначале любовь интересовала его меньше, чем материальный успех: картонные фигуры женщин в книгах, предназначенных для чтения подростков, — нечто с волосами, шаловливым взглядом, незыблемой добродетелью, всевозможными достоинствами и безупречной пустотой, — полностью его удовлетворяли. Эти женщины были наградой за героизм, тем, что в последний миг бывало вырвано из лап злодея с помощью меткого выстрела или сокрушительного удара в челюсть, а потом — вместе с солидным доходом — знаменовало свершение всех желаний.

В библиотеке Юджин опустошал полки юношеской литературы, неутомимо устремляясь вперед по бесконечному однообразию произведений Горацио Олджера* — «Стойкость и удача», «Терпение и труд», «Упорство», «Подопечный Джека», «Джед из сиротского приюта» и еще десятков других. Он упивался обогащениями героев этих книг (эта тема литературы для подростков постоянно всеми игнорируется). Уловки фортуны — вывороченный рельс, вовремя остановленный поезд и щедрая награда за героизм, или пухлый бумажник, найденный и возвращенный владельцу, или обесцененные акции, внезапно приносящие колоссальные дивиденды, или обретение богатого покровителя в большом городе — все они так глубоко внедрились в его желания, что впоследствии ему никак не удавалось совсем от них избавиться.

Он выискивал все подробности, касавшиеся денег: когда бесчестный опекун и его негодяй-сын присваивали имение, он подсчитывал, какой оно приносило ежегодный доход, а если эта сумма называлась в книге, делил ее на месяцы и недели и смаковал ее покупательную способность. Его желания не отличались скромностью — состояние менее четверти миллиона его не удовлетворяло: он чувствовал, что ежегодный доход в шесть процентов с капитала в сто тысяч долларов обрекает человека на скудное существование, а если награда за добродетель составляла всего двадцать тысяч долларов, он испытывал горькое разочарование при мысли о превратностях жизни.

Он наладил постоянный обмен книгами со своими товарищами, беря и давая их почитать по сложной системе, которая охватывала и Макса Айзекса, и «Проныру» Шмидта, сына мясника, обладателя всех захватывающих приключений «Юных путешественников»; он обшаривал книжные полки Ганта и читал переводы «Илиады» и «Одиссеи» одновременно с «Бубновым Диком», «Буффало-Биллом» и творениями Олджера — и по той же причине. Затем, когда первые детские годы ушли в небытие и эротические устремления обрели более осознанную форму, он с жадностью накинулся на романтическую литературу, выискивая женщин, в чьих жилах бежала горячая кровь, чье дыхание было благоуханным, а нежное прикосновение обжигало огнем.

И, грабя тесно уставленные полки, он накрепко увяз в гротескной нелепости протестантской беллетристики, раздающей награды Диониса верным ученикам Жана Кальвина*, которые сладострастно пыхтят и молятся в одно и то же время, ограждают древо наслаждений огнями алтаря и в священном браке распутствуют, как ни с одной языческой развратницей.

Да, размышлял он, он вкусит от пирога наслаждений — но это будет свадебный пирог. Он хотел быть добродетельным человеком и собирался возвысить своей любовью только Девственницу; жениться он был намерен только на чистой женщине. Это, как он вычитал из своих книг, вовсе не означало отказа от восторгов плоти, так как добродетельные женщины физически были наиболее привлекательны.

Незаметно для себя он узнал то, что поклонник изысканной чувственности узнает гораздо позже ценой утомительных трудов, — что самое большое наслаждение можно получить только при строгом подчинении условностям. Он верил в законы маленькой общины со всей страстностью ребенка — взвесь всех воскресных пресвитерианских проповедей, осаживаясь в его душе, оказала свое воздействие.

Он погребал себя в плоти тысяч литературных персонажей, проецируя своих любимых героев за пределы их книги в жизнь, развертывая их знамена в серой реальности, видя себя воинствующим молодым священником, который выступает на бой против трущоб вопреки враждебности своей денежной церкви, в час величайшего испытания находит помощь у прелестной дочери миллионера — владельца этих трущоб, и в конце концов одерживает победу на благо Богу, беднякам и себе.

...Они молча стояли в огромном центральном нефе опустевшей церкви св. Фомы. Где-то в глубине огромного храма тонкие пальцы старого Майкла тихо нажимали клавиши органа. Последние лучи заходящего солнца золотым снопом падали из западных окон, и на мгновение их сиянье, словно благословение, коснулось усталого лица Мейнуоринга.

— Я уезжаю, — сказал он наконец.

— Уезжаете? — прошептала она. — Куда?

Орган зазвучал громче.

— Туда, — он коротким жестом указал на запад. — Туда, чтобы трудиться на Его ниве.

— Уезжаете? — Она не смогла скрыть дрожи в голосе. — Уезжаете? Один?

Он печально улыбнулся. Солнце зашло. Сгущающийся сумрак скрыл предательскую влагу, навернувшуюся на его серые глаза.

— Да, один, — ответил он. — Разве не в одиночестве девятнадцать веков назад вступил на свой путь Тот, Кто был более велик, чем я?

— Один? Один? — У нее вырвалось рыдание.

— Но прежде чем уехать, — помолчав, продолжал он голосом, которому тщетно пытался придать твердость, — я хотел бы сказать вам...

Он умолк, пытаясь совладать со своими чувствами.

— Что? — прошептала она.

— ...что я никогда не забуду вас, чудесный ребенок. Никогда!

Он резко повернулся, собираясь уйти, но его остановил вырвавшийся у нее крик:

— Нет, вы поедете не один! Не один!

Он обернулся как подстреленный.

— О чем вы говорите? О чем? — хрипло вскричал он.

— О, неужели вы не видите? Поймите же, поймите! — Она умоляюще протянула к нему свои маленькие ручки, и голос ее пресекся.

— Грейс! Грейс! Это правда?

— Глупенький! Милый, слепой, смешной мальчик! Неужели вы не замечали, что все это время... с той самой минуты, когда я услышала, как вы проповедовали перед бедняками Мэрфи-стрит?..

Он прижал ее к себе в яростном объятии; ее тоненькая фигурка покорно прильнула к нему, округлые руки нежно скользнули по его широким плечам, сомкнулись на его шее и привлекли к ней его темнокудрую голову, а он запечатлевал жадные поцелуи на ее закрытых глазах, на ее алебастровом горле, на лепестках ее полураскрытых, свежих, юных губ.

— Не один, — прошептала она. — Вечно вместе.

— Вечно, — ответил он торжественно. — Клянусь именем Божьим.

Органная музыка гремела теперь под сводами хвалебным благодарственным гимном, наполняя огромную темную церковь звуками радости. И по морщинистым щекам старого Майкла, вкладывавшего в эту музыку всю свою душу, катились слезы, но он счастливо улыбался сквозь эти слезы, глядя тускнеющими глазами на два юных существа, вновь разыгрывающих извечную сказку юности и любви, и шептал:

— Аз есмь* воскресение и жизнь. Альфа и Омега, начало и конец, первый и последний...

Юджин посмотрел мокрыми глазами на свет, который лился в окно библиотеки, быстро замигал, сглотнул и изо всех сил высморкался. Да! О да!

...Шайка туземцев, убедившихся, что им больше нечего опасаться, и разъяренных понесенными потерями, начала медленно подбираться к подножию утеса во главе с Таоми, который, пританцовывая от бешенства, уродливый, как демон, благодаря боевой раскраске, подбадривал остальных, понукал их визгливым голосом.

Глендеининг, еще раз оглядев пустые патронные сумки, негромко выругался, а потом взглянул вниз, на беснующуюся орду, и с мрачной решимостью вложил два последних патрона в барабан своего кольта.

— Для нас? — спросила она негромко.

Он кивнул.

— Это конец? — прошептала она тихо, но бесстрашно.

Он вновь кивнул и на мгновение отвернулся. Потом он вновь обратил к ней посеревшее лицо.

— Это смерть, Вероника, — глухо произнес он. — И теперь я могу сказать все.

— Я слушаю, Брюс, — ответила она еле слышно.

Впервые она назвала его по имени, и его сердце исполнилось восторга.

— Я люблю вас, Вероника, — сказал он. — Я полюбил вас в тот самый миг, когда нашел на берегу ваше бесчувственное тело, я любил вас все те ночи, которые провел перед вашей палаткой, прислушиваясь к вашему спокойному дыханию внутри нее, и я люблю вас теперь, в этот час нашей смерти, которая освобождает меня от долга, предписывавшего мне молчание.

— Милый, милый! — прошептала она, и он увидел, что ее лицо влажно от слез. — Почему вы молчали? Я полюбила вас с первого взгляда.

Она прильнула к нему, полуоткрыв трепетные губы, дыша неровно и прерывисто, и когда его обнаженные руки сомкнулись вокруг нее в яростном объятии, их губы встретились на один бесконечный миг блаженства, последний миг жизни и экстаза, в котором так долго сдерживаемое томление обрело свободу и триумф — теперь, в торжествующий миг их смерти.

Далекий громовой раскат сотряс воздух. Глендеининг быстро поднял голову и от удивления даже протер глаза. Там, в маленькой бухте острова, медленно поворачивался узкий борт эскадренного миноносца, и пока Гленденнинг глядел, над этим бортом вновь взметнулся язычок дымного пламени и пятидюймовая граната разорвалась в сорока ядрах от того места, где остановились туземцы. С воплем, в котором страх мешался с обманутой кровожадностью, они повернулись и бросились бежать к своим пирогам. А от борта миноносца уже отвалила шлюпка, и бравые матросы в синей форме начали быстро грести к берегу.

— Спасены! Мы спасены! — вскричал Гленденнинг и, вскочив на ноги, замахал приближающейся шлюпке.

Внезапно он опустил руки и пробормотал:

— Проклятье! О, проклятье!

— Что случилось, Брюс? — спросила она.

Он ответил ей холодным жестким голосом:

— В бухту вошел эскадренный миноносец. Мы спасены, мисс Муллинс. Спасены! — И он засмеялся горьким смехом.

— Брюс! Милый! Что случилось? Вы не рады? Почему вы так странно себя ведете? Ведь теперь мы всю жизнь будем вместе!

— Вместе? — повторил он с холодным смехом. — О нет, мисс Муллинс. Я знаю свое место. Или, по-вашему, старик Дж. Т. Муллинс позволит своей дочери выйти замуж за Брюса Гленденнинга, международного бродягу, перепробовавшего все профессии и не преуспевшего ни в одной? О нет! Все это кончено, и нам остается проститься. Вероятно, — добавил он с вымученной улыбкой, — вскоре я услышу о вашем бракосочетании с каким-нибудь герцогом, или лордом, или еще с каким-нибудь иностранцем. Что же, прощайте, мисс Муллинс. Желаю вам счастья. Каждый из нас теперь, конечно, пойдет своим путем.

Он отвернулся.

— Глупый мальчик! Милый, гадкий, смешной мальчик! — Она обняла его за шею, крепко прижала к себе и нежно попеняла ему: — Или, по-вашему, я позволю вам теперь уйти?

— Вероника! — еле выговорил он. — Это правда?

Она хотела взглянуть в его полные обожания глаза и не смогла, жаркая волна розового румянца залила ее щеки, он восторженно притянул ее к себе, и во второй раз — но теперь уже обещанием вечной и полной радости жизни впереди — их губы слились, и все кругом перестало существовать...

О-о! О-о! Сердце Юджина было полно радости и грусти — грусти, что книга дочитана. Он достал слипшийся носовой платок и высморкнул в него все содержимое своего переполненного

сердца одним могучим, торжествующим, ликующим трубным зву-
ком, в котором слились слава и любовь. О-о! Старина Брюс-
Юджин!

Фантазия уносила его в горний внутренний мир, и он быстро
и бесследно стирал все грязные мазки жизни: он вел благородное
существование в героическом мире среди прелестных и добродетельных созданий. Он видел себя в возвышенной сцене с Бесси
Барнс — ее чистые глаза были полны слез, ее нежные губы
трепетали от желания; он чувствовал крепкое рукопожатие Честного Джека, ее брата, его неколебимую верность, глубокий веч-
ный союз их мужественных душ, все время, пока они молча
смотрели друг на друга затуманившимися глазами и думали о
дружбе, выкованной в горниле опасностей, о скачке бок о бок
сквозь ужас и смерть, побратавшей их без слов, но навек.

У Юджина было два желания, которые есть у каждого мужчины: он хотел быть любимым, и он хотел быть знаменитым. Его
слава менялась, как хамелеон, но ее плоды и сладость всегда были
тут, дома, среди жителей Алтамонта. Горный городок в его глазах
обладал неизмеримой важностью; с детским эгоизмом он считал
его центром земли, маленьким, но могучим средоточием всей
жизни. Он видел себя в блеске наполеоновских побед — со
своими отборными неустрашимыми солдатами он, как гром небесный, обрушивался на вражеский фланг, тесня, круша, уничтожая.
Он видел себя молодым капитаном промышленности — властным,
победоносным, богатым; видел знаменитым адвокатом, силой нео-
тразимого красноречия зачаровывающим суд — но всегда он видел, как возвращается из дальних странствий домой, с лавровым
венком всемирного восхищения на скромном челе.

Мир — это была призрачная колдовская страна там, за туман-
ной каемкой гор, страна великих потрясений, садов, охраняемых
джиннами, пурпуровых морей, буйных сказочных городов, откуда
он с золотой добычей вернется в это осязаемое сердце жизни, в
свой родной город.

Он упивался пленительной щекоткой искушений и сохранял
свою распаленную честь незапятнанной, подвергнув ее самым
неотразимым соблазнам холеной красоты жены богача — ее
публично унизил зверь-муж, а Брюс-Юджин защитил ее, и теперь
ее влек к нему весь чистый пыл ее одинокого женского сердца
и она изливала его сочувственному слуху печальную повесть
своей жизни над хрусталем богатого, уставленного канделябра-

ми, но интимного стола. И когда в уютном полусвете она в томлении подходила к нему в облегающем платье из богатого бархата, он мягко разнимал округлые руки, которые обвивали его шею, и отстранял льнущее к нему упругое пышное тело. Или это была златокудрая принцесса на мифических Балканах*, императрица игрушечной страны и оловянных солдатиков — в великолепной сцене у границы он не соглашался, чтобы она отреклась от короны, и пил вечное прощанье с ее алых уст, однако предлагал ей свою руку и гражданство в стране свободы, когда революция уравнивала их.

Но, объедаясь древними вымыслами, где не осуждалась ни воля к деянию, ни само деяние, он среди золотых лугов или в зеленом древесном свете растрачивал себя на языческую любовь. Ах, быть царем* и увидеть, как пьянящая широкобедрая иудеянка купается на кровле своего дома, и овладеть ею; или бароном в замке на утесе осуществлять le droit de seigneur[1] над отборными крепостными женами и девами в огромном зале, полном воя ветра и освещенном бешеной пляской огня на тяжелых поленьях!

И еще чаще, ибо желание вдребезги разбивало скорлупу его нравственности, он мысленно разыгрывал непристойную школьную легенду и представлял себе бурный роман, который завязывался между ним и красивой учительницей. В четвертом классе его учила молодая, неопытная, но хорошо сложенная женщина с морковными волосами и беззаботным смехом.

Он видел себя уже достигшим поры зрелости — сильным, бесстрашным, блистательно-умным юношей, единственным пылающим факелом в деревенской школе среди кривозубых детей и великовозрастных олухов. И с наступлением золотой осени ее интерес к нему усилится, она начнет оставлять его после уроков за выдуманные проступки, и, с некоторым смущением усадив его решать задачи, сама будет пристально глядеть на него большими жаждущими глазами, думая, что он этого не замечает.

Он притворится, что запутался в вычислениях, и она поспешно подойдет и сядет рядом с ним так, что прядка рыжих волос будет щекотать ему ноздри, а он ощутит упругую теплоту ее плеча под белой блузкой и изгиб обтянутого юбкой бедра. Она будет подробно объяснять ему задачу и теплой, слегка влажной рукой подведет

---

[1] Право первой ночи *(фр.)*.

его пальцы к месту, которого он притворно не сумеет найти в учебнике; а потом она мягко побранит его и скажет нежно:

— Почему ты такой нехороший мальчик?

Или ласково-ласково:

— Ведь ты теперь исправишься?

А он, разыгрывая мальчишескую косноязычную застенчивость, ответит:

— Да я что, мисс Эдит, я ничего.

А позже, когда золотое солнце покраснеет на закате и в классе не останется ничего, кроме запаха мела и густого жужжания поздних октябрьских мух, они приготовятся уйти. Когда он небрежно натянет пальто, она побранит его, подзовет к себе, расправит лацканы и галстук и пригладит растрепанные волосы, сказав:

— Ты красивый мальчик. Наверное, все девочки с ума по тебе сходят.

Он по-девичьи покраснеет, а она с тревожным любопытством будет настаивать:

— Ну-ка, скажи! Кто твоя девушка?

— У меня нет девушки, мисс Эдит. Честное слово.

— Да и ни к чему тебе эти глупые девчонки, Юджин, — скажет она вкрадчиво. — Ты слишком хорош для них — ты гораздо старше своих лет. Тебе нужно понимание, которое может дать тебе только взрослая женщина.

И они выйдут из школы в лучах заходящего солнца, пойдут вдоль опушки соснового бора по тропе, усыпанной красными кленовыми листьями, мимо огромных тыкв, дозревающих в поле, в пряном золотом запахе осенней хурмы.

Она будет жить одна с матерью, глухой старушкой, в маленьком домике, укрытом от дороги порослью поющих сосен, с величественными дубами и кленами в усыпанном листьями дворе.

Прежде чем они доберутся до домика через поле, им надо будет перелезть через изгородь: он перескочит первым и поможет ей, пылко глядя на изящный изгиб ее длинной, нарочно приоткрытой ноги, обтянутой шелковым чулком.

По мере того как дни будут становиться все короче, они будут возвращаться в темноте или при свете тяжелой, низко повисшей осенней луны. Возле леса она будет притворяться испуганной, будет прижиматься к нему и хватать его руку, точно чего-то страшась; а потом как-нибудь вечером, когда они дойдут до изгороди, она, смело решив сыграть ва-банк, сделает вид, будто не может спуститься, и он подхватит ее на руки. А она скажет шепотом:

— Какой ты сильный, Юджин!

И, все еще не выпуская ее, он сдвинет руку ей под колени. И когда он опустит ее на замерзшую комкастую землю, она начнет страстно целовать его, притянет, лаская, к себе, и под заиндевевшей хурмой с радостью уступит его девственному и неопытному желанию.

— Этот мальчишка читает книги сотнями, — хвастал Гант по всему городу. — Он уже прочел все, что есть в библиотеке.

— Черт побери, У. О., вам придется сделать из него адвоката. Он просто скроен для этого, — визгливым надтреснутым голосом прокричал майор Лиддел через тротуар и откинулся на спинку своего стула под окнами библиотеки, поглаживая дрожащей рукой седую грязноватую бородку. Он был ветераном.

X

Но этой свободе, этому уединению на печатных страницах, этим мечтам и неограниченному досугу для фантазий скоро пришел конец. И Гант и Элиза были красноречивыми проповедниками экономической независимости: всех своих сыновей они посылали зарабатывать деньги как можно раньше.

— Это учит мальчика ни от кого не зависеть и полагаться на себя, — говорил Гант, чувствуя, что где-то уже слышал эти слова.

— Пф! — говорила Элиза. — Это им ничуть не повредит. Если они не научатся трудиться сейчас, то из них выйдут бездельники. А кроме того, они сами зарабатывают себе на карманные расходы.

Последнее, без сомнения, было веским соображением.

А потому все они еще в детстве работали после занятий в школе и на каникулах. К несчастью, ни Элиза, ни Гант не утруждали себя выяснением, в чем заключается работа их детей, и удовлетворялись неопределенной, но утешительной уверенностью, что всякая работа, которая приносит деньги, — это работа честная, почтенная и благотворно влияющая на формирование характера.

К этому времени Бен, угрюмый, молчаливый, одинокий, еще больше замкнулся в своем сердце — он приходил и уходил, и в шумном ссорящемся доме о нем помнили, как о призраке. Каждое утро в три часа, когда его хрупкое несложившееся тело должно было бы еще купаться в глубоком сне, он вставал в свете утренних звезд, бесшумно уходил из спящего дома и шел к утреннему грохоту печатных станков и к запаху типографской краски, кото-

рые любил, — шел для того, чтобы начать разноску газет по своему
маршруту. Почти без ведома Ганта и Элизы он незаметно бросил
школу после восьмого класса, договорился, кроме разноски, еще
помогать в типографии и с ожесточенной гордостью жил на свой
заработок. Дома он ночевал, но ел там не больше одного раза в
день, возвращаясь вечером размашистой голодной походкой отца,
сутуля худые узкие плечи, преждевременно сгорбившиеся от тяже-
сти сумки с газетами, и во всем, и в этом, — до жалости Гант.

Он нес в себе окаменевшее доказательство их трагической
вины: он бродил один среди мрака и смерти, где реяли темные
ангелы, — и никто не видел его. В три тридцать каждое утро он
с полной сумкой сидел среди остальных мальчишек-разносчиков в
закусочной, держа в одной руке чашку кофе, а в другой папиросу, и тихо, почти беззвучно смеялся — смеялся стремительными
вспышками своего чуткого рта и хмурыми серыми глазами.

В часы, проводимые дома, он был тихо поглощен своей жизнью
с Юджином — он играл с ним, иногда давал ему подзатыльники
белой жесткой ладонью, и между ними укреплялась тайная связь,
надежно отгороженная от жизни остальной семьи, которая была
неспособна ее понять. Из своего маленького жалованья он выдавал младшему брату карманные деньги, покупал ему дорогие подарки ко дню его рождения, на Рождество или еще по какому-
нибудь особому случаю, — в глубине души его радовало и трога-
ло, что Юджин видит в нем Мецената, а его скудные ресурсы
представляются мальчику огромными и неисчерпаемыми. Его заработки, вся история его жизни вне стен дома были секретом,
который он ревниво охранял.

— Это никого, кроме меня, не касается. Я же ничего ни у
кого из вас не прошу, черт побери, — отвечал он угрюмо и
раздраженно, когда Элиза пыталась его расспрашивать.

Его привязанность ко всем ним была хмурой и глубокой: он
никогда не забывал дней их рождений и всегда оставлял для
виновника торжества какой-нибудь подарок, — небольшой, недо-
рогой, выбранный с самым взыскательным вкусом. Когда они с
обычным бурным отсутствием меры принимались изливать свой
восторг и расцвечивать благодарность пылкими словами, он рывком отворачивал голову к какому-то воображаемому слушателю и
с тихим раздраженным смешком говорил:

— Бога ради! Только послушать!

Быть может, когда Бен, отглаженный, вычищенный, в белом
воротничке, косолапо шагал по улицам или бесшумно и беспокой-

но бродил по дому, его темный ангел плакал, но никто другой этого не видел и никто этого не знал. Он был чужим, и, рыская по дому, он всегда старался найти какой-нибудь вход в жизнь, какую-нибудь потайную дверь — камень, лист, — найти путь к свету и общению. Страсть к родному дому была основой его существа: в этом шумном бестолковом хаосе его угрюмое сдержанное спокойствие было для их нервов успокоительным опиумом; его сноровистые белые руки со спокойной уверенностью исцеляли старые рубцы — осторожно и искусно чинили старую мебель, спокойно хлопотали над замкнувшимся проводом или испорченным штепселем.

— Этот мальчишка — прирожденный инженер по электричеству, — говорил Гант. — Надо бы послать его учиться.

И он живописал романтическую картину преуспеяния мистера Чарльза Лиддела (достойного сына старого майора), чьи волшебные познания в электричестве позволяли ему зарабатывать тысячи и содержать своего отца. И он принимался горько попрекать их, размышляя вслух о своих заслугах и о никчемности своих сыновей.

— Другие сыновья покоят своих отцов в старости, а мои — нет! Мои — нет! О Господи! Горек будет для меня тот день, когда мне придется зависеть от помощи моего сына. Таркинтон на днях сказал мне, что Рейф с тех пор, как ему стукнуло шестнадцать, дает ему каждую неделю пять долларов за свой стол. Как, по-вашему, от моих сыновей я когда-нибудь дождусь такого? А? Нет — прежде ад замерзнет! Но и тогда — нет!

Тут он ссылался на собственное суровое детство: его, говорил он, выгнали из дома зарабатывать себе на жизнь в возрасте, который в зависимости от его настроения колебался от шести до одиннадцати лет. И он сравнивал свою бедность с роскошью, в которой купаются его собственные дети.

— Никто никогда ничего для меня не делал! — вопил он. — А вот для вас все делалось! И какую благодарность я от вас вижу? Вы когда-нибудь думаете о старике, который трудится, не покладая рук, в холодной мастерской, чтобы у вас была еда и кров? Думаете? Неблагодарность, зверя лютого лютей!

Приправленная раскаянием еда мстительно застревала в глотке Юджина.

Юджин был приобщен этике успеха. Просто работать было еще мало, хотя работа и была основой основ; гораздо важнее было зарабатывать деньги — очень много денег, если ему удастся достичь настоящего успеха, и во всяком случае достаточно для того,

чтобы «содержать себя». Для Ганта и Элизы это был фундамент
всех достоинств. О таком-то или о таком-то они говорили:

— Он не стоит пули, которая его прикончила бы: он никогда
не был способен содержать себя.

А затем Элиза (но не Гант) могла добавить:

— У него за душой нет никакой собственности.

И это окончательно покрывало его бесчестием.

Теперь в свежие весенние утра вопль отца поднимал Юджина с
постели в половине седьмого; он спускался в прохладный сад и
там с помощью Ганта наполнял корзиночки из-под клубники большими курчавыми листьями салата, редиской, сливами, зелеными
яблоками (несколько позднее) и вишнями. Корзиночки складывались в большую корзину, и он отправлялся со своим товаром на
улицу, с удовольствием и без труда продавая их по пять — десять
центов штука в мире благоуханной утренней стряпни. Он ликующе возвращался домой к завтраку с опустевшей корзиной: ему
нравилась эта работа, нравился запах огорода, свежих влажных
овощей; он любил романтические творения земли, которые наполняли его карман звонкими монетками.

Вырученные деньги ему было разрешено оставлять себе, хотя
Элиза с раздражающей настойчивостью требовала, чтобы он их
не транжирил, а клал в банк — ведь когда-нибудь потом он
сможет открыть на них свое дело или купить хороший участок
земли. И она купила ему копилку, в которую его пальцы неохотно опускали часть заработков и из которой он извлекал определенное унылое удовольствие, когда время от времени встряхивал
ее возле уха и жадно размышлял обо всех восхитительных покуп-
ках, запертых от него в этом маленьком тяжелом сундучке с
погромыхивающим богатством. Ключ у сундучка был, но хранился он у Элизы.

Однако по мере того, как шли месяцы и его крепенькое
детское тело под воздействием каких-то внутренних химических
расширительных процессов начало быстро вытягиваться и он стал
хрупким, худым и бледным, но очень высоким для своего возраста,
Элиза все чаще повторяла:

— Он уже достаточно вырос, чтобы понемножку работать.

Теперь в месяцы школьных занятий он с вечера четверга и до
субботы бегал по улицам, продавая «Сатердей ивнинг пост»*, местным распространителем которого был Люк. Эту работу Юджин
ненавидел смертельной душной ненавистью и ожидал наступления
четверга с тошным ужасом.

Люк был распространителем с двенадцати лет, и его коммерческий талант уже получил широкое признание в городе: он приходил с широкой улыбкой, бьющей через край жизнерадостностью, бойким находчивым языком, и в бурном сумасшедшем взрыве энергии весь выплескивался наружу. Он жил только в действии — в нем не было ни одного тайного уголка, ничего укрытого и оберегаемого от посторонних глаз: он питал инстинктивный ужас ко всем формам одиночества.

Больше всего он хотел, чтобы его уважали и любили окружающие, а потребность в любви и уважении родных была у него неутолимой. Слащавые похвалы, сердечность слов и рукопожатий, щедрые изъявления чувств были ему необходимы, как воздух, — у фонтанчика с содовой он настойчиво старался заплатить за всех, приносил домой мороженое для Элизы и сигары для Ганта, и чем больше Гант оповещал всех о его добросердечии, тем сильнее становилась потребность Люка в таком оповещении: он создал свой образ — образ Хорошего Парня, остроумного, щедрого, над которым посмеиваются, но которого все любят, образ Доброго Самоотверженного Люка. И посторонние считали его именно таким.

Много раз в последующие годы, когда карманы Юджина бывали пусты, Люк грубо и нетерпеливо совал в них монету, но как бы отчаянно ни нуждался в деньгах младший брат, это всегда сопровождалось неловкой сценой — робкими, тягостными отказами и гнетущим смущением, потому что Юджин, интуитивно и правильно разгадав голодную потребность своего брата в благодарности и уважении, мучительно чувствовал, что под натиском властной и неутолимой жажды поступается своей независимостью.

А щедрость Бена никогда не вызывала у него смущения: его отточенное, переразвитое душевное чутье давно подсказало ему, что этот брат может раздраженно обругать его или сердито стукнуть, но зато прошлые одолжения не будут тяготеть над ним, так как Бен стыдится даже мысли о сделанных прежде подарках. В этом он сам походил на Бена: мысль о сделанном подарке, ее самодовольный подтекст заставляли его ежиться от стыда.

Вот так, еще до того как Юджину исполнилось десять лет, его мечтательный дух был пойман в сложную сеть правды и ее подобия. Он не находил слов, не находил ответов для загадок, которые ставили его в тупик и приводили в бешенство, — он обнаруживал, что питает гадливое отвращение к тому, что несло на себе печать добродетели, а то, что считалось благородным, внушало ему скуку и тошный ужас. В восемь лет он вплотную столкнулся с мучитель-

ным парадоксом недоброты — доброты, эгоизма — самоотвержен-
ности, благородства — низости, и, неспособный ни измерить, ни
постигнуть эти глубоко скрытые пружины желаний в душе человека, который ищет всеобщего признания через добродетельное
притворство, он томился от сознания собственной греховности.

В нем жила яростная честность, которая властно подчиняла
его себе, когда что-то глубоко воздействовало на его сердце
или ум. Так, на похоронах какого-нибудь дальнего родственника
или знакомого, к которому он не питал ни малейшей привязанности, он испытывал горчайший стыд, если чувствовал, что в
лад торжественному бормотанию священника или печальным
песнопениям хора его лицо принимает выражение поддельной
скорби. И тогда он начинал ерзать, закладывал ногу на ногу,
равнодушно поглядывал на потолок или с улыбкой смотрел в
окно, пока не замечал, что на него начинают обращать неодоб-
рительное внимание. Тогда он испытывал какое-то мрачное удовлетворение, словно, утратив право на уважение, он утвердил
свою жизнь.

Но Люк чувствовал себя в нелепых условностях маленького
городка как рыба в воде: он придавал весомое правдоподобие
любому притворному изъявлению привязанности, горя, жалости,
доброжелательства и скромности — не существовало избытка, к
которому он не дал бы придачи, и тусклый взор их мирка взирал
на него благосклонно.

Он выворачивал себя наизнанку с неистощимой щедростью —
он делился собой искренне и от души. В нем не было ни
крепко сплетенной сетки, которая могла бы остановить его, ни
балансира, ни противовеса, — ему была свойственна гигантская
энергия, жадная общительность, стремление бросить свою жизнь
в общий котел.

В семье, где одной грубоватой клички хватало, чтобы исчер-
пать все тонкости, Бен именовался просто «тихоней», Люк счита-
ся самым добрым и щедрым, а Юджин — «ученым». Большего не
требовалось. Самый добрый, у которого ни разу за всю жизнь не
хватило силы воли хотя бы на час сосредоточиться над страница-
ми книги или над логикой математического примера, смешно
переминался с ноги на ногу, забавно заикался и посвистом заме-
нял застревавшее в горле слово, злясь на задумчивую рассеянность
своего младшего брата.

— Ну пошли, сейчас не время мечтать, — заикаясь, говорил он
иронически. — Ранняя пташка сыта бывает. Пора уже на улицу.

И хотя упоминание о мечтах было лишь частью аксиоматической мозаики его речи, Юджин был ошарашен и смущен, почувствовав, что тайный мир, который он так боязливо оберегал, теперь разоблачен и сделан мишенью для насмешек. А Люк, страдая из-за своих школьных неудач, убеждал себя, что эти глубокие конвульсии духа, задумчивое отступление в тайный приют, укрытый за таинственной гипнотической властью, которой обладал над Юджином язык, были не просто разновидностью лени (сам он считал работой только то, что стонало под тяжестью или потело от напряжения в пустых словоизлияниях), но к тому же и «эгоистическим» отречением от семьи. Он твердо решил в одиночку занимать трон доброты и добродетели.

Вот так Юджин смутно, но мучительно убеждался, что другие мальчики его возраста не только содержали сами себя, но и в течение многих лет окружали роскошью престарелых родителей на свои заработки в качестве инженеров по электричеству, директоров банков или членов конгресса. Собственно говоря, не было такого преувеличения, которого Гант не испробовал бы на своем младшем сыне, — он давно уже заметил, что этот тысячеструнный маленький инструмент отзывается на любую вибрацию чувства, и ему нравилось смотреть, как ребенок морщится, судорожно сглатывает, терзается муками совести. И, накладывая на тарелку мальчика сочные куски мяса, он говорил сентиментально:

— Знаешь ли ты, что на свете найдется немного мальчиков, имеющих столько, сколько имеешь ты? Что с тобой будет, когда твой старый отец умрет? — И он рисовал страшную картину того, как его, холодного и неподвижного, навеки опустят в сырую землю, закопают, забудут, — и ждать этого, намекал он печально, осталось уже недолго.

— Вот тогда ты вспомнишь старика! — говорил он. — О Господи! Ведь о воде думают, только когда колодец высыхает! — И он с острым удовольствием наблюдал, как подергивается детское горло, мигают глаза, напрягается, морщится лицо.

— Хоть присягнуть, мистер Гант! — возмущалась Элиза, тоже довольная. — Незачем дразнить ребенка!

А иногда Гант начинал печально говорить о «Маленьком Джимми», безногом маленьком мальчике, который жил за рекой по ту сторону Риверсайда (городского парка) и которого он часто показывал Юджину, сплетая вокруг него трогательную сказочку о нищете и сиротском приюте, сказочку, ставшую теперь для его сына невыносимо реальной. Когда Юджину было шесть лет, Гант легкомысленно пообещал подарить ему на Рождество пони, ни на секунду не собираясь выполнить это обещание. С приближением Рождества он начал проникновенно говорить о «Маленьком Джимми», о бесчисленных преимуществах, выпавших на долю Юджина, и после отчаянной борьбы с самим собой мальчик нацарапал письмо в Эльфландию с отказом от пони в пользу бедного калеки. Этого Юджин не забыл никогда: даже став взрослым, он вспоминал про басню о «Маленьком Джимми» — без злобы, без обиды, но с мучительной болью из-за этой слепой и бессмысленной растраты чувств, из-за глупой лжи, бездумной нечестности, калечащего тупого обмана.

Люк как попугай повторял все отцовские нравоучения, но убежденно и скучно, без юмора Ганта, без его лукавства, только с его сентиментальностью. Он жил в мире символов, больших, примитивных, аляповато раскрашенных, с надписями: «Папа», «Мама», «Дом», «Семья», «Доброта», «Честность», «Самоотверженность», сделанных из засахарившейся патоки и склеенных липкими каплями сиропа в форме слез.

— Хороший мальчик, — говорили про него соседи.

— Ах, какой прелестный! — говорили дамы, очарованные его заиканием, его находчивостью, его добродушием и услужливостью.

— Напористый мальчишка. Он далеко пойдет, — говорили все мужчины города.

Люк и хотел, чтобы все считали его напористым и добродушным. Он благоговейно прочитывал все инструкции, которые издательство «Кэртис» рассылало своим агентам-распространителям. Он примеривал к себе различные описания приемов, которыми полагалось способствовать расширению сбыта — наилучший «подход», наиболее соблазнительный способ извлечения журнала из сумки, воодушевленное изложение его содержания, которое он должен был знать назубок, основательно проштудировав номер. «Хороший распространитель, — говорилось в инструкции, — должен досконально знать товар, который он продает». Но Люк обходился без такого знания, возмещая его собственными красноречивыми выдумками.

Буквальное восприятие этих инструкций породило еще не виданную манеру продавать печатное слово. Подкрепляемый собственным безграничным нахальством и благочестивыми аксиомами вымогательства, гласившими, что «хороший распространитель не принимает отказа», что он должен «не отставать от потенциального покупателя», даже если его гонят, что он должен «понять психологию клиента», Люк пристраивался сбоку к какому-нибудь ничего не подозревающему прохожему, раскрывал перед его лицом широкие листы «Сатердей ивнинг пост», разражался бурной речью, обильно уснащенной заиканием, шуточками, лестью и такой стремительной, что прохожий не мог ни взять журнала, ни отказаться от него, и под ухмылки всех встречных гнал свою жертву по улице, затискивал в угол и брал поспешно протянутые пять центов выкупа.

— Да, сэр, да, сэр! — начинал он звучным голосом, широко шагая, чтобы попасть в ногу «потенциальному покупателю». — Свежий номер «Сатердей ивнинг пост», пять центов, всего пять центов, п-п-покупается еженедельно д-д-вумя миллионами читателей. В этом н-н-номере вы получите восемьдесят шесть страниц ф-фактов и литературных произведений, не говоря уж о рекламных объявлениях. Если вы не умеете ч-ч-читать, то от одних иллюстраций получите удовольствия куда больше, чем на пять центов. На тринадцатой странице мы на этой неделе даем прекрасную статью А-а-айзека Маркоссона, з-з-знаменитого путешественника и политического писателя; на странице двадцать девятой вы найдете рассказ Ирвина Кобба, в-в-величайшего из живущих юмористов, и новый боксерский рассказ Д-д-джека Лондона. Если вы к-к-купите его в книге, он обойдется вам в полтора д-д-доллара.

Кроме этих случайных жертв, у него среди городских обывателей имелась и широкая постоянная клиентура. Энергично и бодро шагая по улице, то и дело здороваясь и лихо отвечая на шуточки, он обращался к ухмыляющимся мужчинам красивым заикающимся тенором, каждого называя новым титулом.

— Полковник, как поживаете! Пожалуйста, майор, новый номер, еще горяченький. Капитан, как делишки?

— Как поживаешь, сынок?

— Лучше некуда, генерал. Разъелся, как щенячье брюхо.

И они закатывались кашляющим краснолицым смехом южан.

— Черт подери, молодец мальчишка. Ну-ка, сынок, дай мне твой проклятый журнальчик. Он мне не нужен, но я его куплю, чтобы тебя послушать.

Он был полон бойких и забористых пошлостей; больше всех в семье он обладал раблезианским нутряным смаком, который бушевал в нем с безграничной энергией, заряжая его язык импровизированными сравнениями и метафорами, достойными Гаргантюа. И в довершение всего он каждую ночь мочился в постель, несмотря на сердитые жалобы Элизы, — это был завершающий штрих его

заикающейся, насвистывающей, бодрой, жизнерадостной и комической личности: он был Люком, единственным в своем роде,
Люком Несравненным; несмотря на свою болтливую и нервную
взбудораженность, он был чрезвычайно симпатичен — и в нем
действительно скрывался бездонный колодец привязчивости. Он
искал обильной хвалы за свои поступки, но ему была свойственна
глубокая подлинная доброта и нежность

Каждую неделю он собирал по четвергам в маленькой пыльной
конторе Ганта ухмыляющуюся толпу мальчишек, которые покупали
у него «Ивнинг пост», и наставлял их, прежде чем послать на улицы:

— Ну как, придумали, что вы будете говорить? Если вы будете
сидеть на своих попках, они сами к вам не придут. Придумали заход?
Вот ты, как ты за них возьмешься? — Он яростно повернулся к
испуганному малюсенькому мальчику. — Отвечай! Отвечай же, ч-ч-
черт подери! Нечего лупить на меня глаза. Ха! — Он внезапно
разразился идиотским смехом. — Вы только поглядите на эту физию!

Гант ухмылялся, издали вместе с Жаннадо наблюдая за происхо-
дящим.

— Ну, ладно-ладно, Христофор Колумб! — добродушно продолжал Люк. — Так что же ты им скажешь, сынок?

Мальчик робко откашлялся:

— Мистер, не хотите ли купить номер «Сатердей ивнинг пост»?

— Сю-сю-сю! — сказал Люк жеманно, и остальные мальчишки
захихикали. — Розовые слюнки! И по-твоему, они у тебя что-
нибудь купят? Господи, что у тебя в башке вместо мозгов? Хватай
их! Не отставай. Не принимай никаких отказов. Не спрашивай их,
хотят ли они покупать. Бери их за глотку: «Вот, сэр, свеженькие,
прямо из типографии!» О, черт! — возопил он, нетерпеливо взглянув через площадь на часы на здании суда. — Нам надо было
выйти уже час назад. Пошли, чего вы стоите? Вот ваши журналы.
Сколько возьмешь, еврейчик?

У него работало несколько еврейских мальчишек: они его
обожали, и он был к ним очень привязан — ему нравилась их
яркость, находчивость, юмор.

— Двадцать.

— Двадцать! — возопил он. — Ах ты лодырь! Т-т-ты возьмешь
пятьдесят. Не валяй дурака, ты их все продашь до вечера. Ей-богу,
папа, — сказал он входящему Ганту, кивнув на евреев, — тайная
вечеря, да и только. Верно? Ладно-ладно, — сказал он, хлопая по
заду мальчишку, который наклонился, чтобы взять свою порцию
журналов. — Не суй мне ее в лицо.

Они завизжали от смеха.

— Хватайте их! Не отпускайте! — И, смеясь, весь красный от возбуждения, он посылал их на улицы.

Вот к какому роду занятий и к какому методу эксплуатации был теперь приобщен Юджин. Он ненавидел эту работу смертельной и необъяснимой ненавистью, смешанной с отвращением. Что-то в нем болезненно возмущалось при мысли о том, что для продажи своего товара он должен превращаться в назойливого маленького нахала, избавиться от которого можно только ценой покупки журнала. Он изнывал от стыда и унижения, но выполнял свою задачу с отчаянной решимостью — странное кудрявое пылающее существо, которое трусило рядом с изумленным пленником, задрав смуглое сосредоточенное лицо и извергая ураган слов. И прохожие, завороженные этим неожиданным красноречием маленького мальчика, покупали его журналы.

Иногда грузный федеральный судья с отвисающим брюшком, а иногда прокурор или банкир уводили его к себе домой, чтобы показать жене и другим членам семьи, а когда он кончал свою речь, давали ему двадцать пять центов и отсылали. «Нет, только подумать!» — говорили они.

Продав первую порцию в городе, он отправлялся в обход по холмам и лесам у окраин, заходя в туберкулезные санатории, продавая журналы без труда и быстро — «как горячие пирожки», по выражению Люка, — врачам и сиделкам, бледным небритым евреям с тонкими лицами, изможденному распутнику, который по кусочкам сплевывал в чашку сгнившие легкие, красивым молодым женщинам, которые иногда покашливали, но улыбались ему со своих шезлонгов и, расплачиваясь, касались его теплыми нежными руками.

Однажды в горном санатории два молодых ньюйоркца завели его в комнату одного из них, заперли дверь и повалили его на кровать, после чего один из них достал перочинный нож и сообщил ему, что сейчас охолостит его. Это были два молодых человека, которым смертельно надоели горы, захолустный городок и томительный лечебный режим — и много лет спустя ему пришло в голову, что они задумали эту шутку заранее, смаковали ее много дней своей скучной жизни, жили тем волнением и ужасом, которые должны были вызвать в нем. Однако его реакция оказалась куда более бурной, чем они рассчитывали: он обезумел от страха, кричал и дрался как бешеный. Оба они были не сильнее кошки, и он вырвался из их рук, отбиваясь, царапаясь по-тигриному, нанося удары руками и ногами в слепой нарастающей ярости. Его освободила сиделка, которая отперла дверь и вывела его на солнечный свет, а двое молодых туберкулезных больных, обессиленные и перепуганные, остались у себя в комнате. Его мутило от страха и от того, что его кулаки еще хранили ощущение от ударов по их прокаженным телам.

Но в его карманах приятно позвякивали пятицентовые, десятицентовые и двадцатипятицентовые монеты; не чуя под собой ног от усталости, он стоял под сверкающим фонтанчиком и погружал разгоряченное лицо в стакан с ледяным напитком. Иногда он урывал часок от надоевших улиц, уходил в библиотеку и, полный угрызений совести, на время погружался в колдовское забытье. Его бдительный энергичный брат часто застигал его там и гнал работать, насмешками и упреками побуждая его к деятельности.

— Ну-ка, проснись! Ты не в сказочной стране. Иди хватай их!

Лицо Юджина было никудышной маской — в этой темной заводи каждый камешек мысли и чувства оставлял расходящийся круг: его стыд, его отвращение к своим обязанностям были очевидны, как ни старался он скрывать их. Его обвиняли в чванстве, говорили, что «ему не по нутру честная работа», и напоминали, какими благодеяниями его осыпали великодушные родители.

В отчаянии он искал опоры в Бене. Иногда Бен, косолапо шагая по улицам, встречал младшего брата, разгоряченного, усталого, грязного, с набитой парусиновой сумкой на боку, и, свирепо хмурясь, бранил его за неряшливый вид, а потом вел в закусочную и покупал ему что-нибудь поесть — жирное пенное молоко, горячие бобы в масле, пышный яблочный пирог.

И Бен и Юджин оба были по натуре аристократы. Юджин только теперь начал ощущать свое положение в обществе — вернее, его отсутствие. Бен ощущал это уже давно. Исходное чувство могло бы свестись к потребности в общении с элегантными и красивыми женщинами, но ни тот, ни другой не был способен и не посмел бы признаться в этом, а Юджин был не в силах признаться, что его больно задевает его кастовая неполноценность; ведь любой намек, что элегантное общество предпочтительнее фамильярного мирка всех этих Таркинтонов и их неуклюжих дочек, семья встретила бы тяжеловесными насмешками, как новое доказательство недемократичного чванства. Его тут же обозвали бы «мистером Вандербильтом» и «принцем Уэльским».

Бен, однако, не был запуган их ханжеским самодовольством; их хвастливая болтовня его не обманывала. Он видел их с жестокой ясностью, отвечал на их заносчивость негромким ироническим смешком и быстрым движением головы вверх и вбок — кивком своему вечному спутнику, которому он адресовал все свои замечания, своему темному насмешливому ангелу: «Бог мой! Только послушать!»

Что-то крывшееся за его сумрачными спокойными глазами, что-то чужое, яростное и бескомпромиссное страшило их, а к тому же он обеспечил себе ту свободу, которую они ценили выше всего — экономическую свободу, — и он говорил то, что думал, отвечая на их добродетельные упреки яростным тихим презрением.

Однажды он стоял перед камином, распространяя запах никотина, и угрюмо хмурился на Юджина, который вскинул на плечо тяжелую сумку и, чумазый и растрепанный, направился к двери.

— Ну-ка подойди сюда, бродяжка, — сказал он. — Когда ты в последний раз мыл руки? — Яростно хмурясь, он вдруг замахнулся, словно собираясь ударить мальчика, но вместо этого перевязал ему галстук жесткими изящными пальцами.

— Бога ради, мама, — раздраженно бросил он Элизе, — неужели ты не можешь дать ему чистую рубашку? Ему следовало бы менять их каждый месяц.

— То есть как? То есть как? — сказала Элиза с комической торопливостью, отрываясь от корзины с носками, которые она штопала. — Я дала ему свежую рубашку в прошлый вторник.

— Уличный хулиган, — проворчал он, глядя на Юджина с яростной болью в глазах. — Мама, ради всего святого, почему ты не пошлешь его к парикмахеру остричь эти вшивые космы? Я сам заплачу, если тебе жалко денег.

Она сердито поджала губы и продолжала штопать носки. Юджин поглядел на него с немой благодарностью. После того как Юджин ушел, Тихоня несколько минут угрюмо курил, длинными затяжками загоняя душистый дым в свои узкие легкие. Элиза, обиженно вспоминая его слова, продолжала штопать носки.

— Что ты делаешь с малышом, мама? — после некоторого молчания сказал он жестким спокойным голосом. — Ты хочешь, чтобы он стал бродягой?

— То есть как? То есть как?

— По-твоему, хорошо, что он шляется по улице со всеми малолетними хулиганами?

— Я не понимаю, о чем ты говоришь, — раздраженно сказала она. — Нет ничего зазорного в том, что мальчик честно поработает, и никто так не думает.

— Бог мой, — сказал он темному ангелу. — Только послушать! Элиза поджала губы и ничего не ответила.

— Гордость предшествует падению, — сказала она потом. — Гордость предшествует падению*.

— На мой взгляд, нас это не касается, — сказал он. — Падать нам некуда.

— Я не считаю себя хуже кого-нибудь, — объявила она с достоинством. — И с кем угодно держусь как с ровней.

— Бог мой! — сказал Бен своему ангелу. — Тебе ведь не с кем держаться. Что-то я не видел, чтобы твои почтенные братья или их жены навещали тебя.

Это была правда — и ранящая правда. Элиза поджала губы.

— Нет, мама, — продолжал он после паузы, — ни ты, ни старик никогда не интересовались, чем мы занимаемся, если на этом, по вашему мнению, можно было сэкономить цент-другой.

— Я не понимаю, о чем ты говоришь, — ответила она. — Ты говоришь так, словно мы богачи. Нищим выбирать не приходится.

— Бог мой! — горько засмеялся он. — Вы со стариком любите изображать из себя неимущих, но у тебя полный чулок денег.

— Я не понимаю, на что ты намекаешь! — сказала она сердито.

— Нет! — после угрюмой паузы начал он со своего обычного отрицания. — Сколько людей в городе, у которых нет и пятой доли того, что есть у нас, а получают они от этого вдвое больше. У нас у всех никогда ничего не было, но я не могу смотреть, как малыш превращается в уличного мальчишку.

Наступило долгое молчание. Элиза сердито штопала носок, то и дело поджимая губы, балансируя на грани между спокойствием и слезами.

— Не думала я, — сказала она после длинной паузы, и на ее губах затрепетала горькая обиженная улыбка, — не думала я, что когда-нибудь услышу от собственного сына такие слова. Поберегись, — грозно намекнула она, — грядет день расчета. И его не избежать. Не избежать. И тебе втройне воздастся за твое противоестественное, — ее голос перешел в слезливый шепот, — за твое противоестественное поведение!

Она легко начинала плакать.

— Бог мой! — ответил Бен, поворачивая худое, серое, горькое шишковатое лицо к своему слушающему ангелу. — Нет, только послушать!

XI

Элиза видела Алтамонт не как совокупность стольких-то холмов, зданий и людей, она видела его, как гигантский земельный
план. Она знала историю каждого ценного участка и дома: кто
его купил, кто его продал, кому он принадлежал в 1893 году и
что он стоит теперь. Она внимательно наблюдала за приливами и
отливами уличного движения в разные часы дня, она знала точно,
через какие именно перекрестки проходит больше всего людей за
сутки или за час; она чутко замечала любую болезнь роста молодого города, измеряла из года в год его рост во всех направлениях и выводила из всего этого наиболее вероятное направление его
будущего расширения. Она критически оценивала расстояния, немедленно обнаруживала, что там-то и там-то избранный путь к
центру неоправданно извилист, и, проводя взглядом прямую линию
сквозь дома и участки, говорила:

— Тут когда-нибудь пройдет улица.

Ее представление о земле и населении было ясным, конкрет-
ным и простым, в нем не было ничего научного, но мощь и
прямолинейность его были поразительны. Инстинкт подсказывал
ей покупать дешево там, куда потом придут люди, — не в закоул-
ках и тупиках, а на улице, ведущей к центру, на улице, которая
потом будет удлиняться.

И ее мысли сосредоточились на «Диксиленде». Он находился в
пяти минутах ходьбы от Главной площади, на тихой крутой улочке,
где в небольших домах или в пансионах жили люди среднего
достатка. «Диксиленд» представлял собой большой дешевый деревянный дом, состоявший из восемнадцати — двадцати наполненных
сквозняками комнат с высокими потолками. Вид у него был бесформенный, расползшийся и хаотичный, цвет — грязно-желтый.
Приятный зеленый двор, обсаженный молодыми крепкими кленами, был не очень широким, но зато длинным. Сторона участка,
выходящая на улицу, составляла сто двадцать футов, а вниз по
косогору он тянулся на сто девяносто футов. Элиза, повернувшись
к центру города, сказала:

— Вон там, сзади, когда-нибудь проведут улицу.

Зимой ветер воющими порывами забирался под юбки «Диксиленда» — задняя часть дома была приподнята над землей и опиралась на мокрые столбы из выщербленного кирпича. Его большие
комнаты обогревались с помощью небольшой топки, которая, ког-

да в ней разводили огонь, наполняла комнаты первого этажа сухим расслабляющим жаром, а в верхние посылала жидкое негреющее излучение.

Дом продавался. Его владельца, пожилого джентльмена с лошадиным лицом, звали преподобный Веллингтон Ходж, — он удачно начал жизнь в Алтамонте в качестве методистского проповедника, но попал в беду, когда к служению Богу Воинств присоединил еще и служение Джону Ячменное Зерно: его евангелическая карьера оборвалась в одну темную зимнюю ночь, когда улицы безмолвствовали в густых хлопьях валящего снега. Веллингтон в одном теплом нижнем белье выбежал из «Диксиленда» в два часа утра, совершил безумный марафонский бег по городским улицам, провозглашая пришествие царствия божия и изгнание сатаны, и закончил его, задыхаясь, но ликуя, на ступенях почтамта. С тех пор он с помощью жены добывал скудное пропитание, открыв пансион. Теперь его силы истощились, он был опозорен, и город стал ему невыносим.

Кроме того, стены «Диксиленда» внушали ему ужас: он чувствовал, что своим падением обязан зловещему влиянию дома. Он был впечатлителен, и многие места в его владениях стали для него запретными: угол длинной веранды, где однажды на заре повесился кто-то из его жильцов, половица в холле, где упал чахоточный, у которого из горла хлынула кровь, комната, где перерезал себе глотку старик. Он хотел вернуться в родные края, в страну быстрых лошадей, гнущейся под ветром травы и хорошего виски — в Кентукки. Он был готов продать «Диксиленд».

Элиза поджимала губы все более и более задумчиво и все чаще и чаще, отправляясь в город, шла по Спринг-стрит.

— Этот участок когда-нибудь будет стоить дорого, — сказала она Ганту.

Он не стал возражать. Внезапно он ощутил невозможность противостоять неумолимому, неутолимому желанию.

— Ты хочешь его купить? — спросил он.

Она несколько раз поджала губы.

— Это выгодная покупка, — сказала она.

— Вы никогда об этом не пожалеете, У. О., — сказал Дик Гаджер, агент по продаже недвижимости.

— Это ее дом, Дик, — устало сказал Гант. — Составьте документы на ее имя.

Элиза посмотрела на него.

— Я до конца моих дней не хочу больше иметь дела ни с какой недвижимостью, — сказал Гант. — Это проклятие и вечные заботы, а в конце концов все отойдет сборщику налогов.

Элиза поджала губы и кивнула.

Она купила «Диксиленд» за семь тысяч пятьсот долларов. У нее были деньги на первый взнос в полторы тысячи долларов; остальную сумму она обязалась выплатить частями — по полторы тысячи в год. Она понимала, что эти деньги ей придется набирать из того, что будет приносить сам дом.

В начале осени, когда клены еще стояли густые и зеленые, а перелетные ласточки наполняли кроны деревьев шумом таинственной возни и по вечерам черным смерчем, несущимся воронкой вперед, стремительно сыпались в облюбованную трубу, точно сухие листья, Элиза перебралась в «Диксиленд». Эта покупка вызвала в семье вопли, волнения, острое любопытство, но никто не отдавал себе ясного отчета, что, собственно, произошло. Гант и Элиза, хотя оба про себя понимали, что их жизнь приблизилась к какому-то решающему рубежу, говорили о своих планах неопределенно, «Диксиленд» уклончиво называли «удачным помещением капитала» и ничего толком не объясняли. Собственно говоря, неизбежность расставания они ощущали лишь инстинктивно. Жизнь Элизы, подчиняясь полуслепому, неодолимому тяготению, устремлялась к желанной цели — она не сумела бы определить, что именно собирается предпринять, но ею владело глубокое убеждение, что неосознанная потребность, которая привела ее в Сент-Луисе только к смерти и горю, на этот раз направляет ее на правильный путь. Ее жизнь была поставлена на рельсы.

И хотя они как будто совсем не готовились к этому полному разрыву их совместной жизни, к выкорчевыванию всех корней их шумного общего дома, тем не менее, когда настал час расставания, элементы сами собой распались на отдельные группы решительно и бесповоротно.

Элиза забрала Юджина с собой. Он был последним звеном, связывавшим ее со всей томительной жизнью кормлений и колыбелей; он все еще спал с ней в одной постели. Она была подобна пловцу, который, бросаясь в темное бурное море, не вполне полагается на свои силы и судьбу, а потому обвязывается тонкой бечевкой, чтобы не утратить связи с сушей.

Сказано не было почти ничего, но Хелен осталась с Гантом, так, словно это было предрешено издревле и навеки.

Дейзи должна была скоро выйти замуж; за ней ухаживал высокий бритый пожилой страховой агент, который носил гетры, безупречно накрахмаленные воротнички пятидюймовой высоты, говорил с воркующей сумасшедшей елейностью и время от времени мягко подхихикивал где-то в глубине горла без всякой на то причины. Его звали мистер Маккиссем; после длительной пылкой осады она собралась с духом и отказала ему, про себя считая его душевнобольным.

Она дала согласие молодому уроженцу Южной Каролины, который имел какое-то неясное отношение к бакалейной торговле. Его волосы были разделены пробором на середине низкого лба, голос у него был мягкий, напевный, ласковый, манера держаться — добродушная и развязная, привычки — немелочные и щедрые. Когда он приходил с визитом, то приносил Ганту сигары, а мальчикам — большие коробки конфет. Все чувствовали, что его ждет хорошее будущее.

Что касается остальных — Бена и Люка, — то они остались висеть в неопределенности; Стив же с восемнадцати лет месяцами не жил дома и вел полубродяжническое существование, пробавляясь случайными заработками и мелкими подделками отцовской подписи в Новом Орлеане, Джексонвилле, Мемфисе; к своим расстроенным родным он возвращался лишь изредка, после длительных перерывов, присылая телеграмму с сообщением, что он тяжело болен, или же с помощью какого-нибудь приятеля, который для этого случая присваивал себе титул «доктора» — что он при смерти и вернется домой в гробу, если только они сами не заберут его изможденную плоть, пока дух еще ее не покинул.

Вот так Юджин, когда ему не исполнилось и восьми лет, приобрел второй кров и навсегда утратил буйный, несчастливый, теплый домашний очаг. Изо дня в день он не знал заранее, где найдет еду, приют и ночлег, хотя и не сомневался, что найдет их. Он ел там, где снимал шапку, — либо у Ганта, либо у матери; порой, хотя довольно редко, он спал с Люком в задней грубо побеленной мансарде с косым потолком и множеством альковов — туда попадали по крутой высокой лестнице с кухонного крыльца, и запах старых книг, сложенных в сундуках, мешался там с приятными плодовыми запахами. Там стояли две кровати; он наслаждался непривычной возможностью располагаться на целом матрасе и мечтал о том дне, когда за ним будет признано право на мужскую самостоятельность. Но Элиза редко позволяла ему ночевать там: он был впаян в ее плоть.

Забывая о нем в дневных хлопотах, вечером она звонила по телефону, требовала, чтобы он немедленно возвращался в «Диксиленд», и бранила Хелен за то, что она удерживает его у себя. Между Элизой и ее дочерью шла из-за него ожесточенная скрытая борьба: поглощенная «Диксилендом», Элиза раз в несколько дней вдруг вспоминала, что его опять не было за обедом, и сердито требовала его по телефону обратно.

— Боже мой, мама, — раздраженно отвечала Хелен. — Он твой сын, а не мой. Но я не собираюсь смотреть, как он голодает.

— То есть как? То есть как? Он убежал, когда обед уже стоял на столе. Я приготовила ему хороший ужин. Хм! Хороший!

Он стоял возле Хелен, по-кошачьи настороженный, готовый захихикать, а она закрывала трубку рукой и строила ему гримасу, передразнивая пентлендовские интонации, манеру жевать слова.

— Хм! Право, детка, да... это хороший суп.

Он изгибался в беззвучном хохоте.

А она говорила в трубку:

— Ну, об этом ты должна думать, а не я. Если ему не хочется там оставаться, я-то что могу сделать?

Когда он возвращался в «Диксиленд», Элиза расспрашивала его горько подергивающимися губами; она язвила его жгучую гордость, лишь бы он остался при ней.

— С чего это ты вот так бегаешь в отцовский дом? Мне бы на твоем месте гордость не позволила. Мне бы сты-ыдно было! — Ее лицо подергивалось горькой оскорбленной улыбкой. — Хелен некогда с тобой возиться. Она не хочет, чтобы ты там околачивался.

Но властное очарование гантовского дома, его прихотливые затейливые пристройки, его мужской запах, его пышные переплетающиеся лозы, его огромные деревья в янтаре смолы, его ревущая жаркая надежность, его пошедший пузырями лак, нагретая телячья кожа, уют и изобилие без труда выманивали Юджина из огромного холодного склепа «Диксиленда», особенно зимой, потому что Элиза всячески экономила уголь.

Гант уже окрестил его «Сараем»; и теперь по утрам после плотного завтрака он отправлялся голодными шагами в город той дорогой, которая вела через Спринг-стрит, и по пути сочинял инвективы, прежде приберегавшиеся для его гостиной. Он размашисто пересекал широкий холодный холл «Диксиленда» и набрасывался на Элизу, готовившую с помощью двух-трех негритянок завтрак для голодных постояльцев, которые в ожидании энергично покачивались на веранде в креслах-качалках. Все возражения, вся брань, не высказанные тогда, когда она покупала «Диксиленд», обрушивались на нее теперь.

— Женщина, ты покинула мою постель и стол, ты сделала из меня всеобщее посмешище и бросила своих детей погибать. Ты дьяволица и на все готова, лишь бы мучить, унижать и позорить меня. Ты бросила меня в старости одного; ты покинула меня умирать в одиночестве. О Господи! Горек был для нас всех тот день, когда твои алчные глаза впервые остановились на этом проклятом, этом мерзком, этом убийственном и сатанинском Сарае. Нет подлости, которой ты не совершила бы, если она может принести тебе медный грош. Ты пала так низко, что твои родные братья тебя сторонятся. «Не знал падения такого ни зверь, ни человек!»

И в кладовках, над плитой, в столовой слышались звучные смешки негритянок.

— Ох, и горазд же он говорить!

Элиза плохо ладила с негритянками. Она питала к ним все недоверие и неприязнь, на какие только способны горцы. К тому же она не привыкла пользоваться чужими услугами и не умела ни принимать их, ни распоряжаться ими как следует. Она непрерывно пилила и ругала насупленных темнокожих девушек, терзаемая мыслью, что они раскрадывают ее запасы и ее вещи и без толку тратят время, за которое она им платит. А платила она им неохотно, выдавая их маленькое жалованье по каплям — не больше одной-двух монет за раз, донимая их попреками за лень и глупость.

— Что ты делала все это время? Задние комнаты наверху убрала?

— Нет, мэм, — угрюмо отвечала негритянка и, шлепая подошвами, проходила через кухню.

— Хоть присягнуть! — злобно ворчала Элиза. — Я в жизни не видела такой никудышной черной бездельницы. Не воображай, будто я стану платить тебе за то, что ты тратишь время зря.

Так продолжалось весь день напролет. И в результате Элиза нередко бывала вынуждена начинать день без прислуги — накануне вечером девушки уходили, сердито переговариваясь, а утром не приходили. К тому же ее въедливая скаредность стала известна всему Негритянскому кварталу и найти прислугу, которая согласилась бы пойти к ней, с каждым разом становилось все труднее. Проснувшись и обнаружив отсутствие помощниц, она расстроенно бросалась звонить Хелен, сердито рассказывала, что произошло, и просила помочь ей.

— Право, детка, не знаю, как мне быть. Просто шею бы свернула этой черной негодяйке! Бросила меня совсем одну, когда у меня на руках полный дом людей.

— Мама, во имя всего святого, что случилось? Неужели ты не можешь поладить с негритянкой? Другие ладят же! Что они все от тебя бегут?

Но, несмотря на свое раздражение и досаду, Хелен уходила из дома Ганта и шла к матери, чтобы прислуживать за столом со щедрым усердием, с нервным и оживленным добродушием. Всем постояльцам она очень нравилась, они говорили, что она хорошая девушка. Это говорили все. Ей была свойственна большая и нерасчетливая душевная щедрость, властное жизнелюбие, которые истощали ее некрепкое здоровье, малый запас ее сил, так что измученные нервы часто доводили ее до истерических взрывов, а иногда и до полной физической прострации. Она была ростом почти в шесть футов, у нее были большие кисти и ступни, худые прямые ноги, крупнокостное доброе лицо с длинным полным подбородком, который всегда чуть отвисал, так что открывались верхние зубы с золотыми пломбами. Несмотря на худобу, она не казалась ни угловатой, ни костлявой. Ее лицо было исполнено сердечности и преданной любви; оно бывало чутким, открытым, обиженным, озлобленным, истеричным, а по временам — сияющим и прекрасным.

Выматывать себя полностью, служа другим, было для нее нравственной и физической необходимостью, и так же необходимо ей было получать за это густой поток похвал, но больше всего она нуждалась в том, чтобы чувствовать, что ее усилия остаются неоцененными. Даже в самом начале она приходила почти в исступление, излагая свои обиды, рассказывая повесть своего служения Элизе голосом, который становился резким и истеричным:

— Какой-нибудь пустяк не задастся, и она уже кидается к телефону. А я вовсе не обязана ходить туда и работать, точно негритянка, на шайку постояльцев, которые и платят-то гроши. Ты это понимаешь? Понимаешь?

— Да, — отвечал Юджин, покорно играя роль аудитории.

— Но она скорей умрет, чем признает это. Ты хоть раз слышал, чтобы она мне сказала «спасибо»? Было мне за все это хотя бы разок сказано... — тут она засмеялась, потому что ее острое чувство юмора на время взяло верх над истерикой, — было мне хотя бы разок сказано: «Убирайся к черту!»?

— Нет! — взвизгнул Юджин, разражаясь неудержимым идиотским смехом.

— Но право, детка. Хм! Да. Это хороший суп, — сказала Хелен, пуская в ход весь свой сочный комизм.

Он оборвал пуговицу воротничка, расстегнул брюки и катался по полу, захлебываясь от апоплексического хохота.

— Брось! Брось! Ты меня д-д-доконаешь!

— Хм! Право! Да, — продолжала она с ухмылкой, словно добивалась именно этого.

Тем не менее, оставалась Элиза без прислуги или нет, Хелен ежедневно приходила днем прислуживать за обедом, а часто и вечером, когда Гант и мальчики ужинали у Элизы, а не дома. Она ходила, подчиняясь своему огромному желанию помогать, служить, и еще потому, что это удовлетворяло ее потребность давать больше, чем она получала взамен, и еще потому, что хотя она, как и Гант, издевалась над Сараем и «дешевыми постояльцами», оживление, царившее за столом, стук тарелок, многоголосый гул их разговоров возбуждали и взбадривали ее.

Как Ганту, как Люку, ей требовалось растворение в жизни, в движении, в шуме — она хотела быть центром, занимать всех, быть душой общества. Достаточно было одной просьбы, и она садилась петь для постояльцев, тяжело и правильно ударяя по клавишам плохонького пианино. У нее было сильное, звучное, но жестковатое сопрано и обширный репертуар романсов, сентиментальных и комических песенок. Юджин навсегда запомнил мягкие прохладные летние вечера, собравшихся постояльцев и «Кто ее теперь целует?» — Гант без конца требовал повторения. Еще она пела «Люби меня, и будет мир моим», «Пока не остынут пустыни пески», «Над тобою дрозд, любимая, поет», «Конец безоблачного дня» и «Оркестр Александера», — последнюю песню Люк, мучая весь дом, разучивал несколько недель, а потом с потрясающим успехом исполнил на вечере «Школьных певцов».

Позже, в прохладной тишине Гант, свирепо раскачиваясь в качалке на веранде, начинал длинную речь — его могучий голос далеко разносился по тихой улочке, а постояльцы почтительно слушали, завороженные его бурным красноречием, смелыми решениями государственных проблем, пристрастными, но безапелляционными суждениями о текущих событиях.

— ...А что же сделали мы, господа? Мы утопили их флот* в сражении, которое длилось только двадцать минут, Тедди* и его молодцы взяли под градом шрапнели высоты у Сант-Яго — как вам известно, все кончилось в несколько месяцев. Мы объявили войну, не преследуя никаких корыстных целей; мы вступили в нее потому, что гнет, которому подвергался маленький народ, пробудил негодование народа великого, а потом с великодушием, вполне достойным величайшего народа мира, мы уплатили нашему побежденному врагу двадцать миллионов долларов. О Господи! Да, это поистине было великодушно! Вы же не думаете, что какая-нибудь другая нация оказалась бы способна на это?

— Нет, сэр! — решительно отвечали постояльцы.

Они не всегда были согласны с его политическими взглядами — в частности, с тем, что Рузвельт был безупречным потомком Юлия Цезаря, Наполеона Бонапарта и Авраама Линкольна, — но чувствовали, что у него замечательная голова и в политике он мог бы пойти далеко.

— Ему бы адвокатом быть, — говорили постояльцы.

А тем временем в эти избранные горы неумолимо проникал внешний мир, как ласковая волна прилива, которая лениво накатывается с поднимающейся водой и отступает в могучее родительское лоно для того лишь, чтобы ее снова швырнуло на берег — и на этот раз дальше.

Примитивные и однобокие рассуждения Элизы строились, в частности, на том, что люди, истомленные пустыней, ищут оазис, что те, кто хочет пить, ищут воду, а те, кто задыхается на равнинах, будут искать утешения и облегчения в горах. Ей была свойственна та меткость, которую, после того как все сливы собраны, торжественно называют предвиденьем.

Улицы, которые всего десять лет назад были рыжей нетронутой глиной, теперь асфальтировались. Стоимость асфальтирования приводила Ганта в бешенство, и он проклял этот край, день своего рождения и темные махинации исчадий сатаны. Но Юджин бегал за полными кипящей смолы котлами на колесах, наблюдал, как гигантский каток — чудовище, давившее его в кошмарах, — дробит в порошок битый камень, и, по мере того как удлинялся пахучий раскатанный язык асфальта, его охватывал все больший восторг.

Время от времени голенастый «кадиллак», кряхтя цилиндрами, взбирался вверх по холму «Диксиленда». Когда он замирал, Юджин бормотал заклинания, чтобы помочь автомобилю, — это Джим Сойер, молодой щеголь, приезжал за мисс Катлер, питтсбургской красавицей. Он распахивал дверцу в пухлом красном брюхе. Они садились и уезжали.

Иногда, в тех случаях, когда Элиза, проснувшись, обнаруживала, что осталась без прислуги, его посылали в негритянский квартал на поиски замены. Он рыскал по этому царству рахита, заходя в смрадные лачуги сквозь неторопливое зловоние ручейков помоев и мочи, навещая смрадные подвалы по всему вонючему лабиринту расползшегося по склону поселка. В жарких закупоренных темницах их комнат он познал необузданную грацию их распростертых на постели тел, их звучный выразительный смех, их запах — запах тропических джунглей, смешанный с запахом раскаленных сковородок и кипящего белья.

— Вам не нужна работа?

— А ты чей, сынок?

— Миссис Элизы Гант.

Молчание. А затем:

— Там, дальше по улице, у мисс Корпенинг одна девушка вроде ищет работу. Пойди поговори с ней.

Элиза ястребиным взором следила, не воруют ли они. Однажды в сопровождении сыщика она обыскала в Негритянском квартале комнату девушки, которая от нее ушла, и обнаружила украденные из «Диксиленда» простыни, полотенца, ложки. Девушка получила два года тюрьмы. Элиза любила прибегать к помощи закона, ей нравился запах и напряженная атмосфера судов. И когда она могла подать на кого-нибудь в суд, она подавала — для нее было большой радостью предъявить кому-нибудь иск. И не меньшей — когда иск предъявляли ей. Она всегда выигрывала дело.

Когда ее постояльцы не платили, она торжествующе захватывала их вещи, и ей особенно нравилось с помощью покорных полицейских ловить их в последнюю минуту на вокзале в глазеющем кольце городских подонков.

Юджин стыдился «Диксиленда». И опять боялся выдать свой стыд. Как и с «Ивнинг пост», он чувствовал себя обделенным, запутавшимся в сетях, пойманным в капкан. Он ненавидел неприличие своей жизни, утрату достоинства и уединения, передачу буйной черни тех четырех стен, которые должны ограждать нас от нее. Он не столько понимал, сколько чувствовал бессмыслицу, путаницу, слепую жестокость их существования — его дух был растянут на дыбе отчаяния и недоумения, ибо он все сильнее убеждался в том, что их жизни нельзя было бы больше изуродовать, изломать, извратить и лишить самого простого покоя, удобства, счастья, даже если бы они сами нарочно запутали клубок и порвали канву. Он задыхался от ярости: он думал о медлительной речи Элизы, о ее манере углубляться в бесконечные воспоминания, о невыносимом поджимании губ, и белел от сдавленного в комок бессильного гнева.

Теперь он уже совершенно ясно видел, что их бедность, нависшая над ними угроза богадельни, жуткие упоминания о могиле для неимущих — все это было бессмысленным мифотворчеством жадного скопидомства; и в нем, как головня, тлел гнев, порожденный их убогой алчностью. У них не было собственного места, не было места, предназначенного только для них, не было места, огражденного от вторжения постояльцев.

По мере того как дом наполнялся, они переходили из комнат в комнатки и в каморки, спускаясь все ниже и ниже по жалкой шкале своих жизней. Он чувствовал, что это причинит им вред, огрубит их: он даже и тогда глубоко верил в хорошую еду, в хорошее жилище, в комфорт, — он чувствовал, что цивилизованный человек начинает именно с этого; он знал, что там, где дух чахнет, он чахнет не из-за хорошей еды и удобств.

Когда в летний сезон дом наполнялся и приходилось ждать, пока не кончат есть постояльцы и для него не очистится место, он угрюмо расхаживал под вознесенной на столбы задней верандой «Диксиленда», злобно исследуя темный подвал и две душные каморки без окон, которые Элиза при случае старалась сдать негритянкам.

Теперь он ощущал всю мелочную жестокость деревенской кастовости. В течение нескольких лет он по воскресеньям мылся, чистился, облекал свое освященное тело в чистое белье и рубашку и отправлялся среди приятной суеты воскресного утра в пресвитерианскую воскресную школу. К этому времени он уже был избавлен от наставлений нескольких старых дев, которые подкрепляли его детскую веру катехизисом, рассказами о благости Божьей и некоторыми сведениями о небесной архитектуре. Пятицентовик, с которым прежде он расставался неохотно, сожалея о потенциальных пирогах и пиве, он отдавал теперь без особых страданий, так как обычно у него оставалось еще достаточно, чтобы насладиться холодным газированным напитком у содового фонтанчика.

Вдыхая свежий воздух воскресного утра, он бодро отправлялся исполнить долг свой у алтарей и останавливался неподалеку от церкви, где стройные ряды учеников военной школы четко разбивались на взводы баптистов, методистов, пресвитериан.

Дети собирались в примыкающем к церкви большом зале, в который справа и слева открывались сотами крошечные классные комнаты — по ним они расходились, когда кончалась служба. С кафедры к ним взывал директор, дантист-шотландец с черной седеющей бородкой, окаймленной небольшой полоской набальзамированной кожи — его клетки, ткани и соки, казалось, были раз и навсегда закреплены во вневозрастной неопределенности, так что истекали десятилетия, а он выглядел все таким же.

Он читал очередной стих или притчу, толковал их с цезаревской сухостью и точностью, а затем передавал ведение службы своему помощнику, тоже шотландцу, бритому и в очках, который с холодной ласковостью улыбался им над высоким глянцевым воротничком и вел их от строфы к строфе псалма, взмахивая руками и ободряюще оскаливая зубы, когда они доходили до припева. Крепкая старая дева барабанила по клавишам пианино, которое дрожало как осиновый лист.

Юджину нравились высокие хрустальные дисканты маленьких детей, поддерживаемые тугой плотностью голосов мальчиков и девочек постарше и опирающиеся на могучий хор младших и старших барракков и филатеянок*. В те утра, когда собирались пожертвования для миссионеров, они пели:

> Протяните руку спасения —
> Кто-то тонет сегооодня!

И еще они пели:

> Соберемся ли мы у реки,
> Прекрааасной, прекрааасной реки?

Этот псалом ему чрезвычайно нравился. И величественное нарастание «Вперед, Христовы воины!».

Потом он вместе со своим классом переходил в одну из маленьких комнат. Повсюду вокруг с рокотом смыкались скользящие двери; затем здание заполнялось ровным монотонным жужжанием.

Этот класс Юджина состоял только из мальчиков. Их учителем был высокий белолицый молодой человек, сутулый и худой, про которого всем был известно, что он состоит секретарем местного отделения Христианской ассоциации молодых людей. Он был болен туберкулезом, но мальчики восхищались им за его прежние бейсбольные и баскетбольные подвиги. Он говорил печальным, сладким, хнычущим голосом; он был угнетающе похож на Христа; он дружески беседовал с ними о заданном на этот день тексте и спрашивал, какой урок они могут извлечь из него для своей обычной жизни, для того, чтобы доказывать делом послушание и любовь к родителям и друзьям, для укрепления в долге, вежливости и христианском милосердии. И он говорил, что, усомнившись, как следует поступить, они должны спрашивать себя, что сказал бы им Иисус, — он часто говорил об Иисусе печальным, чуть недовольным голосом, и Юджину, пока он его слушал, делалось как-то не по себе — ему представлялось что-то мягкое, пушистое, с влажным языком.

Он постоянно находился в состоянии нервного напряжения — все остальные мальчики были близко знакомы между собой, они жили на Монтгомери-стрит или в ее окрестностях, а это была самая фешенебельная улица города. Иногда кто-нибудь говорил ему с усмешкой: «Не хотите ли купить «Сатердей ивнинг пост», мистер?»

В будни Юджин никак не соприкасался с их жизнью, а потому сильно переоценивал их аристократичность. Алтамонт быстро вырос в город из разбросанного по холмам поселка, и таких старинных семей, как Пентленды, в нем было немного; как в большинстве курортных городков, его кастовая система была гибкой до неопределенности и в основном строилась на богатстве, честолюбии и наглости.

Гарри Таркинтон и Макс Айзекс были баптистами, как почти все соседи Ганта, за исключением шотландцев. Баптисты были наиболее многочисленными членами общины — и по социальной шкале они котировались невысоко, считаясь простонародьем; их пастырь, крупный пухлый толстяк с красным лицом и в белом жилете, обладал незаурядным красноречием — он ревел на них, аки лев, ворковал аки голубка, и часто упоминал в проповеди свою жену, чтобы создать атмосферу интимности или вызвать смех, — члены епископальной церкви, занимавшие верх социальной шкалы, и пресвитериане, менее аристократичные, но зато столпы добропорядочности, считали это нецеломудренным. Методисты располагались как раз посредине между вульгарностью и декорумом.

Этот накрахмаленный, начищенный мир воскресного пресвитерианства с его степенной порядочностью, ощущением сдержанности, неброского богатства, прочного положения в обществе, размеренной обрядности и замкнутой избранности глубоко действовал на Юджина присущим ему безмятежным покоем. Он остро ощущал свою отъединенность от этого мира, в который он приходил раз в неделю, оставляя позади лязгающую хаотичность собственной жизни, — приходил и смотрел на него, чтобы потом из года в год уходить, тягостно сознавая себя чужим. А мягкий сумрак церкви, мощные звуки отдаленного органа, спокойный гнусавый голос священника-шотландца, бесконечные молитвы и яркие картинки, изображавшие сцены из христианской мифологии, которые он ребенком собирал под руководством старых дев, — все это помогло ему узнать что-то о боли, о тайне, о чувственной красоте религии, о том, что было глубже и значительнее строгой пресвитерианской добропорядочности.

<h1 style="text-align:center">XII</h1>

Приближалась зима, и угрюмое умирание осени ненавистнее всею ему было в «Диксиленде» — тусклые, засиженные мухами лампы; унылые блуждания по дому в поисках тепла; Элиза, неряшливо кутающаяся в старую кофту, в грязный шарф, в старый заношенный сюртук. Она мазала глицерином потрескавшиеся от холода руки. Ледяные стены гноились сыростью — они пили смерть из воздуха; одна из постоялиц умерла от тифа, ее муж быстро вышел в холл и тяжело опустил руки. Они приехали из Огайо.

Наверху, на веранде, служившей спальней, в бесконечной темноте кашлял худой еврей.

— Ради всего святого, мама! — негодовала Хелен. — Зачем ты их пускаешь? Разве ты не видишь, что он заразный?

— Да не-ет, — отвечала Элиза, поджимая губы. — Он сказал, что у него небольшой бронхит. Я его прямо спросила, а он взял да и расхохотался. «Послушайте, миссис Гант», — говорит...

За этим следовала бесконечная история, украшенная множеством вьющихся прихотливыми ручьями отступлений. Хелен приходила в бешенство: это была основная черта характера Элизы — слепо защищать то, что приносило ей деньги.

Еврей был добрым человеком. Он осторожно кашлял, загородившись белой рукой, и ел хлеб, обжаренный в яйце. Юджин пристрастился к этому блюду — он простодушно называл его «еврейским хлебом» и просил добавки. Лихенфелс мягко смеялся и кашлял, а его жена заливалась звонким смуглым смехом. Юджин оказывал ему мелкие услуги, а он давал ему каждую неделю по монете. Он был портным из Нью-Джерси. Весной он перебрался в санаторий и позже умер там.

Зимой немногие простывшие постояльцы, чьи лица, чьи личности из-за постоянных повторений утратили хотя бы проблеск оригинальности, сидели у догорающих углей в гостиной, раскачиваясь и раскачиваясь в качалках, переговаривались скучными голосами, со скучными жестами, — вероятно, «Диксиленд» опротивел им, и они сами опротивели себе не меньше, чем опротивели ему.

Он предпочитал лето, когда приезжали медлительно-томные женщины жаркого богатого Юга, темноволосые белокожие девушки из Нового Орлеана, пшеничные блондинки из Джорджии, красавицы из Южной Каролины, говорившие с негритянской оттяжкой. И малярики из Миссисипи, апатичные, чуть желтоватые, но с белыми крепкими зубами. Краснолицый постоялец из Южной Каролины с побуревшими от никотина пальцами каждый день брал его на бейсбол; тощий, желтый, больной малярией плантатор из Миссисипи лазал с ним на горы и бродил по душистым долинам; вечерами он слышал на темных верандах звонкий грудной смех женщин, нежный и жестокий, слышал сочные рокочущие голоса мужчин; видел уступчивый потайной южный разврат — темное уединение их полуночных тел, их утреннюю ясноглазую невинность. Желание рвало его сердце окровавленным клювом, как ревнивая добродетель: он высоконравственно негодовал на то, в чем ему было отказано.

По утрам он оставался в доме Ганта с Хелен и играл в мяч с Бастером Айзексом, двоюродным братом Макса, веселым толстым малышом, который жил рядом. Позже, привлеченный сладким благоуханием варящейся помадки, он возвращался в дом, и Хелен посылала его в маленькую еврейскую лавочку на той же улице за кислыми приправами, которые очень любила. И, усевшись за стол в разгаре утра, они ели кислые маринады, толстые ломти спелых помидоров, густо намазанные майонезом, пили янтарный процеженный кофе, ели винные ягоды — «ньютоны» и «дамские пальчики», горячую духовитую помадку, утыканную грецкими орехами и сдобренную ароматным маслом, бутерброды с нежной грудинкой и огурцами, запивая все это леденящими икотными лимонадами.

Вера Юджина в ее гантовское богатство была безгранична: все эти восхитительные деликатесы брались из неистощимых запасов. Куры оживленно и весело кудахтали по всему утреннему кварталу; силачи-негры вносили в дом капающие глыбы льда, вытаскивая их железными клещами из дымящихся фургонов; он стоял под их взгливыми пилами и ловил в ладони ледяную кашицу; он впивал смешанный запах их могучих тел и налипшего на лед мусора вместе с резким масляным запахом линолеума в столовой; а днем в гостиной с ореховой, набитой конским волосом мебелью, где мягко и приятно пахло роялем и старым полированным деревом, она играла ему и заставляла его петь «Вильгельма Телля»*, «Когда твой голос милый», «Песню без слов», «Celesta Aïda»[1], «Утраченный аккорд», и ее длинная шея вытягивалась, напрягая сухожилия, и звучный голос рвался наружу.

Она ненасытно радовалась ему, обкармливала его кислым и сладким, в перерывах между непрестанными хлопотами валила его на диван Ганта и крепко держала, шлепая большой ладонью по дергающимся, щекам.

Иногда, доведенная до исступления каким-нибудь капризом своих нервов, она злобно набрасывалась на него, полная ненависти к его смуглому задумчивому лицу, к его пухлой выпяченной губе, к его полному растворению в мечтах. Как Люк и Гант, она постоянно искала занятия для своего беспокойного, деятельного жизнелюбия; она приходила в ярость, если замечала, что другие погружаются в себя, и по временам она ненавидела его, когда ее собственные струны перенапрягались и она видела его темное лицо, поглощенное книгой или каким-то видением. Она вырывала книгу из его рук, шлепала его и язвила жестоко и беспощадно. Она выпячивала губу, нелепо вертела головой, сгибая шею, изображала на лице тупую идиотичность и изливала на него страшный поток ядовитых слов.

— Ах ты, уродец, шляешься тут, как помешанный. Ты вылитый маленький Пентленд — смешной уродец, вот ты кто. Над тобой все смеются. Ты что, этого не знаешь? Не знаешь? Мы тебя будем теперь одевать девочкой. И ходи так. В тебе нет ни капли гантовской крови — папа прямо так и сказал. Ты вылитый Грили; ты помешанный. Пентлендовское полоумие так из тебя и лезет.

Иногда ее жаркая первозданная ярость была так велика, что она валила его на пол и топтала ногами.

Мучительной была не столько физическая боль, сколько ядовитая ненависть, лившаяся с ее языка, дьявольское уменье находить самые ранящие слова. Он терял рассудок от ужаса, когда из Эльфландии его внезапно швыряли в ад, он вопил как безумный, когда его щедрый ангел мгновенно превращался в змееволосую фурию, он утрачивал всю свою высокую веру в любовь и доброту. Он кидался на стену, как взбесившийся козленок, бился об нее головой, неистово визжа, отчаянно желая, чтобы его стиснутое, переполненное сердце разорвалось, чтобы что-то в нем сломалось, чтобы ценой крови он мог вырваться из душной тюрьмы своей жизни.

---

[1] «Небесная Аида» (ит.).

Это удовлетворяло ее, именно этого в глубине души она и хотела — в своем свирепом нападении на него она обретала очищающее успокоение и теперь могла до конца опустошить себя в бешеном порыве нежности. Она схватывала его, как он ни кричал и ни вырывался, прижимала к груди длинными руками, покрывала поцелуями его багровые щеки, безумно вытаращенные глаза, успокаивала самой искренней лестью, обращаясь к нему в третьем лице:

— Да неужто он подумал, что я серьезно? Неужто он не понял, что я просто шучу? Ух ты, он силен, как молодой бычок, верно? Настоящий маленький великан, вот он какой. Ух, до чего же он разозлился, верно? У него глаза вот-вот вылезут на лоб. Я уж думала, что он проломит дыру в стене. Да, мэм. Право, да, детка. Это хороший суп, — пускала она в ход свой талант имитации, чтобы рассмешить его. И он против воли смеялся между двумя рыданиями, и эта агония нежности и примирения была даже мучительнее, чем пытка насмешками.

Потом, когда он успокаивался, она посылала его в лавку за маринадом, пирожками, холодным лимонадом в бутылках; он уходил с красными глазами, с грязными полосками слез на щеках, по дороге отчаянно пытаясь понять, почему это произошло, резко вздергивая ногу и конвульсивно вывертывая шею, потому что все в нем горело от стыда.

В Хелен жила беспокойная ненависть к скуке, к респектабельности. И все же в душе она была чрезвычайно благопристойным существом, несмотря на свои вульгарные выходки (которые были лишь проявлением ее неуемной энергии), очень наивным, детски невинным существом, не разбирающимся даже в безыскусственной греховности маленькой общины. У нее было несколько поклонников, принадлежавших к типу молодых провинциалов, ничем не примечательных и пьющих: один, местный уроженец, худой краснолицый алкоголик, городской землемер, который обожал ее; другой — дюжий румяный блондин из угольного района Теннесси; третий — молодой человек из Южной Каролины, земляк жениха ее старшей сестры.

Эти молодые люди — Хью Паркер, Джим Фелпс и Джо Каткарт — были ей простодушно преданы; им нравилась ее неутомимая властная энергия, ее бойкий язык, ее искренняя и глубокая доброта. Она играла и пела для них — посвящала всю свою энергию тому, чтобы развлечь их. Они приносили ей коробки конфет, маленькие подарки, ревниво огрызались друг на друга, но были единодушны в утверждении, что она — «замечательная девушка».

А кроме того, Джим Фелпс и Хью Паркер, по ее настоянию, приносили ей виски: она пристрастилась к небольшим порциям спиртного из-за той зарядки, которую ее охваченное лихорадкой тело получало от алкоголя, — маленькой рюмки было достаточно, чтобы наэлектризовать ее кровь; эти два-три глотка освежали ее, придавали ей энергии, дарили ей кратковременную буйную жизнерадостность. И хотя она никогда не пила много за один присест и в ней нельзя было заметить никаких признаков опьянения, кроме прилива жизнерадостности и веселья, она то и дело поклевывала виски.

— Я пью всегда, когда могу, — говорила она.

Ей неизменно нравились молодые прожигательницы жизни. Ей нравилась лихорадочная погоня за удовольствиями, составлявшая смысл их существования, нравилось ощущение опасности, их юмор и щедрость. Ее магнетически влекли замужние распутницы, которые летом весело ускользали в Алтамонт от воскресной дисциплины южных городков и от субботней похоти осоловелых мужей. Ей нравились люди, которые, как она выражалась, «не прочь были иногда немножко выпить».

Ей нравилась Мэри Томас, высокая хорошенькая проститутка, которая приехала из Кентукки, — она работала маникюрщицей в одной из алтамонтских гостиниц.

— Есть две вещи, которые я хотела бы посмотреть, — говорила Мэри. — Петушиный... сами понимаете что, и куриную... как ее там.

Она постоянно громко и настойчиво смеялась. Она снимала маленькую комнату с верандой-спальней на втором этаже. Юджин как-то раз принес ей папиросы — она стояла перед окном в легкой нижней юбке, широко расставив длинные чувственные ноги, которые были хорошо видны против света.

Хелен брала поносить ее платья, шляпы и шелковые чулки. Иногда они пили вместе. И она с добродушной сентиментальностью защищала Мэри:

— Ну, она не лицемерка. Уж это, во всяком случае, верно. Ей все равно, кто об этом знает.

Или:

— Она ничуть не хуже многих ваших чинных тихонь, только они умеют прятать концы в воду. А она ничего не скрывает.

Или же, раздраженная невысказанным осуждением ее дружбы с этой девушкой, она говорила сердито:

— А что вы о ней знаете? Говорите о людях осторожнее. Не то когда-нибудь наживете себе неприятности.

Тем не менее на людях она старательно избегала Мэри и, вопреки всякой логике, в минуты исступленного раздражения нападала на Элизу:

— Почему ты пускаешь к себе в дом таких людей, мама? Все в городе знают, что она такое. Твой пансион уже слывет в городе домом терпимости.

Элиза сердито поджимала губы.

— Я не обращаю на них никакого внимания, — говорила она. — Я не считаю себя хуже кого бы то ни было. Я держу голову высоко, и пусть все остальные делают то же. Я с ними не якшаюсь.

Это была часть ее защитного механизма. Она делала вид, будто гордо не замечает никаких неприятных обстоятельств, если это приносило ей деньги. В результате благодаря тому странному неуловимому обмену сведениями, который существует между женщинами легкого поведения, «Диксиленд» приобрел у них известность, и они как бы случайно поселялись там — полупрофессионалки, тайные проститутки курортного города.

Хелен разошлась почти со всеми своими школьными подругами — с трудолюбивой, некрасивой Женевьевой Пратт, дочерью учителя, с «Крошкой» Данкен, с Гертрудой Браун. Теперь ее приятельницами были более веселые, хотя и более вульгарные девушки: Грейс Десей, дочка водопроводчика, пышная блондинка; Пэрл Хайнс, дочь шорника-баптиста, — у нее было тяжелое лицо и тяжелая фигура, но зато она сильным голосом пела модные синкопированные песенки.

Самой близкой ее подругой стала, однако, Нэн Гаджер — быстрая, тоненькая, жизнерадостная девушка с талией, затянутой в корсет так туго, что мужчина мог бы обхватить ее двумя пальцами. Она была доверенным, аккуратным и непогрешимым счетоводом в бакалейном магазине. Почти весь свой заработок она отдавала в семью, состоявшую из матери, на которую Юджин не мог смотреть без дрожи из-за огромного зоба, свисавшего с ее дряблой шеи, калеки-сестры, которая передвигалась по дому на костылях, сильными рывками мощных плеч выбрасывая вперед беспомощное тело, и двух братьев — дюжих молодых хулиганов двадцати и восемнадцати лет, чьи заколдованные тела всегда были покрыты свежими ножевыми ранами, синяками, шишками и другими следами драк в бильярдной и в публичном доме. Они жили в двухэтажной ветхой деревянной лачуге на Клингмен-стрит, и женщины, не жалуясь, работали, чтобы содержать молодых людей. Юджин часто ходил туда с Хелен — ей нравился вульгарный, веселый, полный волнений образ их жизни, и особенно ее забавляли непристойные житейские разговоры Мэри.

Первого числа каждого месяца Нэн и Мэри отдавали братьям часть своего заработка на карманные расходы и для оплаты ежемесячного посещения женщин в Орлином тупике.

— Да не может быть, Мэри! Боже мой! — воскликнула Хелен с жадным недоверием.

— Очень даже может быть, душечка, — с простонародной оттяжкой ответила Мэри, улыбаясь, вытаскивая палочку табака из угла коричневых губ и сжимая ее сильными пальцами. — Мы всегда даем мальчикам раз в месяц деньги на женщин.

— Да нет же! Ты шутишь! — сказала Хелен, смеясь.

— Господи, детка, неужто ты не знаешь? — сказала Мэри, сплевывая в огонь и промахиваясь. — Это же необходимо для здоровья. Они разболеются, если мы не будем давать им денег на это.

Юджин беспомощно повалился на пол. Перед ним сразу развернулась эта поразительная картина добродушия и глубоких суеверий: женщины во имя гигиены и здоровья отдают свои деньги на пьяные дебоши двух ухмыляющихся, волосатых, прокуренных великовозрастных бездельников.

— Над чем это ты смеешься, сынок? — спросила Мэри, тыкая его в ребра, когда он, задыхаясь, вытянулся в полной прострации. — Ты же еще только из пеленок.

Ей была свойственна вся бешеная страстность жителей гор, и, сама калека, она жила грубым жаром похоти своих братьев. Это были примитивные, добрые, невежественные и убийственные люди. Нэн была безупречно респектабельна и благовоспитанна, у нее были толстые вывороченные негритянские губы и заразительный тропический смех. Никуда не годную мебель в их доме она заменила новыми лакированными стульями и столами. В лакированном, всегда запертом книжном шкафу стояли чопорные собрания нечитаных книг — гарвардское издание классиков и дешевая энциклопедия.

Когда миссис Селборн в первый раз приехала в «Диксиленд» с жаркого Юга, ей было только двадцать три года, но выглядела она старше. Она была воплощением зрелой пышности — высокая, плотно сложенная блондинка, холеная и элегантная. Она двигалась неторопливо, покачиваясь с томной чувственностью, улыбка у нее была нежной и исполненной смутного очарования, голос — не-

громким и приятным, а неожиданный смех, журчавший в полноч-
ной таинственности, — грудным и мелодичным. Она была одной из
красивых и вакхических дочерей обедневшего отпрыска видной
южнокаролинской семьи. В шестнадцать лет ее выдали замуж за
краснолицего грузного мужчину, который быстро и с удовольствием ел за ее несравненным столом, застенчиво и хмуро бормотал
что-то, если его к этому принуждали, и уходил в душную, пропах-
шую кожей и лошадьми контору своей прокатной конюшни. У нее
было от него двое детей — две девочки. С тщетной осторожно-
стью она обходила острые углы тихого злословия южнокаролин-
ского фабричного городка, украдкой творя прелюбодеяния с фаб-
рикантом, с банкиром и с владельцем лесопильни; днем она улыбалась своей нежной белокурой улыбкой, тщательно не замечая
ехидных улыбок города и лавочников и зная, что земля у нее под
ногами заминирована и что приказчики и хозяева посмеиваются,
когда слышат ее имя. Местные жители, и особенно мужчины, в
обращении с ней даже утрировали ту почтительную любезность,
которой обычно окружают женщину в городках Юга, но их глаза
за елейной корректностью маски лоснились приглашением.

Когда Юджин впервые увидел ее и узнал про нее, он вдруг
почувствовал, что она никогда не попадется и о ней всегда будут
знать. Он любил ее отчаянной любовью. Она была живым воплощением его желания — смутная гигантская фигура любви и материнства, нестареющая и осенняя, ждущая, пшеничноволосая, полногрудая, белокожая, в поре жатвы — Деметра, Елена, зрелая,
неистощимая и вечно обновляющаяся энергия, кормилица, баюка-
ющая усталость и разочарование. Над раной, нанесенной острым
ножом весны, голосами молоденьких девушек в темноте, острыми
зачаточными надеждами юности, горело неугасимым огнем его
сокровенное желание — что-то всегда влекло его к женщинам
постарше.

Когда миссис Селборн впервые приехала в «Диксиленд», ее
старшей дочери было семь лет, и младшей — пять. Каждую неделю она получала небольшой чек от мужа и солидный — от
владельца лесопильни. Она привезла с собой горничную-негритян-
ку и щедро баловала и ее, и своих дочерей. Эта расточительность,
легкость жизни и манящий грудной смех заворожили Хелен, поко-
рили ее.

А по вечерам, когда Юджин прислушивался к негромкому ме-
лодичному голосу миссис Селборн и слышал чувственное журча-
ние ее смеха на темной веранде, где она сидела с каким-нибудь

коммивояжером или местным торговцем, он весь проникался горечью ревнивого нравственного возмущения; изнывая от обиды, он думал о ее маленьких спящих дочках и — со страстным братским чувством — о ее обманутом муже. В мечтах он видел себя героем-искупителем — он спасал ее в час грозной опасности, пробуждал в ней раскаяние словами благородного порицания и целомудренно принимал любовь, которую она ему предлагала.

Утром, когда она проходила мимо, он вдыхал плодоносный аромат ее только что выкупанного тела, отчаянно вглядывался в нежную чувственность ее лица и с ощущением нереальности старался представить себе, как меняет темнота эти немые черты.

После года бродяжничества из Нового Орлеана вернулся Стив. Едва он почувствовал, что надежно утвердился дома, вслед за извечным хныканьем вновь заявило о себе прежнее нелепое хвастовство.

— Стиви может и не работать, — говорил он. — У него хватает ума заставлять других работать на себя. — Он с вызовом подразумевал тут подделку подписи Ганта на мелких чеках. Стив видел себя опытным мошенником, хотя у него никогда не хватало духа попробовать свое искусство на ком-нибудь другом, кроме отца. В те дни люди зачитывались историями Уоллингфорда «Богатей-Не-Зевай»* о мгновенно приобретенном богатстве — этот романтический преступник вызывал горячее восхищение.

Стиву перевалило за двадцать. Он был немного выше среднего роста, у него было шишковатое лицо, желтоватая кожа и несильный приятный тенор. Каждый раз, когда его старший брат возвращался, Юджин испытывал отвращение и ужас: он знал, что все бремя визгливой мелочной тирании и непристойных пьяных выходок ляжет на тех, кто физически наименее способен защитить себя, а это включало Элизу и его самого. Физическую боль он еще мог стерпеть, но эта подленькая трусость, слабость и слюнявые примирения были непереносимы.

Однажды Гант, который время от времени пытался подобрать своему сыну какое-нибудь постоянное занятие, послал его установить небольшой памятник на деревенском кладбище. Юджина послали с ним. Стив прилежно трудился под палящим солнцем в течение часа, все больше и больше раздражаясь из-за жары, из-за резкого кладбищенского запаха бурьяна и земли, из-за собственной ненависти к любой работе. Юджин напряженно ждал нападения, которое, как он знал, было неизбежно.

— Чего ты тут стоишь! — взвизгнул наконец Старший Брат, подняв голову в припадке бессильной злобы. Он с силой ударил мальчика по голени тяжелым гаечным ключом, который держал в руке, и свалил его с ног. Тут же он был парализован — не раскаянием, а страхом, что Юджин покалечен серьезно и этого не удастся скрыть.

— Ты не ушибся, братишка? Не ушибся? — спросил он дрожащим голосом, трогая Юджина грязными желтыми руками. И он начал мириться — то, чего Юджин боялся больше всего, — хныча, обдавая ежащегося брата вонючим дыханием, упрашивая ничего не говорить дома о случившемся. Юджина отчаянно затошнило: затхлый запах Стива, липкий нездоровый пот, отдававший никотином, прикосновение этой нечистой плоти наполняли его гадливым ужасом.

Однако форма и посадка его головы, его развязная походка еще хранили что-то от его погубленной юности — и женщин иногда влекло к нему. Поэтому ему выпала удача стать любовником миссис Селборн в то первое лето, когда она приехала в «Диксиленд». По вечерам ее грудной смех звенел на темной веранде, они гуляли по тихим улицам под шелестящей листвой, они вместе отправлялись в Риверсайд и уходили за полосу праздничных огней на темные песчаные тропинки у реки.

Но когда она подружилась с Хелен, увидела, с каким отвращением относятся младшие Ганты к своему брату, и убедилась, сколько вреда ей уже причинила близость с этим хвастуном, который в доказательство своей неотразимости без конца козырял ее именем во всех бильярдных города, она порвала с ним — тихо, неумолимо, нежно. И, возвращаясь в «Диксиленд» каждое лето, она встречала невинной и простодушной улыбкой все его непристойные намеки, его многозначительные угрозы и злобные разоблачения за ее спиной. Ее привязанность к Хелен была искренней, но, кроме того, и стратегически полезной, и она это чувствовала. Девушка знакомила ее с красивыми молодыми людьми, устраивала для нее вечеринки и танцы у Ганта и у Элизы, была практически участницей ее интриг, обеспечивая ей уединение, молчание и темноту, и гневно защищала ее, когда поднимался злорадный шепоток.

— Что вы о ней знаете? Вы не знаете, что она делает. И вы бы говорили про нее поосторожнее. У нее ведь есть муж, который за нее заступится. Вот получите когда-нибудь пулю в лоб.

Или же без такой уверенности:

— Ну, мне все равно, что о ней говорят. Мне она нравится. Она очень симпатичная. В конце-то концов, что мы о ней точно знаем? Никто не может доказать, что все это не вранье.

И теперь каждую зиму Хелен ненадолго уезжала погостить в южнокаролинский городок, где жила миссис Селборн, и, возвращаясь, восторженно рассказывала, как ее принимали, какие званые вечера устраивали «в ее честь», как щедро угощали гостей. Миссис Селборн жила в том же городе, что и Джо Гэмбелл, молодой приказчик, с которым была помолвлена Дейзи. Он не скупился на двусмысленные намеки в адрес миссис Селборн, но с ней держался угодливо, смущенно, почтительно и без возражений принимал съестные припасы и одежду, которые она присылала ему в подарок после его женитьбы.

Дейзи вышла замуж в июне того года, когда Элиза купила «Диксиленд», и свадьба была устроена на широкую ногу в большой столовой «Диксиленда». Гант и двое его старших сыновей смущенно ухмылялись, стесненные непривычными фраками, а Пентленды, свято блюдя традиции семейных свадеб и похорон, прислали подарки и явились сами. Уилл и Петт преподнесли новобрачным набор тяжелых ножей для разрезания жаркого.

— Надеюсь, у вас всегда будет, что ими резать, — сказал Уилл, строгая свою ладонь и подмигивая Джо Гэмбеллу.

Юджин запомнил недели лихорадочных приготовлений, примерок, репетиций, истерик Дейзи, которая смотрела на свои ногти, пока они не синели, и великолепие последних дней — прибытие подарков, дом, непривычно праздничный из-за пушистых ковров и цветов, роковой миг соединения их жизней в переполненной столовой, жужжащий монотонный шотландский голос пресвитерианского священника, нарастающее торжество музыки, когда приказчик из бакалейной лавки получил супругу. Позже — суматоха, поздравления, истерика женщин. Дейзи, неудержимо рыдающая в объятиях Бет Пентленд, их дальней родственницы, которая приехала со своим благодушным краснолицым мужем, владельцем нескольких бакалейных лавок в одном из городов Южной Каролины, привезла подарки, а также огромную дыню и особенно была расположена поплакать, так как после венчания обнаружила, что платье, над которым она трудилась несколько недель, она в спешке надела наизнанку.

И Дейзи более или менее окончательно ушла из жизни Юджина, хотя в последующие годы он виделся с ней во время родственных визитов, которые постепенно становились все реже. Приказчик из бакалейной лавки решился на единственный смелый шаг в своей жизни: он покидал хлопковый городок, в котором протекли все годы его жизни, и все, к чему привык: длинные ленивые часы работы за прилавком, медлительные пересуды горожан и долговязых владельцев хлопковых плантаций. Он устроился коммивояжером в продовольственную фирму — центром его операций должен был стать город Огаста в штате Джорджия, но ему предстояли поездки по самому дальнему Югу.

Это выкорчевывание прежних корней, этот рискованный переезд в новые края, чтобы нажить состояние и завоевать более солидное положение в обществе, были его свадебным подарком жене, смелым, но наперед уже испорченным неуверенностью, опасениями и его крестьянским недоверием к новым местам, к новым лицам, к новым разлукам — ко всему, что было непохоже на жизнь его деревни.

— Другого такого места, как Гендерсон, не найти, — говорил он с самодовольной и раздражающей преданностью этому приюту расслабляющего безделья, красной глины, невежества, сплетен и суеверий, в сиянии которого он вырос.

Но он уехал в Огасту и начал свою новую жизнь с Дейзи в меблированных комнатах. Ей исполнился двадцать один год, она была тоненькой краснеющей девушкой, которая прекрасно играла на рояле — без ошибок, академически, с бойким туше и без всякого воображения. Юджину она всегда вспоминалась как-то смутно.

Ранней осенью в год ее свадьбы Гант поехал в Огасту и взял с собой Юджина. Оба они были возбуждены до крайности; ожидание под палящим солнцем на сонной узловой станции Спартанберг, поездка в ветхом дачном вагоне, которые тогда еще ходили по ветке к Огасте, горячая спекшаяся осенняя земля, пологие холмы предгорий и сосновые леса — оба впивали каждую подробность ландшафта жадными глазами, полными жажды приключений. Бродяжнический дух Ганта истомился без путешествий; для Юджина Сент-Луис был далекой нереальностью, но в нем пылало видение изобильного Юга, даже еще более странное, чем его страстная зимняя тоска по закутанному в снега Северу, которую глубокие, но недолговечные снега Алтамонта, непривычное катание на коньках и санках с крутых склонов вдруг пробуждали в нем вместе с северной жаждой — жаждой мрака, бури, ветров, ревущих над землей, и торжествующего уюта теплых стен, понятной, пожалуй, только южанину.

И город Огасту он увидел не в серых скучных тонах реальности, но как человек, разбивающий окно, чтобы приобщиться к сказочному празднику мира, как человек, который жил в тюрьме и обретает жизнь и землю на розовой заре, как человек, который жил среди невероятных книжных образов и обретает в путешествии только расширение и подтверждение их — вот так он увидел Огасту: свежеомытыми глазами ребенка, в блеске и волшебстве.

Они пробыли там две недели. Ему в основном запомнились бурые пятна, оставшиеся после недавнего наводнения, которое захлестнуло город и затопило его подвалы, широкая главная улица, душистая сверкающая аптека, которая, казалось ему, пахла всеми специями его фантазий, холмы и поля Айкена в Южной Каролине, где он тщетно высматривал Джона Рокфеллера (легендарного принца, который, как он слышал, приезжал туда охотиться) и дивился тому, что два штата соединяются совсем незаметно, без видимых признаков, и еще — хлопкоочистительная фабрика, где он видел, как гигантский пресс сдавливал большие растрепанные кипы хлопка-сырца в тугие аккуратные тюки вдвое меньшего размера.

Однажды какие-то дети на улице принялись дразнить его из-за его длинных волос, и он впал в бешенство и начал яростно ругаться; однажды после какой-то ссоры с сестрой он, разозлившись, отправился искать приключений по белу свету и несколько часов сердито шагал по проселочной дороге между рекой и хлопковыми плантациями, пока наконец его не изловил Гант, который отправился разыскивать его в наемной бричке.

Они побывали в театре — это был чуть ли не первый спектакль в его жизни. В основу пьесы был положен библейский сюжет — история Саула и Ионафана, и от сцены к сцене он шептал Ганту, что будет дальше: отец был чрезвычайно доволен такой его осведомленностью и вспоминал про нее много месяцев спустя.

Перед их отъездом Джо Гэмбелл в припадке долго подогреваемого раздражения отказался от места и объявил, что намерен вернуться в Гендерсон. Его великое приключение длилось три месяца.

XIII

Все следующие годы — вплоть до тех пор, пока ему не исполнилось двенадцати лет и он уже не мог ездить по детскому билету, — Юджин ежегодно уезжал на богатый таинственный Юг. У Элизы в первый же год ее водворения в «Диксиленде» начался сильный ревматизм, вызванный отчасти заболеванием почек, из-за которого она постоянно опухала, — болезнью Брайта, по диагнозу врача, —

и теперь она отправлялась в длительные, хотя и экономные поездки по Флориде и Арканзасу в поисках здоровья и, несколько неопределенно, в поисках богатства.

Она постоянно поговаривала о том, что следовало бы открыть пансион на каком-нибудь тропическом зимнем курорте на время тамошнего сезона. Теперь она сдавала зимой «Диксиленд» на несколько месяцев, а иногда и на год, хотя вовсе не собиралась отказываться от него на весь доходный летний сезон — обычно она более или менее сознательно сдавала дом какой-нибудь не слишком щепетильной авантюристке из меблированных комнат, готовой уплатить арендную плату за месяц-другой, но неспособной к систематическим усилиям, без которых невозможно было сохранить право на аренду. Когда Элиза возвращалась из своего путешествия, арендная плата обычно бывала просрочена или обнаруживались какие-нибудь нарушения контракта, и она с торжеством кидалась в битву, врывалась в «Диксиленд» с помощью полицейских, сыщиков в штатском, судебных повесток, предписаний, ордеров и прочих орудий юридической войны и со злорадным удовольствием вновь насильственно вступала во владение своей собственностью.

Однако уезжала она всегда на Юг; хотя она часто грозилась исследовать Север, но в глубине души относилась к нему с подозрением: это не была вражда, хранимая со времен Гражданской войны, а просто страх, недоверие, отчужденность; «янки», о которых она всегда говорила с легкой насмешкой, казались непонятными и далекими. А потому она всегда уезжала на Юг, на Юг, который пылал в крови Юджина, как Смуглая Елена, и всегда брала его с собой. Они все еще спали в одной постели.

Его чувство к Югу было не столько традиционным, сколько эссенцией и порождением темного романтизма — этого безграничного и необъяснимого опьянения, этого магнетизма в крови некоторых людей, который увлекает их в самое сердце зноя, и дальше, в полярный и изумрудный холод Юга, с такой же быстротой, с какой он овладел сердцем несравненного романтика*, написавшего «Старого моряка», — а за этим пределом уже нет ничего. Но его чувство к Югу, несомненно, усугублялось всем, что он читал и воображал, романтическим ореолом, которым его школьная история одевала эти края, фантастически неверным изображением того периода, когда люди жили в «господских домах», а рабство было благодетельным институтом, слагавшимся из незатихающего бренчания на банджо, милостей полковника и плясок его

счастливых подданных, когда все женщины были там чистыми, кроткими и прекрасными, все мужчины — доблестными рыцарями, а
орды мятежников — войском отчаянных, презирающих смерть героев. Много лет спустя, когда ему уже была невыносима мысль об
их духовном убожестве, об ожесточенной убийственной вражде ко
всякой новой жизни, когда их дешевая мифология, их легенды о
пленительности их манер, об аристократической культуре их жизни, о непередаваемом очаровании их манеры говорить с неторопливой оттяжкой уже приводили его в исступление, когда уже он не
мог без скуки и ужаса думать о возвращении к их жизни и к ее
бесчисленным предрассудкам, его страх перед их легендой, перед
их враждебностью был так велик, что он по-прежнему изображал
величайшую преданность им и объяснял, что живет на Севере не
потому, что хочет этого, а потому, что вынужден там жить.

В конце концов ему пришло в голову, что эти люди ничего ему
не дали, что ни их любовь, ни их ненависть не могут ему повре-
дить, что он ничем им не обязан, и он решил сказать это прямо
и ответить на их наглость проклятием. И ответил.

Вот так его рубежи уходили все дальше в волшебство, в сказочное, одному ему доступное чудо, которое портили только ска-
редная практичность Элизы, ее невеликолепность в великолепном
мире, завтраки из сладких булочек, масла и молока в неопрятных
номерах, картонные обувные коробки, из которых в вагонах из-
влекались съестные припасы после того, как длительное изучение
меню завершалось распоряжением подать кофе, бесконечные споры из-за цен и счетов почти всюду, где они останавливались, и ее
требование, чтобы он «пригибался» при появлении контролера —
он был высоким долговязым мальчишкой, и его право на половин-
ный билет могло быть поставлено под сомнение.

Она увезла его во Флориду в конце зимы, вскоре после возвращения Ганта из Огасты; сначала они поехали в Тампу, а через
несколько дней — в Сент-Питерсберг. Он бродил по улицам, где
ноги вязли в глубоком песке, удил на конце длинного мола по
соседству с веселыми старичками и проглотил полный сундук
дешевых романов, оказавшийся в комнате, которую Элиза сняла в
частном доме. Они уехали внезапно, после громовой ссоры с
хозяином, который решил, что его обсчитали на значительную
часть летней платы, и поспешили в Южную Каролину, потому что
Дейзи прислала истерическую телеграмму, умоляя мать «немедленно приехать». Они приехали в убогий, полный липкой грязи и

дождевой сырости городишко в конце марта, — первый ребенок Дейзи, мальчик, родился накануне. Элиза, рассерженная этим неоправданным, как ей казалось, нарушением ее отдыха, дня через два после приезда жестоко поссорилась с дочерью и отбыла в Алтамонт, объявив, к иронической радости Дейзи, что это ее последний визит сюда. Но он не был последним.

Следующей зимой она поехала в Новый Орлеан на масленицу, взяв с собой младшего сына. Юджин запомнил огромные цистерны для сбора дождевой воды на заднем дворе тети Мэри, густой громовый храп Мэри, от которого содрогались окна, и пеструю суету карнавала на Канал-стрит — изукрашенные повозки, смеющихся красавиц, марширующих солдат, нелепые и жуткие маски. И снова он увидел корабли на якоре в конце Канал-стрит — их высокие форштевни вставали за дамбой над улицей; а на кладбищах все могилы были подняты выше уровня земли, «потому что, — сказал Олл, племянник Ганта, — от воды они гниют».

И он запомнил запахи французского рынка, густой аромат кофе, который он пил там, и иностранное воскресное веселье города: открытые театры, стук молотков, лязг пил, веселую праздничность толпы на улицах. Он гостил у Бойлов, старых постояльцев «Диксиленда», — они жили в старинном французском квартале, и ночью он спал с Фрэнком Бойлом в огромной темной комнате, тускло освещенной маленькими восковыми свечками; их кухарка, старуха негритянка, говорила только по-французски и рано поутру возвращалась с рынка с большой корзиной, нагруженной овощами, тропическими фруктами, битой птицей, говядиной. Она готовила непривычные восхитительные блюда, каких ему никогда прежде не доводилось пробовать: густое гомбо*, бифштексы с гарнирами, кур под соусом.

И он глядел на гигантскую желтую змею реки и грезил о ее дальнем береге, о бесчисленных протоках, заросших пышной зеленью, о романтической жизни плантаций и полей сахарного тростника, которые тянулись по ее берегам, о лунном свете, о неграх, танцующих на дамбах, о медленных огнях раззолоченного речного парохода и о надушенной плоти черноволосых женщин, сотканных из музыки под клонящимися ветвями призрачных деревьев.

Вскоре после их возвращения из Нового Орлеана, в воющую зимнюю ночь, когда Юджин спал в доме Ганта, он был разбужен ужасными воплями отца. Гант последнее время много пил — один страшный день за другим. К вечеру Юджина посылали за ним в мастерскую, и с помощью Жаннадо он на закате отвозил его на разбитой негритянской кляче домой, мертвецки пьяного. Затем происходил обычный ритуал кормления супом, раздевания и усмирения, пока не являлся доктор Макгайр — он глубоко всаживал иглу своего шприца в жилистую руку Ганта, оставлял снотворное и уходил. Хелен была измучена, Гант же совсем истощил свои силы, и раза два его сваливали мучительные припадки ревматизма.

И вот теперь он проснулся в темноте во власти ужаса и муки, потому что вся правая сторона его тела была парализована свирепой болью — он даже не подозревал, что такая боль вообще возможна. Он то проклинал Бога, то начинал молиться, вне себя от ужаса и боли. Много дней доктор и сиделка возились с ним, надеясь, что воспаление не затронет сердца. Его всего согнул, сломал, скрутил сильнейший ревматизм. Едва он оправился настолько, что мог передвигаться, он уехал под присмотром Хелен в Хот-Спрингс на теплые источники. Она яростно ограждала его от всякой посторонней помощи и без отдыха ухаживала за ним днем и ночью; они пробыли в отсутствии полтора месяца, изредка присылая открытки и письма, в которых рассказывали об отелях, минеральных ваннах, болезнях и хромоте — и развлечения больных богачей расцветили горизонт Юджина новыми красками. Когда они возвратились, Гант мог ходить самостоятельно, горячие ванны изгнали ревматизм из его ног, однако его правая рука, искривленная и неподвижная, осталась искалеченной. Больше уже никогда он не мог сомкнуть ее пальцев, и в его манере держаться появилась какая-то странная тихость, а в глазах просвечивал страх.

Но союз между Гантом и его дочерью окончательно стал неразрывным. Перед Гантом простиралась предсказанная этими неделями дорога ужаса и боли, которая вела к смерти, однако, по мере того как на этой дороге его громадная сила уменьшалась, парализовалась, сходила на нет, дочь проходила рядом с ним весь его путь дюйм за дюймом, спаивая крепче жизни, крепче смерти, крепче памяти звенья связавших их уз.

— Я бы умер, если бы не эта девочка, — снова и снова повторял Гант. — Она спасла мне жизнь. Без нее я бы не выдержал. — И он снова и снова хвастался ее преданностью и верностью, расходами на его поездку, отелями, богатством, жизнью, которую они там видели.

И по мере того, как росла легенда о доброте и преданности Хелен, для которой его зависимость от девушки постоянно давала новую пищу, Элиза все более и более задумчиво поджимала губы, иногда плакала в плюющую жиром сковородку и под широким красным носом улыбалась дрожащей улыбкой, горькой, нестерпимо обиженной.

— Я им покажу! — плакала она. — Я им покажу!

И она задумчиво потирала красное зудящее пятно, которое в этом году появилось на ее левом запястье.

На следующую зиму она сама поехала в Хот-Спрингс. Они на день-два остановились в Мемфисе — там в москательной лавке работал Стив. Показывая Юджину город, он то и дело забегал в пивные, оставляя мальчика дожидаться снаружи, пока он «поговорит с одним парнем», — Юджин заметил про себя, что после каждого разговора с этим «парнем» его походка становилась все развязнее.

Они пронеслись над рекой на головокружительной высоте, а вечером он увидел унылые арканзасские лачуги, ютящиеся на малярийных равнинах.

В Хот-Спрингс Элиза отдала его в школу, и он очертя голову нырнул в непонятный новый мир — учился он блестяще и завоевал симпатию молодой учительницы, но сполна заплатил за то, что был чужим всем враждебным сплоченным зверенышам, из которых состоял его класс. Еще до конца первого месяца он горько поплатился за то, что не знал их обычаев.

Элиза каждый день до изнеможения парилась в ваннах; иногда он ходил с ней и, одурманенный ощущением независимости, отправлялся в мужское отделение, раздевался в прохладном предбаннике, переходил в парильню, где по стенам стояли кожаные кушетки, запирался в кабинке и чувствовал, что расплывается в лужицу пота у собственных ног, а потом выходил, пошатываясь, и могучий ухмыляющийся негр мял и массировал его в огромной лохани. Позже, истомленный, но испытывая чувство глубокого очищения, он лежал на кушетке — победно сознавая себя самостоятельным мужчиной в мире мужчин. Его соседи переговаривались, лежа на кушетках, или, колыхая животами, расхаживали по парильне со стыдливым полотенцем на чреслах — больные малярией южане с малярийно-медлительной речью, алкоголики с мешками под глазами, игроки с лиловатой кожей и опустившиеся боксеры. Ему нравился запах пара и потеющих мужчин.

Элиза немедленно послала его на улицы с «Сатердей ивнинг пост».

— Тебе не повредит, если после школы ты немного поработаешь, — сказала она.

А когда он трусил прочь с сумкой, оттягивавшей ему шею, Элиза кричала ему вслед:

— Подтянись, милый, подтянись! Расправь плечи! Пусть все видят, что ты не кто-нибудь.

И она вручила ему пачку карточек, гласивших:

«ПРОВОДИТЕ ЛЕТО В «ДИКСИЛЕНДЕ»
в прекрасном Алтамонте, в Стране Небес.

(Цены умеренные — как для постоянных гостей,
так и для транзитных.
Обращаться к Элизе Е. Гант, влад.)

— Ты должен помогать мне подыскивать клиентуру, милый, не то нам не на что будет жить, — повторяла она, шутливо поджимая дрожащие губы, и эта шутливость глубоко его задевала, потому что была очевидной маской для еще более очевидной неискренности.

Его всего передергивало, когда он представлял себе, как в конце концов станет закаленным толстокожим в мире Элизы — подтянутый, гордо расправляющий плечи, показывающий всем, что он «не кто-нибудь», благодушно вручающий при знакомстве карточку с описанием прелестей жизни в Алтамонте и в «Диксиленде», использующий каждый случай, чтобы «подыскивать клиентуру». Он ненавидел профессиональный жаргон, который она давно где-то усвоила и постоянно с удовольствием пускала в ход — причмокивая губами, она говорила о «транзитных гостях» или о «подыскивании клиентуры». Он, как и Гант, питал безмолвный ужас к продаже за деньги своего хлеба, своего крова гостю, чужаку, неведомому другу из широкого мира — больным, усталым, одиноким, разбитым жизнью, плуту, блуднице и глупцу.

Вот так, затерянный среди далеких плоскогорий Озарка, он бродил по Сентрал-авеню, окаймленной по сторонам крутыми склонами холмов, которые для него были рубежами волшебства, порталами извечной и бесконечной страны фей. Он без конца пил воду, которая, курясь паром, вырывалась из земли, — пил в надежде смыть с себя всю скверну, вновь и вновь сплетая фантазии о чудесном источнике или ванне целительной грязи, в которую человек погружается по горло, и она исторгает из его жил всю испорченную кровь, иссушает в нем раковую опухоль, размягчает и всасывает кисту, снимает все цинготные пятна и рубцы, выскребывает, растворяет и поглощает фиброзную слизь всех болезней, возвращая ему безупречную плоть животного.

И он часами стоял у подъездов фешенебельных отелей, глазея на дамские ножки на веранде, следя за тем, как развлекаются великие мира сего, с изумлением думая, что вот перед ним герои Чэмберса, Филиппса* и всех прочих певцов высшего света ведут во плоти свое богоподобное существование, претворяя в жизнь эти романы. Он питал благоговейное почтение к величественной манере таких книг и в особенности английских книг — эти люди любили, но не как все прочие, а элегантно, их речь была изящной, любезной и изысканной; даже в их страстях не было ничего грубо плотского и жадного, они не были способны на сальные мысли и грубые желания простолюдинов. Он глядел на красивые бедра молодых всадниц, завороженный зрелищем их стройных ножек, прикидывал, приятно ли им теплое упругое колыхание огромной лошадиной спины, и старался представить себе, какой может быть их любовь. Ни с чем не сообразное изящество их манер в романах внушало ему почтительный трепет — он видел, как соблазнение завершается в лайковых перчатках под аккомпанемент тонкого остроумия. Эти мысли наполняли его стыдом перед собственной низменностью: он придумывал для этих людей любовь, не подчиненную законам природы, заменяющую наслаждение животных или простых людей электрическим прикосновением кончиков пальцев, дрожанием ресниц, интонацией — изысканно и незапачканно.

А они, глядя на его далекое сказочное лицо, ставшее еще более необычным теперь, когда густые кудри были острижены, покупали у него журналы и платили вдвое и втрое больше — эпитимья, лениво налагаемая на себя расточителями.

В окнах ресторана плавали в стеклянных колодцах большие рыбы — угри свивались в змеиные кольца, белобрюхая форель металась вверх и вниз, а он мечтал о неведомых яствах там, внутри.

А иногда мужчины возвращались в экипажах с дальней реки, нагруженные крупной рыбой, и он начинал думать о том, доведется ли ему когда-нибудь увидеть эту реку. Все, что лежало вокруг него, такое близкое, но неведомое, наполняло его томительным желанием.

А потом, позднее, на песчаном побережье Флориды, тоже с Элизой, он бродил по узким переулкам Сент-Огастина, стремглав мчался по людному пляжу Дейтоны, искал на зеленых газонах перед отелями Палм-Бича кокосовые орехи, которые Элиза собирала как сувениры, и, набив орехами коричневую сумку, шел с сумкой за плечами по бесконечным аллеям «Ройал-Пойнсианы» или «Брейкерс», мишень для насмешек, возмущения и веселых улыбок всех встречных, от князя до раба. Или же по одной из широких

затененных пальмами дорожек, пересекающих полуостров поперек, отправлялся посмотреть на шелковые женские ноги, раскину-
тые на чувственном сыпучем песке, на коричневые худощавые
тела мужчин, на прыжки в бесконечные свитки изумрудного бес-
крайнего моря, которое гремело в его мозгу, когда он прижимал
к уху отцовские раковины, которое владело его горным сердцем,
но которое он только теперь впервые увидел собственными глазами. По ровным аллеям в разбрызганном пальмами солнечном свете
проезжали принцессы и лорды; в барах за жалюзи, где неутомимо
жужжали вентиляторы, мужчины пили из высоких запотевших
бокалов.

Как-то они поехали в Джексонвилл и прожили там несколько
недель по соседству с Петт и Грили; он учился у маленького
горбуна из Гарварда и ходил завтракать со своим учителем в
буфет, где тот пил пиво, заедая его солеными кренделками.
Перед отъездом Элиза объявила, что учитель запросил слишком
много; горбун пожал плечами и взял столько, сколько она дала.
Юджин вывернул шею и оторвал ногу от земли.

Так, привыкший к замкнутым горизонтам под плитой неба, где
его хозяевами были горы, он впервые увидел сказочный Юг. Эта
картина мелькающих полей, лесов и холмов навеки осталась в его
сердце, — затерянный в темном краю, он лежал всю ночь напролет на вагонной полке и смотрел, как мимо проносится призрачный Юг, потом наконец засыпал, а проснувшись, видел прохладные
флоридские озера на заре, такие спокойные, словно они всю
вечность ждали этой встречи; или, когда поезд в предутренней
тьме въезжал в Саванну, он слышал странные приглушенные голоса на платформе, бормочущие звуки ночного вокзала; или же в
бледном свете зари он видел туманный лес, изрытый колеями
проселок, корову, мальчишку, грязнуху, сонно возникшую в дверях хижины, — чтобы в этот краткий миг стремительно мчащего-
ся времени, к которому вела вся предыдущая жизнь, мелькнуть за
окном и исчезнуть.

Он со странным ощущением чего-то давно знакомого вспомнил
про общность всего земного, — он грезил о тихих дорогах, о
лесах, купающихся в лунном свете, и думал, что когда-нибудь он
вернется к ним пешком, найдет их неизменившимися, и свершится
чудо узнавания. Для него они существовали извечно и навеки.

Юджину скоро должно было исполниться двенадцать лет.

Часть вторая

XIV

Сливовое дерево, черное и ломкое, жестко покачивается на зимнем ветру. Тысячи его веточек замерзли и обледенели. Но весной, гибкое и отяжелевшее, оно согнется под бременем плодов и цветов. Оно снова помолодеет. Красные сливы созреют и будут отчаянно приплясывать на коротких черешках. Они будут лопаться и падать на жирную, теплую, влажную землю; когда в саду подует ветер, в воздухе замелькают падающие сливы; ночь будет полна перестуком их падения, а огромное птичье дерево будет петь, давать новые ростки, пышно расцветать и наполнять воздух еще и звонкими, стряхивающими сливы птичьими трелями.

Грубая горная земля оттаяла, увлажнилась, стала мягкой, идут обильные дожди, юная нежная травка, точно редко растущие волосы, полосками покрывает землю.

Лицо моего брата Бена, думал Юджин, похоже на чуть пожелтевший обломок слоновой кости; его высокий белый лоб покрыт узлами ярости, потому что он хмурится, как старик; его рот похож на нож, его улыбка — отблеск, пробегающий по лезвию ножа. Его лицо как лезвие, и как нож, и как отблеск света; тонкое, и яростное, и навеки прекрасно нахмуренное, а когда его твердые белые пальцы и хмурые глаза впиваются в вещь, которую он хочет починить, он резко и сосредоточенно дышит длинным острым носом. Вот почему женщины, взглянув на него, проникаются глубокой нежностью к его заостренному, шишковатому, всегда хмурому лицу; волосы у него блестят, как у маленького мальчика, они курчавятся и скрипят, как листья салата.

Бен выходит в апрельскую предутреннюю тьму улиц. Ночь вся в ярких проколах прохладных и нежных звезд. Под порывистым ветром шумит листва сада. Бен неслышно выходит из спящего дома. Его худое светлое лицо темно в пределах сада. Под распускающимися цветками пахнет табаком и кожаной обувью. Его коричневые тупоносые башмаки музыкально позванивают в пустых улицах. Лениво плещет вода в фонтане на площади; все пожарные спят, но Большой Билл Меррик, доблестный полицейский с кабаньими багровыми щеками, жадно чавкает мясными пирожками, запивая их кофе в закусочной «Юнида». На улицу мощными волнами льется теплый приятный запах типографской краски, поезд, гудя и завывая, уносится на весенний Юг.

Разносчики газет проходят в сумраке мимо фруктовых садов. Медно-коричневые ноги негритянок в темных лачугах сонно сгибаются на постелях. Звонко ворчит и бормочет ручей.

Новенький, номер шестой, услышал, что ребята обсуждают Рыжего.

— Кто этот Рыжий? — спросил номер шестой.

— Рыжий — сволочь, номер шестой. Смотри не попадайся ему.

— Сукин сын изловил меня на прошлой неделе три раза. У грека. Хоть бы давали поесть спокойно.

Номер третий вспомнил утро пятницы — его маршрут включал Негритянский квартал.

— Сколько, номер третий?

— Сто шестьдесят два.

— Сколько у тебя мертвых душ, сынок? — цинично спросил мистер Рэндолл. — Ты когда-нибудь пробовал собирать с них задолженность? — добавил он, листая книгу.

— Он с них берет натурой, — сказал Рыжий, ухмыляясь. — Недельную подписку даром за порцию.

— Ты-то чего лезешь? — воинственно спросил номер третий. — Ты сам-то шесть лет с ними путался.

— Спи хоть со всеми подряд, — сказал Рэндолл, — только приноси деньги. Бен, сходи-ка ты с ним в субботу.

Бен беззвучно и цинично усмехнулся в пустоту.

— Бог мой! — сказал он. — Вы хотите, чтобы я схватил этого жулика за руку? Он уже полгода вас обкрадывает.

— Ну, ладно, ладно! — с досадой сказал Рэндолл. — Вот ты и найди доказательства.

— Бога ради, Рэндолл, — презрительно сказал Бен. — У него в книге значатся черномазые, которые уже пять лет как умерли. Вольно же вам брать любого малолетнего мошенника, который попросит работы.

— Если, номер третий, ты не наладишь дела, я отдам твой маршрут другому, — заявил Рэндолл.

— И пожалуйста, отдавайте. Плевать я хотел, — грубо ответил номер третий.

— Бога ради! Нет, только послушать, — сказал Бен, усмехаясь, кивая своему ангелу и хмурым движением головы указывая на номера третьего.

— Да, только послушать! И я то же говорю! — задиристо
объявил номер третий.

— Ну ладно, мальчик. Беги-ка разноси свои газеты, пока цел, —
сказал Бен, спокойно меряя его хмурыми глазами. — Ах ты,
сопляк! — добавил он с глубоким отвращением. — У меня есть
младший брат, который стоит шестерых таких, как ты.

Весна легко окутывала землю, точно душистый газовый шарф;
ночь была прохладной чашей сиреневой мглы, полной свежих
запахов сада.

Гант спал тяжелым сном, и оконная рама сотрясалась от его
глубокого скрипучего храпа; коротко, взрывчато грохоча, вспары-
вая сиреневую ночь, поезд номер тридцать шесть начал подъем на
Салуду. Паровоз беспомощно топтался на месте, как козел, его
колеса бешено вращались на рельсах. Том Клайн внимательно смотрел вниз на молочно клубящуюся речку и ждал. Паровоз заско́ль-
зил, завертел колесами, удержался и медленно, как напрягшийся
мул, двинулся наверх, в темноту. Том удовлетворенно высунулся из
окна и посмотрел вперед — звездный свет тускло поблескивал на
рельсах. Он принялся за толстый бутерброд с маслом и холодным
жареным мясом, отхватывая большие куски и оставляя на хлебе
клейкие следы больших черных пальцев. Прохладный, медленно
скользящий мимо мир пахнул шиповником и лавром. Вагоны горба-
то залязгали на гребне; у стрелки угрюмо стоял стрелочник в
смутном желтом свете будки, опасно примостившейся над обрывом.

Расставив локти на краю окна и задумчиво пережевывая мясо,
Том выпучился на стрелочника. Они в жизни не обменялись ни
единым словом. Потом он молча повернулся и взял бутылку из-под
молока, до половины наполненную холодным кофе, которую протянул ему кочегар. Он запил еду большими спокойными булькаю-
щими глотками, точно епископ.

Подгнившее красное крыльцо дома номер восемнадцать по
Вэлли-стрит, скользкое от желтой грязи, задрожало. Сложенная
вчетверо свежая газета, которую швырнул номер третий, шмякну-
лась о дверь и жестко упала на ребро, точно небольшой брусок из
легкого дерева. В комнате за дверью Мей Корпенинг заворочалась
во всей своей наготе, что-то одурманенно бормоча, и ее тяжелые
медно-коричневые ноги медленным шелком зашуршали в спертом
тепле постели.

Гарри Тагмен закурил «Кэмел» и глубоко втянул дым в свои
мощные, пропитанные типографской краской легкие, наблюдая,

как опускается талер печатной машины. Его обнаженные по плечо руки были такими же мускулистыми, как его машины. Он с удовольствием опустился в свое покорное скрипучее кресло и, откинувшись, небрежно просмотрел теплый, душно пахнущий лист. Пышный голубой дым медленно струился из его ноздрей. Он отшвырнул лист.

— Черт! — сказал он. — Ну и макет!

Бен, угрюмо хмурясь, спустился по лестнице и побрел к холодильнику.

— Бога ради, Мак! — раздраженно крикнул он верстальщику, хмурясь под приподнятой крышкой. — Неужто у вас никогда ничего не бывает, кроме лимонада и кислого молока?

— А чего вам надо, черт подери?

— Я бы иногда не прочь выпить кока-колы. Знаете, — добавил он язвительно, — старик Кэндлер все еще изготовляет ее в Атланте.

Гарри Тагмен бросил сигарету.

— Это известие еще не дошло до них сюда, Бен, — сказал он. — Придется тебе подождать, пока не уляжется волнение по поводу капитуляции Ли*. Идем! — вдруг скомандовал он, вставая. — Заглянем в «Жирную ложку».

Он сунул свою большую голову в глубокую чашу умывальника и подставил под теплую струю широкую шею и синевато-бледное нездоровое лицо человека, работающего по ночам, — сильное, суровое и насмешливое лицо. Он намылил руки густой пузырчатой пеной — его мышцы медленно извивались, точно большие змеи. Могучим баритоном участника квартета он запел:

Берегись! Берегись! Берегись!
Много смелых сердец глубина поглотила!
Так берегись! Береги-ись!

Они со вкусом отдыхали в теплой беспредельной усталости затихшей типографии; на втором этаже комнаты редакции, залитые зеленовато-желтым светом, раскинулись, точно расслабившиеся после работы люди. Мальчишки-разносчики разошлись по своим маршрутам. Помещение, казалось, дышало медленно и утомленно. Напоенный зарей воздух овевал прохладой их лица. Небо на горизонте становилось жемчужным.

Жизнь в сиреневом мраке пробуждалась странными резкими обломками. Наполняя стуком копыт звонкую улицу, могучая гнедая кобыла миссис Гулдербилт тащила и тащила вперед позвякивающий кремово-желтый фургон, уставленный по самый верх бутылками с густым, особо жирным дорогим молоком. Возница, молодой деревенский парень со свежим цветом лица, благоухал запахом свежего пота и молока. Восемь миль по росистым, звездным полям и лесам Билтберна, высокие кирпичные ворота с английской сторожкой и — город.

В отеле «Писга» напротив вокзала негромко скрипнула последняя дверь; крадущиеся шаги ночи смолкли; мисс Бернис Редмонд дала негру-швейцару восемь долларовых бумажек и решительно отправилась спать, распорядившись, чтобы ее не будили до часу дня; маневровый паровоз стучал вагонами на путях; за билтбернским разъездом Том Клайн дал гудок, размеренный и печальный. К этому времени номер третий разнес сто сорок две из своих газет, — чтобы обойти остальные восемь домов Орлиного тупика, ему нужно было только подняться по скрипучим деревянным ступенькам на обрыве. Он с тревогой поглядел на восток через раскинувшийся по горам и долам Негритянский квартал — за перевалом Бердсай небо было жемчужно-серым, и звезды словно тонули в нем. Времени осталось маловато, подумал он. У него было мясистое лицо блондина — бледное, густо заросшее золотистым пушком. Подбородок у него был длинный и толстый, срезанный к шее. Он провел языком по растрескавшейся выпяченной нижней губе.

Четырехцилиндровый семиместный «хадсон» модели 1910 года с нарастающим ревом пьяно рванулся от тротуара перед вокзалом, вылетел на ровное протяжение Саут-Энд-авеню, где негры еще спали, — тут обычно проводили состязания пожарные, — и помчался к городу со скоростью почти пятьдесят миль в час. Вокзал тихо заворочался во сне: под пустыми навесами прокатывалось негромкое эхо, деловито стучали молотки по вагонным колесам, по каменному полу зала ожидания металлически пощелкивали каблуки. Негритянка сонно выплеснула воду на каменные плиты и начала лениво и сумрачно водить по полу серой набухшей тряпкой.

Теперь была половина шестого. Бен вышел из дома в сад в двадцать пять минут четвертого. Еще через сорок минут проснется Гант, оденется и разведет утренний огонь в камине и плите.

— Бен, — сказал Гарри Тагмен, когда они вышли из расслабившейся редакции, — если Джимми Дин еще раз начнет командовать в типографии, пусть ищут для своего поганого листка другого печатника. Какого черта! Я могу получить работу в «Атланта конститьюшен», как только захочу.

— А сегодня он приходил? — спросил Бен.

— Да, — ответил Гарри Тагмен. — И тут же ушел. Я сказал ему, чтобы он убирался наверх.

— Бога ради! — отозвался Бен. — А что он сказал?

— Он сказал: «Я же редактор! Я редактор этой газеты». — «А мне плевать, — сказал я, — будь вы хоть соплей президента. Если хотите, чтобы газета сегодня вышла, держитесь подальше от типографии». И будьте покойны, он убрался!

В прохладном жемчужно-голубом сумраке они обогнули угол почтамта и пошли наискосок через улицу к закусочной «Юнида» № 3. Это был узкий зал, в двенадцать футов шириной, втиснутый между оптическим магазином и сапожной мастерской, которую содержал грек.

Внутри на табурете сидел доктор Хью Макгайр и терпеливо, по одному, насаживал большие бобы на зубцы своей вилки. В воздухе вокруг него плавал густой запах кукурузного виски. Его плотные искусные руки мясника, обросшие волосами по самые пальцы, крепко сжимали вилку. Лицо с обвислыми щеками было покрыто большими коричневыми пятнами. Когда Бен вошел, он обернулся, по-совиному заморгал и в конце концов сфокусировал на нем взгляд выпученных, налитых кровью глаз.

— Здорово, сынок, — сказал он своим лающим добродушным голосом. — Чем могу помочь?

— О, Бога ради! — сказал Бен, презрительно усмехаясь и дернув головой в сторону Тагмена. — Нет, только послушать!

Они сели у ближнего конца стойки. В эту минуту в закусочную вошел «Конь» Хайнс, гробовщик, похожий — хотя он вовсе не был худым — на скелет, облаченный в черный сюртук. Его длинный выпяченный рот по-лошадиному раскрылся в профессиональной улыбке, открыв крупные лошадиные зубы на белом, густо накрахмаленном лице.

— Господа, господа, — сказал он без всякой видимой причины, энергично потирая узкие руки, словно было холодно. Его ладони постукивали друг о дружку, как высохшие кости.

Коукер, специалист по легким, который с сардоническим интересом следил за тем, как Макгайр гарпунит бобы, теперь извлек длинную сигару из своего черепа и, зажав ее в темных пальцах, похлопал соседа по плечу.

— Нам лучше уйти, — слегка ухмыльнулся он, кивнув в сторону «Коня» Хайнса. — Если нас увидят вместе, это могут дурно истолковать.

— Доброе утро, Бен, — сказал «Конь» Хайнс, присаживаясь справа от него. — Ну как, все у вас здоровы? — прибавил он негромко.

Бен искоса хмуро поглядел на него, затем рывком повернул голову к раздатчику, и по его губам пробежал горький отблеск.

— Доктор, — сказал Гарри Тагмен с заискивающей почтительностью, обращенной ко всему врачебному сословию, — сколько вы берете за операцию?

— Какую операцию? — секунду спустя рявкнул Макгайр, пронзив еще один боб.

— Ну... аппендицита, — сказал Гарри Тагмен, потому что ничего другого ему в голову не пришло.

— Триста долларов после того, как вскроем брюшную полость, — сказал Макгайр и, закашлявшись, отвернулся.

— Вы тонете в своих выделениях, — сказал Коукер с желтой усмешкой. — Как старуха Слейден.

— Господи! — воскликнул Гарри Тагмен, ревниво подумав об упущенной новости. — Когда она преставилась?

— Сегодня ночью, — ответил Коукер.

— Черт, очень грустно, — сказал Гарри Тагмен с большим облегчением.

— Я только что кончил ее обряжать, — мягко сказал «Конь» Хайнс. — Одна кожа да кости. — Он с сожалением вздохнул, и на мгновение его вареные глаза увлажнились.

Бен отвернул хмурое лицо, как будто его тошнило.

— Джо! — сказал «Конь» Хайнс с профессиональной шутливостью. — Налейте-ка мне кружечку этой бальзамировочной жидкости. — Он мотнул своей лошадиной головой в сторону кофеварки.

— О, Бога ради! — с отвращением пробормотал Бен. — Вы хоть руки моете перед тем, как пойти сюда? — раздраженно воскликнул он.

Бену было двадцать лет. Мужчины не замечали его возраста.

— Не хотите ли холодной свинины, сынок? — спросил Коукер со своей злокозненной желтой усмешкой.

Бен поперхнулся и прижал руку к животу.

— Что случилось, Бен? — тяжело засмеялся Гарри Тагмен и хлопнул его по спине.

Бен встал с табурета, взял свой кофе и кусок коричневого мясного пирога и сел с другого бока Гарри Тагмена. Все засмеялись. Тогда он, еще больше нахмурившись, мотнул головой в сторону Макгайра.

— Черт побери, Таг, — сказал он. — Они нас взяли в тиски.

— Вы только его послушайте, — сказал Макгайр Коукеру. — Одна порода. Я принимал этого мальчика, выходил его от тифа, помог его старику выкарабкаться из семисот запоев, и за все мои хлопоты меня с тех пор на восемнадцать ладов обозвали сукиным сыном. Но пусть у кого-нибудь из них заболит живот, — добавил он с гордостью, — и вы увидите, как быстро они ко мне прискачут. Верно, Бен? — спросил он, поворачиваясь к нему.

— Нет, только послушать! — сказал Бен, раздраженно смеясь, и погрузил в кружку острое лицо. Его горечь наполнила закусочную жизнью, нежностью, красотой. Они смотрели на него пьяными добрыми глазами — на его серое презрительное лицо и на отблеск улыбки одинокого демона.

— И я вам еще кое-что скажу, — объявил Макгайр, тяжело поворачиваясь к Коукеру. — Если кого-нибудь из них придется резать, вы увидите, кто этим займется. А как по-твоему, Бен? — спросил он.

— Черт побери, Макгайр, — сказал Бен. — Если вы когда-нибудь соберетесь меня резать, уж я позабочусь, чтобы вы перед этим перестали выписывать кренделя.

— Идемте, Хью, — сказал Коукер, толкая Макгайра под лопатку. — Перестаньте гонять бобы по тарелке. Ну-ка, сползайте или валитесь с этого проклятого табурета, мне все равно.

Макгайр, погрузившись в пьяную задумчивость, бессмысленно уставился на свои бобы и вздохнул.

— Да идемте же, дурень! — сказал Коукер, вставая. — У вас через сорок пять минут операция.

— О, Бога ради! — сказал Бен, отрывая лицо от коричневой кружки. — Кто жертва? Я пришлю цветы.

— ...все мы рано или поздно, — пыхтел Макгайр сквозь припухшие губы. — Богатые и бедные равно. Сегодня жив, а завтра умер. Не имеет значения... никакого значения.

— Ради всего святого! — раздраженно крикнул Бен Коукеру. — Неужели вы позволите ему оперировать в таком виде? Почему бы вам их просто не перестрелять?

Коукер оторвал сигару от длинного, малярийно усмехающегося лица.

— Но ведь он только немного разогрелся, сынок, — сказал он.

Перламутрово-жемчужный свет омывал край сиреневой темноты; границы света и темноты стежками ложились на горы. Утро, как жемчужно-серый прилив, катилось по полям и склонам, быстро вливаясь в растворимую тьму.

Молодой доктор Джефферсон Спо остановил свой «бьюик» у тротуара и вылез, щегольски стягивая перчатки и отряхивая шелковые лацканы смокинга. Его раскрасневшееся от виски лицо с высокими скулами было красиво; прямогубый рот был жестоким и чувственным. Его окружал ореол наследственного пота кукурузных полей — лишенный запаха, но телепатически явный; это был принаряженный горец, отполированный клубами и Пенсильванским университетом. Четыре года, проведенные в Филадельфии, меняют человека.

Небрежно сунув перчатки в карман, он вошел. Макгайр помедвежьи соскользнул с табурета и сфокусировал на нем непослушные глаза. После чего махнул им всем толстой рукой.

— Поглядите, пожалуйста, — сказал он. — Может быть, кто-нибудь знает, что это такое?

— Это Перси, — сказал Коукер. — Вы же знаете Перси Ван дер Гульда?

— Я всю ночь протанцевал у Хильярдов, — изящно сообщил Спо. — Черт побери! Эти новые лакированные туфли совсем изуродовали мне ноги.

Он сел на табурет и изящно выставил свои большие деревенские ноги, непристойно широкие и угловатые в бальных туфлях.

— Что он делал? — недоуменно переспросил Макгайр, обращаясь за пояснением к Коукеру.

— Он всю ночь протанцевал у Хильярдов, — жеманно сказал Коукер.

Макгайр пугливо заслонил ладонью опухшее лицо.

— Раздавите меня! — воскликнул он. — Я виноградная гроздь. Всю ночь танцевал у Хильярдов, ах ты, проклятая горная свинья! Развлекался с девочками в Негритянском квартале, вот что ты делал. Нас не проведешь!

Их бычий хохот слился с перламутровой зарей.

— Лакированные туфли! — сказал Макгайр. — Изуродовали ему ноги! Черт побери, Коукер, когда он десять лет назад явился в город, на нем и штанов-то не было. Его пришлось повалить на спину, чтобы натянуть на него башмаки.

Бен сухо усмехнулся своему ангелу.

— Пару ломтиков поджаренного хлеба с маслом, и, пожалуйста, не слишком пересушенных, — вежливо сказал Спо раздатчику.

— Ты хотел сказать — свиных шкварок с просом, сукин ты сын. Ты же вырос на солонине и кукурузных лепешках.

— Мы для него уже слишком вульгарны и грубы, Хью, — сказал Коукер. — Теперь, когда он начал напиваться в избранном обществе, его засыпают приглашениями. О нем все такого высокого мнения, что он стал официальной повитухой всех беременных девственниц.

— Да, — сказал Макгайр. — Он их лучший друг. Он помогает им опроститься. И не только опроститься, но и снова забрюхатеть.

— Ну и что тут плохого? — спросил Спо. — Мы ведь должны сохранять все это в тесном семейном кругу, верно?

Их смех воем ворвался в нежную зарю.

— Разговор становится для меня слишком соленым, — сказал шутливо «Конь» Хайнс, вставая с табурета.

— Пожми-ка руку Коукеру прежде, чем ты уйдешь, «Конь», — сказал Макгайр. — Такого хорошего друга у тебя еще никогда не было. По-честному, ты должен был бы выплачивать ему авторские.

Свет, наполнивший теперь мир, был мягким и потусторонним, как свет, который наполняет подводные просторы Каталины, где плавают большие рыбы. Полицейский Лесли Робертс в расстегнутом мундире косолапо возник из подводного жемчужного света и остановился, горбя спину с ноющими почками. Тихонько помахивая позади себя дубинкой, он всунул исхудалое, налитое желчью лицо в открытую дверь.

— Вот вам и пациент, — шепотом сказал Коукер. — Полицейский, страдающий запорами.

А вслух они все с большой сердечностью осведомились:

— Как поживаете, Лесс?

— Терпимо, терпимо, — меланхолично ответил полицейский и, такой же обвислый, как его усы, пошел дальше, сплюнув в канаву большой комок мокроты.

— Ну, желаю вам доброго утра, господа, — сказал «Конь» Хайнс, собираясь уходить.

— Не забывайте, что я вам сказал, «Конь». Будьте любезны с Коукером, вашим лучшим другом. — Макгайр ткнул большим пальцем в сторону Коукера.

Под тонким слоем добродушия гробовщик затаил обиду.

— Я понимаю это, — сказал он торжественно. — Мы оба принадлежим к благородным профессиям — в час смерти, когда разбитый бурями корабль входит в тихую гавань, Всемогущий возлагает на нас особую миссию.

— «Конь»! — воскликнул Коукер. — Какое красноречие!

— Священный обряд закрытия глаз, благолепного расположения членов и приготовление для погребения безжизненного вместилища отлетевшей души — таков наш высокий долг; нам, живущим, поручено излить бальзам на разбитое сердце Горя, утолить печаль вдовы, отереть слезы сироты; это нам, живым, дано...

— Правительство народа, для народа и именем народа, — сказал Хью Макгайр.

— Да, «Конь», — сказал Коукер, — вы правы. Я растроган. И более того: мы делаем все это даром. Во всяком случае, — добавил он добродетельно, — я никогда не ставлю в счет утоление печали вдовы.

— А как насчет бальзамирования разбитого сердца Горя? спросил Макгайр.

— Я сказал — «бальзам», — холодно заметил «Конь» Хайнс.

— Послушайте, «Конь», — сказал Гарри Тагмен, который слушал с большим интересом. — Вы ведь как будто уже произносили эту речь прошлым летом на съезде гробовщиков?

— Что было истиной тогда, остается истиной и теперь, — горько сказал «Конь» Хайнс и вышел из закусочной.

— Черт! — сказал Гарри Тагмен. — Мы его допекли. Я думал, у меня кишка лопнет, доктор, когда вы проехались насчет бальзамирования разбитого сердца Горя.

В эту минуту доктор Рейвнел остановил свой «хадсон» по ту сторону улицы у почтамта и быстро пошел через мостовую, снимая на ходу кожаные перчатки. Он был без шляпы, его серебристые аристократические волосы слегка растрепались; его хирургические серые глаза беспокойно вглядывались в толстые линзы очков. У него было знаменитое, спокойное, глубоко серьезное лицо, чисто выбритое, пепельное, худое, изредка озарявшееся умной улыбкой.

— О, черт! — сказал Коукер. — Вот грядет Наставник.

— Доброе утро, Хью, — сказал Рейвнел, входя. — Вы опять проходите тренировку для сумасшедшего дома?

— Посмотрите, кто здесь! — гостеприимно взревел Макгайр. Дик Мертвый Глаз. Эрудированный костоправ, владеющий лучшей в мире частной коллекцией желчных камней. Когда ты вернулся, сынок?

— По-видимому, как раз вовремя, — сказал Рейвнел, аккуратно держа сигарету между длинными хирургическими пальцами. Он поглядел на часы. — Если не ошибаюсь, через полчаса вы должны быть в Рейвнеловской больнице. Не так ли?

— Черт побери, Дик, ты никогда не ошибаешься! — в восторге возопил Макгайр. — И что же ты им сказал, мальчик?

— Я сказал им, — ответил Дик Рейвнел, чья привязанность была подобна цветку, выросшему за стеной, — что лучший хирург в Америке, когда он трезв, — это паршивый бездельник Хью Макгайр, который вечно пьян.

— Погоди, погоди! Минуточку! — сказал Макгайр, поднимая толстую ладонь. — Я протестую, Дик. Намерения у тебя были самые лучшие, сынок, но ты все перепутал. Ты же хотел сказать: лучший хирург в Америке, когда он нетрезв.

— Вы прочли какой-нибудь доклад? — спросил Коукер.

— Да, — сказал Дик Рейвнел. — Я прочел доклад о раке печени.

— А доклад о пиоррее ногтей на ногах? — спросил Макгайр. — Его ты им не прочел?

Гарри Тагмен тяжело захохотал, сам толком не зная, почему. В наступившей тишине Макгайр громко рыгнул и на мгновение потерял нить.

— Литература, литература, Дик! — провозгласил он внушительно. — Она погубила не одного прекрасного хирурга. Ты слишком много читаешь. Дик. «А Кассий тощ, в глазах голодный блеск»*. Ты слишком много знаешь. Буква убивает дух, как тебе известно. А я... Дик, ты когда-нибудь видел, чтобы я вынул то, чего не вложил бы обратно? Во всяком случае, я всегда оставляю им что-то для дальнейшего, ведь так? Я не ученый, Дик. У меня никогда не было твоих возможностей. Я мясник-самоучка. Я плотник, Дик. Обойщик. Я механик, водопроводчик, монтер, мясник, портной, ювелир. Я драгоценный камень, неотполированный алмаз, Дик. Я практический человек. Я вытаскиваю их механизм, поплевываю на него, подчищаю грязные края и посылаю их жить дальше. Я экономничаю; Дик. Я выбрасываю все, чем не могу воспользоваться, и использую все, что выбрасываю. Кто сделал Папе копчик из сустава его же пальца? Кто научил собаку выть? Ага! Вот потому-то губернатор и выглядит так молодо. Мы набиты ненужными механизмами, Дик! Целенаправленность, экономичность, энергия! Есть у вас в доме фея? Ах, нет! Так употребляйте чистоль «Золотые Близнецы»! Вот спросите Бена — он знает!

— Бог мой! — сухо усмехнулся Бен. — Нет, только послушать!

Через две двери, прямо напротив почтамта, Пит Маскари с гофрированным громом поднял железные ставни своей фруктовой лавки. Жемчужный свет прохладно лег на архитектурные сооружения из фруктов, на пирамиды краснобоких зимних яблок, на резкую желтизну флоридских апельсинов, на лиловые гроздья винограда, уложенные в опилках. Из лавки донесся душноватый аромат лежалых фруктов — дозревающих бананов, яблок в ящиках — и кислый запах пороха: витрины были заполнены римскими свечами, букетами ракет, огненными колесами, кургузыми зелеными «Веселыми озорниками», членовредительскими «Джеками Джонсонами», красными шутихами и крохотными, едко пахнущими пакетами бенгальских огней. Свет на мгновение озарил пепельную трупность его лица, жидкий сицилийский яд его глаз.

— Не трогай виноград. Бери бананы!

В сторону площади проехал трамвай, выкрашенный к весне в игрушечную зеленую краску.

— Дик, — сказал Макгайр, немного трезвея, — сделайте сами, если хотите.

Рейвнел покачал головой.

— Я буду ассистировать, — сказал он. — Оперировать я не буду. Таких операций я боюсь. Это ваша работа, трезвы вы или пьяны.

— Убираете опухоль из женщины, а? — спросил Коукер.

— Нет, — сказал Дик Рейвнел. — Убираем женщину из опухоли.

— Держу пари, она весит ровно пятьдесят фунтов, — внезапно сказал Макгайр с профессиональным интересом.

Дик Рейвнел еле заметно поморщился. Прохладный порыв юного ветра, чистого, как козленок, обдул его лицо. Толстые плечи Макгайра тяжело всколыхнулись, как под ударом холодной воды. Он словно проснулся.

— Я хотел бы принять ванну, — сказал он Дику Рейвнелу. — И побриться. — Он потер ладонью заросшее пятнистое лицо.

— Хью, вы можете воспользоваться моей ванной в отеле, — сказал Джефф Спо, заискивающе поглядев на Рейвнела.

— Я воспользуюсь больничной ванной, — сказал Макгайр.

— Времени у вас как раз, — сказал Рейвнел. — Ну так идемте же! — нетерпеливо воскликнул он.

— Вы видели, как Келли делал такую операцию в больнице Гопкинса? — спросил Макгайр.

— Да, — сказал Дик Рейвнел. — Но сначала он долго молился. Чтобы его локтю была ниспослана крепость. Пациент умер.

— А, к черту молитвы! — сказал Макгайр. — Этой бабе они пользы не принесут. Вчера она сказала, что я — подлый сукин сын, налакавшийся виски. Если это настроение у нее не прошло, она выкарабкается.

— Женщину с гор убить не так-то просто, — назидательно заметил Джефф Спо.

— Вы с нами? — спросил Макгайр у Коукера.

— Нет, спасибо. Надо и поспать, — ответил тот. — Старушка тянула черт знает сколько времени. Я думал, она никогда не кончит умирать.

Они пошли к двери.

— Бен, — сказал Макгайр прежним тоном, — передай своему старику, что я ему все бока обломаю, если он не даст Хелен передохнуть. Он не пьет?

— Ради всего святого, Макгайр, откуда я знаю? — взорвался Бен. — Или, по-вашему, у меня только и дела, что следить за вашими алкоголиками?

— Чудесная она девушка, малыш, — сентиментально сказал Макгайр. — Одна на миллион.

— Хью, ради Бога, да идите же! — воскликнул Дик Рейвнел.

Четверо медиков вышли в жемчужный свет. Город выступил из сиреневой темноты, обмытый и чистый. Весь мир казался юным, как весна. Макгайр пошел через улицу к автомобилю Рейвнела и с удовольствием утонул в кожаном сиденье, взбодренный его прохладой. Джефф Спо рванулся от тротуара под гром выхлопов, приветственно махнув рукой.

Гарри Тагмен восхищенно поглядел на обмякшую грузную фигуру Хью Макгайра.

— Разрази меня Бог! — хвастливо сказал он. — Бьюсь об заклад, он делает самые дьявольские операции.

— Ну, — убежденно сказал раздатчик, — он ни черта не стоит, пока не заложит за воротник кварту кукурузного виски. Дайте ему выпить, и он отчикает вам голову напрочь, а потом приставит на место, а вы ничего и не заметите.

Когда Джефф Спо с ревом умчался прочь, Гарри Тагмен сказал завистливо:

— Поглядите-ка на этого сукиного сына. Мистер Вандербильт, да и только. Черт знает что воображает о себе, верно? И врет без остановки. Бен, как по-твоему, он действительно был у Хильярдов?

— О, Бога ради! — раздраженно сказал Бен. — Откуда я знаю? Ну, был, не был — какая разница? — в ярости добавил он.

— Крошка Моди наверняка выдаст завтра колонку своей лабуды, — сказал Гарри Тагмен. — «Золотая молодежь», как она выражается. Черт! Это у нее все — от молоденьких сучек, которые только-только надели панталончики, да старика Редмопта. Ну, если Сол Гаджер принадлежит к золотой молодежи, Бен, то мы с тобой еще учимся в начальной школе. Еще бы, черт подери! — убежденно сказал он ухмыляющемуся раздатчику. — Он был уже лыс, как свиной хрящик, еще когда началась испано-американская война.

Раздатчик засмеялся.

Пенясь блистательным вдохновением, Гарри Тагмен начал импровизировать:

— «Вчера золотая молодежь провела очаровательный вечер на балу-банкете, данном в Сопельвуде, прелестной резиденции мистера и миссис Кларенс Фыркинс, в честь их младшей дочери Глэдис, которая начала выезжать в этом сезоне. Мистер и миссис Фыркинс в сопровождении своей дочери приветствовали каждого прибывающего гостя на пороге, воскрешая лучшие старинные традиции южной аристократии, а тем временем одаренная сестра миссис Фыркинс — мисс Кэтрин Хипесс, известная в местном кругу золотой молодежи как Лихая Кэт, наблюдала за сдачей в гардероб пальто, накидок, подпруг и драгоценностей.

Обед был подан ровно в восемь часов, и в восемь сорок пять гости уже пили кофе и минеральную воду. Легкая закуска из девяти блюд была приготовлена Артаксерксом Пападополосом, известным кондитером, поставщиком съестных припасов и владельцем кафе «Бижу» для дам и господ.

После оказания первой помощи и исчерпывающего медицинского осмотра, который произвел доктор Джефферсон Реджинальд Альфонсо Спо, модный джин-иколог, гости проследовали в бальный зал, где танцевальная музыка исполнялась струнным квартетом из Верхнего Хомини под управлением Зека Букнера, причем сам мистер Букнер взял на себя барабан и тамбурин.

Среди танцующих были мисс Элайн Сискин, мисс Лина Виски, мисс Офелия Ногги, мисс Глэдис Фыркинс, мисс Беатриса Шлюсски, мисс Мэри Бедроу, мисс Хелен Шокет и мисс Сена Валл.

А также господа А. Ч. Попкин, Ю. Б. Фрили, Р. Редди, О. Лаветт, Каммингс Стронг, Самсон Ернис, Престон Апдайк, Даус Уикет, Петигрю Биггс, Отис Гуди и Дж. Заддер».

Бен беззвучно расхохотался и снова погрузил свое острое лицо в кружку. Затем он вскинул худые руки, чувственно потянулся и в

широком зевке исторг накопившиеся за ночь усталость, скуку и
отвращение:

— О-о-о, Бог мой!

Девственный солнечный свет упал на улицу юными беспыльны-
ми лучами. В эту минуту проснулся Гант.

Несколько секунд он продолжал спокойно лежать на спине в
приятном желтоватом сумраке гостиной, прислушиваясь к звеня-
щему щебету веселого птичьего утра. Он зияюще зевнул и по-
скреб правой рукой в густой заросли волос на груди.

Быстрое кудахтанье чувственных кур. Приходите, грабьте нас.
Всю ночь напролет для тебя, хозяин. Звучные голоса возражаю-
щих, соглашающихся евреек. Да-нет, да-нет. Раздави в них яйцо.

Пробужденный, вытянувшийся, настороженный, кутая в одеяло
жилистые ноги, он слушал протестующие приглашения кур.

Они, пошатываясь, поднимались из теплой пыли, встряхивая
толстые оперенные тела — протестующие, но довольные. Для
меня. И земля и лозы. Влажная новая земля, распадающаяся под
плугом на ломти, как нарезанная свинина. Или как вода под носом
корабля. Набухшая почва, чисто рассеченная лопатой и вывернy-
тая, как плоть. Или земля, осторожно разрыхленная мотыгой у
корней вишни. Земля приемлет мое семя. Для меня — огромные
листья салата. Набухшая, полная сока сейчас, точно женщина.
Толстая лоза... а в августе тяжелые бесчисленные гроздья... Как
там? Точно молоко из груди. Или кровь из жилы. Питает и от-
кармливает их.

Всю ночь облетали цветки. Скоро придет пора «белой восковки».
Зеленые яблоки в конце мая. Ветки июньской яблони Айзекса
нависают над моей землей. Грудинка и печеные недозрелые яблоки.

Раздразнив в себе острый голод, он подумал о завтраке. Он
аккуратно откинул простыню, повернулся по дуге, сел и спустил
белые, уже в чем-то немощные ноги на пол. Осторожно ступая,
он подошел к своей кожаной качалке и надел чистые белые
носки. Потом стянул через голову ночную рубашку и увидел в
зеркале на комоде свое огромное костлявое тело, жилистые руки
и плоско-мускулистую грудь. Его живот отвисал. Он быстро просунул белые дряблые икры в спавшиеся кальсоны, развел плечи,
поправляя нижнюю рубашку, и застегнул ее. Затем шагнул в про-
сторные, скульптурно-тяжелые брюки и надел мягкие башмаки без
шнурков. Вдевая руки в подтяжки, он вышел в кухню, и через три
минуты в плите уже деловито трещали сосновые поленья, облитые

керосином. В свежей бодрости весеннего утра он ощущал себя живым и полным энергии.

За перевалом Бердсай в росистом изобилии Долинки Лунна судья Уэбстер Тейлоу, почтенный, преуспевающий и аристократичный юрист большой корпорации (удалившийся от дел, но иногда еще консультирующий), встал в густом ореховом сумраке своей спальни и сквозь темные стекла очков, которым его длинное, тонкое, презрительное лицо было обязано еще одним, венчающим преимуществом перед чернью, с одобрением заметил, что один из его деревенских пентюхов идет с третьего луга с полным ведром парного молока, другой в юных отблесках солнца точит серп, а третий, по примеру своего более разумного товарища — коня, пятясь, медленно закатывает бричку в сарай.

Он с одобрением смотрел, как его сын, молодой мулат, ленивой кошачьей пробежкой пересек лужайку, с удовлетворением отметив про себя изящество и быстроту его движений, стройную округлую силу его торса, его мелкокостную упругость. И великолепную форму умной головы, живые черные глаза, чуткий овал лица и красивый медно-смуглый отлив кожи. Вылитый знатный испанец. Quod potui perfeci[1]. Быть может, благодаря такому слиянию мужчины нравятся мужчинам.

Тростниковые свирели у реки, храм музы и снова — священная роща. Почему бы и нет? Как в этой маленькой долине. И я в Аркадии живал.

Он на секунду снял очки и поглядел на злобно обвисшее веко левого глаза и на большую шутовскую бородавку на щеке под ним. Темные очки создавали впечатление, будто на нем надета полумаска; они накладывали штрих неразгаданной тайны на его тонкое, чувственное, тревожаще умное лицо. Тут вошел слуга-негр и доложил, что ванна готова. Он стянул длинную легкую ночную рубашку со своего весноватого фицсиммоновского тела* и бодро опустился в чуть теплую воду. Потом в течение десяти минут его на длинном столе терли, скребли и мяли могучие упругие руки негра. Он надел свежее белье и только что отглаженный черный костюм. Небрежно завязав черный шнурок под широкой полосой крахмального воротничка, он наглухо застегнул на своей длинной прямой фигуре сюртук, доходивший ему до колен. Из коробки на столе он взял папиросу и закурил.

---

[1] Кто может, сделай лучше *(лат.)*.

За деревьями по извилистой дороге, которая вела от города к перевалу, жестяно подпрыгивая, пронесся маленький дешевый автомобиль. В нем сидели два человека. Его лицо ожесточилось, он смотрел, как автомобиль в клубах пыли мелькнул мимо его ворот. Он смутно разглядел сальные красные лица горцев и дополнил этот образ запахом пота и плисовыми штанами. А в городе — их городские родственники. Кирпич, штукатурка, белая мелкая экзема пригородов. Федерация полукровок мира.

А затем — в мою долину, с газонокосилками и газонами перед фасадом. Он раздавил папиросу о край пепельницы и у окна быстро исчислил своих лошадей, ослов, рогатый скот, свиней и кур; запасы в своих ломящихся амбарах, обильное плодоношение своих полей и фруктовых садов. К дому шел работник, держа в одной руке ведро, полное яиц, а в другой — ведро с маслом; на каждом брикете масла был выдавлен сноп пшеницы, и каждый брикет был завернут в чистую белую льняную тряпочку. Он угрюмо улыбнулся: если на него нападут, он сможет выдержать долгую осаду.

В «Диксиленде» Элиза крепко спала в маленькой темной каморке, окно которой выходило в смутный свет заднего крыльца. Ее спальня была вся в путаных фестонах веревок и тесемок; в углах громоздились пачки старых газет и журналов, а все полки были заставлены полупустыми лекарственными пузырьками с ярлычками и наклейками. Воздух пропах ментолом, легочной микстурой Вика и сладким глицерином. Пришла негритянка — она вынырнула из-под приподнятого дома и лениво поднялась по крутому туннелю задней лестницы. Она постучала в дверь.

— Кто там? — резко вскрикнула Элиза, сразу просыпаясь и подходя к двери.

На ней была ночная рубашка из серой фланели, надетая поверх шерстяной фуфайки, которую выбросил Бен; пока она отпирала дверь, какая-то веревочка медленно покачивалась, точно водоросль у поверхности моря. Наверху, в маленькой комнате с верандой-спальней, спала мисс Билли Эдвардс, двадцать четыре года, из Миссури, смелая и властная укротительница львов в Объединенной программе Джонни Л. Джонса, — представления происходили на открытом воздухе на холме за школой на Плам-стрит. За стеной в большой угловой комнате лежала погруженная в глубокое алкогольное опьянение миссис Мэри Перт, сорок один год, жена постоянно отсутствующего коммивояжера фармацевтической фирмы.

На каминной полке стояли две маленькие фотографии в серебряных рамках: одна — ее отсутствующей дочери, восемнадцатилетней Луизы, а другая — Бенджамина Ганта, который, приподнявшись на локте, лежал на травянистом пригорке возле дома; широкополая соломенная шляпа затеняла все его лицо, кроме рта. В других спальнях — мистер Конвей Ричардс, продавец сластей, путешествующий с Объединенной программой Джонни Л. Джонса, мисс Лили Мэнгем, двадцать шесть лет, дипломированная сиделка, мистер Уильям Г. Баскетт, пятьдесят три года, из Геттисборга, штат Миссисипи, владелец хлопковой плантации, банкир, жертва малярии, и его супруга; в большой комнате у лестничной площадки мисс Энни Митчелл, девятнадцать лет, из Валдосты, штат Джорджия, мисс Тельма Чешайр, двадцать один год, из Флоренса, штат Южная Каролина, и миссис Роуз Левин, двадцать восемь лет, из Чикаго, штат Иллинойс, — все хористки в «Бродвейских Красотках» Ивенса «Патоки», выписанные из Атланты, штат Джорджия, пидмонтским эстрадным агентством.

— Эй, девочки! Сюда едут герцог Горгонзола и граф Лимбургский*. Я хочу, чтобы все вы, девочки, были с ними поласковее и помогли бы им весело провести здесь время, когда они приедут.

— Еще как поможем!

— И будьте повнимательнее с коротышкой — все деньги у него.

— Еще как будем! Ура! Ура! Ура!

> Мы девочки счастливые,
> Веселые, красивые,
> Танцуем и поем,
> Скучать вам не даем!

Позади залепленного афишами дощатого забора на Аппер-Вэлли-стрит, в самом центре квартала, где сосредоточивались лавки и увеселительные заведения, обслуживающие цветное население Алтамонта, Мозес Эндрюс, двадцать шесть лет, цветной, спал последним непробудным сном и белых и черных. Его карманы, которые накануне вечером были набиты деньгами, полученными от Сола Стейна, закладчика, в обмен на некоторые предметы, изъятые из дома мистера Джорджа Роллинса, прокурора (часы из золота 750-й пробы с тяжелой двойной золотой цепочкой, брильянтовое обручальное кольцо миссис Роллинс, три пары тончайших шелковых чулок и две пары мужских кальсон), были теперь пусты, наполовину выпитая бутылка кентуккийского ржаного виски «Клеверный лист», с которой он удалился за забор, чтобы предаться дреме, лежала непотревоженная в расслабленных пальцах его левой руки, а его широкое черное горло было аккуратно располосовано от уха до уха искусным ударом бритвы его ненавидимого и ненавидящего соперника Джефферсона Флэка, двадцать восемь лет, который теперь, незаподозренный и неразыскиваемый, мирно почивал в объятиях их общей любовницы мисс Молли Фиск в ее квартире на Пайн-стрит. Мозес был убит под лучами луны.

Исхудалая кошка бесшумно прошла вдоль забора на Аппер-Вэлли-стрит, а когда часы на здании суда гулко отбили шесть густых ударов, восемь негров-рабочих в комбинезонах, заскорузлых ниже спины от засохшего цемента, прошли клином, точно одно многоногое животное, и каждый нес свой обед в маленьком ведерке из-под топленого сала.

А пока на соседних улицах одновременно происходили следующие события.

Преподобный Г. М. Мак-Рей, пятьдесят восемь лет, священник Первой пресвитерианской церкви, омыв свое тощее шотландское тело, побрив худое, чистое, нестареющее лицо и облачившись в жесткое черное сукно и накрахмаленную белую рубашку, спустился из спальни на втором этаже своей резиденции на Камберленд-авеню к завтраку из овсянки, сухариков и кипяченого молока. Его сердце было непорочно, его дух праведен, его вера и жизнь походили на чистую половицу, оттертую пемзой. Он полчаса без навязчивости молился за всех людей и за успех всех благих начинаний. Он был белым нерасточительным пламенем, которое сияло сквозь любовь и смерть; его речь, как сталь, звенела ровной страстью.

В Гигиенических турецких банях доктора Фрэнка Энджела на Либерти-стрит мистер Дж. Г. Браун, богатый любитель спорта и издатель «Алтамонт ситизен», погрузился в сон без сновидений после того, как пять минут провел в парильной кабинке, десять в ванной и тридцать в массажной, где предал искусным рукам «полковника» Эндрюса (как ласково называли опытного негра-массажиста завсегдатаи заведения доктора Энджела) все свое тело от подошв подагрических ног до венозного шелковистого глянца лиловатого лица.

На другой стороне улицы, на углу Либерти-стрит и Федерал-стрит, у подножия холма Бэттери, негр в белой куртке сонно убирал в коробку покерные фишки, которые были рассыпаны по центральному столу в центральном верхнем зале Алтамонтского городского клуба. Зал только что покинули мистер Гилберт Вуд-кок, мистер Ривз Страйклетер, мистер Генри Пентленд-младший, мистер Сидни Ньюбек из Кливленда, штат Огайо (удалившийся от дел), и вышеупомянутый мистер Дж. Г. Браун.

— И черт побери, Бен, — сказал Гарри Тагмен, выходя в эту минуту из закусочной «Юнида» № 3, — я думал, у меня кровь горлом пойдет, когда из чулана вытащили Старика. И это — после того, как он без конца ратовал в газете, что пора очистить город!

— Вполне возможно, что судья Севьер устроил облаву именно на него, — сказал Бен.

— Это само собой, Бен, — нетерпеливо сказал Гарри Тагмен, — но все подстроила Королева Элизабет. Ты же не воображаешь, будто что-нибудь могло случиться без ее ведома? Провалиться мне на этом месте, он прикусил язык не меньше, чем на неделю. Боялся нос высунуть из кабинета.

В монастырской школе св. Екатерины на Сент-Клемент-роуд сестра Тереза, мать-настоятельница, бесшумно шла по дортуару, поднимая шторы возле каждой кровати, и вишневый и яблоневый цвет мягко вторгался на прохладную лужайку, усыпанную розовыми лепестками спящих девушек. Их дыхание тихо замирало на полураскрытых росистых губах, розовеющий свет ложился на изгибающиеся по подушке руки, на их худенькие юные бока и на упругие розовые бутоны их грудей. В дальнем углу комнаты толстая девушка плотно лежала на спине, раскинув руки и ноги, и храпела сквозь подпрыгивающие губы. Им оставался еще час сна.

С одной из белых тумбочек, стоявших между кроватями, Тереза взяла открытую книгу, неосторожно оставленную тут накануне, с тихой, обращенной внутрь улыбкой под седыми усиками на широком костистом лице прочла заглавие — «Общий закон» Роберта У. Чэмберса* и, зажав карандаш в широкой, запачканной землей руке, написала зубчатым мужским почерком: «Чепуха, Элизабет, — но убедись в этом сама». Затем мягкой энергичной походкой она спустилась в свой кабинет, где уже ждали утреннего совещания сестра Луиза (французский язык), сестра Мария (история) и сестра Береника (древние языки). Когда они ушли, она села к письменному столу и час работала над рукописью той книги, которая скромно предназначалась для школьниц, но прославила ее имя повсюду, где ценится благородная архитектура прозы, — над великой «Биологией».

Затем в дортуаре зазвенел гонг, она услышала звонкий девичий смех и, приподнявшись, увидела, что от сливы у стены идет молодая монахиня, сестра Агнеса, с охапкой цветущих веток в руках.

Внизу, в укрытой деревьями Билтбернской лощине, по рельсам прокатился гром и жалобно простонал гудок.

Под городской ратушей в огромном уходящем вниз подвале открывались рыночные ларьки. Мясники в фартуках рубили свежие холодные туши, швыряли толстые отбивные на тяжелые листы грубой бумаги и, кое-как завязав, бросали их чернокожим мальчишкам-рассыльным.

Исполненный чувства собственного достоинства негр Дж. Г. Джексон стоял в своей квадратной овощной лавочке между двумя неулыбчивыми сыновьями и деловитой дочерью в очках. Он был со всех сторон окружен наклонными полками, на которых были разложены фрукты и овощи, пахнущие землей и утром: большие кудрявые листья салата, пухлый редис, еще в сыром черноземе, стрелки молодого лука, только что сорванного с грядки, поздний сельдерей, весенний картофель и тонкокожие цитрусы Флориды.

По соседству рыбник Соррел капающим черпаком извлекал из глубин эмалированного бидона со льдом мокрых устриц и ссыпал их в коробки из толстого картона. Широкобрюхие морские рыбы, карпы, форели, окуни лежали, выпотрошенные, на льду.

Мистер Майкл Уолтер Крич, мясник, покончив с обильным завтраком из телячьей печенки, яичницы с грудинкой, горячих сухарей и кофе, сделал знак одному из мальчиков в ожидавшей у стены шеренге. Вся шеренга метнулась вперед, как свора гончих; он выругался и замахнулся на них топором. Счастливый избранник вышел вперед и взял поднос, на котором еще оставалось немало еды и наполовину полный кофейник. Так как ему надо было в эту минуту отправляться с пакетом, он поставил поднос на опилки у конца прилавка и обильно оплевал его, чтобы охранить от покушений товарищей. Затем он ушел, весело и злорадно посмеиваясь. Мистер Крич мрачно посмотрел на своих черномазых.

Город настолько забыл о собственной африканской крови мистера Крича (одна восьмая по отцовской линии — старый Уолтер Крич от Желтой Дженни), что готов был предложить ему политическую должность. Но сам мистер Крич о ней помнил. Он с горечью взглянул на своего брата Джея, который, не подозревая, что ядовитые зубы ненависти могут затаиться и в братском серд-

це, в счастливом неведении рубил свиные ребра на собственной
колоде и пел красивым тенором первые строки «Серого домика на
Западе»:

> ...и синие глаза сияют
> Лишь потому, что мой встречают взгляд...

Мистер Крич злобно глядел на желтые скулы Джея, на жирное
подрагивание его желтушной шеи, на крутые жесткие завитки его
волос.

«Черт побери, — думал он в томлении духа, — ведь он же мог
бы сойти за мексиканца!»

Золотой голос Джея близился к мигу своего триумфа, на последней ноте с благородной сдержанностью перейдя в высокий
нежный фальцет и продержав эту ноту больше двадцати секунд.
Все мясники перестали работать, и некоторые из них — дюжие
отцы взрослых семейств — смахнули с глаз слезу.

Огромный зал был зачарован. Ни одна живая душа не шелох-
нулась. Ни единая собака, ни единая лошадь. Когда последняя
нота медленно замерла в прозрачно-паутинном тремоло, тишина,
глубокая, как безмолвие могилы, нет — как безмолвие самой
смерти, возвестила о величайшем триумфе, какой дано испытать
артисту здесь, на земле. Где-то в толпе женщина испустила рыдание и упала в обморок. Ее немедленно вынесли два бой-скаута*,
которые нашлись среди присутствующих, и тут же оказали ей
первую помощь в комнате для отдыха — один поспешно развел
потрескивающий костер из сосновых сучьев, запалив его с помощью двух кремней, а другой наложил кровоостанавливающую
повязку и завязал несколько узелков на своем носовом платке. И
тут разразилась буря. Женщины срывали драгоценные кольца с
пальцев, жемчужные ожерелья с шеи, хризантемы, гиацинты,
тюльпаны и маргаритки с дорогих корсажей, а модно одетые
мужчины в бенуаре ларьков швыряли помидоры, салат, молодой
картофель, свеклу, свиные мослы, рыбьи головы, мидии, бифштексы и свиную колбасу.

Между ларьками расхаживали содержательницы алтамонтских
пансионов, вынюхивая и высматривая выгодные покупки. Рост и
возраст у них был разный, но всех их отличала решимость торго-
ваться до конца и воинственно сжатые губы. Они рылись в рыбе
и овощах, царапали кочны капусты, взвешивали на ладони лукови-
цы, ощипывали салат. Только зазевайся, тебя обдерут как липку. А
если довериться ленивой черномазой транжирке, она изведет зря

припасов больше, чем настряпает. Они сурово посматривали друг на друга с каменными лицами — миссис Баррет из «Гросвенора» на миссис Невил из «Глен-Вью»; миссис Эмблер из «Колониал» на мисс Мейми Физерстоун из «Рейвенкреста»; миссис Ледбеттер из «Бельведера»...

— Я слышала, у вас все комнаты сданы, миссис Колумен? — сказала она вопросительно.

— О, у меня они всегда сданы, — ответила миссис Колумен. — Мои жильцы все постоянные. Не терплю возиться с транзитными, — добавила она надменно.

— Конечно, — ядовито сказала миссис Ледбеттер, — я могла бы в любой день набить свой дом до отказа легочниками, которые прикидываются, будто у них ничего нет, но я не желаю. Как я на днях сказала...

Миссис Михайлов из «Оуквуда» на миссис Джарвис из «Уэверли»; миссис Коуэн из «Риджмонта» на...

Город великолепно приспособлен к обслуживанию огромной и непрерывно растущей толпы туристов, которая заполняет Столицу Гор в хлопотливые месяцы с июня по сентябрь. Вдобавок к восьми роскошным отелям в торговой палате в 1911 году было зарегистрировано более двухсот пятидесяти частных гостиниц, пансионов и санаториев, которые все служили нуждам тех, кто приезжал в город по делам, в поисках развлечений или ради здоровья.

Задержите их багаж на вокзале.

В эту минуту номер третий, закончив разноску, тихонько поднялся на грязное крыльцо дома на Вэлли-стрит, еле слышно постучал в дверь, бесшумно открыл ее и на ощупь пробрался сквозь черный миазмический воздух к кровати, на которой лежала Мей Корпенинг. Она одурманенно что-то пробормотала, когда он дотронулся до нее, повернулась к нему и в полусне чувственно притянула его к себе, обхватив крупными медно-коричневыми руками. Том Клайн, весь в смазке, затопал по крыльцу своего дома на Бартлетт-стрит, помахивая жестяным ведерком; Бен и Гарри Тагмен вернулись в типографию, а Юджин в задней комнате на Вудсон-стрит, внезапно разбуженный мощным воплем Ганта, донесшимся с нижней ступеньки лестницы, на мгновение окунул лицо в видение порозовевшего голубого неба и нежных лепестков, которые медленно падали по направлению к земле.

XV

Горы были его хозяевами. Они замыкали жизнь. Они были чашей реальности вне роста, вне борьбы и смерти. Они были для него абсолютным единством в гуще вечной перемены. Лица из прошлого с глазами привидений брезжили в его памяти. Он вспоминал корову Свейна, Сент-Луис, смерть, себя в колыбели. Он привидением преследовал самого себя, пытаясь на миг восстановить то, частью чего был прежде. Он не понимал перемены, он не понимал роста. Он глядел на себя — младенца на фотографии, висевшей в гостиной, — и отворачивался, изнемогая от страха и от усилия коснуться, удержать, схватить себя хотя бы на мгновение.

И эти бестелесные фантомы его жизни возникали с ужасающей чёткостью, со всей сумасшедшей близостью видения. То, что миновало пять лет назад, оказывалось совсем близко — только протянуть руку, и в этот миг он переставал верить в собственное существование. Он ждал, что кто-нибудь его разбудит; он слышал могучий голос Ганта под обремененными лозами, сонно глядел с крыльца на яркую низкую луну и послушно шел спать. Но оставалось все, что он помнил о бывшем прежде, и все «что если бы...». Причина непрерывно переходила в причину.

Он слышал призрачное тиканье своей жизни; мощное ясновидение, необузданное шотландское наследие Элизы, пылающим обращенным назад лучом пронизывало все призрачные годы, выискивая среди теней прошлого миллионы проблесков света, — маленькая железнодорожная станция на заре, дорога в сумерках, уходящая в сосновый лес, смутный огонек в хижине под виадуком, мальчик, который бежал среди скачущих телят, лохматая грязнуха в рамке двери с табачной жвачкой, прилипшей к подбородку, осыпанные мукой негры, разгружающие мешки из товарных вагонов у склада, человек за рулем ярмарочного автобуса в Сент-Луисе, прохладногубое озеро на заре.

Его жизнь свертывалась кольцами в буром сумраке прошлого, точно скрученный двойной электрический провод; он давал жизнь, связь и движение этим миллионам ощущений, которые Случайность, утрата или обретение мига, поворот головы, колоссальный и бесцельный напор непредвиденного бросали в пылающий жар его существа. Его сознание в белой живой ясности выбирало эти точки опыта, и призрачность всего остального становилась из-за них еще более ужасной. Так много ощущений, возвращавшихся, чтобы распахнуть томительные панорамы фантазии и воображения, было выхвачено из картин, проносившихся за окнами поезда.

И все это поражало его благоговейным ужасом — жуткое сочетание неизменности и перемены, страшный миг неподвижности, помеченный вечностью, в котором и наблюдатель и наблюдаемый, стремительно летящие по жизни, казались застывшими во времени. Был миг, повисший вне времени, когда земля не двигалась, поезд не двигался, грязнуха в дверях не двигалась, он не двигался. Точно Бог резко поднял свою дирижерскую палочку над бесконечной музыкой морей, и вечное движение замерло, повисло во вневременной структуре абсолюта. Или же — как бывает в кинофильмах, демонстрирующих движения ныряльщика или лошади, берущей барьер, — движение вдруг окаменевает в воздухе и неумолимое завершение действия приостанавливается. Затем, доканчивая свою параболу, подвешенное тело падает в бассейн. Но эти пылавшие в нем образы существовали без начала и конца, без обязательной протяженности во времени. Зафиксированная вовне времени грязнуха исчезла зафиксированной, без момента перехода.

Ощущение нереальности возникало из времени и движения — потому что он представлял себе, как эта женщина, когда поезд прошел, вернулась в дом и взяла чайник с углей очага. Так жизнь оборачивалась тенью, живые огни вновь становились призраками. Мальчик среди телят. Где после? Где теперь?

Я, думал он, часть всего, чего я коснулся и что коснулось меня, — того, что, не имея для меня существования, кроме полученного от меня же, стало не тем, чем было, приобщившись тому, чем я был тогда, а теперь вновь изменилось, сливаясь с тем, чем я являюсь теперь, а это, в свою очередь — завершение того, чем я постепенно становился. Почему здесь? Почему там? Почему теперь? Почему тогда?

Слияние двух мощных эгоизмов — обращенного вовнутрь угрюмого эгоизма Элизы и расширяющегося вовне эгоизма Ганта — превратили его в фанатичного прозелита религии Случайности. За всей бестолочью, бессмысленными тратами, болью, трагедиями, смертью, смятением неуклонная необходимость шла своим путем; если малая птица падала на землю, отзвук этого воздействовал на его жизнь, и одинокий свет, который падал на вязкое и безграничное море на заре, пробуждал перемены в море, омывающем его жизнь. Рыбы поднимались из глубин.

Семя нашей гибели даст цветы в пустыне, алексин нашего исцеления растет у горной вершины, и над нашими жизнями тяготеет грязнуха из Джорджии, потому что лондонский карманник избежал виселицы. Благодаря Случайности — каждый из нас — призрак для остальных и своя единственная реальность: благодаря Случайности — огромным петлям, на которых поворачивается мир, и крохотной пылинке; камню, который дает толчок обвалу, камешку, круги от которого ширятся и ширятся на поверхности моря.

Вот так он ощущал себя в центре жизни; он верил, что горы замыкают сердце мира; он верил, что из хаоса случайного в непредотвратимый миг возникает неизбежное событие и прибавляется к итогу его жизни.

За невидимыми противоположными склонами гор плескался мир, как огромное призрачное море, населенное огромными рыбами его фантазии. Разнообразие этого неизведанного мира не имело конца, но ему были присущи порядок и цель; там приключения не грозят бессмысленной гибелью, там доблесть вознаграждается красотой, талант — успехом, все заслуги получают достойное признание. Там есть опасность, там есть труд, там есть борьба. Но там нет путаницы и бессмысленных трат. Там нет слепого блуждания. Ибо облюбованная Судьба упадет в предназначенный момент, как слива. В волшебстве не бывает беспорядка.

По всему саду этого мира раскинулась весна. За горами земля уходила к другим горам, к золотым городам, к пышным лугам, к дремучим лесам, к морю. Во веки веков.

За горами лежали копи царя Соломона*, игрушечные республики Центральной Америки и маленькие журчащие фонтаны во внутренних двориках; а дальше — облитые лунным светом кровли Багдада, зарешеченные оконца Самарканда, облитые лунным светом верблюды Вифинии, испанское ранчо Тройного Зеро, Дж. Б. Монтгомери и его прелестная дочь выходили из своего личного вагона на железнодорожное полотно где-то на Дальнем Западе; и увенчанные замками отроги Граушта́рка*, казино Монте-Карло, дарящие груды золота, и вечно синее Средиземное море, матерь империй. И мгновенное богатство, выстуканное биржевым телеграфом, и первый ярус Эйфелевой башни, где расположен ресторан, и французы, поджигающие свои бакенбарды, и ферма в Девоншире, белые сливки, темный эль, зимнее веселье у камина, и «Лорна Дун»*, и висячие сады Вавилона, и ужин на закате с царицами, и медленное скольжение барки по Нилу или мудрые пышные тела египтянок, раскинувшиеся на облитых луной парапетах, и гром колесниц великих царей, и сокровища гробниц*, похищаемые в полночь, и винный край французских замков, и теплые ноги под ситцевой юбкой на сене.

На фракийском лугу возлежала царица Елена, и ее прекрасное тело было обрызгано солнцем.

Тем временем дела шли неплохо. В первые годы в «Диксиленде» болезни несколько мешали Элизе зарабатывать столько, сколько она могла бы. Однако теперь она поправилась и выплатила последний взнос за дом. С этих пор он целиком принадлежал ей. Тогда он стоил приблизительно 12 000 долларов. Кроме того, она заняла 3500 долларов под двадцатипятилетний страховой полис в 5000 долларов, срок которого истекал через два года, и значительно перестроила дом: добавила большую спальную веранду на втором этаже, пристроила две комнаты, ванную и коридор с одного конца, и удлинила коридор, добавив три спальни, две ванные и ватерклозет с другого. Внизу она расширила веранду, устроила большую террасу под верандой-спальней, пробила арку в столовую, чтобы использовать ее как большую спальню в мертвый сезон, расширила маленькую кладовую, превратив ее в столовую для своих, и пристроила каморку к кухне для себя.

Строительство велось по ее собственным планам и из самых дешевых материалов — в доме навсегда остался запах сырой древесины, дешевой политуры и грубо наложенной штукатурки; зато она получила восемь-девять новых комнат всего за 3000 долларов. За год до этого она положила в банк почти 2000 долларов — ее банковский счет почти достигал 5000 долларов. Кроме того, она была совладелицей мастерской Ганта на площади — тридцать футов по фасаду, — которая оценивалась в 20 000 долларов и приносила ежемесячно 65 долларов арендной платы: 20 от Жаннадо, 25 от «Водопроводной компании» Маклина, занимавшей подвал, и 20 долларов от типографии Дж. Н. Гилспая, занимавшей весь второй этаж.

Кроме того, три хороших участка для застройки на Меррион-авеню, оцененные в 2000 долларов каждый или в 5500 долларов за все три; дом на Вудсон-стрит, оцененный в 5000 долларов; 110 акров на заросшем лесом горном склоне с фермерским домом, несколькими сотнями яблонь, вишен и персиковых деревьев и несколькими акрами пашни, за которые Гант получал ежегодно 120 долларов арендной платы и которые были оценены в пятьдесят долларов акр, а всего 5500 долларов; два дома на Карсон-стрит и на Данкен-стрит, сданные железной дороге и приносившие 25 долларов в месяц каждый — вместе они оценивались в 4500 долларов; сорок восемь акров в двух милях над Билтберном и в четырех милях от Алтамонта на оживленной дороге в Рейнолдсвилл, которые они оценивали в 210 долларов акр, то есть всего 10 000 долларов; три дома в Негритянском квартале — один на Лоуэр-Вэлли-стрит, второй в тупике Бомонт, сразу же за большим домом негра Джонсона, и третий на Шорт-Оук, оцениваемые соответственно в 600, 900 и 1600 долларов и приносившие в месяц 8, 12 и 17 долларов (итого 3100 долларов и 37 долларов ежемесячной квартирной платы); два дома за рекой в Уэст-Алтамонте, в четырех милях от города, оцененные в 2750 долларов и в 3500 долларов и приносившие в месяц арендной платы 22 доллара и 30 долларов соответственно; три участка, затерянные в чащобе на диком горном склоне в миле от главной дороги, ведущей в Уэст-Алтамонт, — 500 долларов, и дом, не сданный внаем, объект проклятий Ганта, на Лоуэр-Хэттон-авеню — 4500 долларов.

Помимо всего этого, у Ганта было 10 акций, уже стоивших 200 долларов каждая (всего 2000 долларов), недавно организованного Сберегательного банка; его запас плит, памятников и засиженных мухами ангелов представлял собой капиталовложение в 2700 долларов, хотя он не мог бы разом реализовать их за такую сумму; кроме того, у него хранилось около 3000 долларов в Сберегательном банке, в Торговом банке и в банке на Бэттери.

Таким образом, в начале 1912 года, еще до быстрого и интенсивного развития промышленности Юга, приведшего к утроению населения Алтамонта и к стремительному возрастанию стоимости земельной собственности Элизы, состояние ее и Ганта достигало примерно 100000 долларов; большая часть его была размещена в солидной недвижимости, выбранной Элизой со знанием дела. Эта недвижимость приносила им ежемесячно более двухсот долларов, которые в соединении с тем, что они способны были заработать в мастерской и в «Диксиленде», слагались в общий годовой доход от восьми до десяти тысяч долларов. Хотя Гант часто и злобно поносил свое ремесло и (в тех случаях, когда переставал ругать недвижимость) объявлял, что его могильные памятники никогда не обеспечивали ему даже хлеба насущного, он редко испытывал нужду в наличных деньгах: у него почти всегда бывало два-три небольших заказа от окрестных фермеров, и он постоянно носил при себе набитый бумажник со ста пятьюдесятью — двумястами долларов в пяти- и десятидолларовых купюрах, которые часто позволял Юджину пересчитывать, наслаждаясь восторгом сына и ощущением изобилия.

Элиза раза два понесла убытки из-за неудачного помещения капитала, когда, поддавшись духу романтического риска, вдруг забыла свою обычную осторожную расчетливость. Она вложила тысячу двести долларов в «Миссурийскую утопию» и получила за свои деньги один экземпляр еженедельной газеты, издававшейся организатором, несколько прекрасных проспектов, в которых расхваливались будущие результаты предприятия, и глиняную скульптуру в восемь дюймов высотой, изображавшую Старшего Брата с сестренками Дженни и Кэт — Кэт сосала палец.

— Черт подери, — объявил Гант, злобно потешавшийся над этим фиаско. — Ей бы не в рот его сунуть, а приставить к носу.

А Бен презрительно сказал, дернув головой в сторону скульптуры:

— Вот ее тысяча двести долларов.

Но Элиза готовилась действовать самостоятельно. Она убеждалась, что с каждым годом покупать землю совместно с Гантом становится все труднее. И с чем-то похожим на боль, с чем-то очень похожим на голод, она видела, как всякие лакомые кусочки попадают в чужие руки или же остаются некупленными. Она понимала, что в очень скором времени земля резко подорожает и дальнейшие покупки будут ей уже не по средствам — не по ее нынешним средствам. А она собиралась быть на месте, когда начнут делить пирог.

Напротив «Диксиленда», на другой стороне улицы, стоял «Брауншвейг», добротно построенный двадцатикомнатный кирпичный дом. Мрамор для облицовки двадцать лет назад поставил сам Гант, паркетные полы и дубовые панели — Уилл Пентленд. Это был безобразный викторианский особняк с выступающими мансардами, свадебный подарок, который богатый северянин сделал своей дочери, умершей потом от туберкулеза.

— Построен на славу, как ни один другой дом в городе, — говорил Гант.

Тем не менее он отказался купить его совместно с Элизой, и она с тоской в сердце увидела, как его за 8500 долларов купил С. Гринберг, богатый торговец старым железом. Еще до истечения года он продал пять участков позади дома, выходившие на Янси-стрит, за 1000 долларов каждый, а дом оценивался в 20 000 долларов.

— Мы к этому времени уже вернули бы свои деньги втройне, — расстраивалась Элиза.

В то время у нее не было денег для какого-нибудь значительного капиталовложения. Она копила и выжидала.

Состояние Уилла Пентленда в это время на глазок оценивалось в пятьсот — семьсот тысяч долларов. В основном оно было вложено в недвижимость, значительная часть которой — склады и дома — находилась возле вокзала.

Иногда алтамонтцы, и особенно молодые люди, которые часами околачивались возле аптеки Коллистера и мечтательно подсчитывали богатства местных плутократов, называли Уилла Пентленда миллионером. В то время миллионеры были незаурядным явлением в американской жизни — по всей стране их набралось бы не больше шести — восьми тысяч. Но Уилл Пентленд в их число не входил. На самом деле у него было только полмиллиона.

А вот мистер Гулдербилт был миллионером. Он приезжал в город на большом «паккарде», но потом вылезал из него и ходил по улицам, как все прочие люди.

Как-то Гант показал его Юджину. Мистер Гулдербилт входил в банк.

— Вот он! — прошептал Гант. — Видишь его?

Юджин машинально закивал. Говорить он не мог. Мистер Гулдербилт был низеньким щеголеватым человеком в черной шляпе, в черном костюме и с черными усами. Руки и ноги у него были маленькие.

— У него больше пятидесяти миллионов долларов, — сказал Гант. — А посмотреть на него, так не догадаешься, верно?

И Юджин начал грезить об этих денежных князьях, живущих по-княжески. Он хотел бы, чтобы они ездили по улицам в каретах с гербом, в сопровождении конного эскорта ливрейных лакеев. Он хотел бы, чтобы их пальцы были унизаны тяжелыми перстнями, чтобы их одежда была подбита горностаем, чтобы их женщины сверкали мозаичными диадемами из аметистов, бериллов, рубинов, топазов, сапфиров, опалов и изумрудов и носили бы ожерелья из огромных жемчужин. И он хотел бы, чтобы они жили во дворцах с алебастровыми колоннами, ели в величественных залах за огромным кремового цвета столом на старинном серебре — ели диковинные яства: набухшие жирные сосцы раскормленных беременных свиней, масляные грибы, живых лососей, томленых зайцев, сомовьи усы под восхитительным острейшим соусом, языки карпов, садовых сонь и верблюжьи копыта; чтобы они ели янтарными ложками в брильянтах и карбункулах и пили из агатовых чаш, инкрустированных гиацинтами и рубинами, то есть имели бы все, чего мог бы пожелать эпикуреец Мамона.

Юджину довелось познакомиться только с одним миллионером, чье поведение на людях удовлетворяло его, но этот миллионер, к несчастью, был сумасшедшим. Фамилия его была Саймон.

Саймону, когда Юджин в первый раз его увидел, было лет пятьдесят. У него была сильная, довольно грузная невысокая фигура, худое загорелое лицо, запавшие щеки, всегда чисто выбритые, но иногда располосованные его крепкими ногтями, и большой узкий рот, слегка изогнутый книзу — выразительный, чуткий, порой озарявший все его лицо яростной демонической радостью. У него были густые прямые волосы с сильной проседью; он аккуратно их причесывал и зализывал на висках. Одежда у него была свободная и прекрасного покроя — он носил темный сюртук с широкими серыми брюками, шелковые рубашки в широкую полоску, такие же воротнички и пышные, свободно повязанные галстуки. Его жилеты были кирпично-красными в клетку. Вид у него был очень элегантный.

Саймон и два его надзирателя явились в «Диксиленд», когда некоторые недоразумения в алтамонтских отелях вынудили их искать приюта в частном доме. Они сняли две комнаты со спальной верандой и заплатили очень щедро.

— Пф! По-моему, он нисколько не болен, — убеждала Элиза свою дочь. — Он очень спокойный и ведет себя как нельзя лучше.

В этот момент наверху раздался пронзительный вопль, за которым последовал взрыв дьявольского хохота. Юджин вне себя от восторга запрыгал по холлу, испуская поросячий визг. Бен нахмурился, по его губам пробежал быстрый отблеск, и он отвел жесткую белую руку, словно собираясь дать младшему брату затрещину. Но вместо этого он мотнул головой в сторону Элизы и сказал с тихим презрительным смешком:

— Ей-богу, мама, я не понимаю, зачем ты берешь их со стороны. У тебя их достаточно и в собственной семье.

— Мама, ради всего святого... — в ярости начала Хелен.

В эту минуту из наружного сумрака в холл вошел Гант; он нес пятнистый пакет свиных отбивных и что-то риторически бормотал себе под нос. Сверху донесся еще один долгий раскат хохота. Гант в растерянности остановился как вкопанный и задрал голову. Люк, внимательно прислушивающийся у лестницы, громко фыркнул, а Хелен, чье раздражение сразу сменилось досадливой веселостью, подошла к отцу и в ответ на его вопросительный взгляд несколько раз ткнула его в ребра.

— А? — спросил он недоуменно. — Что это?

— Мисс Элиза поселила наверху сумасшедшего, — хихикнула Хелен, наслаждаясь его изумлением.

— Господи Иисусе! — отчаянно взвыл Гант, быстро облизнул большой палец, возвел маленькие серые глазки к своему Творцу с выражением преувеличенной мольбы и дернул огромной лопастью носа. Затем он тяжело шлепнул себя по бокам, словно смиряясь с неизбежным, и принялся расхаживать взад и вперед, негодующе ворча. Элиза стояла как скала, переводя взгляд с одного на другого, ее губы быстро подергивались, на белом лице застыли обида и огорчение.

Наверху вновь раздался долгий веселый вой. Гант остановился, перехватил взгляд Хелен и вдруг против воли заулыбался.

— Господи, смилуйся над нами! — посмеивался он. — Мы не успеем оглянуться, как она разместит здесь весь барнумовский цирк.

Тут по лестнице, исполненный сдержанного величественного достоинства, спустился Саймон в сопровождении своих спутников — мистера Гилроя и мистера Флэннегана. Оба стража были красны и тяжело дышали, словно после какого-то значительного физического напряжения. Саймон, однако, сохранял свою обычную безупречную лощеную корректность.

— Добрый вечер, — сказал он любезно. — Надеюсь, я не заставил вас ждать? — Тут он заметил Юджина.

— Подойди сюда, мальчик, — сказал он ласково.

— Ничего, ничего, — подбодрил Юджина мистер Гилрой. — Он и мухи не обидит.

Юджин приблизился к магнату.

— И как же вас зовут, молодой человек? — спросил Саймон со своей прекрасной сатанинской улыбкой.

— Юджин.

— Чудесное имя, — сказал Саймон. — Всегда старайтесь быть его достойным. — Небрежным царственным жестом он опустил руку в карман сюртука и под изумленным взглядом мальчика извлек из него пригоршню монет в пять и десять центов.

— Всегда заботься о птичках, мой мальчик, — сказал Саймон и высыпал деньги в сложенные ладони Юджина.

Все неуверенно посмотрели на мистера Гилроя.

— Ничего, ничего! — сказал мистер Гилрой весело. — Он этого и не заметит. Там еще много осталось.

— Он же мультимиллионер, — с гордостью объявил мистер Флэннеган. — Мы каждое утро даем ему четыре-пять долларов мелочью, чтобы он их расшвыривал, как ему заблагорассудится.

Саймон вдруг заметил Ганта.

— Берегитесь электрических скатов! — воскликнул он. — Помните про «Мэн»!*

— Знаете что, — со смехом сказала Элиза, — он вовсе не такой сумасшедший, как вы думаете.

— Все верно, — сказал мистер Гилрой, заметив усмешку Ганта. — Электрические скаты — это такие рыбы. Они водятся во Флориде.

— Не забывайте птичек, друзья мои, — сказал Саймон, выходя в сопровождении своих спутников. — Заботьтесь о птичках.

Они очень к нему привязались. Он как-то подходил ко всему строю их жизни. Никого из них не смущало соприкосновение с безумием. Его сатанинский смех внезапно врывался в цветущую тьму весны из комнаты, в которой он был заперт, — Юджин слушал с восторженным трепетом и засыпал, не в силах забыть улыбку темного расцветающего зла, широкий карман, тяжело побрякивающий монетами.

Ночь, шорох мириад маленьких крыл. Подслушанный плеск воды внутренних морей.

...И воздух будет полон теплогорлых птичьих трелей, стряхивающих сливы. Ему было почти двенадцать лет. Он покончил с детством. И по мере того, как созревала весна, он всем своим существом впервые ощутил во всей полноте блаженство одиночества. В легкой ночной рубашке он стоял в темноте у выходящего в сад окна маленькой комнаты гантовского дома, впивал сладостный воздух, наслаждался укромностью мрака, слышал тоскливый вопль гудка, уносящийся на запад.

Тюремные стены собственного «я» глухо сомкнулись вокруг него, он был полностью замурован пластичной силой своего воображения — теперь он уже научился механически проецировать вовне приемлемый для всего остального мира поддельный образ самого себя, предохранявший его от непрошеных вторжений. Он больше уже не подвергался на переменах пытке бегством и преследованием. Теперь он учился не в начальных классах, теперь он был одним из старшеклассников. С девяти лет, ожесточенным штурмом одолев упрямство Элизы, он начал стричься коротко. И больше не страдал из-за своих кудрей. Но он рос, как сорная трава, и уже был на два дюйма выше матери; он был крупнокостным, но очень худым и хрупким — на этих костях не было мяса; когда он шел размашистым шагом, чуть подпрыгивая, нелепо длинные, худые и прямые ноги придавали ему странное сходство с ножницами.

Под широким куполом головы, покрытой густыми вьющимися волосами, которые со времени его младенчества успели из кленово-желтых стать каштаново-черными, на тонкой недоразвитой шее сидело лицо, такое маленькое, так тонко и изящно вылепленное, что, казалось, оно не могло принадлежать этому телу. Необычность, остраненность этого лица еще усиливалась из-за сосредоточенной задумчивости, из-за темной напряженной страстности, на фоне которой каждый осколок мысли и чувства молниеносно вспыхивал, точно солнечный зайчик на поверхности пруда. Рот был чувственный, удивительно подвижный, нижняя, резко очерченная губа пухло выпячивалась. Напряженная упоенность грезами обычно придавала его лицу выражение хмурой созерцательности; он улыбался чаще, чем смеялся, — улыбался вовнутрь какой-нибудь удивительной выдумке или воспоминанию о какой-нибудь нелепости, которую только теперь оценил вполне. Улыбаясь, он не раскрывал губ — просто по ним зигзагом пробегал стремительный отблеск. Его густые изогнутые брови срослись на переносице.

В эту весну его одиночество стало еще более полным. С тех пор как четыре года назад Элиза перебралась в «Диксиленд» и налаженная жизнь в доме Ганта оборвалась, его старая дружба с соседскими мальчиками — Гарри Таркинтоном, Максом Айзексом и остальными — постепенно захирела, и теперь от нее не осталось почти никакого следа. Иногда он виделся с ними, иногда на короткий срок прежние отношения возобновлялись, но постоянных товарищей у него теперь не было и он только на время сходился с детьми, чьи родители останавливались в «Диксиленде», с Тимом О'Дойлом, сыном содержательницы «Брауншвейга», и еще с некоторыми детьми, которые ненадолго возбуждали в нем интерес.

Но уже скоро они отчаянно надоедали ему, и он проваливался в ядовитую трясину душевного утомления и ужаса, потому что их жизни, их внутренний мир, их развлечения были тупы и безобразны. Тупые люди внушали ему томительный страх, скука собственной жизни никогда не пугала его так, как скука чужих жизней, — его давняя неприязнь к Петт Пентленд и ее угрюмым дряхлым теткам родилась из дремлющих воспоминаний о старом доме на Сентрал-авеню, о запахе дозревающих яблок и лекарств в жаркой комнате, о прерывистом вое ветра снаружи и о неизбывном однообразии их разговоров про болезни, смерть и беды. Они внушали ему ужас и гнев, потому что были способны жить и благоденствовать в этой жуткой атмосфере гнетущего уныния, которая его душила. Вот так весь ландшафт, весь физический фон его жизни был теперь расцвечен мощной игрой симпатий и антипатий, возникших Бог знает почему, Бог знает через какие неуловимые ассоциации мыслей, чувств и восприятий. Так, одна улица казалась ему «хорошей улицей», пребывающей в богатом свете веселой, изобильной жизнерадостности; другая же, непонятно почему, была «плохой улицей» и внушала ему страх, безнадежность, уныние.

Быть может, холодный красный свет какого-нибудь запомнившегося зимнего дня, угасавшего над площадкой для игр, издеваясь над весной, когда в окнах загорались дымные огни, ватаги растрепанных детей бежали домой ужинать и мужчины возвращались в тупой, но теплый плен домашнего очага, керосиновых ламп (их он ненавидел) и отхода ко сну, породил в нем вязкую ненависть к этому месту, которая не прошла даже после того, как вызвавшее ее ощущение было забыто.

Или поздней осенью после прогулки за городом он возвращался из Долинки Лунна или еще откуда-нибудь со слезящимся носом, тяжелой глиной на сапогах, запахом раздавленной хурмы на колене, мокрой земли и травы на ладонях, проникнутый упрямой неприязнью и недоверием к местам, где он побывал, страхом перед живущими там людьми.

Он питал необычайную любовь к раскаленному свету. Он ненавидел тусклый свет, коптящий свет, приглушенный бледный свет. Вечером ему хотелось быть в комнатах, где сияли бы прекрасные яркие, сверкающие, слепящие огни. А потом — тьма.

Подвижные игры ему не давались, хотя спорт внушал ему жгучий интерес. Макс Айзекс, перестав интересовать его как личность, еще долго был ему интересен как атлет. Макс отличался в бейсболе. Обычно он играл в поле, увертываясь от мяча со стремительностью пантеры, или же грациозно и словно без малейшего усилия ловил невозможные подачи. Отбивал он великолепно — он стоял небрежно и все же весь подобравшись и принимал мяч точно на биту могучим рывком тяжелых плеч. Юджин тщетно пытался воспроизвести точность и силу этого движения, которое посылало мяч по дымной дуге далеко за пределы поля, но у него ничего не получалось: он неуклюже рубил битой, и мяч свечой шел в руки какому-нибудь быстрому полевому игроку. И на поле он был столь же бесполезен: он так и не научился коллективной игре, превращающей команду в единое существо, все части которого телепатически объединяются в общем гармоническом движении. Играя в команде, он нервничал, приходил в сильнейшее возбуждение и переставал владеть собой, но с каким-нибудь одним мальчиком — или после обеда с Беном — он часами кидал мяч.

Он развил в себе молниеносную быстроту, вкладывая в мяч всю гибкость своего длинного худого тела, и наслаждался, когда мяч с громким шлепком попадал в самую середину перчатки или взлетал вверх по крутой дуге. Бен, захваченный врасплох неожиданным падением мяча, злобно ругался и свирепо швырял мяч назад в его худую руку в кожаной перчатке. Весной и летом он ходил на бейсбольные матчи всегда, когда у него были деньги или кто-нибудь его приглашал, был фанатичным поклонником городского клуба и его лучших игроков и в мечтах постоянно видел себя героем, в последнюю минуту спасающим проигранную было игру.

Но он не был способен подчиняться дисциплине, упорно трудиться и спокойно принимать поражения и неудачи, без чего не может быть хорошего спортсмена; он хотел всегда выигрывать, он хотел всегда быть вожаком, героическим острием победы. И еще он хотел быть за все это любимым. Победа и любовь. Во всех своих фантазиях Юджин видел себя именно таким — непобедимым и любимым. Но наступали минуты просветления, и ему открывались все поражения и убогость его жизни. Он видел свою нелепую долговязую фигуру, рассеянное, неприспособленное, задумчивое лицо, слишком похожее на странный темный цветок, чтобы — как он думал — вызывать у его товарищей и родственников иные чувства, кроме неловкости, злости и насмешек; он вспоминал, испытывая тошнотную пустоту в сердце, бесчисленные оскорбления, физические и словесные, которые ему приходилось выносить в школе и дома на глазах всего света, и ему чудилось, что трубы победы умолкают в лесу, барабаны торжества перестают бить, гордый гром литавр замирает. Его орлы улетали прочь; холодный рассудок подсказывал ему, что он — сумасшедший, играющий в Цезаря. Он выворачивал шею вбок и закрывал лицо руками.

XVI

Весна была в разгаре. К полудню солнце источало мягкую дремотность. Теплые порывы ветра еле слышно посвистывали под карнизами, молодая трава гнулась, мерцали маргаритки.

Он неловко уперся высокими коленями в нижнюю доску парты и ушел в томительные грезы. Впереди в соседнем ряду Бесси Барнс усердно писала, выставив напоказ полную ногу в шелковом чулке. Распахни предо мной врата восторга. Позади нее сидела девочка по имени Руфь, черноволосая, с молочно-белой кожей и глазами, кроткими, как ее имя, с аккуратным пробором в густых темных волосах. Он грезил о бурной жизни с Бесси и о позднейшем духовном возрождении, о чистой и святой жизни с Руфью.

Однажды после большой перемены учителя собрали их — всех учеников трех старших классов — и повели в актовый зал на втором этаже. Они были возбуждены и тихо переговаривались — их никогда не водили наверх в такое время. Довольно часто в коридорах начинали трезвонить звонки, они быстро строились и организованно, парами выходили на улицу. Это были пожарные учения. Им они нравились. Один раз они очистили здание за четыре минуты.

Но теперь было что-то новое. Они вошли в зал и расселись по рядам, отведенным для каждого класса. Они садились так, чтобы каждый второй стул был свободен. Секунду спустя дверь кабинета директора слева — где секли младших учеников — открылась, и вышел директор. Он прошествовал по боковому проходу и бесшумно поднялся на эстраду. Он начал говорить.

Это был новый директор. Молодой Армстронг, который так изящно нюхал цветок, посещал Дейзи и однажды чуть не высек Юджина за грязные стишки, ушел от них. Новый директор был старше. Ему было лет тридцать восемь. Это был сильный, довольно грузный человек ростом почти в шесть футов; вырос он в большой семье на ферме в Теннесси. Его отец был беден, но помог своим детям получить образование. Все это Юджин уже знал, потому что директор долго беседовал с ними по утрам и указывал, какими преимуществами они пользуются, тогда как он в свое время был их лишен. Он приводил себя в пример с некоторой гордостью. И он шутливо, но настойчиво уговаривал маленьких мальчиков «не брести скотиной в стаде, а героем быть в борьбе». Это были стихи. Это был Лонгфелло.

У директора были плотные могучие плечи, неуклюжие белые руки, все в узлах комкастых деревенских мышц — Юджин один раз видел, как он рыхлил мотыгой землю на школьном дворе, где каждому из них было велено посадить по деревцу. Этими мышцами он обзавелся на отцовской ферме. Мальчики говорили, что бьет он очень больно. Он ходил неловкой крадущейся походкой — неуклюжей и смешной, это верно, но он возникал у вас за спиной прежде, чем вы успевали заметить его приближение. Отто Краузе прозвал его «Подлым Иисусиком». Отпетым кличка пришлась по вкусу. Юджина она несколько шокировала.

У директора было белое, восковой прозрачности лицо с широкими плоскими щеками, как у Пентлендов, бледный нос, чуть более окрашенный по сравнению с остальным лицом, и тонкогубый, слегка изогнутый рот. Волосы у него были жесткие, черные и густые, но он их коротко стриг, не давая им отрастать. У него были сухие ладони, короткие сильные пальцы, всегда покрытые слоем мела. Когда он проходил мимо, Юджин ощущал запах мела и школы — его сердце холодело от волнения и страха. Плоть директора купалась в святости мела и школы. Он был тем, кто может прикасаться, но к кому прикасаться нельзя, тем, кто может бить, но кого бить нельзя. Юджин рисовал в воображении страшные картины сопротивления, вздрагивая от ужаса, когда представлял себе жуткие последствия ответного удара — что-то вроде молний из десницы Господней. И он осторожно оглядывался по сторонам — не заметил ли кто-нибудь чего-нибудь.

Фамилия директора была Леонард. Каждое утро после десятиминутной молитвы он произносил перед детьми длинные речи. У него был высокий громкий деревенский голос, который часто смешно замирал; он легко погружался в задумчивость, умолкал на середине фразы, рассеянно смотрел куда-то с открытым ртом и оглушенным выражением, а потом возвращался к теме беседы с бессмысленным растерянным смешком.

Он беседовал с детьми бесцельно, напыщенно, скучно, по двадцать минут каждое утро; учителя осторожно зевали, прикрывшись рукой, школьники потихоньку рисовали или обменивались записками. Он говорил с ними о «более высокой жизни» и о «духовных ценностях». Он заверял их, что они — вожди будущего и надежда мира. А потом он цитировал Лонгфелло.

Он был хорошим человеком, тупым человеком, честным человеком. Ему была свойственна жестокая черноземная грубость. Больше всего на свете, если не считать школы, он любил крестьянский труд. Он снимал большой обветшалый дом в величественной дубовой роще на окраине города и жил там с женой и двумя детьми. У него была корова — он никогда не оставался без коровы; по вечерам и по утрам он отправлялся ее доить, посмеиваясь своим пустым глупым смехом и звонко пиная ее в живот, чтобы она встала поудобнее.

Он был скор на расправу. Любой бунт он подавлял с патриархальной свирепостью. Если ученик дерзил ему, он могучим рывком вытаскивал его из-за парты, тащил извивающуюся жертву к себе в кабинет, шагая с обычной неуклюжей размашистостью, и, тяжело дыша, приговаривал со жгучим презрением:

— Ах ты, щенок! Мы посмотрим, кто тут хозяин. Я покажу тебе, сынок, как я разделываюсь с нахальными сморчками, которые пробуют мной командовать.

А когда дверь кабинета с матовым стеклом закрывалась за ним, он оповещал о творящемся грозном правосудии громким пыхтеньем, резким свистом трости и воплями боли и ужаса, которые исторгал у своего пленника.

В этот день он собрал учеников для того, чтобы они написали сочинение. Дети тупо смотрели на него, пока он, сбиваясь, объяснял, чего он от них хочет. В заключение он назначил награду — пять долларов из его собственного кармана тому, кто напишет лучше всех. Это пробудило в них интерес. По залу прошел оживленный шорох.

Они должны были написать сочинение по французской картине под названием «Песня жаворонка». На ней была изображена босая французская крестьянская девушка с серпом в руке — подняв лицо, озаренное встающим над полями солнцем, она слушала птичье пение. Им было предложено изложить, как они понимают выражение лица девушки. Им было предложено описать свое впечатление от картины. Она была напечатана в школьной хрестоматии, а теперь для облегчения их задачи на эстраде вывесили большую ее литографию. Им раздали листы желтой бумаги. Они смотрели на картину, задумчиво грызя карандаши. В конце концов зал погрузился в глубокую тишину, нарушаемую лишь царапаньем графита по бумаге.

Под карнизами гулял теплый ветер, трава клонилась, нежно посвистывая.

Юджин писал:

«Эта девушка слышит песню первого жаворонка. Она знает, что он возвещает приход весны. Ей семнадцать или восемнадцать лет. Ее родители очень бедны, и она ничего не видела, кроме своей деревни. Зимой она ходит в деревянных башмаках. Она как будто собиралась засвистеть. Но она не хочет, чтобы жаворонок догадался, что она его слушает. Ее родные тоже пришли на поле, но они чуть отстали, и мы их не видим. У нее есть отец, мать и двое братьев. Они всю жизнь трудятся, не покладая рук. Девушка — самая младшая в семье. Ей хотелось бы поехать куда-нибудь посмотреть белый свет. Иногда она слышит гудок поезда, который идет в Париж. Она никогда в жизни не ездила на поезде. Ей так хотелось бы поехать в Париж! Ей хотелось бы иметь красивые платья, ей хотелось бы путешествовать. Наверное, она была бы

рада начать новую жизнь в Америке, Стране Безграничных Воз
можностей. Этой девушке живется тяжело. Родные не понимаю
ее. Если они увидят, что она заслушалась жаворонка, они буду
смеяться над ней. Ей не довелось получить образования, потом
что ее семья так бедна, но если бы ей выпал случай учиться, он
воспользовалась бы им куда лучше многих из тех, кому предостав
лены все возможности. По ее лицу видно, что она умна».

Было начало мая; до экзаменов оставалось две недели. О
думал о них с волнением и удовольствием — ему нравилось эт
время отчаянной зубрежки, долгие консультации, наслаждение щедр
изливать на бумагу накопленные знания. В актовом зале царил ду
свершения, острого нервного восторга. А все лето в нем буде
жарко и дремотно-тихо; вот если бы здесь, наедине с большим
гипсовым бюстом Минервы, он и Бесси Барнс или мисс... мисс...

— Этот мальчик нам подходит, — сказала Маргарет Леонард
передавая мужу сочинение Юджина.

Они собирались открыть частную школу для мальчиков, чем
объяснялось это сочинение.

Леонард взял лист, притворился, что прочел половину страни
цы, рассеянно поглядел в вечность и начал задумчиво потират
подбородок, оставляя на нем тонкий слой мела. Затем, заметив ее
взгляд, он идиотично засмеялся и сказал:

— Ах, мошенник! Э? Так ты думаешь?..

Испытывая блаженную рассеянность, он согнулся, захлебнулс
пронзительным ржанием и хлопнул себя по колену, оставив н
нем меловой отпечаток; во рту у него булькало.

— Господи спаси и помилуй! — еле выговорил он.

— Ну-ну! Довольно, — сказала она, засмеявшись нежно
насмешливо. — Возьми себя в руки и поговори с родителям
мальчика. — Она горячо любила мужа, и он любил ее.

Несколько дней спустя Леонард снова собрал старшеклассников
в зале. Он произнес сбивчивую речь, целью которой было сообщит
им, что один из них выиграл приз, скрыв, однако, при этом, кт
именно. Затем, после нескольких отклонений в сторону, которы
доставили ему большое удовольствие, он прочел вслух сочинени
Юджина, назвал его фамилию и велел ему подняться на эстраду.

Лицо в мелу коснулось руки в мелу. Сердце Юджина грохотал
о ребра. Гордые трубы гремели, он отведал вкус славы.

Все лето Леонард терпеливо осаждал Ганта и Элизу. Ган
мялся, отвечал уклончиво и наконец сказал:

— Поговорите с его матерью.

В отсутствие же посторонних он не скупился на ядовитое презрение и громогласно превозносил достоинства государственных школ, как инкубатора гражданственности. Вся семья пренебрежительно пожимала плечами. Частная школа! Мистер Вандербильт! Это его окончательно погубит!

Что и заставило Элизу задуматься. Снобизм ей был отнюдь не чужд. Мистер Вандербильт? Она ничуть не хуже их всех! Вот они увидят!

— А кто у вас будет учиться? — спросила она. — Вы кого-нибудь уж подыскали?

Леонард упомянул сыновей нескольких видных и богатых людей: доктора Китчена — глаз, ухо, горло, нос; мистера Артура, юрисконсульта большой компании, и местного епископа Рейнера.

Элиза задумалась еще больше. Она вспомнила Петт. Нечего ей задирать нос.

— Сколько вы берете? — спросила она.

Он сказал, что плата за учение составит сто долларов в год. Она надолго поджала губы.

— Хмм! — сказала она наконец и с поддразнивающей улыбкой поглядела на Юджина. — Деньги немалые. Вы же знаете, — добавила она с обычной дрожащей улыбкой, — как говорят негры: мы народ бедный.

Юджин съежился.

— Ну, так как же, сын? — поддразнивая, сказала Элиза. — По-твоему, ты стоишь таких денег?

Мистер Леонард положил сухую ладонь на плечо Юджина, ласково провел ею по его спине и поперек почек, всюду оставляя меловые следы. Затем он мясистыми пальцами крепко обхватил тонкое мальчишеское предплечье.

— Этот мальчик их стоит, — сказал он, слегка его покачивая. — Да, сэр!

Юджин с трудом улыбнулся. Элиза продолжала поджимать губы. Она ощутила близкое духовное родство с Леонардом. Они оба умели тянуть время.

— Вот что, — сказала она, потирая широкий красный нос и хитро улыбаясь. — Я когда-то была школьной учительницей. Вы ведь этого не знали? Но я не получала таких денег, какие вы запрашиваете, — добавила она. — Я считала себя счастливой, если получала стол и двадцать долларов в месяц.

— Неужели, миссис Гант? — с большим интересом спросил Леонард. — Ну, сэр! — Он рассеянно и визгливо заржал, встряхивая Юджина все сильнее и сокрушая его руку в жестком пожатии.

— Да, — сказала Элиза, — я помню, как мой отец — это было задолго до твоего рождения, сын, — пояснила она Юджину, — я твоего папашу тогда еще и в глаза не видела... как говорится, ты был тогда еще посудным полотенцем, вывешенным на небесах... и я бы расхохоталась, если бы со мной тогда кто-нибудь заговорил о браке... Ну, так вот (она покачала головой, печально и осуждающе поджав губы), мы тогда были очень бедны, можете мне поверить... Я как раз на днях про это вспоминала — сколько раз у нас в доме не из чего было сготовить следующую еду... Ну, как я уже сказала, твой дедушка (это было адресовано Юджину) пришел домой как-то вечером и сказал: «Вот послушайте! Как по-вашему, кого я видел сегодня...» Я помню его так ясно, словно он сейчас стоит здесь передо мной... у меня было предчувствие (это было с нерешительной улыбкой адресовано Леонарду), не знаю, как вы его назовете, но ведь очень странно, если подумаешь, верно?.. Я как раз кончила помогать тете Джейн накрывать на стол — она приехала из самого графства Янси навестить твою бабушку, — как вдруг меня точно осенило... а заметьте (Леонарду), я ведь в окно не смотрела, но вот так сразу и почувствовала, что он идет... Господи, воскликнула я, он идет... «Да о чем это ты, Элиза?» — спрашивает твоя бабушка... Я помню, она подошла к двери и поглядела на дорогу — а там никого. Он идет, говорю я, вот погодите и увидите. «Кто?» — спрашивает твоя бабушка. Да папа же, говорю я. Он что-то несет на плече... И правда, не успела я договорить, а он идет, как ни в чем не бывало, по дороге, и на плече у него мешок с яблоками... по его походке сразу можно было сказать, что у него какие-то новости... и верно... даже «здравствуйте» не сказал... я помню, он заговорил, еще в дом не войдя. Папа, крикнула я, ты принес яблоки... а это было на другой год после того, как я чуть не умерла от воспаления легких... я с тех пор все харкала кровью... и у меня горлом кровь шла... так я попросила, чтобы он принес мне яблок... Так вот, сэр, мама сказала ему — и вид у нее был очень странный, уж поверьте: «Такой странной вещи я в жизни не слыхивала», — и она рассказала ему, что произошло... А он нахмурился и сказал... Да, я никогда не забуду то, как он это сказал: «Наверное, она меня увидела в окно»... Я-то его не видела, но я как раз думала, что вот я там и иду по дороге... «У меня для тебя новость, — сказал он. — Как ты думаешь, кого я сегодня видел в городе?» Понятия не имею, говорю я. «Да старого профессора Трумэна — он прямо-таки подбежал ко мне в городе и говорит: «Послушайте, где Элиза? У меня есть для нее работа, если она согласится — поехать учительницей на эту зиму в Бивердем!» Пф, — говорит твой дед. — Она же никогда учительницей не была... а профессор Трумэн засмеялся, прямо вот так, и говорит: «Это неважно, Элиза может сделать все, что захочет»... Вот так, сэр, все и получилось.

С горькой печалью и грустью Элиза на мгновение умолкла, потеряв нить. Ее белое лицо косым лучом отбрасывало ее жизнь назад через лесные колоннады прожитых лет.

— Да, сэр, — неопределенно сказал мистер Леонард, потирая подбородок. — Ах ты, мошенник! — сказал он, снова встряхнув Юджина и начиная смеяться с нарциссическим удовольствием.

Элиза медленно поджала губы.

— Ну, — сказала она, — пусть поучится у вас годик.

Так она вела дела. Течения в Саргассовом море движутся глубоко под водой.

И вот на волоске импульса, рожденного миллионами сознаний, судьба вновь надвинулась на его жизнь.

Мистер Леонард арендовал старинный довоенный дом, стоявший на холме среди великолепных деревьев. Его фасад был обращен на юг и запад и выходил на Билтберн, а внизу простирался Саут-Энд и негритянские низины, тянувшиеся к вокзалу. Как-то в начале сентября он взял туда Юджина. Они прошли пешком через город, солидно беседуя о политике, пересекли Главную площадь, спустились по Хэттон-авеню, свернули к югу в Черч, а потом пошли на юго-запад по извилистой дороге, которая упиралась в школу на крутом холме.

Когда они поднимались по склону, огромные деревья творили печальную осеннюю музыку. В большом холле обширного приземистого старого дома Юджин впервые увидел Маргарет Леонард. На ней был передник, и в руке она держала половую щетку. Но его главным образом поразила ее пугающая хрупкость.

В то время Маргарет Леонард было тридцать четыре года. Она родила двух детей — сына, которому теперь исполнилось шесть лет, и дочь, которой было два года. Она стояла, обхватив длинными тонкими пальцами ручку щетки, и вдруг он с ледяным приступом тошноты заметил, что кончик ее правого указательного пальца расплющен, словно его раздробило молотком. Прошло много лет, прежде чем он узнал, что у больных туберкулезом иногда бывают такие пальцы.

Маргарет Леонард была среднего роста — примерно пять футов шесть дюймов. Когда его головокружительное смущение немного улеглось, он увидел, что она вряд ли весит больше восьмидесяти — девяноста фунтов. Он слышал, что у нее есть дети. И теперь он вспомнил о них и о белом мускулистом торсе Леонарда с чем-то, похожим на ужас. Его быстрая фантазия немедленно нарисовала их супружеские отношения, и что-то в нем испуганно и неверяще рванулось в сторону.

Платье из жесткого серого коленкора не было широким и не болталось на ее худом теле, но прятало все его линии, точно распяленное на палке.

В то время как его сознание пыталось стряхнуть с себя боль первого впечатления, он услышал ее голос и, все еще ощущая непонятный судорожный стыд, поднял глаза и посмотрел на ее лицо. Такого безмятежного, такого страстного лица ему никогда не приходилось видеть. Цвет кожи у нее был нездоровый, с мертвым пепельным оттенком; и под этой кожей легко прослеживалось тонкое строение лицевых костей, однако виски и скулы не были обтянуты, как бывает у умирающих, — где-то этот процесс остановился. Ей удалось настолько вернуться назад, что весы болезни и выздоровления пришли в хрупкое равновесие. Она должна была измерять заранее каждое свое действие.

Прямая линия носа и длинный точеный подбородок придавали ее худому лицу проницательность и решительность. Под желтоватой, чуть изрытой кожей щек и вокруг губ время от времени начинали подергиваться исхлестанные нервные центры, слегка морща кожу, но не искажая и не уничтожая страстной, спокойной красоты, которая непрерывно изливалась изнутри. Это лицо, постоянное поле битвы, почти всегда было спокойным, но всегда отражало непрестанную борьбу и победу скрытой в ней безмерной энергии над тысячью дьяволов истощения и усталости, которые пытались разорвать ее в клочья. Ей неизменно была присуща эпическая поэзия красоты и отдохновения, рожденных борьбой, — он никогда не переставал чувствовать, что она крепко сжимает в руке поводья своего сердца, что в этой руке собраны все перенапряженные струны и сухожилия того распада, который размечет и рассоединит ее члены, едва она расслабит хватку. Он чувствовал, что стоит великой волне мужества выплеснуться из нее до конца, как она буквально физически рассыплется в прах.

Она была подобна какому-нибудь великому полководцу, прославленному, невозмутимому, раненному насмерть, который, зажи-

мая пальцами рассеченную артерию, на час задерживает уходящую
жизнь и ведет битву дальше.

Волосы у нее были жесткие, тускло-каштановые, довольно густые, слегка тронутые сединой — они были аккуратно разделены
прямым пробором и стянуты на затылке в тугой узел. Все в ней
было очень чистым — как выскобленный кухонный стол. Когда
она взяла его руку, он почувствовал нервную силу ее пальцев и
заметил, какими чистыми и выскобленными были ее худые, чуть
мозолистые руки. И если теперь он еще замечал ее худобу, то
лишь как знак ее очищения — он ощущал себя в единении не с
болезнью, а с величайшим здоровьем, какого он еще никогда
прежде не видел. Она пробуждала в нем высокую музыку. Его
сердце возликовало.

— Это, — сказал мистер Леонард, ласково поглаживая его
поперек почек, — мистер Юджин Гант.

— Ну, сэр, — сказала она тихим голосом, в котором звенела
натянутая струна, — я рада познакомиться с вами.

Этот голос таил в себе то тихое удивление, которое он иногда
слышал в голосах людей, столкнувшихся с каким-нибудь странным
событием или совпадением, выходившим, казалось, за пределы жизни,
за пределы природы, — ноту принятия на веру; и внезапно он
понял, что вся жизнь представляется этой женщине вечно странной, что она заглядывает прямо в красоту, тайну и трагедию
людских сердец и что он кажется ей красивым.

Ее лицо потемнело от странной страстной жизненной силы,
которая не оставляла следа, которая жила в ней бестелесно, как
сама жизнь; ее карие глаза стали черными, словно сквозь них
пролетела птица и оставила в них тень своих крыльев. Она увидела его маленькое потустороннее лицо, странно пылающее над
длинным костлявым телом, она увидела прямые худые голени,
большие ступни, неуклюже повернутые внутрь, пятна пыли на
чулках у колен и худые руки с большими кистями, нелепо доста-
ющие ниже края дешевой, плохо сидящей куртки; она увидела
сутулую линию худых плечей, спутанные густые волосы — и не
засмеялась.

Он поднял к ней лицо, как узник, узревший свет дня, как
истомленный мраком человек, который купается в огромном озе-
ре зари, как слепой, который ощущает на своих глазах раскаленную добела сердцевину и сгусток необорного блеска. Его тело
впивало ее великий свет, как умирающий от голода, выброшенный
на необитаемый остров моряк впивает дождь, — он закрыл глаза

и подставил себя этому великому свету, а когда открыл их, то увидел, что ее глаза засияли и увлажнились.

И тут она засмеялась.

— Мистер Леонард, — сказала она, — подумать только! Он же почти с вас ростом. Ну-ка, стань вот так, мальчик, а я смерю.

Она ловкими руками поставила их спина к спине. Мистер Леонард оказался выше Юджина на два-три дюйма. Он визгливо заржал.

— Ну и мошенник! — сказал он. — Экий мальчишка!

— Сколько тебе лет? — спросила она.

— В будущем месяце исполнится двенадцать, — сказал он.

— Нет, вы только подумайте! — воскликнула она удивленно. — Но вот что, — добавила она, — нам нужно нарастить мясо на эти кости. Так оставаться не может. Мне не нравится, как ты выглядишь.

Она покачала головой.

Он испытывал неловкость, тревогу и подспудное раздражение. Его всегда смущало и пугало, когда ему говорили, что он «слабенький», — это больно уязвляло его гордость.

Она увела его в большую комнату налево, которая служила гостиной и библиотекой. Она следила за тем, как загорелось его лицо, когда он увидел полторы-две тысячи книг, расставленных по полкам в разных местах. Он неуклюже уселся на плетеный стул у стола и подождал, пока она не вернулась с тарелкой бутербродов и высоким стаканом простокваши, которой он никогда до тех пор не пробовал.

Когда он кончил есть, она подвинула стул ближе к нему и села. Перед этим она отослала Леонарда заняться делом на птичьем дворе; они слышали, как он там время от времени властным деревенским голосом покрикивает на живность.

— Ну, скажи мне, мальчик, что ты читал? — спросила она.

Он хитро пробрался через пустыни печатных страниц, называя своими любимыми те книги, которые, как он чувствовал, она должна одобрить. А так как он прочел все — и хорошее и дурное, — что было в городской библиотеке, список получился внушительный. Иногда она останавливала его и начинала подробнее расспрашивать про какую-нибудь книгу, и он красочно излагал содержание с такой блистательной верностью деталей, что она была полностью удовлетворена. Она была взволнована и обрадована — она сразу же увидела, как щедро сможет утолить эту сжигающую жажду знаний, житейского опыта, мудрости. А он внезапно познал радость повиновения: буйные бестолковые блуждания, охота вслепую, обманутое, отчаянное стремление теперь получали оснастку, компас, руководство. Путь в Индию, которого прежде ему никак не удавалось найти, будет теперь проложен для него по карте. Перед его уходом она дала ему толстый том в девятьсот страниц, пронизанный одушевленными изображениями любви и битв той эпохи, которая нравилась ему больше всего.

И в полночь он был глубоко погружен в судьбу человека, который убил медведицу, сжег ветряную мельницу, был грозой разбойников, — в многообразие жизни на дорогах и в харчевнях средневековья, куда его увлек мужественный и красивый Жерар, семя гения, отец Эразма*. Юджину казалось, что ничего лучше «Монастыря и очага»* он никогда не читал.

«Алтамонтский лицей» был самым дерзким замыслом их жизни. Леонард надеялся теперь достичь всех неосуществившихся успехов, о которых мечтал в молодости. Для него эта школа означала независимость, власть, влияние и, как он рассчитывал, благосостояние. Для нее же само преподавание уже несло в себе свою великую награду — оно было ее лирической музыкой, ее жизнью, миром, в котором она лепила красоту из благодарного материала, владыкой ее души, дарившим ей духовную жизнь, пока он сокрушал ее тело.

В жестокий вулкан мальчишеского сознания впархивали, трепеща крылышками, недолговечные бабочки — его идолы, — чтобы после странного брачного танца превратиться в пепел. Одного за другим безжалостные годы свергали в небытие его богов и героев. Что оправдало надежды? Что выдержало бичи взросления и памяти? Почему так потускнело золото? Казалось, всю его жизнь его страстная привязанность отдавалась людям — и принадлежала образам; жизнь, на которую он опирался, таяла под его тяжестью, и, поглядев, он обнаруживал, что обнимает статую; но победоносной реальностью в его полном теней сердце оставалась она — первой пролившая свет на его слепые глаза, первой приютившая скрытую капюшоном бездомную душу. Она осталась.

О, смерть в жизни, превращающая наших людей в камень! О, перемена, стирающая в ничто наших богов! Но если хоть кто-то живет и дальше под пеплом всепожирающих лет, не пробудится ли этот прах, не воскреснет ли мертвая вера, не узрим ли мы вновь Бога, как некогда в час утра на горе? Кто идет с нами среди холмов?

XVII

Следующие четыре года своей жизни Юджин провел в школе Леонарда. На фоне тусклого ужаса «Диксиленда», на фоне темной дороги боли и смерти, по которой уже шло под уклон огромное тело Ганта, на фоне неизбывного одиночества и плена его собственной жизни, томивших его, словно голод, эти четыре года в школе Леонарда сверкали золотыми яблоками.

От Леонарда он получил немного — серый поход по безводным пустыням латинской прозы: сначала трудная, жесткая, бессмысленная рекогносцировка среди правил грамматики, которая бесцельно напугала его и сбила с толку, так что в течение многих лет он питал болезненную неприязнь к синтаксису и нелепое предубеждение против законов, по которым был построен язык. Затем — год, посвященный изучению мускулистой, чистой четкости Цезаря*, великолепной структуры стиля, — исчерпывающая последовательность, скелетная точность, омертвляемые ежедневными дроблениями на бесформенные куски, нудным грамматическим разбором, неуклюжими штампами педантичного перевода:

«Сделав все, что было необходимо, и время года будучи благоприятным для ведения войны, Цезарь начал приводить свои легионы в боевой порядок».

Темный калейдоскоп войны в Галлии, удар римского копья, пронзающий кожаный щит, советы варваров в лесах, гордый лязг триумфа — все то, что могло бы возникнуть в рассказе великого реалиста благодаря преображающей страсти, которую великий учитель умеет вложить в свой труд, тут отсутствовало.

А вместо этого колеса тяжело и ровно катились по твердым рельсам методики и памяти. Двенадцатого марта, прошлый год — на три дня позже. Cogitata. Причастие ср. р. мн. ч., употребленно в качестве существительного. Quo употреблено вместо ut для выражения цели, так как далее следует сравнительная степень. Восемьдесят строк на завтра.

Они потратили томительное столетие — целых два года на этого скучного сухаря, Цицерона. «De Senectute», «De Amititia». Вергилия* они обошли сторонкой, потому что Джон Дорси Леонард был плохим моряком и вергильевские плаванья по морям его смущали. Он ненавидел географические исследования. Он побаи-

---

[1] «О старости», «О дружбе» (лат.).

ялся путешествий. В будущем году, сказал он. И великие имена: **О**видий*, владыка эльфов и гномов, вакхический флейтист, «Amores»[1], **Л**укреций*, полный грома волн. «Nox est perpetua»*[2].

— А? — протянул мистер Леонард, начиная бессмысленно сме**я**ться. Он от подбородка до колен пестрел меловыми отпечатками **п**альцев. Стивен («Папаша») Рейнхарт тихонько наклонился и воткн**ул** перо в левую ягодицу Юджина Ганта. Юджин охнул.

— Да нет, — сказал мистер Леонард, поглаживая подбородок. — **Э**то другая латынь.

— А какая? — не отступал Том Дэвис. — Труднее, чем Цицерон?

— Ну, — неуверенно сказал мистер Леонард, — не такая. **П**ока еще слишком сложная для вас.

«...est perpetua una dormienda... Luna, dies et nox»[3].

— А латинские стихи трудно читать? — спросил Юджин.

— Ну, — сказал мистер Леонард, покачивая головой, — нелег**к**о. Гораций... — начал он осторожно.

— Он писал оды и эподы, — сказал Том Дэвис. — Что такое «эпод», мистер Леонард?

— Ну, — сказал задумчиво мистер Леонард, — это род поэти**ч**еской формы.

— Черт! — буркнул «Папаша» Рейнхарт на ухо Юджину. — Это **я** знал еще до того, как заплатил за обучение.

Сочно улыбаясь и поглаживая себя ласковыми пальцами, мистер **Л**еонард вернулся к уроку.

— Ну, а теперь... — начал он.

— Кто такой Катулл? — резко выкрикнул Юджин.

Как взметнувшееся копье в его мозгу — это имя.

— Он был поэтом, — быстро и необдуманно ответил мистер **Л**еонард, захваченный врасплох. И раскаялся в этом.

— А какие стихи он писал? — спросил Юджин.

Ответа не последовало.

— Как Гораций?

— Не-ет, — задумчиво сказал мистер Леонард. — Не совсем **к**ак Гораций.

— А какие? — спросил Том Дэвис.

— Как кишки твоей бабушки, — залихватски шепнул «Папаша» **Р**ейнхарт.

---

[1] Любовные элегии *(лат.).*

[2] Бесконечная ночь *(лат.).*

[3] ...бесконечную [ночь] нам спать придется... Луна, день и ночь *(лат.).*

— Ну... он писал на злободневные темы своего времени, — непринужденно ответил мистер Леонард.

— А он писал про любовь? — спросил Юджин дрожащим голосом.

Том Дэвис удивленно повернулся к нему.

— Ух ты! — воскликнул он потом. И начал хохотать.

— Он писал про любовь! — вскричал Юджин убежденно и страстно. — Он писал про свою любовь к даме, которую звали Лесбия. Спросите мистера Леонарда, если вы мне не верите.

Жадные лица повернулись к мистеру Леонарду.

— Ну... нет... да... я этого точно не знаю, — с вызовом сказал мистер Леонард, смешавшись. — Где ты это выискал, мальчик?

— Прочел в одной книге, — ответил Юджин, тщетно вспоминая, в какой. Как взметнувшееся копье — это имя.

«...язык раздвоен, как у змея, копье взметнувшееся страсти».

«Odi et amo: quare id faciam...»*

— Ну, далеко не все, — сказал мистер Леонард. — Некоторые, — уступил он.

«...fortassa requiris. Nescio, sed fieri sentio et excrucior»[1].

— А кто она была такая? — спросил Том Дэвис.

— О, в те дни был такой обычай, — небрежно ответил мистер Леонард. — Вот как Данте и Беатриче*. Так поэты выражали свое уважение.

Змей зашептал. В его крови вспузырилось бешеное ликование. Лохмотья послушания, заискивающей робости, почтительного страха поясом опали вокруг него.

— Она была замужней женщиной! — сказал он громко. — Вот кем она была.

Жуткая тишина.

— Э... да... кто это тебе сказал? — растерянно спросил мистер Леонард. Замужество представилось ему нелепым и, возможно, опасным мифом. — Кто тебе это сказал, мальчик?

— Так она была замужней? — спросил Том Дэвис подчеркнуто.

— Ну... не совсем, — пробормотал мистер Леонард, потирая подбородок.

— Она была дурной женщиной, — сказал Юджин. И на пределе отчаянности добавил: — Она была потаскушка.

«Папаша» Рейнхарт ахнул.

---

[1] И ненавижу ее и люблю... «Почему же?» — ты спросишь. Сам я не знаю, но так чувствую я — и томлюсь (лат.).

— Что? Что? Что? — выкрикнул мистер Леонард, когда к нему вернулся дар речи. В нем кипела злость. Он вскочил со стула. — Что ты сказал, мальчик?

Но тут он вспомнил про Маргарет и парализованно посмотрел вниз на побелевшие останки мальчишеского лица. Недостижимо далек. Он сел, потрясенный.

«...чей самый грязный вопль пронизывала страсть, чья музыка лилась из грязи...»

> Nulla potest mulier se dicere amatam
> Vere, quantum a me Lesbia amata mea est[1].*

— Следи за своей манерой выражаться, Юджин, — мягко сказал мистер Леонард. — А ну-ка! — воскликнул он вдруг, энергично хватая свою книгу. — Это пустой перевод времени. За работу, за работу! — добродушно призвал он, поплевывая на ладони своего интеллекта. — Ах вы, мошенники, — сказал он, заметив усмешку Тома Дэвиса. — Я знаю, чего вы добиваетесь, — вы хотите проболтать весь урок.

Басистый хохот Тома Дэвиса смешался с его пронзительным ржанием.

— Ну, хорошо, Том, — деловито распорядился мистер Леонард. — Страница сорок третья, раздел шестой, строка пятнадцатая. Начни отсюда.

Тут зазвенел звонок, и хохот Тома Дэвиса заполнил классную комнату.

Тем не менее в пределах избитых традиционных дорог он учил вовсе неплохо. Возможно, ему было бы нелегко перевести страницу латинской прозы или стихов, которую он не выучил буквально наизусть за годы повторения. С греческим языком подобный опыт кончился бы, без сомнения, еще плачевнее, но зато какой-нибудь аорист второй или оптатив он узнал бы и в темноте (при условии, что встречал их раньше). Два последних года были отданы бесценному греческому языку — они читали «Анабасис»*.

— Ну, и какой толк от всего этого? — вызывающе спрашивал Том Дэвис.

Тут мистер Леонард чувствовал под собой твердую почву. Он понимал значение классических языков.

---

[1] Нет, ни одна среди женщин такой похвалиться не может
Преданной дружбой, как я, Лесбия, был тебе друг *(лат.)*.

— Все это учит человека воспринимать высокие ценности духа. Закладывает основу для самого широкого образования. Тренирует его ум.

— А какая ему от всего этого будет польза, когда он начнет работать? — сказал «Папаша» Рейнхарт. — Кукурузу-то он от этого лучше выращивать не научится.

— Ну... я бы не сказал, — ответил мистер Леонард с протестующим смешком. — Именно научится.

«Папаша» Рейнхарт поглядел на него, комически наклонив голову набок. Шея у него была чуть кривой, и от этого его добродушно-веселое лицо приобретало выражение взрослой насмешливости.

Голос у него был грубый, как и его добродушный юмор, и он постоянно жевал табак. Его отец был богат. Он жил на большой ферме в Долинке Лунна, продавал молоко и масло, а в городе у него была кузница. Вся семья держалась по-простецки — по происхождению они были немцы.

— Чепуха, мистер Леонард, — сказал «Папаша» Рейнхарт. — Вы что же, будете со своими работниками по-латыни разговаривать?

— Эгибус хочубус початкобус кукурузыбус, — сказал Том Дэвис с громким хохотом. Мистер Леонард засмеялся с рассеянным одобрением. Это была его собственная любимая шутка.

— Это тренирует ум и готовит его к разрешению любых проблем, — сказал он.

— Следовательно, по-вашему, выходит, — сказал Том Дэвис, — что водопроводчик, который учил греческий, будет лучше водопроводчика, который его не учил.

— Да, сэр, — ответил мистер Леонард, энергично встряхивая головой. — Именно так я и считаю.

И, довольный, он присоединил к их веселому смеху булькающий слюнявый смешок.

Тут он шел проторенным путем. Они втягивали его в длинные споры — за завтраком он убедительно размахивал куском поджаренного хлеба, вежливо выслушивал все возражения и с исчерпывающей обстоятельностью доказывал связь греческого языка с бакалейным делом. Великий ветер Афин совсем его не коснулся. О тонком и чувственном уме греков, об их женственном изяществе, о конструктивной силе и сложности их интеллекта, об уравновешенности их характера и об архитектонике, сдержанности и совершенстве их форм он не говорил ничего.

Американский колледж дал ему возможность что-то уловить в великой структуре архитектурнейшего из языков, он чувствовал скульптурное совершенство такого слова, как γυναίκος, но его мнения отдавали запахом мела, классной комнаты и очень плохой лампы — греческий язык был хорош потому, что он был древним, классическим и академическим. Запах Востока, темная волна Востока, которая вздымалась в его глубинах, принося в жизнь поэтов и воинов что-то извращенное, злое, пышное, были так же далеки от его жизни, как Лесбос*. Он просто был рупором формулы, в которой он не сомневался, хотя по-настоящему в нее не веровал.

Καὶ κατὰ γῆυ καὶ κατὰ Θάλατταν[1].

Историю и математику им преподавала сестра Джона Дорси — Эми. Это была могучая женщина ростом в пять футов десять дюймов, и весила она сто восемьдесят пять фунтов. У нее были очень густые черные волосы, прямые и лоснящиеся, и очень черные глаза, придававшие ее лицу выражение тяжелой чувственности. Толстые руки до локтя покрывал легкий пушок. Она не была жирной, но туго затягивалась в корсет, и ее тяжелые плечи вздувались под прохладной белизной блузки. В жару она обильно потела — под мышками на блузках расплывались большие влажные пятна; зимой, когда она грелась у огня, вокруг нее распространялся возбуждающий запах мела и крепкий приятный запах здорового животного. Как-то зимой Юджин, пробегая по задней продуваемой ветром веранде, заглянул в ее комнату, когда ее маленькая племянница, выходя, широко распахнула дверь. Она сидела перед огнем, пляшущим над кучей раскаленных углей, надевая чулки после ванны. Он как завороженный уставился на ее широкие красные плечи, на ее крупное тело, чистое и парное, как у зверя.

Она любила огонь и волны тепла — в сонном бдении она сидела у печки, расставив ноги, и впивала жар; ее могучая земная сила была более тяжелой и чувственной, чем у ее брата. Поглаживаемая медленным щекочущим теплом, она медленно улыбалась всем ученикам с равнодушной ласковостью. Ее не навещал ни один мужчина — она, как заводь, жаждала губ. Она никого не искала. С ленивой кошачьей теплотой она улыбалась всему миру.

Математику она преподавала хорошо — числа были у нее в крови. Она лениво брала их грифельные доски, лениво проверяла вычисления, улыбаясь добродушно и презрительно. За ее спиной Дюрант Джервис страстно стонал на ухо Юджину и эротически извивался, яростно ухватившись за крышку парты.

---

[1] По суше и по морю (греч.).

В конце второго года приехала сестра Шеба со своим чахоточным мужем — семидесятитрехлетним трупом с пятнышками крови на губах. Они сказали, что ему сорок девять — что его состарила болезнь. Это был высокий человек, в шесть футов три дюйма ростом, с длинными отвислыми усами, восковой и истаявший, как мандарин. Он писал картины — импрессионистическими широкими мазками: овцы на вересковых холмах, рыбачьи лодки у причалов с теплой красной смутностью кирпичных домов на заднем плане.

Старый город Глостер*, Марблхед, рыбаки Кейп-Кода, храбрые капитаны: вкусные просоленные имена возникали, пропитанные запахом смоленых канатов, гниющих на солнце сухих головок трески, раскачивающихся лодок, почти до бортов полных выпотрошенной рыбы, крепким лонным запахом моря в гаванях и спокойной задумчивой пустотой на лице моряка — знаком того, что он повенчан с океаном. Как выглядят волны на заре весной? Холодные чайки спят на перине ветра. Но небо розово.

Они смотрели, как восковой мандарин, пошатываясь, три раза прошел по дороге вперед и назад. Была весна, в высоких деревьях шумел свежий южный ветер. Мандарин брел за палкой, которую ставил перед собой голубоватой чахоточной рукой. Глаза у него были голубые и бледные, словно он утонул.

У Шебы было от него два ребенка — девочки. Два экзотических нежных цветка, черные и молочно-белые, такие же странные и прелестные, как весна. Мальчики, изнывая от любопытства, вслепую искали отгадки.

— Он, пожалуй, мужчина покрепче, чем скажешь по виду, — заметил Том Дэвис. — Младшей ведь три года, не больше.

— Он не так стар, как кажется, — сообщил Юджин. — Он похож на старика, потому что болен. А так ему всего сорок девять лет.

— А ты откуда знаешь? — спросил Том Дэвис.

— Так сказала мисс Эми, — простодушно ответил Юджин.

«Папаша» Рейнхарт, склонив голову набок, поглядел на Юджина и кончиком языка ловко передвинул жвачку к другой щеке.

— Сорок девять! — сказал он. — Показался бы ты доктору, мальчик. Он стар, как Господь Бог.

— Она сказала — сорок девять, — упрямо настаивал Юджин.

— Еще бы она не сказала! — возразил «Папаша» Рейнхарт. — Или, по-твоему, они будут болтать про это направо и налево? Ведь у них же тут школа!

— Сынок, ну и глуп же ты! — объявил Джек Чэндлер, которому раньше такой оборот дела и в голову не приходил.

— Черт! Ты же у них ходишь в любимчиках. Они знают, что ты поверишь любым их басням, — сказал Джулиус Артур.

«Папаша» Рейнхарт внимательно оглядел его, а потом покачал головой, словно признал безнадежным. Они смеялись над его верой.

— Ну, а если он такой старый, — сказал Юджин, — так почему старушка Леди Леттимер вышла за него?

— Да потому, конечно, что никого другого ей подцепить не удалось, — ответил «Папаша» Рейнхарт, раздраженный таким тугодумием.

— Как по-вашему, ей приходилось его поддерживать? — с любопытством спросил Том Дэвис.

И все молча задумались над этим. А Юджин, когда он видел, как две очаровательные девочки лепестками падали на тяжелую грудь своей матери, когда он видел, как восковой художник делает последние пошатывающиеся шажки к смерти, и слышал, как Шеба мощным голосом срезает разговор в самом начале и принимается в буйном бурлеске излагать свои мнения, вновь вставал в тупик перед неразрешимой загадкой: из смерти — жизнь, из грубой сырой земли — цветок.

Его вера была выше убеждения. Разочарование приходило так часто, что в нем зародилась горькая подозрительность, временами переходившая в насмешливость — злобную, грубую, жестокую и язвящую, которая жалила только больнее из-за его собственной боли. Бессознательно он начал творить в себе собственную мифологию, которая была ему еще дороже оттого, что он понимал ее ложность. Смутно, отрывочно он начинал ощущать, что не ради истины должны жить люди — творческие люди, — а ради лжи. По временам его прожорливый, ненасытный мозг словно вырывался из-под его власти — это была страшная птица, чей клюв погружался в его сердце, чьи когти терзали его внутренности. И этот никогда не спящий демон парил над добычей, кружил над ней, стремительно кидался на нее и вновь взмывал, и, уже улетев, внезапно возвращался с торжествующей злобой, и все, что Юджин одел в одежды чуда, оказывалось ободранным, низким и пошлым.

Но он с надеждой видел, что это его ничему не учит — то, что оставалось, было фольгой и золотом. И его язык язвил так больно потому, что его сердце так много верило.

Безжалостный мозг лежал, свернувшись, готовый к удару, как змея, — и видел каждый жест, каждый быстрый взгляд, дешевые подпорки обмана. Но этих людей он поместил в мире, свободном от человеческих ошибок. Он распахнул одно окошко своего сердца перед Маргарет — они вместе вступили в священную рощу поэзии, но темные желания и грезы о прекрасных телах, но убожество, пьянство, хаос, которыми была отмечена его жизнь дома, он пугливо замыкал в себе. Он боялся, что они узнают. В отчаянии он старался догадаться, кто из его товарищей уже знает. А все факты, которые низводили Маргарет в жизнь, которые погружали ее в оскверняющий поток жизни, были нереальны и отвратительны, как кошмар.

Мысль о том, что она чуть не умерла от туберкулеза, что шумная и говорливая Шеба вышла замуж за старика, который стал отцом двух детей, а теперь стоял на пороге смерти, что вся эта маленькая семья, сильная упорной сплоченностью, не выносила своих гноящихся ран на всеобщее обозрение и воздвигала перед наблюдательными глазами и тараторящими языками мальчишек стену из неубедительного притворства и уклончивости, — эта мысль оглушала его ощущением нереальности.

Юджин верил в славу и в золото.

Теперь он больше жил в «Диксиленде». Учась в школе Леонарда, он оказался теснее связанным с Элизой. Гант, Хелен и Люк презирали частные школы. Брат и сестра были задеты — и немножко завидовали. И во время ссор к их арсеналу прибавилось новое оружие. Они говорили:

— Ты его совсем погубила, когда отдала в частную школу.

Или:

— Как же, станет он пачкать руки — ведь он учится в частной школе!

Сама Элиза тоже не давала ему забыть, скольким он ей обязан. Она часто говорила о том, как ей приходится трудиться, чтобы платить за него, и о своей бедности. Она говорила, что он должен усердно заниматься, а в свободное время помогать ей. Кроме того, он должен помогать ей все лето и «подыскивать клиентуру» на вокзале среди приезжих.

— Бога ради, да что это с тобой? — издевался Люк. — Неужто ты стыдишься честной работы?

В «Диксиленд» — сюда, сюда, сэр. Миссис Элиза Е. Гант, владелица. В двух шагах от Главной площади, капитан. Все удобства современной тюрьмы. Сухарики и домашние пироги, какие могла бы печь ваша матушка, да не пекла.

Напористый мальчишка.

В конце первого года Элиза сказала Леонарду, что она больше не может платить за обучение сына. Он посоветовался с Маргарет и, вернувшись, согласился взять мальчика за половинную плату.

— Он может подыскивать для вас клиентуру, — сказала Элиза.

— Да, — согласился Леонард. — Вот именно.

Бен купил новые башмаки. Светло-коричневые. Он заплатил за них шесть долларов. Он всегда покупал дорогие вещи. Но от них у него отчаянно разболелись ноги. В хмурой ярости он доковылял до своей комнаты и снял их.

— К черту! — взревел он и запустил башмаками в стену.

В дверь заглянула Элиза.

— Ты всегда будешь сидеть без гроша, милый, до тех пор пока не перестанешь швырять деньги на ветер. И знаешь: это ведь очень дурно, если подумать. — Она печально покачала головой, собрав рот в пуговку.

— О, Бога ради! — проворчал он. — Нет, только послушать! Черт побери, ты когда-нибудь слышала, чтобы я у кого-нибудь что-нибудь просил? — крикнул он гневно.

Она взяла башмаки и отдала их Юджину.

— Жаль выбрасывать хорошие башмаки, — сказала она. — Померяй-ка их, милый.

Он их померил. Ноги у него были уже больше, чем у Бена. Он осторожно сделал несколько ковыляющих шагов.

— Ну, как они тебе? — спросила Элиза.

— Как будто ничего, — ответил он с сомнением. — Только жмут немного.

Ему понравилась тугая крепость кожи, ее добротный запах. Таких хороших башмаков у него еще никогда не было.

В кухню вошел Бен.

— Поросенок! — воскликнул он. — У тебя же ножища, как лошадиное копыто!

Хмурясь, он нагнулся и пощупал натянувшуюся кожу. Юджин вздрогнул.

— Мама, ради Бога! — раздраженно сказал Бен. — Не заставляй малыша носить их, раз они ему малы. Я куплю ему другие, если тебе жалко потратить деньги.

— А эти-то чем плохи? — спросила Элиза. Она потыкала в них пальцем. — Пф! — сказала она. — Отлично сидят. Все башмаки сначала немного жмут. Ничего с ним не сделается.

Через полтора месяца Юджин вынужден был сдаться. Жесткая кожа не растягивалась, с каждым днем его ноги болели сильнее.

Он хромал все заметнее и заметнее, и походка у него стала деревянной, словно он шагал по кубикам. Ступни у него онемели и отнимались, подушечки мучительно горели. Однажды Бен в ярости повалил его на пол и сорвал с него эти башмаки. Прошло несколько дней, прежде чем он снова стал ходить свободно. Но пальцы его ног, прежде прямые и сильные, были теперь изуродованы: притиснутые друг к другу, они покрылись шишками, искривились и загнулись, ногти взбугрились и омертвели.

— Как жалко выбрасывать такие хорошие башмаки, — вздохнула Элиза.

Но у нее бывали странные припадки щедрости и великодушия. Он ничего не понимал.

В Алтамонт приехала с запада молодая девушка. Она сказала, что она родом из Севира, городка в горах. У нее было большое смуглое тело, черные волосы и глаза индианки из племени чероки.

— Помяните мое слово, — сказал Гант, — у нее в жилах течет кровь чероки.

Она сняла комнату и изо дня в день качалась в кресле-качалке у огня в гостиной. Она казалась застенчивой, испуганной и угрюмой — манеры у нее были провинциальные и вежливые. Она никогда ни с кем не заговаривала первой и только отвечала на вопросы.

Иногда она чувствовала себя плохо и не вставала с постели. Тогда Элиза сама относила ей завтрак, обед и ужин и была с ней очень ласкова.

Изо дня в день девушка качалась всю ненастную осень напролет. Юджин слышал, как ее широкие подошвы ритмично ударяются в пол, непрерывно раскачивая качалку. Звали ее миссис Морган.

Как-то, когда он подкладывал новые потрескивающие куски угля на рдеющую массу в камине, в гостиную вошла Элиза. Миссис Морган продолжала невозмутимо качаться. Элиза немного постояла у огня, задумчиво поджав губы и спокойно сложив руки на животе. Она посмотрела в окно на обложенное тучами небо, на обнаженную пустую улицу, где бушевал ветер.

— Вот что я вам скажу, — начала она. — Зима обещает быть трудной для бедняков.

— Да, мэм, — угрюмо ответила миссис Морган и продолжала качаться.

Элиза еще немного помолчала.

— Где ваш муж? — спросила она потом.

— В Севире, — сказала миссис Морган. — Он служит на железной дороге.

— Что? Что? Что? — комично зачастила Элиза. — Служит на железной дороге, вы сказали? — резко спросила она.

— Да, мэм.

— Что-то мне странно, что он ни разу вас не навестил, — сказала Элиза с колоссальной обличающей безмятежностью. — По-моему, так поступают только самые никудышные мужчины.

Миссис Морган ничего не сказала. Ее смоляно-черные глаза поблескивали, отражая пламя камина.

— Есть у вас деньги? — спросила Элиза.

— Нет, мэм, — сказала миссис Морган.

Элиза стояла монументально, наслаждаясь теплотой огня, поджимая губы.

— Когда вы ждете ребенка? — спросила она вдруг.

Сначала миссис Морган ничего не ответила. Она продолжала качаться.

— Да уж, пожалуй, меньше месяца осталось, — сказала она потом.

Она с каждой неделей становилась все толще и толще.

Элиза нагнулась и задрала юбку, открыв по самое колено ногу в бумажном чулке, вздутом от заправленных в него фланелевых панталон.

— Фью-у! — воскликнула она с игривым смущением, заметив, что Юджин смотрит на нее во все глаза. — Отвернись, милый, — приказала она, хихикнув, и провела пальцем по носу. Сквозь вязку чулка смутно просвечивала зелень туго свернутой пачки банкнот. Она вытащила их.

— Ну, пожалуй, без денег вам не обойтись, — сказала Элиза, отделяя от пачки две десятидолларовые бумажки и отдавая их миссис Морган.

— Спасибо, сударыня, — сказала миссис Морган, беря деньги.

— И можете остаться здесь, пока совсем не оправитесь, — сказала Элиза. — Я знаю хорошего доктора.

— Мама, ради всего святого! — бесилась Хелен. — Откуда ты только выкапываешь всех этих людей.

— Боже милосердный! — вопиял Гант. — Ну, все у тебя побывали: слепые, хромые, сумасшедшие, шлюхи и подзаборники. Они все сюда собираются.

Тем не менее теперь при виде миссис Морган он всегда отвешивал ей глубокий поклон и говорил с самой изысканной любезностью:

— Как поживаете, сударыня?

Хелен же он сказал:

— А знаешь что — она красивая девушка.

— Хахахаха! — ироническим фальцетом засмеялась Хелен и ткнула его пальцем под ребро. — Ты и сам бы с ней не прочь, а?

— Черт подери! — сказал он благодушно, облизнув большой палец, и хитро ухмыльнулся в сторону Элизы. — Прямо яблочки, что верно, то верно.

Элиза горько улыбнулась над стреляющим жиром.

— Хм! — сказала она презрительно. — Мне все равно, сколько их у него там. Нет дурака глупее старого дурака. Только не очень-то много о себе воображай. В эту игру могут играть и двое.

— Хахахаха! — визгливо засмеялась Хелен. — А она разозлилась!

Хелен часто уводила миссис Морган в гантовский дом и кормила ее на убой. Кроме того, она приносила ей из города в подарок конфеты и душистое мыло.

Когда начались роды, они позвали Макгайра. Юджин внизу слышал приглушенную суматоху в верхней комнате, тихие стоны, а потом пронзительный вопль. Элиза в большом волнении не снимала кипящих чайников с газового пламени плиты. Время от времени она кидалась наверх с кипящим чайником, а минуту спустя возвращалась, медленно спускаясь по лестнице, останавливаясь на ступеньках и прислушиваясь.

— В конце-то концов, — сказала Хелен, беспокойно переставляя чайники с места на место, — что мы о ней знаем? Никто же не может утверждать, что у нее нет мужа, верно? Пусть-ка попробуют! Люди не имеют права говорить такие вещи! — раздраженно крикнула она неведомым клеветникам.

Был вечер. Юджин вышел на веранду. Воздух был морозный, прозрачный, не очень холодный, над черной громадой восточных гор и по всей великой чаше неба далекие яркие звезды мерцали, точно драгоценные камни. В соседних домах ярко горел свет — так ярко и жестко, будто его вырезали из холодного алмаза. Над широкими дворами веяло теплым ароматом рубленых бифштексов и жареного лука. У перил веранды стоял Бен, опираясь на полусогнутую ногу, и курил долгими, глубокими затяжками. Юджин подошел и встал рядом с ним. Они услышали вопль наверху. Юджин хихикнул и снизу вверх посмотрел на худую маску из слоновой кости. Бен резко занес белую руку, чтобы ударить его, но тут же опустил с презрительным хмыканьем и чуть-чуть улыбнулся. Вдалеке, на вершине Бердсай, дрожали слабые огни в замке богатого еврея. А на соседних улицах поднимался легкий туман ужинов и слышались далекие морозные голоса.

Глубокое лоно, темный цветок. Скрытое. Тайный плод, краснее сердца, вскормленный алой индейской кровью. Извечная ночная тьма лона, тайно расцветающая жизнью.

Миссис Морган уехала через две недели после того, как родился ее ребенок. Это был маленький смуглый мальчик с черным хохолком, как у эльфа, и очень черными блестящими глазами. Он был похож на маленького индейца. При прощании Элиза дала миссис Морган двадцать долларов.

— Куда вы едете? — спросила она.

— У меня родные в Севире, — сказала миссис Морган.

Она ушла по улице, держа в руке дешевый чемодан из поддельной крокодиловой кожи. Младенец, поматывая головкой над ее плечом, весело смотрел назад яркими черными глазками. Элиза помахала ему и улыбнулась дрожащей улыбкой; она вошла в дом, шмыгая носом, с увлажнившимися глазами.

«Зачем она приезжала в «Диксиленд»?» — недоумевал Юджин.

Элиза была очень добра к усатому низенькому человеку. У него была жена и девятилетняя дочка. Он был метрдотелем и не мог найти работу — он оставался в «Диксиленде», пока не задолжал ей больше ста долларов. Но он аккуратно щипал растопку и носил уголь на второй этаж; а кроме того, он подправлял и подкрашивал в доме все, что следовало подправить и подкрасить.

Элиза питала к нему большую симпатию; он был, как она выражалась, «хорошим семьянином». Ей нравились домоседы, ей нравились домашние, прирученные мужчины. Низенький человек был очень добрым и очень ручным. Юджину он нравился, потому что умел варить прекрасный кофе. Элиза никогда не напоминала ему о деньгах. В конце концов он устроился на работу в отель «Алтамонт» и переселился туда. Он заплатил Элизе все, что был ей должен.

Юджин долго задерживался в школе и возвращался домой в три-четыре часа дня. Иногда он приходил в «Диксиленд», когда уже смеркалось. Элиза сердилась на эти задержки и ставила перед ним обед, перестоявшийся и пересохший в духовке: густой овощной суп с капустой, бобами и помидорами, блестевший большими кружками жира, разогретую говядину, свинину или курицу, тарелку, полную холодной фасоли, поджаренный хлеб, салат из сырой капусты и кофе.

Но школа стала средоточием его чувств и жизни, а Маргарет Леонард — его духовной матерью. Он больше всего любил бывать там именно в дневные часы, когда ученики расходились и он мог свободно бродить по старому дому и под певучим величием деревьев, наслаждаясь гордым безлюдьем прекрасного холма, чистым дождем желудей на ветру, горьковатым дымом сжигаемых листьев. Он читал с волчьей жадностью, пока Маргарет не натыкалась на него и не гнала его в рощу или на баскетбольную площадку возле ворот, позади резиденции епископа Рейпера. Там, пока небо на западе наливалось багрянцем, он мчался через площадку к щиту, откидывал мяч товарищу и наслаждался своей все возрастающей быстротой, ловкостью и меткостью бросков по корзине.

Маргарет Леонард следила за его здоровьем ревниво, почти с болезненным страхом, и постоянно предостерегала его против ужасных последствий невнимания к физической крепости, когда требуются годы, чтобы восстановить то, чем легкомысленно пренебрегали.

— Послушай, мальчик, — начинала она тихим напряженным голосом, останавливая его. — Зайди сюда на минуту. Мне надо поговорить с тобой.

Немного испуганный и очень нервничая, он садился возле нее.

— Сколько часов ты спишь? — спрашивала она.

Он с надеждой отвечал, что девять — время, по-видимому, достаточное.

— Ну, так спи по десять, — строго приказывала она. — Послушай, Джин, ты просто не имеешь права рисковать своим здоровьем. Поверь, я знаю, о чем говорю. Мне пришлось долго расплачиваться. Без здоровья человек в этом мире ни к чему не пригоден.

— Но я хорошо себя чувствую, — отчаянно возражал он, пугаясь. — У меня ничего не болит.

— Ты не очень силен, мальчик. Тебе надо нарастить мясо на кости. Меня беспокоят вот эти круги у тебя под глазами. Ты соблюдаешь режим?

Он ничего не соблюдал. Он ненавидел всякий режим. Волнения, суматоха, постоянные нарастающие кризисы в доме Ганта и в доме Элизы держали его в непрерывном возбуждении. Упорядоченная размеренная домашняя жизнь была ему неизвестна. Он отчаянно боялся правильного распорядка дня. Для него это означало скуку и бессмыслицу. Он любил полуночничать.

Но ей он послушно обещал, что будет соблюдать режим: вовремя есть, вовремя спать, вовремя заниматься и гулять.

Он все еще не научился быть своим в компании одноклассников. Он все еще не доверял им, боялся их и не любил.

Физическая агрессивность мальчишеской жизни была ему отвратительна, но, зная, что Маргарет следит за ним, он отчаянно кидался на площадку, где его хрупкую силу сокрушала лавина сильных ног, тяжелые толчки сильных тел; но, весь в синяках, с тоскливо ноющим сердцем, он вскакивал и вновь присоединялся к водовороту дюжей стаи. День за днем к томительной боли плоти присоединялась томительная боль духа, мучительный стыд, но он продолжал играть с бледной улыбкой на губах, со страхом и завистью к их силе в душе. Он добросовестно повторял все, что им говорил Джон Дорси о «честной игре», о «спортивном духе», о «любви к игре ради самой игры», об «умении с улыбкой встречать и поражение и победу» и так далее и так далее, но, в сущности, он не верил в эти прописи и не понимал их. Все эти фразы были в большом ходу среди учеников, но их слишком уж затрепали, и порой, когда он слышал их, его вдруг охватывал былой необъяснимый стыд — он вывертывал шею и резко отрывал ногу от земли.

И когда им вновь и вновь рисовали этот дешевый образ застенчивого, пышущего здоровьем и резко агрессивного подростка, Юджин с тем же непонятным стыдом замечал, что, вопреки всему этому нагромождению фраз и восхвалению честной игры и спортивного духа, в школе Леонарда слабый оставался законной добычей сильного. Леонард, потерпев поражение от какого-нибудь мальчика в схватке умов или в споре о справедливости, доказывал свою правоту с помощью физической расправы. Эти сцены были безобразны и возмутительны. Юджин следил за ними с тошнотворным интересом.

Леонард сам по себе не был плохим человеком — его отличала значительная сила воли, доброта, честная решимость. Он любил свою семью, он с немалым мужеством выступал против ханжества методистской общины, диаконом которой был, пока наконец его высказывания о теории Дарвина не вынудили его уйти с этого поста. Таким образом, он мог бы служить примером плачевного деревенского либерализма — передовой мыслитель среди методистов, факелоносец в разгаре дня, сторонник терпимого отношения к идеям, которые уже пятьдесят лет как были признаны всем миром. Он старался добросовестно исполнять свой долг учителя. Но он был весь от земли — даже физические расправы, на которые он был так щедр, шли от земли и таили в себе бессознательную звериную жестокость природы. Хотя он заявлял о своем интересе к «высокой жизни духа», его интерес к почве был куда сильнее и он почти не пополнял запаса знаний, вынесенных из колледжа. Это был тугодум, полностью лишенный чуткой интуиции Маргарет, которая, однако, любила его с такой страстной верностью, что всегда поддерживала его перед всем светом. Юджин даже слышал, как она, узнав, что кто-то из учеников надерзил ее мужу, пронзительным дрожащим голосом крикнула: «Я бы надавала ему пощечин! Непременно!» И Юджин почувствовал страх и тошноту оттого, что увидел ее такой. Однако ему было известно, что именно так любовь способна изменять людей. Леонард считал, что всегда поступает мудро и хорошо: он был воспитан в традициях строгого подчинения единой воле, не терпящего ни малейших отклонений. Его отец, теннессийский патриарх, который хозяйничал на ферме, читал по воскресеньям проповеди и подавлял дух непокорности в своей семье с помощью кнута и благочестивых молитв, показал ему, как удобно быть Богом. Он верил, что мальчиков, которые ему сопротивляются, следует бить.

Учеников, чьи отцы были богаты или занимали в городе видное положение, так же как и собственных детей, Леонард старательно оберегал от телесных наказаний, и эти юноши, надменно сознавая свою неприкосновенность, вели себя с рассчитанной наглостью и непокорностью. Сын епископа Джастин Рейпер, высокий худой мальчик тринадцати лет, с черными волосами, худым, смуглым, шишковатым лицом и обиженно надутыми губами, напечатал на машинке непристойную песню и продавал ее по пять центов за экземпляр:

> Мадам, ваша дочь — красотка,
> Пом-пом!
> Мадам, ваша дочь — красотка,
> Пом-пом!

Более того: как-то весенним вечером Леонард застиг этого мальчика на восточном склоне холма в густой траве под цветущим шиповником в процессе совокупления с мисс Хейзл Брэдли, дочерью мелкого лавочника, которая жила внизу на Билтберн-авеню и чье распутство уже стало в городе притчей во языцех. Поразмыслив, Леонард не пошел к епископу. Он пошел к лавочнику.

— Ну, — сказал мистер Брэдли, задумчиво откидывая с губ длинные усы, — вы бы повесили там у себя доски, что посторонним вход воспрещается.

Козлом отпущения и для Джона Дорси, и для учеников служил мальчик-еврей. Звали его Эдвард Микелов. Его отец, ювелир, был человеком с мягкими манерами и мягким смуглым румянцем. У него были белые изящные пальцы. В витринах его лавки лежали старые броши, пряжки с драгоценными камнями, старинные инкрустированные часы. У Эдварда были две сестры — крупные красивые женщины. Его мать умерла. В их наружности не было ничего еврейского — всех их отличала мягкая смуглость.

В двенадцать лет Эдвард был высоким стройным мальчиком со смугло-янтарным лицом и жеманной женственностью старой девы. Общество сверстников нагоняло на него ужас: когда на него сыпались насмешки или угрозы, в нем оборонительно просыпалось все, что было в его натуре резкого, стародевического и ядовитого, и он разражался либо визгливым неприятным смехом, либо истерическими слезами. Его жеманная походка и манера девичьим жестом придерживать на ходу полы куртки, его высокий, чуть хрипловатый голос с томными женственными обертонами сразу же навлекли на него беспощадные залпы их неприязни.

Его прозвали «мисс» Микелов, его изводили и дразнили до тех пор, пока он не впал в состояние хронической истерики — как маленький злобный котенок, он при приближении своих врагов скрючивал маленькие пальцы с длинными ногтями, готовый царапать их до крови. Они — и учитель и ученики — сделали его отвратительным и ненавидели его за то, что он стал тем, чем они его сделали.

Однажды, когда его оставили в школе после уроков, он после долгих рыданий вдруг вскочил и бросился к двери. Леонард, тяжело дыша, неуклюже погнался за ним и через минуту вернулся, таща за ворот захлебывающегося визгом мальчика.

— Садись! — взревел Джон Дорси, швыряя его на скамейку парты.

Затем — оттого что его бешеная ярость осталась неудовлетворенной, замороженная опасением, как бы расправа не кончилась членовредительством, — он нелогично прибавил:

— Встань! — и рывком поставил его на ноги. — Ах ты, малолетний негодяй! — пыхтел он. — Нахальный сморчок! Вот мы сейчас увидим, сынок, позволяю ли я таким, как ты, дерзить мне!

— Убери свои руки! — взвизгнул Эдвард, изнемогая от физического отвращения. — Я все расскажу про тебя папе, старикашка Леонард, и он придет и надает тебе пинков в толстую задницу. Вот увидишь!

Юджин закрыл глаза, не в силах глядеть, как будет задут огонек юной жизни. Его сердце похолодело и мучительно сжалось. Но когда он снова открыл глаза, красный рыдающий Эдвард попрежнему стоял около парты. Не произошло ровно ничего.

Юджин ждал, что Господь вот-вот поразит злополучного маленького святотатца. Взглянув на полуоткрытые рты, на парализованные лица Джона Дорси и его сестры Эми, он понял, что и они ждут того же.

Эдвард остался в живых. Ничего не произошло — ровно ничего.

Много лет спустя Юджин вспоминал этого еврейского мальчика с былым жгучим стыдом, с той пронзительной болью, с какой человек вспоминает невозвратимый миг совершения трусливого или бесчестного поступка. Ведь он не только принимал участие в травле мальчика — он, кроме того, в глубине души радовался тому, что есть кто-то слабее его, кто-то, кто отвлек на себя поток ненависти и насмешек. Много лет спустя он вдруг понял, что на узкие плечи маленького еврея легло бремя, которое иначе, возможно, придавило бы его самого, что измученное сердце разрывалось от страданий, которые иначе могли бы выпасть на его долю.

«Мужчины будущего», которых воспитывал мистер Леонард, благополучно росли и развивались. Истинный дух справедливости и чести был им почти неведом, но они громогласно объявляли о своей приверженности букве. Каждый из них жил в страхе перед разоблачением, каждый из них возводил свои оборонительные укрепления из хвастовства, притворства и громогласных заверений — прекрасный цветок мужской доброты, доблести и чести погиб в этом мерзком бурьяне. В этих мальчишках зарождался великий клан энергичных дельцов — великие на словах, быстрые на угрозы, с иссушенными бескровными сердцами, «настоящие мужчины» были уже в пути.

И Юджин, теперь совсем замурованный в стенах своей фантазии, ежедневно швырял свое физическое тело навстречу поражению, копировал, как мог, речь, жесты, манеры своих сверстников, присоединялся делом или помышлением к нападению на тех, кто был слабее него, и чувствовал себя вознагражденным за синяки, когда Маргарет говорила, что «у него настоящая воля», а говорила она это часто.

К счастью, благодаря Элизе и Ганту, он был существом, в котором безусловно преобладало мужское начало, но всю свою жизнь — и дома и в школе — он очень редко оказывался победителем. Вот страх был ему хорошо знаком. И такой постоянной, казалось ему позднее, была эта тирания силы, что в годы его буйной юности, когда в двадцать лет его огромный костяк оделся наконец могучими мышцами, стоило ему услышать около себя громкие голоса, безапелляционные утверждения, пустые угрозы, как память пробуждала в нем маниакальный гнев и он отбрасывал наглого назойливого хвастуна со своей дороги, отшвыривал толкающегося нахала, с исступленной злобой глядел на испуганные удивленные лица и кидал в них ругательство.

Он не мог забыть этого еврейского мальчика и всегда вспоминал о нем со стыдом. Но прошло много лет, прежде чем он оказался способен понять, что в этой чувствительной, женственной натуре, связанной с ним тайными и страшными узами подлости, не было ничего извращенного, ничего противоестественного, ничего дегенеративного. Просто в этом характере было больше женского, чем мужского. Только и всего. Юноше, похожему на девушку, не место среди бой-скаутов, он должен уйти на Парнас.

XVIII

За годы, последовавшие за переездом Элизы в «Диксиленд», медленная беспощадная работа сил притяжения и отталкивания привела к кардинальным изменениям связей внутри семьи Гантов. Из-под опеки Хелен Юджин перешел под эгиду Бена. Это отчуждение было неизбежно. Ее страстная привязанность к нему, когда он был маленьким, объяснялась не каким-нибудь глубоким родством ума, тела или духа, а бурлившим в ней огромным материнским чувством, которое она водопадом нежности и жестокости изливала на юную, слабую, пластичную жизнь.

Миновало время, когда она могла валить его на постель градом шлепков и поцелуев, мять его, гладить, кусать и целовать его детское тельце. Теперь он уже не был таким аппетитным — детская пухлость исчезла, он вытянулся, как сорная трава: длинные нескладные руки и ноги, большие ступни, костлявые плечи и клонящаяся вперед голова, слишком большая и тяжелая для тощей шеи. Кроме того, год за годом он все глубже погружался в какую-то свою тайную жизнь, темной непонятностью расцветавшую на его лице. И когда Хелен заговаривала с ним, глаза его были полны тенями огромных кораблей и городов.

И эта тайная жизнь, недоступная и непонятная ей, приводила ее в неистовую ярость. Ей было необходимо схватывать жизнь большими руками с красными суставами, шлепать и ласкать ее, баловать, любить и порабощать, все ее добродетели — ее страстная готовность служить, давать, нянчить, забавлять — порождались неутолимой потребностью властвовать над всем, чего она касалась.

Сама она не умела подчиняться и питала неприязнь ко всему, что не подчинялось ей. В своем одиночестве он охотно отдал бы свой дух в кабалу, если бы взамен мог вернуть себе ее любовь, которой так непонятно лишился, но он был не в силах открыть ей радужные восторги, темные, непередаваемые фантазии, в которые была заключена его жизнь. Она ненавидела скрытое; таинственность, уклончивая многозначительная сдержанность, неизмеримые глубины потусторонности доводили ее до бешенства.

В судорожном припадке внезапной ненависти она передразнивала его выпяченную губу, наклон головы, подпрыгивающую кенгуровую походку.

— Уродец! Мерзкий уродец! Ты даже не знаешь, кто ты такой — подзаборник. Ты и не Гант вовсе. Это сразу видно. В тебе нет ни капли папиной крови. Тронутый! Тронутый! Ты второй Грили Пентленд.

Она всегда возвращалась к этому: она фанатически, с истерической предубежденностью делила семью на две враждующие группы — на тех, кто был Гантами, и на тех, кто был Пентлендами. К Пентлендам она причисляла Стива, Дейзи и Юджина, которые, по ее мнению, были «холодными эгоистами» — и то, что в результате ее старшая сестра и младший брат оказывались тесно связаны с преступным членом семьи, доставляло ей добавочное удовольствие. Ее союз с Люком стал теперь неразрывным. Иначе и быть не могло. Ведь они же были Ганты — великодушные, щедрые, благородные.

Любовь между Люком и Хелен была эпической. Они находили друг в друге постоянное кипение, непрерывное устремление наружу, красочность, громогласность, отчаянную потребность давать и служить — все то, что было для них жизнью. Они терзали нервы друг друга, но их любовь была выше обид, а их хвалебные гимны друг другу переходили все границы.

— Я могу говорить о его недостатках, если захочу, — воинственно заявляла она. — У меня есть на это право. Но никому другому я этого не позволю. Он прекрасный благородный мальчик — лучший в нашей семье. Это уж во всяком случае так.

Только один Бен, казалось, оставался вне этого деления. Он двигался среди них как тень — он был чужд их страстному полнокровному антагонизму. Но она считала его «щедрым», а потому относила к Гантам.

Несмотря на эту яростную неприязнь к Пентлендам, и Хелен и Люк унаследовали все общественное лицемерие Ганта. Больше всего им хотелось хорошо выглядеть в глазах посторонних, пользоваться общей симпатией и иметь много друзей. Они благодарили долго и горячо, хвалили восторженно, льстили слащаво. Тут они не знали никакой меры. Свои дурные настроения, нервность и раздражительность они приберегали для домашних. А в присутствии кого-нибудь из семьи Джима или Уилла Пентлендов они держались не просто дружески, но и чуть-чуть подобострастно. Деньги внушали им почтение.

Это был период непрерывных перемен в семье. Стив уже года два был женат на женщине из маленького городка на юге Индианы. Это была тридцатисемилетняя грузная приземистая немка — старше его на двенадцать лет — с большим носом и терпеливым безобразным лицом. Как-то летом она приехала в «Диксиленд» с подругой детства — старой девой — и перед отъездом позволила ему соблазнить себя. Зимой ее отец, владелец небольшой сигарной фабрики, умер и оставил ей девять тысяч долларов страховой премии, дом, небольшую сумму в банке и четвертую долю в деле, которое он завещал двум своим сыновьям.

В начале весны эта женщина, которую звали Маргарет Лютц, снова приехала в «Диксиленд». И как-то в теплый сонный день Юджин застал их врасплох у Ганта. В доме никого, кроме них, не было. Они лежали ничком на постели Ганта, закинув руки друг другу на бедра. Они продолжали молча лежать в тупом одурении, а он глядел на них. Желтый запах Стива заполнял комнату. Юджин затрясся от сумасшедшей ярости. Весна была теплой и прекрасной, воздух задумчиво грезил под душистым ветром, чуть пахло размягчившимся асфальтом. Он радостно вошел в пустой дом, уже предвкушая его восхитительную тишину, прохладную душноватость комнат и часы наедине с фолиантами, переплетенными в телячью кожу. И в одно мгновение мир превратился в сморщенную ведьму.

Все, чего бы ни касался Стив, он осквернял.

Юджин ненавидел его, потому что он вонял, потому что воняло все, чего он касался, потому что он приносил страх, стыд и отвращение всюду, куда бы ни являлся, потому что его поцелуи были гаже его ругательств, его хныканье омерзительнее его уг-

роз. Он увидел, как волосы женщины тихо колеблются под смрад-
ным булькающим дыханием его брата.

— Что вы улеглись на папиной кровати? — взвизгнул он.

Стив ошалело вскочил на ноги и схватил его за плечо. Женщина села на кровати, одурманенно глядя прямо перед собой, раскинув короткие ноги.

— Ты, конечно, пойдешь трепать языком, — сказал Стив, оглушая его тяжелым презрением. — Побежишь к матери ябедничать,
так? — сказал он и впился желтыми пальцами в плечо Юджина.

— Слезайте с папиной кровати, — с отчаянием сказал Юджин
и вырвал плечо из цепкой хватки.

— Ты же про нас ничего не скажешь, верно, дружочек? —
упрашивал Стив, обдавая его лицо запахом гнилости.

Юджина затошнило.

— Пусти, — пробормотал он. — Я не скажу.

Вскоре после этого Стив и Маргарет поженились. С былым
ощущением физического стыда Юджин смотрел, как они каждое
утро спускаются по лестнице «Диксиленда» к завтраку. Стив глупо
хвастал, самодовольно улыбался и по всему городу намекал на
колоссальное состояние. Ходили слухи о четверти миллиона.

— Давай-давай, Стив, — сказал Гарри Тагмен, мощно хлопнув его
по плечу. — Черт побери, я всегда говорил, что ты пробьешься.

Элиза улыбалась на это хвастовство гордой, довольной, дрожащей, грустной улыбкой. Первенец.

— Малышу Стиви теперь не о чем больше беспокоиться, —
говорил он. — С финансами у него теперь порядок. А где те
умники, которые только и делали, что бормотали: «Я же говорил»?
Они теперь все чертовски рады просиять улыбкой и протянуть
руку Малышу Стиви, когда он идет по улице. Все, кто раньше нос
задирал, теперь в друзья набиваются.

— Я вам вот что скажу, — говорила Элиза с гордой улыбкой. —
Он не дурак. Не глупее всех прочих, если только захочет. «Куда
умнее», — думала она.

Стив купил новые костюмы, светло-коричневые штиблеты, полосатые шелковые рубашки и широкополую соломенную шляпу с
лентой в красно-бело-синюю полоску.

На ходу он раскачивал плечи по широкой дуге, небрежно
прищелкивал пальцами и с тщательной снисходительностью улыбался тем, кто с ним здоровался. Хелен злилась и забавлялась: ее
невольно смешила его петушиная важность, а кроме того, она
воспылала нежностью к Маргарет Лютц. Она называла ее «душка»

и чувствовала, что ее глаза заволакивает теплый туман непонятных слез, стоило ей посмотреть на терпеливое, растерянное и чуть-чуть испуганное лицо немки. Она раз и навсегда заключила ее в свои объятия и голубила ее.

— Ничего, душка, — сказала она. — Если он будет с тобой нехорош, дай нам знать. Мы его приструним.

— Стив хороший мальчик, — сказала Маргарет, — когда он не пьет. Когда он трезв, мне не в чем его упрекнуть.

Она расплакалась.

— Ах, это страшное, страшное проклятие, — сказала Элиза, грустно покачивая головой, — проклятие спиртного. Ничто не погубило столько семейных очагов, как оно.

— Ну, приза за красоту она никогда не получит, это, во всяком случае, ясно, — сказала Хелен Элизе, когда они были вдвоем.

— Хоть присягнуть! — сказала Элиза.

— И зачем ему это понадобилось! — продолжала она. — Она же старше его лет на десять, не меньше!

— По-моему, он ничего лучше сделать не мог, если хочешь знать мое мнение, — сказала Хелен раздраженно. — Боже мой, мама, ты говоришь так, будто он — невесть какое сокровище. Весь город знает, что такое Стив. — Она засмеялась иронически и сердито. — Нет уж! В выигрыше тут он один, Маргарет — хорошая женщина.

— Что же, — бодро сказала Элиза, — может, он теперь возьмет себя в руки и начнет жить по-новому. Он обещал, что постарается.

— Еще бы! — ядовито сказала Хелен. — Еще бы! Давно пора. Неприязнь к нему была у нее врожденной. Она помещала его в племя Пентлендов. Но на самом деле он был похож на Ганта гораздо больше любого из них. Он был похож на Ганта во всех его слабостях, но был лишен его чистоплотности, его крепкой закваски, его способности раскаиваться. В глубине души Хелен это знала, и потому ее неприязнь еще более усиливалась. Она разделяла яростную враждебность, которую Гант питал к старшему сыну. Но ее враждебность, как и все остальные ее чувства, была неровной и перемежалась моментами дружелюбия, снисходительности, терпимости.

— Что ты собираешься делать, Стив? — спросила она. — Ведь теперь у тебя есть семья.

— Малышу Стиви больше не о чем беспокоиться, — сказал он с готовой улыбкой. — Пусть беспокоятся другие.

Он поднес ко рту желтые пальцы с сигаретой и глубоко затянулся.

— Ради всего святого, Стив! — вспылила она. — Возьмись за ум и попробуй стать мужчиной. Ведь Маргарет — женщина. Ты же не хочешь, чтобы она тебя содержала?

— А тебе-то что за дело, черт побери? — спросил он пронзительным злым голосом. — Твоего совета ведь не спрашивали, так? Вы все против меня. Ни у кого из вас не было для меня доброго слова, когда мне приходилось туго, а теперь вас бесит, что мои дела идут хорошо.

Он давно уже верил, что всегда был жертвой преследований, — свою ничтожность в доме он объяснял злобой, завистью и предательством близких, свою ничтожность вне дома — злобой и завистью враждебной силы, которую он именовал «всем светом».

— Нет, — сказал он, снова затягиваясь размокшей сигаретой, — о Стиви можешь не беспокоиться. Ему ничего ни от кого из вас не надо, и ты не услышишь, чтобы он чего-нибудь у вас просил. Видала, нет? — Он вытащил из кармана пачку банкнот и отделил от нее несколько двадцатидолларовых бумажек. — Ну, так там, откуда они, осталось еще много. И я скажу тебе еще одно: Малыш Стиви скоро будет среди больших шишек. У него есть на руках дельце-другое, и дай только довести их до конца — этот паршивый городишко ахнет. Поняла, нет? — сказал он.

Бен, который все это время сидел на табурете у пианино сердито хмурился на клавиши и напевал простенькую песенку подбирая ее одним пальцем, теперь повернулся к Хелен с быстрым отблеском на губах и мотнул головой в сторону.

— Я слышал, что мистер Вандербильт места себе не находит от зависти.

Хелен засмеялась грудным ироническим смехом.

— Ты думаешь, что ты здорово умный, так? — злобно сказал Стив. — Но что-то не видно, чтобы ты с этого что-то имел.

Бен поднял на него хмурые глаза и машинально потянул носом

— Ну, надеюсь, вы не забудете старых друзей, мистер Рокфеллер, — сказал он своим негромким, ласковым, зловещим голосом. — Мне хотелось бы стать вице-президентом, если это место еще не занято. — Он повернулся к клавишам и снова начал тыкать в них согнутым пальцем.

— Ладно, ладно, — сказал Стив. — Валяйте смейтесь, вы оба если вам смешно. Только заметьте себе, что не Малыш Стиви работает в редакции паршивой газетенки за пятнадцать долларов в неделю. И ему незачем петь по киношкам, — добавил он.

Крупнокостное лицо Хелен сердито покраснело. В это время они с дочерью шорника начали выступать как эстрадные певицы.

— Ты бы поменьше разговаривал, Стив, пока не начнешь работать и не кончишь бездельничать, — сказала она. — Не тебе бы говорить, когда ты целыми днями околачиваешься по бильярдным и аптекам, соря жениными деньгами. Это же абсурд! — сказала она в бешенстве.

— О, Бога ради! — раздраженно воскликнул Бен, поворачиваясь на табурете. — Зачем ты его слушаешь? Разве ты не видишь, что он сумасшедший?

В середине лета Стив опять начал пьянствовать. Его запущенные гнилые зубы вдруг разболелись все одновременно, и от боли и дешевого виски он приходил в исступление. Ему казалось, что в его страданиях каким-то образом повинны Элиза и Маргарет — изо дня в день он врывался к ним, когда они бывали одни, и кричал на них. Он осыпал их грязными ругательствами и говорил, что они отравили его организм.

Глубокой ночью, где-нибудь между двумя и тремя часами, он просыпался и начинал бегать по дому, хныча и умоляя о помощи. Элиза посылала его под надзором Юджина к Спо в отель или к Макгайру на дом. Врачи угрюмо, еще не совсем проснувшись, закатывали рукав его рубашки и глубоко вонзали в предплечье иглу шприца с морфием. После этого ему становилось легче и он засыпал.

Как-то вечером перед ужином он вернулся в «Диксиленд», сжимая ладонями ноющие челюсти. Элиза наклонилась над сковородой, плюющейся жиром на раскаленной плите. Он проклял ее за то, что она его родила, он проклял ее за то, что она допустила, чтобы у него выросли зубы, он проклял ее за отсутствие сочувствия, материнской любви, человеческой доброты.

Ее белое лицо безмолвно подергивалось над жаром плиты.

— Уходи отсюда, — сказала она. — Ты сам не знаешь, что говоришь. Это все проклятое спиртное. — Она заплакала, утирая рукой широкий красный нос. — Вот уж не думала, что мне придется услышать такие слова от моего сына! — сказала она и вскинула указательный палец своим прежним властным жестом. — А теперь слушай! — сказала она. — Я не собираюсь больше терпеть твое поведение. Если ты сейчас же не уберешься отсюда, я позвоню по тридцать восьмому и скажу, чтобы тебя забрали.

Это был номер полицейского участка. Он вызвал у Стива неприятные воспоминания. Ему уже пришлось в двух подобных случаях просидеть день в тюрьме. И он совсем разбушевался — он назвал ее грязным словом и занес руку, чтобы ударить ее. В эту минуту появился Люк, который заглянул в «Диксиленд» по пути в гантовский дом.

Антагонизм между ним и старшим братом был глубоким и смертельным. Он возник уже много лет назад. И, дрожа от гнева, Люк бросился на защиту матери.

— П-п-подлый дегенерат! — заикался он, бессознательно впадая в ритм гантовской тирады. — Т-т-тебя надо бы выдрать к-к-кнутом!

Он был сильным и рослым девятнадцатилетним юношей, но слишком верил в родственные табу и не был готов к тому нападению, которое за этим последовало. Стив свирепо кинулся на него и пьяно ударил его в лицо обоими кулаками. Люк, на мгновение ослепленный, задыхаясь, пролетел через всю кухню.

Кривда вечно на престоле.*

Сквозь страх и ярость до Юджина откуда-то донесся беззаботно напевающий голос Бена и неторопливо подбираемый мотив.

— Бен! — взвизгнул он, прыгая по кухне и хватая молоток.

Бен вошел, как кошка. У Люка из носа шла кровь.

— Давай иди сюда, сукин ты сын! — сказал Стив, упоенный успехом, и встал в прихотливую боксерскую стойку. — Теперь я займусь тобой. Сейчас тебе придет конец, Бен, — продолжал он с утрированной жалостью. — Сейчас тебе придет конец, мальчик. Сейчас я оторву тебе голову — есть у меня такой приемчик.

Бен хмуро и спокойно смотрел на него, пока он, приплясывая, размахивал кулаками в позах, почерпнутых из «Полицейских ведомостей». Затем, внезапно взорвавшись в маниакальном гневе, тихий брат бросился на боксера-любителя и одним ударом кулака сбил его с ног. Голова Стива подскочила на полу самым утешительным образом. Юджин испустил ликующий вопль и запрыгал по кухне, а Бен с рычанием в горле кинулся на распростертое тело брата и стал колотить его ушибленным затылком о половицы. В его пробудившемся гневе была красота неумолимой последовательности — все вопросы откладывались на потом.

— Молодец Бен! — визжал Юджин, закатываясь безумным хохотом. — Молодец Бен!

Элиза, которая перед этим громко призывала на помощь, призывала полицию, призывала всех добрых людей, теперь вместе с

Люком сумела оттащить Бена от его оглушенной жертвы. Она горько плакала, и сердце ее каменело от боли и горя, а Люк, забывший про свой разбитый нос, полный стыда и печали только потому, что брат ударил брата, помог Стиву встать и отряхнул его.

Их всех охватил невыносимый стыд — они не могли смотреть друг на друга. Худое лицо Бена побелело; его трясло, и, случайно на миг увидев остекленевшие глаза Стива, он поперхнулся, словно сдерживая рвоту, подошел к раковине и выпил стакан холодной воды.

— Дом, разделившийся сам в себе, не устоит, — плакала Элиза.

Хелен вернулась из города с сумкой теплого хлеба и сладких пирожков.

— В чем дело? — спросила она, немедленно заметив все, что произошло.

— Не знаю, — не сразу ответила Элиза, покачивая головой; ее лицо подергивалось. — Наверное, нас Бог карает. Всю жизнь я ничего, кроме горя, не видела. И хочу-то я только немножко покоя. — Она негромко плакала, вытирая подслеповатые смутные глаза тыльной стороной ладони.

— Ну, хорошо, забудь про это, — негромко сказала Хелен. Голос у нее был равнодушный, усталый, печальный. — Как ты себя чувствуешь, Стив? — спросила она.

— Я же никому ничего дурного не делаю, — захныкал он. — Да, да! — продолжал он уныло. — Всегда все против Стива. Хоть бы раз дали ему вздохнуть свободно. Они набросились на меня, Хелен. Мои родные братья ни с того ни с сего набросились на меня, больного, и избили меня. Но ничего. Я уеду куда-нибудь и постараюсь забыть. Стиви ни на кого зла не держит. Не такой он человек. Дай мне твою руку, дружище, — сказал он, поворачиваясь к Бену и с тошнотворной сентиментальностью протягивая ему желтые пальцы. — Я готов пожать твою руку. Ты меня сегодня ударил, но Стив готов про это забыть.

— Боже мой! — сказал Бен, прижимая ладонь к животу. Он расслабленно нагнулся над раковиной и выпил еще стакан воды.

— Да, да, — опять начал Стив. — Стиви не такой...

Он мог бы продолжать в этом духе до бесконечности, если бы Хелен не перебила его устало и решительно.

— Хорошо, забудь про это, — сказала она. — Все вы. Жизнь слишком коротка.

Жизнь была слишком коротка. В эти минуты после битвы, после того, как весь хаос, антагонизм и беспорядок их жизни взрывался в миг столкновения, они обретали час покоя и взирали на себя с грустной безмятежностью. Они напоминали людей, которые в погоне за миражом вдруг оглядываются и видят собственные следы, уходящие в бесконечную даль бесплодных просторов пустыни; или мне следовало бы сказать, что они походили на тех, кто был и вновь будет безумен, но утром на мгновение видит себя спокойно и разумно, глядя в зеркало грустными незатуманенными глазами.

Их лица были грустны. Их придавил гнет возраста. Они внезапно ощутили расстояние, которое прошли, отрезок, который прожили. И для них наступил миг сближения, миг трагической нежности и объединения, который свел их воедино, точно маленькие струйки огня, вопреки всему бессмысленному нигилизму жизни.

В кухню боязливо вошла Маргарет. Ее глаза были красны, широкое немецкое лицо бледно и исплакано. В холле перешептывалась группа любопытных постояльцев.

— Теперь я их всех потеряю, — сетовала Элиза. — В прошлый раз съехало трое. Больше двадцати долларов в неделю, когда деньги достаются так нелегко. Не знаю, что с нами всеми будет. — Она снова заплакала.

— Ах, ради всего святого! — раздраженно сказала Хелен. — Хоть раз забудь про постояльцев.

Стив одурело опустился на стул у длинного стола. Время от времени он что-то бормотал, полный сентиментальной жалости к себе. Люк, на чьем лице возле губ залегли обида, боль и стыд, заботливо встал возле, ласково заговорил с ним и принес ему стакан воды.

— Дай ему чашку кофе, мама, — досадливо вскричала Хелен. — Ради всего святого, можешь ты хоть что-то для него сделать?

— Да, да, конечно, — сказала Элиза, торопливо бросаясь к газовой плите и зажигая горелку. — Я и не подумала... Сейчас сварю.

Маргарет сидела на стуле по другую сторону захламленного стола и плакала, уткнувшись лицом в ладонь. Слезы промывали маленькие канавки в густом слое румян и пудры, которыми она покрывала свою загрубевшую кожу.

— Будь веселее, душка, — сказала Хелен, начиная смеяться. — Скоро Рождество. — Она ласково погладила широкую немецкую спину.

Бен открыл дверь, затянутую порванной проволочной сеткой, и вышел на заднее крыльцо. Был прохладный вечер богатого месяца августа, небо было проколото большими звездами. Он закурил папиросу, держа спичку белыми трясущимися пальцами. С летних веранд доносились приглушенные звуки — женский смех, далекий вихрь танцевальной музыки. Юджин вышел на крыльцо и встал рядом с ним — он поглядывал на брата с удивлением, ликованием и грустью. Он ткнул его пальцем — радостно и со страхом.

Бен тихонько рыкнул на него, сделал короткое движение, словно собираясь ударить, но остановился. Быстрый мерцающий свет пробежал по его губам. Он продолжал курить.

Стив уехал со своей немкой в Индиану, откуда сначала приходили вести о богатстве, тучности, благоденствии и мехах (с фотографиями), а затем — о ссорах с ее честными братьями, о предполагающемся разводе, о примирении и возрождении. Он дрейфовал между двумя своими оплотами — Маргарет и Элизой, возвращался в Алтамонт каждое лето ради нескольких недель злоупотребления наркотиками и пьянства, которые завершались семейным скандалом, тюрьмой и лечением в больнице.

— Едва он приезжает домой, — вопил Гант, — как начинается ад. Он проклятие и обуза, низший из низких, гнуснейший из гнусных. Женщина, ты дала жизнь чудовищу, которое не успокоится, пока не сведет меня в могилу. Ужасный, жестокий и нераскаянный негодяй!

Однако Элиза регулярно писала старшему сыну, время от времени посылала ему деньги и без конца возвращалась к своим былым надеждам — вопреки природе, вопреки рассудку, вопреки законам жизни. Она не осмеливалась открыто встать на его защиту и без обиняков показать, какое место он занимает в святая святых ее сердца, но каждое его письмо, в котором он хвастал своими успехами или оповещал о своем ежемесячном духовном воскресении, она читала вслух всем остальным, хотя их нисколько не трогали эти письма — велеречивые, глупые, полные кавычек, написанные крупным кудрявым почерком. Его ломание преисполняло ее гордостью и радостью; его цветистая безграмотность казалась ей лишним доказательством его интеллекта.

— «Дорогая мама!

Ваше от 11-го получено, и должен сказать, я был очень рад узнать, что вы по-прежнему «в стране живых», так как мне начинало казаться, не прошло ли слишком много времени «от выпивки до выпивки», со времени вашего последнего».

Я же вам говорю, — сказала Элиза, поднимая глаза от письма и довольно хихикая, — он совсем не дурак.

Хелен, растягивая широкий рот в улыбке, в которой ехидная насмешка мешалась с досадой, подмигнула Люку, а когда Элиза продолжила чтение, она со смиренным терпением возвела глаза к небу. Гант напряженно наклонился вперед, вытянув шею, и слушал внимательно, с легкой ухмылкой удовольствия.

— «Ну, мама, с тех пор как я писал вам в последний раз, дела пошли хорошо, и похоже, что «Блудный Сын» в один прекрасный день приедет домой в собственном вагоне».

— Э-эй, это еще что? — сказал Гант, и Элиза второй раз прочла это место. Он лизнул большой палец и поглядел по сторонам с довольной улыбкой.

— Ч-ч-что случилось? — спросил Люк. — Он к-к-купил железную дорогу?

Хелен хрипло рассмеялась.

— Расскажи своей бабушке, — сказала она.

— «Мне потребовалось много времени, мама, чтобы выбиться, но все было против меня, а ведь Малыш Стиви ни у кого не просил в этой «юдоли слез» ничего, кроме честного шанса».

Хелен засмеялась своим ироническим хрипловатым смешком.

— Малыш С-с-стиви никогда ничего не просил, — сказал Люк, краснея от досады, — к-к-кроме всей земли с парой золотых приисков в придачу.

— «Но теперь, когда я наконец встал на ноги, мама, я собираюсь показать всему свету, что не забыл тех, кто поддерживал меня «в час нужды», и что лучший друг человека — это его мать».

— Где мусорный совок? — сказал Бен, посмеиваясь.

— Этот парень пишет хорошие письма, — одобрительно сказал Гант. — Черт меня подери, если он не самый ловкий из всех них, стоит ему захотеть.

— Да, — сердито сказал Люк. — Он такой ловкий, что вы в-в-верите всем его басням. Н-н-но для тех, кто не бросал вас ни в беде, ни в горе, у вас нет ни одного доброго слова. — Он многозначительно поглядел на Хелен. — Это с-с-стыд и позор.

— Брось, — сказала она устало.

— Ну, — задумчиво произнесла Элиза, зажав письмо между ладонями и глядя в пространство, — может быть, он начнет теперь новую жизнь. Как знать? — Погрузившись в приятные мечты, она смотрела в пустоту и поджимала губы.

— Будем надеяться, — устало сказала Хелен. — Но я не поверю, пока не увижу своими глазами.

А наедине с Люком она кричала в нарастающей истерике:

— Теперь ты видишь, как все получается? Меня хвалят? Хвалят? Я могу руки в кровь стереть, работая на них, а мне за все мои хлопоты скажут хотя бы «убирайся к черту»? Скажут? Скажут?

В эти годы Хелен часто уезжала на Юг с Перл Хайнс, дочерью шорника. Они пели в кинотеатрах провинциальных городков. Ангажировали их через театральную контору в Атланте.

Перл Хайнс была плотно сложенной девушкой с мясистым лицом и толстыми негритянскими губами. Она была веселой и энергичной. Она темпераментно пела бойкие синкопированные куплеты и негритянские песни, раскачивая бедрами и зазывно встряхивая грудями:

> Вон идет мой па-па-па-па-па-почка,
> Ах, папа, папа, папа мой!

Иногда они зарабатывали до ста долларов в неделю. Они выступали в городках вроде Уэйкросса (Джорджия), Гринвилла (Южная Каролина), Геттисберга (Миссисипи) и Батон-Ружа (Луизиана).

Их облекала крепчайшая броня невинности. Обе были жизнерадостными и порядочными девушками. Иногда местные ловеласы осторожненько, на пробу, делали им оскорбительные предложения, полагаясь на бытующие в глухих городках легенды об «актрисках». Но обычно с ними обходились уважительно.

А для них эти вылазки в новые края были полны радостных предвкушений. Бессмысленный идиотский хохот, грубые одобрительные вопли, которыми фермеры Южной Каролины и Джорджии, наполнявшие театральный зал запахом пота и сырой земли, приветствовали песенки Перл, давали им разрядку, доставляли удовольствие, зажигали в них новый энтузиазм. Их приятно волновала мысль, что они — профессиональные артистки; они регулярно покупали «Вераити»*, они уже видели себя знаменитостями, выступающими на самых выгодных условиях в больших городах. Перл отличалась в модных песенках, вкладывая в их рваный ритм всю свою жизнелюбивую, плотскую динамичность, Хелен же сообщала программе оперное достоинство. В почтительной тишине, стоя в пятне розового света, она пела на полутемной сцене вещи разрядом повыше: «Прощание» Тости, «Конец безоблачного дня» и «Четки». У нее был сильный, красивый, несколько металлический голос; петь ее учила тетя Луиза, великолепная блондинка, которая, разъехавшись с Элмером Пентлендом, прожила в Алтамонте еще несколько лет. Луиза давала уроки музыки и провожа-

ла уходящую молодость то с одним, то с другим красивым молодым человеком. Она принадлежала к числу тех зрелых, роскош-
ных, опасных женщин, которые всегда нравились Хелен. У нее
была маленькая дочка, и когда досужие языки начали источать яд,
она уехала с ней в Нью-Йорк.

Но она говорила:

— Хелен, такой голос следовало бы готовить для большой
оперы.

Хелен не забывала этих слов. Она мечтала о Франции и об
Италии, об ослепительном аляповатом блеске того, что она
называла «оперной карьерой», — пышная музыка, мерцающие
драгоценностями ярусы лож, водопад аплодисментов, которые
обрушиваются на полнокровных, господствующих на сцене, все
затмевающих певцов, будили в ней ликующий восторг. Именно в
этом обрамлении ей, по ее мнению, было предназначено сиять.
И в то время, когда вокальная пара Гант и Хайнс («Близнецы
мелодий Дикси») петляла по городкам Юга, это желание, яркое,
яростное и бесформенное, почему-то словно приближалось к
осуществлению.

Она часто писала домой — обычно Ганту. В ее письмах бился
взволнованный пульс: они были пронизаны восхищением перед
новыми местами, предчувствием полноты жизни. В каждом городке они знакомились с «чудесными людьми» — хорошие жены и
матери, а также благовоспитанные молодые люди повсюду окружали гостеприимным вниманием двух порядочных, милых, романтич-
ных девушек. Беспредельная порядочность Хелен, ее неисчерпаемая чистая жизнерадостность покоряли хороших людей и ставили
на место дурных. Ее власти подчинялось десятка два молодых
людей — мужественных, краснолицых, пьющих и застенчивых. Она
относилась к ним, как мать и как мировой судья, — они приходили слушать и подчиняться; они обожали ее, но мало кто из них
пытался ее поцеловать.

Юджина смущали и пугали эти агнцеподобные львы. В мужском
обществе они держались воинственно, дерзко и задиристо, а при
ней терялись и робели. Один из них, городской землемер, худоща-
вый, скуластый алкоголик, то и дело попадал в полицейский суд за
пьяные драки; другой, железнодорожный сыщик, широкоплечий
молодой блондин, когда бывал пьян, имел обыкновение проламывать черепа неграм, застрелил несколько человек и, наконец, был
убит в Теннесси во время перестрелки.

Где бы она ни оказывалась, у нее никогда не бывало недостатка в друзьях и защитниках. Иногда беззаботная искрящаяся чувственность Перл, невинное смакование, с каким она умоляла, чтобы

...милый, добрый старичок
Баловал меня, баловал меня, —

создавали ложное впечатление у местных «любителей клубнички». Неприятные мужчины с изжеванными сигарами приглашали их подружески выпить с ними кукурузного виски за доброе знакомство, называли их «сестренками» и назначали свидание в номере гостиницы или в автомобиле. Когда это случалось, Перл терялась и немела; она беспомощно и смущенно взывала к Хелен.

А Хелен, чьи глаза начинали блестеть чуть ярче обычного, жестко смыкала широкий подвижный рот, в уголках которого пряталась обида, и отвечала:

— Я не совсем поняла, что означают ваши слова. По-моему, вы принимаете нас за кого-то другого.

После этого неизменно следовали невнятные извинения и оправдания.

Она была до болезненности наивна и по самому складу своего характера никогда не умела до конца поверить тому дурному, что слышала о ком-нибудь. Она жила в возбуждающей атмосфере слухов и намеков — но ей казалось невозможным, что бойкие молодые женщины, к которым ее влекло, действительно (как она выражалась) «переступали все границы». Она была искушена в сплетнях и жадно их выслушивала, но на самом деле совершенно не представляла себе сложную мерзость жизни маленьких городов. И она уверенно и радостно шла с Перл Хайнс по тонкой вулканической корке, вдыхая только аромат свободы, перемен и приключений.

Но их совместным поездкам пришел конец. У Перл Хайнс была ясная и твердая цель жизни. Она хотела выйти замуж — и до того, как ей исполнится двадцать пять лет. Для Хелен их содружество, их исследование новых земель было порывом к свободе, инстинктивными поисками центра жизни и цели, которым она могла бы посвятить свою энергию, слепой тягой к разнообразию, красоте и независимости. Она не знала, что именно хотелось бы ей сделать со своей жизнью; казалось вполне вероятным, что она никогда даже отчасти не будет властна над своею судьбой; когда наступит час, власть над ней возьмет великая потребность, всегда жившая в ней. Потребность порабощать и служить.

Около трех лет Хелен и Перл зарабатывали на жизнь этими турне, уезжая из Алтамонта с наступлением томительной зимней скуки и возвращаясь весной или летом с деньгами, которых им хватало до следующего сезона.

Перл в течение этого времени осторожно жонглировала предложениями нескольких молодых людей. Больше всех ей нравился бейсболист, капитан алтамонтской команды. Он был крепким красивым юным животным и на протяжении игры без конца в припадках отчаяния швырял перчатку на землю и воинственно устремлялся к судье. Ей нравилась его непоколебимая самоуверенность, его быстрая, чуть гнусавая манера говорить, его загорелое худощавое тело.

Но по-настоящему она никого не любила (и не полюбила никогда), а благоразумие твердило ей, что пожизненная ставка на бейсболиста провинциального города — вещь очень рискованная. В конце концов она вышла замуж за молодого человека из Джерси-Сити, тяжеловесного, неуклюжего, громкоголосого, владельца недавно открытой, но уже процветающей извозной конторы и прокатной конюшни.

Вот так содружество «Близнецов мелодий Дикси» распалось. Хелен, оставшись одна, покинула унылую монотонность маленьких городков, надеясь в больших городах обрести веселье, разнообразие и умиротворяющее исполнение желаний.

Ей отчаянно не хватало Люка. Без него она чувствовала себя не цельной, лишенной брони. Он на два года поступил в технологическое училище в Атланте. Он изучал электротехнику, — таким образом, его жизненный путь определили хвалы, которые много лет назад Гант пел молодому знатоку электричества Лидделу. Ученье у него шло туго — его ум никогда не умел подчиняться дисциплине систематических занятий. Его целеустремленность разбивалась на тысячи отдельных порывов: его мозг заикался так же, как и его язык, и когда он раздраженно и нетерпеливо брался за таблицу логарифмов, он тупо повторял и повторял номер страницы, непрерывно подергивая поставленной на носок ногой.

Его незаурядный коммерческий талант сводился к умению продавать; он в избытке обладал тем, что американские актеры и деловые люди именуют «личностью»: бешеной энергией, раблезианской вульгарностью, врожденным инстинктом, подсказывающим быстрые язвящие ответы, и гипнотическим красноречием — бурным, бессмысленным, хаотичным и евангелическим. Он мог продать что тодно, потому что, выражаясь на жаргоне коммивояжеров, умел продать себя»; и ему было уготовано богатство в ошеломляющей эластичности американского бизнеса — клубе всех странных профессий и головокружительных взлетов, где в бешеном исступлении фанатика он мог магическими заклинаниями ввергать простофиль в блаженный транс и срезать пуговицы с их сюртуков, обводя вокруг пальца всех, вся и, наконец, самого себя. Он не был специалистом по электричеству, он был электрической энергией. У него не было способности к занятиям — он отчаянным усилием собирал воедино свой несвинченный ум, но с трудом наведенный мост рушился под давлением и тяжестью высшей математики и технических наук.

Колоссальный юмор бил из него, как ничем не заслоненный резкий свет. Люди, никогда раньше его не видевшие, при встрече с ним вздрагивали от мурашек странного внутреннего смеха, а когда он начинал говорить, беспомощно задыхались от хохота. И тем не менее его физическая красота была поразительна. Его голова была головой дикого ангела — над его лбом вспыхивали кольца и завитки живого золота волос, черты лица у него были правильные, крупные, мужественные, освещенные непонятной внутренней улыбкой идиотического восторга.

Его широкий рот, даже когда он раздраженно заикался или облако нервозности затуманивало его лицо, был всегда взведен для смеха — нездешнего, торжествующего, идиотского смеха. В нем крылась демоническая вулканичность, дикий интеллект, порождавшийся не мозгом. Он жаждал похвал и всеобщего уважения, был мастером вкрадчивости, но в самые неожиданные моменты, в самой чопорной обстановке этот демон внезапно овладевал им, как раз когда он делал все, что мог, лишь бы поддержать доброе мнение, которое составилось о нем.

Так, когда какая-нибудь старая благочестивая дама истово, со всей отпущенной ей убедительностью растолковывала ему догмы пресвитерианства, он наклонялся вперед в позе преувеличенного почтения и внимания, стискивая широкой пятерней колено, и мягким журчанием соглашался с тем, что она говорила:

— Да?.. Да-а?.. Да-а-а?.. Да-а?.. Это так?.. Да-а?

И вот тут внезапно в нем взрывалась эта демоническая сила. Каденция его почтительных согласий, безмятежное самодовольство и сосредоточенность старухи и невероятная фальшь всей ситуации возбуждали в нем смешливое исступление, его лицо затоплялось буйным ликующим торжеством, и он начинал ворковать сальным, томным, непристойно многозначительным голосом:

— Ах, да-а?.. Ах-ах! Ах, да-а?

Когда же она наконец с запозданием замечала этот оглушающий поток демонической бессмыслицы и вдруг замолкала, поворачивая к нему растерянное лицо, он разражался диким кудахтающим — «уах-уах-уах» — смехом где-то за гранью рассудка, в горле у него булькало и он грубо тыкал ее пальцем под ребро.

Нередко Элиза в разгар длинных перенасыщенных воспоминаний вдруг, очнувшись от задумчивого поджимания губ, замечала эту уничтожающую издевательскую насмешку: она сердито хлопала его по протянутому пальцу и, покачивая оскорбленным лицом с поджатыми губами, говорила с невыразимым презрением, которое вызывало у него новые «уах-уах-уах»:

— Послушай, милый! Ты ведешь себя, как деревенский идиот! — А потом, печально покачивая головой, добавляла с подчеркнутой жалостью: — На твоем месте я бы посты-ди-лась! По-сты-ди-лась!

Это качество трудно было с чем-нибудь сравнить; в нем пряталось что-то более чем заменявшее рассудок; мир представлялся ему комическим бурлеском, и на притворство, лицемерие и интриги этого мира он иногда отвечал сокрушительной идиотичностью своих «уах-уах-уах». Но он не властвовал над своим демоном — наоборот, демон время от времени брал власть над ним. Если бы эта власть была постоянной и незыблемой, жизнь Люка шла бы под знаком удивительной честности и последовательности. Но когда он мыслил, он мыслил как ребенок — со всем лицемерием, сентиментальностью и нечестным притворством ребенка.

Его лицо было храмом, где обвенчались красота и юмор, — чуждое и привычное сливались в нем в одно. Взглянув на Люка, люди внезапно ощущали что-то знакомое, словно увидели то, о чем они никогда не слышали, но что было им известно всегда.

В те годы, когда Хелен ездила в турне с Перл Хайнс, она раза два зимой или весной приезжала в Атланту повидаться с ним. Весной они всю неделю гастролей нью-йоркской оперы каждый вечер бывали в театре. Люк нанялся статистом на один спектакль — воином в «Аиде», и до конца недели проходил мимо привратника с заявлением, что он «член труппы — Лукио Гантио».

Он стоял за кулисами, смешно опершись на копье, — его большие ступни развертывались в сандалиях тугими веерами, неуклюжие икры над поножами густо щетинились волосами, тугие штопоры завитков выбивались из-под жестяного шлема; его лицо светилось буйным ликованием.

Карузо, дожидавшийся своего выхода, время от времени поглядывал на него с широкой итальянской улыбкой.

— Как тебя звать, э? — спросил Карузо, подходя к нему и оглядывая его.

— Д-д-да разве, — сказал он, — вы не знаете в лицо всех своих воинов?

— Ты не воин, а черт знает что, — сказал Карузо.

— Уах-уах-уах! — ответил Люк и с трудом удержал палец, потянувшийся к ребрам певца.

На лето он теперь возвращался в Алтамонт и устраивался работать аукционщиком в агентство по продаже земельных участков. Он расхаживал над толпой по повозке, словно на подмостках, подбивая их называть свою цену; приставив ладонь ко рту, он произносил речь, в которой сливались воедино исступленность, страстные уговоры и вольные шуточки. Эта работа его опьяняла. Широко ухмыляясь в предвкушении, толпа плотно смыкалась у колес, а он взывал пронзительным горловым тенором:

— Подходите, подходите, господа! Участок номер семнадцать в прекрасном поселке Лесная Дача: лес от нас, дача от вас. Слушайте, господа: глубина этого чудесного участка, годного под застройку, равна ста семидесяти девяти футам, что оставляет массу места под огород и хозяйственные постройки (растите свою кукурузу на собственной земле в прекрасной Лесной Даче!), ширина участка там, где он выходит на великолепную новую макадамовую дорогу, составляет сто четырнадцать футов.

— А где эта дорога? — выкрикивает кто-то.

— На плане, полковник, где же еще? Можете убедиться — все тут есть, черным по белому. Господа, такой случай выпадает человеку раз в жизни, а вас он сам пинает в задницу. Способны ли вы видеть дальше своего носа? Подумайте, что сделали бы сейчас Форд, Эдисон, Наполеон Бонапарт и Юлий Цезарь. Следуйте этому порыву. Проиграть вы никак не можете. Город растет в этом направлении. Прислушайтесь повнимательней. Вы слышите его? Ну то-то! Новый суд будет построен вот на этом холме, гробовщик и булочник займут великолепные здания из штампованного кирпича прямо над вами. Внимайте! Внимайте! Внимайте! Какую цену вы предлагаете? Какую цену вы предлагаете? Обзаведитесь собственной дачей в прекрасной Лесной Даче на расстоянии пушечного выстрела от всех железнодорожных, автомобильных и воздушных путей сообщения. Избыток проточной воды на расстоянии броска камня и во всех трубах. Наши караваны выходят ко всем поездам. Господа, вам предоставляется неповторимый случай разбогатеть. Недра там богаты всевозможными ископаемыми: золото, серебро, медь, железо, коксующийся уголь и нефть будут обнаружены в огромных количествах под корнями всех деревьев!

— А как насчет кустов, Люк? — завопил мистер Холлорен, владелец молочной и местный магнат.

— Вы пошарьте по кустам, и ее найдете там, — ответил Люк, перекрикивая оглушительный шум. — Ну ладно, майор, вы там, с физиономией! Какую цену вы предлагаете?

Когда аукционов не было, он встречал на вокзале прибывающих туда туристов и приглашал их в «Диксиленд» — его звучный, убедительный голос перекрывал угодливый разноголосый хор шоферов, негров-портье и пансионских мужей.

— Я буду давать тебе доллар с каждого клиента, — сказала Элиза.

— Да ладно.

Так скромно. Так великодушно.

— Он последнюю рубашку снимет и отдаст, — сказал Гант.

Хороший мальчик. Когда она летом остывала по вечерам от дневных трудов, он приносил ей из города коробочки мороженого.

Он был напорист, он продавал патентованные стиральные доски, механические картофелечистки, порошки от тараканов, стучась подряд в каждую дверь. Неграм он продавал помаду для волос, гарантированно распрямлявшую самые крутые завитки, и религиозные литографии, на которых в изобилии летали ангелы — белые и черные — и парили херувимы — черные и белые, теснясь у колен беспристрастного и распятого Спасителя. Подпись гласила: «Господь любит и тех и других».

Они расходились, как горячие пирожки.

В свободное время он сидел за рулем гантовского автомобиля (пятиместного форда модели 1913 года), который был куплен в час вдохновенного безумия и занимал теперь добрую половину всех разговоров Ганта, — бесконечный источник поношений, похвальбы и проклятий. Это было еще до того, как все стали автовладельцами. Опрометчивая покупка ввергла Ганта в восторг и ужас, он упивался роскошью своей колесницы и мучился из-за расходов, которых она требовала. Каждый счет за бензин, починку или обслуживание исторгал у него агонизирующий вопль; если садилась шина или случалась мелкая поломка, он бешеным шагом кружил по комнате, проклиная, молясь, рыдая.

— Я не знаю ни минуты покоя с тех пор, как купил его, — вопиял он. — Проклятое и кровожадное чудовище — вот что он такое, и он не успокоится, пока не высосет из меня всю кровь, не лишит меня крова над головой и не уложит погибать в могиле для неимущих бедняков. Боже милосердный! — рыдал он. — Это страшно, это ужасно, это жестоко, что на старости лет я должен нести такую кару!

Резко повернувшись к своему расстроенному, виновато молчащему сыну, он спрашивал:

— Ну, сколько там стоит в счете? А? — и дико вращал глазами.

— Н-н-не волнуйся так, папа, — говорил Люк умиротворяющим голосом, переминаясь с ноги на ногу. — Всего только восемь долларов девяносто два цента.

— Господи Иисусе! — вскрикивал Гант. — Я разорен! — И, испуская громкие комические всхлипывания, он возобновлял свои метания.

Но было приятно в сумерках или прохладным летним вечером с душистой сигарой в бледных губах развалиться всем длинным телом на заднем сиденье рядом с Элизой или с одной из дочерей и поехать кататься среди душистых лугов или по длинным темным городским улицам. При приближении встречного автомобиля он в тревоге вопил, с проклятиями и мольбами призывая сына быть осторожнее. Люк управлял автомобилем нервно, капризно, прихотливо — его заикающиеся нетерпеливые руки и ноги передавали свое нервное подергивание форду. Он досадливо ругался, в бешенстве ожесточаясь на тормоз, и разражался сердитым «те-те-те!», когда глох мотор.

По мере того как приближалась ночь и улицы затихали, безумие все сильнее овладевало им. Проезжая по длинной крутой улице, затененной густыми деревьями, мимо расположенных террасами домов, он внезапно разражался сумасшедшим смехом, пригибался к рулевому колесу, до отказа нажимал на акселератор, и темнота звенела от его идиотических «уах-уах-уах!», а Гант осыпал его проклятиями. Они мчались вниз сквозь ночь с головокружительной скоростью, и когда они проскакивали через слепую угрозу перекрестков, Люк только смеялся в ответ и на проклятия и на просьбы.

— Ты Богом проклятый шалопай! — вопил Гант. — Остановись, горная свинья, не то я засажу тебя за решетку!

— Уах-уах! — Его смех переходил в пронзительный фальцет.

Дейзи, приехавшая ради нескольких недель летней прохлады, трагически, совсем синяя от ужаса, прижимала к груди очередное ежегодное прибавление к своему семейству и стонала:

— Молю тебя, ради моих детей, ради моих невинных, лишенных матери малюток...

— Уах-уах-уах!

— Он исчадие ада! — кричал Гант, начиная плакать. — Жестокое и преступное чудовище — вот что он такое, и он не успокоится, пока не разобьет нам головы о какое-нибудь дерево.

Они по опасной дуге пронеслись мимо автомобиля, который, панически взвизгнув тормозами, вздыбился на углу, как испуганная лошадь.

— Убийца проклятый! — ревел Гант, наклоняясь вперед и стискивая огромными ручищами горло Люка. — Остановишься ты или нет?

Люк добавил еще несколько миль к ошеломительной скорости. Гант с воплем ужаса упал на сиденье.

По воскресеньям они надолго уезжали за город. Часто они отправлялись за двадцать две мили в Рейнольдсвилл. Это был безобразный маленький курорт, полный рева приезжающих и уезжающих машин и теплой вони масла и бензина, которая была особенно густой на широкой Главной улице. Но туда приезжали люди из разных штатов: с юга они приезжали из Южной Каролины и Джорджии — фермеры-хлопководы и лавочники с семейством в помятых автомобилях, покрытых слоем красной глиняной пыли. Они плотно обедали жареной курицей, кукурузой, бобами и свежими помидорами в одной из больших деревянных гостиниц, проводили еще час в аптеке за порцией шоколадного мороженого с орехами, наблюдая, как по широкому тротуару густыми волнами течет летняя толпа счастливых туристов и созревших девственниц с прохладной кожей, а потом быстро проезжали по городку и возвращались к извилистому крутому спуску на жаркий Юг. Новые края.

Томные девственницы Юга с упругими пышными формами заполняли летние веранды.

Люк был прелестью. Он был милым, хорошим мальчиком, добрым, великодушным юношей и удивительным душкой. Женщины питали к нему симпатию, посмеивались над ним, ласково дергали густые золотые завитки его волос. Он был сентиментально нежен с детьми — с девочками четырнадцати лет. Он питал высокое романтическое чувство к Делии Селборн, старшей дочери миссис Селборн. Он покупал ей подарки, бывал с ней то нежным, то раздражительным. Однажды на гантовском крыльце, под августовской луной, в аромате зреющего винограда он ласкал ее, пока Хелен пела в гостиной. Он нежно поглаживал ее, наклонился к ней и сказал, что хотел бы положить голову к ней на г-г-грудь. Юджин с горечью наблюдал за ними, и сердце его стискивала ядовитая скорлупа с дюйм толщиной. Он сам хотел бы сидеть там с этой девочкой — она была глупа, но у нее было мудрое тело и чуть заметная порхающая улыбка ее матери. Миссис Селборн он жаждал даже больше, он все еще свивал вокруг нее страстные фантазии, но ее образ жил и в Делии. В результате в их присутствии он держался гордо, холодно, презрительно и глупо. Он им не нравился.

Завистливо, с изглоданным сердцем он следил за ухаживанием, которым Люк окружал миссис Селборн. Эта заботливость была такой преданной, такой беспредельной, что даже Хелен сердилась, а иногда и ревновала. И каждый вечер из какого-нибудь укромного уголка в доме Ганта или Элизы, а может быть, из автомобиля, стоящего у крыльца, до него доносился ее звучный мелодичный смех, полный нежности, неги и тайны. Притаившись в смоляной темноте на лестнице «Диксиленда» где-нибудь между часом и двумя ночи, он чувствовал, как она проходит мимо. Задев его во мраке, она тихо и испуганно вскрикнула; он успокоил ее невежливым ворчанием и спустился к себе в спальню с колотящимся сердцем и пылающим лицом.

«О да, — думал он с желторотым нравственным негодованием, наблюдая своего брата в ореоле смеха и нежности, — дурень ты дурень, жалкий простофиля! Ты ломаешься и выпендриваешься, сыночек, и тратишь свои деньги, чтобы таскать им мороженое — но что ты с этого имеешь? А что ты чувствуешь, когда она вылезает из автомобиля в два часа ночи, сначала похрюкав в темноте с каким-нибудь проклятым коммивояжером или со старым сифилитиком Логаном, который уже столько лет живет с негритянкой? «Можно, я п-п-положу вам голову на грудь?» Меня от тебя мутит, дурак проклятый. И эта не лучше, только ты дальше своего носа ничего не видишь. Она позволит тебе потратить на нее все твои деньги, а потом сбежит на ночь с каким-нибудь недоноском в автомобиле. Да-да. Что ты на это скажешь? Хвастун несчастный. Пойдем-ка на задний двор... Я тебе покажу... вот получай... и еще... и еще...»

Бешено размахивая кулаками, он расправлялся с призраком и доводил себя до изнеможения.

Когда Люк уехал учиться, у него было несколько сот долларов, накопленных в дни «Сатердей ивнинг пост». Он почти не брал денег Ганта. Он работал официантом, он подыскивал клиентуру для университетских пансионов, он был агентом портного, чье заведение именовалось «Красивые Костюмы Книжников». Гант хвастал этой деятельностью своего сына. Гордо перекатывал жвачку от одной щеки к другой, бойко кивал и говорил, сплевывая:

— Из этого мальчика будет толк.

Люк работал ради образования со всем усердием человека, который сам прокладывает себе дорогу в жизни. Он не останавливался ни перед какими жертвами. Он делал все, кроме одного, — он не занимался.

Он пользовался огромной популярностью — такой замечательный, такой Люки-Люки. Училище его обожало и носило на руках. Дважды после футбольных матчей он взбирался на катафалк и произносил траурную речь над безжизненным телом университета штата Джорджия.

Но, несмотря на все его усилия, к концу третьего года он все еще был на втором курсе с перспективой так на нем и остаться. Как-то весной он написал Ганту следующее письмо:

«У с-с-сукиных детей, которые тут з-з-заправляют, на меня зуб. Меня здорово н-н-надули. Они обдирают тебя как липку, забирают все твои д-д-деньги, заработанные тяжким трудом, и ничего не дают взамен. Я еду в н-н-настоящее учебное заведение».

Он уехал в Питтсбург и устроился на работу в «Вестингауз электрик компани». Трижды в неделю он по вечерам слушал лекции в Технологическом институте Карнеги. Он обзавелся друзьями.

Началась война. Пробыв в Питтсбурге пятнадцать месяцев, он перебрался в Дайтон, где устроился на котельный завод, выполнявший военные заказы.

Время от времени — на несколько недель летом, на несколько дней под Рождество — он приезжал в Алтамонт провести свой отпуск с родными. И неизменно привозил Ганту чемодан, полный бутылок виски и пива. Этот мальчик всегда был «заботливым сыном».

XIX

Как-то, когда день еще юного лета начинал клониться к закату, ~ант, опираясь на барьер, разговаривал с Жаннадо. Он доживал ~вой шестьдесят четвертый год, его прямая фигура осела, он ~ачал сутулиться. Он часто говорил о старости, и теперь, произ- ~ося свои тирады, он плакал из-за своей парализованной руки. ~сходя жалостью, он называл себя «бедным старым калекой, кото- ~ый должен кормить их всех».

Им все больше овладевала лень, порождаемая возрастом и ~аспадом личности. Теперь он вставал на час позже. В мастерскую ~н приходил вовремя, но проводил долгие часы, растянувшись на ~отертом кожаном диване в своей конторе или болтая с Жаннадо, ~тарым похабником Лидделом, Кардьяком и Фэггом Сладером, ~оторый надежно вложил свое состояние в два больших дома на ~лощади и в настоящий момент, уютно опираясь спинкой стула на ~тену пожарного депо, оживленно болтал с членами футбольного ~луба — он был его главным столпом. Шел шестой час, и игра ~же кончилась.

Рабочие-негры, жутковато припудренные белой цементной пы- ~ью, брели домой мимо мастерской. Медленно расходились возчи- ~и, полицейский лениво спускался по ступенькам ратуши, ковыряя ~ зубах, а из-за высоких зарешеченных окон, обращенных в сторо- ~у рынка, иногда доносились вопли пьяной негритянки. Жизнь жужжала неторопливо, как муха.

Солнце слегка покраснело, с гор веяло прохладой, усталая земля освеженно расслаблялась, воздух струил надежду и экстаз вечера. Плотное перо фонтана, медлительно пульсируя, взметыва- лось и опадало, и вода в бассейне всплескивалась в ленивом ритме. По крупному булыжнику поджаро прогрохотал фургон. За пожарным депо бакалейщик Брэдли поднимал маркизы, медленно вращая скрипящую ручку.

По ту сторону площади смеющиеся стайки юных девственниц из восточной части города легкой походкой возвращались до- мой. Они приходили в центр в четыре часа, несколько раз прогуливались по маленькому бульвару, забегали в магазин ку- пить какое-нибудь маленькое оправдание и, наконец, заходили в аптеку на площади, где городские сердцееды болтались без дела и лениво переговаривались, все время оставаясь начеку. Это был их клуб, их кафе, форум обоих полов. С самоуверенными улыбками молодые люди отделялись от своих компаний и направлялись к столикам.

— Э-эй! Откуда вы взялись?

— Подвиньтесь, барышня. Мне надо с вами потолковать.

Глаза, синие, как южные небеса, плутовски поднимались навстречу взгляду смеющихся серых глаз, пленительные ямочки становились глубже и задик, очаровательнее которого не нашлось бы на всем милом старом Юге, тихонько скользил по полированному дереву диванчика.

Гант теперь проводил упоительные часы в разговорах со сластолюбивыми старичками — их приглушенный обмен непристойностями перемежался надтреснутым пронзительным смешком, разносившимся по площади. Он возвращался вечером домой с запасом помойных новостей; облизывая палец и хитро улыбаясь, он с надеждой допрашивал Хелен:

— Она же потаскушка, и больше ничего, э?

— Ха-ха-ха! — сардонически смеялась Хелен. — А тебе что, очень хочется узнать?

Его возраст приносил некоторые плоды — награду за выслугу лет. Когда Хелен приходила домой с какой-нибудь подругой, она с шутливой настойчивостью толкала девушку в его объятия. И, воскликнув отечески: «Ах ты, моя прелесть! Ну, поцелуй старика!» — он запечатлевал колючие усатые поцелуи на их белых шейках, на их мягких губах — здоровой рукой он крепко и нежно сжимал округлую упругость юного плеча и мягко их покачивал. Они гортанно повизгивали от удовольствия, потому что было ужасно щ-щ-щ-екотно!

— О-ой! Мистер Гант! Уах-уах-уах!

— Твой отец такой милый! — говорили они. — Какие чудесные манеры!

Глаза Хелен ели их яростно и жадно. Она смеялась с хрипловатым жестким возбуждением.

— Ха-ха-ха! Это ему нравится, верно? Жаль, старина, верно? Больше не порезвишься!

Он разговаривал с Жаннадо, а взгляд его бегающих глаз шарил по восточному краю площади. Мимо мастерской проходили аппетитные городские матроны, возвращавшиеся с рынка. Время от времени они улыбались, заметив его, и он отвечал галантным поклоном. Какие чудесные манеры!

— Английский король, — рассуждал он, — это только вывеска. Такая власть, как у президента Соединенных Штатов, ему и не снилась.

— Его власть строго ограничена, — гортанно сказал Жаннадо, — обычаем, но не законом. На самом же деле он по-прежнему остается одним из могущественнейших монархов мира. — Его толстые черные пальцы осторожно прощупывали кишочки карманных часов.

— Покойный король Эдуард, — сказал Гант, облизывая большой палец, — несмотря на все свои недостатки, был умный человек. А этот их нынешний — пустопорожнее ничтожество.

Он усмехнулся — чуть-чуть, лукаво, довольный этими внушительными словами, и исподтишка покосился на швейцарца, проверяя их эффект.

Его беспокойные глаза сосредоточенно последовали за подтянутой, модно одетой фигурой — мимо окна мастерской проходила «Королева» Элизабет. Она мило улыбнулась, и на мгновение ее бесхитростный взгляд остановился на гладких мраморных плитах смерти, на резных агнцах и херувимах. Гант отвесил ей изысканный поклон.

— Добрый вечер, сударыня, — сказал он.

Она скрылась из вида. Через секунду она решительно вернулась и поднялась по широким ступеням крыльца. Он посмотрел на нее, и его сердце забилось чаще. Двенадцать лет.

— Как поживаете, сударыня? — спросил он галантно. — Элизабет, я только что сказал Жаннадо, что вы — самая шикарная женщина во всем городе.

— Это очень мило с вашей стороны, мистер Гант, — сказала она своим спокойным, сдержанным голосом. — У вас всегда находится доброе слово для каждого.

Она любезно кивнула Жаннадо, который тяжело повернул к ней свою огромную хмурую голову и что-то проворчал.

— Нет, Элизабет, — сказал Гант, — вы за пятнадцать лет ни вот на столько не изменились. И лет вам сейчас столько же, сколько было тогда.

Ей было тридцать восемь лет, и она ничего против этого не имела.

— Ну, как же! — ответила она, смеясь. — Вы просто хотите меня утешить. Мне уже давно не двадцать!

У нее была бледная чистая кожа с милыми веснушками, ярко-рыжие волосы и узкий, пронизанный юмором рот. Фигура у нее была упругая и сильная — но уже больше не молодая. Ее манеры отличались энергией, достоинством и элегантностью.

— А как поживают девочки, Элизабет? — спросил он добродушно.

Ее лицо стало грустным. Она начала снимать перчатки.

— Поэтому я к вам и зашла, — сказала она. — На прошлой неделе я потеряла одну из них.

— Да, — сказал Гант печально. — Мне было очень грустно об этом услышать.

— Лучшей девушки у меня никогда не было, — сказала Элизабет. — Я бы все на свете для нее сделала. Мы сделали все, что могли, — добавила она. — Тут мне не в чем себя упрекнуть. При ней все время был врач и две опытные сиделки.

Она открыла черную кожаную сумочку, сунула в нее перчатки, достала маленький носовой платок с голубой каемкой и начала тихонько плакать.

— Ох-хо-хо-хо, — сказал Гант, покачивая головой. — Жаль, жаль, жаль. Пойдем в мою контору, — добавил он.

Войдя туда, они сели. Элизабет вытерла глаза.

— А как ее звали? — спросил он.

— Мы ее звали Лили. Ее полное имя было Лилиан Рид.

— Да я же ее знал! — воскликнул он. — Я с ней разговаривал недели две назад, не больше.

— Да, — сказала Элизабет. — Она умерла скоропостижно — одно кровотечение за другим вот отсюда, — она провела рукой по низу живота. — До прошлой среды никто и не знал, что она больна. А в пятницу ее уже не стало, — она опять заплакала.

— Тц-тц-тц-тц, — сказал он сочувственно. — Жаль, жаль. И какая была красотка!

— Я бы не могла любить ее больше, мистер Гант, — сказала Элизабет, — даже будь она моей родной дочерью.

— А сколько ей было лет? — спросил он.

— Двадцать два года, — сказала Элизабет, снова начиная плакать.

— Какая жалость! Какая жалость! — согласился он. — А родные у нее есть?

— Никого, кто хоть палец о палец для нее ударил бы, — сказала Элизабет. — Ее мать умерла, когда ей было тринадцать лет — она здешняя, из Битри-Форк... А ее отец, — продолжала она негодующе, — старый подлый скупердяй: он в жизни ничего не сделал ни для нее, ни для кого другого. Он даже на ее похоронах не был.

— Ну, кары ему не избежать, — сказал Гант туманно.

— На небе есть Бог, — согласилась Элизабет, — и он свое в аду получит. Старый негодяй! — продолжала она с добродетельным негодованием. — Чтоб он сдох!

— Можешь не сомневаться, — сказал он угрюмо. — Так и будет. О Господи! — Он помолчал, покачивая головой с медлительным сожалением.

— Грустно, грустно, — бормотал он. — Такая молоденькая. — Он испытал мгновение торжества, которое испытывают все люди, услышав о чьей-то смерти. И минуту жуткого страха. Шестьдесят четыре.

— Я не могла бы любить ее больше, — сказала Элизабет, — даже будь она мне родная. Такая молоденькая — вся жизнь у нее еще была впереди.

— Да, очень грустно, как подумаешь, — сказал он. — Богом клянусь, это так.

— И она была такой хорошей девушкой, мистер Гант, — сказала Элизабет, тихо плача. — Перед ней открывалось такое блестящее будущее. Куда лучше, чем в свое время передо мной, а, я полагаю, вы знаете, чего я достигла, — добавила она скромно.

— А как же! — воскликнул он, пораженный неожиданной мыслью. — Ты же богатая женщина, Элизабет. Черт меня побери, если это не так. У тебя по всему городу полно недвижимости.

— Ну, этого я бы не сказала, — ответила она. — Но у меня достаточно денег для того, чтобы жить не работая. Всю жизнь мне приходилось работать без отдыха. С этих пор я собираюсь сидеть сложа руки.

Она поглядела на него с застенчивой радостной улыбкой и маленькой энергичной рукой поправила прядь пышных волос. Гант внимательно осмотрел ее, любуясь тем, как строгий костюм облегает ее не стиснутые корсетом упругие бедра, как изящно сужаются ее красивые ноги к маленьким ступням, обутым в аккуратные коричневые туфельки. Она была крепкой, сильной, чистой и элегантной — от нее веяло легким ароматом сирени. Он поглядел на ее бесхитростные прозрачно-серые глаза и увидел, что она — настоящая светская дама.

— Черт побери, Элизабет, — сказал он. — Ты красивая женщина.

— У меня была хорошая жизнь, — сказала она. — Я следила за собой.

Они всегда знали друг о друге все — с первой же встречи. Им не нужны были никакие предлоги, вопросы, ответы. Мир отступил от них в неизмеримую даль. В тишине они слышали пульсирующий плеск фонтана, визгливый сластолюбивый смех на площади. Гант взял со стола альбом образцов и начал листать его глянцевитые страницы. На них были изображены скромные плиты мрамора из Джорджии и гранита из Вермонта.

— Это мне не нужно, — сказала она нетерпеливо. — Я уже выбрала. Я знаю, чего я хочу.

Он с удивлением поднял глаза от альбома.

— А что именно?

— Того ангела на крыльце.

На лице Ганта отразились удивление и досада. Он пожевал уголок узкой губы. Никто не знал, как он был привязан к этому ангелу. На людях он именовал его «белым слоном». Он проклинал его и говорил, что свалял необыкновенного дурака, когда выписал его. Шесть лет ангел стоял на крыльце под дождем и ветром. Теперь он побурел и был засижен мухами. Но он был из Каррары, из Италии, и изящно держал в одной руке каменную лилию. Другая рука была поднята в благословении; он неуклюже опирался на подушечку одной немощной ступни, и на его глупом белом лице была запечатлена улыбка кроткого каменного идиотизма.

В припадках ярости Гант иногда адресовал ангелу громовые кульминации своих филиппик.

— Исчадие ада! — вопил он. — Ты разорил меня, лишил последнего куска хлеба, поразил проклятием мои последние годы, а теперь ты и вовсе раздавишь меня, страшное, ужасное и противоестественное чудовище!

Но порой, когда он бывал пьян, он с плачем падал перед ним на колени, называл его Синтией и умолял его возлюбить, простить и благословить своего грешного, но кающегося мальчика. С площади доносился смех.

— В чем дело? — спросила Элизабет. — Вы не хотите его продавать?

— Но он стоит очень дорого, Элизабет, — ответил Гант уклончиво.

— Мне все равно, — ответила она решительно. — Деньги у меня есть. Так сколько?

Он помолчал, думая о том месте, где сейчас стоял ангел. Он знал, что ничем не сумеет закрыть или уничтожить это место — оно оставит в его сердце пустой и бесплодный кратер.

— Ну, хорошо, — сказал он. — Можешь взять его за ту цену, которую я сам за него заплатил. Четыреста двадцать долларов.

Она достала из сумочки толстую пачку банкнот и отсчитала деньги. Он отодвинул их.

— Нет. Заплатишь после окончания работы, когда он будет установлен. Ты, наверное, хочешь, чтобы была какая-нибудь надпись?

— Да. Вот ее полное имя, возраст, место рождения и все остальное, — сказала она, протягивая ему исписанный конверт. — И я хотела бы еще какие-нибудь стихи — что-нибудь, что подходило бы для молодой девушки, которая скончалась так безвременно.

Он вытащил из ячейки бюро растрепанную книжку с надписями и начал перелистывать ее, время от времени читая Элизабет какое-нибудь четверостишье. Но она каждый раз качала головой. Наконец он сказал:

— Ну, а вот это, Элизабет? — и прочел:

Увял красы ее цветок.
Хотя еще не миновал
Любви и жизни полный срок,
Господь к себе ее призвал.
Но вера шепчет: не скорби,
Благая участь ей дана, —
Блаженство неземной любви
На небесах нашла она.

— Это чудесно, чудесно! — сказала она. — Пусть будет это.

— Да, — согласился он. — Пожалуй, лучше не найти. Они встали, окруженные сыроватым прохладным запахом его маленькой конторы. Стройная фигура Элизабет доставала ему до плеча. Она застегнула лайковые перчатки на розовых окорочках маленьких ладоней и осмотрелась. Один угол был занят старым кожаным диваном, хранившим отпечаток его длинного тела. Она посмотрела на Ганта. Лицо его было печальным и серьезным. Они оба помнили.

— Столько времени прошло, Элизабет, — сказал он.

Они медленно пошли к выходу по лабиринту мраморов. Ангел, стоявший на часах сразу за входной дверью, тупо ухмылялся. Жаннадо по-черепашьи втянул огромную голову чуть глубже под сутулую защиту дюжих плеч. Они вышли на крыльцо.

В ясном, промытом вечернем небе, точно собственный призрак, уже повисла луна. Мимо пробежал мальчишка-рассыльный с пустым бумажным пакетом — веснушчатые ноздри раздувались в голодном и приятном предвкушении ужина, словно уже ощущая его запах. Он скрылся из вида, и на миг, когда они остановились на крыльце у верхней ступеньки, вся жизнь словно застыла неподвижной картиной: пожарные и Фэгг Сладер заметили Ганта, быстро перешепнулись и теперь смотрели на него; полицейский на высоком боковом крыльце суда оперся на перила и уставился на него; у ближнего края газона, окружавшего фонтан, фермер, нагибавшийся к бьющей струе, чтобы напиться, выпрямился, разбрызгивая капли, и уставился на него; в налоговом управлении на втором этаже ратуши Янси — грузный, толстый, без сюртука — уставился на него. И на эту секунду медленный пульс фонтана замер, жизнь остановилась, словно на фотографическом снимке, и Гант почувствовал, что он один движется к смерти в мире подобий. Так в 1910 году человек может вновь обрести себя на фотографии, снятой на Чикагской Всемирной ярмарке*, когда ему было тридцать лет и усы у него были черные, и вновь, глядя на дам в турнюрах и на мужчин в котелках, замороженных в изобилии секунды, вспомнить умерший миг и искать за пределами рамки то, что (как он знал) там было; так ветеран обнаруживает, что это он сам приподнимается на локте возле Улисса Гранта перед выступлением на картине, изображающей Гражданскую войну, — и видит мертвеца верхом на лошади; или, может быть, я должен был сказать — так какой-нибудь почтенный профессор вновь находит себя перед павильоном в Шотландии дней его юности и замечает крикетную биту, давно потерянную и давно забытую, и лицо поэта, который умер, и молодых людей, и их тьютора — такими, какими они были в те недели, когда занимались по девять часов в день, готовясь к выпускным экзаменам.

Куда теперь? Куда потом? Куда тогда?

XX

Гант все годы, пока Хелен и Люк — те двое, к кому он был наиболее привязан, — постоянно находились в отъезде, вел расщепленное существование у себя дома и у Элизы. Он ненавидел одиночество и страшился его, но и сила привычки была очень велика, и ему не хотелось менять обжитой уют своего дома на зимнюю оголенность «Диксиленда». Элизе он мешал. Кормила она его охотно, но его тирады и ежевечерние визиты — и те и другие с отъездом Хелен становились все более длинными и частыми — раздражали ее гораздо больше, чем прежде.

— У вас есть собственный дом, — ворчливо твердила она. — Ну и оставайтесь там. А ваши скандалы тут мне надоели.

— Гони его! — горько стонал он. — Гони его. Тащи его тело*, едва охладело, зарыть на кладбище — ведь он только нищий, всеми забытый. О Господи! Старая ломовая кляча отработала свое. Нет у нее больше сил. Гоните его взашей, — старый калека уже не может кормить и поить их, и они выбросят его на свалку, противоестественные и кровожадные чудовища.

Но он оставался в «Диксиленде», пока его слушал хотя бы один человек, и унылой кучке зимних постояльцев он дарил волшебство. Они жадно впитывали драматическую увлеченность, с которой он, стремительно раскачиваясь в огромной качалке перед пылающим огнем, рассказывал и пересказывал легенды о том, что ему довелось пережить, и разворачивал перед их зачарованными глазами коснувшееся его романтическое событие, расцвечивая, досочиняя и творя его заново. Они слушали, и перед их выпученными глазами создавалась целая стройная мифология.

Генерал Фицхью Ли, который придержал коня возле деревенского мальчишки и попросил напиться, теперь одним духом осушал дубовую кадушку, наводил у него подробные справки о том, какая из дорог к Геттисбергу — самая лучшая, спрашивал, не видел ли он неприятельские отряды, записывал его фамилию в маленькую книжечку и уезжал, говоря своим штабным: «Этот мальчик далеко пойдет. Противник, который растит таких ребят, непобедим».

Индейцы, мимо которых он спокойно проезжал, когда трусил на ослике по одной из пустынь Нью-Мексико, направляясь к старинному форту, теперь гнались за ним с кровожадными намерениями, испуская леденящие душу вопли. Он бешеным галопом проносился через поселки злобно бормочущих краснокожих и в самую последнюю минуту добирался до спасительной стоянки двух скотоводов. Вора, который в глухую полночь залез к нему в номер в Новом Орлеане, чтобы украсть его одежду, и с которым он отчаянно дрался на полу, теперь он голым преследовал по Канал-стрит семнадцать кварталов (а не пять).

Несколько раз в неделю он ходил в кино; он брал с собой Юджина и сидел, сутуло наклоняясь вперед, как зачарованный, два сеанса подряд. Они выходили из кинотеатра в половине одиннадцатого или в одиннадцать на холодные звенящие мостовые, в замороженный нагой мир — в мертвый город закрытых магазинов, опущенных штор и портновских манекенов, с восковой веселостью позирующих в стылом безмолвии.

На площади ослабевший фонтан ронял толстый шпиль замерзающей воды на растущее кольцо льда. Летом высокий шпиль разлетался голубыми полотнищами брызг. Когда его привернули, он сгас — как и полагается фонтану. Ветра не было.

Устремив глаза на чистый бетон тротуара, Гант шел широким шагом и с воодушевлением что-то бормотал — сочинялся пересказ фильма. В тусклом свете поблескивала холодная сталь новых швейных машин. Небоскреб Зингера. Самое высокое здание в мире. Стрекочущее жужжание швейной машины Элизы. Не успеешь опомниться — иголка уже в пальце. Он вздрогнул. Они прошли мимо сладеровского дома на углу площади и повернули налево. Один этот дом приносит ему ежемесячно семьсот долларов арендной платы от контор. Витрина на углу с резиновыми клизмами и грелками. Пейте «кока-колу». Говорят, они украли рецепт у древней старухи в горах. Теперь стоит пятьдесят миллионов долларов. Крысы в чанах. У Вуда эта дрянь лучше. Тут слабовата. Последнее время он пристрастился к этому напитку и выпивал по четыре-пять стаканов в день.

Тут на углу стояла лачуга Д. Стерна — за двадцать лет до того, как Фэгг купил участок. Часть пастоновского имения. Мог бы купить за гроши. Был бы сейчас богачом. Д. переехал теперь в Норт-Мейн. А еврей богат. Разбогател на лошадках. Горячи, горячи. Лечи не лечи. Попроси меня, дружок, сочиню тебе стишок. Тринадцать детей — она рожала каждый год. Поперек себя шире. Они все толстеют. И каждый работает. Сыновья платят отцу за стол и кров. От моих не дождешься, могу вас заверить. У евреев оно лучше устроено.

Этот горбун — как его называли? «Одна из жестоких шуток природы». О Господи! Что сталось со стариком Джоном Банни? Мне нравились его картины. А, да. Умер.

Какой чистотой веет от них в конце, когда он целует ее, размышлял Юджин. А потом — благодатный Юг. Длинные загнутые ресницы скрыли ее увлажнившиеся глаза. Она была не в силах встретить его взгляд. Милые губы затрепетали от желания, когда, схватив ее в стальные объятия, он склонился над ее покорным телом и запечатлевал жадные поцелуи на ее устах. Когда лиловая завеса рассвета была рассечена лучами победоносного солнца. Незнакомец. Нехорошо сказать просто «на следующее утро». Их лица покрыты густым слоем желтой краски.* Тем временем в Старой Англии. Интересно, что они говорят друг другу. Ну, наверное, отчаянные ребята.

Но быстрое вторжение реальности его не тронуло. Первое было лучше.

Он начал думать о Незнакомце. Серые стальные глаза. Непроницаемое лицо. Выхватывает револьвер на одну восьмую секунды раньше, чем кто-либо другой. Уильям Харт* с Двумя Револьверами. Андерсон «Эссенея»*. Сильные молчаливые мужчины.

Он резко и звонко шлепнул себя по ягодице, молниеносным рывком кисти наставляя убийственный указательный палец на урну, на фонарный столб, на вывеску парикмахера. Гант, отвлекшись от сочинения очередной истории, быстро и тревожно взглянул на него. Они продолжали идти дальше.

Наступил день, когда весна вновь одела землю цветами. Нет, нет — не это. И все потемнело. Изображение растоптанной лилии. Это значит, что он ее обрюхатил. Искусство. Наполнил тобой, о младенец прекрасный. Теперь ты не можешь уехать. Почему? Потому что... потому что... ее глаза застенчиво опустились, и алая краска разлилась по ее щекам. Он с недоумением уставился на нее, но тут его изумленный взор (ах, хорошо!) упал на маленькую вещицу, которую она нервно сжимала в пальцах, и он все понял. Стыдливо порозовев, она попыталась спрятать за спиной крохотную распашонку. Грейс! Свет истины озарил его. Это правда? Она подбежала к нему со странным криком, в котором смех мешался с рыданием, и спрятала пылающее лицо у него на груди. Глупый мальчик! Ну, конечно, это правда (ах ты, сукин сын!). Маленькая танцовщица. Улыбаясь с сальной похотливостью, перекатывая во рту мокрую изжеванную сигару, Джим Очко медленно тасовал карты и не спускал с нее взгляда стервятника. Нож в его начищенном сапоге, маленький «бульдог» и три туза за его кружевной манжетой, элегантное убийство в его сердце. Но холодные серые глаза Незнакомца видели все. Невозмутимо он допил свое виски, стремительно повернулся от зеркала, и его кольт рявкнул на одну шестую секунды раньше, чем успел выстрелить· игрок. Очко захлебнулся кашлем и медленно сполз на пол.

В переполненном зале «Тройного Игрека» наступила мертвая тишина. Все окаменели. Лица Волка Билла и двух мексиканцев стали грязно-серыми. Наконец шериф прервал молчание — отвернувшись от неподвижного тела, распростертого на посыпанном опилками полу, он сказал с благоговейным ужасом:

— Черт побери, Незнакомец! Вот уж не думал, что на земле есть человек, который сумел бы выстрелить быстрее, чем Очко. Я хотел бы узнать твое имя.

— В семейной Библии, приятель, — с оттяжкой сказал Незнакомец, — оно значится как Юджин Гант, но здешний народ обычно называет меня Призраком Юга.

Толпа протяжно ахнула.

— Черт! — прошептал кто-то. — Это сам Призрак!

Когда Призрак невозмутимо повернулся, чтобы допить свой стакан, он увидел прямо перед собой маленькую танцовщицу. Две жаркие соленые жемчужины поднялись из прозрачных глубин ее чистых глаз и упали на его руку, бронзовую от загара.

— Как мне отблагодарить вас! — вскричала она. — Вы спасли меня от участи более ужасной, чем сама смерть!

Но Призрак, который много раз, не дрогнув, смотрел в глаза смерти, был не в силах выдержать взгляд этих больших карих глаз. Он снял сомбреро и смущенно стиснул его в больших руках.

— Это пустяки, сударыня, — неловко пробормотал он. — Всегда рад услужить даме.

К этому времени два буфетчика уже набросили скатерть на Билла Очко, унесли обмякшее тело в заднюю комнату и вновь заняли свое место за стойкой. Толпа разбилась на небольшие кучки, слышался смех и возбужденные разговоры, а когда тапер принялся барабанить мелодию на разбитом пианино, по залу закружились вальсирующие пары.

На Дальнем Западе тех дней страсти были первобытными, месть — внезапной, воздаяние — мгновенным.

Две ямочки, словно часовые, охраняли взвод молочно-белых зубов.

— Не пригласите ли вы меня на танец, мистер Призрак? — спросила она нежно.

Он погрузился в размышления о тайне любви. Чистая, но страстная. Правда, внешние обстоятельства как будто свидетельствуют против нее. Гнусное дыхание клеветы. Она работала в доме терпимости, но сердце ее было чистым. Ну, а помимо этого — кто может сказать против нее хоть слово? Он с удовольствием смаковал убийство. На своих бездыханных врагов он смотрел глазами ребенка. В кино люди умирали насильственной, но чистой смертью. Бах-бах! Прощайте, ребята, со мной кончено. Навылет в голову или в сердце — чистая рана, никакой крови. Он сохранил наивность. Выплескиваются ли их кишки или мозг? Смородинное желе там, где было лицо, подбородок сорван пулей. Или вон там — тот, другой... Его рука забилась по воздуху, как крыло, — он извивался. Если потерять это? Все — умирай! Изнемогая, он стиснул собственное горло.

Они свернули на восток по Академи-стрит, пройдя по маленькому хвостовидному отростку, ответвлявшемуся от северо-восточного угла площади. В сознании мальчика пылал яркий поток обра-

...ов, четких, как алмазы, изменчивых, как хамелеоны. Его жизнь ...ыла тенью тени, спектаклем в спектакле. Он стал героем-акте-...ром-звездой, владыкой кино и возлюбленным прекрасной киноко-...ролевы, столь же героичным, как его позы, и его реальность ...ревосходила любую выдумку. Он был Призраком — и тем, кто ...грал Призрака, причиной, перечеканивавшей легенду в факт.

Он был теми героями, которыми восхищался, превосходя кра-...отой, благородством, высокими душевными качествами тех, кого ...н презирал, потому что они всегда торжествовали победы и ...еизменно бывали хорошими, и смазливыми, и любимцами женщин. ...н был избранником и возлюбленным роя международно извест-...ых красавиц — роковых женщин и чистых нежных девушек во ...лаве с пышными блондинками, и все они добивались его взаимно-...ти, а некоторые, менее щепетильные, прибегали к нечестным ...риемам, чтобы завладеть им. Их чистые глаза обращались к нему ...остоянным крупным планом; он добродетельно упивался их про-...янутыми губами, и когда конфликт разрешался, убийство освяща-...ось и добродетель увенчивалась лаврами, уходил со своей сире-...ой в услужливое сияние постоянно заходящего солнца.

Скосив пылающее лицо, он быстро взглянул на Ганта и судо-...ожно выгнул шею.

На той стороне улицы пронзительный ацетиленовый свет угло-...ого фонаря холодно лился на новый кирпичный фасад театра ...Орфеум». Всю неделю Гус Нолан и его «Персики из Джорджии». А ...акже Пидмонтский комический квартет и мисс Бобби Дьюкейн.

Театр был темен — вечернее представление уже кончилось. ...ни с любопытством смотрели через улицу на афиши. Где были ...ерсики в этом холодном безмолвии? Сейчас — в «Афинах» на ...лощади. Они всегда ходят туда после выступления. Гант взглянул ...а свои часы. 11 часов 12 минут. Большой Билл Месслер снаружи ...омахивает дубинкой и посматривает на них. На табуретах у ...тойки десяток прожигателей жизни и глазеющих сердцеедов. У ...еня за углом автомобиль. Любовная игра в затруднительных усло-...иях. Позже — «Женевьева» на Либерти-стрит. Они все там оста-...авливаются. Шепот. Шорох шагов. Полицейские налеты.

Наверное, среди них есть девушки из хороших семей, думал Гант.

Напротив баптистской церкви перед «Похоронным бюро» Горэ-...а стоял катафалк. Сквозь папоротники тускло пробивался свет. ...то бы это? — размышлял он. Мисс Энни Пэттон при смерти. Ей ...же за восемьдесят. Какой-нибудь легочник из Нью-Йорка с запавшими щеками. Кто-нибудь — все время, все время. Ждут часа неизбежного равно. О Господи!

Теряя аппетит, он думал о похоронных бюро и гробовщиках и, в частности, о мистере Горэме. У него были светлые волосы и белые брови.

Откладывал свадьбу до смерти этого богатого молодого кубинца, чтобы повезти ее на медовый месяц в Гавану.

У баптистской церкви они свернули на Спринг-стрит. Это и вправду похоже на город мертвых, думал Юджин. Город, ограненный инеем, заледенев под звездами, лежал в каталепсии. Все жизненные процессы замерли. Ничто не старело, ничто не ветшало, ничто не умирало. Это была победа над временем. Если бы всесильный демон щелкнул пальцами и остановил всю жизнь на мгновение, равное столетию, кто заметил бы это? Каждый человек — Спящая Красавица. Разбуди меня пораньше, если ты проснешься, мама. Разбуди меня пораньше.

Он попытался разглядеть жизнь и движение за стенами — и не сумел. Жили только он и Гант. Ибо дом не выдает ничего — за его невозмутимым тихим фасадом может крыться даже убийство. Он подумал, что такой должна быть Троя — совершенной, не тронутой тлением, как в тот день, когда пал Гектор. Только они ее сожгли. Найти древние города такими, какими они были, неразрушенными — эта картина его заворожила. Погибшую Атлантиду. Город Ис*. Древние утраченные города, поглощенные морем. Огромные безлюдные улицы, без следа запустения, наполнялись эхом его одиноких шагов: он бродил по обширным галереям, он вступал в атрий, его башмаки звенели по плитам храма.

Или же, упоенно размышлял он, остаться одному с группой хорошеньких женщин в городе, откуда все остальные жители бежали в страхе перед чумой, землетрясением, извержением вулкана или еще какой-либо грозной опасностью, которой только он мог презрительно пренебречь. Облизывая губы кончиком языка, он представлял, как будет сибаритствовать в лучших кондитерских и бакалейных лавках — заглатывать, точно анаконда, заграничные деликатесы: вкуснейших рыбок из России, Франции и Сардинии, угольно-черные окорока из Англии, спелые оливки, персики в коньяке и шоколадки с ликерной начинкой. Он будет извлекать из старых погребов маслянистое бургундское, отбивать о стену золотые горлышки охлажденных землей бутылок с шампанским и утолять полуденную жажду, выдернув затычку из огромной бочки с

Münchenen dunkels[1]. Когда его белье станет грязным, он найдет себе новое, шелковое, и самые тонкие рубашки; каждый день он будет обзаводиться новой шляпой — и новым костюмом, как только пожелает.

Каждый день он будет переходить в новый дом и каждую ночь спать в новой постели, пока наконец не изберет для постоянного жительства наиболее роскошный особняк и не снесет туда лучшие сокровища всех библиотек города. И наконец, когда он захочет какую-нибудь из тех нескольких оставшихся в городе женщин, которые будут тратить все свое время на то, чтобы изыскивать новые способы его обольщения, он призовет ее, ударяя в колокол на здании суда — число ударов будет соответствовать ее номеру (он каждой даст номер).

Он жаждал одиночества в неограниченном изобилии. Его темное пылающее воображение обращалось к царствам на дне моря, к замкам на головокружительных утесах и к царству эльфов глубоко в земных недрах. Он ощупью искал край фей, куда не ведет никакая дверь, — ту безграничную манящую страну, начинающуюся где-то под листом или под камнем. И ни одна птица не пела.

И более реалистично он представлял себе свое великолепное подземное обиталище — пещеры, скрытые глубоко в сердце горы, обширные помещения в бурой земле, пышно убранные его пчелиной добычей. Прохладные спрятанные цистерны будут снабжать его воздухом; сквозь потайное отверстие в склоне он будет глядеть на петляющую дорогу и на вооруженных солдат, явившихся сюда, чтобы отыскать его; и услышит шорох их тщетных поисков у себя над головой. Он будет ловить больших рыб в подземных озерах, его огромные земляные погреба будут уставлены старыми винами, он будет отбирать у мира лучшие сокровища, включая самых красивых женщин, и его никогда не поймают.

Копи царя Соломона*. Та. Прозерпина. Али-Баба. Орфей и Эвридика. Нагим я вышел из утробы матери. Нагим возвращусь. Пусть материнская утроба земли поглотит меня. Нагой, бесстрашный, крохотный человек, поглощенный огромными бурыми недрами.

Они подходили к последнему перекрестку перед «Диксилендом». И тут только мальчик заметил, что они идут гораздо быстрее, чем раньше, — что ему приходится чуть ли не бежать, чтобы не отстать от неуклюже и размашисто шагающего Ганта.

---

[1] Темное баварское пиво (нем.).

Его отец тихонько постанывал на долгих дрожащих выдохах
прижимал ладонь к больному месту. Юджин глупо прыснул. Ган
бросил на него взгляд, полный упрека и физической муки.

— Ох-х-х! Боже милосердный! — взвизгнул он. — Мне больн
И Юджина сразу охватила жалость. Впервые он ясно увиде.
что великий Гант состарился. Смуглое лицо пожелтело и утрати.
упругость. Узкие губы стали плаксиво-обиженными. Химически
процессы одряхления наложили на него свою печать.

Нет, возврата после этого не было. Юджин увидел теперь, чт
Гант умирает — очень медленно. Неисчерпаемая энергия, безгра
ничная мощь былых времен исчезли. Могучее тело разрушалось
него на глазах, как выброшенный на мель корабль. Гант бы
болен. Он был стар.

Его недуг был довольно обычным недугом стариков, которы
прожили жизнь безалаберно и жадно, — гипертрофия предста
тельной железы. Сама по себе эта болезнь не смертельна –
скорее ее можно назвать одной из вех старости и смерти, но он
отвратительна и причиняет значительные страдания. Ее обычн
лечат хирургическим путем, и операция не считается особенн
опасной. Но нож хирурга внушал Ганту страх и ненависть — о
охотно прислушивался ко всем уговорам не оперироваться.

Он был лишен философского взгляда на вещи. Он не мо
отвлеченно, забавляясь, наблюдать смерть всех чувств, угасани
желаний, нарастание физической немощи. Он жадно, сладострас
но смаковал все сплетни о совращениях: его удовольствие отдава
ло алчными взглядами, жарким дыханием желания. Ему не был
свойственна та мягкая ирония, с которой философский дух по
смеивается над безумиями, ему уже более недоступными.

Гант не был способен смириться с неизбежным. В нем пылал
самая жгучая из всех похотей — похоть памяти, неутолимы
голод, пытающийся воскресить то, что умерло. Он достиг то
поры жизни, когда человек жадно набрасывается на газеты, выис
кивая сообщения о смертях. И, узнав о смерти кого-либо и
друзей или знакомых, он покачивал головой с лицемерной стари
ковской печалью и приговаривал: «Уходят они, один за другим. (
Господи! Следующим быть мне». Но он не верил тому, что гово
рил. Смерть все еще была для других, а не для него.

Он старился очень быстро. Он начал умирать у них на глаза
стремительная старость и медленная смерть, бессильная, разруша
ющая, мерзкая оттого, что вся его жизнь заключалась в физичес
ких эксцессах — в колоссальном пьянстве, колоссальном обжор

тве, колоссальном буйном дебоширстве. Было странно и жутко
:мотреть, как ссыхается это огромное тело. Они начинали следить
:а развитием его болезни с чем-то похожим на тот ужас, с каким
:ледишь за движениями собаки с переломленной лапой перед тем,
:ак ее уничтожат, — этот ужас больше того, который испытыва-
:шь, когда ногу ломает человек, потому что человек может жить
: без ног. Собака же вся целиком заключена в свою шкуру.

Его фантастическое красноречие теперь разбавлялось старческим брюзжанием. Он то проклинал, то хныкал. В глухие ночные
насы он вставал с постели вне себя от страха и боли и начинал
кощунственно поносить Бога, чтобы через минуту отчаянно умо-
лять его о прощении. И всю эту тираду пронизывали дрожащие
зыдохи физической боли — реальной и несомненной.

— Ох-х-х-х! Проклинаю день, когда я родился... Проклинаю
день, когда мне дало жизнь это кровожадное чудовище там наверху... Ох-х-х-х! Иисусе! Молю тебя! Я знаю, что вел дурную жизнь.
Прости меня! Смилуйся надо мной! Дай мне еще одну возможность
ради Христа!.. Ох-х-х-х!

Юджина эти сцены порой приводили в дикую ярость. Его сер-
дило, что Гант, съев свой пирог, теперь вопил оттого, что у него
разболелся живот, и в то же время просил добавки. Он с горечью
думал, что жизнь его отца пожирала все, что ей служило, и что
мало кто получил столько чувственных наслаждений и был более
безжалостен в своих требованиях к другим. Эти представления,
эти дикие кощунства и трусливое ползание на брюхе перед Богом,
о котором никто из них даже и не вспоминал, пока был здоров,
казались ему гнусными и отвратительными. Постоянная тяга Ганта
и Элизы к чужой смерти, та болезненная жадность, с какой они
рыскали по газетным столбцам в поисках объявлений о смерти
знакомых, их всепоглощающий интерес к смерти какой-нибудь
беззубой старухи, которая, замученная пролежнями, наконец, на
девятом десятке, упокоилась, и полное равнодушие к известиям о
пожарах, голоде, кровопролитиях в других частях света, важность, которую они суеверно придавали местному и незначитель-
ному, усматривая прямое вмешательство провидения в смерти
какого-нибудь фермера и попрание божественных установлений и
законов природы в своей собственной смерти — все это преисполняло его захлебывающейся яростью.

Впрочем, Элиза была сейчас в самом подходящем состоянии для
размышления над чужими смертями. Здоровье у нее было великс-
лепное. Ей еще только исполнилось пятьдесят пять лет — после

болезней среднего возраста она лишь торжествующе окрепла
Белая, плотная, сильно отяжелевшая по сравнению с прошлым
она каждый день выполняла в «Диксиленде» столько всякой домаш
ней работы, что никакая негритянка не выдержала бы. Она редко
ложилась раньше двух и была на ногах еще до семи.

Свое здоровье она признавала с большой неохотой. Она извлекал
все, что могла, из каждой легкой боли и приводила Ганта в бешен
ство, отвечая на каждую его жалобу соответствующими описаниям
своих собственных недомоганий. Когда Хелен донимала ее упреками
за предполагаемое пренебрежение к нуждам больного или когда
внимание, которым его окружали, пробуждало в ней зависть, она
улыбалась с белой дрожащей горечью и неопределенно намекала:

— Может быть, он еще переживет кое-кого. У меня было
предчувствие — не знаю, как вы его назовете, — совсем на днях
И вот что... наверное, теперь уже недолго ждать... — Ее глаза
мутнели от жалости к себе, и, дергая собранным в пуговицу ртом
она плакала на собственных похоронах.

— Ради всего святого, мама! — сердито кричала Хелен. — Ты
совсем здорова. Болен папа. Неужели ты этого не понимаешь?

Она этого не понимала.

— Пф! — говорила она. — Ничего у него такого особенного
нет. Макгайр сказал мне, что после пятидесяти лет этим страдают
двое мужчин из трех.

Его тело, одолеваемое болезнью, исходило зеленой желчью
ненависти к ее победоносному здоровью. То, что она была так
крепка, приводило его в исступление. Убийственная, бессильная
обманутая, маниакальная злоба против нее искала выхода и иногда
изливалась в диком бесформенном вопле.

Он покорно принял статус хронического больного. Он начал
тиранически требовать внимания, ревниво ожидать услуг. Ее рав
нодушие к его здоровью бесило его, пробуждало в нем болезнен
ную жажду жалости и слез. Иногда в пьяном безумии он пытался
напугать ее, притворившись мертвым, — один раз настолько ус
пешно, что Бен, нагнувшись в коридоре над его окостеневшим
телом, поверил и побледнел.

— Сердце, кажется, не бьется, мама, — сказал он с нервным
мерцанием губ.

— Ну, — ответила она, тщательно и преднамеренно выбирая
слова, — он перегнул-таки палку. Я знала, что этим кончится.

Сквозь сощуренные веки он смотрел на нее свирепо и уничто
жающе. Она, мирно сложив руки на животе, внимательно его

разглядывала. Ее спокойный взгляд перехватил медленное движение украдкой дышащей груди.

— Возьми его кошелек, милый, и все бумаги, — распорядилась она. — А я пошлю за гробовщиком.

С яростным визгом покойник восстал из мертвых.

— Я так и думала, что это приведет вас в чувство, — сказала она самодовольно.

Он поднялся с пола.

— Ты адская псица! — возопил он. — Ты готова выпить кровь из моего сердца! В тебе нет ни милосердия, ни жалости, бесчеловечное и кровожадное ты чудовище.

— Когда-нибудь, — заметила Элиза, — вы доиграетесь.

Трижды в неделю он ходил на прием к Кардьяку. Сухой доктор состарился; за его пыльной сдержанностью, за властной чопорностью его манер все шире разливался пруд старческого сластолюбия. У него было приличное состояние, и его не тревожило постепенное уменьшение его практики. Он по-прежнему оставался блестящим бактериологом и проводил часы над предметными стеклышками, покрытыми пестрым узором бацилл; и к нему постоянно обращались больные проститутки, которым он оказывал умелую помощь.

Он отговорил Ганта от операции. К болезни Ганта он относился с ревнивым увлечением, презрительно отвергал хирургическое вмешательство и утверждал, что может добиться значительного облегчения с помощью массажа и катетера.

Они стали задушевными друзьями. Кардьяк посвящал лечению Ганта все утро. Его кабинет позвякивал от их сальных смешков, пока в приемной золотушные фермеры тупо разглядывали страницы «Лайфа». Блаженно развалившись на кушетке после окончания массажа, Гант с наслаждением выслушивал секреты женщин легкого поведения или пикантные отрывки из псевдонаучной порнографии, которую доктор собирал в больших количествах.

— Так, значит, — оживленно переспрашивал он, — монахи подали прошение архиепископу?

— Да, — ответил Кардьяк. — В жару они очень страдали. Он написал «удовлетворить» поперек их прошения. Вот фотография этого документа, — чистыми пергаментными пальцами он протянул раскрытую книгу.

— Боже милостивый! — сказал Гант, впиваясь взглядом в страницу. — Наверное, в жарких странах это широко распространено.

Он облизал большой палец и смакующе ухмыльнулся про себя
Покойный Оскар Уайльд, например.

XXI

В первые годы болезни Гант еще не утратил былой энергии
хотя она несколько ослабела. Вначале лечение Кардьяка приносил
ему значительное облегчение и выпадали спокойные периоды, когд
он почти верил в свое выздоровление. Но бывало, что он за одн
ночь впадал в хнычущую сенильность, по нескольку дней ленив
лежал в постели и расслабленно подчинялся своему недугу. Таки
переломы обычно наступали сразу же вслед за буйным запоем. Вс
питейные заведения города были закрыты уже несколько лет: Алта
монт одним из первых проголосовал за «местный запрет»*.

Гант благочестиво отдал свой голос за чистоту нравов. Юджи
запомнил этот давний день, когда он гордо провожал отца
урнам для голосования. Воинствующие «сухие», чтобы показат
всем, как они намерены голосовать, прикрепляли к лацканам бе
лые розетки. Это был знак чистоты. Нераскаянные «мокрые» носи
ли красные розетки.

День искупления, возвещенный неистовыми вострублениями
протестантских церквях, занялся над закаленной армией хорош
вымуштрованных трезвенников. Те «мокрые», которые победоносно
но выдержали натиск церковной кафедры и домашнего очага —
число их (увы, увы!) было незначительно, — пошли на смерть
героической решимостью и благородством, позаимствованными
людей, которые гибнут, самозабвенно сражаясь против неисчисли
мой толпы.

Они не знали, какой высокий принцип отстаивают: они знал
только, что противостоят общине, пропитанной поповским ду
хом, — самой страшной силе в маленьких селениях. Им никто не
говорил, что они встали на защиту свободы; багроволице и упря
мо они, ощущая в ноздрях крепкий бурый запах стыда, встали н
сторону красноносого, краснолицего, расточительного Демон
Алкоголя, дышащего перегаром. Так они и шли, увенчанные ли
стьями винограда, окутанные добрыми парами ржаного виски и
мужественными неуступчивыми улыбками на решительных губах

Когда они приближались к урнам, ища взглядом боевых товари
щей, точно окруженные рыцари, ревностные церковные деятель
ницы города, склонившиеся, подобно охотницам с натянутыми
сворками в руках, отдавали команду ученикам воскресных школ

только того и ждавшим. Одетые в белое, сжимая в маленьких кулачках крохотные древки американских флажков, эти пигмеи, чудовищные, как бывают чудовищны только дети, когда их превращают в покорные рупоры лозунгов и праведных кампаний, кидались с визгливыми воплями на очередного Гулливера.

Вон он, дети! Ату его!

Кружась вокруг намеченной жертвы в диком колдовском хороводе, они пели пискливыми пустыми голосами:

> Мы — святая радость матерей,
> Будущие граждане страны.
> Так ужли страданьям с юных дней
> Будем вами мы обречены?
>
> Откажитесь от привычки злой,
> Матерей и жен утишьте боль,
> В пользу их отдайте голос свой,
> И да сгинет Демон Алкоголь!

Юджин содрогнулся и поглядел на белую эмблему Ганта с застенчивой гордостью. Они благополучно прошли мимо злополучных алкоголиков, которые островками в пенистых волнах младенческой невинности злобно улыбались в задранные личики святой радости матерей.

Будь они мои, я бы расписал им задницу, думали они — но не вслух.

Перед гофрированными железными стенами склада Гант на минуту остановился, отвечая на пылкие поздравления нескольких дам из Первой баптистской церкви — миссис Таркинтон, миссис Фэгг Сладер, миссис Ч. М. Макдонелл и миссис У. Г. (Петт) Пентленд, которая, густо напудренная, душно шуршала длинной юбкой из серого шелка и благородно морщила нос над воротником на китовом усе. Она питала к Ганту теплую симпатию.

— Где Уилл? — спросил он.

— Помогает торговцам спиртным набивать карманы, вместо того чтобы здесь помогать Божьему делу, — ответила она с христианской злостью. — Никто, кроме вас, не знает, мистер Гант, что мне приходится переносить. Вам у себя дома тоже ведь приходится переносить пентлендовские выверты, — добавила она с прозрачной многозначительностью.

Он соболезнующе покачал головой и устремил печальный взгляд в канаву.

— О Господи, Петт! Мы прошли сквозь жернова — и вы и я.

Запах сохнущих кореньев и лаврового листа на складе крутой
спиралью ввинчивался в узкие щели его ноздрей.

— Когда настает час высказаться за благое дело, — объявила
Петт остальным дамам, — Уилл Гант всегда бывает готов выполнить свой долг.

Он поглядел на запад, в сторону Писги, далеко видящим государственным взглядом.

— Спиртное — это проклятие и забота, — сказал он. — Оно
приносило страдания неисчислимым миллионам...

— Аминь, аминь! — негромко, нараспев произнесла миссис
Таркинтон, ритмично покачивая широкими бедрами.

— ...оно приносило нищету, болезни и страдания сотням тысяч
семей, разбивало сердца матерей и жен и вырывало хлеб изо рта
осиротевших малюток.

— Аминь, брат.

— Оно... — начал Гант, но в этот миг его беспокойный взгляд
упал на широкую красную физиономию Тима О'Дойла и на свирепую обакенбарденную алкоголичность майора Амброза Нетерсола,
двух видных кабатчиков, которые стояли неподалеку от двери,
всего в шести футах от него, и внимательно слушали.

— Валяйте говорите дальше, — потребовал майор Нетерсол
грудным басом лягушки-быка. — Валяйте, У. О., только, Бога
ради, не рыгните.

— А, черт! — сказал Тим О'Дойл, вытирая тоненький ручеек
табачной жвачки с уголка толстого обезьяньего рта. — Сколько
раз я видел, как он шел к двери, а выходил в окно. Когда мы
видели, что он идет, так нанимали двух помощников откупоривать
бутылки. Он, бывало, платил буфетчику премию, чтобы тот открыл
заведение пораньше.

— Не обращайте на них внимания, сударыни, прошу вас, —
сказал Гант уничтожающе. — Они низшие из низких, ополоумев-
шие от виски подонки человечества, даже не заслуживающие того,
чтобы называться людьми, так они дегенерировали в обратном
направлении.

Широко взмахнув широкополой шляпой, он скрылся за дверью
склада.

— Черт побери! — одобрительно сказал Амброз Нетерсол. —
Никто, кроме У. О., не умеет завязывать человеческую речь в
такие узлы.

Но не прошло и двух месяцев, как он уже горько вопиял от
неутоленной жажды. Год за годом он выписывал из Балтимора

разрешенную квоту — галлон виски на две недели. Это была эпоха тайных забегаловок. Весь город был минирован ими. Преобладающими напитками были скверное ржаное виски и кукурузный самогон. Он старился, он был болен, он все еще пил.

Жиденькая струйка похоти с трудом ползла по пересохшему оврагу желания и завершалась сухой бесплодностью сластолюбивых прикосновений. Он дарил хорошеньким летним вдовушкам в «Диксиленде» деньги, белье и шелковые чулки, которые натягивал на их красивые ноги в пыльном полумраке своей маленькой конторы. Улыбаясь с невозмутимой нежностью, миссис Селборн медленно протягивала тяжелые ноги, чтобы их с теплым звонким шлепком перехватил его подарок — зеленые шелковые подвязки. Потом — облизывая большой палец с хитроватой узкой улыбкой — он рассказывал.

В отсутствие Хелен второй этаж дома на Вудсон-стрит сняла соломенная вдова сорока девяти лет с высоко уложенными, крашенными хной волосами, подпертой корсетом грудью, выпяченными по крутым диагоналям архитектурными бедрами, мясистыми веснушчатыми руками и рыхлым свинцово-дряблым лицом в штукатурке яркой косметики.

— Смахивает на авантюристку, а? — с надеждой говорил Гант.

У нее был сын. Четырнадцать лет, круглое оливково-смуглое лицо, мягкое белое тело и тонкие ноги. Он сосредоточенно грыз ногти. Волосы и глаза у него были темные, лицо исполнено печальной скрытности. Он был благоразумен и в нужный момент незаметно исчезал.

Гант приходил домой раньше обычного. Вдова весело покачивалась в качалке на крыльце. Он изысканно кланялся и называл ее «мадам». Она кокетливой кошечкой болтала с ним, наваливаясь на скрипящие перила лестницы. Она уютно улыбалась ему сладкой улыбкой. Она без церемоний проходила через гостиную, где он теперь спал. Как-то вечером, едва он вошел в дом, она появилась из ванной, распространяя легкий аромат наилучшего мыла и колыхаясь в огненно-красном кимоно.

Очень еще красивая женщина, подумал он. Добрый вечер, мадам.

Он встал с качалки, отложил в сторону хрустящие листы вечерней газеты (республиканской) и снял стальные очки с широкой лопасти своего носа.

Она пружинистой походкой подошла к пустому камину, оттягивая кимоно на груди руками в синих прожилках.

Быстро, с веселой усмешкой, она распахнула кимоно, открыв худые ноги в шелковых чулках и пухлые бедра в ярких пышных оборках голубых шелковых панталон.

— Миленькие, правда? — прощебетала она приглашающе, но несколько неопределенно. Затем, когда он живо шагнул вперед, она ускользнула, как грузная менада, провоцирующая вакхическую погоню.

— Яблочки, — согласился он, включая все.

С этих пор она начала готовить ему завтрак. Элиза взирала на них из «Диксиленда» горькими глазами. Он не обладал талантом притворства и скрытности. Его утренние и вечерние визиты стали короче, выражения умереннее.

— Я знаю, чем вы занимаетесь, — сказала она. — Не воображайте, будто я не знаю.

Он смущенно ухмыльнулся и облизнул палец. Ее рот несколько секунд подергивался в тщетной попытке заговорить. Она пронзила жарящийся бифштекс и перевернула его на сырую спинку, мстительно улыбаясь в клубящемся столбе жирного синеватого чада. Гант неловко потыкал ее в бок негнущимися пальцами; она визгливо запротестовала, сердясь и посмеиваясь, и сделала неуклюжий негодующий шаг в сторону.

— Убирайтесь! Я не желаю, чтобы вы тут увивались. Время для этого прошло. — Она засмеялась с язвительной насмешливостью. — А ведь вы жалеете? Хоть присягнуть! — продолжала она, помяв губы секунду-другую, прежде чем заговорить. — Постыдились бы! Все над вами смеются у вас за спиной.

— Лжешь! Клянусь Богом, ты лжешь! — великолепно загремел он, задетый ее словами. Тор, мечущий молот*.

Но его новая любовь очень быстро ему надоела. Он был утомлен и испуган таким быстрым пресыщением. Некоторое время он давал вдове кое-какие деньги и не напоминал ей о квартирной плате. Теперь свои бешеные проклятия он адресовал ей и, расхаживая по лабиринту мраморов в мастерской, зловеще бормотал себе под нос, ибо понял, что его дом утратил былую свободу и он посадил себе на шею деспотическую старую ведьму. Как-то вечером он вернулся домой в пьяном исступлении, выгнал ее из спальни неодетую, без зубов и ненаштукатуренную. Она убегала от него, волоча за собой зажатое в подагрических пальцах кимоно. В конце концов он загнал ее во двор к большой вишне и начал бегать за ней вокруг ствола, завывая, свирепо размахивая руками, а она щебетала от страха, бросала расщепленные взгляды и туда и сюда, и повсюду, где подслушивали соседи, натягивала смятое кимоно, слегка прикрывшее непристойную пляску ее грудей, и взывала о помощи. Помощь не явилась.

— Стерва! — вопил он. — Я убью тебя. Ты выпила мою кровь, ты довела меня до гибели и упиваешься моими несчастьями, с дьявольской радостью прислушиваясь к моим предсмертным хрипам, кровожадное и противоестественное ты чудовище.

Она ловко оставляла ствол между ним и собой, а когда поток проклятий на мгновение занял его внимание целиком, на окрыленных страхом ногах выскочила на улицу и бросилась в убежище таркинтоновского дома. Пока она приходила в себя в успокоительных объятиях миссис Таркинтон, истерически всхлипывая и растирая промоины на своем жалком накрашенном лице, до них доносились мечущиеся хаотические шаги в стенах его дома, громкий треск падающей мебели и его яростное ругательство, когда он упал на пол.

— Он убьет себя! Он убьет себя! — вскричала она. — Он не понимает, что он делает. Боже мой, — плакала она. — За всю мою жизнь ни один мужчина никогда со мной так не разговаривал.

В стенах своего дома Гант тяжело упал на пол. Наступила тишина. Вдова боязливо поднялась.

— Он неплохой человек, — прошептала она.

Как-то утром в начале лета, после возвращения Хелен, Юджина разбудили возбужденные крики и шарканье подошв по коротким деревянным мосткам, которые огибали заднюю стену дома и вели к домику для игр — маленькому сооружению из сосновых досок с единственной затхлой комнатой внутри: он мог бы почти дотянуться до карниза домика, если бы сполз к краю крыши, круто уходившей вниз от окна мансарды, где он спал. Домик для игр был еще одним неожиданным порождением гантовской фантазии: он был построен для детей, когда они были еще маленькими. В течение многих лет им не пользовались, и он превратился в восхитительное убежище; воздух, запертый в нем, застоявшийся и прохладный, был навеки пропитан ароматом сосновых досок, ящиков с книгами и пыльных журналов.

Последние несколько недель в домике проживала Энни, южнокаролинская кухарка миссис Селборн — полная красивая негритянка тридцати пяти лет, с кожей насыщенного медно-коричневого цвета. Она приехала провести лето в горах, рассчитывая подрабатывать в отеле или в пансионе, — она была хорошей кухар-

кой. Хелен наняла ее за пять долларов в неделю. Поступок, про
диктованный гордостью.

В это утро Гант проснулся раньше обычного и задумчиво уста
вился в потолок. Потом встал, оделся и в кожаных шлепанца:
бесшумно прошел по мосткам в домик. Хелен разбудили громоглас
ные протесты Энни. Вся в мурашках дурного предчувствия, она
сбежала по лестнице и наткнулась на Ганта, который, заламыва:
руки и испуская стоны, расхаживал взад и вперед по прачечной
Двери были распахнуты, и она услышала, что негритянка возму
щенно разговаривает сама с собой и стучит ящиками, собира:
свои вещи.

— Я к такому не привыкла. Я замужняя женщина, вот что. Я :
этом доме лишней минуты не останусь.

Хелен в ярости накинулась на Ганта и встряхнула его за плечи

— Ах ты, мерзкий старикашка! — закричала она. — Как ты
смеешь!

— Боже милосердный! — хныкал он, топая ногой, словно
ребенок, и меряя комнату шагами. — За что ты так меня испыту-
ешь на старости лет! — И он принялся тщательно всхлипывать. —
У-у-у-у! О Иисусе, это страшно, это ужасно, это жестоко, что ты
наслал на меня такую кару!

Его пренебрежение логикой достигало парнасских высот. Он ви-
нил Бога за то, что попался, он рыдал потому, что был изобличен.

Хелен кинулась в домик и мольбами и уговорами попыталась
умиротворить негодующую Энни.

— Ну ладно, ладно, Энни, — упрашивала, она. — Я тебе
прибавлю доллар в неделю, если ты останешься. Забудь про это.

— Нет, мэм, — упрямо отвечала Энни. — Я тут не останусь. Я
его боюсь.

Гант на секунду прерывал свои метания и настораживал чуткое
ухо. При каждом решительном отказе Энни он испускал тяжкий
стон и возобновлял ламентации.

Люк, спустившийся вниз, нервно подпрыгивал то на одной
широкой босой ступне, то на другой. Теперь он подошел к двери,
выглянул и неожиданно разразился оглушительными «уах-уах!» при
виде добродетельного негодования на лице негритянки. Хелен
вернулась в дом, сердитая и встревоженная.

— Она растрезвонит об этом по всему городу, — объявила она.

Гант стонал на длинных выдохах. Юджин, который сперва был
потрясен и испуган, начал сумасшедшими прыжками носиться по
кухонному линолеуму, по-кошачьи падая на босые подошвы. Он

восторженно взвизгнул, когда в кухню косолапо вошел нахмуренный Бен и принялся посмеиваться — отрывочно и презрительно.

— И конечно, она обо всем расскажет миссис Селборн, когда вернется в Гендерсон, — продолжала Хелен.

— О Боже мой, — захныкал Гант, — за что такая кара...

— А, пшелтыкчерту, пшелтыкчерту, — сказала Хелен комично, и ее гнев внезапно разрешился смакующей и раздраженной улыбкой. Они все взвыли.

— Я-ик умру-ик...

Юджин захлебнулся в икающем хохоте и начал медленно сползать по косяку двери, ведущей из кухни в прачечную.

— Ах ты, идиотик! — рявкнул Бен, резко занося белую руку, и быстро отвернулся с отблеском улыбки.

В этот момент на дорожке перед домом появилась Энни со скорбно-респектабельным выражением на лице.

Люк тревожно поглядывал то на отца, то на негритянку и нервно переминался на широких ступнях.

— Я замужняя женщина, — сказала Энни. — Я к такому не привыкла. Я хочу получить мое жалованье.

Люк взорвался диким хохотом.

— Уах-уах! — Он ткнул ее в жирок на ребрах скрюченными пальцами. Она отошла, что-то сердито бормоча.

Юджин истомленно перекатывался по полу, подрыгивая одной ногой так, словно его только что обезглавили, и слепо дергая завязки ночной рубашки у горла. Из его широко разинутого рта время от времени вырывалось слабое кудахтанье.

Они хохотали буйно, беспомощно, сливая в этот сумасшедший смех всю накопившуюся в них многослойную истерику, смывая в миг яростной капитуляции все страхи и фатальность своих жизней, боль старости и смерти.

Умирая, он расхаживал между ними, выкрикивал свою жалобу на пристальный взгляд Божьего ока, лишенного век, тревожными глазами исподтишка оценивал их смех, и в уголках его хнычущего рта лукаво играла легкая довольная усмешка.

Смыкаясь над подводными течениями, покачиваясь в их объятиях, колыхалась Саргассова жизнь Элизы, когда утром дыхание кухонного воздуха пробиралось сквозь ревниво охраняемую щелку ее двери и плавно колыхало пучки старых веревочек. Она мягко протирала маленькие близорукие глаза, смутно улыбаясь сонным воспоминаниям о давних потерях. Ее мозолистые пальцы все еще тихонько шарили по постели рядом, и когда она обнаруживала, что возле нее никого нет, она просыпалась. И помнила. Мой младший, мой старший, последний горький плод, о тьма души, о дальнее и одинокое, где? О его лицо в памяти! Сын-смерть, товарищ моей гибели, последняя чеканка моей плоти, согревавший мой бок и свертывавшийся у моей спины. Ушел? Отсечен от меня? Когда? Где?

Хлопала сетчатая дверь, посыльный вываливал на стол фаршированные колбаски, негритянка возилась у плиты. Сна больше не было.

Бен проходил по «Диксиленду» незаметно, но не украдкой, ни в чем не признаваясь, ничего не скрывая. Его смех мягко пронизывал темноту над монотонным поскрипыванием деревянных качелей на веранде. Миссис Перт смеялась ласково и сочувственно. Ей было сорок три года — крупная женщина с кроткими манерами, которая много пила. Когда она бывала пьяна, голос у нее был мягким, негромким и смутным, она смеялась неуверенно и тихо и ходила с осторожной алкоголичной сосредоточенностью. Одевалась она хорошо, была пышнотела, но не выглядела чувственной. Черты лица у нее были правильные, волосы — мягкие, темно-каштановые, глаза — голубые, чуть мутные. Она посмеивалась уютно и весело. Они все ее очень любили. Хелен называла ее Толстушкой.

Ее муж был коммивояжером фармацевтической фирмы — в его территорию входили Теннесси, Арканзас и Миссисипи, и в Алтамонт он приезжал раз в четыре месяца на две недели. Ее дочь Кэтрин, которая была почти ровесницей Бена, каждое лето проводила в «Диксиленде» несколько недель. Она была школьной учительницей в маленьком теннессийском городке. Бен был рыцарем обеих.

Разговаривая с ним, миссис Перт мягко посмеивалась и называла его «старина Бен». Он сидел в темноте, немного говорил, немного напевал, иногда смеялся — тихонько, в своем высоком минорном ключе, зажимая сигарету в развилке пальцев слоновой кости и глубоко затягиваясь. Он покупал фляжку виски, и они выпивали ее совсем тихо. Пожалуй, только разговаривали чуть больше. Но никогда не шумели. Иногда они в полночь вставали с качелей, выходили на улицу и удалялись под развесистыми деревьями. И до конца ночи не возвращались. Элиза, гладившая на кухне большую кучу белья, начинала прислушиваться. Потом поднималась по лестнице, осторожно заглядывала в комнату миссис Перт и, спускаясь, задумчиво мяла губы.

У нее была потребность обсуждать все это с Хелен. Между ними существовала странная, полная вызова общность. Они вместе смеялись или ожесточенно сердились.

— Да конечно же, — нетерпеливо отозвалась Хелен. — Я всегда это знала.

Тем не менее она с любопытством посмотрела на дверь, полуоткрыв крупные зубы в золоте пломб, с выражением детской веры, недоумения, скепсиса и наивной обиды на большом крупнокостном лице.

— Ты думаешь, он и правда?.. Не может быть, мама. Она ему в матери годится.

По белому, сморщенному в гримасе лицу Элизы, задумчивому и укоризненному, расползалась хитренькая улыбка. Она потерла пальцем под широкими ноздрями, чтобы спрятать ее, и хихикнула.

— Вот что, — сказала она. — Яблоко от яблони недалеко падает. Вылитый отец, — зашептала она. — Это у него в крови.

Хелен хрипловато засмеялась, рассеянно ущипнула себя за подбородок и посмотрела в окно на заросший бурьяном огород.

— Бедняга Бен! — сказала она, и ее глаза по неизвестной ей причине застлали слезы. — Ну, Толстушка, во всяком случае, порядочная женщина. Она мне нравится... И я кому угодно об этом скажу, — добавила она с вызовом. — Да и вообще это их дело. И они держат все при себе. Этого ты отрицать не можешь.

Хелен немного помолчала.

— Женщины за ним так и бегают. — сказала она потом. — Им нравятся тихие, верно? А он — настоящий джентльмен.

Элиза несколько секунд зловеще покачивала головой.

— Нет, ты подумай! — прошептала она и снова затрясла поджатыми губами. — И всегда на десять лет старше, если не больше!

— Бедняга Бен! — повторила Хелен.

— Тихий. И грустный. Вот что! — Элиза покачала головой, не в силах говорить. Ее глаза тоже были влажны.

Они думали о сыновьях и любовниках, их общность стала еще более тесной, они пили чашу своего двойного рабства, думая о всех мужчинах из рода Гантов, которых всегда томит жажда, — чужие на земле, безвестные скитальцы, потерявшие свой путь. Утрата, утрата!

Руки женщин жаждали его волнистых волос. Когда они приходили в редакцию сдать объявление, они хотели говорить с ним.

Серьезно насупив брови, облокотившись на барьер и скрестив ноги, он с легкой малограмотной монотонностью читал то, что они написали. Его худые волосатые запястья резко обрисовывались на фоне накрахмаленных белых манжет, его сильные нервные пальцы, которые никотин окрасил в цвет слоновой кости, разглаживали смятые листки. Внимательно хмурясь, он наклонял свою прекрасную голову, вычеркивая, исправляя. Взволнованные дамские пальцы подергивались. «Ну, как?» Смутноголосые ответы, глаза запутавшиеся в волнистых волосах. «О, гораздо лучше, спасибо».

Требуется: голова хмурящегося мальчика-мужчины для чутких пальцев зрелой и чувствительной женщины. Неудачное замужество. Ответы адресовать миссис Б. Дж. Икс, почтовый ящик 74. Восемь центов слово за однократное помещение. «Ах (нежно) спасибо, Бен».

— Бен, — сказал Джек Итон, заведующий отделом рекламы, всовывая пухлую физиономию в кабинет редактора городских новостей, — тут явилась одна из твоего гарема. Чуть не прикончила меня, когда я хотел сам взять ее объявление. Узнай, нет ли у нее подруги.

— Нет, только послушать! — яростно фыркнул Бен в сторону редактора городских новостей. — Ты не нашел своего призвания, Итон. Тебе бы быть униформистом в цирке.

Хмурясь, он выпустил сигарету из пальцев слоновой кости и косолапо вышел за дверь. Итон задержался посмеяться с редактором городских новостей. Ах, уж этот неповторимый Бен Гант!

Иногда, возвращаясь на Вудсон-стрит поздно ночью в разгар летнего сезона, он спал вместе с Юджином в большой комнате наверху, где все они родились. Прислонясь к подушкам на старой кровати кремового цвета, пестро расписанной в головах и в ногах круглыми медальонами с гроздьями плодов, он негромким недоуменным голосом, спотыкаясь на некоторых словах, читал вслух бейсбольные рассказы Ринга Ларднера*. «Ты меня знаешь, Эл». За окнами плоская крыша веранды еще хранила тепло дневных испарений вара, размазанного по жести. Плотные виноградные гроздья, все в паутине, свисали среди широких листьев. «Я не для того его растил. Пожалуй, надо бы поставить Глисону фонарь под глазом».

Бен читал старательно, задерживаясь на секунду, чтобы усмехнуться. Вот так, точно ребенок, он напряженно выискивал все оттенки смысла, сосредоточенно хмурясь. Женщинам нравилось когда он так хмурился и так сосредоточивался. Он бывал внезапным только в гневе и в стремительных обращениях к своему ангелу.

XXII

Когда Юджину шел пятнадцатый год и он учился у Леонарда уже два года, Бен устроил его работать разносчиком газет. Элиза жаловалась на его лень. Она ворчала, что не может добиться от него никакой помощи. На самом деле Юджин не был ленив, но он ненавидел все, что было связано с унылой томительностью ведения хозяйства в пансионе. Элиза не заставляла его делать ничего особенно трудного, но зато давала ему поручения часто и неожиданно. Его угнетала бесцельность труда в «Диксиленде», полное исчезновение всего, что было сделано за день. Если бы Элиза поручила ему постоянное дело, возложила на него какую-нибудь определенную обязанность, он выполнял бы ее со рвением. Но она сама вела хозяйство без всякой упорядоченности — она хотела, чтобы он всегда был у нее под рукой, а ему не было интересно то, что было интересно ей.

«Диксиленд» был средоточием ее жизни. «Диксиленд» владел ею. А его приводил в ужас. Когда она посылала его к бакалейщику за хлебом, он уныло ощущал, что этот хлеб будет съеден чужими людьми, что их усилия ничего не делают новее, лучше, прекраснее, что все уничтожается с ежедневными отбросами. Она посылала его в густой бурьян на огороде выкорчевывать сорняки, смыкавшиеся над ее овощами, которые, как и вся земля, благоденствовали от ее небрежных забот. И в унылом исступлении взмахивая тяпкой, он знал, что сорняки снова вырастут в жаркой солнечной вони, что ее овощи — пропалывай их или нет — станут большими и сочными и будут скормлены ее постояльцам и что ее жизнь, только ее жизнь, воплотится во что-то. Глядя на нее, он постигал уныние и ужас времени: все, кроме нее, осуждены на смерть в душащих объятиях Саргассова моря. И он пьяно дробил земляные комья, а потом, приведенный в себя ее пронзительным воплем с высокого заднего крыльца, обнаруживал, что полностью сокрушил рядок молодой кукурузы.

— Да как же это ты! — сердито ворчала она, щурясь на него из-за ступенчатого хаоса лоханей, обвислых сушащихся чулок, пустых бутылок из-под молока — мутных и немытых, и ржавых ведерок из-под топленого сала.

— Хоть присягнуть! — сказала она, поворачиваясь к мистеру Баскетту, геттисбергскому торговцу хлопком, который малярийно усмехался сквозь клочкастые усы. — Ну, что мне с ним делать? Он срубил все кукурузные стебли на грядке.

— Да, — сказал мистер Баскетт, вглядевшись, — и оставил все сорняки. Тебе бы надо пожить месяца два на ферме, мальчик, — добавил он назидательно.

Хлеб, который я приношу, съедят чужие. Я таскаю уголь и колю поленья для огня, который будет согревать их. Дым. Fuimus fumus[1]. Вся наша жизнь уносится дымом. В ней нет основы, в ней нет созидания — нет даже дымной основы снов. Спустись пониже, ангел, шепни нам в уши. Мы уносимся в дыму, и нынешний день не платит нам за вчерашний труд ничем, кроме усталости. Как нам спастись?

Ему дали Негритянский квартал — самый тяжелый и наименее выгодный из всех маршрутов. Он получал по два цента в неделю с экземпляра, десять процентов с еженедельного сбора и десять центов за каждую новую подписку. Все это давало ему четыре-пять долларов в неделю. Его худое растущее тело пило сон с неутолимой жаждой, но теперь ему приходилось вставать утром в половине четвертого, когда мрак и тишина неслышно гудели в его одурманенных ушах.

Из темноты лилась странная воздушная музыка, на его с трудом пробуждающиеся чувства накатывались волны оркестровых симфоний. Дьявольские голоса, прекрасные и сонно-громкие, взывали сверху сквозь мрак и свет, разматывая нить древней памяти.

Слепо пошатываясь в выбеленном известкой свете, он медленно открывал зашитые сном глаза, рождаясь заново, иссекаемый из мрака.

Пробудись, мальчик с призрачным слухом, но пробудись во мрак. Пробудись, фантом, — в нас, в нас! Испытай, испытай, о, испытай этот путь. Распахни стену света. Призрак, призрак, кто этот призрак? Затерянный, затерянный. Призрак, призрак, кто этот призрак? О шепотный смех. Юджин! Юджин! Здесь, о, здесь. Юджин. Здесь, Юджин. Разве ты забыл? Лист, скала, стена света. Подними скалу, Юджин, — лист, камень, ненайденная дверь. Возвратись, возвратись.

Голос, остраненный сном, и громкий, вовеки далеко-близкий говорил.

---

[1] Мы были дымом (*лат.*).

Юджин!

Говорил, замолкал, не говоря, продолжал говорить. Говорил в нем. Где темнота, сын, там свет. Попробуй вспомнить, мальчик, знакомое слово. В начале был Логос*. За пределом — беспредельная зелено-лесная страна. Вчера, помнишь?

Далеко-лесная звенела песня рога. Океано-лесная, водно-далекая, в коралловых гротах океано-далекая песня рога. Дамы с колдовскими лицами в бутылочно-зеленых нарядах, покачивающиеся в седлах. Русалки без чешуй, прелестные в колоннадах океанского дна. Скрытая страна под скалой. Бегущие лесные девы, врастающие в кору. Издалека, слабея, по мере того как он просыпался, они звали его все тише. А потом — более мощная песнь, из горла демонов, подкованная ветром. Брат, о брат! Они мчались вниз за край мрака, уносились по ветру, как пули. О утраченный и ветром оплаканный призрак, вернись, вернись.

Он одевался и тихо спускался по лестнице на заднее крыльцо. Прохладный воздух, заряженный голубым звездным светом, пробуждал его тело электрическим ударом, но, пока он шел к центру города по безмолвным улицам, странный звон в его ушах не утихал. Он прислушивался, словно собственный призрак, к своим шагам, слышал издалека подмигивающее мерцание уличных фонарей, сквозь затопленные морем глаза видел — город.

В его сердце звучала торжественная музыка. Она наполняла землю, воздух, вселенную; она была негромкой, но вездесущей, и она говорила ему о смерти и мраке и о том, что на равнину сходятся в марше все, кто живет и кто жил. Мир был заполнен безмолвными марширующими людьми — ни слова не было сказано, но в сердце каждого таилось всеобщее знание, слово, которое все люди знали и забыли, утраченный ключ, открывающий тюремные ворота, тропу на небеса, и, переполненный рвущейся ввысь музыкой, он вскричал: «Я вспомню. Когда я увижу это место, я узнаю его».

Жаркие полосы света мутно лились из дверей и окон редакции. Из типографии внизу доносился нарастающий рев — ротационная машина постепенно набирала полный ход. Когда он вошел в редакцию и хлебнул теплую волну стали и краски, которыми был пропитан воздух, он внезапно проснулся, его эфемерное одурманенное тело мгновенно отяжелело, словно стихийный дух, чья бесплотная субстанция овеществляется, едва коснувшись земли.

Разносчики газет шумной чередой дефилировали мимо стола заведующего отделом распространения, сдавая собранные деньги — холодные горсти захваченных монет. Сидя под лампой с зеленым абажуром, он быстро просматривал их книги, подводил итоги их записей и сбрасывал пересчитанные пятнадцати-, десяти-, и пятицентовые монеты в ячейки открытого ящика. Потом он вручал каждому быстро нацарапанный ордер на его утреннюю квоту.

Они сбегали по лестнице, как спущенные гончие, торопясь скорее отправиться в обход, и совали ордера угрюмому раздатчику, чьи черные пальцы стремительно и безошибочно галопировали по жестким ребрам толстой пачки. Он давал каждому два «добавочных» экземпляра. Если разносчик был не слишком щепетилен, он увеличивал число лишних экземпляров, сохраняя в своей книге фамилии пяти-шести бывших подписчиков. Эти дополнительные экземпляры можно было обменять на кофе и пирог в закусочной или преподнести «своему» полицейскому, пожарному или вагоновожатому.

В типографии Гарри Тагмен уютно бездельничал под их взглядами — из его ноздрей вились пухлые струйки папиросного дыма. Он с профессиональной небрежностью бросил взгляд на ротационную машину, выставляя напоказ мощную грудь, всю в густых волосах, которые черным пятном просвечивали сквозь мокрую от пота нижнюю рубашку. Между ревущих валов и цилиндров ловко пробирался помощник печатника с масленкой и комком ветоши в руке. Широкая река белой бумаги непрерывно неслась по валу вверх и исчезала в калечащем хаосе железного нутра, откуда через секунду вылетала наружу разрезанной, напечатанной, сложенной, спрессованной с сотней других в кипы, скользящие по скату.

Магия машин! А почему нельзя так и людей? Врачи, поэты, священники — спрессованные в кипы, сложенные, напечатанные.

Гарри Тагмен с неторопливым удовольствием бросил окурок. Разносчики газет смотрели на него с благоговением. Однажды он сшиб с ног одного из помощников за то, что тот сел в его кресло. Он был Начальник. Он получал пятьдесят пять долларов в неделю. Если бы ему тут разонравилось, он в любую минуту мог бы получить работу в «Нью-Орлеан таймс-пикейн», «Луисвилл курьер джорнел», в «Атланта конституьюшен», в «Ноксвилл сентинел», в «Норфолк пайлот». Он мог бы путешествовать.

В следующую минуту они уже выскочили на улицу и быстро затрусили каждый своим путем, сгибаясь под привычной тяжестью битком набитых парусиновых сумок.

Он отчаянно боялся потерпеть неудачу. Мучительно сморщившись, он слушал наставления Элизы:

— Подтянись, милый! Подтянись! Пусть они видят, что ты не кто-нибудь.

Он не верил в себя; он заранее переживал унизительное увольнение. Он боялся сабельных ударов язвительных слов и, страшась, отступал перед собственной гордостью.

Три утра он сопровождал разносчика, которого должен был сменить, и, собирая все свои мысли в напряженный фокус, старался запомнить стереотипный маршрут доставки газет, вновь и вновь прослеживал запутанный лабиринт Негритянского квартала, втискивал свой план в расползшийся хаос грязи и помоев, превращал в яркие точки те дома, куда надо было доставлять газету, и забывал остальные. Много лет спустя, когда он уже забыл эту прихотливую беспорядочную паутину, наедине с темнотой он продолжал помнить угол, на котором оставлял сумку, чтобы вскарабкаться вверх по обрыву, крутой откос, по которому он скатывался к трем ветхим лачугам, дом с высоким крыльцом, на которое он метко швырял туго сложенный кирпичик новостей.

Прежний разносчик, дюжий деревенский парень семнадцати лет, получил повышение. Звали его Дженнингс Уэйр. Он был груб, добродушен, несколько циничен и курил не переставая. Его плотно окутывал покров жизнелюбия и душевной безмятежности. Он наставлял своего ученика, где и когда может появиться вынюхивающее лицо Рыжего, как остаться незамеченным, нырнув под стойку закусочной, и как складывать газету, чтобы ее можно было метнуть с силой и точностью бейсбольного мяча.

В свежести еще не рожденного утра они начинали обход, спускаясь с крутого склона Вэлли-стрит в тропическое море сна, мимо тяжелого сонного оцепенения, мимо всех тайных романов, случайных и бесчисленных прелюбодеяний Негритянского квартала. Когда жесткий кирпичик газеты резко шлепался на шаткое крыльцо ветхой лачуги или ударял в растрескавшуюся филенку двери, изнутри доносился долгий раздраженный стон. Они хихикали.

— Вычеркни эту, — сказал Дженнингс Уэйр, — если ничего от нее не получишь в следующий раз. Она уже задолжала за шесть недель.

— А вот тут, — говорил он, бесшумно бросая газету на коврик перед дверью, — платят *без задержки*. Это правильные негры. Каждую среду будешь получать все деньги.

— А тут живет мулаточка, — сказал он, с силой швыряя газету в дверь, и улыбнулся узкой дьявольской улыбкой, когда вслед за ударом раздался пронзительный женский вопль негодования. — Можешь брать натурой.

На губах Юджина забилась бледная испуганная улыбка. Дженнингс Уэйр бросил на него проницательный взгляд, но оставил его в покое. Дженнингс Уэйр был добрым малым.

— Она хорошая деваха, — сказал он. — А несколько мертвых душ тебе положено. Наверстывай продажей на сторону.

Они спускались по темной немощеной улочке и, пользуясь паузой, быстро складывали газеты для следующих бросков.

— Чертов маршрут, — сказал Дженнингс Уэйр. — Когда идет дождь, тут жуть что делается. Шлепаешь по колено в грязи. И половина этих сукиных детей не платит ни гроша.

Он метнул газету со злобной мстительностью.

— Но зато, — сказал он немного помолчав, — если ты любишь попастись на травке, то лучше места не найдешь. Можешь мне поверить.

— С... с негритянками? — прошептал Юджин, облизывая пересохшие губы.

Дженнингс Уэйр повернул к нему свою красную насмешливую физиономию.

— Может, ты видел тут дамочек из общества? — осведомился он.

— А негритянки хороши? — спросил Юджин тихим пересохшим голосом.

— Ого! — междометие вырвалось изо рта Дженнингса Уэйра, как выстрел. Он помолчал. — Лучше не бывает, — сказал он потом.

Вначале парусиновый ремень сумки нещадно резал его худые плечи. Он, напрягаясь, тащил злое бремя, которое пригибало его к земле. Первые недели были словно кошмар войны: день за днем он с боем прокладывал себе путь к освобождению. Он сполна изведал муку тех, кто несет бремя; он из утра в утро познавал воздушный экстаз освобождения. По мере того как его ноша от дома к дому облегчалась, его согнутые плечи распрямлялись с окрыленной радостью, напряженные ноги становились легкими, к концу утренних трудов его тело, чувственно пронизанное усталостью, легко прядало над землей. Он был словно Меркурий*, скованный вьюками, словно Ариэль*, согбенный мешком, — когда он избавлялся от ноши, его окрыленные ноги шагали по солнечному блеску. Он плыл по воздуху. Над его рабством холодно блестели рапиры звезд, над его освобождением розовела заря. Он был точно матрос, тонущий в трюме, который на ощупь пробирается через люк к жизни и утру; точно ныряльщик, стиснутый осьминожьими щупальцами, который рассекает узы смерти и медленно возносится с морского дна к свету.

Еще до конца месяца на его плечах затвердел толстый валик мышц, и он ликующе впрягся в работу. Теперь он не боялся неудачи. Его сердце торжествовало, как гордый петух с царственным гребнем. Он был брошен среди других, не имея никакой форы, и он превзошел их. Он был владыкой мрака, он упивался одинокой самодостаточностью своей работы. Он шел по путаному хаосу квартала метателем новостей для спящих. Его быстрые пальцы складывали хрустящую газету, он взмахивал худой рукой, как бичом. Он видел, как тонут бледные звезды, а на горах занимается зубчатый свет. В полном одиночестве, единственный живой человек на земле, он начинал день для остальных людей, проходя мимо закрытых ставнями окон и слыша долгий, сдавленный храп тропиков. Он шел через этот душный густой сон и вновь слышал призрачный звон собственных ног и необъятную оркестровую музыку мрака. По мере того как серый прилив утра катился к западу, он все больше пробуждался.

Юджин наблюдал и медленное слияние времен года, он видел царственную процессию месяцев; он видел, как летний рассвет подобно реке врывается в тьму; он видел, как тьма вновь торжествует; и он видел, как мимолетные дни, жужжа, точно мухи, устремляются в небытие.

Летом день наступал раньше, чем он кончал обход, и он шагал домой в мире пробуждений. Когда он проходил через площадь, там уже собирались первые трамваи — свежая зеленая краска придавала им приятный вид новых игрушек. Огромные помятые бидоны молочников сверкали на солнце чистым блеском. Свет обнадеживающе озарял смуглую лоснящуюся жирность Джорджа Хакалеса, ночного сторожа кафе «Афины». Эллинистическая заря. А в закусочной «Юнида» № 1 на площади Юджин запивал яичный бутерброд долгими глотками пахучего кофе, пристроившись на табурете в дружественном обществе вагоновожатых, полицейских, шоферов, штукатуров и каменщиков. Он чувствовал, что очень приятно кончать работу, когда все остальные ее только начинают. Он возвращался домой под щебечущими птичьими деревьями.

Осенью поздняя красная луна до самого утра низко плыла над горизонтом. Воздух был полон падающих листьев, по горам разносился торжественный гром гигантских деревьев, а в его сердце все отчетливее звучали печальные призрачные шепоты и необъятная храмовая музыка.

Зимой он радостно вступал в темный воющий ветер, опираясь всей тяжестью на его надвигающуюся стену, когда она взметывалась вверх по склону холма; а ранней весной, когда с дымящегося неба сеялся мелкий дождь, он был доволен. Он был один.

Своих злостных неплательщиков он преследовал с бешеным упорством. Он выслушивал их легковесные обещания, не выражая сомнений; он захватывал их врасплох у них дома или у соседей, он настаивал так упрямо, что в конце концов, неохотно или добродушно, они уплачивали часть своего долга. Ничего подобного не добивался ни один из его предшественников, но он продолжал нервничать над своими счетами, пока не обнаружил, что заведующий отделом распространения приобрел привычку ставить его в пример наиболее нерадивым из своих подчиненных. Когда он выгребал на стол заведующего кучку с таким трудом собранных мелких монет, его начальник укоризненно поворачивался к ленивцу и говорил:

— Вот посмотри! И он приносит столько каждую неделю! А ведь у него черномазые!

И бледное лицо Юджина пламенело от радости и гордости. Он отвечал этому великому человеку дрожащим голосом. Ему трудно было говорить.

Когда ветер с воем проносился во мраке, он разражался маниакальным смехом. Он высоко подпрыгивал с визгом безумного ликования, выдавливал из своей глотки дурацкий животный писк и швырял газеты в жиденькие стены лачуг с исступленной силой. Он был свободен, он был один. Он слышал вой паровозного гудка — где-то совсем недалеко. В темноте он простирал руки к человеку на рельсах, к своему брату в огромных очках, со стальной твердостью неотрывно смотрящему на рельсы.

Он уже меньше ежился под угрозой семейного кулака. Он радостно переставал задумываться о том, сколь он недостоин.

Сидя бок о бок в буфете с другими разносчиками, он научился курить, и в сладостном синем воздухе весны, когда он спускался с холма в свой район, ему открылась красота Дамы Никотин, восхитительной феи, которая, завивалась в его мозгу, оставляла аромат острого дыхания в его юных ноздрях, вяжущий поцелуй на его губах.

Он был отточенным лезвием.

Весна вонзила острый шип в его сердце, исторгла безумный вопль из его уст. И для этого у него не было слов.

Он знал голод. Он знал жажду. В нем вздымалось великое пламя. Ночью он охлаждал пылающее лицо у журчащих питьевых фонтанчиков. Наедине с собой он иногда плакал от боли и восторга. Дома к испуганному молчанию его детства добавилась яростная сдержанность. Он был напряжен, как скаковой конь. Белый атом изначальной ярости взрывался в нем, как ракета, и он разражался безумными ругательствами.

— Что с ним такое? Пентлендовское сумасшествие дает себя знать? — спрашивала Хелен, сидя на кухне у Элизы.

Элиза несколько мгновений многозначительно мяла губы и медленно покачивала головой.

— Неужто ты не понимаешь, деточка? — сказала она с хитрой улыбкой.

Его неудержимо тянуло к неграм. После школы он отправлялся бесцельно бродить по ячеистому улью Негритянского квартала. Резкая вонь ручья, струящего бурую клоачную гущу по истертым валунам, запах древесного дыма и белья, кипящего в черном чугунном котле на заднем дворе, низкие кадансы тропических сумерек, неясные фигуры, скользящие, падающие и исчезающие под мерцающий аккомпанемент оркестра маленьких звуков. Тугие вервии богатого языка в сизых сумерках, жирное шипенье жарящейся рыбы, печальное, далекое бренчание банджо и дальний топот тяжелых ног; голоса — нильские, стонущие над рекой, и дымный свет четырех тысяч коптящих ламп в лачугах и в сдающихся покомнатно домах.

С невысокого центрального холма, вокруг которого лепился квартал, неслись задыхающиеся голоса прихожан баптистской церкви Святого Распятия — они нарастали в изматывающем и неспадающем исступлении с семи вечера до двух ночи, сливаясь в дикий тропический вопль греха, любви, смерти. Мрак был ульем плоти и тайны. Повсюду журчали буйные ключи смеха. По-кошачьи скользили смутные фигуры. Все было имманентным. Все было далеким. Ничего нельзя было коснуться.

В этой древней колдовской магии мрака он начал познавать жуткую невинность зла, грозную юность древней расы. Его губы вздергивались, обнажая зубы; он рыскал в темноте, размахивая руками, и его глаза сияли. Волны стыда и ужаса, неясные, неопознаваемые, прокатывались через него. Он не решался признать вопрос, владевший его сердцем.

Значительную часть его списка составляли добропорядочные трудолюбивые негры — парикмахеры, портные, бакалейщики, фармацевты и чернокожие домашние хозяйки в ситцевых фартуках: все они каждую неделю аккуратно платили в назначенный день, встречали его дружелюбной сверкающей улыбкой и уважительными наименованиями, нелепыми и добродушными — «мистер», «полковник», «генерал», «сенатор» и так далее. Все они знали Ганта.

Но остальную часть — и именно к ней тяготели его желания и любопытство — составляли «летуны», молодые мужчины и женщины, которые добывали себе средства существования подозрительными способами, вели разнообразную жизнь, таинственно скользили по сотам из ячейки в ячейку и населяли ночь своей мелькающей смутностью. Он тщетно неделю за неделей разыскивал этих призраков, пока не обнаружил, что найти их можно только в воскресное утро, когда они, как тяжелые кули, валялись друг поперек друга в вонючей темноте тесной комнатушки перенаселенного дома — полдесятка молодых людей и женщин, тяжело храпящих в пьяном пресыщенном оцепенении.

Как-то вечером в субботу в гаснущем багрянце летних сумерек он вернулся к одному из таких сдающихся покомнатно домов — ветхому трехэтажному строению, два нижних этажа которого спускались под крутой глинистый обрыв на западной границе квартала вблизи белых улиц. Тут жили десятка два мужчин и женщин. Он разыскивал женщину, которую звали Элла Корпенинг. Ему никак не удавалось ее застать, а она задолжала уже за несколько месяцев. Однако на этот раз ее дверь стояла открытой; до него донеслась волна теплого воздуха и запаха стряпни. Он спустился по гнилым ступенькам врезанной в обрыв лестницы.

Элла Корпенинг сидела лицом к двери в качалке и, удобно вытянув сильные ноги, лениво мурлыкала в красном отблеске маленькой плиты. Она была мулаткой, ей было двадцать шесть лет — красивая женщина с гладкой темно-золотистой кожей, сложенная, как амазонка.

Ее одежда, несомненно, перешла к ней от кого-то из ее бывших хозяек: на ней была коричневая шерстяная юбка, высокие кожаные ботинки на перламутровых пуговичках и серые шелковые чулки. Ее тяжелые плечи глянцевито просвечивали сквозь легкую ткань свежей белой блузы. Дешевая голубая шнуровка стягивала тяжелую грудь.

На плите бурлила кастрюлька с капустой и кусками жирной свинины.

— А я из газеты, — сказал Юджин. — Я пришел за деньгами.

— А-а! — сказала Элла Корпенинг, лениво поводя плечами. — Сколько с меня причитается?

— Один доллар двадцать центов, — ответил он и многозначительно посмотрел на одну из ее вытянутых ног, под коленом которой тускло просвечивала сквозь чулок смятая банкнота.

— Это мне платить за квартиру, — сказала она. — Это я вам отдать не могу. Доллар двадцать! — она задумалась. — Фу ты! — добродушно фыркнула она. — Не может быть, чтобы так много.

— Может, — сказал он, открывая свою книгу.

— Значит, так, — согласилась она. — Раз в книге записано.

Несколько секунд она лениво предавалась размышлениям.

— А по утрам в воскресенье вы собираете? — спросила она.

— Да, — сказал он.

— Ну, так приходите утром, — сказала она с надеждой. — У меня для вас что-нибудь будет, наверняка. Я сейчас жду одного белого джентльмена. Он даст мне доллар.

Она неторопливо переложила свои мощные ноги и улыбнулась ему. У него в глазах раздвоенно застучала кровь. Он сухо глотнул; колени у него подгибались от волнения.

— А... а за что он даст тебе доллар? — пробормотал он еле слышно.

— Известно за что, — сказала Элла Корпенинг.

Он дважды дернул губами, не в силах выговорить ни слова. Она встала с качалки.

— А чего ты хочешь? — спросила она ласково. — Того же?

— Хочу посмотреть... посмотреть! — выдохнул он.

Она закрыла дверь, выходящую на откос, и заперла ее. Из открытого поддувала маленькой плиты падал багровый, исчерченный полосами свет. Сквозь решетку внезапно посыпался дождь раскаленных угольков.

Элла Корпенинг открыла дверь сбоку от плиты, ведущую в другую комнату. Там виднелись две кровати со смятыми грязными простынями. Единственное окно было заперто и плотно задернуто старой зеленой занавеской. Элла Корпенинг зажгла коптящую лампочку и привернула фитиль.

На маленьком облезлом комоде стояло мутное зеркало. Над загороженным ширмочкой камином на низкой полке располагались кукла купидон в розовом кушачке, ваза с волнистыми краями и золочеными цветами — карнавальный приз, и подушечка с булавками. Кроме того, календарь — дар алтамонтской Компании доставки на дом угля и льда, на котором молодая индианка неслась в своем каноэ по лунной дорожке, и кудрявая благочестивая пропись в рамочке орехового дерева: «Господь любит и тех и других».

— Чего ты хочешь? — шепнула Элла Корпенинг, поворачиваясь к нему.

Откуда-то издалека до него донесся призрачный отзвук его собственного голоса:

— Разденься.

Ее юбка кольцом упала вокруг ее ног. Она сняла накрахмаленную блузку. Через секунду она стояла перед ним совсем нагая, если не считать чулок.

Она часто дышала, ее упругий язык быстро облизывал губы.

— Танцуй! — крикнул он. — Танцуй!

Она начала негромко постанывать, по ее мощному желтому телу пробежали волны дрожи; ее бедра и тяжелые круглые груди медленно колыхались в чувственном ритме.

Прямые напомаженные волосы тяжелым пучком упали ей на шею. Балансируя, она протянула вперед руки, и веки сомкнулись на ее больших желтоватых глазах Она подошла к нему, и он почувствовал на своем лице ее жаркое дыхание, ощутил душащий вал ее грудей. Его, как щепку, втягивал бешеный водоворот ее страсти. Сильные желтые пальцы, словно браслеты, обхватили его тонкие руки чуть ниже плеча. Она медленно раскачивала его, крепко прижав к себе.

Он отчаянно пятился к двери, захлебываясь в ее объятиях.

— Пусти, черномазая... пусти, — прохрипел он.

Она медленно разомкнула руки — не открывая глаз, постанывая, она отступила, словно он был молодым деревцем. Тоскливо и жалобно она повторяла нараспев одни и те же звуки, завершая их низким протяжным стоном.

Ее лицо, колонна ее шеи и большегрудый торс покрылись ручейками пота. Юджин слепо кинулся в дверь, пробежал через кухню и, задыхаясь, выбрался на воздух. Ее монотонный напев, не нарушенный, не прерванный его уходом, преследовал его на ветхих ступеньках. Он остановился перевести дух, только когда добрался до рыночной площади. Внизу, в лощине, и на холме за ней в сумерках светили коптящие лампы Негритянского квартала. Из темного улья поднимался далекий смех — звучный, тропический, буйный. Он слышал тоскующее побренькивание, размеренный топот далеких невидимых ног и над всеми этими звуками, сквозь них, он слышал — еще призрачнее, еще дальше — стремительные причитания грешников в церкви.

XXIII

'Εγτεῦυεγ έξε λαύ γει σταυμούζ τρείζ
παρασάγγαζ πεγτεχαίδεχα έπι τόν Εύφράτηγ πατομόγ [1].

Он не рассказал Леонардам, что работает по утрам. Он знал, что они будут возражать против этого и что их возражения воплотятся в победоносном доводе сниженных баллов. Кроме того, он знал, что Маргарет Леонард будет зловеще говорить о подорванном здоровье, об ущербе, наносимом надеждам грядущих лет, о потерянных часах сладкого утреннего сна, которые ничем нельзя возместить. На самом деле он стал теперь гораздо крепче, чем был раньше. Он стал тяжелее и сильнее. Но иногда он томительно хотел спать. К полудню голова у него становилась тупой и свинцовой, потом он приободрялся, но после восьми часов ему уже никак не удавалось заставить свой сонный мозг сосредоточиться на книге.

Дисциплине он не научился вовсе. Под опекой Леонардов он даже проникся к ней романтическим презрением. Маргарет Леонард обладала удивительной способностью великих людей — видеть сущность. Доминантный цвет она видела всегда, но не всегда замечала оттенки. Ей была свойственна вдохновенная сентиментальность. Она считала, что «знает мальчиков», и гордилась тем, что знает их. На самом же деле она не знала о них почти ничего. Она ужаснулась бы, если бы ей открылся дикий душевный хаос подростка, сексуальные кошмары наступающей половой зрелости, тоска, страх, стыд, томящие мальчика в темном мире его желания. Она не знала, что каждый мальчик за решеткой страха, запрещающего ему исповедаться, кажется себе чудовищем.

Этого знания у нее не было. Но ей была дана мудрость. Она сразу же видела, чего стоит каждый человек. Мальчики были ее героями, ее маленькими божками. Она верила, что грехи мира

---

[1] Оттуда он прошел в три перехода пятнадцать парасангов к реке Евфрату* *(греч.)*.

будут искуплены и жизнь спасена одним из них. Она видела огонь, горящий в каждом из них, и бережно его хранила. Она искала доступа к слепым поискам света и самовыражения и у тех, кто был туп, тугодумен, скован стыдом. Она говорила дрожащему скаковому коню тихие ласковые слова, и он успокаивался.

Вот почему он не исповедовался ей. Он все еще был заперт в темнице. Но он всегда тянулся к Маргарет Леонард, как к свету, — она видела отблески адского огня, отплясывающие танец мечей на его лице, она видела его голод и муку и кормила его (о, величественнейшее преступление!) поэзией.

Там, где страх или стыд замыкали их в осторожном молчании, там, где чопорные требования обычая связывали им язык, они находили освобождение в многозначительной символике стихов. И это означало, что Маргарет была потеряна для добрых ангелов. Ибо какое дело посланцам сатаны до мелочной точности буквы и слова, если мы можем похитить у поющего хора земного методизма хотя бы одно-единственное сердце — вознести одну великую, заостренную пламенем погибшую душу к высочайшей греховности поэзии?

Вино виноградных гроздьев никогда не оскверняло ее рта, но вино поэзии было неугасимо смешано с ее кровью, замуровано в ее плоти.

К пятнадцати годам Юджин знал почти всех крупнейших лирических поэтов, писавших по-английски. Он владел всеми их живыми богатствами до последней строки, не ограничиваясь горсткой разрозненных цитат. Его жажда была пьяной, неутолимой; к своим сокровищам он добавил целые сцены из шиллеровского «Вильгельма Телля», которого самостоятельно читал по-немецки, стихи Гейне и несколько народных песен. Он выучил наизусть целый отрывок из «Анабасиса», в котором напряженно нарастающий победоносный греческий язык живописал ту минуту, когда измученные голодом остатки Десяти Тысяч наконец достигли моря и испустили свой бессмертный клич, называя его по имени. Кроме того, он выучил несколько звонких пошлостей Цицерона, за их звучание, и отрывки из Цезаря, сухие и мускулистые.

Великие стихотворения Бернса он знал потому, что они были положены на музыку, потому, что он читал их или слышал, как их декламировал Гант. Однако «Тэма О'Шентера»* ему прочла Маргарет Леонард, и ее глаза блестели смехом, когда она читала:

— «В аду тебя поджарят, как селедку».

Некоторые вордсвортовские стихотворения* покороче он читал еще в начальной школе. «Стучит мое сердце», «Я шел, как облако, один» и «Взгляните, одна-одинешенька в поле» он помнил еще с тех самых пор, но Маргарет прочла ему сонеты и заставила выучить наизусть «Нам слишком дорог мир». Ее голос дрожал и становился низким и страстным, когда она читала эти строки.

Он знал наизусть все песни в шекспировских пьесах, но особенно потрясали его две: «Где ты, милая, блуждаешь»*, которая отдавалась в его сердце далеким отзвуком рога, и великолепная песня из «Цимбелина» — «Для тебя не страшен зной». Он попытался прочесть все сонеты и не смог, потому что их сложная насыщенность оказалась слишком трудной для его малого опыта, но он прочел и забыл примерно половину их, и навсегда запомнил те немногие, которые, непонятно почему, сразу же вспыхивали для него на странице, подобно светильникам.

Это были: «Когда читаю в свитках мертвых лет», «Ты не меняешься с теченьем лет», «Мешать соединенью двух сердец», «Издержки духа и стыда растрата», «Когда на суд безмолвных, тайных дум», «Сравню ли с летним днем твои черты?», «Нас разлучил апрель цветущий, бурный» и «То время года видишь ты во мне» — самый великий из них всех, который открыла ему Маргарет и который пронизал его таким электрическим током восторга, когда он дошел до «На хорах, где умолк веселый свист», что он с трудом смог дочитать сонет до конца.

Он прочел все пьесы, кроме «Тимона», «Тита Андроника», «Перикла», «Кориолана» и «Короля Иоанна», но захватил его только «Король Лир» — с начала и до самого конца. Наиболее известные монологи он знал с раннего детства, потому что их постоянно декламировал Гант, и теперь они были ему скучны. А многословные остроты шутов, над которыми Маргарет законопослушно смеялась, объявляя их образчиками бичующей сатиры гения, ему смутно казались очень тупыми. Юмор Шекспира не внушал ему доверия — его Оселки* были дураками не только напыщенными, но к тому же еще и скучными.

«Что до меня, то я скорей готов выносить вашу слабость, чем носить вас самих. Хотя, пожалуй, если бы я вас нес, груз был бы не очень велик, потому что, думается мне, в кошельке у вас нет ни гроша».

Такое острословие самым неприятным образом напоминало ему Пентлендов. Только Шута в «Лире» он считал восхитительным — печального, трагического, таинственного Шута. А что до остальных, он занимался тем, что сочинял на них пародии, которые, заверял он себя с дьявольской усмешкой, заставят потомство надорвать животики: «Да, дядюшка, если бы страстной четверг пришелся на прошлую среду, я бы окаплунил твоего петуха, как сказал Том О'Лудгет пастуху, когда увидел, что пастушьи сумки отцвели. Ты лаешь в две глотки, Цербер? Лежать, пес, лежать!»

Признанные красоты его редко трогали (может быть, потому, что он постоянно их слышал), а кроме того, ему казалось, что Шекспир часто выражался нелепо и напыщенно там, где простота была бы гораздо уместнее, — например, в той сцене, когда Лаэрт, узнав от королевы, что его сестра утонула, произносит:

> Офелия, тебе довольно влаги,
> И слезы я сдержу.

Нет, это неподражаемо (думал он). Да-да, Бен!* Лучше бы он вычеркнул их сотню. Тысячу!

Но его завораживали другие монологи, которые декламаторы не замечают, — такие, как страшный и потрясающий призыв Эдмонда в «Короле Лире», весь пропитанный порочностью, который начинается словами:

> Природа, ты — моя богиня, —

и кончается:

> Заступниками будьте, боги,
> Всем незаконным сыновьям.

Монолог этот был темен, как ночь, порочен, как Негритянский квартал, необъятен, как стихийные ветры, которые завывали в горах, — он декламировал его в черные часы своего труда темноте и ветру. Он понимал этот монолог, он наслаждался его злобой, ибо это была злоба земли, злоба незаконной природы. Это был призыв к изгоям, клич, обращенный к тем, кто за оградой, к мятежным ангелам и ко всем людям, которые слишком высоки ростом.

Елизаветинская драма, помимо произведений Шекспира, была ему неизвестна. Но он очень скоро познакомился с прозой Бена Джонсона, на которого Маргарет смотрела, как на литературного Фальстафа, со снисходительностью школьной учительницы извиняя его раблезианские эксцессы, как простительные причуды гения.

Литературная вакханалия будила в ней несколько академическую веселость — так преподаватель в баптистском колледже аппетитно причмокивает и благодушно сияет улыбками на своих студентов, когда читает о хересе, о портере и о кружках, пенящихся душистым элем. Все это входит в традиции либерализма. Широко образованные люди всегда терпимы. Живое свидетельство тому — профессор Чикагского университета Альберт Торндайк Феркинс в «Соколе» в Сохо*. Мужественно улыбаясь, он сидит за полупинтой горького пива в обществе мелкого жулика, кривобокой буфетчицы с широким задом и съемными зубами и трех компанейских проституток с Лайл-стрит, которые лихо расправляются с двумя пинтами темного пива. С живым нетерпением он ожидает появления Г. К. Честертона и Э. В. Льюкаса*.

— О, неповторимый Бен Джонсон, — с мягким смехом вздохнула Маргарет Леонард. — О Господи!

— Боже мой, мальчик, — взревела Шеба, на лету подхватывая предложенную тему разговора и шумно облизывая выпачканные маслом пальцы перед тем, как ринуться в бой. — Да благословит его Бог! — Ее волосатое красное лицо пылало, как мак, глаза в красных прожилках слезно блестели. — Да благословит его Бог, Джин! Он был насквозь английским, как ростбиф и кружка душистого эля!

— О Господи! — вздохнула Маргарет. — Он был истинным гением. — Затуманенными глазами она смотрела вдаль, а на ее губах дергалась ниточка смеха.

— У-и-и! — мягко засмеялась она. — Старина Бен!

— И послушай, Джин, — продолжала Шеба и наклонилась вперед, упершись толстой ладонью в колено. — Ты знаешь, что величайшая дань уважения* гению Шекспира вышла из-под его пера?

— Да, мальчик! — сказала Маргарет. Ее глаза потемнели, голос стал чуть хриплым. Он боялся, что она расплачется.

— И все же эти дураки, — вопила Шеба, — подлые, слабоумные, хлебающие помои дураки...

— У-и-и! — мягко стонала Маргарет. Джон Дорси повернул свое меловое лицо к мальчику и заржал с бессмысленным одобрением. О, так рассеянно!

— ...они ведь все такие — имеют наглость утверждать, что он ему завидовал!

— Пф! — нетерпеливо сказала Маргарет. — Это все вздор.

— Они сами не знают, что говорят! — Шеба повернула к нему внезапно заулыбавшееся лицо. — Наглые выскочки! А мы должны им объяснять, Джин! — сказала она.

Он начал потихоньку соскальзывать с плетеного кресла на пол. Джон Дорси хлопнул себя по толстому бедру и наклонился вперед с самопроизвольным ржанием, брызгая слюной.

— Господи помилуй! — пропыхтел он, задыхаясь.

— Я на днях разговаривала с одним субъектом, — сказала Шеба, — с адвокатом, которому полагалось бы что-то знать, и я процитировала строку из «Венецианского купца», известную любому школьнику: «Не надо милосердье принуждать». Он поглядел на меня так, словно решил, что я сумасшедшая.

— Боже великий! — сказала Маргарет застывшим голосом.

— Я сказала, послушайте, мистер Имярек, может, вы и ловкий адвокат, может, у вас и правда есть миллион долларов, как все говорят, но вы еще многого и многого не знаете. Есть множество вещей, которых нельзя купить за деньги, сынок, и одна из них — это общество культурных мужчин и женщин.

— Пф! — сказал мистер Леонард. — Что эти сморчки знают о духовных ценностях? С тем же успехом можно потребовать от какого-нибудь чернокожего батрака, чтобы он перевел строфу Гомера. — Меловыми пальцами он схватил со стола стакан с простоквашей и, сосредоточенно наклонив его, подцепил ложечкой большой трепещущий кусок и отправил его в рот. — Нет, сэр, — засмеялся он. — Возможно, в налоговых книгах они и Большие Люди, но когда они пытаются, как говорится, водить знакомство с культурными мужчинами и женщинами, они... они... — он начал ржать, — они — пустое место, и больше ничего.

— Что человеку приобрести весь мир, — сказала Щеба, — если он потеряет...

— О Господи! — вздохнула Маргарет, покачивая дымно-темными глазами. — Ну, скажу я вам!

И она сказала ему. Она сказала ему, как глубоко Лебедь Эйвона* знал человеческое сердце, какие полнокровные и разнообразные характеры он создавал, каким колоссальным обладал юмором.

— «Сражался добрый час по шрусберийским часам!»* — Она засмеялась. — Толстый плут! Только представь себе: мужчина следит за временем!

И дальше, убедительно:

— Так было принято в ту эпоху, Джин. И когда ты прочтешь пьесы его современников, ты убедишься, насколько чище их всех он был.

Но она постоянно пропускала то слово, то строку. Чуть-чуть пятнистый Лебедь Эйвона — слегка запачканный эпохой. Ну и, кроме того, Библия.

Дымные огарки времени. «Парнас — вид с горы Синай» — лекция с волшебным фонарем профессора пресвитерианского колледжа Мактевиша (доктора богословия).

— И заметь, Юджин, — сказала она, — он нигде не показывает порок привлекательным.

— Но почему же? — спросил он. — А Фальстаф?

— Да, — ответила она. — И ты знаешь, что с ним случилось, не так ли?

— Ну, — задумался он, — он умер.

— Вот видишь! — закончила она с торжествующим предостережением.

Вижу ли я? Воздаяние за грехи. А кстати, каково воздаяние за добродетель? Лучшие умирают молодыми.

> У-у-у! У-у-у! У-у-у!
> Попал я в беду!
> Я предавался пороку,
> И вот умираю до сроку —
> На восьмидесятом году!

— И еще заметь, — сказала она, — характеры его персонажей никогда не бывают застывшими. Ты все время видишь их в процессе роста. Ни один не остается в конце таким, каким он был в начале.

В начале было Слово. Я — Альфа и Омега. Лир в процессе роста. Он стал старым и сумасшедшим. Результат процесса роста.

Этой мелкой критической разменной монеты она набралась из лекций в колледже и из книг. Все эти клише были — и, возможно, остаются — частью гладенького жаргона педантов. Но ей они настоящего вреда не причинили. Это было просто то, что говорят люди. Она виновато чувствовала себя обязанной украшать свои объяснения этой мишурой — она боялась, что сама она дает недостаточно. А давала она всего только чувство, которое было настолько верным, настолько безошибочным, что она так же не могла бы плохо прочесть великие стихи, как плохие — хорошо. У нее был голос, взысканный Богом. Она была свирелью демонического экстаза. Она была одержимой — она не знала, в чем это заключалось, но знала, когда наступал миг одержимости. Поющие языки всего мира вновь оживали в заклинаниях ее голоса. Она была вдохновенна. Она была истрачена.

Она проходила через их замкнутую и запертую мальчишескую жизнь прямым и неуклонным путем стихийного духа. Она открывала их сердца, как медальоны. Они говорили: «Миссис Леонард — очень хорошая женщина».

Он знал некоторые стихотворения Бена Джонсона, включая прекрасный «Гимн Диане» — охотнице-царице, целомудренно-прекрасной, и великую дань уважения Шекспиру, которая подымала дыбом его волосы строками:

> ...но призови гремящего Эсхила,
> Софокла с Еврипидом к нам... —

и брала за горло строками:

> Он сын был всех веков, не этих лет,
> И Муз еще не миновал расцвет...

Элегия маленькому Салатиэлю Пейви, ребенку-актеру, была медом из львиной пасти. Но она была слишком длинна.

Геррика*, помеченного печатью колена Бенова, он знал гораздо лучше. Эта поэзия пела изнутри. Она была, как он думал позднее, самым совершенным и верным лирическим голосом в английском языке — чистая, нежная, негромкая, недрожащая нота. Эта поэзия творилась с несравненной легкостью, как творят вдохновенные дети. Молодые поэты и поэтессы нашего века пытались уловить ее, как они пытались уловить секрет Блейка* и — более успешно — Донна*.

> Я, дитя, Господь, к тебе
> Руки возношу в мольбе...

Выше этого не могло быть ничего — ничто не могло бы превзойти эту поэзию точностью, изяществом и целостностью.

Их имена сыпались звонкими музыкальными птичьими трелями в веснушчатом солнечном свете юного мира — он с пророческой тоской перебирал нежные утраченные птичьи песенки их имен, зная, что они никогда уже не вернутся. Геррик, Крешо*, Керью, Саклинг, Кэмпьон, Ловлас, Деккер*. О, сладостная безмятежность*, о, сладостная, о, сладостная безмятежность!

Он читал романы полку за полкой — всего Теккерея, все рассказы По и Готторна, «Ому» и «Тайпи» Германа Мелвилла, которые нашел у Ганта. Про «Моби Дика» он даже не слышал. Он прочел полдесятка романов Купера, всего Марка Твена, но не сумел добраться до конца ни одной книги Хоуэллса или Джеймса.

Он перечитал десяток романов Вальтера Скотта, и больше всего ему понравился «Квентин Дорвард», потому что описания пиршеств там были на редкость обильными и аппетитными.

Когда ему было четырнадцать лет, Элиза снова уехала во Флориду и оставила его пансионером у Леонардов. Хелен со все возрастающей усталостью и страхом странствовала по большим городам Востока и Среднего Запада. Несколько недель она пела в маленьком балтиморском кабаре, потом перебралась в Филадельфию, где барабанила модные песенки на разбитом пианино в музыкальном отделе дешевого магазина, трудолюбиво высовывая язык, когда приходилось разбирать незнакомый аккомпанемент.

Гант регулярно писал ей два раза в неделю — унылый, но подробный журнал его существования. Иногда он вкладывал в письма небольшие чеки, которые она прятала, не кассируя.

«Твоя мать, — писал он, — снова отправилась во Флориду гоняться за журавлями в небе, оставив меня тут одного разделываться со всеми неприятностями, мерзнуть и умирать с голоду. Одному Богу известно, что с нами всеми станется к концу этой страшной, адской и проклятой зимы, но я предсказываю богадельню и благотворительный супчик, как было в президенство Кливленда*. Когда к власти приходят демократы, можешь сразу туже затягивать ремень. В банках нет денег, люди сидят без работы. Помяни мое слово, кончится тем, что все пойдет с молотка в карман сборщика налогов. Сегодня утром температура была тринадцать градусов ниже нуля, а уголь теперь подорожал на семьдесят пять центов за тонну. Солнечный Юг! Не накидывайтесь на траву, сказал Билл Най*. Господи Иисусе! Вчера я проходил мимо «Южной топливной компании» и видел в окне старика Вагнера, который со злорадной улыбкой смотрел на страдания вдов и сирот. Что ему за дело, даже если все они замерзнут! Боб Грейди упал мертвым во вторник утром, когда выходил из Гражданского банка. Я был знаком с ним двадцать пять лет. Он ни разу в жизни не болел. Все, все ушло, все прежние знакомые лица. Следующим будет старик Гант. После отъезда твоей матери я столуюсь у миссис Сейлс. Ты в жизни не видела такого стола, какой она держит, — масса фруктов, сложенных пирамидами, маринованные сливы, персики и всякие варенья, большие куски жареной свинины, говядины, молодого барашка, холодная ветчина и язык и всяческие овощи в изобилии, которое не поддается описанию. Как, во имя всего святого, она умудряется кормить всем этим за тридцать пять центов, я просто не понимаю. Юджин пока живет у Леонардов. Раза два в неделю я беру его с собой к Сейлсам подкормить. Они сильно мрачнеют, когда видят приближение этих длинных ног. Одному Богу известно, куда он все это упихивает, — ест он за троих. Наверное, в школе его кормят не очень сытно. Вид у него гантовский — тощий и голодный. Бедный мальчик. У него больше нет матери. Я буду делать для него все, что смогу, пока не наступит крах. Леонард приходит каждую неделю хвастать им. Он говорит, что равного ему нигде не найти. Весь город о нем знает. Престон Карр (он наверняка будет следующим губернатором) на днях разговаривал со мной про него. Он советует, чтобы я послал его на юридический факультет университета штата, где он на всю жизнь завяжет дружбу с людьми из его собственного штата, и чтобы потом я помог ему сделать первые шаги на политическом поприще. И то верно — надо бы. Я намерен дать ему хорошее образование, а остальное зависит от него самого. Возможно, он прославит свое имя. Ты же его еще не видела после того, как он начал носить длинные штаны. Его мать купила ему очень красивый костюм на рождественской распродаже у Моула. На Рождество он уехал к Дейзи и там надел его в первый раз. Я купил ему пару дешевых брюк у Рэкета на каждый день. А хорошие пусть побережет для праздников. Твоя мать сдала Старый Сарай миссис Ревелл до своего возвращения. Недавно я туда зашел, и в первый раз за мою жизнь там было тепло. Она не жалеет угля. Бена я неделями не вижу. Он возвращается домой и возится на кухне в час, в два ночи, а я встаю и ухожу задолго до того, как он проснется. От него никогда ничего не добьешься — сам он ничего не скажет, а задашь ему вежливый вопрос, так он тебя сразу обрывает. Иногда я вижу его поздно вечером в городе с миссис П. Их водой не разольешь. По-моему, она дрянь. Ну, пока все. Джона Дьюка вечером в воскресенье застрелил насмерть в отеле «Уайтстоун» их сыщик. Он был пьян и грозился всех там перестрелять. Большое горе для его жены. После него осталось трое детей. Она сегодня заходила ко мне. Его все любили, но с пьяным с ним никакого сладу не было. Жаль ее просто до слез. Очень симпатичная женщина. Спиртное приносит больше бед, чем все остальные пороки, вместе взятые. Проклинаю день, когда оно было изобретено. Прилагаю небольшой чек — купи себе что-нибудь. Одному Богу известно, к чему мы идем. Твой любящий отец *У. О Гант*».

Она тщательно сберегала все его письма — крупными готическими каракулями написанные его правой искалеченной рукой на толстой глянцевитой бумаге, которой он пользовался для деловой переписки.

А тем временем во Флориде Элиза рыскала по побережью: задумчиво оглядела захолустный городок Майами*, нашла, что цены в Палм-Бич слишком высоки, а участки в Дайтоне слишком дороги, и в конце концов повернула в глубь материка, в Орландо, где, окруженные цепью озер и цитрусовыми деревьями, ее приближения ожидали Пентленды — Петт с холодной жаждой боя на лице, Уилл с нервической подергивающейся гримасой, тупым лезвием соскребывая с ладони шелушащиеся хлопья экземы.

XXIV

Толстыми намеленными пальцами Джон Дорси задумчиво массировал свой торс от чресел до подбородка.

— Ну-с, посмотрим, — проржал он с рассчитанной медлительностью, — что он говорит об этом.

Он порылся в своих заметках.

Том Дэвис отвернул покрасневшие щеки к окну, и из его стиснутых губ брызнул тихий смешок.

Гай Доук невозмутимо смотрел на Юджина, поглаживая двумя раздвинутыми пальцами серьезное бледное лицо.

— Entgegen, — сказал Юджин тонким прерывистым голосом, — следует за своим дополнением.

Джон Дорси неуверенно засмеялся и покачал головой, все еще роясь в заметках.

— Я в этом не убежден, — сказал он.

Их буйный хохот рванулся вперед, как спущенные со сворки гончие. Том Дэвис рывком упал лицом в парту. Джон Дорси поднял голову и неуверенно присоединил к их веселью свой рассеянный пронзительный смех.

Время от времени они почти насильно понемножку обучали его немецкому языку, относительно которого он пребывал в безмятежном неведении. Эти уроки стали для них каждодневной приманкой — они занимались с сумасшедшим усердием, убыстряя и полируя свои переводы, чтобы насладиться его растерянностью. Иногда вполне сознательно они подсаливали свои страницы правдоподобными вставками, не имевшими ничего общего с оригиналом, а иногда вставляли нелепейшие фразы, а потом, ликуя, ждали, чтобы он осторожно объяснил слово, которого вообще не существовало.

— «Медленно лунный свет полз по креслу, в котором сидел старик, поднимаясь по его коленям, его груди, и наконец... — Гай Доук лукаво покосился на своего наставника, — поставил ему хорошего фонаря под глазом».

— Не-е-ет, — сказал Джон Дорси, потирая подбородок, — не совсем так. «Ударил ему прямо в глаза», на мой взгляд, передает это идиоматическое выражение несколько лучше.

Том Дэвис спрятал взрыв странных булькающих звуков в парту и замер в ожидании обычного классического маневра. Маневр этот последовал незамедлительно.

— Посмотрим, — сказал Джон Дорси, листая страницы, — что он говорит об этом.

Гай Доук быстро нацарапал пару строк на смятом листке и бросил его на парту Юджина. Юджин прочел:

> Gebe mir Papier etwas[1],
> А не то получишь в глаз.

Он вырвал из тетрадки глянцевитый двойной листок и написал в ответ:

«Du bist wie eine du — рень»[2].

Они читали слащавые историйки, исторгающие тяжелые немецкие всхлипы: «Immensee», «Hoher als die Kirche», «Die Zerbrochene Krug»*[3]. А потом пришла очередь «Вильгельма Телля». Чудесный размер песни, открывающей действие, неземной песни сирены, манящей юного рыбака, преследовал их, как волшебная музыка. Перегруженная мелодраматичность некоторых сцен не казалась им избитой — сцены стрельбы по яблоку и спасения в лодке их захватили. Остальное же было, как они со скукой признавали, Великой Литературой. Мистер Шиллер, убедились они, подобно Патрику Генри, Джорджу Вашингтону и Полю Ревиру*, благоговейно почитал прелести Свободы. Его закаленный швейцарец тяжеловесно прыгал с утеса на утес, взывая к ней в многословных речах.

— Горы, — заметил Джон Дорси, которого в минуту озарения коснулся гений этих мест, — издавна считались оплотом Свободы.

---

[1] Дай мне немного бумаги *(искаж. нем.)*.

[2] Ты — дурень *(нем.)*.

[3] «Иммензее», «Выше, чем церковь», «Разбитый кувшин» *(нем.)*.

Юджин повернул лицо в сторону западных хребтов. Он услышал — далеко-далеко гудок и дальний гром на рельсах.

Во время этого отсутствия Элизы он жил в одной комнате с Гаем Доуком.

Гай Доук был на пять лет старше него. Он родился в Ньюарке, в штате Нью-Джерси — он гнусавил и был энергичен, как янки. Его мать, содержательница пансиона, приехала в Алтамонт за два года до этого, чтобы поправить здоровье — у нее был туберкулез, — и часть зимы она проводила во Флориде.

Гай Доук был среднего роста, с ловко сбитой фигурой, черными волосами, блестящими темными глазами и бледным, очень гладким лицом, которое, по мнению Юджина, чем-то напоминало рыбье брюхо. Из-за толстого подбородка нижняя часть его лица, к сожалению, казалась крупнее верхней. Он одевался со щеголеватой аккуратностью. Люди называли его красивым мальчиком.

Он ни с кем не сдружился. Ученикам Леонарда этот янки был намного более чужим, чем богатый кубинский мальчик Мануэль Кевадо, чей сочный темный смех и ломаная речь посвящались только девушкам. Мануэль принадлежал к более богатому Югу, но им он был понятен.

Гай Доук был лишен их полнокровия, их добродушной буйности. Он никогда громко не хохотал. Он обладал острым, ясным, неглубоким, окостенело-догматичным умом. Его товарищи были скверные южные романтики, он был поддельный реалист-янки. Таким образом, разными путями они достигали единой цели — суеверной предубежденности. Гай Доук уже затвердел в изложнице инфантильного цинизма американцев, живущих в больших городах. Иногда он возился с другими ребятами, но всегда в классической манере горожанина, дурачащегося с неотесанными деревенскими парнями. Он был благоразумен. Превыше всего он был благоразумен. Он чувствовал, что безопаснее исходить из того, что Правда всегда на эшафоте, а Кривда вечно на престоле. Избиение младенцев не приводило его в гнетущее уныние — наоборот, это зрелище доставляло ему немало горького удовольствия.

В остальном Гай Доук был очень симпатичным юношей — неглупый, упрямый, нетонкий и удовлетворенный своим остроумием. Они жили в доме Леонарда на первом этаже; по вечерам возле ревущего огня они внимательно прислушивались к великому грому деревьев и к крадущимся поскрипывающим шагам директора, когда, осторожно спустившись по лестнице, он останавливался у их двери. Они ели за одним столом с Маргарет, Джоном Дорси, мисс Эми, двумя детьми (Джоном Дорси-младшим, девяти лет, и Маргарет — пяти) и двумя теннессийскими племянниками Леонарда: Тайсоном Леонардом, восемнадцатилетним хитрым и грубым парнем с лицом хорька, и Дерком Барнардом, высоким стройным мальчиком семнадцати лет, с шишковатым лицом, веселыми карими глазами и вспыльчивым характером. За столом они поддерживали тайное общение с помощью многозначительных гримас и незаметных движений — пока Джон Дорси читал молитву, в соседа исподтишка вонзалась вилка, он хрюкал, и они задыхались от сдержанного смеха. По ночам они вызывали друг друга стуком в пол или в потолок, хихикая, собирались и болтали в темном, полном сквозняков холле, а потом, когда на них обрушивался Джон Дорси, опрометью бросались в свои нетронутые постели.

Леонард прилагал отчаянные усилия, чтобы поддержать жизнь своей маленькой школы. В первый год у него было меньше двадцати учеников, а во второй — меньше тридцати. Из дохода, не превышавшего трех тысяч долларов, ему приходилось платить небольшое жалованье мисс Эми, которая, чтобы помочь ему, ушла из школы, где преподавала в старших классах. Старый дом на прекрасном лесистом холме, без современных удобств и со множеством сквозняков, был сдан ему за очень небольшую плату. Но из-за буйств тридцати мальчишек он требовал ежегодного ремонта. Леонарды с большим упорством и мужеством вели борьбу за существование.

Еда была скудной и однообразной — за завтраком тарелка голубоватой водянистой овсянки, яйца и поджаренный хлеб; за обедом жидкий суп, горячий кислый кукурузный хлеб и вареные овощи с куском жирной свинины; за ужином разогретые сухари, маленький кусочек мяса и тушеный или вареный картофель. Никому не разрешалось пить ни кофе, ни чая, но свежего жирного молока было сколько угодно. У Джона Дорси всегда была корова, которую он сам доил. Иногда на стол подавался пышный пирог с хрустящей корочкой, поджаренные в желтке тартинки или имбирные пряники — изделия Маргарет. Она готовила прекрасно.

Часто по вечерам Гай Доук тихонько выбирался через окно на боковое крыльцо и ускользал по дороге под защитный рев деревьев. Он возвращался из города часа через два и торжествующе влезал в комнату с бумажным мешком, полным бутербродов с горячей колбасой, покрытых густым слоем горчицы, рубленого лука и жгучего мексиканского соуса. С лукавой усмешкой он

снимал фольгу с двух пятицентовых сигар, и они роскошно курили, приятно взбодренные собственной дерзостью, и осторожно
выпускали дым в трубу на случай внезапного появления директора. Из ветра и ночи Гай, кроме того, приносил добрый соленый
хлеб городских новостей, подхваченных на улицах и в лавках
сплетен и доблестное бахвальство любезников из аптеки.

Пока они курили и набивали рты толстыми вкусными кусками
бутербродов, они поглядывали друг на друга с довольными смеш-
ками, разыгрывая вот такую безумную симфонию смеха:

Хех-хех-хех! — смех смаковации.

Хиих-хиих-хиих! — смех щекотулии.

Хух-ху-ух! — смех обжирательности.

Бодрящий жар горящих поленьев ласково наполнял их комнату,
над их укрытыми головами выл, проносясь по земле, темный
гигантский ветер. О укрытая любовь, уютно прикорнувшая в тепле
вопреки этой зимней ночи! О теплые прекрасные женщины, в
лесных ли хижинах или в городе, вознесенные высоко над стону-
щими волнами, выброшенные на ветер, я иду!

Гай Доук мягко похлопывал себя по животу правой рукой, а
левой неторопливо поглаживал круглый подбородок.

— Ну-с, посмотрим, — проржал он, — что он говорит об
этом.

Их хохот бился о стены. И слишком поздно они услышали
разбуженные крадущиеся шаги директора, скрипящие в холле.
Позже — тишина, темнота, ветер.

Мисс Эми закрыла свой маленький аккуратный журнал, вскинула над головой крупные руки и зевнула. Юджин с надеждой
взглянул на нее и дальше — на площадку для игр, красную в лучах
заходящего солнца. Он был своенравен, необуздан, взбалмошен.
Он не желал сдерживать в классе свой сумасшедший язык. Не
было дня, когда бы он не сорвался. Он ставил их в тупик. Они его
любили и наказывали сочувственно, с сознанием исполненного
долга. Его никогда не отпускали вовремя. Его всегда оставляли
после уроков.

Джон Дорси аккуратно отмечал в специальном журнале малей-
шее нарушение порядка, каждый плохо выученный урок. Перед
концом занятий он под гул невнятных протестов прочитывал список нарушителей и назначал им наказания. Как-то раз Юджин за
целый день не получил ни одного замечания. Он с торжеством
ждал, пока Леонард просматривал список.

Джон Дорси испустил глупый смешок и ласково сжал его руку повыше локтя.

— Что же, сэр! — сказал он. — По-видимому, произошла ошибка. Я все-таки оставлю тебя после уроков для поддержания принципа.

Он перегнулся, залившись долгим прерывистым смехом. На отчаянные глаза Юджина навернулись слезы злости и удивления. Этого он не забыл.

Мисс Эми зевнула и улыбнулась ему с медлительным, могучим, ласковым презрением.

— Ну, иди! — сказала она протяжным ленивым голосом. — Мне надоело с тобой возиться. Ты не стоишь даже пороха, чтобы тебя застрелить.

Вошла Маргарет. Ее лицо хмурилось, а в темных дымчатых глазах затаилась нежная строгость и скрытый смех.

— Что происходит с этим шалопаем? — спросила она. — Неужели он не может выучить алгебры?

— Выучить-то он может! — протянула мисс Эми. — Он все может выучить. Он лентяй — в этом все дело. Просто лентяй!

Она ловко шлепнула его по заду линейкой.

— Подогреть бы тебя немного таким способом. — Она засмеялась медлительно и звучно. — Вот тогда бы ты все выучил!

— Нет, нет! — сказала Маргарет, покачивая головой. — Оставь его в покое. Нельзя смотреть фавну за уши. А ты не обращай на алгебру внимания. Она для тех, кто победнее. Там, где дважды два — пять, алгебра не нужна.

Мисс Эми обратила на Юджина красивые цыганские глаза.

— Ну, иди! Ты мне надоел. — Она утомленно махнула могучей рукой.

Он с безумным воплем выскочил без шляпы из двери и прыгнул через перила крыльца.

— Эй-эй! — крикнула Маргарет. — А где твоя шляпа?

Ухмыляясь, он помчался обратно, схватил бесформенный комок зеленого грязного фетра и натянул его на вздыбленные волосы. Из прорех у тульи высунулись кудрявые завитки.

— Поди-ка сюда! — печально сказала Маргарет.

Ее нервные пальцы поправили сбившийся под ухо галстук, одернули жилет и застегнули пиджак, а он поглядывал на нее со своей странной бесовской усмешкой. Вдруг она содрогнулась от смеха.

— Господи, Эми! — сказала она. — Погляди на эту шляпу!

Мисс Эми улыбнулась с сонной и равнодушной кошачьей нежностью.

— Пора бы уж тебе начать следить за собой, Юджин, — сказала она. — Не то девушки не станут обращать на тебя внимания.

Он услышал странную мелодию смеха Маргарет.

— Нет, ты только представь себе — он ухаживает! — сказала она. — Бедняжка, наверное, подумает, что в нее влюбился демон.

> И под луной ущербной плакал голос,
> Возлюбленного демона зовущий...*

Глаза ее горели, изливая темную тайную красоту.

— Ну, убирайся, разбойник, — приказала она.

Он повернулся и с яростным горловым кличем понесся по дороге огромными прыжками.

Сумерки закружились в ее глазах.

— Оставьте его в покое, — прошептала она, ни к кому не обращаясь. — Оставьте его в покое!

Легкий апрельский ветер овевал холм. Около школы пахло горящими листьями и мусором. В поле на склоне позади здания пахарь погонял большого коня в свободных позвякивающих постромках вокруг все уменьшающегося квадрата сухой прошлогодней пашни. Но-о! Но-о! Его сильные ноги шагали следом. Большой лемех чисто впивался в почву, разваливая за собой глубокую плодоносную борозду во влажной юной земле.

Джон Дорси Леонард завороженно смотрел из окна на ежегодное омоложение земли. На его глазах возрождающаяся нимфа сбрасывала жесткую растрескавшуюся кожу ведьмы. Вернулся золотой век.

Дальше по дороге растянувшаяся вереница мальчиков уходила в мир света. Взмокнув честным потом, пахарь остановился на повороте и провел синим рукавом рубахи по обисеренному лбу. Тем временем его разумный конь, воспользовавшись остановкой, с медлительным величием поднял гордый волнистый хвост и добавил свою лепту к плодородию почвы, уронив на нее три влажных, усаженных овсом шара. Джон Дорси одобрительно крякнул. Кто лишь стоит и ждет, тот тоже служит*.

— Мистер Леонард, — сказал Юджин, тщательно выбрав момент, — можно, я пойду?

Джон Дорси Леонард рассеянно погладил подбородок и невидящими глазами уставился в книгу. Другие ждут нашего вопроса, ты ж свободен*.

— Э-э? — промурлыкал он неопределенно. Затем с визгливым бессмысленным хихиканьем внезапно повернулся и сказал:

— Ах ты, мошенник! Сходи узнай, не нужен ли ты миссис Леонард.

С острым голодом он сомкнул свирепые тиски пальцев на худом мальчишеском предплечье. Апрель — самый жестокий из всех месяцев. Юджин вздрогнул, отступил, а затем спокойно остановился: память о старом бунте прогнала почтение.

Маргарет в библиотеке читала детям «Речных малышей»*.

— Мистер Леонард велел спросить — можно мне уйти? — сказал он.

И ее глаза совсем потемнели.

— Да, шалопай. Иди, — сказала она. — Скажи мне, мальчик, — ласково и нежно спросила она, — неужели ты не можешь вести себя чуть-чуть получше?

— Да, мэм, — обещал он беззаботно. — Я попробую.

Не говори, что ничего борьба не даст*.

Она улыбнулась его горячей гарцующей нервности.

— В аду тебя поджарят, как селедку, — сказала она мягко. — Убирайся отсюда.

И он умчался прочь от женского монастыря целомудренной груди и безмятежного духа.

Сбегая по ступенькам во двор, он услышал упоенное плещущееся соло Дерка Барнарда в ванной. Милая Темза, тише лейся, пока я песни не допою*. Тайсон Леонард, с узкой довольной улыбкой покопавшись во всех грязных уголках природы, вышел из сарая с кепкой, полной свежих яиц. Вслед ему неслось заикающееся кудахтанье рассерженных кур, которые слишком поздно постигли коварство мужчин*. У сарая под навесом «Папаша» Рейнхарт подтянул потуже подпругу своей оседланной гнедой кобылы, одним махом вскочил в седло, под жесткое цоканье копыт взлетел на вершину холма, повернул за дом и остановил кобылу возле Юджина.

— Прыгай, Джин, — пригласил он, поглаживая широкий круп кобылы. — Я тебя подвезу до дому.

Юджин, ухмыляясь, посмотрел на него снизу.

— Не подвезешь, — сказал он. — После прошлого раза я неделю сидеть не мог.

«Папаша» басисто захохотал.

— Ерунда, малый! — сказал он. — Ну, проехались мелкой рысцой, только и делов.

— Расскажи своей бабушке, — сказал Юджин. — Ты меня решил прикончить.

«Папаша» Рейнхарт изогнул длинную шею и поглядел на него сверху вниз с невозмутимым сухим юмором.

— Давай садись! — сказал он ворчливо. — Я тебе ничего не сделаю, только научу ездить верхом.

— Весьма обязан, «Папаша», — сказал Юджин иронически. — Но мне на старости лет понадобится моя задница. Я не хочу стереть ее до дыр еще в юные годы.

Довольный и им и собой «Папаша» Рейнхарт захохотал громко и басисто, сплюнул бурую жвачку назад через круп, лихо ударил кобылу каблуками и галопом поскакал вокруг дома к дороге. Лошадь яростно работала ногами, как вытянувшаяся в беге собака. Она обрушивала на гулкую землю четырехкопытный гром* — quadrupedante putrem sonitu quatit ungula campurn.

У ворот возле границы владений епископа уходящие школьники обернулись, быстро расступились и начали подбадривать всадника пронзительными криками. «Папаша» пригнулся, подняв над лошадиной гривой руки со свободно висящими поводьями, и пронесся сквозь ворота, как жужжащая стрела арбалета. Затем он сильным рывком осадил кобылу, окутавшись клубами пыли из-под скользящих копыт, и подождал товарищей.

— Э-эй! — Юджин спускался к ним ликующими прыжками. Не оборачиваясь, толстяк Ван Йетс нетерпеливо поднял руку и приветствовал невидимого бодрым «ура!». Остальные обернулись и встретили его ироническими поздравлениями.

— А, Верзила! — сказал «Доктор» Хайнс, собирая свое маленькое тугое лицо в насмешливую гримасу. — Как это ты выбрался так рано?

Он говорил с искусственной пронзительной протяжностью, подражая негритянскому выговору. Одну руку он держал в кармане и ощупывал кожаный хлыст, утяжеленный дробью.

— Дж. Д. занялся весенней пахотой, — сказал Юджин.

— Да никак это наш Красавчик, — сказал Джулиус Артур. Он косоглазо усмехнулся, показав испорченные зубы в металлической пластинке. Его лицо было покрыто мелкими желтоватыми гнойными прыщиками. Как зачат?* Как вскормлен?

— А не спеть ли нам нашу песенку в честь Красавчика Хела*? — сказал Ральф Ролле своему приятелю Джулиусу. На нем был котелок, нахлобученный на самые брови нахальной веснушчатой физиономии. Он вытащил из кармана растрепанную пачку табака и с залихватским видом откусил угол.

— Хочешь пожевать, Джу? — спросил он.

Джулиус взял пачку, утер рот в вислогубой мужской усмешке и заложил за щеку большой кусок.

Он приносил мне сладостность корений.

— Хочешь, Верзила? — ухмыляясь, спросил он Юджина.

Я ненавижу его за то, что он хотел бы на дыбе этого жестокого мира растянуть меня еще сильнее.

— Черт! — сказал Ральф Роллс. — Красавчик сразу ножки протянет, если попробует пожевать.

Весной, как вялые змеи, просыпаются мои враги.

На углу Черч-стрит, напротив новой псевдотюдоровской епископальной церкви, они остановились. Над ними на холме поднимались шпили методистской и пресвитерианской церквей. О, древние шпили, о, дальние башни!*

— Кому со мной по дороге? — спросил Джулиус Артур. — Пошли, Джин. Автомобиль ждет внизу. Я подвезу тебя.

— Спасибо, но мне не туда, — сказал Юджин. — Я в город.

Их глаза, жадно впиряющиеся в «Диксиленд», когда я вылезу.

— Ты домой, Вилья*?

— Нет, — сказал Джордж Грейвс.

— Ну, так последи, чтобы с Хелом ничего не случилось, — сказал Ральф Роллс.

Джулиус Артур грубовато захохотал и сунул руку в волосы Юджина.

— Хел Сорвиголова, — сказал он. — Гроза Зазубренного перевала.

— Не поддавайся им, сынок, — сказал Ван Йетс, поворачивая к Юджину спокойное благодушное лицо. — Если тебе будет нужна помощь, дай мне знать.

— Всего, ребята.

— Всего.

Они пошли через улицу, толкаясь и увертываясь друг от друга, и свернули у церкви в переулок, круто спускающийся к гаражам. Джордж Грейвс и Юджин продолжали подниматься вверх по склону.

— Джулиус — хороший парень, — сказал Джордж Грейвс. — Его отец зарабатывает больше всех других адвокатов в городе.

— Да, — ответил Юджин, все еще уныло думая о «Диксиленде» и о неуклюжих обманах, к которым он прибегал.

Мусорщик медленно взбирался вверх по склону рядом со своей глубокой треугольной повозкой. Время от времени он останавливал грузную медлительную лошадь, длинной метлой сметал мусор мостовых и канав в совок и ссыпал его в повозку. Пусть Гордость не презрит их труд полезный.*

Три воробья ловко прыгали между тремя свежими дымящимися яблоками конского навоза, выклевывая лакомые кусочки с изяществом разборчивых гурманов. Вспугнутые приближением повозки, они с досадливым чириканьем перепорхнули на забор. О, слишком тебе подобный — неукротимый, быстрый, гордый.*

Джордж Грейвс поднимался по склону в медленном тяжеловесном ритме, сумрачно глядя в землю.

— Знаешь, Джин, — сказал он наконец, — не может у него быть такого дохода.

Юджин на секунду задумался. Разговор с Джорджем Грейвсом всегда приходилось возобновлять с того места, на котором он оборвался три дня назад.

— У кого? — сказал он. — У Джона Дорси? По-моему, может, — добавил он, ухмыляясь.

— Ну, уж во всяком случае, не больше двух с половиной тысяч, — мрачно объявил Джордж Грейвс.

— Нет! Три тысячи, три тысячи! — сказал он придушенным голосом.

Джордж Грейвс повернулся к нему с сумрачной недоуменной улыбкой.

— Что это с тобой? — спросил он.

— Ах ты, дурак! Распроклятый дурак! — пропыхтел Юджин. — Ты с тех пор думал об этом!

Джордж Грейвс засмеялся виновато, смущенно, басисто.

Слева над вершиной холма, отдаленно нарастая, вздымался елей методического органа, сопровождаемый сочным контральто, которое нарасхват приглашалось на похороны. Пребудь со мною.*

Из плакальщиков самый гармоничный, восплачь опять.*

Джордж Грейвс повернулся и начал рассматривать четыре больших черных дома на выровненных площадках, которые поднимались к церкви на Пастон-плейс.

— Недурная недвижимость. Джин, — сказал он. — Пастоновская собственность.

Как быстро наступает вечер. Вздымает гордая блудница расширенную грудь, выводя сложные фиоритуры.

— Все это когда-нибудь достанется Гилу Пастону, — сказал Джордж Грейвс с добродетельным сожалением. — Он ломаного гроша не стоит.

Они добрались до вершины холма. Через квартал Черч-стрит горизонтально упиралась в узкое ущелье бульвара. С убыстрившимся биением сердца они смотрели на кишение города.

Негр осторожно окапывал круглые, рыхлые клумбы пресвитерианского кладбища; время от времени он нагибался и толстыми пальцами нежно разминал землю у корней. Старая церковь с острым шпилем гнила медленно, благопристойно, обеспеченно, точно жизнь добродетельного человека — сверху вниз, в сыром, обросшем лишайником кирпиче. Юджин с секундной гордостью благодарно посмотрел на ее темную чопорность, на солидную шотландскую воспитанность.

— Я пресвитерианин, — сказал он. — А ты?

— Когда я хожу в церковь, то в епископальную, — ответил Джордж Грейвс с кощунственным смехом.

— К черту этих методистов! — сказал Юджин с изящной презрительной гримасой. — Для нас они слишком уж плебеи. Бог в трех лицах — Святая Троица. Брат Грейвс, — продолжал он жирным, промасленным голосом. — Я не видел вас на прошлом молитвенном собрании в среду. Где, во имя Иисусово, вы были?

Открытой ладонью он изо всех сил хлопнул Джорджа Грейвса между мясистых лопаток. Джордж Грейвс пьяно зашатался, пронзительно захохотав.

— Да видите ли, брат Гант, — сказал он, — у меня было свиданьице с одной из почтенных сестер в коровьем хлеву.

Юджин сжал в бешеных объятиях телефонный столб и эротически вскинул ногу на вторую приступку. Джордж Грейвс привалился к столбу тяжелым плечом — его массивное тело было опустошено хохотом.

Через улицу пронесся горячий вихрь пара из прачечной «Аппалачи», и сквозь открывшуюся внутреннюю дверь конторы они на мгновение увидели негритянок, до плеч погружающих мокрые руки в струение своих одежд*.

Джордж Грейвс утер глаза. Утомленно смеясь, они перешли через улицу.

— Мы не должны так говорить, Джин, — с упреком сказал Джордж Грейвс. — Нет, правда! Это нехорошо.

Он быстро погружался в угрюмую серьезность.

— Все лучшие люди города принадлежат церкви, — сказал он убежденно. — И это очень здорово.

— Почему? — спросил Юджин с ленивым любопытством.

— А потому что, — сказал Джордж Грейвс, — так ты знакомишься со всеми людьми, которые чего-то стоят, черт их дери.

«Стоят того, чтобы их черт подрал!» — быстро подумал он. Забавная мысль.

— Это полезно в деловом отношении. Они тебя запоминают, начинают уважать. А без них, Джин, в этом городе ты ничего не достигнешь. Быть христианином, — добавил он благочестиво, — стоит того.

— Да, — серьезно согласился Юджин, — ты прав.

Идти степенно в Божий храм среди почтенных прихожан.*

Он грустно задумался о своем утраченном благонравии и о том, что когда-то он в одиночестве бродил по чинным улочкам Божьего шотландского городка. Непрошеные, они явились вновь завладеть его памятью — бритые лица добродетельных торговцев, ведущих свои тщательно умытые домашние царствия покорно совершать все положенные обряды, сухие, приглушенные улыбки благочестия, скованная страсть истовости, с которой они молили, чтобы Господь возлюбил их деловые сделки, или отдавали девственных дочерей на святое торжище брака. А из даже еще более глубоких штолен его сознания к берегам его былого голода медленно всплывали огромные рыбы, чьи имена он знал не все, чьи имена, собранные в слепых усилиях из тысяч книг, от Августина (тоже всего лишь имя) до Джереми Тейлора*, английского метафизика, были формулами, на миг зажигавшими чешуйчатые огни — электрические, фосфоресцирующие, освещающие магическими ассоциациями бездонные глубины обряда и религии. Они возникали — Варфоломей, Иларий, Златоуст, Поликарп, Антоний, Иероним* и сорок каппадокийских мучеников, которые шли по волнам, свернутым в кольца, как их собственные зеленоватые тени, и через мгновение исчезали.

— Кроме того, — сказал Джордж Грейвс, — так же принято. Честный путь — самый прямой.

По ту сторону улицы на втором этаже небольшого трехэтажного кирпичного здания, служившего приютом нескольким юристам, врачам и дантистам, доктор Г. М. Смейзерс энергично нажал на педаль правой ногой, взял ватную колбаску у своей помощницы мисс Лолы Брюс и, плотно заложив ее за губу невидимого пациента, сосредоточенно наклонил свою фешенебельную лысую голову. Легкий ветерок откинул тонкие занавески и показал его — знающего свое дело, в белом халате, с бором в руке.

— Так не больно? — спросил он нежно.

— Оэн оно!

— Сплюньте!

С тобой беседуя, я забываю время.*

— Наверное, — сказал задумчиво Джордж Грейвс, — золото, которым они пломбируют зубы, стоит больших денег.

— Да, — сказал Юджин, захваченный этой мыслью, — если золотые пломбы есть хотя бы даже у одного человека из десяти, это даст десять миллионов только на Соединенные Штаты. А сколько это будет, считая по пять долларов штука, ты и сам легко сосчитаешь.

— Еще бы! — сказал Джордж Грейвс. — Я и больше сосчитаю. — И он со смаком задумался на минуту. — Куча денег, — сказал он.

В конторе Похоронного бюро Роджерса Мелоуна собралась скорбящая семья похищенного смертью, — «Конь» Хайнс откинулся во вращающемся кресле и, положив ноги на широкий подоконник, лениво переговаривался с мистером Ч. М. Пауэллом, лощеным членом фирмы, не участвующим в ведении дел. Как спят бойцы*, обретшие покой. Не забывай хотя б еще немного*.

— Похоронная контора — доходное предприятие, — сказал Джордж Грейвс. — Мистер Пауэлл богат.

Глаза Юджина прилипли к тяжелой нижней челюсти «Коня» Хайнса. Он забил по воздуху судорожной рукой и вцепился пальцами себе в горло.

— Что с тобой? — воскликнул Джордж Грейвс.

— Они не похоронят меня заживо, — сказал Юджин.

— Это как знать, — мрачно сказал Джордж Грейвс. — Такие вещи случались. Потом раскапывали могилу, и оказывалось, что они перевернулись и лежат лицом вниз.

Юджин затрясся.

— По-моему, — высказал он мучительное предположение, — при бальзамировании у тебя вынимают внутренности.

— Да, — сказал Джордж Грейвс, повеселев. — Да и эта дрянь, которую они применяют, все равно тебя прикончит. Они же ее в тебя накачивают галлонами.

Сердце Юджина съежилось, пока он прикидывал. Призрак былого страха, давно уже успокоившийся, восстал, чтобы вновь начать его преследовать.

В своих прежних фантазиях он видел, как его погребали заживо, предвидел свое пробуждение в смертной тоске, свои медлительные тщетные усилия отбросить душащую землю, пока наконец, подобно тонущему, который хватается за воздух, его безмолвные застывшие пальцы не скрючатся над рыхлой могилой, моля о спасительно протянутой руке.

Они завороженно смотрели сквозь сетчатые двери в темный коридор, обрамленный плакучими папоротниками. Сладкий похоронный запах гвоздик и кедра плыл в прохладном тяжелом воздухе. За ширмой они смутно разглядели на постаменте с колесиками тяжелый гроб с массивными серебряными ручками и бархатным покровом. Дальше густой свет сливался с темнотой.

— Их обряжают в задней комнате, — сказал Джордж Грейвс, понизив голос.

Сгнить в цветок, раствориться в дерево с бесприютными телами непогребенных.

В эту минуту, отдав скорби все, что у него было (одну слезу), преподобный отец Джеймс О'Хейли, иезуит, среди неверных один лишь верный, неуклонившийся, несоблазненный, неустрашенный, сдобно покинул часовню, короткими энергичными шажками прошествовал по ковровой дорожке в приделе и вышел на свет. Его голубые глазки секунду быстро мигали, сдобное, гладкое лицо твердо несло улыбку тихой благожелательности; он надел на голову маленькую аккуратную шляпу из черного бархата и направил свои стопы к бульвару. Юджин тихонько попятился, когда толстячок проходил мимо, ибо эта маленькая фигура в черном надвигалась на него грозным символом своей великой госпожи — это гладкое лицо слышало непроизносимое, видело непознаваемое. На этом отдаленном аванпосте могучей церкви он был знаменосцем единственной истинной веры, освященной плотью Бога.

— Им не платят никакого жалованья, — печально сказал Джордж Грейвс.

— Так как же они живут? — спросил Юджин.

— Об этом не беспокойся, — сказал Джордж Грейвс с многозначительной улыбкой. — Они берут все, что плывет в руки. По его виду не скажешь, что он голодает, верно?

— Да, — ответил Юджин, — не скажешь.

— Он живет в свое удовольствие, — сказал Джордж Грейвс. — Вино за завтраком, обедом и ужином. Здесь в городе есть богатые католики.

— Да, — сказал Юджин. — Фрэнк Мориэрти сидит по уши в деньгах, нажитых на самогоне.

— Берегись, чтобы они тебя не услышали! — сказал Джордж Грейвс с ворчливым смехом. — У них уже есть генеалогическое древо и герб.

— Пивная бутылка на задних лапах в поле лимбургского сыра с тремя алыми полосами, — сказал Юджин.

— Они из кожи вон лезут, стараясь пропихнуть Принцессу Мадлен в общество, — сказал Джордж Грейвс.

— Черт возьми! — воскликнул Юджин, ухмыляясь. — Ну, и надо ее туда допустить, если ей так хочется. Мы же — золотая молодежь, разве нет?

— Ты, может, и золотая молодежь, — сказал Джордж Грейвс, шатаясь от смеха. — А я нет! Не желаю, чтобы меня ставили на одну доску с этими нахальными сопляками.

— Мистер Юджин Гант вчера вечером устроил прием с жареной бараниной для местного кружка золотой молодежи в «Диксиленде» — прекрасном старинном родовом особняке своей матушки миссис Элизы Гант.

Джордж Грейвс потерял равновесие.

— Зря ты так говоришь, Джин! — всхлипнул он и укоризненно покачал головой. — Твоя мать — прекрасная женщина.

— В течение вечера высокородный Джордж Грейвс, талантливый отпрыск одной из старейших и богатейших семей — честерфилдских Грейвсов (десять долларов в неделю и более), исполнил несколько соответствующих случаю опусов на гребешке.

Подчеркнуто остановившись, Джордж Грейвс вытер слезящиеся глаза и высморкался. В витрине шляпочной мастерской Бейна восковая нимфа, чьи фальшивые локоны были увенчаны кокетливыми перьями, протягивала жеманные пальчики грациозным противовесом. Шляпы для миледи. О, если б эти губы говорили!*

В эту минуту под ровное шуршание рысящих крупов роджерсмелоуновская повозка смерти быстро свернула с бульвара и на звонких копытах пронеслась мимо. Они с любопытством обернулись и смотрели, как фургон остановился у тротуара.

— Еще один краснокожий покатился в пыли, — сказал Джордж Грейвс.

Приди же, нежная смерть*, безмятежно, все ближе и ближе.

«Конь» Хайнс быстро выбежал на длинных хлопающих ногах и раскрыл дверь сзади. Через минуту он с помощью двух людей, сидевших на козлах, осторожно извлек длинную плетеную корзину и скрылся в душистой мгле своего заведения.

Пока Юджин смотрел, это место обрело былую фатальность. Каждый день, думал он, мы проходим там, где когда-нибудь умрем. Или и я тоже прибуду мертвым в какое-нибудь убогое здание, еще неведомое? Суждено ли этой светлой плоти, прикованной к горам, умереть в жилище, еще не построенном? Суждено ли этим глазам, затопленным еще не увиденными видениями, заполненным вязкими и бесконечными морями на заре, грустным утешением несбывшихся Аркадий, суждено ли им в свое время запечатать свои холодные мертвые грезы на таком же матрасе в каком-нибудь жарком селении на равнинах?

Он уловил и зафиксировал этот миг. Доставщик телеграмм, трудолюбиво вертя педали, энергично свернул с бульвара, по широкой дуге въехал в переулок справа, резко вздернул колесо на тротуар и подкатил к черному ходу. Без отдыха по суше и по морю* чреда вестей, Милтон, ты должен был бы жить сейчас*.

Медленно спустившись по темной лестнице «Дома терапевтов и хирургов», миссис Томас Хьюитт, хорошенькая жена преуспевающего адвоката (фирма «Артур, Хьюитт и Грей»), вышла на свет и медленно направилась к бульвару. Вежливыми взмахами шляп ее приветствовали Генри Т. Мерримен («Мерримен и Мерримен») и судья Роберт Ч. Аллен, коллеги ее мужа. Она улыбнулась и быстро сразила каждого взглядом. Красива эта плоть. Когда она прошла, они посмотрели ей вслед. Потом продолжили свою беседу о судебных процессах.

На третьем этаже Первого национального банка на правом углу Фергес Пастон, пятидесяти шести лет, с узким похотливым ртом между оловянно-седыми баккенбардами, поставил полусогнутую ногу на подоконник открытого окна и внимательно следил за движениями переходящей улицу мисс Берни Пауэрс, двадцати двух лет. Даже и в нашем пепле* живет былой огонь.

На противоположном углу миссис Роланд Роулс, чей муж был управляющим «Пирлесс Палп компани» (фабрика № 3) и чей отец был владельцем этой компании, вышла из богатой недоступности магазина Артура Н. Райта, ювелира. Она защелкнула сумочку из серебряной сетки и села в ожидавший ее «паккард». Это была высокая темноволосая женщина тридцати трех лет, с хорошей фигурой. Ее лицо было скучным, плоским, типичным для Среднего Запада.

— Все денежки у нее, — сказал Джордж Грейвс. — У него за душой нет и ломаного гроша. Все записано на ее имя. Она хочет петь в опере.

— А петь она умеет?

— Ни на ломаный грош, — сказал Джордж Грейвс. — Я ее слышал. Не зевай, Джин. У нее есть дочка, твоя ровесница.

— А что она делает? — спросил Юджин.

— Хочет быть актрисой, — сказал Джордж Грейвс с горловым смехом.

— Слишком тяжелая работа за такие деньги, — сказал Юджин.

Они дошли до банка на углу и нерешительно остановились, вглядываясь в прохладное ущелье предвечернего часа. Улица жужжала легким, веселым роем праздных зевак; лица юных девственниц возникали там и тут, как цветы на венке. Юджин увидел, что на него по дюйму в секунду надвигается тяжелое парализованное тело старого мистера Эйвери, весьма большого эрудита, совершенно глухого, семидесяти восьми лет. Он жил один в комнате над Публичной библиотекой. У него не было ни друзей, ни родственников. Он был мифом.

— О Господи, — сказал Юджин. — Вот он.

Спасаться было поздно.

С хрипящим приветствием мистер Эйвери приближался к нему; судорожно шаркая ногами, выбивая дрожащую дробь тяжелой палкой, он покрыл разделявшие их три ярда за сорок секунд.

— Ну-с, молодой человек, — прохрипел он, — как ваша латынь?

— Прекрасно! — завопил Юджин в его розовое ухо.

— Poeta nascitur, non fit[1], — сказал мистер Эйвери и разразился беззвучным чихающим смехом, который тут же вызвал у него припадок удушья. Его глаза выпучились, нежная розовая кожа стала малиновой, его ужас вырвался мокрым клокотанием, а белая в пупырышках рука беспомощно тряслась в поисках носового платка. Вокруг собралась толпа. Юджин быстро извлек грязный носовой платок из кармана старика и сунул его ему в руку. Мистер Эйвери вырвал из сведенных легких гниющую массу и часто задышал. Толпа разошлась, несколько поникнув.

Джордж Грейвс темно ухмыльнулся.

— Нехорошо, — сказал он. — Не следует смеяться, Юджин.

Он, булькая, отвернулся.

— Вы умеете спрягать? — прохрипел мистер Эйвери. — Я учился так:

> Amo, amas,
> Я люблю вас,
> Amat,
> Он любит тоже.

---

[1] Поэтом рождаются, а не становятся *(лат.)*.

Сотрясаемый дрожью смеха, он двинулся дальше. Поскольку он покидал их дюйм за дюймом, они отошли на несколько шагов к краю тротуара. Состарься со мною рядом!*

— Черт знает что! — сказал Джордж Грейвс, глядя ему вслед и покачивая головой. — Куда он идет?

— Ужинать, — сказал Юджин.

— Ужинать! — сказал Джордж Грейвс. — Но ведь только четыре часа! Где он ест?

Не где он ест, а где его съедают.

— В «Юниде», — сказал Юджин, начиная захлебываться. — Ему требуется два часа, чтобы туда добраться.

— Он каждый день туда ходит? — сказал Джордж Грейвс, начиная смеяться.

— Три раза в день! — взвигнул Юджин. — Он все утро идет обедать, и весь день идет ужинать.

Шепотный смех вырвался из их усталых челюстей. Они вздохнули, как камыши.

В этот момент, энергично пробираясь сквозь толпу, не скупясь на бодрые слова приветствия, их нагнал мистер Джозеф Бейли, секретарь алтамонтской торговой палаты, приземистый, толстый, краснолицый, и ласково помахал им.

— Как живете, мальчики? — воскликнул он. — Как дела? — Но прежде, чем они успели ответить, он прошел дальше с ободряющим кивком и басистой похвалой. — Так и надо!

— Что именно надо? — сказал Юджин.

Но прежде, чем Джордж Грейвс успел ответить, прославленный легочный специалист доктор Ферфакс Грайндер, отпрыск одной из самых старых и самых гордых виргинских семей, злобно вылетел с Черч-стрит, напряженно свернув свои мускулистые шесть футов восемь дюймов в глубоком брюхе большого «бьюика». Беспристрастно проклиная эту ползучую сыпь — послевоенную чернь, как южную, так и северную, с несколькими особыми отступлениями в адрес евреев и черномазых, — он направил автомобиль прямо на коротенькую пухлую фигуру Джо Замшника, мужская галантерея («В двух шагах от площади»).

Джо, находившийся в полутора ярдах от черты, за которой пешехода охраняет закон, с диким визгом кинулся на тротуар. Он достиг его на четвереньках, но без добавочного толчка извне.

— Ч-черт! — сказал Юджин. — Вновь неудача!

Это было верно. Тонкая щетинистая верхняя губа доктора Ферфакса Грайндера растянулась, открывая крепкие желтые зубы.

Он нажал на тормоз и повернул автомобиль, описав длинными руками полный круг. Затем он с ревом умчался прочь по смятенной мостовой в жирном синем облаке бензина и горелой резины.

Джо Замшник отчаянно вытер шелковым платком сияющую лысину и громко призвал всех в свидетели.

— Что это с ним? — разочарованно сказал Джордж Грейвс. — Обычно он въезжает за ними на тротуар, если уж не догонит на мостовой.

На противоположной стороне улицы, почти не привлекая к себе взглядов бездельничающих туземцев, достопочтенный Уильям Дженнингс Брайан* благожелательно остановился у витрины «Книжной лавки» Г. Мартина Граймса, позволяя шаловливому ветерку ласково играть своими знаменитыми кудрями. Силки волос Неэры*.

Достопочтенный Гражданин внимательно разглядывал выставленные в витрине книги, включавшие несколько экземпляров «До Адама» Джека Лондона. Затем он вошел и отправил несколько открыток с видами Алтамонта и окружающих гор.

— Он, возможно, тут поселится, — сказал Джордж Грейвс. — Доктор Доук предложил ему дом и участок в Доук-парке.

— Зачем? — сказал Юджин.

— А для города это будет хорошая реклама, — сказал Джордж Грейвс.

В нескольких шагах впереди из вулвортовского магазина «Пять — Десять центов» вышла доблестная дочь желания, мисс Элизабет Скрэгг, и пошла в сторону площади. Улыбаясь, она ответила на тяжеловесный поклон великана совладельца отеля «Уайтстоун» Большого Джеффа Уайта, который начал богатеть после того, как отказался вернуть своему старому товарищу Диксону Риду, кассиру-растратчику, девяносто тысяч долларов вверенной ему добычи. Ворон выклевывает глаз ворону. Вор ловит вора. Дуб высотой своей отличен*, а человеку вес приличен.

Его тень, длиной в шесть с половиной футов, медленно скользила впереди него. Он прошел мимо них в скрипящих башмаках сорок восьмого размера — дородный бритый человек с большим брюхом, заправленным в широкий пояс.

И опять-таки на другой стороне улицы перед витринами обувной фирмы Ван У. Йетса преподобный Дж. Брукс Голл (Амхерст*, выпуск 1861 года), выглядящий в свои семьдесят три года шестидесятилетним, прервал бодрую прогулку и завел оживленную беседу с тремя своими бой-скаутами — господами Льюисом Монком, семнадцати лет, Брюсом Роджерсом, тринадцати, и Малькольмом

Ходжесом, тринадцати. Никто лучше его не знал мальчишеского сердца. Он тоже, как оказалось, когда-то был мальчиком. И вот, пока одна веселая история сменяла или подсказывала полдесятка других, они с почтительным вниманием покорно улыбались сверкающему постукиванию его фальшивых зубов под приподнятым шлагбаумом седых щетинистых усов. А он с грубоватой, но товарищеской фамильярностью время от времени прерывал рассказ, чтобы сказать «старина Малк!» или «старина Брюс!», крепко стискивая плечо слушателя и легонечко его встряхивая. Они бледно улыбались, переминались с ноги на ногу и искоса, украдкой прикидывали, как бы удрать.

Мистер Бьюз, торговец восточными коврами, вышел из-за угла Либерти-стрит. Его широкое смуглое лицо сияло персидскими улыбками. Я встретил странника*, он шел из стран далеких.

В кафе «Бижу» для дам и господ Майк, буфетчик, оперся волосатыми руками на мрамор стойки и склонил сморщенный дюймовый лоб над старым номером «Атлантиды». Сегодня: жареные цыплята с картофелем. О веселый дух*, ты птицей не был никогда. Одинокая муха металась над захватанной пальцами стеклянной крышкой, под которой парился кожистый кусок мясного пирога. Весна пришла.

Тем временем, дважды совершив церемониальный марш по улице от площади до почтамта, мисс Кристин Болл, мисс Виола Пауэлл, мисс Элэйн Роллинс и мисс Дороти Хэззард были окликнуты у аптеки Вуда Томом Френчем, семнадцати лет, Роем Данкеном, семнадцати лет, и Карлом Джонсом, восемнадцати лет.

— Куда это вы направляетесь? — развязно спросил Том Френч.

Весело, бойко, в унисон они ответили:

— Но-но-о!

— Сено нынче семь долларов тонна, — сказал Рой Данкен и разразился визгливым кудахтаньем, к которому радостно присоединились все остальные.

— Ненорма-альный! — нежно сказала Виола Пауэлл. Скажите, дочери купцов, кто с ней красою и умом сравнится.

— Мистер Данкен, — сказал Том Френч, поворачивая гордое зловещее лицо к своему лучшему другу, — позвольте представить вас моей хорошей знакомой мисс Роллинс.

— Мне кажется, я его где-то уже видела, — сказала Элэйн Роллинс. И новый блеск его уста зажег.

— Да, — сказал Рой Данкен. — Я там часто бываю.

Его маленькое тугое веснушчатое бесячье лицо снова сморщилось от визгливого кудахтанья. Все то, чем мне не суждено быть.

Они вошли в аптеку, где жаждущий сосед встречается с соседом, и пронизали ленивую кучку присяжных сердцеедов у фонтанчика.

Мистер Генри Соррел («Все к вашим услугам») и мистер Джон Т. Хауленд («Наши участки идут нарасхват») вышли из сумрачной полутьмы грюнеровского дома за магазином Артура Н. Райта, ювелира. Каждый заглянул в ячейки сердца другого, и глаза их хранили великое видение заветной горы, когда они быстро свернули в Черч-стрит, где стоял «хадсон» Соррела.

В белом жилете, с наливающимся брюшком, большими плоскими ступнями, бритой полной луной красного лица и изобилием волос цвета патоки, преподобный Джон Смоллвуд, священник Первой баптистской церкви, грузно шел по улице, ласково здороваясь со своими прихожанами и уповая встретиться лицом к лицу со своим Кормчим. Однако вместо этого он натолкнулся на достопочтенного Уильяма Дженнингса Брайана, который медленно выходил из книжной лавки. Два близких друга тепло поздоровались и твердым дружеским возложением рук оказали один другому взаимную христианскую помощь благодетельного экзорцизма.

— Как раз тот, кого я искал, — сказал брат Смоллвуд.

В молчании они несколько секунд обменивались рукопожатием. Молчание было довольным.

— Именно это, — с серьезным юмором заметил Гражданин, — как мне казалось, Великий Американский Народ говорил мне в трех случаях.

Это была его излюбленная шутка, налитая мудростью, умягченная годами и все же столь для него характерная. Глубокие складки его рта разошлись в улыбке. Наш наставник — прославленный, спокойный, мертвый*.

Мимо кошачьей походкой на резине прошел, покинув длинную сумрачную книжную лавку, профессор Л. Б. Дунн, директор школы № 3 на Монтгомери-авеню. Он холодно улыбнулся им, сузив в буравчики глаза за толстыми стеклами очков. Из его кармана предательски выглядывала обложка «Нью Рипаблик»*. Худой веснушчатой рукой он прижимал к боку новенькие издания «Великой иллюзии» Нормана Энджела* и «Старинной обиды» Оуэна Уистера*. Пожизненный сторонник союза двух англоязычных (sic!) наций, вдвоем победоносно утверждающих мир, истину и праведность, благодетельно, но твердо главенствуя над прочими безответственными элементами цивилизации — он прошел, католичнейший человек, радостно посвятивший себя доблестным дерзаниям духа и спасению человечества. О да!

— Как вам и вашей почтенной супруге нравится Страна Небес? — спросил преподобный Джон Смоллвуд.

— Мы сожалеем только о том, — сказал Гражданин, — что наше пребывание тут измеряется днями, а не месяцами. Нет — годами.

Мистер Ричард Гормен, двадцати шести лет, репортер «Ситизен», быстро шагал по улице, задрав гордый холодный газетный нос. Его жесткогубая самодовольная улыбка угодливо одрябла.

— А-а! Дик! — сказал Джон Смоллвуд, ласково сжимая его руку и стискивая его локоть. — Как раз тот, кого я искал. Вы знакомы с мистером Брайаном?

— Как коллеги-газетчики, — сказал Гражданин, — мы с Диком были близкими друзьями уже... сколько именно лет, мой мальчик?

— Три года, сэр, — сказал мистер Гормен, мило краснея.

— Жаль, вы не слышали, Дик, — сказал преподобный Смоллвуд, — что нам сейчас говорил мистер Брайан. Наши добрые горожане возгордились бы, узнай они это.

— Мне хотелось бы взять у вас еще одно интервью до вашего отъезда, мистер Брайан, — сказал Ричард Гормен. — В городе говорят, что вы, возможно, в будущем поселитесь у нас.

На вопрос репортера «Ситизен» мистер Брайан ответа не дал, отказавшись подтвердить или опровергнуть этот слух.

— Возможно, я в дальнейшем смогу сказать что-то более определенное, — заметил он с многозначительной улыбкой, — но в настоящий момент мне приходится удовлетвориться заявлением, что, будь в моей власти выбрать себе место рождения, я не мог бы отыскать более прекрасного места, чем этот край чудес природы.

Земной Рай, по мнению Гражданина.

— В свое время я много путешествовал, — продолжал человек, которого великая партия трижды избирала своим кандидатом на получение высшего дара, вручаемого народом. — Я странствовал от лесов Мэна до омываемых волнами песков Флориды, от Гаттераса до Галифакса и от вершин Скалистых гор до равнин, где Миссури мчит свои бурные воды, но мне довелось увидеть лишь немного мест, которые могли бы сравниться с этим горным Эдемом, и ни одного, которое его превзошло бы.

Репортер делал быстрые пометки в своем блокноте.

Мощные валы риторики приносили ему на своих гребнях годы былой славы — великие утраченные дни первого крестового похода, когда бароны денежного мешка трепетали перед тенью Золотого Креста и Брайан! Брайан! Брайан! горел над страной, как комета. Когда я еще не был стар. 1886 год. О, горькое «еще», твердящее, что юность миновала.

Предвидит Зарю Новой Эры.

Когда репортер начал более настойчиво расспрашивать мистера Брайана о его дальнейших планах, он сказал:

— Мое время на много месяцев вперед будет полностью занято выступлениями, которые мне предстоит сделать по всей стране во имя ведущейся мною борьбы за сокращение колоссальных вооружений, каковые составляют главное препятствие к воцарению мира на земле и во человецех благоволения. А потом — кто знает? — сказал он, блеснув, своей прославленной улыбкой. — Возможно, я вернусь в этот прекрасный край и начну мою жизнь здесь, среди моих друзей, как тот, кто честно сражался во имя благого дела и заслужил провести закат своих дней, не только узрев пределы счастливой страны Ханаанской, но и вступив в нее.

На вопрос, может ли он назвать точное время, когда он намерен уйти на покой, Гражданин дал характерный для него ответ, процитировав следующие прекрасные строки Лонгфелло:

> Когда свернут войны знамена,
> Военный смолкнет барабан
> В Парламенте Людского Рода,
> В Союзе Мировом всех стран.*

Магическая клеточка музыки — электрическое пианино в неглубоком, выложенном израцами фойе «Аякса», любимого кинематографа Алтамонта, смолкло с жестяной резкостью, секунду зловеще жужжало и без всякого предупреждения заиграло вновь. Путь далекий до Типперери*. Мир содрогался от топота марширующих людей.

Мисс Маргарет Бленчерд и миссис Ч. М. Макриди, занаркотизированная жена фармацевта, которая, как свидетельствовала белая рыхлая ткань ее лица и блестящая одурманенность широких зрачков, слишком часто медвяную пила росу*, вышли из кинематографа и повернули к аптеке Вуда.

Сегодня показывает «Вайтограф» — Морис Костелло и Эдит М. Стори в «Бросьте спасательный канат».

Мимо в соломенной шляпе, которую он носил зимой и летом, подергиваясь, выворачивая внутрь искалеченную ногу, выпучив глаза, прошел Уилли Гофф, торговец карандашами: крупная голова идиота болталась на жилистой шее. Пальцы его высохшей руки были окаменело обращены к нему — они манили его, прикасаясь к нему, пока он шел жесткими рывками, как жуткая пародия на чванство. Из грудного кармана его аккуратно перепоясанной норфолкской куртки буйным пятном свисал носовой платок с сине-желто-малиновым узором, широкий отложной шелковый воротник, расчерченный красными и оранжевыми полосками, цвел поперек его узких плеч. На лацкане — огромная красная гвоздика. Его худое личико под выступающим шарообразным лбом непрерывно ухмылялось, навсегда пропитанное широкими, плещущими, откатывающимися, возвращающимися идиотскими улыбками. Ибо, проживи он хоть тысячу лет, его настроение ни разу не омрачилось бы. Он что-то восторженно шепелявил всем встречным, и они отвечали ему сочувственными усмешками, а у аптеки его громкими возгласами и смехом приветствовали молодые люди, околачивавшиеся возле фонтанчика. Они шумно сомкнулись вокруг него, и, хлопая по спине, потащили к фонтанчику. Очень довольный, он смотрел на них радостно и благодарно.

— Что пьешь, Уилли? — спросил мистер Тобиас Поттл.

— Мне кока-колу, — сказал Уилли Гофф ухмыляющемуся газировщику. — Кока-колу с лимонным соком.

Пэдж Карр, сын политического воротилы, радостно захохотал.

— Хочешь кока-колу с лимонным соком, а, Уилли? — сказал он и изо всех сил хлопнул его по спине. Его толстое глупое лицо посерьезнело.

— Возьми сигарету, Уилли, — сказал он, протягивая пачку Уилли Гоффу.

— Чего налить? — спросил газировщик Тоби Поттла.

— Мне тоже кока-колу.

— Я ничего не буду, — сказал Пэдж Карр. Напитки, что благородно пьянили их, не затмевая разум*.

Пэдж Карр поднес зажженную спичку к сигарете Уилли Гоффа и медленно подмигнул Брейди Чэлмерсу, высокому красивому малому с черными волосами и длинным смуглым лицом. Уилли Гофф затянулся своей сигаретой, раскуривая ее сухими, чмокающими губами. Он закашлялся, вынул ее изо рта и неуклюже зажал между большим и указательным пальцами, с любопытством на нее посматривая.

Они прыснули, и смех их запутался и исчез в клубах табачного дыма; они захлебывались — наглец, лакей и конюх.

Брейди Чэлмерс осторожно вытащил пестрый платок Уилли у него из кармана и показал остальным. Потом аккуратно сложил его и засунул обратно.

— Для чего это ты расфрантился, Уилли? — сказал он. — Идешь на свидание со своей девочкой?

Уилли Гофф хитро улыбнулся.

Тоби Поттл выпустил из ноздрей великолепную струю дыма. Ему было двадцать четыре года — безупречный костюм, напомаженные белокурые волосы, розовое от массажа лицо.

— Не скрытничай, Уилли, — сказал он ласково, негромко. — У тебя же есть девушка, верно?

Уилли Гофф самодовольно оскалился. У дальнего конца стойки Тим Маккол, двадцати двух лет, который все это время медленно выдавливал зажатые в кулаке кубики льда в глубокие защечные мешки, внезапно уронил голову, обрушив радужный, дробный град на мраморную доску.

— У меня их несколько, — сказал Уилли Гофф. — Может же человек поразвлечься, верно?

Раскрасневшись от пронзительного звенящего смеха, они заулыбались, заговорили почтительней, сняли шляпы перед мисс Тот Уэбстер, мисс Мэри Макгроу и мисс Мартой Коттог, старейшими членами местного кружка золотой молодежи. Они потребовали музыки покрепче, вина погромче.

— Как поживаете?

— Ага! Ага! — сказал Брейди Чэлмерс мисс Мэри Макгроу. — Где же это вы были?

— Вы об этом никогда не узнаете! — отозвалась она. Это знали только они двое — их маленькая тайна. Они многозначительно засмеялись в восторге обладания.

— Пойдемте за столик, Пэдж, — сказал Юстон Фиппс, их эскорт. — И вы, Брейди.

Он последовал за дамами в задний зал — высокий, дерзкий, хвастливый. Молодой алкоголик с одним здоровым легким. Он хорошо играл в гольф.

Развязные мальчишки кидались от переполненных кабинетов и столиков к фонтанчику, подлетая к стойке на одном скольжении. Они грубо выкрикивали заказы, безжалостно язвя шустрых газировщиков.

— Ладно, сынок. Две колы и мятный лимонад. И побыстрее.

— Ты здесь работаешь или нет, мальчик?

Газировщики двигались в ритме регтайма, жонглируя напитками, подбрасывая в воздух шарики мороженого и ловя их в бокалы, выбивая ложками стремительный мотив.

Сидя в одиночестве, глядя поверх соломки густыми карими глазами, миссис Тельма Джервис, модистка, единым свистящим вздохом всосала последние бусинки сладости, еще остававшиеся на дне ее бокала. Пей за меня одну* — глазами. Она медленно поднялась, глядясь в зеркальце своей открытой сумочки. Затем струящимися движениями пышного тела, изваянного шелковым платьем цвета хны, она начала огибать столики, лавируя в тесных проходах, негромко, мелодично извиняясь. У нее был нежный голосок*, что так прекрасно в женщине. Пронзительная болтовня за столиками затихала, когда она проходила мимо. О, ради Бога, придержи язык*, дай мне любить! Покачивая янтарными бедрами, она плыла по проходу мимо духов, конвертов, резиновых изделий и туалетных принадлежностей, остановившись у табачного прилавка, чтобы оплатить свой чек. Ее округлые, тяжелые, как дыни, груди кивали венчиками в медленном, но задорном танце*. Как не возликовать поэту в веселом обществе таком.

Но... у входа, в алькове с газетным киоском мистер Поль Гудсон из «Надежной жизни» разом замкнул свое длинное ухмыляющееся блюдообразное лицо и оборвал разговор. Он не слишком подчеркнуто снял шляпу, как и его собеседник Костон Смейзерс, мебельщик («Жена ваша, мебель наша»). Они оба были баптистами. Миссис Тельма Джервис обратила на них свой теплый слоновой кости взгляд, полуоткрыла пухлый маленький рот в рассеянной улыбке и прошла, плавная. Когда она исчезла за дверью, они повернулись друг к другу, тихонько ухмыляясь. Мы будем ждать над рекой. Они быстро поглядели по сторонам. Никто ничего не заметил.

Покровительница всех искусств, но особенно Музыки, Небесная Дева миссис Франц Вильгельм фон Зек, супруга известного легочного специалиста и создателя сыворотки фон Зека, августейше прошествовала из дверей магазина мод и была нежно подсажена в объятия мягкие сидений ее «кадиллака» мистером Луисом Розальским. Она улыбнулась ему сверху вниз, благосклонно, но сдержанно. Белый пергамент его жесткого польского лица был разорван улыбкой безжалостной сервильности, которая закручивалась кверху у ноздрей его колоссального носа цвета оконной замазки. Фрау фон Зек уложила мощные подбородки на рубленую полку своих вагнеровских грудей — ее тяжеловесный взор уже был мечтательно устремлен к отдаленным филантропическим свершениям, — и величественная колесница мягко унесла ее прочь от преданного торговца. Nur wer die Sehnsucht kennt, weib was Ich leide[1].

---

[1] Нет, только тот, кто знал свиданья жажду*, поймет, как я страдал (нем.).

Мистер Розальский вернулся в свой магазин.

В третий раз мисс Милдред Шафорд, мисс Хелен Пендергаст и мисс Мэри Кэтрин Брус проехали мимо, собранные в гроздь, как несорванные вишни, на переднем сиденье «рео» мисс Шафорд. Они проехали, впиваясь в тротуар жадными высокомерными глазами, очень довольные своим гордым видом. Они повернули на Либерти-стрит, совершая четвертый объезд по кругу. Ах, вальсируй со мною*, о Вилли.

— Ты умеешь танцевать, Джордж? — спросил Юджин. Его сердце было полно горькой гордости и страха.

— Да, — сказал Джордж Грейвс рассеянно, — немножко. Я этого не люблю. — Он поднял глаза, полные сумеречного раздумья.

— Послушай, Джин, — сказал он. — Сколько стоит доктор фон Зек, как ты думаешь?

На смех Юджина он ответил недоумевающей смущенной улыбкой.

— Пошли, выпьем чего-нибудь, — сказал Юджин.

Они перебежали узкую улицу, ловко лавируя в густеющем к вечеру потоке машин.

— С каждым днем все хуже, — сказал Джордж Грейвс. — Люди, которые планировали город, не умели предвидеть будущее. Что тут будет через десять лет?

— Но ведь улицы можно расширить, ведь так? — сказал Юджин.

— Нет. Теперь уже нельзя. Придется отодвигать назад все эти здания. Интересно, во сколько это обошлось бы? — задумчиво сказал Джордж Грейвс.

— ...А если мы этого не сделаем, — произнес холодное предупреждение педантичный голос профессора Л. Б. Дунна, — то их следующая акция будет направлена против нас. И возможно, вы еще доживете до того дня, когда железная пята милитаризма придавит вам шею и вооруженные силы кайзера пройдут гусиным шагом по этим улицам. Когда этот день наступит...

— Я в эти россказни не верю, — грубо и кощунственно сказал мистер Боб Уэбстер. Это был низенький человек с серым подлым лицом, вспыльчивый и озлобленный. Хроническая повышенная кислотность всех его внутренностей словно наложила печать на его черты. — По-моему, это все пропаганда. Просто немцы им не по зубам, вот они и расхныкались.

— Когда этот день настанет, — неумолимо продолжал профессор Дунн, — вспомните мои слова. Немецкое правительство питает империалистические замыслы, касающиеся всего мира. Оно мечтает о том дне, когда принудит все человечество склониться под иго Круппа и die Kultur. Судьба цивилизации брошена на чашу весов. Человечество стоит на распутье. Я молю Бога, чтобы о нас никто не мог сказать, что мы не исполнили своего долга. Я молю Бога, чтобы нашему свободному народу никогда не довелось страдать, как страдают маленькие бельгийцы, чтобы наши жены и дочери не были уведены в рабство или на позор, чтобы наши дети не были искалечены и убиты.

— Это не наша война, — сказал мистер Боб Уэбстер. — Я не хочу посылать моих ребят за три тысячи миль за море, чтобы их убили ради этих иностранцев. Если они явятся сюда, я возьму ружье не хуже всех прочих, а пока пусть дерутся меж собой. Верно, судья? — сказал он, обращаясь к третьему лицу, федеральному судье Уолтеру Ч. Джетеру, который, к счастью, был близким другом Гровера Кливленда. Войну пророчат* предков голоса.

— Ты был знаком с Уилерами? — спросил Юджин у Джорджа Грейвса. — С Полем и Клифтоном?

— Да, — сказал Джордж Грейвс. — Они уехали и поступили во французскую армию. Они служат в Иностранном легионе.

— Они там в авиационной части, — сказал Юджин. — Эскадриль «Лафайет». Клифтон Уилер сшиб больше шести немецких самолетов.

— Ребята тут его не любили, — сказал Джордж Грейвс. — Считали его маменькиным сынком.

Юджин слегка вздрогнул при этом определении.

— Сколько ему было лет? — спросил он.

— Он был совсем взрослый, — сказал Джордж. — Двадцать два, не то двадцать три.

Юджин разочарованно прикинул свои шансы на славу. (Ich bin ja noch ein Kind[1].)

— ...но к счастью, — неторопливо продолжал судья Уолтер Ч. Джетер, — у нас в Белом доме есть человек, на чью государственную дальнозоркость мы можем спокойно положиться. Доверимся же мудрости его руководства, словом и духом следуя принципу строгого нейтралитета и лишь в случае крайней необходимости избрав путь, который вновь ввергнет нашу великую нацию в страдания и трагедию войны, от чего, — его голос понизился до шепота, — Господь да избавит нас.

Размышляя о более древней войне, в которой он доблестно сражался, полковник Джеймс Бьюкенен Петтигрю, начальник Во-

---

[1] Я еще ребенок (нем.).

енной академии Петтигрю (основана в 1789 г.), ехал в своей открытой коляске позади старого негра-кучера и двух откормленных гнедых кобыл. Вокруг стоял добротный гнедой запах лошадей и дубленной потом кожи. Старик негр легонько опускал змеящийся кнут на глянцевитые рысящие крупы, что-то тихонько ворча.

Полковник Петтигрю был по талию закутан в толстый плед, плечи его закрывал серый конфедератский плащ. Он наклонялся вперед, опираясь всем дряхлым весом на тяжелую полированную трость, на серебряном набалдашнике которой лежали его весноватые руки. Что-то бормоча, он поворачивал массивную гордую старую голову на дрожащей шее из стороны в сторону и бросал на проплывающую мимо толпу яростные расщепленные взгляды. Он был благородным рыцарем без страха и упрека. Он что-то бормотал.

— Сэр? — сказал негр, натягивая вожжи и оглядываясь.

— Поезжай! Поезжай, мошенник! — сказал полковник Петтигрю.

— Слушаю, сэр, — сказал негр.

Они поехали дальше.

В толпе бездельничающих юнцов, которые стояли за порогом аптеки Вуда, рыскающие глаза полковника Петтигрю увидели двух его собственных кадетов. Это были прыщавые мальчишки с отвислыми челюстями и никуда не годной выправкой.

Он бормотал, изливая свое отвращение. Не такие! Не такие! Все не такое! В дни своей гордой юности, в единственной по-настоящему важной войне полковник Петтигрю шел во главе своих кадетов. Их было сто семнадцать, сэр, и ни одному не было девятнадцати. Они все до единого выступили вперед... пока не осталось ни одного офицера... вернулось назад тридцать шесть... с тысяча семьсот восемьдесят девятого года... впредь и всегда!.. Девятнадцать, сэр, и ни одному не было ста семнадцати... впредь и всегда... впредь и всегда!

Отвислые фланги его щек легонько тряслись. Лошади неторопливой рысцой свернули за угол под гладкоспицый рокот резиновых шин.

Джордж Грейвс и Юджин вошли в аптеку Вуда и остановились перед стойкой. Старший газировщик, хмурясь, провел тряпкой по лужице на мраморной доске.

— Что вам? — спросил он раздраженно.

— Мне шоко-ладного молока, — сказал Юджин.

— Налейте два, — добавил Джордж Грейвс.

О, если бы глоток напитка*, что века незримо зрел в прохладной глубине земли!

XXV

Да. Чудовищное преступление свершилось. И почти год Юджин сохранял отчаянный нейтралитет. Но его сердце отказывалось быть нейтральным. Ведь на весы была брошена судьба цивилизации.

Война началась в разгар летнего сезона. «Диксиленд» был полон. В то время его самым близким другом была резкая старая дева с расстроенными нервами, которая уже тридцать лет преподавала английский язык в одной из нью-йоркских школ. День за днем, после убийства эрцгерцога, они следили за тем, как в мире все выше вздымаются волны крови и опустошения. Тонкие красные ноздри мисс Крейн трепетали от негодования. Ее старые серые глаза переполнял гнев. Подумать только! Подумать только!

Ибо из всех англичан самую высокую и вдохновенную любовь к Альбиону питают американские дамы, преподающие его благородный язык.

Юджин так же был верен. В присутствии мисс Крейн он сохранял на лице выражение печали и сожаления, но его сердце выбивало военный марш на ребрах. В воздухе звучали волынки и флейты; он слышал призрачный рокот больших пушек.

— Мы должны быть беспристрастны! — говорила Маргарет Леонард. — Мы должны быть беспристрастны! — Но ее глаза потемнели, когда она прочла известие о вступлении Англии в войну, и горло у нее задергалось, как у птицы. Когда она подняла глаза от газеты, они были влажны.

— О Господи! — сказала она. — Теперь пойдут дела!

— Малыш Бобс! — взревела Шеба.

— Да благословит его Бог! А ты заметила, где он намерен занять позиции?

Джон Дорси Леонард отложил газету и перегнулся от визгливого всхлипывающего смеха.

— Господи Боже ты мой! — задыхался он. — Пусть-ка эти разбойники только сунутся!

Они сунулись.

Все это идущее на убыль лето Юджин метался между школой и «Диксилендом», не в силах в упоении неминуемой славы укротить свои гарцующие ноги. Он жадно поглощал мельчайшие новости и летел поделиться ими с Леонардами или с мисс Крейн. Он читал все газеты, которые ему удавалось раздобыть, и ликовал, потому что немцы терпели поражение за поражением и отступали повсю-

ду. Ибо из этого хаоса газетных сообщений он извлек твердую
уверенность в том, что гуннам приходится плохо. В тысячах мест
они с визгом бежали от английской стали под Монсом, молили
французов о пощаде на Марне, отступали здесь, отходили там,
панически улепетывали еще где-то. Потом в одно прекрасное
утро, когда им полагалось быть у Кельна, они оказались под
стенами Парижа. Они бежали не в ту сторону. Мир потемнел. Он
тщетно пытался понять. И не мог. Избрав неслыханную стратегию
непрерывных отступлений, немецкая армия подошла к Парижу.
Это было что-то новое в искусстве ведения войны. Собственно
говоря, только через несколько лет Юджин наконец полностью
осознал, что и в немецких армиях, по-видимому, все же кто-то
иногда сражался.

Джон Дорси Леонард хранил спокойствие.

— Погоди! — говорил он убежденно. — Погоди, сынок! Старик Жоффр* знает, что делает. Он этого и ждал. Теперь он
заманил их туда, куда было надо.

Юджин только удивлялся, по каким тонким соображениям фран-
цузскому генералу могло понадобиться, чтобы немецкая армия
подошла к Парижу.

Маргарет подняла от газеты тревожные глаза.

— Положение, по-видимому, очень серьезно, — сказала она. —
Да-да! — Она на мгновение умолкла, волна страстного гнева
захлестнула ей горло.

Потом она добавила тихим дрожащим голосом:

— Если Англия погибнет, мы все погибнем.

— Да благословит ее Бог! — возопила Шеба.

— Да благословит ее Бог, Джин, — продолжала Маргарет, похло-
пав его по колену. — Когда я сошла тогда на ее милую старую
землю, я не могла сдержаться. Мне было все равно, что обо мне
подумают. Я встала на колени прямо в пыли и притворилась, будто
завязываю шнурок, но, знаешь ли... — Ее мутные глаза блеснули
сквозь слезы. — Я никак не могла с собой совладать. Да благословит
ее Бог! Знаешь, что я сделала? Я наклонилась и поцеловала землю! —
Крупные клейкие слезы катились по ее красным щекам. Она громко
всхлипывала, но продолжала: — Я сказала: это земля Шекспира, и
Милтона, и Джона Китса, и, клянусь Богом, главное, что это и моя
земля! Да благословит ее Бог! Да благословит ее Бог!

Слезы тихо струились из глаз Маргарет Леонард. Ее лицо было
влажно. Говорить она была не в силах. Все они были глубоко
растроганы.

— Она не погибнет! — сказал Джон Дорси Леонард. — Тут и мы скажем свое слово! Она не погибнет! Вот погодите!

В воображении Юджина пылал неизменный образ двух великих рук, слившихся над океаном в нерушимом пожатии, цвели зеленые поля и развертывал спирали сказочный Лондон, могучий, волшебный, древний, — романтический лабиринт старинных многолюдных улочек, высокие, почти смыкающиеся над головой дома, лукулловские яства и напитки и безумные властные глаза гения, горящие в толпе чудаковатых оригиналов.

Вместе с войной появилась и литература колдовского очарования войны. Маргарет Леонард давала ему такие книги одну за другой. Это были книги о молодых людях — о молодых людях, которые сражались за то, чтобы своею кровью омыть мир от зла. Своим вибрирующим голосом она читала ему сонет Руперта Брука* — «Когда паду, то думай обо мне лишь так», а вложив в его руку экземпляр «Студента под ружьем» Дональда Хэнки, она сказала:

— Прочти это, мальчик. Ты будешь потрясен. На этих юношей снизошло озарение.

Он прочел это. И многое другое. На него снизошло озарение. Он стал членом этого рыцарского легиона — юный Галахед*-Юджин, копье праведности. Он отправился граалить. Он десятками писал мемуары, в которые скромно, с юмором, с английской сдержанностью высшей закалки вкладывал все, что переполняло его чистое сердце истинного крестоносца. Иногда он доживал до блаженных дней мира, лишившись либо руки, либо ноги, либо глаза, — укороченный, но облагороженный; иногда его последние светозарные слова бывали записаны накануне атаки, в которой он погибал. Затуманившимися глазами читал он эпилог своей жизни и упивался своей посмертной славой, особенно когда доходил до своих последних слов, записанных и объясненных его издателем. Потом — свидетель собственной мужественной кончины — уронил три жаркие слезы на свое юное сраженное в цвете лет тело. Dulce et decorum est pro patria mori[1].

Бен, хмурясь, косолапо шел по улице мимо аптеки Вуда. Поравнявшись с кучкой бездельников у кафельного входа, он посмотрел на них с внезапным испепеляющим презрением. Потом засмеялся негромко и яростно.

— Бог мой! — сказал он.

---

[1] И честь и радость пасть за отечество* (лат.).

На углу он, хмурясь, подождал миссис Перт, которая вышла из почтамта. Она переходила улицу медленно, зигзагами.

Договорившись встретиться с ней позже в аптеке, он перешел улицу и свернул за угол почтамта на Федерал-стрит. Он вошел во второй подъезд «Дома терапевтов и хирургов» и стал подниматься по темным скрипучим ступенькам. Где-то с размеренной удручающей монотонностью в темную влажную раковину капала вода. В дверях широкого коридора второго этажа он остановился, стараясь усмирить нервное биение сердца. Затем пошел по коридору и на полдороге свернул в приемную доктора Дж. Г. Коукера. Она была пуста. Сдвинув брови, он понюхал воздух. Все здание пронизывал чистый нервирующий запах антисептических средств. Журналы — «Лайф» и «Джадж», «Литерари дайджест», «Америкен», — разбросанные на черном квадратном столе, рассказывали безмолвную повесть о сотнях бесцельно и расстроенно листавших их рук. Открылась внутренняя дверь, из нее вышла мисс Рэй, помощница доктора. Она была в шляпе. Она уже собиралась уходить.

— Вы к доктору? — спросила она.

— Да, — сказал Бен. — Он занят?

— Заходите, Бен, — сказал Коукер, подходя к двери. Он вынул изо рта длинную изжеванную сигару и улыбнулся желтой улыбкой. — На сегодня все, Лора. Можете идти.

— До свидания, — сказала мисс Лора Рэй и ушла.

Бен вошел в кабинет. Коукер закрыл дверь и сел за свой заваленный бумагами стол.

— Вам будет удобнее вон на той кушетке, — сказал он с усмешкой.

Бен посмотрел на кушетку взглядом, затуманенным тошнотой.

— Сколько человек умерло на ней? — спросил он. Он нервно сел на стул перед столом, закурил сигарету и поднес догорающую спичку к обугленному кончику сигары, которую протянул Коукер.

— Ну, так чем я могу быть полезен, сынок? — спросил Коукер.

— Мне надоело гнить тут, — сказал Бен. — Я предпочту гнить где-нибудь в другом месте.

— Я что-то не понял, Бен.

— Вы, наверное, слышали, Коукер, — сказал Бен негромко и язвительно, — что в Европе идет война. То есть если вы научились читать газеты.

— Нет, я ничего об этом не слышал, сынок, — сказал Коукер, неторопливо затягиваясь. — Газету я читаю — ту, которая выходит по утрам. Вероятно, они еще не получили этого известия. — Он злокозненно улыбнулся. — Так чего же вы хотите, Бен?

— Я собираюсь уехать в Канаду и записаться добровольцем, — сказал Бен. — И хотел бы узнать у вас, годен ли я.

Коукер помолчал. Он вынул длинную изжеванную сигару изо рта и задумчиво поглядел на нее.

— Зачем вам это, Бен? — сказал он.

Бен внезапно встал и отошел к окну. Он выбросил свою сигарету во двор. Она ударилась о цемент с коротким сухим щелчком. Когда Бен обернулся, его желтоватое лицо было белым от напряжения.

— Ради всего святого, Коукер! — сказал он. — Зачем все это? Можете вы мне сказать? Для чего мы существуем? Вы — врач и должны что-то знать об этом.

Коукер продолжал глядеть на свою сигару. Она снова погасла.

— Почему? — спросил он размеренным голосом. — Почему я должен что-то знать?

— Откуда мы пришли? Куда мы идем? Для чего мы здесь? Зачем все это, черт подери? — бешено выкрикивал Бен, повышая и повышая голос. Он смотрел на пожилого врача горьким, обвиняющим взглядом. — Бога ради, не молчите, Коукер. Что вы сидите как манекен! Скажите что-нибудь.

— Что я, по-вашему, должен сказать? — сказал Коукер. — Кто я? Чтец мыслей? Медиум? Я врач, а не священник. Я видел, как они рождались, я видел, как они умирали. Что происходит с ними до и после, я не знаю.

— К черту это! — сказал Бен. — Но что происходит с ними в промежутке?

— Об этом, Бен, я знаю столько же, сколько и вы, — сказал Коукер. — Вам нужен не врач, а пророк.

— Но они же приходит к вам, когда заболевают, так? — сказал Бен. — Они все хотят выздороветь, так? И вы делаете все возможное, чтобы вылечить их, так?

— Нет, — сказал Коукер. — Не всегда. Но согласен, что ждут от меня именно этого. Ну и что?

— Значит, вы должны верить, что в этом есть какой-то смысл, — сказал Бен, — иначе вы не стали бы этого делать!

— Человек должен жить, не правда ли? — сказал Коукер с усмешкой.

— Но об этом я и спрашиваю вас, Коукер. Для чего?

— Ну, — сказал Коукер, — чтобы девять часов в сутки работать в газете, девять часов спать и наслаждаться остальные шесть, моясь, бреясь, одеваясь, закусывая в «Жирной ложке», болтаяс возле аптеки Вуда и время от времени сопровождая веселую вдову к Фрэнсису К. Бушмену. Разве этого мало? А трудолюбивы и добропорядочный человек, который еженедельно вносит сво деньги в Строительный или Ссудный банк, вместо того чтоб транжирить их на сигареты, кока-колу и готовое платье от Кун ненхеймера, может со временем стать владельцем небольшого до мика. — Голос Коукера понизился до благоговейного шепота. — Он может даже стать владельцем автомобиля, Бен. Подумайте о этом! Он может сесть в него и кататься, кататься, кататься. О может объехать все эти проклятые горы. Он может быть очень очень счастлив. Он может ежедневно посещать Ассоциацию моло дых христиан и мыслить только самыми чистыми мыслями. О может жениться на хорошей честной женщине и обзавестись лю бым числом сыновей и дочерей, которых всех можно воспитать баптистской, методистской или пресвитерианской вере и посла их прослушать великолепные курсы лекций по экономике, ком мерческому праву и изящным искусствам в университете штат Есть много такого, ради чего стоит жить, Бен. И чем занят каждую минуту суток.

— Вы очень остроумны, Коукер, — сказал Бен, хмурясь. — В смешны, как сломанный костыль. — Он смущенно расправил суту лые плечи и набрал в легкие воздуха. — Ну так как же? — спросил он с нервной улыбкой. — Годен я?

— Давайте посмотрим, — неторопливо ответил Коукер и нача его осматривать. — Ноги вывернуты пальцами внутрь, но сво стопы хороший. — Он внимательно поглядел на светло-коричне вые кожаные башмаки Бена.

— В чем дело, Коукер? — сказал Бен. — Разве для того, чтоб стрелять, нужны пальцы ног?

— А с зубами все в порядке, сынок?

Бен раздвинул тонкие губы и показал два ряда белых крепки зубов. В тот же момент Коукер небрежно и быстро ткнул его солнечное сплетение сильным желтым пальцем. Выпяченная груд Бена опала, он перегнулся пополам, смеясь и сухо кашляя. Коуке отвернулся к столу и взял свою сигару.

— В чем дело, Коукер? — сказал Бен. — Что это значит?

— Все, сынок. Я кончил, — сказал Коукер.

— Ну и как? — спросил Бен нервно.

— Что как?

— Все в порядке?

— Конечно, все в порядке, — сказал Коукер. Он повернулся, держа в пальцах горящую спичку. — Кто сказал, что не все в порядке?

Бен хмуро смотрел на него блестящими от страха глазами.

— Бросьте шутить, Коукер, — сказал он. — Мне уже трижды семь. Я годен?

— Что за спешка? — сказал Коукер. — Война еще не кончилась. И, наверное, мы в нее скоро вступим. Почему не подождать немного?

— Это значит, что я не годен, — сказал Бен. — Что со мной, Коукер?

— Ничего, — сказал Коукер осторожно. — Вы немного худы. Немного истощены, ведь так, Бен? Надо нарастить мяса на эти кости, сынок. Сидя в «Жирной ложке» с папиросой в одной руке и чашкой кофе в другой, особо не растолстеешь.

— У меня все в порядке, Коукер, или нет?

Лицо Коукера — удлиненное лицо черепа — расширилось в желтой улыбке.

— Да, — сказал он. — У вас все в порядке, Бен. Вы один из самых порядочных людей, каких я знаю.

Бен прочел настоящий ответ в усталых воспаленных глазах Коукера. Его собственные глаза помутнели от страха. Но он сказал язвительно:

— Спасибо, Коукер. Я вам очень обязан. Вы столько для меня сделали. Вы лучший бейсболист среди врачей.

Коукер усмехнулся. Бен вышел из кабинета.

На улице он встретил Гарри Тагмена, который шел в типографию.

— В чем дело, Бен? — сказал Гарри Тагмен. — Нездоровится?

— Да, — сказал Бен, хмурясь, — мне только что вкатили шестьсот шесть*.

Он пошел дальше к аптеке, где его ждала миссис Перт.

XXVI

Осенью, когда ему пошел пятнадцатый год — который ему предстояло провести в школе Леонарда, — Юджин отправился на короткую экскурсию в Чарлстон. Он договорился, что газеты за него будет пока разносить другой.

— Поехали! — сказал Макс Айзекс, с которым он иногда виделся. — Повеселимся, сынок.

— Ого-го! — воскликнул Мелвин Боуден (они ехали под присмотром его матери). — В Чарлстоне пиво еще не перевелось, — добавил он с разгульной ухмылкой.

— На Пальмовом острове можно искупаться в океане, — сказал Макс Айзекс. И благоговейно добавил: — Можно пойти в военный порт и поглядеть на корабли.

Ему не терпелось поступить во флот. Он жадно читал все вербовочные афиши. Он знал всех моряков на вербовочном пункте. Он проштудировал все брошюры и был набит всевозможными сведениями о военно-морской службе. Он до последнего доллара знал, сколько получают кочегары, матросы второй статьи, радисты и все унтер-офицеры.

Его отец был водопроводчиком. А он не хотел быть водопроводчиком. Он хотел поступить во флот и посмотреть свет. Во флоте человеку хорошо платят и дают хорошее образование. Он приобретает профессию. Он получает хорошее питание и одежду. И все это дается ему бесплатно, задаром.

— Хм! — сказала Элиза с поддразнивающей улыбкой. — Послушай, милый, зачем тебе это? Ты же мой маленький-маленький.

С тех пор как он им был, прошло много лет. Она улыбнулась дрожащей улыбкой.

— Да, — сказал Юджин. — Можно, я поеду? Только на пять дней. У меня есть деньги. — Он сунул руку в карман и пощупал.

— Послушай меня! — сказала Элиза, подергивая губами и улыбаясь. — Зимой эти деньги тебе очень и очень понадобятся. Когда наступят холода, тебе нужно будет купить новые башмаки и теплое пальто. Наверно, ты большой богач! Мне вот такие путешествия не по карману.

— Бог мой! — сказал Бен с коротким смешком. Он швырнул сигарету в камин, затопленный в первый или во второй раз за осень.

— Вот что, сын, — сказала Элиза, переходя на серьезный тон, — научись считать деньги, не то у тебя никогда не будет собственной крыши над головой. Я ничего не имею против того, чтобы ты развлекался, но ты не должен транжирить деньги.

— Да, — сказал Юджин.

— О, Бога ради! — воскликнул Бен. — Это же его собственные деньги. Пусть малыш делает с ними то, что ему нравится. Если он хочет выбросить их в окно, то пусть бросает, это его дело.

Она задумчиво переплела пальцы на животе и посмотрела прямо перед собой, поджимая губы.

— Ну, пожалуй, это ничего, — сказала она. — Миссис Боуден приглядит за тобой.

Это было его первое самостоятельное путешествие. Элиза уложила его вещи в старый чемодан и приготовила коробку с яйцами и бутербродами. Он уезжал поздно вечером. Он стоял рядом с чемоданом, вымытый, приглаженный, возбужденный, и она всплакнула — она чувствовала, что он отдалился от нее еще на один шаг. Жажда странствий сжигала его лицо.

— Будь умником, — сказала она. — Будь осторожен и веди себя хорошо. — Она задумалась, глядя в сторону. Потом пошарила у себя в чулке и достала пятидолларовую бумажку.

— Не трать зря свои деньги, — сказала она. — Вот тебе еще на расходы. Лишние не помешают.

— Поди-ка сюда, бродяжка! — хмурясь, сказал Бен. Его быстрые пальцы поправили сбившийся галстук Юджина. Он одернул его жилет и незаметно опустил ему в карман десятидолларовую купюру. — Веди себя как следует, — сказал он, — не то я изобью тебя до смерти.

С улицы донесся свист Макса Айзекса. Юджин вышел и присоединился к остальным.

Ехало их шесть человек: Макс Айзекс, Мелвин Боуден, Юджин, две девушки — Джози и Луиза — и миссис Боуден. Джози была племянницей миссис Боуден и жила у нее. Это была высокая, жердеподобная девушка с выпяченными челюстями и оскаленными в полуулыбке зубами. Ей было двадцать лет. Вторая девушка, Луиза, была официанткой. Она была невысокой, пухленькой, жизнерадостной брюнеткой. Миссис Боуден была маленькой болезненной женщиной с жиденькими каштановыми волосами. У нее были замученные карие глаза. Она была портнихой. Ее муж, плотник, умер весной. Она получила немного денег по страховке. Вот почему она смогла отправиться в эту поездку.

И вот теперь ночью он снова ехал на Юг. Сидячий вагон окутывала жаркая духота, пахло старым красным плюшем. Пассажиры беспокойно дремали, просыпаясь от печальных ударов колокола и скрежета колес на остановках. Тоненько заплакал ребенок. Его мать, худая патлатая жительница гор, откинула спинку сиденья перед собой и уложила ребенка на газету. Сморщенное грязное личико выглядывало из сбившихся запачканных пеленок и розовых лент. Он поплакал и уснул. Впереди молодой горец, скуластый и краснолицый, в плисовых штанах и кожаных гетрах методично грыз арахис, бросая скорлупу в проход. Она хрустела под ногами проходящих резко и дробно. Мальчики, томясь от скуки, бегали в другой конец вагона пить. На полу валялись раздавленные бумажные стаканчики, от уборных несло застоявшейся вонью.

Джози и Луиза крепко спали на откинутых сиденьях. Маленькая официантка нежно и тепло дышала сквозь полуоткрытые влажные губы.

Ночная усталость терзала их переутомленные нервы, давила на сухие горячие глазные яблоки. Они прижимали носы к грязным стеклам и смотрели, как мимо проносится бескрайняя архитектоника земли — лесистые холмы, изогнутые просторы полей, вздыбленные, набегающие друг на друга земляные волны, лабиринт циклических пересечений — американская земля, грубая, неизмеримая, бесформенная и могучая.

Его сознание было сковано печальными убаюкивающими чарами вагонных колес. Тратата-та. Тратата-та. Тратата-та. Тратата-та. Он думал о своей жизни, как о чем-то давно минувшем. Наконец-то он нашел калитку, ведущую в утраченный мир. Но где она — впереди или позади? Входит он или выходит? Под перестук колес он вспоминал, как смеялась Элиза из-за того, что осталось в далеком и давнем. Он видел быстрый забытый жест, ее белый широкий лоб, призрак старого горя в ее глазах. Бен, Гант — их странные затерянные голоса. Их печальный смех. Они плыли к нему сквозь зеленые стены фантазии. Они хватались за его сердце и сжимали его. Зеленый призрачный отблеск их лиц, клубясь, рассеялся. Утрата! Утрата!

— Пойдем покурим! — сказал Макс Айзекс.

Они вышли на площадку, прислонились к стенке вагона и закурили.

Свет возник на востоке узкой смутной каймой. Дальнюю тьму смахнуло сразу и без следа. Небо на горизонте прорезали четкие яростные полоски света. Еще погребенные в ночи мальчики смотрели на недвижимый прямоугольник дня. Они смотрели на сияние под приподнятым занавесом. От этого сияния они были отсечены ударом ножа. Потом свет легко разбрызнулся по земле, как роса. Мир посерел.

Восток запылал зубчатым пламенем. В вагоне маленькая официантка глубоко вздохнула и открыла ясные глаза.

Макс Айзекс неуклюже погасил сигарету, поглядел на Юджина и смущенно ухмыльнулся от восторга — он вытянул шею над воротничком, и его белое, покрытое пушком лицо сморщилось в нервную гримасу. Волосы у него были густые, прямые, цвета сливочной помадки. Золотистые брови. В нем было много доброты. Они глядели друг на друга с неловкой нежностью. Они думали об утраченных годах на Вудсон-стрит. С приличествующим удивлением они заметили свою неуклюжую взрослость. Гордые врата лет распахнулись перед ними. Они ощущали одиночество благодати. Они прощались.

Чарлстон, сочный сорняк, пустивший корни на пристани Леты, жил в другом времени. Часы были днями, дни — неделями.

Они приехали утром. К полудню прошло уже несколько недель, и он жаждал, чтобы день поскорее кончился. Они остановились в маленькой гостинице на Кинг-стрит — старинном заведении с большими номерами. Перекусив, они отправились осматривать город. Макс Айзекс и Мелвин Боуден сразу же повернули к военному порту. Миссис Боуден пошла с ними. Юджину невыносимо хотелось спать. Он обещал встретиться с ними позднее.

Когда они ушли, он снял башмаки, сбросил пиджак и рубашку и лег спать в большой темной комнате, в которую теплое солнце проникало узкими лучами сквозь щели закрытых жалюзи. Время жужжало, как сонная октябрьская муха.

В пять часов Луиза, маленькая официантка, пришла разбудить его. Она тоже предпочла выспаться. Она негромко постучала. Когда он не ответил, она тихонько вошла и закрыла за собой дверь. Она подошла к кровати и поглядела на него.

— Юджин, — прошептала она. — Юджин.

Он что-то сонно пробормотал и пошевелился. Маленькая официантка улыбнулась и села на край кровати. Она наклонилась и пощекотала его между ребрами, посмеиваясь над тем, как он задергался. Потом она пощекотала ему пятки. Он медленно просыпался, зевая, протирая глаза.

— Что-что? — сказал он.

— Пора идти, — сказала она.

— Куда?

— В порт. Мы обещали встретиться с ними.

— К черту порт! — простонал он. — Я хочу спать.

— Я тоже, — согласилась она и с наслаждением зевнула, вытянув над головой полные руки. — Так и клонит ко сну. Просто легла бы и заснула. — Она выразительно поглядела на постель.

Он сразу проснулся, весь чувственно насторожившись, и приподнялся на локте. Жаркий поток крови залил его щеки. Сердце застучало часто и вязко.

— Мы тут одни, — сказала Луиза, улыбаясь. — На всем этаже, кроме нас, никого нет.

— Почему бы вам не прилечь, если вы еще не выспались? — спросил он. — Я вас разбужу, — добавил он мягко и рыцарственно.

— У меня такая маленькая комната. Там жарко и душно. Я потому и встала, — сказала Луиза. — А какая у вас хорошая и большая комната!

— Да, — сказал он. — И кровать тоже хорошая и большая.

Они умолкли на секунду, полную ожидания.

— Почему бы вам не прилечь здесь, Луиза? — сказал он тихим нетвердым голосом. — Я встану, — поспешно добавил он, садясь на постели. — Я вас разбужу.

— Нет-нет, — сказала она. — Мне неловко.

Они опять замолчали. Она с восхищением смотрела на его худые юные предплечья.

— Ух! — сказала она. — Вы, наверное, очень сильный.

Он мужественно, с гордым достоинством напряг длинные узкие мышцы и выпятил грудь.

— Ух! — сказала она. — Сколько вам лет, Джин?

Ему только что исполнилось пятнадцать.

— Скоро шестнадцать, — сказал он. — А вам, Луиза?

— Мне восемнадцать, — сказала она. — Девушки, наверное, вам прохода не дают, Джин. Сколько их у вас было?

— Ну... не знаю. Немного, — ответил он, не слишком уклонившись от истины. Ему хотелось говорить — ему хотелось говорить безрассудно, неотразимо, цинично. Он взволнует ее, упоминая серьезным почтительным тоном, но без обиняков и просто, самые эротические вещи.

— Вам, наверное, нравятся высокие? — сказала Луиза. — Высокому такая крошка, как я, ни к чему, верно? Хотя, — быстро добавила она, — это еще неизвестно. Говорят, противоположности сходятся.

— Мне не нравятся высокие девушки, — сказал Юджин. — Они какие-то тощие. Мне нравятся девушки вашего роста, хорошо сложенные.

— А я хорошо сложена, Джин? — сказала Луиза, вскидывая руки и улыбаясь.

— Да, вы хорошо сложены, Луиза. Прекрасно сложены, — сказал Юджин серьезно. — Именно так, как мне нравится.

— Но ведь лицо у меня некрасивое. Даже безобразное, — сказала она выжидающе.

— У вас вовсе не безобразное лицо. У вас красивое лицо, — решительно сказал Юджин. — Да и, во всяком случае, лицо для меня большого значения не имеет, — добавил он тонко.

— А что же вам больше всего нравится, Джин? — спросила Луиза.

Он неторопливо и серьезно взвесил свой ответ.

— Ну, — сказал он, — у женщины должны быть красивые ноги. Иногда у женщины бывает некрасивое лицо, но красивые ноги. Самые красивые ноги из всех, какие мне доводилось видеть, были у одной мулатки.

— Красивее, чем мои? — сказала официантка, посмеиваясь.

Она медленно заложила ногу за ногу и показала лодыжку, обтянутую шелковым чулком.

— Не знаю, Луиза, — сказал он, критически оглядывая лодыжку. — Этого недостаточно, чтобы судить.

— А так достаточно? — сказала она, задирая узкую юбку выше икр.

— Нет, — сказал Юджин.

— А так? — Она задрала юбку выше колен и показала пухлые ляжки, перетянутые гофрированными шелковыми подвязками с красными розочками. Она вытянула вперед маленькие ступни и игриво вывернула носки внутрь.

— Господи! — сказал Юджин, со жгучим интересом рассматривая подвязки. — Я никогда не видел ничего подобного. Как красиво! — Он громко сглотнул. — А вам от них не больно, Луиза?

— То есть как? — сказала она с притворным недоумением.

— Они же, наверное, врезаются в кожу, — сказал он. — Мои всегда врезаются, если затянуть их слишком туго. Вот поглядите.

Он задрал штанину и обнажил свою юную, перехваченную подвязкой голень в тонких шпилях волосков.

Луиза поглядела и серьезно пощупала подвязку пухлой рукой.

— Мои не режут, — сказала она и оттянула резинку со звонким шлепком. — Видите?

— Дайте я погляжу, — сказал он и слегка дотронулся до подвязки дрожащими пальцами. — Да, — сказал он, запинаясь. — Вижу.

Ее округлое молодое тело тяжело привалилось к нему, теплое молодое лицо слепо тянулось к его лицу. Его мозг пьяно закружился, он неловко припал ртом к ее раскрытым губам. Она тяжело упала на подушки. Он запечатлевал сухие неловкие поцелуи на ее губах и глазах, выписывал кружочки на ее щеках и шее. Он дергал крючок у воротничка ее блузки, но его пальцы так дрожали, что крючок никак не расстегивался. Сомнамбулическим движением она подняла пухлые руки к горлу и расстегнула крючок.

Тогда он поднял свое свекольно-красное лицо и трепетно прошептал, сам не зная, что говорит:

— Вы хорошая девушка, Луиза. Очень красивая.

Она медленно просунула розовые пальцы в его волосы и притянула его лицо к своей груди, тихо застонала, когда он снова принялся ее целовать, и стиснула его волосы так, что ему стало больно. Он обнял ее и прижал к себе. Они пожирали друг друга юными влажными поцелуями — ненасытные, несчастные, старающиеся найти единение в объятии, испить апофеоз желания в одном-единственном поцелуе.

Он лежал, растерзанный, распыленный, одурманенный страстью, не в силах собрать ее в фокус. Он слышал буйные безъязыкие вопли желания, и этот бесформенный экстаз не находил выхода и освобождения. Но он познал страх — не перед нарушением условностей, а страх неосведомленности перед открытием. Он боялся своей мужественности. И пролепетал хрипло, бессмысленно, не слыша себя.

— Ты хочешь, чтобы я? Ты хочешь, чтобы я, Луиза?

Она потянула его лицо вниз, бормоча:

— Ты же мне не сделаешь плохого, Джин? Ты мне ничего плохого не сделаешь, душка? Если что-нибудь случится... — сказала она дремотно.

Он уцепился за эту соломинку.

— Я не хочу быть первым. Я не хочу, чтобы из-за меня ты... Я никогда не был и не буду первым у девушки, — лепетал он, смутно сознавая, что исповедует вслух благородную рыцарскую доктрину. — Слышишь, Луиза? — Он встряхнул ее, потому что она была, как одурманенная. — Ты должна сказать мне... Я этого не сделаю! Может быть, я негодяй, но этого я не сделаю никогда. Слышишь? — Его голос перешел в визг, лицо дергалось, он с трудом говорил.

— Ты слышишь? Я первый или нет? Ты должна ответить... когда-нибудь ты... раньше?

Она лениво поглядела на него. И улыбнулась.

— Нет, — сказала она.

— Я, может быть, негодяй, но этого я не сделаю.

Он забормотал что-то бессмысленное и нечленораздельное. Задыхаясь, заикаясь, он пытался вновь обрести дар речи. По его перекошенному лицу пробегали судороги.

Она внезапно поднялась и ласково обняла его теплыми руками. Нежно, успокаивающе она притянула его к своей груди. Она гладила его по голове и тихонько приговаривала:

— Конечно, нет, душка. Я знаю, ты ничего плохого не сделаешь. Но помолчи. Ничего не говори. Как ты разволновался. Ты весь дрожишь, душка. Какой ты нервный, душка. В этом все дело. Прямо комок нервов.

Он беззвучно плакал в ее объятиях.

Понемногу он успокаивался. Она улыбнулась и нежно поцеловала его.

— Одевайся, — сказала Луиза. — Нам пора идти, не то мы никуда не успеем.

От смущения он сунул ноги в туфли миссис Боуден. Луиза расхохоталась и запустила пальцы ему в волосы.

В военном порту они не нашли ни Боуденов, ни Макса Айзекса. Молодой матрос взялся показать им корабль. Луиза поднялась по железной лестнице, резко покачивая бедрами и показывая лодыжки. Она нахально уставилась на фотографию хористки, вырезанную из «Полицейских ведомостей». Молодой матрос завел глаза с простодушной лихостью. Потом старательно подмигнул Юджину.

Палуба «Орегона».

— А это для чего? — спросила Луиза, показывая на след адмирала Дьюи*, обрисованный шляпками гвоздей.

— Он стоял здесь во время сражения, — объяснил матрос.

Луиза поставила свою маленькую ножку на отпечаток большой ноги. Матрос подмигнул Юджину. Стреляйте, когда будете готовы, Гридли*.

— Она хорошая девушка, — сказал Юджин.

— Ага, — сказал Макс Айзекс. — Симпатичная. — Он неуклюже вывернул шею и скосил глаза. — А сколько ей лет?

— Восемнадцать, — сказал Юджин.

Мелвин Боуден с недоумением посмотрел на него.

— Ты обалдел! — воскликнул он. — Ей двадцать один.

— Нет, — сказал Юджин, — ей восемнадцать. Она сама мне сказала.

— Хотя бы и сама! — сказал Мелвин Боуден. — Все равно ей не восемнадцать. Ей двадцать один. Уж я-то знаю. Мои родители знают ее пять лет. Ей было восемнадцать, когда она родила.

— А! — сказал Макс Айзекс.

— Да, — сказал Мелвин Боуден. — Один коммивояжер соблазнил ее. А потом сбежал.

— А! — сказал Макс Айзекс. — И не женился на ней?

— Он для нее ничего не сделал. Сбежал, и все, — сказал Мелвин Боуден. — Ребенка забрали ее родители.

— Ого-го-го! — медленно сказал Макс Айзекс. Потом строго добавил: — Таких мужчин надо стрелять, как собак.

— Верно! — сказал Мелвин Боуден.

Они бродили у «Батареи», у развалин Камелота*.

— Хорошие старинные здания, — сказал Макс Айзекс. — В свое время это были отличные дома.

Он жадно глядел на кованые железные ворота, в нем проснулась его детская алчная тяга к железному лому.

— Это старинные особняки южной аристократии, — благоговейно сказал Юджин.

Залив был спокоен; от него несло зеленой вонью теплой стоячей воды.

— Город совсем захирел, — сказал Мелвин. — Он нисколько не вырос со времени Гражданской войны.

Да, сэр! И, клянусь небом, пока бьется хотя бы одно истинно южное сердце, помнящее Аппоматокс*, период Реконструкции и черные парламенты, мы всей своей кровью будем защищать наши священные традиции, как бы им ни угрожали.

— Им требуется малая толика северных капиталов, — сказал Макс Айзекс рассудительно.

Она требовалась всем.

На высокую веранду одного из домов вышла поддерживаемая заботливой негритянкой старушка в крохотном чепчике. Она села в качалку и слепо уставилась на солнце. Юджин глядел на нее, исполненный сочувствия. Возможно, ее преданные дети не сообщили ей о неудачном исходе войны. И общими усилиями поддерживая благородный обман, они ежечасно отказывают себе в самом необходимом и туго затягивают гордые животы, чтобы ее попрежнему окружала привычная роскошь. Что она ест? Ну, конечно, крылышко цыпленка, запивая его рюмкой сухого хереса. А тем временем все фамильные драгоценности уже были заложены или проданы. К счастью, она совсем ослепла и не замечает убыли их богатства. Как печально. Но ведь она иногда вспоминает о временах вина и роз? Когда южное рыцарство было в цвету?

— Поглядите на эту старую даму, — прошептал Мелвин Боуден.

— Сразу видно, что она настоящая благородная дама, — сказал Макс Айзекс. — Держу пари, она никогда не загрязняла рук работой.

— Старинный род, — сказал Юджин нежно. — Южная аристократия.

Мимо прошел старый негр, благолепно обрамленный седыми бакенбардами. Добрый старик — довоенный чернокожий. Господи, как мало их осталось в наши печальные дни!

Юджин задумался о прекрасном институте рабства, за сохранение которого так доблестно сражались его предки с материнской стороны, никогда не владевшие рабами. Спаси вас Господь, масса! Старый Мозес не хочет быть свободным негром! Как же он будет жить без вас, масса? Он не хочет голодать со свободными неграми. Ха-ха-ха!

Филантропия. Чистейшая филантропия. Он смахнул слезу.

Они плыли через бухту к Пальмовому острову. Когда пароходик запыхтел, огибая кирпичный цилиндр форта Самтер, Мелвин Боуден сказал:

— У них было численное превосходство. Если бы не это, мы бы их побили.

— Они нас не побили, — сказал Макс Айзекс. — Мы их били, пока не истощили всех своих сил.

— Нас не побили, — сказал Юджин негромко. — Мы потерпели поражение.

Макс Айзекс тупо взглянул на него.

— А! — сказал он.

Они сошли с пароходика и поехали на пляж в дребезжащем трамвае. Летняя истома иссушила и выжелтила землю. Листва покрылась пылью. Они ехали мимо опаленных и облезших дачек, уныло тонущих в песке. Все они были маленькие, шаткие — скученный муравейник. И на всех деревянные вывески. «Ишкабибл», «Морской вид», «Приют отдохновения», «Атлантическая таверна» — читал Юджин устало, раздраженный поблекшей бородатой шутливостью этих названий.

— В мире очень много пансионов! — сказал он.

Горячий ветер начала осени сухо шуршал длинными пергаментными листьями чахлых пальм. Впереди замаячили ржавые спицы «колеса обозрения». Сент-Луис. Они подъехали к пляжу.

Мелвин Боуден весело выпрыгнул из вагона.

— Кто отстанет, тот дурак! — крикнул он и бросился к
купальням.

— На подначку не поддамся, сынок! — завопил Макс Айзекс.
Он поднял скрещенные пальцы. Пляж был пуст, два-три открытых
павильона томились в ожидании посетителей. Небо изгибалось над
ними безоблачной синей сверкающей чашей. Море вдали от берега
было полированным изумрудом; волны тяжело катились к берегу,
гу, мутнея и густо желтея от солнечного света и илистой взвеси.

Они медленно шли по пляжу к купальням. Безмятежный, непрерывный
рывный гром моря отзывался в них музыкой одиночества. Их глаза
впивались в сверкающее марево океанской дали.

— Я думаю записаться во флот, Джин, — сказал Макс Айзекс. —
Давай вместе.

— Я слишком молод, — сказал Юджин. — Да и ты тоже.

— Мне в ноябре будет шестнадцать, — возразил Макс Айзекс.

— И все равно ты будешь слишком молод.

— Я совру, — сказал Макс Айзекс. — Ну, а к тебе-то они
придираться не будут. Возьмут сразу. Давай, а?

— Нет, — сказал Юджин, — я не могу.

— Отчего? — спросил Макс Айзекс. — Что ты собираешься
делать?

— Поступить в университет, — сказал Юджин. — Получить
образование, изучать право.

— Еще успеешь, — сказал Макс Айзекс. — Поступишь в университет
верситет после. На флоте надо многому учиться. Там дают хорошее
шее образование. И можно повидать мир.

— Нет, — сказал Юджин, — я не могу.

Но он слышал одинокий гром моря, и сердце его стучало. Он
видел непривычные смуглые лица, пальмовые рощи, слышал перезвон
звон колокольчиков Азии. Он верил, что корабли приходят в гавань.

Племянница миссис Боуден и официантка приехали со следующим
щим трамваем. Юджин уже окунулся и лежал на песке, слегка
дрожа под порывистым ветром. На его губах был чудесный привкус
вкус соли. Он лизнул свою чистую юную кожу.

Луиза вышла из купальни и медленно направилась к нему. Она
приближалась гордо — купальный костюм облегал теплую пухлость
лость ее тела, на ногах были зеленые шелковые чулки.

Далеко в море, за канатом, Макс Айзекс поднял белые мускулистые
стые руки и стремительно скользнул под вздымающуюся стену

зеленой воды. На мгновение его тело зелено замерцало, потом он встал, протирая глаза и вытряхивая воду из ушей.

Юджин взял официантку за руку и повел ее в воду. Она шла медленно, испуганно повизгивая. Пологая волна незаметно подобралась к ней и внезапно поднялась к ее подбородку, впивая ее дыхание. Луиза ахнула и крепко уцепилась за него. Приобщенные морю, они радостно пронизали ревущую стену воды, и, пока Луиза еще не открыла глаз, он осыпал ее юными солеными поцелуями.

Затем они вышли из воды, пересекли мокрую полосу пляжа, бросились на теплый сыпучий песок, с наслаждением погрузив свои мокрые тела в его теплоту. Официантка поежилась, и он принялся засыпать песком ее ноги и бедра, пока она не оказалась полупогребенной. Он целовал ее, прижимая трепещущие губы к ее рту.

— Ты мне нравишься! Ты мне очень нравишься! — сказал он.

— Что они тебе наговорили про меня? — спросила она. — Они что-нибудь говорили про меня?

— Мне все равно, — сказал он. — Мне это все равно, ты мне нравишься.

— Ты забудешь меня, душка, когда начнешь гулять с девушками. Ты меня и не вспомнишь. Мы встретимся на улице, а ты со мной даже не поздороваешься. Ты меня не узнаешь. Пройдешь мимо, слова не сказав.

— Нет, — не согласился он. — Я всегда буду тебя помнить, Луиза. Пока я жив.

Их сердца переполнял одинокий гром моря. Она поцеловала его. Они родились в горах.

Он вернулся домой в конце сентября.

В октябре Гант с Беном и Хелен уехали в Балтимор. Операция, от которой он так долго уклонялся, стала неизбежной. Болезнь неуклонно прогрессировала. Он перенес долгий период непрекращающихся болей. Он совсем ослабел. Он был напуган.

Поднимаясь по ночам, он будил весь дом криками, с былым великолепием наводя на них ужас.

— Я вижу ее! Вижу! Нож! Вы видите ее тень... Вон там! Вон там! Вон там!

Он пятился с бутовской экспрессией, указывая в непроницаемое ничто.

— Видите, вон она стоит в тени? Так наконец ты пришла за
стариком!.. Вон она стоит — угрюмая Жница Жизней... Я всегда
знал, что так будет. Иисусе, смилуйся над моей душой!

Гант лежал на длинной койке в урологической клинике инсти-
тута Джонса Гопкинса. Каждый день в палату энергично входил
невысокий бодрый человек и проглядывал его карточку. Он весело говорил ему несколько слов и уходил. Это был один из лучших
хирургов в стране.

— Не волнуйтесь, — успокаивала его сиделка. — Смертность
всего четыре процента. Прежде она достигала тридцати. Но он ее
снизил.

Гант стонал и просовывал большую руку в живительные пальцы
дочери.

— Не волнуйся, старичок! — говорила она. — После этого ты
будешь совсем как новый.

Она питала его своей жизнью, своей надеждой, своей любовью.
Когда его повезли в операционную, он был почти спокоен.

Но невысокий седой человек поглядел, с сожалением покачал
головой и умело привел рану в порядок.

— Хорошо, — сказал он через четыре минуты своему ассис-
тенту. — Зашивайте.

Гант умирал от рака.

Гант сидел в кресле-каталке на балконе пятого этажа и глядел
сквозь ясный октябрьский воздух на расстилавшийся внизу окутанный
дымкой город. Он выглядел очень чистым, почти хрупким. На его
узких губах играла слабая улыбка облегчения и счастья. Он курил
длинную сигару, воспринимая все вновь пробудившимися чувствами.

— Вон там, — сказал он, указывая, — я провел мою раннюю
юность. Где-то там стояла гостиница старого Джеффа Стритера, —
показал он.

— Копай глубже! — сказала Хелен, усмехаясь.

Гант думал о годах, пролегавших между этими пределами, и о
смутных путях судьбы. Его жизнь казалась ему чужой и странной.

— Мы здесь повсюду побываем, во всех этих местах, когда ты
выйдешь из больницы. Тебя выпишут послезавтра. Ты знаешь это?
Ты знаешь, что ты уже почти совсем здоров? — воскликнула она
с широкой улыбкой.

— Да, я теперь буду здоров, — сказал Гант. — Я чувствую себя
на двадцать лет моложе!

— Бедный папочка! — сказала она. — Бедный старый папочка! На ее глазах стояли слезы. Она сжала его лицо в больших ладонях и притянула его голову к себе на грудь.

XXVII

Восстань, мой Шекспир!* И он восстал. Бард восстал по всей шири и глуби своего прекрасного нового мира. Он сын был всех веков, не этих лет. К тому же его трехсотлетие случилось только один раз — по прошествии трехсот лет. Оно было благоговейно отмечено повсюду от Мэриленда до Орегона. Члены палаты представителей в количестве восьмидесяти одного человека, когда литературно образованные репортеры попросили их процитировать любимейшие строки, тотчас отозвались словами Полония: «А главное: себе не изменяй»*. Лебедя играли, чествовали и восхваляли в сочинениях во всех школах страны.

Юджин вырвал чандосовский портрет из «Индепендент» и прибил его к оштукатуренной стене задней комнаты. Потом, все еще полный великолепных звуков хвалебного гимна Бена Джонсона, он нацарапал внизу большими трепетными буквами: «Восстань, мой Шекспир!» Крупное пухлое лицо — «такой дурацкой головы не видали, верно, вы» — бесцеремонно вперяло в него выпученные глаза, козлиная бородка топорщилась тщеславием. Но Юджин, вдохновленный, вновь погрузился в листы своего сочинения, разбросанного по столу.

Он попался. Он неблагоразумно ушел, оставив Барда на стене. А когда вернулся, Бен и Хелен уже прочли подпись. После этого его посылали с поручением или звали к столу и к телефону только поэтически:

«Восстань, мой Шекспир!»

Оскорбленно багровея, он восставал.

«Мой Шекспир, передай, пожалуйста, печенье!», «Может быть, мой Шекспир пододвинет мне масленку?» — говорил Бен, хмурясь в его сторону.

— Мой Шекспир! Мой Шекспир! Еще кусочек пирога? — сказала Хелен и со смехом раскаяния добавила: — Как нехорошо! Мы совсем задразнили малыша.

Она смеялась, потирая большой прямой подбородок, смотрела в окно и смеялась рассеянно, с раскаянием — смеялась.

Но «...его искусство было вселенским. Он видел жизнь ясно, во всей ее целостности. Он был интеллектуальным океаном, волны которого омывали все берега мысли. В нем одном совмещалось все: правовед, купец, воин, врач, государственный муж. Ученых поражает глубина его познаний. В «Венецианском купце» он разрешает труднейшие юридические казусы с уверенностью опытного адвоката. В «Короле Лире» он лечит Лира от безумия сном. «Сон, распутывающий клубок забот». Так почти триста лет назад он предвидел самые последние достижения современной науки. Он рисует характеры проникновенно и сочувственно, а потому смеется не над своими персонажами, но вместе с ними».

Юджин получил медаль — из бронзы, а может быть, из какого-нибудь другого металла, еще более нетленного. Нечетко вычеканенный профиль Барда. V.III 1616 — 1916. Долгая и полезная жизнь.

Механика мемориального представления была прекрасна и проста. Об этом позаботился автор — доктор Джордж Б. Рокхэм, который, по слухам, одно время играл в труппе Бена Грита. Все слова были написаны доктором Джорджем Б. Рокхэмом, и соответственно все слова были написаны для доктора Джорджа Б. Рокхэма. Доктор Джордж Б. Рокхэм был Гласом Истории. Невинные младенцы алтамонтских школ были немыми иллюстрациями к Гласу.

Юджин был принцем Хелом. Накануне представления из Филадельфии прибыл его костюм. Джон Дорси Леонард распорядился, чтобы он надел его. Он смущенно вышел на школьную веранду показаться Джону Дорси, теребя жестяной меч и с сомнением поглядывая на розовые шелковые чулки, которые кончались на трех четвертях его тощих ног — под буфами зияла полоска голой кожи.

Джон Дорси озабоченно оглядел его.

— Ну-ка, мальчик, — сказал он, — дай я попробую.

Он с силой потянул чулки вверх, но безрезультатно — они только лопнули в нескольких местах. И тут Джон Дорси Леонард начал смеяться. Он беспомощно повис на перилах веранды, содрогаясь от беззвучного смеха, который вскоре перешел в пронзительное слюнявое ржание.

— О-о Господи! — с трудом выговорил он. — Прошу прощения! — пропыхтел он потом, заметив рассерженное лицо мальчика. — Но ничего смешнее я в жизни... — Его голос бессильно замер.

— Я тебя одену, — сказала мисс Эми. — У меня есть как раз то, что требуется.

Она принесла ему широкий клоунский костюм из зеленого полотна. Память о святочном маскараде; свободные складки у него на лодыжках они стянули подвязками.

Он повернулся к мисс Эми, расстроенный и недоумевающий.

— Но это же неправильно? — спросил он. — Ведь он же так не одевался?

Мисс Эми поглядела. Ее могучая грудь всколыхнулась от низкого звучного смеха.

— Все хорошо, все прекрасно! — вскричала она. — Во всяком случае, он таким и был. Никто ничего не заметит, мальчик. — Она тяжело упала в плетеное кресло, которое прогнулось с протестующим скрипом.

— О Господи! — стонала она, блестя мокрыми щеками. — Я никогда не видела ничего...

Представление было дано на тенистых лужайках Мэнор-Хауса. Доктор Джордж Б. Рокхэм стоял в зеленой ложбине — естественном амфитеатре. Зрители расселись на траве по склонам. Длинной процессией в ложбину спускались призрачные образы поэзии и драмы, и доктор Джордж Б. Рокхэм ловко разделывался с каждым персонажем при помощи описательных пентаметров. Он был одет по моде Реставрации* — он облюбовал этот период, потому что тогда понимали прелесть мускулистых икр. Его толстые ноги бугрились узлами ниже кокетливых кружев панталон.

Юджин ждал своей очереди над лощиной на дороге, скрытой деревьями. Было чудесное начало мая. «Доктор» Хайнс (Фальстаф) стоял рядом с ним. Его маленькое тугое лицо по-обезьяньи ухмылялось над костюмом, плотно набитым ватой. Смеясь, он хлопнул себя по вздутому животу, оставив вмятину, словно на теле больного водянкой.

Он преувеличенно насмешливо покосился на Юджина.

— Хел, — сказал он, — ты такой принц, что просто закачаешься.

— Ты сам не красавчик, Джек, — сказал Юджин.

Сзади него Джулиус Артур (Макбет) выхватил меч из ножен.

— Защищайся, Хел! — крикнул он.

В юном трепещущем свете их жестяные мечи быстро с лязгом скрестились. Защебетали юным птичьим смехом все расположившиеся на траве и в седлах персонажи Барда. Джулиус Артур сделал выпад, который был отпарирован, и с вислогубой усмешкой внезапно вонзил свой клинок в податливое брюхо «Доктора» Хайнса. Общество бессмертных разразилось ликующими воплями.

Мисс Ида Нелсон, помощник режиссера, сердито заметалась между ними.

— Шшш! — громко зашипела она. — Шш! — Она была очень сердита. Весь день она без конца громко шипела.

Чуть покачиваясь в дамском седле, Розалинда*, спелая маленькая красавица из монастырской школы, ласково улыбнулась ему с лошади. И, глядя на нее, он забыл обо всем.

Ниже их на дороге густая толпа постепенно редела, — крохотные частички отделялись от нее и исчезали в невидимой ложбине, наполненной приветственным голосом доктора Джорджа Б. Рокхэма. С жирноветчинной звучностью он возвещал их появление.

Но до Шекспира он еще не дошел. Шествие открыли Голоса Минувшего и Настоящего — голоса, слегка не вязавшиеся с событием, но необходимые для коммерческого успеха предприятия. Теперь эти голоса безгласно шествовали через лощину — четыре испуганных продавщицы из магазина Шварцберга, целомудренно облаченные в кисею и сандалии, прошли со знаменем своего магазина в руках. В красноречивых стихах доктора это было выражено несколько иначе:

> Коммерция, сестра искусств, тебя
> Приветствуем на нашей сцене мы.

Они появлялись и исчезали: Гинсберг — «чекан изящества*, зерцало вкуса»; от бакалейщика Брэдли «подъяла рог Помона плодоносный»; от агентства «Бьюик» — «И с Оксуса и с Инда колесницы».

Появлялись, исчезали, как процессия туманов над осенней речкой.

За ними в лощину вступили сомкнутые ряды херувимов, сводные полки алтамонтских воскресных школ, все в белом, свирепо сжимая в крохотных ручонках крохотные флажки свободы, — ангелочки Господни, предназначенные, разумеется, для бог знает каких отдаленных событий. Их учителя посылали их вперед, притопывая и пришлепывая.

Раз, два, три, четыре. Раз, два, три, четыре. Быстрей, быстрей, дети!

Невидимый оркестр, гремящий среди деревьев, приветствовал их приближение освященной музыкой: баптистов — простой доктриной «Древней веры», методистов — «Я буду ждать у реки», пресвитериан — «Скалой веков», питомцев епископальной церкви — «Христом, возлюбленным моей души»; а маленьких евреев — на пределе лирической страсти — благородной маршевой мелодией «Вперед, Христовы воины!».

Они прошли, и никто не засмеялся. Наступила пауза.

— Ну, слава Богу! — развязно сказал Ральф Роллс в торжественной тишине. Рассыпанное воинство Барда рассмеялось и начало шумно строиться.

— Шш! Шш! — шипела мисс Ида Нелсон.

— Да кто она такая, по ее мнению? — сказал Джулиус Артур. — Клапан парового котла?

Юджин внимательно разглядывал стройные ноги пажа — Виолы*.

— Ух! — с обычной зычностью сказал Ральф Ролле. — Кого я вижу!

Она посмотрела на них всех с дерзкой беспристрастной улыбкой. И ничем не выдала своей любви.

Доктор Рокхэм украдкой подал знак мисс Иде Нелсон. И она принялась аккуратно скармливать их ему медлительными парами.

Венецианский мавр (мистер Джордж Грейвс) подставил широкую спину их насмешкам и двинулся вниз с угрюмо-растерянной улыбкой, стесняясь неприкрытой мощи своих ляжек.

— Скажи ему, кто ты такой, Вилья, — сказал «Доктор» Хайнс. — Не то он примет тебя за Джека Джонсона.

Город в первых белых весенних рубашках сидел на травянистых склонах и со всей серьезностью следил за лесной комедией ошибок; окрестные горы и обитавшие там боги взирали на театр побольше — весь город; и, выражаясь фигурально, с гор, вознесенных над горами, из последнего оплота философии автор этой хроники смотрел на все сверху вниз.

— Наш черед, Хел! — сказал «Доктор» Хайнс, подталкивая Юджина.

— Успех будет адский, сынок, — сказал Джулиус Артур. — Костюм у тебя для этого в самый раз.

— Не успех, а вид, — сказал Ральф Роллс. — Ей-богу, ты их уморишь, — добавил он с непристойным смехом.

Они спустились в лощину под аккомпанемент тихих, но нарастающих смешков пораженных зрителей. Доктор только что покончил с Дездемоной, которая удалилась с изящным реверансом. Теперь он разделывался с Отелло, который, набычившись, смущенно ожидал конца своих мук. Минуту спустя он поспешно зашагал прочь, а доктор энергично взялся за Фальстафа, сразу с облегчением узнав его по набитому ватой животу:

> Так удались, Трагедия, и к нам
> Пусть Шутка явится в трезвоне бубенцов.
> Фальстаф, король шутов, распутник старый,
> Кто принца развлекал, кто острословьем
> Заставил содрогнуться королевство...

Смущенный нарастающим обертоном смеха, «Доктор» Хайнс покосился по сторонам с мужественной улыбкой, комически обдернул набитый живот и хрипло шепнул в сторону Юджина:

— Слышишь, Хел? Во как меня встречают!

Юджин увидел, как он скрылся зеленым метеором, и тут заметил, что доктора Джорджа Б. Рокхэма сковала противоестественная немота. Глас Истории смолк. Его длинная нижняя челюсть отвисла.

Доктор Джордж Б. Рокхэм растерянно оглядывался в поисках помощи. Он умоляюще возвел глаза к мисс Иде Нелсон. Та отвернулась.

— Кто ты? — хрипло спросил он, старательно прикрыв рот волосатой рукой.

— Принц Хел, — ответил Юджин тоже хрипло и тоже из-за руки.

Доктор Джордж Б. Рокхэм слегка покачнулся. Их реплики были услышаны зрителями. Но твердо, игнорируя сдержанное насмешливое фырканье, он начал:

> Защитник слабых и товарищ буйных,
> Черпавший мудрость в шутовстве порока...
> Бесстрашный Хел...

Хохот, — хохот, сорвавшийся с цепи, хохот, взметывающийся бурными валами, хохот безумный, сотрясающий землю, заглушающий гром, хохот погреб под собой доктора Джорджа Б. Рокхэма и все, что он собирался еще сказать. Хохот! Хохот! Хохот!

Хелен вышла замуж в июне — этот месяц считается посвященным Гименею, однако на него падает такое количество свадеб, что вряд ли благословение этого бога может осенить каждую.

В мае она вернулась в Алтамонт из своего последнего турне. Она провела неделю в Атланте, посещая оперу, и отправилась оттуда домой через Гендерсон, где навестила Дейзи и миссис Селборн. Там-то она и встретила своего суженого.

Они были знакомы и раньше. За несколько лет до этого он недолго жил в Алтамонте в качестве местного агента нанимавшей его великой и гуманной корпорации — «Федеральной компании кассовых аппаратов». С тех пор он успел побывать в разных частях страны, творя волю своего господина и всюду неся с собой благую весть благоденствия и бережливости. Теперь он жил в южнокаролинском городке, с сестрой и престарелой матерью, чьи телесные недуги отнюдь не лишили ее аппетита. Он преданно любил обеих и щедро о них заботился. «Федеральная компания кассовых аппаратов», тронутая его преданностью делу, вознаградила его солидным жалованьем. Фамилия его была Бартон. Бартоны жили, ни в чем себе не отказывая.

Хелен вернулась домой неожиданно, как любили возвращаться все Ганты. Как-то вечером она внезапно предстала перед близкими на кухне «Диксиленда».

— Здравствуйте, все! — сказала она.

— Г-г-осподи помилуй! — не сразу отозвался Люк. — Кого я вижу!

Они горячо расцеловались.

— Подумать только! — воскликнула Элиза, ставя утюг на доску, и пошатнулась в попытке одновременно пойти в две противоположные стороны. Они обнялись. — А я как раз подумала, — сказала Элиза, немного успокоившись, — что ничуть не удивлюсь, если ты сейчас войдешь. У меня было предчувствие, не знаю, как вы иначе назовете...

— О Господи! — застонала дочь добродушно, но с некоторым раздражением. — Не заводи эту пентлендовскую чертовщину! У меня от нее волосы дыбом встают.

Она бросила на Люка комически молящий взгляд. Подмигнув ей, он разразился идиотским смехом и принялся щекотать Элизу.

— Отстань! — взвизгнула она.

Он захлебнулся хохотом.

— Знаешь ли, милый! — сказала она ворчливо. — По-моему, ты сумасшедший. Хоть присягнуть!

Хелен засмеялась хрипловатым смехом.

— Ну, — сказала Элиза, — а как там Дейзи и дети?

— Все как будто хорошо, — сказала Хелен устало. — Господи, спаси меня и помилуй! — рассмеялась она. — В жизни не видела такой чумы! На одни подарки и игрушки я истратила не меньше пятидесяти долларов! И мне даже «спасибо» не сказали. Дейзи принимает все, как должное. Эгоизм! Эгоизм! Эгоизм!

— Подумать только! — сказал преданный Люк.

Она была на редкость хорошей девушкой.

— За все, чем я пользовалась у Дейзи, я платила, можете не сомневаться! — сказала она резко, с вызовом. — Я старалась бывать у них как можно меньше. Почти все время я проводила у миссис Селборн. И у нее же почти всегда обедала и ужинала.

Ее жажда независимости стала больше, потребность иметь тех, кто бы зависел от нее, обострилась. Она воинственно отрицала, что может быть кому-то обязана. Она всегда давала больше, чем брала.

— Ну, теперь все, — сказала она немного спустя, стараясь скрыть жадную радость.

— С чем? — спросил Люк.

— Я наконец решилась, — сказала она.

— Ох! — вскрикнула Элиза. — Ты замуж вышла?

— Нет еще, — сказала Хелен, — но скоро выйду.

И она рассказала им о мистере Хью Т. Бартоне, коммивояжере фирмы кассовых аппаратов. Она говорила о нем с симпатией и уважением, но без большой любви.

— Он на десять лет старше меня, — сказала она.

— Ну, — сказала Элиза задумчиво и помяла губами. — Иногда из таких выходят самые лучшие мужья. — Потом она спросила: — А недвижимость у него есть?

— Нет, — сказала Хелен, — они проживают все, что он зарабатывает. Они живут на широкую ногу. У них в доме всегда не меньше двух служанок. Старуха сама ни к чему не притрагивается.

— А где вы будете жить? — резко спросила Элиза. — С ними вместе?

— Ну конечно, нет! Ну конечно, нет! — сказала Хелен медленно и выразительно. — Боже великий, мама! — раздраженно продолжала она. — Я хочу, чтобы у меня был свой дом. Неужели ты не можешь этого понять? Всю жизнь я заботилась о других. Теперь я хочу, чтобы другие поработали на меня. И родственники по мужу мне под одной со мной крышей не нужны. Нет уж, сэр! — сказала она выразительно.

Люк нервно грыз ногти.

— Ну, он п-п-получает редкую д-девушку, — сказал он. — Надеюсь, он способен это понять.

Растроганная, она подчеркнуто и иронически засмеялась.

— Во всяком случае, один поклонник у меня есть, верно? — сказала она и серьезно поглядела на него ясными любящими глазами. — Спасибо, Люк. Ты один всегда принимаешь к сердцу интересы семьи.

Ее крупное лицо на мгновение стало безмятежным и радостным. Оно оделось великим покоем — лучезарная благопристойная красота зари и дождевых струй. Ее глаза были сияющими и доверчивыми, как у ребенка. В ней не таилось никакого зла. Она ничему не научилась.

— Ты сказала своему отцу? — спросила Элиза затем.

— Нет, — ответила она не сразу. — Еще нет.

Они в молчании думали о Ганте и удивлялись. Она его покидала — это было чудом.

— Я имею право на собственную жизнь, — сказала Хелен сердито, словно кто-то оспаривал это право. — Не меньше всех остальных. Боже великий, мама! Вы с папой уже прожили свою жизнь — неужели ты не понимаешь? Ты считаешь, что так и нужно, чтобы я ухаживала за ним до скончания века? Ты так считаешь? — Ее голос истерически поднялся.

— Да нет. Я и не думала говорить... — начала Элиза растерянно и примирительно.

— Ты всю свою жизнь д-думала о д-других, а не о себе, — сказал Люк. — В этом все дело. Они этого не ценят.

— Ну, так больше я не буду. И это точно! Нет и нет! Я хочу иметь свой дом и детей. И они у меня будут! — добавила она вызывающе. И тут же добавила нежно: — Бедный папа! Что он скажет?

Он не сказал почти ничего. Когда прошло первое удивление, Ганты быстро вплели новое событие в ткань своей жизни. Необъятная перемена растянула их души, ввергая в угрюмое забвение.

Мистер Хью Бартон приехал в горы посетить своих будущих родственников. К величайшему их восторгу, он приехал, блаженствуя в длинном гоночном пыльно-коричневом «бьюике» выпуска 1911 года. Он приехал в вихре бензиновых паров под рев мощного мотора. Он вышел, высокий, элегантный, диспепсический, худой почти до истощения в щегольском и безукоризненно свежем костюме. Он неторопливо и критически оглядел автомобиль, медленно стягивая перчатки. Из уголка его мрачно-насмешливого рта торчала длинная сигара. Потом, все так же неторопливо, он снял с головы серое сомбреро, вместимостью в десять галлонов — это была единственная странная деталь его в остальном безупречного костюма — и по очереди осторожно потряс каждой ногой, чтобы расправились складки на брюках. Но складок и так не было. Потом он неторопливо пошел по дорожке к «Диксиленду», где собрались все Ганты. Не спеша приближаясь, он спокойно вынул сигару изо рта и аккуратно держал ее двумя пальцами худой волосатой трясущейся руки. Баловной ветерок приподнимал его жидкие легкие черные волосы, нарушая их элегантность. Он узрел свою нареченную и с достоинством сардонически улыбнулся ей всеми крупными самородками золотых зубов. Они поздоровались и поцеловались.

— Моя мама, Хью, — сказала Хелен.

Хью Бартон медленно, любезно перегнул свой тонкий стан. Он устремил на Элизу острый проницательный взгляд, смутивший ее. Его губы снова изогнулись во внушительной сардонической улыбке. Все почувствовали, что сейчас он скажет что-то очень, очень важное.

— Как поживаете? — спросил он и протянул ей руку.

Тут все почувствовали, что Хью Бартон сказал что-то очень очень важное.

С той же неторопливой внушительностью он поочередно поздоровался со всеми остальными. Они были несколько подавлень его величественностью. Однако Люк не выдержал и воскликнул:

— Вы п-п-получаете з-замечательную девушку, мистер Б-б-артон

Хью Бартон медленно повернулся к нему и пронзил его прони цательным взглядом.

— Да, я думаю, — сказал он серьезно. Голос у него бы низкий, неторопливый, внушительно резкий. Он «продавал себя».

В наступившем неловком молчании он повернулся к Юджину дружеской улыбкой.

— Сигару? — спросил он, доставая чистыми подергивающимис: пальцами три длинные очень темные сигары из жилетного карман и предлагая их.

— Спасибо, — сказал Юджин с развязной ухмылкой. — предпочитаю сигареты.

Он достал из кармана коробку «Кэмел», Хью Бартон серьезн предложил ему зажженную спичку.

— Почему вы носите такую большую шляпу? — спросил Юджин

— Психологический момент, — сказал он. — Развязывает кли ентам язык.

— Ну, скажу я вам! — засмеялась Элиза. — Очень ловко, а?

— Конечно! — сказал Люк. — Это настоящая реклама! Рекла ма — двигатель торговли!

— Да, — сказал мистер Бартон медленно. — Надо умет схватить психологию клиента.

Это было словно описание сдержанного разбоя и умеренног грабежа.

Он им очень понравился. Они все вошли в дом.

Матери Хью Бартона исполнилось семьдесят четыре года, но он была сильна, как здоровая пятидесятилетняя женщина, и ела за дву сорокалетних. Это была могучая старуха, шести футов ростом, ши рококостая, как мужчина, с чувственным и самодовольным лицом, тяжелым подбородком и превосходным жевательным аппаратом и крепких желтых лошадиных зубов. Загляденье было смотреть, ка она расправляется с кукурузными початками. Небольшой парали слегка сковал ее язык, так что она говорила неторопливо, внуши тельно отчеканивая каждое слово. Этот недостаток, который он тщательно скрывала, не только не уменьшил, но, наоборот, увеличи непререкаемую весомость ее воззрений — она была ярой республи канкой (в память своего почившего супруга) и проникалась свирепой неприязнью ко всем, кто оспаривал ее политические суждения. Если ей перечили или что-то ей не нравилось, грозовая туча досадливого раздражения сметала тяжелое добродушие с ее лица, огромная нижняя губа развертывалась, как маркиза над витриной. Но когда она медленно шествовала, сжимая в большой руке тяжелую палку, на которую опиралась всем своим весом, она выглядела величественно.

— Она дама, настоящая дама, — говорила Хелен с гордостью. — Это сразу видно. Она знакома со всеми лучшими людьми.

Сестра Хью Бартона, миссис Женевьева Уотсон, была желтолицой женщиной тридцати восьми лет, высокой, похожей на коноплянку, тощей, как ее брат, диспепсичной и крайне элегантной. Разведенный Уотсон привлекал внимание тем, что всяких упоминаний о нем тщательно избегали: раза два его имя вызывало тяжеловесное смущение, похоронную тишину и невнятную ссылку на восточное распутство.

— Он был скотом, — говорил Хью Бартон. — Подлецом. Он поступал с сестрой непростительно.

Миссис Бартон кивала большой головой — медленно, но с тем безусловным одобрением, которым она удостаивала все высказывания своего сына.

— О! — сказала она. — Он был у-жас-ный человек.

Он, как поняли слушатели, предавался дьявольским порокам. Он «бегал за другими женщинами».

Сестрица Вив обладала узким недовольным лицом, металлической живостью, слащавой любезностью. Она всегда была одета по последнему слову моды. Она была как-то неясно связана с куплей и продажей недвижимости; она намекала на неопределенные, но крупные операции и постоянно должна была вот-вот заключить «выгоднейшую сделку».

— Я уже все рассчитала, братец, — говорила она весело и бодро. — Дела идут. Дж. Д. сказал мне вчера: «Вив — только одна женщина на свете способна провернуть такую штуку. Действуйте, деточка. Это принесет вам целое состояние».

И так далее.

Юджину она напомнила его брата Стива.

Но их привязанность и преданность друг другу были прекрасны. Непривычная уверенность и безмятежность этой любви сбивала Гантов с толку и тревожила их. Она их чем-то трогала, а потому и сердила.

Бартоны приехали на Вудсон-стрит за две недели до свадьбы. Через три дня после их приезда Хелен и старуха Бартон были уже на ножах. Это было неизбежно. Первый пыл любви к близким Бартона быстро прошел и о себе заявил собственнический инстинкт Хелен — она не желала довольствоваться половиной его любви, делить с кем-то свое место в его сердце. Она должна была владеть им полностью и нераздельно. Она будет щедрой, но она будет госпожой. Она будет давать. Таков был закон ее природы.

. И сразу же, подчиняясь этому закону, она начала готовить против старухи обвинительный акт.

Миссис Бартон со своей стороны ощущала всю глубину своей потери. Она желала, чтобы Хелен в полной мере почувствовала, как она счастлива, что приобретает одного из святых во плоти.

Тяжело раскачиваясь на полутемной веранде Ганта, старуха говорила:

— Вам до-ста-ется хороший муж, Хе-лен. — Она внушительно покачивала могучей головой и воинственно чеканила слова. — Конечно, не мне бы это говорить, но вам дос-тается хороший муж, Хе-лен. Че-ло-ве-ка лучше Хью на свете нет.

— Ну не знаю! — отвечала Хелен, задетая за живое. — Мне кажется, он тоже не прогадал. Я о себе тоже неплохого мнения. — И она смеялась хрипловатым добродушным смехом, стараясь спрятать в нем свою досаду, которую видели все, кроме миссис Бартон.

Немного погодя под каким-нибудь предлогом она уходила в дом и там с лицом, искаженным нарастающей истерикой, кричала Юджину, Люку или любому другому сочувствующему наперснику:

— Ты слышал, слышал? Теперь ты понимаешь, что я должна терпеть? Понимаешь? Разве можно меня винить, что я не желаю жить в одном доме с этой проклятой старухой? Разве можно? Ты же видишь, как она хочет всем распоряжаться? Видишь? Как она отпускает мне шпильки при каждом удобном случае? Она не хочет его терять. Еще бы! Она его обирает. Они высосали из него всю кровь. Ведь даже теперь, если бы ему пришлось выбирать между нами... — Ее лицо задергалось. Она не могла продолжать. Через мгновение, взяв себя в руки, она заявляла решительно: — Теперь ты понял, почему мы должны жить отдельно от них. Ты понял? Разве это моя вина?

— Нет, — послушно отвечал Юджин.

— Это п-позор! — говорил верный Люк.

Старуха ласково, но властно звала с веранды:

— Хе-лен! Где вы, Хе-лен?

— Пшлатыкчерту! Пшлатыкчерту! — комически частила Хелен. — Да? В чем дело? — кричала она громко.

Теперь ты видишь?

Свадьбу устроили в «Диксиленде», потому что требовалось много места. У нее было много знакомых.

По мере приближения дня свадьбы ее сдержанная истерия нарастала все больше. Ее уважение к приличиям стало воинствующим, и она горько упрекала Элизу за то, что в ее пансионе живут подозрительные люди.

— Ради всего святого, мама! Как ты можешь допускать такое на глазах у Хью и его семьи? Что они о нас подумают? Неужели ты совсем не уважаешь мои чувства? Боже великий, даже в день моей свадьбы дом будет полон потаскух! — Голос ее срывался. Она чуть не плакала.

— Что ты, детка! — говорила Элиза расстроенно. — О чем это ты? Я никогда ничего не замечала.

— Ты просто слепая! Все об этом говорят! Они же просто живут вместе! — Последнее подразумевало отношения между беспутным молодым алкоголиком и красивой, молодой, слегка туберкулезной брюнеткой.

Юджину было поручено выкурить эту пару из норы. Он стойко ждал под дверью брюнетки, глядя в дверную щель на пляску теней на стене. На исходе шестого часа осажденные сдались — молодой человек вышел. Мальчик — бледный, но гордый своей миссией, — сказал осквернителю семейного очага, что он должен немедленно уехать. Молодой человек согласился с пьяным добродушием и немедленно собрал свои вещи.

Миссис Перт это очищение дома не коснулось.

— В конце-то концов, — сказала Хелен, — что мы о ней знаем? Пусть говорят про Толстушку, что хотят. Мне она нравится.

Декоративные растения, букеты, цветы в горшках, подарки, съезжающиеся гости. Гнусавое однообразное дребезжание пресвитерианского священника. Густая толпа. Победный грохот «Свадебного марша».

Вспышка магния: Хью Бартон и молодая жена, глядящие перед собой испуганно и растерянно; Гант, Бен, Люк и Юджин с широкими смущенными улыбками, Элиза, возвышенно-печальная, миссис Селборн и загадочная улыбка; хорошенькие подружки, счастливый смех Перл Хайнс.

Когда церемония закончилась, Элиза и ее дочь, рыдая, упали друг другу в объятия.

Элиза без конца повторяла всем гостям по очереди:

> Сын — сын лишь до свадьбы своей, господа,
> Но дочерью дочь остается всегда.

Это ее утешало.

Наконец, увядшие, они выбрались из плотных тисков поздравляющих гостей. Бледные, поглупевшие от страха мистер и миссис Хью Бартон сели в закрытый автомобиль. Дело было сделано! Ночь им предстояло провести в «Бэттери-Хилл». Бен заказал там номер-люкс для новобрачных. А завтра! — свадебное путешествие на Ниагару.

Перед отъездом Хелен поцеловала Юджина с проблеском прежней любви.

— Увидимся осенью, милый. Приходи к нам, как только устроишься!

Ибо Хью Бартон начинал женатую жизнь на новом месте. Он переезжал в столицу штата. А уже было решено, главным образом Гантом, что Юджин будет учиться в университете штата.

Но Хью и Хелен не отправились в свадебное путешествие на следующее утро, как собирались. Ночью в «Диксиленде» тяжело занемогла старая миссис Бартон. На этот раз могучий пищеварительный аппарат не выдержал испытаний, которым она его подвергала на предсвадебных пиршествах. Она чуть не умерла.

Хью и Хелен на следующее утро вернулись в дом, где увядали лилии и осыпалась мишура. Хелен бросила всю свою энергию на уход за старухой; властная, яростная, неукротимая, она вдохнула в нее жизнь. Через три дня миссис Бартон была уже вне опасности, но выздоровление ее было медленным, безобразным и мучительным. Потянулись длинные утомительные дни, и Хелен все больше ожесточалась из-за своего испорченного медового месяца. Выбегая из комнаты больной, она врывалась на кухню к Элизе с перекошенным лицом, не в силах сдержать злость.

— Проклятая старуха! Иногда мне кажется, что она устроила это нарочно! Господи, неужели мне в жизни не суждено никакого счастья? Когда они оставят меня в покое? Р-рр! Р-рр! — На крупном расстроенном лице вспыхивала грубоватая вакхическая улыбка. — Ради Бога, мама, откуда только это все берется? — добавила она, жалобно улыбаясь. — Я только и делаю, что подтираю за ней. Будь добра, скажи, долго ли это будет продолжаться?

Элиза хитро улыбнулась, проведя пальцем под широкой ноздрей.

— Ну, детка! — сказала она. — Только подумать! В жизни не видела ничего подобного. Она полгода копила, не меньше.

— Да, сэр! — сказала Хелен, отводя глаза, и на ее губах заиграла кощунственная улыбка. — Хотела бы я знать, откуда все это берется. Чего только я не насмотрелась, — добавила она с сердитым смехом. — Того и гляди, из нее почки выскочат.

— Фью-у! — присвистнула Элиза, сотрясаясь от смеха.

— Хе-лен, Хелен! — донесся до них слабый голос миссис Бартон.

— Пшлакчерту, — сказала Хелен вполголоса. — Р-рр! Р-рр! — Она неожиданно расплакалась. — И так будет всегда. Мне порой кажется, что Бог нас карает. Папа прав.

— Пф! — сказала Элиза, облизнув пальцы и вдевая нитку в иголку против света. — На твоем месте я бы уехала. Хватит за ней ухаживать. Ничего у нее нет. Одно воображение! — Элиза была твердо убеждена, что почти все людские болезни, кроме ее собственных, «одно воображение».

— Хе-лен!

— Сейчас! Иду! — весело крикнула Хелен, сердито улыбнувшись матери.

Это было смешно. Это было безобразно. Это было страшно.

И действительно, вполне могло показаться, что папа прав и что прославленный в псалмах главный небесный Гонитель Туч, тот, кого наши ожесточенные современники иногда называют «Старым Путником», обратил на них хмурый взор.

Пошел дождь — бесконечный ливневый дождь хлестал по дымящимся горам, заливая траву и листья на склонах, обрушивая лавины жидкой грязи на селенья, превращая горные ручейки в ревущие пенные стены желтой воды. Он подмывал желтые берега и вызывал неслыханные обвалы, он смывал целые склоны, он уносил насыпи из-под железнодорожных путей, и рельсы со шпалами повисали над пустотой.

В Алтамонте началось наводнение. Вода стекала с гор в маленькую речку, и она вышла из берегов, разлившись в желтую необъятную Миссисипи. Вода громила долину реки, она срывала с быков металлические и деревянные мосты, словно листья; она несла гибель железнодорожным низинам и всем, кто там обитал.

Город был отрезан от всего остального мира. В конце третьей недели, когда вода начала спадать, Хью Бартон и его молодая жена, угрюмо скорчившись в огромном брюхе «бьюика», ехали по затопленным дорогам, с опасностью для жизни пробирались по разрушенным мостам, чтобы наперекор стихиям вкусить радость перестоявшегося и увядшего медового месяца.

— Он будет учиться там, куда я его пошлю, или нигде, — негромко изрек Гант свое последнее слово.

Так было решено, что Юджин поступит в университет штата. Юджин не хотел поступать в университет штата.

В течение двух лет они с Маргарет Леонард строили романтические планы его дальнейшего образования. Они решили, что ввиду молодости он два года проучится в университете Вандербильта (или Виргинском университете), потом будет два года заниматься в Гарварде, а затем, легкими переходами добравшись до Эдема, увенчает все годом-двумя в Оксфорде.

— Вот тогда, — сказал Джон Дорси Леонард, который вышивал заманчивые узоры на этой канве между глотками простокваши, — тогда, сынок, человек наконец получает право считать себя культурным. После этого, конечно, — добавил он с щедрой небрежностью, — можно еще года два попутешествовать.

Однако Леонарды пока еще не хотели расставаться с ним.

— Ты слишком юн, мальчик, — говорила Маргарет Леонард. — Не можешь ли ты уговорить отца подождать еще год? Ты же ведь по возрасту совсем ребенок, Юджин. Тебе некуда торопиться.

Ее глаза темнели, пока она говорила это.

Но Гант не желал ничего слушать.

— Он достаточно взрослый, — сказал он. — Когда я был в его возрасте, я уже давно зарабатывал себе на жизнь. Я старею. Скоро меня не станет. Я хочу, чтобы он начал завоевывать репутацию прежде, чем я умру.

Он упрямо отказывался даже подумать об отсрочке. Младший сын был его последней надеждой на то, что его имя прославится на политическом поприще, которое он так ценил. Он хотел, чтобы его сын стал великим и дальновидным государственным деятелем, членом республиканской или демократической партии. Поэтому, выбирая университет, он исходил из политических соображений и следовал совету своих сведущих в политике друзей.

— Он подготовлен, — сказал Гант, — и он поступит в университет штата. Или никуда. Образование ему там дадут не хуже, чем в любом другом месте. А кроме того, он на всю жизнь заведет полезные знакомства. — Он бросил на сына взгляд, полный горькой укоризны. — Мало кому из твоих сверстников представляется подобная возможность, — сказал он. — И ты должен быть благодарен, а не воротить нос. Попомни мои слова, настанет день, когда ты скажешь мне спасибо за то, что я послал тебя именно туда. Я уже сказал: ты будешь учиться там, куда я тебя пошлю, или нигде.

Часть третья

XXVIII

Юджину еще не исполнилось шестнадцати, когда его отправил в университет. В нем тогда было шесть футов три дюйма роста, весил он примерно сто тридцать фунтов. Он почти никогда н болел, но быстрый рост истощал его силы; буйная умственная физическая энергия, которой он был полон, беспощадно пожирал его, доводя до изнеможения. Он быстро уставал.

Когда он уехал, он был еще ребенком — ребенком, которы видел много горя и зла, но остался верным выдуманному идеал Под защитой крепостных стен великого города его фантазии е язык научился язвить, губы — насмешливо улыбаться, но жестки скребок мира не оставил следов на его тайной жизни. Снова снова он увязал в серой трясине реальных фактов. Его беспоща ные глаза улавливали смысл любого жеста, переполненное ожесто ченное сердце жгло его, как раскаленный железный брусок, но в эта суровая мудрость таяла в жаре воображения. Когда он размыш лял, он не был ребенком, но он был ребенком, когда мечтал, — властвовали в нем ребенок и мечтатель. Возможно, он принадлежа к более древней и простой человеческой расе — к мифотворцам Для него солнце было величественным светильником, зажженны чтобы озарять его подвиг. Он верил в доблестные героически жизни. Он верил в хрупкие цветы нежности и кротости, которы ему не довелось познать. Он верил в красоту и порядок и надеялс что сумеет подчинить их могуществу гнетущий хаос своей жизни Он верил в любовь, и в доброту, и в светлую прелесть женщин. О верил в мужество и надеялся, подобно Сократу, не сделать ничег бесчестного или мелкого в час опасности. Он упивался своей юно стью, и он верил, что никогда не умрет.

Четыре года спустя, когда он, так и не став подростком окончил университет, на его губах горел поцелуй любви и смерт и он все еще был ребенком.

Когда наконец стало ясно, что решение Ганта бесповоротн Маргарет Леонард сказала негромко:

— Ну что ж, иди своим путем, мальчик. Иди своим путем. Д благословит тебя Бог.

Она поглядела на его тонкую долговязую фигуру и с увлажни шимися глазами повернулась к Джону Дорси Леонарду:

— Помнишь мальчугана в коротких штанишках, который при-
ел к нам четыре года назад? Ты можешь этому поверить?

Джон Дорси Леонард засмеялся негромко, с мягким утомлен-
ым облегчением.

— Да, действительно, — сказал он.

Когда Маргарет снова повернулась к Юджину, ее голос, тихий
нежный, вдруг исполнился страсти, какой он еще никогда в нем
е слышал.

— Ты уносишь с собой часть нашего сердца, мальчик. Знаешь
 ты это?

Она ласково взяла его дрожащую руку в свои худые пальцы. Он
пустил голову и крепко зажмурил глаза.

— Юджин, — продолжала она, — мы не могли бы любить тебя
ольше, будь ты нашим сыном. Мы хотели оставить тебя у себя
ще на один год, но, раз это невозможно, мы расстаемся с тобой,
озлагая на тебя большие надежды. Ты очень хороший. В тебе нет
 частицы дурного. На тебе почиет благодать светлого гения.
ог да благословит тебя: весь мир перед тобой.

Эти проникновенные слова любви и гордости музыкой отдались
 его сердце, неся с собой яркие картины торжества и пронзая
го стыдом за тайные желания. Любовь открывала перед ним
вери, но его душа, запятнанная прахом и грехом, отшатнулась.

Он вырвал у нее свою руку и с полузадушенным звериным
оплем схватился за горло.

— Я не могу! — задыхался он. — Вы не должны думать... — Он
е мог продолжать; его жизнь слепо искала входа исповедальню.

Позднее, когда он ушел, ее легкий поцелуй, первый за все их
накомство, жег его щеку, как огненное кольцо.

В то лето он еще больше сблизился с Беном. Они жили в
дной комнате на Вудсон-стрит. Люк после свадьбы Хелен вернул-
я в Питтсбург на завод Вестингауза.

Гант по-прежнему занимал гостиную, а остальной дом он сдал
ойкой седой вдове сорока лет. Она прекрасно ухаживала за
ими всеми, но Бена обслуживала с особой нежностью. По вече-
ам Юджин натыкался на них на прохладной веранде под спею-
ими гроздьями винограда, слышал негромкий голос брата, его
мех, видел, как красный огонек его сигареты описывает медлен-
ую дугу.

Самый тихий стал еще тише и сдержанней, чем прежде: он
роходил по дому, яростно хмурясь. С Элизой он говорил кратко,

с презрительной горечью; к Ганту не обращался вовсе. Они никогда
не разговаривали друг с другом. Их взгляды никогда не встречались. Великий стыд, стыд отца и сына, — эта тайна, более непостижимая, чем материнство и жизнь, этот таинственный стыд, смыкаю-
щий губы мужчин и таящийся в их сердцах, заставлял их молчать.

Но с Юджином Бен говорил свободнее, чем прежде. Когда они
по вечерам, лежа в постели, читали и курили перед сном, вся
боль, вся горечь жизни Бенджамина Ганта вырывалась в бурных
обличениях. Он начинал говорить медленно, неохотно, запинаясь
на некоторых словах так же, как при чтении вслух, но потом, по
мере того как в его голосе нарастала страсть, темп его речи
убыстрялся.

— Наверное, они говорили тебе, как они бедны? — начал он,
отбрасывая сигарету.

— Ну, — сказал Юджин, — мне надо быть экономнее. Я не
должен бросать деньги на ветер.

— А-а! — произнес Бен, кривя лицо. Он беззвучно засмеялся,
горько изогнув тонкие губы.

— Папа сказал, что многие студенты сами оплачивают свое
учение, прислуживая в ресторанах и прочее. Может быть, и я
смогу подрабатывать каким-нибудь таким способом.

Бен перевернулся на бок лицом к брату и подпер голову худой
волосатой рукой.

— Вот что, Джин, — сказал он строго, — не валяй дурака,
слышишь? Бери от них все, что тебе удастся у них вытянуть, —
добавил он свирепо, — все до последнего цента.

— Ну, я очень благодарен им за то, что они для меня делают.
Я получаю гораздо больше, чем в свое время кто-нибудь из вас.
Они делают для меня очень много, — сказал мальчик.

— Для тебя, дурачок? — сказал Бен, хмурясь с отвращением. —
Они делают все это только для себя. Не верь им. Они думают, что
из тебя выйдет толк, и это принесет честь им. Они и так посыла-
ют тебя туда на два года раньше, чем следовало бы. Нет, бери с
них все, что сможешь. Никто из нас ничего от них не получил, но
я хочу, чтобы ты получил сполна все, что тебе положено. Бо
мой! — крикнул он яростно. — Какую пользу приносят их деньги,
гниющие в проклятом банке? Нет, Джин, бери все, что сможешь.
Когда ты будешь там, если ты увидишь, что тебе нужно больше,
чтобы не отставать от других ребят, заставь старика раскошелиться. Тебе не давали держать голову высоко в родном городе, так
воспользуйся случаем, пока будешь там.

Он зажег сигарету и некоторое время курил в горьком молчании.
— К дьяволу все это! — сказал он. — Зачем, черт побери, мы
живем на земле?

Первый год Юджина в университете был для него годом одиночества, страданий и неудач. Не прошло и трех недель, как он уже
оказался жертвой полудесятка классических шуточек, его полная
неосведомленность о традициях студенческой жизни то и дело
использовалась против него, его доверчивость стала присловьем.
Он был самым желторотым из всех желторотых первокурсников
нынешних и былых времен: он внимательно выслушал проповедь,
которую произносил в часовне второкурсник в накладных бакен-
бардах, он трудолюбиво готовился к экзамену по содержанию
каталога университетской библиотеки, и он был повинен в совер-
шении чудовищной неловкости — когда его вместе с пятьюдесятью другими первокурсниками приняли в литературное общество,
он произнес благодарственную речь.

Все эти глупые розыгрыши — немного жестокие, но лишь
настолько, насколько жесток бессмысленный хохот, — входящие в
систему грубоватого юмора американских университетов, соленые, нелепые, проникнутые национальным духом, наносили ему
глубокие раны, о которых его товарищи даже не подозревали. Его
сразу же выделили из остальных первокурсников, и не только из-
за его промахов, но и потому, что его лицо было безумным и
детским, тело — долговязым и костлявым, а ноги походили на
подпрыгивающие ножницы. Другие студенты проходили мимо него
ухмыляющимися группками — он покорно здоровался с ними, но
его сердце сжималось. А самодовольные, улыбающиеся лица его
сокурсников, умудренных опытом, кичливо неповинных в глупых
промахах, иногда приводили его в буйную ярость.

— Улыбайтесь, улыбайтесь, улыб-б-байтесь, черт вас дери! —
ругался он сквозь скрежещущие зубы.

Впервые в жизни он почувствовал ненависть ко всему тому,
что слишком уютно укладывается в мерки. Он начал испытывать
неприязнь и зависть к незаметной ординарности, несущей печать
общности, — к бесчисленным рукам, ногам, запястьям, ступням и
торсам, которые удобно сформированы для готовой одежды. И где
бы он ни встречал смазливую правильность, он ее ненавидел —
глупо красивых юношей с сияющими волосами, разделенными на
ровный пробор, с уверенными, сильными, не длинными и не короткими ногами, выписывающими грациозные па на полу танце-

вального зала. Он жаждал стать свидетелем какого-нибудь их глу
пого промаха — пусть бы кто-нибудь из них споткнулся и растя
нулся на земле во весь рост, испортил воздух, потерял стратеги
ческую пуговицу в смешанном обществе, не заметил, болтая с
хорошенькой девушкой, что рубашка выбилась у него из брюк. Но
они не делали ошибок.

Когда он проходил по территории университета, он слышал,
как его насмешливо окликают из десятка бесстрастных окон, он
слышал сдерживаемый смех и скрежетал зубами. А ночью, косте
нея от стыда в темной постели, он рвал пальцами простыню,
потому что в его мозгу, рожденный неуравновешенным воображе
нием, раздутым самолюбием сосредоточенной в себе натуры, пы
лал образ аудитории, полной студентами — полной ухмыляющими
ся летописцами его выходок. Он душил рвущийся из горла вопль
пальцами, скрюченными в когти. Он хотел стереть постыдную
минуту, распустить ткань. Ему казалось, что он погиб бесповорот
но, что начало его университетской карьеры помечено нелепостя
ми, которых никто никогда не забудет, и что у него есть только
один выход: все остающиеся четыре года постараться быть как
можно незаметнее. Он видел себя в наряде клоуна и со жгучим
презрением к себе вспоминал свои прежние мечты об успехе и
популярности.

Искать сочувствия ему было не у кого — друзей у него не
было. Его представления о студенческой жизни были романтичес
кими и неясными, — он почерпнул их из книг, и к ним примеши
вались воспоминания о Стовере в Йельском университете, о юном
Фреде Фирноте и веселых юнцах, которые, дружески ухватив друг
друга под руки, во весь голос распевали университетский гимн.
Никто не сообщил ему даже самых примитивных сведений о
довольно-таки примитивной жизни американских университетов.
Его не предупредили о различных табу студенческого существова
ния. И в результате он наивно вступил в свою новую жизнь совсем
к ней неподготовленным, как и в дальнейшем он вступал в каждую
свою новую жизнь (если не считать его дурманных грез о себе —
незнакомце в Аркадии).

Он был один. Он был отчаянно одинок.

Однако университет был чудесным, незабываемым местом. Он
находился в маленьком городке Пулпит-Хилл в самой середине
большого штата. Студенты приезжали на автобусах из унылого
табачного городка Эксетер в двенадцати милях от университета.
Окрестности его были необжитыми, мощными и безобразными —

холмистый край полей, перелесков и оврагов. Однако сам университет был погребен в сельской глуши; он был расположен на большом столовом холме, который круто поднимался над равниной. Добравшись до вершины холма, вы внезапно оказывались в конце извилистой улицы, по сторонам которой располагались дома преподавателей и которая тянулась на милю до центра городка и до университета. Территория его занимала широкое пространство прекрасных газонов и великолепных старых деревьев. Ближний конец ее замыкали построенные по сторонам внутреннего квадратного двора кирпичные здания начала XIX века. Дальше беспорядочно располагались корпуса поновее, построенные в скверной современной манере (неогреческий педагогизм); за ними начинались густые леса. Университет еще хранил в себе приятный привкус нетронутой глуши — в нем была отчужденность, очарование уединения. Юджину он казался провинциальным аванпостом великой Римской империи — первобытная глушь подкрадывалась к нему, как хищный зверь.

Его бедность, его столетняя борьба с лесом придали университету тихую нежность и красоту, от которых он в дальнейшем отказался. В нем жил чудесный авторитет провинциализма — провинциализма старинного Юга. Тут ничто не имело значения, кроме штата. Штат был могучей империей, богатейшим царством, а дальше лежал неведомый полуварварский мир.

Лишь немногие сыны этого университета оставили след в жизни страны — из его стен вышел один из малоизвестных президентов Соединенных Штатов и два-три члена кабинета, но мало кто и искал таких лавров: стать великим человеком в собственном штате — вот это была настоящая слава. А все остальное большого значения не имело.

В этой пасторальной обстановке молодые люди получали возможность приятно бездельничать четыре упоительных ленивых года. О, там, Бог свидетель, хватало монастырского уединения для самых подвижнических занятий, но редкостная романтичность атмосферы, безрассудная щедрость весны, густо усыпанной цветами и утопающей в душистом тепле зеленого мерцающего света, быстро и надежно клали конец жалким потугам книжных червей. Вместо того чтобы заниматься, они бездельничали и общались с собственными душами или же с великой энергией и энтузиазмом участвовали в деятельности хоровых клубов, спортивных команд, политических обществ, землячеств, ораторских и драматических клубов. И они разговаривали. Они непрерывно разговаривали под деревьями, у обвитых плющом стен, собираясь в комнате приятеля, — они разговаривали, развалясь кто на чем: они вели безумолчные, очаровательные, пустопорожние южные беседы; с непринужденной красноречивой легкостью они говорили о Боге, дьяволе, философии и девушках, о политике, спорте, землячествах и девушках... Бог мой! Как они говорили!

— Заметьте, — прошепелявил мистер Торрингтон, в свое время побывавший в Оксфорде на стипендию Родса* (Пулпит-Хилл и Мертон, 1914 год), — заметьте, как искусно он поддерживает напряжение до самого финала. Заметьте, с каким совершенным мастерством он создает кульминацию, не открывая своей идеи вплоть до самого последнего слова.

Собственно говоря, и дальше не открывая.

«Наконец-то, — думал Юджин, — я получаю образование». Наверное, это замечательное произведение, раз оно такое скучное. Когда больно, зубной врач уверяет, что это как раз и полезно. Демократия, несомненно, существует, потому что она так, так серьезна. Она есть, потому что она столь элегантно набальзамирована и покоится в мраморном мавзолее языка. Эссе университетских выпускников — Вудро Вильсон, лорд Брайс и декан Бриггс*.

Но во всем этом нет ни слова о громком резком голосе Америки, о политических съездах, о Твиде и Таммани, о «большой дубинке»*, линчеваниях и поджаривании черной скотинки, о бостонских ирландцах и проклятых махинациях папы римского, разоблаченных в «Вавилонской трубе» (дем.), о насилиях над бельгийскими девушками, алкоголе, нефти, Уолл-стрите и Мексике.

Все это, сказал бы мистер Торрингтон, было временным и случайным. Преходящим.

Мистер Торрингтон влажно улыбнулся Юджину и ласково усадил его в кресло, интимно подвинутое к самому его столу.

— Мистер... Мистер... — сказал он, роясь в карточках.

— Гант, — сказал Юджин.

— Ах, да! Мистер Гант. — Он улыбнулся своей непростительной забывчивости. — Нуте-с, как у вас дела с дополнительным чтением?

«Но как, — думал Юджин, — у меня дела с моим основным чтением?»

Любит ли он читать? А... прекрасно, прекрасно. Он рад это слышать. Истинный университет в наши дни, сказал Карлейль (он

выразил надежду, что Юджину нравится старый грубиян Томас), —
это хорошая библиотека.

— Да, сэр, — сказал Юджин.

Именно таков, насколько ему известно, оксфордский план. О да,
он был там — три года. Его кроткие глаза оживились. Ах, прогуливаться там по главной улице в теплый весенний день, останавливаясь перед витринами книжных лавок и разглядывая сокровища,
которые можно было приобрести буквально за гроши! Потом —
пить чай у Бьюла или у кого-нибудь из друзей, или прогуливаться по
полям или в садах колледжа св. Магдалины, или глядеть сверху в
квадратные дворы на веселый карнавал юности. Ах-ах! Замечательное место? Ну... он так не сказал бы. Все зависит от того, что
подразумевать под «замечательным местом». Во многом распущен-
ность мыслей — к несчастью, как ему кажется, более преобладаю-
щая среди американской, нежели среди английской молодежи, —
возникает именно из неопределенных словоизлияний, из употребле-
ния слов без четко сформулированного смысла.

— Да, сэр, — сказал Юджин.

Замечательное место? Ну, он так бы не сказал. Типично амери-
канское выражение. И масляногубо он обратил на Юджина улыбку
мягкой враждебности.

— Оно убивает, — заметил он, — бесплодный энтузиазм.

Юджин слегка побелел.

— Это чудесно, — сказал он.

Нуте-с... дайте поглядеть. Любит ли он пьесы — современную
драматургию? Превосходно. В области современной драматургии
они создают кое-что интересное. Барри*... о, очаровательнейший
человек! Что-что? Шоу!

— Да, сэр, — сказал Юджин. — Я читал все остальное. Сейчас
вышел новый сборник.

— О, но право же! Мой милый мальчик! — сказал мистер
Торрингтон с мягким изумлением. Он пожал плечами и стал вежливо равнодушен. Пожалуйста, если ему так хочется. Конечно, по его
мнению, жаль тратить время на это, когда там действительно создают первоклассные вещи. Но в этом-то как раз и беда. Подобный
человек привлекает именно тех, чей вкус еще не образовался,
способность судить критически не сложилась. Сверкающая приман-
ка для незрелых умов. О да! Бесспорно, он забавен. Умен —
пожалуй, но следа он не оставит. И — не кажется ли ему — чуть-
чуть вульгарен? Или он и сам это заметил? Да... безусловно, струя
забавного кельтского юмора, имеющего свою привлекательность,

но преходящая. Он далек от основного потока лучшей современной мысли.

— Я возьму Барри, — сказал Юджин.

Да, это, без сомнения, будет лучше.

— Ну, так до свидания, мистер... мистер... — Он улыбнулся, снова роясь в карточках.

— Гант.

— О, да-да, конечно, Гант. — Он протянул пухлую руку. Он надеется еще увидеть мистера Ганта у себя. Возможно, он будет в силах дать ему совет в связи с теми мелкими трудностями, с которыми, как ему известно, постоянно сталкиваются студенты на первом году. Главное, он не должен падать духом.

— Да, сэр, — сказал Юджин, лихорадочно пятясь к двери. Когда он почувствовал позади себя открытое пространство, он провалился в него и исчез.

«Во всяком случае, — думал он угрюмо, — я прочту всех проклятых Барри. Я напишу для него распроклятый доклад и буду, черт подери, читать все, что мне, черт подери, хочется».

Боже, спаси нашего короля и нашу королеву.

Кроме того, он занимался химией, математикой, греческим и латынью.

Латынью он занимался упорно и с интересом. Его преподавателем был высокий бритый человек с желтым сатанинским лицом. Он так ловко разделял свои жидкие волосы на пробор, что создавалось впечатление рогов. Его губы всегда изгибала дьявольская улыбка, глаза косо блестели тяжелой злобной насмешливостью. Юджин возлагал на него большие надежды. Стоило ему опоздать и, задыхаясь, не позавтракав, влететь в аудиторию, сразу же после того как все сели, как сатанинский профессор приветствовал его с изысканной иронией:

— А, вот и брат Гант! По обыкновению, как раз вовремя, к началу службы. Хорошо ли вам спалось?

Студенты одобрительно гоготали над этой тонкой шуткой. Затем, когда наступала выжидательная тишина, он зловеще морщил выпуклый лоб и, насмешливо глядя на замерших студентов из-под мохнатых изогнутых бровей, говорил глубоким сардоническим басом:

— А теперь я намерен попросить брата Ганта доставить нам удовольствие его очередным отполированным и ученым переводом.

Это язвительное прохаживание на его счет было трудно переносить, потому что из всех двадцати с лишним человек, занимавшихся латынью, только брат Гант готовил переводы, не прибегая к помощи уже напечатанного подстрочника. Он напряженно работал над Титом Ливием и Тацитом, несколько раз переделывая текст, пока не добивался собственного гладкого и точного перевода. И по глупости, читал эти переводы без запинки или искусно разыгранного сомнения. За все его труды и честность любитель-сатанист щедро его вознаграждал. Пока Юджин читал, хищная улыбочка становилась резче, преподаватель многозначительно приподнимал брови, глядя на ухмыляющихся студентов, а когда Юджин замолкал, он говорил:

— Браво, брат Гант! Чудесно! Превосходно! У вас прекрасная шпаргалка — но вы пользуетесь ею слишком уж умело, мой милый. Слишком уж ловко.

Студенты хихикали.

Юджин не мог больше этого выносить и однажды остался после занятий, чтобы объясниться с преподавателем.

— Послушайте, сэр! Послушайте! — начал он голосом, прерывавшимся от ярости и отчаяния. — Сэр... уверяю вас... — Он вспомнил всех ухмыляющихся обезьян, которые получали похвалы за ловко выученные чужие переводы, и не смог продолжать.

Ученик дьявола был не злым человеком, он только, как большинство тех, кто гордится своей проницательностью, был глуп.

— Вздор, мистер Гант, — сказал он ласково. — Неужели вы думаете, что можете надуть меня, когда дело касается перевода? И я ничего против не имею, — добавил он, усмехаясь. — Если вы предпочитаете пользоваться шпаргалкой, а не работать, я поставлю вам проходной балл... при условии, что делать это вы будете хорошо.

— Но... — возмущенно начал Юджин.

— Но мне очень жаль, мистер Гант, — сказал преподаватель с чувством, — что вы предпочитаете такой путь. Послушайте, мой милый, вы способны прекрасно заниматься! Я это вижу. Почему бы вам не сделать усилия? Возьмитесь-ка за ум и начните заниматься как следует.

Юджин смотрел на него со слезами гнева на глазах. Он заикался, не в силах говорить членораздельно. Но внезапно, пока он глядел на эту самодовольную усмешку, дикая и нелепая несправедливость такого обвинения представилась ему невыразимо смешной, как карикатура, — и он разразился взрывчатым смехом ярости, который его преподаватель, без сомнения, счел признанием.

— Ну так что же? — спросил он. — Попробуете?

— Хорошо! Да! — задыхался Юджин. — Я попробую.

Он тут же купил экземпляр перевода, которым пользовались все его товарищи. И с этих пор, когда он переводил, иногда ловко запинаясь, чтобы его наставник мог прийти ему на помощь, сатанинский преподаватель слушал его серьезно и внимательно, время от времени одобрительно кивая головой, а когда он кончил, с большим удовлетворением говорил:

— Отлично, мистер Гант. Превосходно. Вот видите, чего можно добиться, немного потрудившись.

А в частной беседе он говорил:

— Вы замечаете разницу? Я сразу понял, когда вы перестали пользоваться своей шпаргалкой. Ваш перевод теперь получается не таким гладким, зато он ваш собственный. Вы прекрасно работаете, мой милый, и вам это что-то дает. Не так ли?

— Да, — с благодарностью говорил Юджин, — конечно...

Наиболее выдающимся из всех его преподавателей в этом году был мистер Эдвард Петтигрю («Щеголь») Бенсон, профессор греческого языка. Щеголь Бенсон был невысокий сорокапятилетний холостяк, одевавшийся франтовато, но несколько старомодно. Он носил высокие воротнички, пышные мягкие галстуки и штиблеты. Он тщательно ухаживал за своими густыми седеющими волосами. Лицо у него было вежливо-воинственным, яростным, с большими желтыми выпученными глазами и бульдожьими складками у рта. Это была очень красивая уродливость.

Голос у него был негромкий, ленивый, приятный, с томной оттяжкой, но, не меняя ни тона, ни темпа своей речи, он мог ободрать свою жертву на редкость жестоким языком, а уже в следующую секунду рассеять враждебность, восстановить симпатии, исцелить все раны с помощью того же самого языка. Обаяние его было колоссально. Студентам он служил постоянной темой для увлекательных измышлений: в своих мифах они превращали его в пылкого и опытного донжуана, а его крохотный автомобильчик, который, подпрыгивая, носился по университетскому городку, как игрушка-переросток, — в сцену бесчисленных романтических соблазнений.

Он был знатоком греческого — элегантный ленивый ученый. Под его руководством Юджин начал читать Гомера. Юджин плохо знал грамматику — у Леонарда он мало чему выучился, — но, поскольку он совершил непростительный промах, начав изучать греческий язык у кого-то другого, Щеголь Бенсон считал, что он знает даже меньше, чем он знал на самом деле. Он занимался с отчаянным упорством, но желчный диспепсический взгляд элегантного маленького профессора пугал его, он начинал запинаться, робел, путался. И, по мере того как он продолжал трепещущим голосом, с тяжело бьющимся сердцем, вид у Щеголя Бенсона становился все более и более утомленным, пока наконец он не опускал книгу и не говорил, растягивая слова:

— Мистер Гант, вы приводите меня в такое бешенство, что я готов вышвырнуть вас в окошко.

Однако на экзамене он отвечал прекрасно и отлично переводил с листа. Он был спасен. Щеголь Бенсон с ленивым удивлением публично похвалил его письменный перевод и поставил ему высокий балл. После этого отношения их быстро улучшились, — весной он уже довольно уверенно читал Еврипида.

Но и позже, и под покровом затопляющих лет, которые поглощают столько красоты, продолжал жить величавый морской прибой Гомера, который отдавался в его мозгу, крови, нервах, как гул моря в раковине в гостиной Ганта, — того Гомера, которого он впервые услышал под аккомпанемент медленных шагов в гекзаметрах, медленно произносимых Щеголем Бенсоном — затерянным, последним, утомленным сыном Эллады.

«Дваней де кланкей генетт, аргиреойо биойо» — над паровозным воплем, над резким визгом колес, над стуком сцепщика необъятная музыка живет и будет пребывать вечно. Какой диссонанс сможет заглушить ее? Какое лязгающее насилие способно нарушить или покорить ее — замурованную в нашей плоти, когда мы были молоды, запомнившуюся, как «яблоня, поющая и золотая»?

XXIX

До конца первого учебного года он переменил квартиру раз пять. И последние месяцы жил один в большой пустой комнате без ковра в Пулпит-Хилле. Это было редкостью: чаще всего студенты селились по двое и по трое. Так возникла та физическая изоляция, которую вначале он переносил с трудом, хотя вскоре она превратилась в насущную необходимость и для его духа, и для его тела.

В Пулпит-Хилл он приехал с Хью Бартоном, который встретил его в Эксетере и отвез в Пулпит-Хилл в своем большом «бьюике». Зарегистрировавшись в канцелярии университета, он быстро нашел квартиру в доме одной алтамонтской вдовы, сын которой учился в университете. Хью Бартон облегченно поспешил уехать, надеясь добраться домой к молодой жене еще до темноты.

Восторженно и безрассудно Юджин заплатил вдове вперед за два месяца. Ее фамилия была Брэдли — это была дряблая, кислая женщина с белым лицом и болезнью сердца. Но кормила она его прекрасно. Сын миссис Брэдли откликался на свои инициалы «Дж. Т.». Дж. Т. Брэдли, студент второго курса, был угрюмым неприветливым юнцом девятнадцати лет и представлял собой смесь угодливости и наглости, взятых в равных долях. Он честолюбиво и тщетно стремился стать членом какого-нибудь студенческого клуба. Не добившись признания благодаря природным талантам, он маниакально уверовал, что сможет добиться известности и славы, если прослывет поработителем первокурсников.

Но эта тактика, которую он испробовал на Юджине, вызвала только протест и враждебность. Они стали ожесточенными врагами — Дж. Т. делал что мог, чтобы погубить начало университетской жизни Юджина. Он ставил его на глазах у всех в глупое положение и обращал всеобщее внимание на его промахи; он вызывал его на откровенность, а потом разглашал его признания во всеуслышание. Однако судьба в конце концов насмешливо предает нас на позор, потому что наша способность быть злодеями так же мала, как и все остальные наши способности. Настал день, когда Юджин освободился из этих пут, когда он смог покинуть этот вдовий дом печалей. Дж. Т. подошел к нему, робко хмурясь.

— Я слышал, ты нас покидаешь, Джин, — сказал он.

— Да, — сказал Юджин.

— Это из-за меня?

— Да, — сказал Юджин.

— Ты слишком серьезно ко всему относишься, Джин.

— Да, — сказал Юджин.

— Я не хочу, чтобы ты на меня сердился, Джин. Давай пожмем друг другу руки и будем друзьями.

Он деревянно протянул руку. Юджин посмотрел на угрюмое слабое лицо, на обиженные глаза, которые шарили по сторонам в поисках того, что они могли бы назвать своим. Густые черные волосы были склеены помадой. Он увидел белую перхоть у корней. От него пахло тальком. Он был зачат и вскормлен в теле его белолицей матери — для чего? Чтобы лизать презрительно поглаживающие пальцы престижа? Чтобы пресмыкаться перед эмблемой? Юджин почувствовал тошноту.

— Давай пожмем друг другу руки, Джин, — повторил тот, шевеля протянутыми пальцами.

— Нет, — сказал Юджин.

— Ты же меня не ненавидишь? — заскулил Дж. Т.

— Нет, — сказал Юджин.

Он испытал миг жалости и тошноты. Он простил, потому что необходимо было забыть.

Юджин жил в маленьком мирке, но крушение этого мирка было для него реальностью. Его беды были ничтожны, но их воздействие на его дух глубоко и губительно. Он презрительно замкнулся в своей скорлупе. У него не было друзей, презрение и гордость сжигали его. Он слепо противопоставил свое лицо будничной объединенной жизни вокруг.

Именно в эту горькую, исполненную отчаяния осень Юджин познакомился с Джимом Триветтом.

Джим Триветт, сын богатого фермера-табаковода в восточной части штата, был добродушный двадцатилетний парень, сильный, довольно безобразный, с грубым, выступающим вперед ртом, толстыми полуоткрытыми губами, постоянно растянутыми в дряблой улыбочке и испачканными в углах табачной жвачкой. Зубы у него были скверные. Светло-каштановые сухие непослушные волосы торчали спутанными вихрами. Он одевался дешево и крикливо по ужасной моде того времени: узенькие брюки, которые не доходили на один дюйм до коричневых ботинок, открывая носки со стрелками, пиджак с фалдами, стянутый поясом на почках, большие полосатые шелковые воротнички. Под пиджаком он носил толстый свитер с номером своей школы.

Джим Триветт жил вместе с тремя другими студентами своего землячества в пансионе, неподалеку от дома миссис Брэдли, но ближе к западным воротам университета. Эти четыре молодых человека удобства и общества ради поселились вместе в двух грязноватых комнатах, в которых несло сухим жаром от чугунных печурок. Они вечно собирались заниматься, но никогда не занимались. Кто-нибудь входил, решительно объявлял, что у него «завтра жуткий день», и принимался готовиться к схватке с учебниками: старательно и долго точил карандаши, переставлял лампу так и эдак, подбрасывал поленья в раскаленную печурку, придвигал стул, надевал зеленый козырек, прочищал трубку, набивал ее табаком, закуривал, снова закуривал, потом снова прочищал ее и, наконец, с большим облегчением слышал, что в дверь стучат.

— Входи в дом, черт возьми! — гостеприимно ревел он.

— Здорово, Джин! Бери стул, сынок, и располагайся, — сказал Том Грант. Это был коренастый юноша, одетый очень крикливо, с низким лбом и черными волосами, добрый, глупый и ленивый.

— Вы занимались?

— Еще бы! — закричал Джим Триветт. — Я занимался, как последний сукин сын.

— Черт! — сказал Том Грант, медленно оглядываясь на него. — Как-нибудь твои воротнички удавят тебя до смерти. — Он медленно и печально покачал головой, а потом прибавил с грубым смехом: — Если бы папаша Триветт знал, на что ты тратишь его денежки, его бы хватил удар.

— Джин, — сказал Джим Триветт, — что тебе известно про этот проклятый английский?

— То, что ему об этом неизвестно, ты можешь записать на обороте почтовой марки, — сказал Том Грант. — Старик Сэнфорд чертовски высоко тебя ставит, Джин.

— А я думал, ты у Торрингтона, — сказал Джим Триветт.

— Нет, — сказал Юджин. — Для него я был недостаточно англизирован. Слишком юн и неотесан. И я от него ушел, и слава Богу. А что тебе надо, Джим? — спросил он.

— Мне нужно написать длинное сочинение. А я не знаю, о чем писать, — сказал Джим Триветт.

— А я тут при чем? Ты хочешь, чтобы я написал за тебя?

— Да, — сказал Джим Триветт.

— Сам пиши свое проклятое сочинение, — сказал Юджин, изображая на лице свирепую непреклонность. — А я не стану. Помочь помогу, если сумею.

— А когда ты думаешь отправиться в Эксетер с нашим молодцом? — спросил Том Грант, подмигивая Джиму Триветту.

Юджин покраснел и попробовал защититься.

— Готов в любое время, — сказал он сковано.

— Вот что, Длинный! — сказал Джим Триветт с дряблой ухмылкой. — Ты правда хочешь или просто вид делаешь?

— Я пойду с тобой! Я же сказал, что пойду! — сердито сказал Юджин. Он слегка дрожал.

Том Грант многозначительно улыбнулся Джиму Триветту.

— Станешь мужчиной, Джин, — сказал он. — Сразу грудь волосами обрастет.

Он рассмеялся негромко, но неудержимо, покачивая головой в ответ на какие-то свои тайные мысли.

Дряблая улыбка Джима Триветта стала шире. Он сплюнул в ящик для дров.

— Черт! — сказал он. — Когда они увидят нашего Длинного, так подумают, что весна пришла. Им стремянку придется притащить, чтобы дотянуться до него.

Том Грант трясся от жесткого жирного смеха.

— Притащут, притащут, черт их дери! — сказал он.

— Ну так как же, Джин? — вдруг спросил Джим Триветт. — Договорились? В субботу?

— Ладно! — сказал Юджин.

Когда он ушел, они обменялись алчными улыбками — ублаготворенные развратители целомудрия.

— Пф! — сказал Том Грант. — Так поступать нехорошо. Ты сбиваешь мальчика с пути.

— Это ему не повредит, — сказал Джим Триветт. — Это будет ему полезно.

Он с ухмылкой утер рот тыльной стороной ладони.

— Погоди-ка! — прошептал Джим Триветт. — Кажется, здесь.

Они удалились от центра унылого табачного городка. Четверть часа они быстро шагали по серым осенним улицам, спустились с длинного, изборожденного колеями холма мимо редеющей убогости ветхих лачуг и оказались почти на окраине. До Рождества оставалось три недели. Туманный воздух был исполнен холодной угрозы. Угрюмую тишину прерывали только далекие слабые звуки. Они свернули на узкую немощеную дорогу, по обеим сторонам которой были разбросаны негритянские хижины и лачуги белых бедняков. Это был мир рахита. Фонарей не было. Их ноги сухо шуршали опавшими листьями.

Они остановились перед двухэтажным дощатым домом. За опущенными желтыми шторами тускло горела лампа, сея мутную золотую пыльцу в дымный воздух.

— Погоди, — сказал Джим Триветт шепотом. — Я сейчас узнаю.

Они услышали шаркающие по листьям шаги. Через секунду откуда-то вынырнул негр.

— Здорово, Джон, — сказал Джим Триветт еле слышно.

— Добрый вечер, хозяин! — ответил негр устало, но тем же тоном.

— Мы ищем дом Лили Джонс, — сказал Джим Триветт. — Это он?

— Да, сэр, — сказал негр. — Тот самый.

Юджин, прислонившись к дереву, слушал их заговорщический шепот. Ночь, огромная и настороженная, окружала его злым внимательным бдением. Губы у него похолодели и дрожали. Он всунул между ними сигарету и, ежась, поднял толстый воротник пальто.

— Мисс Лили знает, что вы придете? — спросил негр.

— Нет, — ответил Джим Триветт. — Ты ее знаешь?

— Да, сэр, — ответил негр. — Я вас провожу.

Они пошли к дому, а Юджин остался ждать в тени дерева. Они обошли парадное крыльцо и направились к боковому входу. Негр тихонько постучал в решетчатую дверь. Всегда решетчатые двери. Почему?

Он ждал, прощаясь с самим собой. Он стоял, занеся над своей жизнью клинок убийцы. Он по горло утонул в тине осложнений. Спасения не было.

Из дома доносился слабый приглушенный шум: голоса и смех и надтреснутое хрипение старого фонографа. Но как только негр постучал, там все смолкло. Ветхий дом, казалось, прислушивался. Мгновение спустя воровато скрипнула дверь: он уловил тихое испуганное журчанье женского голоса. Кто это? Кто?

Тут к нему вернулся Джим Триветт и сказал тихо:

— Все в порядке. Джин. Пошли!

Он сунул монету в ладонь негра. Один миг Юджин смотрел в широкое черное дружелюбие его лица. По его застывшему телу прокатилась теплая волна. Черный зазывала исполнял свою работу охотно и сердечно: на их неприглядную купленную любовь падала теплая тень его доброты.

Они тихо прошли по дорожке, поднялись на несколько ступенек и шагнули в зарешеченную дверь. Возле нее стояла женщина, пропуская их внутрь. Когда они переступили порог, она плотно закрыла дверь. Они пересекли маленькую веранду и вошли в дом.

Они оказались в небольшой прихожей, которая рассекала дом пополам. Коптящая лампа с прикрученным фитилем отбрасывала неясный круг света во тьму. Лестница без ковра вела наверх. Слева и справа были двери, и еще вешалка, на которой висела старая мужская фетровая шляпа.

Джим Триветт немедленно обнял женщину, усмехаясь и хватая ее за грудь.

— Привет, Лили, — сказал он.

— Господи! — Она бесформенно улыбнулась и продолжала смотреть на Юджина, любопытствуя, что выбросила ей пасть ночи. Потом, повернувшись к Джиму Триветту, сказала с грубым смехом:

— Ах, черт! Женщине, которая его заполучит, придется отрезать ему ноги по колено — уж очень они длинны.

— Я бы посмотрел на него с Тельмой! — сказал Джим Триветт, ухмыляясь.

Лили Джонс хрипло рассмеялась. Правая дверь открылась, и в прихожую вошла Тельма, маленькая, хрупкая женщина. Вслед ей несся визгливый бессмысленный смех. Джим Триветт нежно обнял ее.

— Господи! — сказала Тельма жестяным голоском. — Что это у нас здесь такое? — Она вытянула острое птичье личико и нагло уставилась на Юджина.

— Я привел тебе нового кавалера, Тельма, — сказал Джим Триветт.

— Вы когда-нибудь видели другого такого долговязого парня? — спросила Лили Джонс, ни к кому не обращаясь. — Какой твой рост, сынок? — добавила она добродушно, повернувшись к нему.

Его слегка передернуло.

— Не знаю, — ответил он. — Примерно, шесть футов три дюйма.

— Нет, он выше! — решительно заявила Тельма. — В нем не меньше семи футов, чтоб мне с этого места не сойти.

— Он последний раз мерился на прошлой неделе, — сказал Джим Триветт. — Так что точно он сказать не может.

— Да он же еще совсем молоденький, — сказала Лили, вглядываясь в него. — Сколько тебе лет, сынок?

Юджин отвернул бледное лицо в нерешительности.

— Мне. — Его голос сорвался. — Мне около...

— Ему скоро восемнадцать, — поддержал его Джим Триветт. — Можешь не беспокоиться. Длинный знает, что к чему. Он стреляный воробей. Я тебе врать не стану. Это точно.

— Что-то непохоже, — с сомнением сказала Лили. — По лицу ему не дашь больше пятнадцати. Да и лицо-то у него какое маленькое, — с недоумением докончила она.

— Другого у меня нет, — сердито сказал Юджин. — Извините, что не могу сменить его на другое, побольше.

— Оно чудно выглядит при таком росте, — терпеливо объяснила она.

Тельма толкнула ее в бок.

— Потому что у него кости большие, — сказала она. — Это парень хоть куда! Когда он обрастет мясом, то будет видным мужчиной. Ну и будешь же ты головы кружить, Длинный! — сказала она резко и сжала его холодную руку.

А в нем призрак, его незнакомец, отвернулся в печали. «Боже мой! Я буду это помнить», — подумал он.

— Ну, — сказал Джим Триветт, — довольно зря время терять.

Он снова обнял Тельму. Она кокетливо отбивалась.

— Иди наверх, сынок! — сказала Лили. — Я сейчас приду. Дверь открыта.

— Пока, Джин, — сказал Джим Триветт. — Не торопись, сынок.

Он грубовато обнял Юджина за плечи и ушел с Тельмой в левую дверь.

Юджин медленно поднялся по скрипучим ступенькам и вошел в открытую дверь. Жаркая масса углей тлела в камине. Он снял пальто и шляпу и бросил их на деревянную кровать. Потом он напряженно сел в качалку и наклонился вперед, вытянув дрожащие руки поближе к теплу. Комнату освещали только угли, но в их тусклом ровном красном отсвете он разглядел старые обои в грязных потеках, местами оборванные и свисающие шуршащими лентами. Он сидел тихо, наклонившись вперед, но время от времени все его тело сотрясала отчаянная дрожь. «Зачем я здесь? Это не я», — думал он.

Вскоре он услышал на лестнице тяжелые медленные шаги Лили. Она вошла в струящемся потоке света, держа перед собой лампу. Теперь он мог ее разглядеть. Лили была пожилая деревенская женщина, тяжеловесная, нездорово опухшая. У глаз ее и в уголках гладкого крестьянского рта лежала сетка тонких морщин, словно ей приходилось много работать на солнце. У нее были черные волосы, жесткие и густые. Она была густо напудрена белым тальком. Ее чистое широкое ситцевое платье было без пояса, как у обыкновенной домашней хозяйки, но в качестве уступки своей профессии она носила красные шелковые чулки и ночные туфли из красного фетра, обшитые мехом, в которых она шагала тяжело и косолапо.

Она закрыла дверь и подошла к камину, где стоял Юджин. Он обнял ее с лихорадочным желанием, лаская длинными нервными руками. Нерешительно он сел в качалку и неуклюже притянул ее к себе на колени. Она подчинялась его поцелуям с жесткой и бесстрастной скромностью провинциальной шлюхи, отворачивая рот. От прикосновения его холодных рук она вздрогнула.

— Ты холоден как лед, сынок, — сказала она. — Почему это?

Она принялась растирать его руки с грубым смущенным профессионализмом. Потом нетерпеливо встала.

— Ну, давай начинать, — сказала она, — где мои деньги?

Он сунул ей в руку две смятые бумажки.

Потом он лег рядом с ней. Он дрожал, расстроенный и бессильный. Страсть в нем умерла.

Прогоревшие угли провалились сквозь решетку. Утраченное яркое чудо погасло.

Когда он сошел вниз, Джим Триветт уже ждал в передней, держа Тельму за руку. Лили тихонько выпустила их наружу, сперва выглянув сквозь решетку в туман и прислушавшись.

— Потише, — прошептала она. — На той стороне кто-то стоит. Они вроде начали следить за нами.

— Приходи еще, Верзила, — пробормотала Тельма, сжимая его руку.

Они осторожно вышли и крадучись выбрались на дорогу. Туман сгустился: воздух был насыщен мелкими колючими каплями влаги.

На углу в свете фонаря Джим Триветт шумно с облегчением вздохнул и смело зашагал вперед.

— Черт! — сказал он. — Я думал, ты уж никогда не придешь. Чем ты там с ней занимался, Длинный? — Потом, заметив выражение лица мальчика, он добавил с живым сочувствием: — Что случилось, Джин? Тебе нехорошо!

— Погоди! — сказал Юджин невнятно. — Сейчас!

Он отошел к канаве, и его вырвало. Он выпрямился и вытер рот носовым платком.

— Ну, как? — спросил Джим Триветт. — Лучше?

— Да, — сказал Юджин. — Теперь все в порядке.

— Почему ты не сказал, что тебя тошнит? — заметил Джим Триветт с упреком.

— Это началось вдруг, — сказал Юджин и, помолчав, добавил: — Наверное, съел что-нибудь не то у этого проклятого грека.

— А мне так ничего, — сказал Джим Триветт. — Выпьешь чашку кофе, и все будет в порядке, — бодро добавил он.

Они медленно взбирались на холм. Мертвенный свет от мигающих фонарей на углах падал на фасады убогих домишек.

— Джим, — сказал Юджин после паузы.

— А? Что ты?

— Не говори, что меня тошнило, — неловко сказал он.

Джим Триветт посмотрел на него с удивлением.

— Почему? Тут же ничего нет такого, — сказал он. — Ерунда, сынок, стошнить может каждого.

— Да, конечно. Но ты все-таки не говори.

— Да ладно. Не скажу. Зачем мне? — сказал Джим Триветт.

Юджина преследовал его собственный призрак — он знал, что вернуть ничего нельзя. Три дня он избегал всех: он чувствовал на себе клеймо греха. Он выдавал себя каждым жестом, каждым словом. Он держался более вызывающе, смотрел на жизнь более враждебно. Он цеплялся за Джима Триветта, извлекая горькое удовольствие из его грубых дружеских похвал. Неудовлетворенное желание снова горело в нем. Оно победило физическое отвращение, нарисовало новые картины. В конце недели он опять поехал в Эксетер — один. Он чувствовал, что утратил себя безвозвратно. На этот раз он выбрал Тельму.

Когда он ехал на Рождество домой, его чресла были черны от скверны. Огромное тело штата распростерлось нагим гигантом под свинцовой изморосью небес. Поезд с ревом мчался по длинному подъему к Пидмонту. Ночью, пока он лежал на полке в болезненном полузабытьи, поезд вполз в великую крепость гор. Он смутно видел их зимние громады, угрюмые леса. Под мостом беззвучная, как сон, река белым канатом вилась между замерзшими берегами. Его измученное сердце воспряло среди всепроникающей извечности гор. Он родился в горах. Но на заре, когда он вышел из вагона вместе с остальными студентами, подавленность вернулась. Скопление жалких строений у вокзала показалось ему еще более жалким, чем всегда. Горы над плоскостью привокзальных улиц с их покосившимися домами казались неестественно близкими, как видение. Безмолвная площадь за его отсутствие как будто съежилась, а когда он спрыгнул с трамвая и пошел вниз по улице к «Диксиленду», он словно пожирал гигантскими шагами кукольные расстояния.

Рождество было серым и скучным. Без Хелен некому было придать ему теплоту. Гант и Элиза тяжело ощущали ее отсутствие. Бен приходил и уходил, как призрак. Люк на этот раз не приехал. А сам он был болен от стыда и утраты.

Он не знал, куда деваться. По ночам он расхаживал по холодной спальне, бормоча вслух, пока не появлялось встревоженное лицо Элизы над халатом. Отец стал ласковее и дряхлее. Его снова мучили боли. Он был рассеян и грустен. Он начал без интереса расспрашивать сына об университете. Слова застревали у Юджина в горле. Он пролепетал несколько ответов и бежал из дома от невидящего страха в глазах Ганта. Он много ходил и днем и ночью, пытаясь справиться с собственным страхом. Он верил, что поражен проказой. И ему оставалось только гнить. Заживо. Спасения не было. Ибо так учили моралисты его юности.

Он шагал в бесцельном отчаянии, не в состоянии хотя бы ненадолго утишить тревогу, снедавшую его беспокойные ноги. Он ушел в восточные горы за Негритянским кварталом. Зимнее солнце пробиралось сквозь туман. Низко на лугах и высоко на горах солнечный свет обмывал землю, как молоко.

Он стоял и глядел. Луч надежды прорезал тьму его духа. «Я пойду к моему брату», — подумал он.

Бен еще лежал в постели на Вудсон-стрит и курил. Он закрыл дверь и заметался по комнате.

— Бога ради! — сердито прикрикнул на него Бен. — Ты с ума сошел? Что с тобой стряслось?

— Я... я болен! — с трудом выговорил он.

— В чем дело? Где ты был? — резко спросил Бен. Он сел в постели.

— Я был с женщиной, — сказал Юджин.

— Сядь, Джин, — негромко сказал Бен, помолчав. — Не будь дурачком. Ты ведь от этого не умрешь. Когда это произошло?

Мальчик выпалил свою исповедь.

Бен встал и оделся.

— Идем! — сказал он. — К Макгайру.

Пока они шли, он пытался объяснить себе, бормоча бессвязно и торопливо.

— Было так... — начал он. — Если бы я знал, но тогда я не знал... конечно, я знаю, я сам виноват.

— О, Бога ради! — нетерпеливо сказал Бен. — Заткнись! Я не хочу ничего про это слышать. Я ведь не твой чертов ангел-хранитель.

Это было утешительно. Так много людей, стоит нам пасть, становятся нашими ангелами-хранителями.

Они поднялись по лестнице в темный широкий коридор «Дома терапевтов и хирургов», где стояли резкие и тревожные медицинские запахи. Приемная Макгайра была пуста. Бен постучал в дверь кабинета. Макгайр открыл ее и вытащил изо рта прилипшую к губе мокрую сигарету, чтобы поздороваться с ними.

— Здравствуй, Бен! Здорово, сынок! — рявкнул он, увидев Оджина. — Когда ты вернулся?

— Он думает, что умирает от скоротечной чахотки, Макгайр, — сказал Бен, мотнув головой. — Может быть, вы сумеете продлить его жизнь.

— В чем дело, сынок? — спросил Макгайр.

Юджин сухо глотнул, отвернув свинцово-синее лицо.

— Если вы не возражаете, — прохрипел он, — я бы... наедине. — Он в отчаянии повернулся к брату. — Подожди здесь. Я не хочу, чтобы ты входил.

— Я и не хочу идти с тобой, — сказал Бен ворчливо. — У меня хватает своих неприятностей.

Юджин вошел в кабинет следом за грузной фигурой Макгайра. Макгайр закрыл дверь и тяжело опустился в кресло у захламленного стола.

— Садись, сынок, — велел он, — и рассказывай.

Он зажег сигарету, ловко приклеил ее к отвисающей мокрой губе и внимательно поглядел на мальчика, на его искаженное лицо.

— Не торопись, сынок, — сказал он ласково, — возьми себя в руки. Что бы это ни было, можешь не сомневаться, что это и наполовину не так страшно, как ты думаешь.

— Это произошло так, — тихим голосом начал Юджин. — Я совершил ошибку. Я знаю это и готов принять все последствия. Я не ищу себе оправдания. — Его голос стал пронзительным, он приподнялся на стуле и начал свирепо бить кулаком по заваленному бумагами столу. — Я никого не виню. Понимаете?

Макгайр медленно повернул опухшее недоуменное лицо к своему пациенту. Мокрая сигарета смешно свисала из его полуоткрытого рта.

— Это должно быть мне понятно? — спросил он. — Послушай, Джин, о чем ты, черт подери, говоришь? Я ведь не Шерлок Холмс. Я твой врач. Выкладывай все начистоту.

Мальчик ответил с горько подергивающимся лицом.

— То, что сделал я, — сказал он трагически, — делают тысячи. О, может быть, они и притворяются, будто это не так. Но это так. Вы врач — вы это знаете. И люди, занимающие в обществе высокое положение. Я — один из тех, кому не повезло. Я попался. Чем я хуже других? Почему... — продолжал он риторически.

— По-моему, я понял, к чему ты клонишь, — сухо сказал Макгайр. — Давай посмотрим, сынок.

Юджин лихорадочно повиновался, все еще декламируя:

— Почему я должен носить стигму позора, а другие отделываются ничем? Лицемеры — толпа проклятых, грязных, хнычущих лицемеров, вот они кто! Двойная мораль! Ха! Где тут справедливость, где честность? Почему винят меня, когда люди из высшего общества...

Макгайр кончил свой критический осмотр и, подняв большую голову, комически рявкнул:

— Да кто тебя винит? Не думаешь же ты, что ты первый такой выискался? К тому же у тебя ничего и нет.

— Вы... вы можете вылечить меня? — спросил Юджин.

— Нет. Ты неизлечим, сынок! — сказал Макгайр. Он нацарапал на бланке какие-то иероглифы. — Отдашь это аптекарю, — сказал он. — А в будущем будь осторожнее в выборе друзей. Люди из высшего общества? — Он усмехнулся. — Так вот где ты вращался?

Страшное бремя крови и слез спало с сердца мальчика, он испытывал головокружительное облегчение, счастливое безумие, говорил, сам не зная что.

Он открыл дверь и вышел в приемную. Бен нервно вскочил со стула.

— Ну, — сказал он, — сколько ему еще осталось жить? — Потом серьезно и тихо он добавил: — Он ведь здоров?

— Да, — сказал Макгайр. — По-моему, он немного свихнутый. Но ведь вы все такие.

Когда они вышли на улицу, Бен спросил:

— Ты что-нибудь ел?

— Нет, — сказал Юджин.

— Когда ты ел в последний раз?

— Вчера, кажется, — сказал Юджин. — Не помню точно.

— Проклятый идиот! — пробормотал Бен. — Пошли есть.

Это предложение понравилось Юджину. Мир ласково купался в молочном зимнем свете. Приехавшие на зимние каникулы студенты ненадолго пробудили город от зимнего оцепенения — теплые быстрые течения жизни бурлили на тротуарах. Он шел рядом с Беном широкими подпрыгивающими шагами, не в силах совладать с поднимавшейся опарою в его душе. В конце концов на улице, полной деловой суматохи, он не выдержал и, высоко подпрыгнув, испустил ликующий клич:

— Скви-и-и!

— Идиот! — резко сказал Бен. — Ты с ума сошел?

Он яростно нахмурился, потом с узкой улыбкой обернулся к хохочущему прохожему.

— Держи его, Бен! — завопил Джим Поллок, ядовитый маленький человечек с восковой улыбкой под черными усами, старший наборщик и социалист.

— Если отрубить его дурацкие ноги, он взовьется вверх, как воздушный шар, — сказал Бен.

Они вошли в большую новую закусочную и сели за столик.

— Что возьмете? — спросил официант.

— Чашку кофе и кусок мясного пирога, — сказал Бен.

— Мне то же самое, — сказал Юджин.

— Ешь! — яростно сказал Бен. — Ешь!

Юджин задумчиво изучал меню.

— Принесите мне телячьи котлеты в томатном соусе, — сказал он, — с гарниром из тушеной картошки, потом морковь с горошком в сметане и тарелку горячих бисквитов. И еще чашку кофе

Юджин воспрянул духом. Воспрянул безудержно и без оглядки со стихийной буйностью. В оставшиеся дни каникул он беззаботно смешивался с оживленной толпой, смело, но без наглости оглядывал молодых женщин и девушек. Они внезапно украсили зловещую унылую зиму, как дивные цветы. Он был полон радости жизни и одинок. Страх — это дракон, обитающий в армиях и в толпе. Он редко навещает тех, кто одинок. Юджин был выпущен на свободу — за последнюю ограду отчаяния.

Свободный и одинокий, он с отчуждением провидца смотрел на окружающий мир обладаемых и обладающих. Жизнь предлагала себя его ищущим пальцам, как странный и горький плод. Пусть огромный клан, сгрудившийся в блокгаузе во имя тепла и безопасности, когда-нибудь затравит его и убьет; он думал, что так оно и будет.

Но теперь он не боялся, он был доволен — лишь бы борьба оказалась плодотворной. Он вглядывался в толпы, отмеченные для него знаком опасности, и выискивал в них то, чего он мог бы пожелать и взять.

Он возвращался в университет неуязвимым для насмешек, — в горячем зеленом пульмане они надвинулись на него стеной ядовитых шуточек, но сразу же отступили в растерянности, едва он яростно ответил им тем же.

Рядом с ним уселся Том Френч, красивое лицо которого было отмечено жесткой наглостью богатства. За ним следовал его придворный шут Рой Данкен, раб, смеявшийся пронзительно и бездумно.

— А, Гант! — сказал Том Френч грубо. — Заглядывал на этих днях в Эксетер?

Он хмурил брови и подмигивал ухмыляющемуся Рою.

— Да, — ответил Юджин. — Я был там недавно и сейчас туда собираюсь. А тебе какое дело, Френч?

Растерявшись от такого резкого отпора, сын богача отступил

— Мы слышали, ты у них ходишь в первых, Джин, — сказал Рой Данкен, хихикая.

— Кто «мы»? — сказал Юджин. — У кого «у них»?

— Говорят, — сказал Том Френч, — ты чист, как канализационная труба.

— Если мне потребуется почиститься, — сказал Юджин, — я ведь могу воспользоваться чистолем «Золотые Близнецы», не так ли? Френч и Данкен, Золотые Близнецы, которые всегда бездельничают.

Сидевшие впереди и сзади ухмыляющиеся студенты, молодые беспристрастные животные, громко захохотали.

— Так их! Так их! Валяй, Джин! — вполголоса сказал Зино Кокрен. Это был высокий двадцатилетний юноша, тонкий и сильный, изящный, как скаковая лошадь. Он посылал мяч против ветра на восемьдесят ярдов в игре на кубок Йэльского университета. Он был красавец, говорил всегда мягко и держался с бесстрашным добродушием атлета.

Сбитый с толку, обозленный Том Френч сказал угрюмо и хвастливо:

— Меня никто ни в чем уличить не сможет. Я для них слишком ловок. Обо мне никто ничего не знает.

— Другими словами, — сказал Юджин, — все знают о тебе все, и никто не хочет знать о тебе хоть что-нибудь.

Вокруг захохотали.

— Здорово! — сказал Джимми Ревелл.

— Так как же, Том? — спросил он с вызовом. Это был маленький толстячок, сын плотника, оскорбительно примерный студент, который разными способами зарабатывал деньги, чтобы платить за обучение. Он любил «подначивать», подстрекать и маскировал вульгарность и злорадство притворным, громогласным добродушием.

Юджин спокойно отчитывал Тома Френча.

— Хватит, — сказал он. — Не продолжай, потому что тебя тут слушают другие. По-моему, это не смешно. Мне это не нравится. Мне не нравишься ты. Оставь меня в покое. Слышишь?

— Пошли! — сказал Рой Данкен, вставая. — Оставь его в покое, Том. Он не понимает шуток. Серьезная натура!

Они пересели. А Юджин невозмутимо, но с облегчением отвернулся к необъятным унылым просторам земли, серым и морозным в железных тисках зимы.

Зима кончилась. Оледеневшая земля становилась все мягче от дождя и оттепелей. Городские улицы и дорожки между университетскими корпусами превратились в окопы, полные жидкой грязи. Прошел холодный ливень, и трава рванулась в рост зелеными мокрыми пятнами. Он бегал по этим дорожкам, прыгая, как кенгуру, высоко подскакивая, чтобы схватить зубами ветку с набухшими почками. Он испускал громкий горловой клич — пронзительное ржание, крик человека и зверя, крик кентавра, который в едином вопле изливает всю боль, радость и страсть, переполняющие его сердце. А на другой день он брел, уныло понурившись под непрошеной ношей усталости и тоски.

Он потерял счет часов — чувства времени у него не было, — спал, работал или отдыхал, когда попало, хотя аккуратно ходил на занятия и ел достаточно регулярно, волей-неволей подчиняясь порядкам столовой или пансиона. Еда была обильная, грубая, жирная и плохо приготовленная. Она стоила дешево: в университете — двенадцать долларов в месяц, в пансионе — пятнадцать. Он питался в университете месяц, потом не выдержал — его интерес к еде был слишком глубок и интеллигентен. Столовая помещалась в большом неуютном здании из белого кирпича. Официально она называлась «Стиггинс-Холл», но студенты выразительно и кратко окрестили ее «Хлевом».

Несколько раз он ездил в гости к Хелен и Хью Бартонам. Они жили в тридцати пяти милях оттуда в Сиднее, столице штата. Это был город с тридцатью тысячами жителей, сонный, с тихими тротуарами, осененными густыми деревьями, с Капитолием на центральной площади, от которой лучами расходились улицы. В начале главной улицы наискосок от Капитолия стояло бурое облезлое здание из замшелого камня — дешевый отель и самый большой и известный публичный дом в городе. Еще в городе было три женских колледжа, различавшихся вероисповеданием учащихся.

Бартоны снимали квартиру в старом особняке, недалеко от резиденции губернатора. У них было три или четыре комнаты на первом этаже.

Именно в Сидней молодым человеком приехал Гант по пути из Балтимора на Юг. Именно в Сиднее он открыл свою первую мастерскую и, потеряв вложенные в нее деньги, навсегда возненавидел собственность. Именно в Сиднее он познакомился и сочетался браком со святой Синтией, туберкулезной старой девой, которая умерла через два года после свадьбы.

Огромный призрак их отца тяготел над ними: он нависал над городом, над палящим забвением лет, которое стирает все наши следы.

Вместе они рыскали по убогим улочкам, пока не отыскали жалкую лавчонку на границе негритянского квартала.

— Наверное, это было здесь, — сказала она. — Его мастерская стояла здесь. Теперь ее нет.

Она немного помолчала.

— Бедный старый папа! — И отвернулась со слезами на глазах.

На этом тусклом мире не сохранилось следа его огромной руки. Виноградные лозы не обвивали домов. Та его часть, которая жила здесь, была погребена — погребена вместе с покойницей под длинными серыми волнами лет. Они стояли в этом чужом месте безмолвно и испуганно, ожидая услышать его голос с тем чающим неверием, с каким можно искать Бога в Бруклине.

В апреле Америка объявила войну Германии. Не прошло и месяца, как все годные молодые люди в Пулпит-Хилле — те, кому уже исполнился двадцать один год, — записались в армию. Он наблюдал, как в гимнастическом зале их осматривали врачи, и завидовал невинной беззаботности, с какой они раздевались донага. Они небрежно бросали одежду в кучу и вытягивались перед врачом, смеющиеся, уверенные. У них были чистые сильные тела, крепкие белые зубы, быстрые и ловкие движения. Первыми ушли в армию члены университетского клуба — веселые, оригинальничающие снобы, с которыми он не был знаком, некоторые теперь воплощали для него высочайший светский аристократизм. Он видел, как они блаженно бездельничали на широких верандах клуба — этого храма, где свершались заключительные ужасные обряды посвящения. Он видел, как они — всегда вместе, всегда в стороне от стада непосвященных — пересмеивались на почте над своими письмами или играли в аптеках на имбирное пиво. И с сознанием своей неполноценности, с завистью, с мукой пария он наблюдал, как они вели осаду какого-нибудь первокурсника их круга — куда более элегантного, чем он, из известной и богатой семьи. На самом деле они были всего только сыновьями провинциальных богачей, влиятельных только в своем городке или приходе, но когда он видел, как они, до конца уверенные в себе, с такой смеющейся непринужденностью, в отлично сшитых костюмах, изысканно и безупречно одетые, проходили в толпе студентов поплоше, которые неуклюже деревенели от крестьянской враждебности и смущения, они были цветом рыцарства, сыновьями знатных родов. Они были из Сиднея, Райли, Нашвилла. И вот теперь, как подобает джентльменам, они шли на войну.

В гимнастическом зале было душно от запаха пара и вспотевших людей, которые проходили в душевые с футбольного поля. Чисто вымытый, расстегнув ворот рубашки, Юджин медленно шел по дорожке под развертывающимися молодыми листьями; рядом с ним шагал Ральф Хендрикс, его знакомый.

— Погляди-ка, — сказал Ральф Хендрикс тихо и злобно. — Нет, ты только погляди! — Он кивнул в сторону идущей впереди группы студентов. — Эта задница гоняется за нашими красавчиками повсюду.

Юджин поглядел, а потом повернулся и внимательно посмотрел на ожесточенное плебейское лицо рядом с собой. Каждую субботу вечером после заседания литературного общества Ральф Хендрикс заходил в аптеку и покупал две дешевые сигары. У него были сутулые узкие плечи, белое узловатое лицо и низкий лоб. Говорил он монотонно, с оттяжкой. Его отец был мастером на бумагопрядильной фабрике.

— Все они задницы, — сказал он. — Но я не собираюсь к ним подлизываться, чтобы попасть в их паршивый клуб, пусть проваливаются ко всем чертям.

— Да, — сказал Юджин.

Но сам он хотел бы туда попасть. Он хотел быть аристократически беззаботным. Он хотел носить отлично сшитые костюмы. Он хотел быть джентльменом. Он хотел отправиться на войну.

Несколько студентов, прошедших комиссию, вышли из общежития с чемоданами. Они свернули на аллею, ведущую к воротам. Время от времени они приветственно помахивали руками.

— Пока, ребята! Увидимся в Берлине!

Сияющее, разделяющее море приблизилось и стало менее широким.

Он читал много — но беспорядочно, для собственного удовольствия. Он читал Дефо, Смоллетта, Стерна и Филдинга — соль английского романа, которая в царствование Виндзорской Вдовы* была утрачена, залитая океаном чая и патоки. Он читал новеллы Боккаччо и все, что осталось от потрепанного экземпляра «Гептамерона»*. По совету «Щеголя» Бенсона он прочел мэрреевского Еврипида* (в то время он читал по-гречески «Алкесту»* — самый благородный и самый прекрасный из мифов о Любви и Смерти) Он почувствовал величие легенды о Прометее, — но легенда тронула его больше, чем трагедия Эсхила. По правде говоря Эсхила он находил неизмеримо высоким и... скучным: он не понимал, чем объясняется его слава. Или, вернее, — понимал. Эсхил был — Литературой с большой буквы, создателем шедевров. Он был почти так же нуден, как Цицерон — этот напыщенный старый моралист, который так смело отстаивал Старость и Дружбу. Софокл был царственным поэтом, он говорил как Бог — в блеске молний; «Царь Эдип» — не только величайшая пьеса в мире, но и один из самых захватывающих сюжетов. Этот сюжет — совершенный, исполненный неотвратимости и невероятный — обрушивал на него кошмар совпадений, рождаемых Роком. И он как птица замирал перед этим великим змеиным оком мудрости и ужаса. А Еврипида (что бы ни говорили педанты) он считал величайшим лирическим певцом всех веков.

Он любил все страшные сказки и прихотливые выдумки и в прозе и в стихах, от «Золотого осла»* до Сэмюэля Тэйлора Колриджа, владыки луны и волшебств. Сказочное он любил повсюду, где бы ни встречал.

Лучшие сказочники часто бывали великими сатириками: сатира (такая, как у Аристофана, Вольтера и Свифта) — высокое и тонкое искусство; далеко отстоящее от казарменных анекдотов и стандартных коммивояжерских острот дней нынешнего упадка. Великая сатира питается великой сказкой. Изобретательность Свифта несравненна — мир не знал лучшего сказочника.

Он прочел рассказы По, «Франкенштейна»* и пьесы лорда Дансени. Он прочел «Сэра Гавейна и Зеленого Рыцаря»* и «Книгу Товита»*. Он не искал объяснений своим призракам и чудесам. Волшебство это волшебство. Он жаждал призраков старины — не индейских, а в латах, духов древних королей и дам в высоких конических головных уборах. Затем впервые он начал думать об одинокой земле, на которой он жил. Ему вдруг показалось странным, что он читает Еврипида здесь, в глуши.

Вокруг был городок, за ним — уродливая холмистая равнина с разбросанными на ней бедными фермами, а за всем этим была Америка: еще такая же земля, еще такие же деревянные домишки, еще города, безжалостные, грубые, уродливые. Он читал Еврипида, а вокруг него мир белых и черных ел жареное. Он читал о древнем волхвовании и призраках, но разве по этой земле когда-нибудь бродил древний призрак? Призрак отца Гамлета — в Коннектикуте.

> ...Я дух — родного твоего отца —
> На некий срок скитаться осужден*
> Меж Блумингтоном и Портлендом (штат Мэн).

Он вдруг ощутил опустошительную бренность своей страны. Только земля пребывала — огромная американская земля, несущая на своей грозной груди мир рахитичной ветхости. Только земля пребывала — эта широкая поразительная земля, у которой не было своих древних призраков. И не было занесенной песками, опрокинутой, распавшейся среди колонн древних затерянных храмов, — не было здесь разбитой статуи Менкауры, алебастровой головы Эхнатона. Ничто не изваивалось в камне. Только эта земля пребывала, на чьей одинокой груди он читал Еврипида. Он был пленник, запертый в ее горах, по ее равнине он шел один, всем чужой.

Боже! Боже! Мы были изгнанниками в другой стране и чужими — в своей. Горы были нашими хозяевами — они овладели нашими глазами и нашим сердцем, когда нам еще не было пяти. И все, что мы сделаем или скажем, будет навеки ограничено горами. Наши чувства вскормлены нашей поразительной землей; наша кровь научилась прилаживаться к царственному пульсу Америки, которую — и покидая ее — мы не можем утратить, не можем забыть. Мы шли по дороге в Камберленде и пригибались — так низко нависало небо, а убегая из Лондона, мы шли вдоль маленьких рек, которым только-только хватало их земли. И нигде не было дали, земля и небо были тесны и близки. И вновь пробудился старый голод — страшный и смутный голод, который томит и пытает американцев, делает нас изгнанниками у себя дома и чужими в любой другой стране.

Весной Элиза приехала к Хелен в Сидней. Хелен стала теперь спокойнее, печальнее и задумчивее. Она была укрощена своей новой жизнью, подавлена своей безвестностью. Она тосковала по Ганту куда больше, чем признавалась вслух. Она тосковала по горному городку.

— Ну и сколько же вы платите за это помещение? — сказала Элиза, критически оглядываясь.

— Пятьдесят долларов в месяц, — сказала Хелен.

— С обстановкой?

— Нет, нам пришлось купить мебель.

— Знаешь что — это дорого, — сказала Элиза. — За первый-то этаж! По-моему, у нас квартирная плата ниже.

— Да, конечно, это дорого, — сказала Хелен. — Но, Боже великий, мама! Разве ты не понимаешь, что это лучший район города? До резиденции губернатора всего два квартала. Мисси Мэтьюс не простая содержательница пансиона, можешь мне пове рить. Нет, сэр! — воскликнула она, смеясь. — Она важная персона: бывает на всех приемах и постоянно упоминается в газетах. Видишь ли, нам с Хью надо жить прилично. Ведь он еще только начинает здесь.

— Да, я знаю, — согласилась Элиза задумчиво. — Как у него идут дела?

— О'Тул говорит, что он его лучший агент, — ответила Хелен. — Хью — молодец. Мы с ним вместе могли бы прекрасно жить где угодно, но только без его проклятой родни. Иногда меня просто зло берет, когда я вижу, как он надрывается, чтобы О'Тул мог потуже набить карман. Он работает как лошадь. Знаешь, О'Тул получает проценты с каждой его продажи. И миссис О'Тул, и ее две дочки разъезжают в громадном автомобиле и никогда палец о палец не ударят. Они католики, но им надо всюду поспеть.

— Знаешь что, — сказала Элиза с робкой полусерьезной улыбкой, — почему бы Хью не стать самому себе хозяином? Какой смысл работать на другого! Вот что, деточка, — воскликнула она, — пусть-ка он попробует получить алтамонтское агентство! Тот, кто у них там сейчас, по-моему, никуда не годится. Хью это место сразу получит.

Наступило молчание.

— Мы об этом думали, — неохотно призналась Хелен. — Хью написал в контору. Во всяком случае, — добавила она немного погодя, — там он будет сам себе хозяин. Это уже что-то.

— Ну, — медленно сказала Элиза, — не знаю, но, по-моему, это было бы неплохо. Если он будет работать усердно, не вижу, почему бы делу не процветать. Твой папа последнее время опять жалуется на свои боли. Он будет рад, если ты вернешься. — Она медленно покачала головой. — Детка! Они там совсем ему не помогли. Все началось снова.

На Пасху они на два дня приехали в Пулпит-Хилл. Элиза повезла Юджина в Эксетер и купила ему костюм.

— Мне не нравятся эти кургузые брючки, — сказала она приказчику. — Мне надо что-нибудь такое, в чем он будет выглядеть мужчиной.

Когда он был одет во все новое, она сморщила губы в улыбку и сказала:

— Подтянись, милый! Расправь плечи. Твой отец, ничего не скажешь, всегда держится прямо, как стрела. Если будешь так сутулиться, то наживешь себе чахотку к двадцати пяти годам.

— Познакомьтесь с моей матерью, — неловко сказал он мистеру Джозефу Баллантайну, благовоспитанному розовому юнцу, которого недавно выбрали старостой первого курса.

— Вы, видно, ловкий молодой человек, — сказала Элиза, улыбаясь. — Давайте заключим сделку. Если вы найдете мне клиентов из ваших друзей в этой части штата, можете пожить у меня бесплатно. Вот вам мои карточки, — добавила она, открывая сумку. — Раздайте их при случае и порекомендуйте «Диксиленд» в Стране Небес.

— Да, сударыня, — сказал мистер Баллантайн медленно и с удивлением. — Не премину.

Юджин повернул к Хелен пылающее расстроенное лицо. Она хрипловато засмеялась, а потом повернулась к старосте первого курса и сказала:

— Вы всегда будете у нас желанным гостем, мистер Баллантайн, найдете вы клиентов или нет. Для вас мы всегда найдем место.

Когда они остались одни и он принялся, заикаясь, бессвязно возмущаться, она сказала с досадливой усмешкой:

— Да, я знаю. Это не легко. Но ведь ты-то почти все время свободен от этого. Тебе повезло. Теперь ты видишь, что мне пришлось выслушивать всю прошлую неделю? Видишь?

Когда в конце мая он приехал домой на каникулы, оказалось, что Хелен и Хью Бартон его опередили. Они поселились у Ганта на Вудсон-стрит. Хью Бартон получил алтамонтское агентство.

И город и страну снедала патриотическая лихорадка — бурная, бестолковая и бессмысленная. Сыны свободы должны сокрушить («истребить», — как выразился преподобный мистер Смоллвуд) семя Аттилы*. Военные займы, боны свободы, речи, разговоры о призыве — и тоненькая струйка янки, льющаяся во Францию. Першинг* прибыл в Париж и заявил: «Лафайет*, мы здесь!» Но французы все еще ждали. Бен пошел на призывной пункт и был забракован. «Слабые легкие, — сказали ему решительно. — О нет, не туберкулез. Предрасположение. Истощение». Он выругался. Его лицо стало еще больше походить на клинок, стало тоньше, серее. Складка между нахмуренными бровями залегла глубже. Он словно стал еще более одиноким.

Юджин вернулся в горы и застал их в пышной прелести юного лета. «Диксиленд» был наполовину полон. Прибывали все новые постояльцы.

Юджину было шестнадцать лет. Он был студентом. Вечером он бродил среди праздничной толпы в веселом возбуждении, радостно отвечая на дружеские приветствия, испытывая удовольствие от бездумных шуток.

— Говорят, ты там на поле первый, сынок, — кричал мистер Вуд, толстенький молодой аптекарь, которому никто ничего не говорил. — Это дело! Задай им жару! — И он бодро проходил дальше по цветущему оазису своей аптеки. Жужжали вентиляторы.

В конце концов, думал Юджин, дело обстоит не так уж плохо. Он получил первые раны. Он выстоял. Он познал горькую тайну любви. Он жил в одиночестве.

XXX

В «Диксиленде» поселилась девушка по имени Лора Джеймс. Ей шел двадцать второй год. Но выглядела она моложе. Когда он приехал, она уже жила там.

Лора была стройная девушка среднего роста, но выглядела высокой. Ее отличала упругость форм, и она всегда казалась свежей, умытой, чистой. Густые совсем прямые белокурые волосы плоским обручем охватывали маленькую голову. По белому лицу были рассыпаны мелкие веснушки. Глаза у нее были ласковые, искренние, покошачьи зеленые. Нос, чуть широковатый для ее лица, был вздернут. Она не была хорошенькой. Одевалась она просто и элегантно в короткие плиссированные юбки и вязаные шелковые кофточки.

Кроме нее, молодежи в «Диксиленде» не было. Юджин разговаривал с ней стеснительно и надменно. Он находил ее скучной и некрасивой. Но он все чаще сидел с ней по вечерам на веранде. Почему-то он начал ее любить.

Он не знал, что любит ее. Когда они сидели рядом на веранде на деревянных качелях, он хвастал и задирал нос. Но он вдыхал чистый аромат ее чудесного юного тела. Он попал в капкан жестокой нежности ее ясных зеленых глаз, запутался в легкой паутине ее улыбки.

Лора Джеймс жила на востоке штата, — еще дальше к востоку, чем Пулпит-Хилл, в маленьком городке, стоявшем на соленой реке, рассекающей большую приморскую равнину. Отец ее был богатый оптовый торговец. Девушка была его единственным ребенком и тратила деньги, не считая.

Как-то вечером Юджин сидел на перилах веранды и разговаривал с ней. Раньше он только кивал ей или цедил сквозь зубы одно-два слова. Вначале они запинались с болезненным смущением, ощущая каждую паузу.

— Вы ведь из Литтл-Ричмонда? — спросил он.

— Да, — сказала Лора Джеймс. — Вы кого-нибудь там знаете?

— Да, — сказал он. — Я знаю Джона Байнума и еще Фиклена. Они ведь из Литтл-Ричмонда?

— А! Дэйв Фиклен! Вы его знаете? Ах, да! Они же оба учатся в Пулпит-Хилле. Вы там учитесь?

— Да, — сказал он. — Там я с ними и познакомился.

— А двух Барлоу вы знаете? — спросила Лора Джеймс.

Он видел их. Они были футболистами, важными шишками.

— Да, я знаю их, — сказал он. — Рой Барлоу и Джек Барлоу.

— А «Снукса» Уоррена вы знаете? Он третьекурсник.

— Да. Их у нас называют выжималы, — сказал Юджин.

— А к какому клубу вы принадлежите? — спросила Лора Джеймс.

— Ни к какому, — сказал он неохотно. — Я ведь был первокурсником.

— Некоторые из моих лучших друзей не вступили ни в какие клубы, — сказала Лора Джеймс.

Они начали встречаться все чаще, не условливаясь заранее, и вскоре по молчаливому соглашению уже проводили вместе на веранде все вечера. Иногда они прогуливались по темным прохладным улицам. Иногда он неуклюже сопровождал ее в город, в кино, и со смущенным воинственным задором юности вел ее мимо праздных бездельников у аптеки Вуда. Часто он водил ее на Вудсон-стрит, и Хелен предоставляла в их распоряжение прохладное уединение веранды. Она очень привязалась к Лоре Джеймс.

— Она хорошая девушка. Милая девушка. Мне она нравится. Ну, а приза на конкурсе красоты она, конечно, не получит, ведь так? — И она засмеялась с добродушной насмешкой.

Это его рассердило.

— Ничего подобного, — сказал он. — Она вовсе не так некрасива, как ты намекаешь.

Но она была некрасива — чистой и привлекательной некрасивостью. Лицо ее по носу и вокруг рта усыпали веснушки, черты лица были живые, непосредственные, вздернутые кверху неправильно и задорно. Но она была изумительно сложена и ухожена: в юных линиях ее тела жила весна — расцветающая, легкая, девственная. Она была, как что-то быстрое, крылатое, порхающее по лесу — где-то среди оперенных деревьев, непойманное, невидимое.

Он пытался облечься перед ней в броню. Он выламывался перед ней. Может быть, думал он, если он покажется ей великолепным, она не заметит уродливого хаоса и убогости мира, в котором он обитает.

По ту сторону улицы на широком газоне «Брауншвейга» — того большого кирпичного дома с мансардами, который некогда служил предметом вожделений Элизы, — мистер Пратт, пресмыкавшийся в убожестве жалкого мирка, составляющего удел мужа владелицы пансиона, поливал из шланга зеленую траву. Сверкающие струи воды вспыхивали в красном сиянии заката. Красный свет падал на его бритое заострившееся лицо, мерцал на пружинных браслетах, поддерживающих его рукава. По ту сторону дорожки, на соседнем зеленом прямоугольнике группа мужчин и женщин играла в крокет. С увитой виноградом террасы доносился смех. В соседнем доме, у Белтонов, постояльцы собрались на крыльце и оживленно болтали. Пришел актер-комик из «Скитальцев Юга» с двумя хористками. Это был маленький человечек с лицом хорька и без верхних зубов. На нем была соломенная шляпа с полосатой лентой и голубая рубашка. Постояльцы окружили его. Тотчас же раздался визгливый смех.

Джулиус Артур промчался в автомобиле вниз по холму, отвозя домой своего отца. Он косо ухмыльнулся и помахал рукой. Преуспевающий адвокат с любопытством повернул ван-дейковское пухлое лицо на сухой шее. Он не улыбнулся.

В «Брауншвейге» негритянка несколько раз ударила в японский гонг. На террасе раздалось шарканье; игроки в крокет побросали молотки и быстро направились к дому. Пратт наматывал шланг на деревянную катушку.

На неторопливый звон колокола белтоновские постояльцы, толкаясь, ринулись к двери. Вскоре раздался стук тяжелых тарелок и громкое чавканье многих ртов. Постояльцы на крыльце «Диксиленда» стали качаться быстрее, недовольно бормоча.

Юджин разговаривал с Лорой в сгущающейся тьме, закутывая свою боль покровом высокомерия и равнодушия. Лицо Элизы — белый мазок в темноте — возникло за сетчатой дверью.

— Идите сюда, миссис Гант, подышите воздухом, — сказала Лора Джеймс.

— Да что вы, детка. Я сейчас не могу. Кто это с вами? — воскликнула она в явном волнении и приоткрыла дверь. — А! Э? Вы не видели Джина? Это Джин?

— Да, — сказал он. — В чем дело?

— Пойди-ка сюда на минутку, милый, — сказала она.

Он вошел в холл.

— Что случилось? — спросил он.

— Подумать только, сын! Я прямо не знаю. Ты должен что-нибудь сделать, — прошептала она, выгибая руки.

— Да в чем дело, мама? О чем ты говоришь? — раздраженно воскликнул он.

— Ну... Только что позвонил Жаннадо. Твой отец опять запил и идет сюда. Детка! Он может натворить бог знает что. А у меня полон дом людей. Он разорит нас. — Она заплакала. — Попробуй остановить его. Уговори его как-нибудь. Отведи его на Вудсон-стрит.

Он быстро взял шляпу и выбежал в дверь.

— Куда вы идете? — спросила Лора Джеймс. — Разве вы не будете ужинать?

— Мне надо в город, — сказал он. — Я скоро вернусь. Вы подождете меня?

— Да, — сказала она.

Он выскочил на дорожку как раз в тот момент, когда его отец, пошатываясь, вошел в калитку и побрел вдоль высокой зеленой изгороди, которая отделяла «Диксиленд» от обширного двора прокуратуры. Гант выписывал губительные петли среди лилий бордюра, потом через газон направился к веранде. На нижней ступеньке он споткнулся, выругался и растянулся на лестнице. Юджин бросился к нему и, почти протащив огромное пьяное тело по ступенькам, с трудом поставил его вертикально. Постояльцы сбились в кучку, испуганно задвигав стульями. Он приветствовал их презрительным воющим хохотом:

— А, вы здесь? Я говорю, вы здесь? Подлейшие из подлых, пансионные свиньи! Боже милосердный! Какая насмешка судьбы! Насмешка природы! Вот до чего дошло дело!

Он разразился громким безумным смехом.

— Папа! Пойдем! — тихо сказал Юджин.

Он осторожно потянул отца за рукав. Гант одним взмахом руки отшвырнул его на другой конец веранды. Когда он снова бросился к нему, Гант замахнулся на него, но он без труда увернулся от огромного кулака и подхватил в объятия потерявшее равновесие тело. Потом быстро, прежде чем Гант успел опомниться, он потащил его к сетчатой двери, поддерживая сзади. Постояльцы бросились врассыпную, как воробьи. Но Лора Джеймс оказалась у двери раньше него. Она распахнула ее.

— Уйдите! Уйдите! — восклицал он, вне себя от стыда и гнева. — Не вмешивайтесь в это! — Он презирал ее сейчас за то, что она видит его боль.

— Нет, разрешите мне помочь вам, милый! — прошептала Лора Джеймс. На ее глазах стояли слезы, но она не боялась.

Отец и сын кучей ввалились в темный холл. Элиза, плача и размахивая руками, шла впереди.

— Веди его сюда. Веди его сюда, — шепнула она, указывая на большую спальню в дальнем конце коридора. Юджин протолкнул отца мимо тупика ванной и опрокинул его на скрипящие пружины железной кровати.

— Проклятый негодяй! — завопил Гант, стараясь дотянуться до него длинной рукой. — Пусти, не то я тебя убью!

— Ради Бога, папа! — сердито уговаривал он. — Успокойся. Тебя по всему городу слышно.

— К черту их всех! — взревел Гант. — Горные свиньи — вот они кто, жиреющие на крови моего сердца. Они меня доконали, Бог свидетель.

В дверях появилась Элиза с лицом, перекошенным от плача.

— Сын, заставь же его замолчать! — сказала она. — Он нас разорит. Он их всех распугает.

Увидев Элизу, Гант попытался встать. Ее белое лицо привело его в исступление.

— Вот оно! Вот! Вот! Ты видишь? Адское лицо, которое мне так хорошо знакомо, злорадно торжествует над моими горестями. Погляди на него! Погляди! Видишь эту злобную хитрую улыбку? Грили, Уилл, Боров! Старый майор! Все достанется сборщику налогов, а я умру в грязной канаве.

— Если бы не я, — начала уязвленная Элиза, — вы бы давно там умерли!

— Мама, ради Бога! — вскричал Юджин. — Не стой здесь и не разговаривай с ним. Разве ты не видишь, как это на него действует! Сделай что-нибудь, ради всего святого! Пошли за Хелен! Где она?

— Я положу этому конец! — завопил Гант и, пошатываясь, встал на ноги. — Теперь я один буду хозяином!

Элиза исчезла.

— Да, сэр, да, папа. Все будет хорошо, — уговаривал Юджин, снова толкая его на постель. Он быстро опустился на колени и принялся стаскивать мягкий сапог Ганта, продолжая успокаивающе бормотать: — Да, сэр. Мы сейчас дадим вам горячего супчику и мигом уложим вас в постель. Все будет хорошо. — Сапог оказался у него в руках, и он отлетел в другой конец комнаты, чему немало помог яростный пинок Ганта.

Гант поднялся на ноги и, на прощанье пнув упавшего сына еще раз, качнулся к двери. Юджин вскочил и прыгнул за ним. Оба они тяжело ударились о шершавую штукатурку стены. Гант ругался, неуклюже замахиваясь на своего мучителя. Вошла Хелен.

— Деточка! — заплакал Гант. — Они хотят убить меня. О Иисусе, сделай что-нибудь, чтобы спасти меня, или я погиб.

— А ну ложись в постель! — строго приказала она. — Не то я тебе голову оторву!

Он покорно позволил отвести себя назад к кровати и раздеть. Через несколько минут Хелен уже сидела возле него с миской горячего супа. Он смущенно улыбался, а она совала ложку в его открытый рот. Она засмеялась — почти счастливо, — вспоминая утраченные, невозвратимые годы. Внезапно, уже засыпая, он приподнялся с подушек и, глядя прямо перед собой, выкрикнул с диким ужасом:

— Это рак? Скажи, это рак?

— Т-ш! — приказала она. — Нет. Конечно, нет! Не говори глупостей.

Он в изнеможении опустился на подушки, закрыв глаза. Но они знали, что это так. От него скрывали. Страшное название его болезни не произносил никто, кроме него самого. В глубине души он знал то, что знали они все, о чем никогда не говорили при нем — что это рак. Весь день, уставившись перед собой неподвижными от страха глазами, Гант сидел среди своих плит, как разбитая статуя, и пил. Это был рак.

Правая рука Юджина сильно кровоточила у запястья, там, где отец всей тяжестью прижал ее к стене.

— Иди смой кровь, — сказала Хелен. — Я ее забинтую.

Он вошел в темную ванную и подставил руку под струю тепловатой воды. Его сердце было исполнено тихого отчаяния, усталого успокоения, которое окутало этот дом смерти и буйства, которое, словно легкий всепроникающий ветерок, струилось по темным коридорам, тихо изливая на все успокоение и усталость. Постояльцы, как глупые овцы, убежали в два дома напротив; они там поужинали и теперь перешептывались там на верандах. И то, что их не было, приносило Юджину покой и облегчение, как будто с него спали тяжелые оковы. Элиза в кухонном чаду негромко плакала над пропавшим ужином; он увидел черную грустную безмятежность лица негритянки. Он медленно прошел по холлу, обмотав руку носовым платком. Его внезапно охватило спокойствие, которое приходит с отчаянием. Разящий меч проник глубоко под хрупкую броню его гордости. Сталь рассекла его тело, вонзилась в сердце. Но под броней он обрел себя. Можно познать только себя. Можно отдать только себя. Не больше. Он был тем, чем он был, — уклончивость и притворство ничего не прибавят к тому, что он есть. И он радовался всем сердцем.

У двери, в темноте, он нашел Лору Джеймс.

— Я думал, вы ушли с остальными, — сказал он.

— Нет, — сказала Лора Джеймс. — Как ваш отец?

— Все хорошо. Он заснул, — ответил он. — Вы что-нибудь ели?

— Нет, — сказала она. — Мне не хотелось.

— Я принесу чего-нибудь из кухни, — сказал он. — Там всего много. — Секунду спустя он добавил: — Извините, Лора.

— За что? — спросила она.

Он расслабленно прислонился к стене — ее прикосновение лишило его сил.

— Юджин! Мой милый! — сказала она, притянула его опущенное лицо к своим губам и поцеловала. — Мой милый, мой любимый, не смотрите так.

Его сопротивление растаяло. Он схватил ее маленькие руки, сжал их в горячих пальцах, пожирая поцелуями.

— Милая Лора! Милая Лора! — говорил он прерывающимся голосом. — Моя милая, моя прекрасная Лора! Моя чудесная Лора! Я люблю вас, я люблю вас. — Слова рвались из его сердца, бессвязные, ничего не стыдящиеся, пенным потоком прорываясь сквозь разбитые плотины гордости и молчания. Они прильнули друг к другу в темноте, их мокрые лица соприкасались, губы прижались к губам, запах ее духов пьяно ударил ему в голову, ее прикосновение пронизало его тело жаром волшебства; он ощущал нажим ее узких упругих грудей с ужасом, словно он ее обесчестил, с мучительным воспоминанием о грязи, в которой он вывалялся.

Он зажал в ладонях ее маленькую изящную головку, царственно обвитую толстым обручем золотых волос, и сказал слова, которых не говорил еще никогда, — слова признания, исполненные любви и смирения.

— Не уезжай! Не уезжай! Пожалуйста, не уезжай! — просил он. — Не оставляй меня, милая. Пожалуйста.

— Ш-ш! — прошептала она. — Я не уеду. Я люблю тебя, милый.

Она увидела окровавленный платок на его руке и с нежными тихими возгласами принялась лечить ее. Она принесла из своей комнаты йод и кисточкой осторожно смазала кожу около саднящей ранки. Она забинтовала ему руку чистой полоской материи, оторванной от старой кофточки и слабо пахнущей тонкими духами. Потом они сидели на качелях. Дом в темноте казался спящим. Вскоре из его тихих глубин появились Хелен и Элиза.

— Как твоя рука, Джин? — спросила Хелен.

— Все в порядке, — сказал он.

— Дай-ка я посмотрю! О-о, да ты нашел себе сестру милосердия, — сказала она с добрым смехом.

— Что? Что? Повредил руку? Как это ты? Да вот же послушай, у меня есть самое лучшее средство, сын, — сказала Элиза, кидаясь во все стороны сразу.

— Все уже в порядке, мама. Она перевязана, — сказал он устало и подумал, что самое лучшее средство у нее всегда находилось слишком поздно. Он с усмешкой поглядел на Хелен.

— Бог да благословит наш счастливый домашний очаг! — сказал он.

— Бедняжка Лора! — засмеялась Хелен и грубовато обняла девушку одной рукой. — Очень жаль, что вас втянули во все это.

— Ничего, — сказала Лора. — Теперь я чувствую себя почти членом вашей семьи.

— Он напрасно воображает, будто может вести себя так, — мстительно сказала Элиза. — Я этого больше терпеть не стану.

— Ах, забудь об этом! — устало сказала Хелен. — Боже великий, мама! Папа же болен. Неужели ты не понимаешь?

— Пф! — презрительно сказала Элиза. — Ничего у него нет. Это все спиртное. Все его несчастья от этого.

— Это же... это же нелепо! Нелепо! Что ты говоришь! — сердито воскликнула Хелен.

— Давайте беседовать о погоде, — сказал Юджин.

Потом они молча сидели, пропитываясь темнотой. В конце концов Хелен и Элиза ушли в дом. Элиза ушла неохотно, подчиняясь настояниям дочери, и ее белое лицо смутным пятном с сомнением оборачивалось на Юджина и Лору.

Над массивом гор взошла идущая на убыль половина луны. Пахло мокрой травой и сиренью, огромная задумчивая симфония миллионоголосых ночных существ то стихала, то становилась громче, волна за волной наполняя сердце твердой бессознательной увереностью. Бледный свет затопил звезды, он лежал на земле, как тишина, падал каплями сквозь паутину листвы молодых кленов, отпечатывая на траве порхающий рой блуждающих огоньков.

Юджин и Лора сидели, взявшись за руки, на медленно поскрипывающих качелях. Ее прикосновение пронизывало его потоком огня. Когда он обнял ее за плечи и притянул к себе, его пальцы коснулись живой упругой чаши ее груди. Он отдернул руку, словно ужаленный, бормоча извинение. Когда она дотрагивалась до него, его плоть немела и слабела. Она была девственница, ломкая, как молодой салат, и он хотел уберечь ее от своих оскверняющих прикосновений. Ему казалось, что он гораздо старше ее, хотя ему было шестнадцать, а ей двадцать один. Он ощущал старость своего одиночества и темного восприятия. Он ощущал серую мудрость греха — бесплодной пустыни, но увиденной, познанной. Когда он брал ее руку, ему чудилось, что он уже ее соблазнил. Она подняла к нему прелестное лицо, дерзкое и безобразное, как у мальчишки; оно было проникнуто истинной и непоколебимой порядочностью, и его глаза увлажнились. Вся юная красота мира жила для него в этом лице, которое сохранило чудо, которое сохранило невинность, которое пребывало в такой бессмертной слепоте к ужасу и гнусности жизни. Он пришел к ней, как существо, которое всю жизнь брело по темному пространству, — пришел испытать мгновение покоя и уверенности на далекой планете, где он стоял теперь на заколдованной равнине лунного света. И лунный свет падал на лунный цветок ее лица. Ведь если человеку приснится рай, а проснувшись, он найдет в своей руке цветок — залог того, что он действительно там был, — что тогда? Что тогда?

— Юджин, — сказала она немного погодя, — сколько вам лет? Его взгляд помутнел вместе с пульсом. Через секунду он ответил с невероятным трудом:

— Мне... шестнадцать.

— Совсем ребенок! — воскликнула она. — Я думала, вы старше.

— Я старше своих лет, — пробормотал он. — А сколько вам?

— Мне двадцать один год, — сказала она. — Как жаль, правда?

— Разница небольшая, — сказал он. — По-моему, это совсем неважно.

— Ах, милый! — сказала она. — Нет, это важно. Очень важно.

И он понял, что это важно — насколько важно, он не знал. Но сейчас была его минута. Он не боялся боли, он не боялся потери. Его не заботили земные нужды. И он посмел сказать вслух о том странном и чудесном, что так темно расцветало в нем.

— Лора, — сказал он, слушая, как его тихий голос разносится по
лунной долине, — давайте всегда любить друг друга так, как теперь.
Давайте никогда не вступать в брак. Я хочу, чтобы вы ждали меня и
любили меня вечно. Я буду ездить по всему свету. Я буду уезжать на
долгие годы; я стану знаменитым, но я всегда буду возвращаться к
вам. Вы будете жить в доме высоко в горах и будете ждать меня и
хранить себя для меня. Хорошо? — спросил он, требуя всю ее жизнь
так же спокойно, как если бы речь шла об одном часе ее времени.

— Хорошо, милый, — сказала Лора в свете луны. — Я буду
ждать вас вечно.

Она была замурована в его плоти. Она билась в его пульсе. Она
была вином в его крови, музыкой в его сердце.

— Он не думает ни о тебе, ни о ком другом, — ворчал Хью
Бартон. Он заехал, допоздна засидевшись у себя в конторе, чтобы
проводить Хелен домой. — Если он будет и дальше вести себя так,
мы поселимся отдельно. Я не намерен допускать, чтобы из-за него
ты совсем извелась.

— Забудь об этом, — сказала Хелен. — Он же совсем старик.

Они вышли на веранду.

— Приходи к нам завтра, голубчик, — сказала она Юджину. —
Я тебя как следует накормлю. Вы тоже приходите, Лора. У нас
ведь не всегда так, как сегодня. — Она засмеялась, поглаживая
девушку большой ладонью.

Они укатили вниз по улице.

— Какая милая женщина ваша сестра, — сказала Лора Джеймс. —
Вы, наверное, просто обожаете ее?

Юджин ответил не сразу.

— Да, — сказал он.

— А она вас. Это сразу видно, — сказала Лора.

В темноте он схватился за горло.

— Да, — сказал он.

Луна неслышно путешествовала по небу. Элиза снова вышла из
дома — робко, неуверенно.

— Кто тут? Кто тут? — говорила она во тьму. — Где Джин? Ох,
я не знала... Ты здесь, сын?

Она очень хорошо это знала.

— Да, — сказал он.

— Почему вы не присядете, миссис Гант? — спросила Лора. —
Не понимаю, как вы выдерживаете духоту кухни весь день напролет. Вы же, наверное, совсем измучены.

— Вот что я вам скажу! — сказала Элиза, подслеповато щурясь на небо. — Хорошая ночь, верно? Как говорится, ночь для влюбленных. — Она неуверенно засмеялась, потом секунду постояла в задумчивости. — Сын, — сказала она обеспокоенно, — почему ты не ложишься спать? Тебе вредно засиживаться так поздно.

— Да и мне пора, — сказала Лора Джеймс, привстав.

— Да, детка, — сказала Элиза. — Сон сохраняет красоту. Есть такое присловье: «Рано ложись и рано вставай...»*

— Ну, так пошли! Пошли все спать! — нетерпеливо и зло сказал Юджин.

Неужели она обязательно должна ложиться последней?

— Да что ты! — сказала Элиза. — Я не могу. Мне еще надо все перегладить.

Лора рядом с ним незаметно пожала ему руку и встала. С горечью он наблюдал за своей утратой.

— Спокойной ночи, все. Спокойной ночи, миссис Гант.

— Спокойной ночи, детка.

Когда она ушла, Элиза с усталым вздохом села рядом с ним.

— Вот что я тебе скажу, — сказала она. — До чего же приятно! Хотела бы я, как некоторые, иметь побольше времени, чтобы прохлаждаться на воздухе.

Он знал, что в темноте ее сморщенные губы пытаются улыбнуться.

— Хм! — сказала она и накрыла его руку шершавой ладонью. — Мой маленький обзавелся девушкой?

— Ну и что? Пусть даже так! — сказал он сердито. — Разве я не имею на это права, как все другие?

— Пф! — сказала Элиза. — Тебе рано еще думать о них. На твоем месте я бы не стала обращать на них внимания. У большинства из них в голове только вечеринки да развлечения. Я не хочу, чтобы мой сын тратил на них время.

Он чувствовал напряжение, крывшееся под ее неловкими шутками. Он бился в хаосе смятенной ярости, цепляясь за молчание. Наконец он все-таки заговорил тихим голосом, в котором пряталось все его бешенство:

— Нам нужно что-то, мама. Нам нужно что-то, понимаешь? Нельзя всегда в одиночестве... в одиночестве.

Было темно. Никто не мог увидеть. Он позволил вратам распахнуться. Он плакал.

— Я знаю! — поспешно согласилась Элиза. — Я же не говорю...

— Боже мой, Боже мой, куда мы идем? Что все это значит? Он умирает — неужели ты не видишь? Разве ты не знаешь? Погляди на его жизнь. Погляди на свою. Ни света, ни любви, ни утешения — ничего. — Его голос поднялся до крика: он бил по ребрам, как по барабану. — Мама, мама, ради Бога, что это? Чего ты хочешь? Неужели ты собираешься задавить и задушить нас всех? Неужели тебе мало того, что у тебя уже есть? Тебе нужны еще веревки? Тебе нужны еще бутылки? Черт побери, я пойду их собирать, только скажи. — Он почти визжал. — Только объясни, чего ты хочешь? Неужели тебе мало того, что у тебя уже есть? Ты хочешь весь город? Чего ты хочешь?

— Я не понимаю, о чем ты говоришь, — сердито сказала Элиза. — Если бы я не старалась приобретать недвижимость, у всех у вас не было бы своей крыши над головой, потому что ваш папенька все растранжирил бы, можешь мне поверить!

— Своей крыши! — крикнул он с безумным смехом. — Господи, да у нас даже своей постели нет. У нас нет собственной комнаты. У нас даже нет собственного одеяла — в любую минуту его могут забрать у нас, чтобы согреть эту шайку, которая качается тут на веранде и ворчит.

— Ну, можешь фыркать на постояльцев сколько хочешь... — строго начала Элиза.

— Нет, — сказал он. — Не могу. У меня не хватит силы, чтобы фыркать на них так, как я хотел бы.

Элиза заплакала,

— Я делала все, что могла! — сказала она. — Если бы я могла, у вас был бы дом. После смерти Гровера я готова была мириться с чем угодно, но он не давал мне ни минуты покоя. Никто не знает, что я вынесла. Никто не знает, детка. Никто не знает.

В лунном свете он видел ее лицо, искаженное безобразной гримасой горя. То, что она сказала, было искренним и честным. Он это знал. И был глубоко тронут.

— Ничего, мама, — сказал он с трудом. — Забудь об этом! Я знаю.

Она схватила его руку почти с благодарностью и положила белое лицо, все еще искаженное горем, на его плечо. Это было движение ребенка — движение, просившее любви, жалости, нежности. Оно с кровью вырывало в нем гигантские корни.

— Не надо! — сказал он. — Не надо, мама! Пожалуйста!

— Никто не знает, — сказала Элиза. — Никто не знает. Мне тоже кто-нибудь нужен. Я прожила тяжелую жизнь, сын, полную горя и тревоги. — Медленно, снова как ребенок, она вытерла мокрые подслеповатые глаза тыльной стороной руки.

«А! — думал он, и его сердце сжималось от дикой боли и сожалений. — Когда-нибудь она умрет, а я всегда буду помнить это. Всегда это. Это».

Они помолчали. Он крепко сжал ее загрубелые пальцы и поцеловал ее.

— Ну, — начала Элиза, полная бодрого пророческого духа. — Вот что я тебе скажу: я не собираюсь до конца жизни работать как каторжная на постояльцев. Пусть они на это не рассчитывают. Я тоже поживу без хлопот и забот, не хуже любого из них. — Она хитро подмигнула ему. — Когда ты приедешь домой в следующий раз, я, может быть, буду жить в большом доме в Доук-парке. Я приобрела там участок — самый лучший по местоположению и открывающемуся виду — куда лучше, чем у У. Дж. Брайана. Я на днях сторговала его у самого доктора Доука. Послушай! Что ты на это скажешь? — Она засмеялась. — Он сказал: «Миссис Гант, когда речь идет о вас, я не могу полагаться на агентов. Если я не хочу прогадать на этой сделке, мне надо глядеть в оба. Вы самый ловкий делец в городе!» Пф, доктор! — сказала я (я и виду не показала, что поверила ему хоть чуть-чуть), — я ведь только хочу получать законный доход с затраченного капитала. Я верю в то, что каждый должен получать прибыль и не мешать другим делать то же. Пусть дела идут без остановки! — сказала я и засмеялась. «Да что вы, миссис Гант», — сказал он... — И она пустилась в длительное исчерпывающее описание всех мельчайших подробностей своих переговоров с достойнейшим Королем Хинина, не забывая сопутствующие явления природы, а также птиц, пчел, цветы, солнце, облака, собак, коров и людей. Она была довольна. Она была счастлива.

Затем, после внезапной задумчивой паузы, она сказала:

— Возможно, я так и сделаю. Мне нужен дом, куда мои дети могли бы приезжать ко мне и привозить своих друзей.

— Да, — сказал он. — Да. Это было бы чудесно! Ты не должна работать всю жизнь.

Ему была приятна ее счастливая сказочка: на мгновение он почти поверил в чудо искупления, хотя это случалось не в первый раз.

— Надеюсь, ты так и сделаешь, — сказал он. — Это было бы чудесно... Ну, а теперь иди спать, мама. Хорошо? Уже поздно. — Он встал. — Я тоже иду.

— Да, сын, — сказала она, вставая. — Тебе пора. Ну, спокойной ночи. — Они поцеловались с любовью, на некоторое время омывшись дочиста от горечи. Элиза вошла в темный дом раньше его.

Но он, перед тем как лечь спать, спустился в кухню за спичками. Она стояла там, позади длинного захламленного стола, у гладильной доски между двумя большими кипами белья. В ответ на его укоризненный взгляд она торопливо сказала:

— Я сейчас иду. Сразу же. Только вот кончу эти полотенца.

Перед тем как уйти, он обошел стол, чтобы поцеловать ее. Она порылась в ящичке швейной машинки и вытащила огрызок карандаша. Крепко сжимая его над старым конвертом, она стала чертить на гладильной доске примитивный план. Ее мысли все еще были заворожены новым проектом.

— Видишь, — начала она, — это Сансет-авеню на склоне холма. Вот тут под прямым углом отходит Доук-парк. Участок на углу принадлежит Дику Уэбстеру; а вот прямо здесь, наверху, находится...

Находится, думал он, глядя на конверт с тупым интересом, то место, где зарыт клад. Десять шагов на северо-северо-восток от Большой Скалы под корнями Старого Дуба. И пока она говорила, он сплетал восхитительную фантазию. А что, если на одном из участков Элизы действительно зарыт клад? Если она будет продолжать покупать, то так и окажется. «А почему не нефтяной источник? Или залежи угля? Эти знаменитые горы (как утверждают) полны минералов. Сто пятьдесят баррелей в день на заднем дворе. Сколько это составит? По три доллара за баррель, это даст больше пятидесяти долларов в день на каждого члена семьи. И мир принадлежит нам!»

— Теперь ты видишь? — Она торжествующе улыбнулась. — Вот здесь я и начну строиться. За пять лет этот участок дважды окупится.

— Да, — сказал он, целуя ее. — Спокойной ночи, мама. Ради Бога, пойди ляг и поспи немного.

— Спокойной ночи, сын, — сказала Элиза.

Он вышел из кухни и стал подниматься по темной лестнице. Бенджамин Гант, который в эту минуту вошел с улицы, наткнулся на стул в холле. Он яростно выругался и ударил по стулу рукой. Черт бы его побрал! Миссис Перт позади него шепотом остановила его бессвязным смешком. Юджин задержался, потом неслышно поднялся по покрытым ковром ступенькам и с площадки вошел в закрытую веранду, где он спал.

Он не зажег света, потому что ему было неприятно смотреть на облупившийся комод и гнутое белое железо кровати. Кровать провисала, а лампочка была тусклой, — он ненавидел тусклые лампочки и ночных бабочек, которые кружат около них на пыльных крыльях. Он разделся в лунном свете. Лунный свет падал на землю, как отблеск колдовской неземной зари. Он стирал все грубости, прятал все язвы. Он одевал обычные и знакомые предметы — осевший сарай, убогий навес сыроварни, разлапистые яблони адвоката — единым сиянием чуда. Юджин закурил сигарету, глядя, как в зеркале тлеет ее красный огонек, и облокотился на перила своей веранды. Вскоре он осознал, что Лора Джеймс смотрит на него с расстояния всего в восемь футов. Лунный свет падал на них, купая их плоть в зеленоватой бледности, пропитывая их своим безмолвием. Их лица были заперты в чудотворной тьме, в которой жили их сияющие глаза. Они смотрели друг на друга в этом магическом свете и молчали. В комнате под ними лунный луч подобрался к кровати его отца, всплыл по одеялу и развернулся веером на его запрокинутом лице. Воздух ночи, воздух гор падал на обнаженную кожу мальчика, как каскад прохладной воды. Пальцы на его ногах сгибались, нащупывая влажные травы.

Он услышал, как миссис Перт прошла по площадке спать, слепо ища поддержки у стен. Скрипнули, щелкнули двери. Дом врастал в покой, как камень в лунном свете. Они глядели в ожидании заклинания и победы над временем. Наконец она заговорила — его произнесенное шепотом имя только угадывалось. Он перекинул ногу через перила и вскинул свое длинное тело над пустотой к ее подоконнику, вытянувшись, точно кошка. Она резко вздохнула и негромко вскрикнула «Нет! Нет!» — но схватила его руки на подоконнике и помогла ему влезть в окно.

Потом они крепко сжали друг друга в прохладных юных объятиях и много раз целовались юными губами и лицами. По ее плечам, как густой поток шелка, с милой небрежностью рассыпались волосы. Прямые изящные ноги были одеты в уютные зеленые панталончики, стянутые под коленом резинкой.

Они тесно прижались друг к другу; он целовал пушок на ее плечах и руках — страсть, которая цепенила его тело, управлялась религиозным экстазом. Ему хотелось сжимать ее в объятиях — и уйти, чтобы наедине с собой думать о ней.

Он нагнулся, просунул руки под ее колени и ликующе поднял ее. Она поглядела на него с испугом и обняла еще крепче.

— Что ты делаешь? — прошептала она. — Не надо.

— Не бойся, любимая, — сказал он. — Я хочу уложить тебя спать. Да. Я уложу тебя спать. Ты слышишь? — Он чувствовал, что вот-вот закричит от радости.

Он положил ее на кровать. Потом встал около нее на колени, просунул под нее руки и привлек ее к себе.

— Спокойной ночи, любимая. Поцелуй меня на ночь, Ты меня любишь?

— Да. — Она поцеловала его. — Спокойной ночи, любимый. И уйди через дверь, а не через окно. Ты можешь упасть.

Но он вернулся тем же путем, ликующе изогнувшись в лунном свете, как кошка. Долгое время он не засыпал, снедаемый беззвучной лихорадкой, и его сердце бешено колотилось о ребра. Сон обволакивал его чувства пуховой теплотой, шелестели молодые листья клена, петух вдали рассыпал колдовскую песню, завыл призрак собаки. Он заснул.

Он проснулся в горячих лучах солнца, бьющих сквозь занавески веранды. Он ненавидел просыпаться на солнечном свету. Когданибудь он будет спать в большой комнате, всегда прохладной и темной. За окнами у него будут тенистые деревья и виноград или высокий обрыв. Его одежда была влажной от ночной росы. Спустившись вниз, он увидел на крыльце Ганта, который с несчастным видом раскачивался в качалке, сжимая палку.

— Доброе утро, — сказал он. — Как ты себя чувствуешь?

Отец бросил на него неуверенно мерцающий взгляд и застонал.

— Боже милосердный! Я несу кару за свои грехи.

— Тебе скоро станет лучше, — сказал Юджин. — Ты чтонибудь ел?

— Я не мог проглотить ни куска, — сказал Гант, обильно позавтракавший. — Еда застревала у меня в горле. Как твоя рука, сын? — спросил он с глубоким смирением.

— Все в порядке, — быстро ответил Юджин. — Кто тебе сказал про мою руку?

— Она сказала, что я повредил тебе руку, — скорбно ответил Гант.

— А-а! — сердито сказал Юджин. — Нет. Мне не было больно.

Гант наклонился боком и, не глядя, неловко похлопал сына по неповрежденной руке.

— Прости меня, — сказал он. — Я больной человек. Тебе не нужны деньги?

— Нет, — ответил Юджин, смутившись. — Мне хватает.

— Приходи сегодня в контору, я тебе дам кое-что, — сказал Гант. — Бедный мальчик! Наверное, ты совсем без гроша.

Но он не пошел в контору, а стал ждать возвращения Лоры Джеймс из городского бассейна. Она пришла, держа в одной руке мокрый купальный костюм, а в другой — кучу разных свертков. Негры рассыльные принесли остальное. Она заплатила им и расписалась.

— У вас, наверное, много денег, Лора? — сказал он. — Вы же каждый день что-то покупаете?

— Папа ругает меня за это, — призналась она. — Но я люблю одеваться. Я трачу все мои деньги на платья.

— А что вы собираетесь делать теперь?

— Ничего... что хотите. Прелестный день, и надо его чем-то занять, правда?

— Прелестный день и не надо его ничем занимать. Хотите пойти погулять, Лора?

— Я очень хочу пойти погулять с вами, — сказала Лора Джеймс.

— Правильно, детка. Правильно, — ликующе сказал он горловым клоунским голосом. — Мы пойдем куда-нибудь одни. Мы захватим с собой что-нибудь поесть, — добавил он упоенно.

Лора пошла в свою комнату и надела туфельки на толстой подошве. Юджин пошел на кухню.

— Есть у тебя обувная коробка? — спросил он у Элизы.

— Зачем тебе? — подозрительно сказала она.

— Я иду в банк, — иронически сказал он. — Мне нужно куда-нибудь сложить деньги. — И тут же добавил грубо: — Я устраиваю пикник.

— Э? А? Что ты говоришь? — сказала Элиза. — Пикник? С кем это? С этой девушкой?

— Нет, — сказал он сердито. — С президентом Вильсоном, английским королем и доктором Доуком. Мы будем пить лимонад — я обещал принести лимоны.

— Хоть присягнуть! — раздраженно сказала Элиза. — Мне это не нравится... что ты уходишь, когда ты мне нужен. Я хотела, чтобы ты сходил заплатить, а то телефонная компания выключит телефон, если я не погашу задолженность сегодня.

— Мама! Ради Бога! — досадливо крикнул он. — Я тебе обязательно нужен, стоит мне куда-нибудь собраться. Компания подождет. Один день ничего не изменит.

— Счет просрочен, — сказала она. — Ну, хорошо, бери. Хотела бы я иметь время на пикники! — Она выудила коробку из груды газет и журналов, которые громоздились на низком комоде.

— А еду ты взял?

— Мы чего-нибудь купим, — сказал он и ушел.

Они пошли вниз по улице и зашли в душную бакалейную лавочку на углу Вудсон-стрит. Они купили крекеры, арахисовое масло, смородиновое желе, маринад и большой кусок сливочного желтого сыра. Лавочник, старый еврей, что-то бормотал на жаргоне в свою раввинскую бороду, словно произнося заклинание против гадибуков. Юджин внимательно следил, не прикоснется ли он руками к еде. Они были грязные.

По дороге в горы они заглянули к Ганту. Хелен и Бен были в столовой. Бен завтракал: он, как обычно, с хмурой сосредоточенностью наклонялся над кофе и почти с отвращением отвернулся от яичницы с ветчиной. Хелен пожелала добавить к их запасам вареные яйца и бутерброды и ушла с Лорой на кухню. Юджин сел у стола рядом с Беном, который пил кофе.

— О-о, Господи! — сказал наконец Бен, устало зевнув. Он закурил сигарету. — Как сегодня старик?

— По-моему, ничего. Сказал, что не мог есть завтрак!

— Он что-нибудь говорил постояльцам?

— Проклятые негодяи! Грязные горные свиньи! Чтоб вас! А больше ничего.

Бен тихонько усмехнулся.

— Он поранил тебе руку? Дай я погляжу.

— Не надо. Тут нечего смотреть. Все в порядке, — сказал Юджин, поднимая забинтованную кисть.

— Он тебя не ударил? — сурово спросил Бен.

— Нет, конечно. Ничего подобного. Он просто был пьян. Он очень сожалел об этом сегодня утром.

— Да, — сказал Бен, — он всегда сожалеет об этом... после того как набуянит, сколько сможет. — Он глубоко затянулся, втягивая дым, словно во власти могучего наркотика.

— Как у тебя дела в университете, Юджин? — вдруг спросил он.

— Я все сдал. Получил хорошие отметки... если ты об этом. Весной еще лучше, — добавил он через силу. — Было трудно раскачаться... в начале

— Ты говоришь про осень?

Юджин кивнул.

— В чем было дело? — сказал Бен, хмурясь. — Другие студенты над тобой смеялись?

— Да, — сказал Юджин тихим голосом.

— Почему? Они считали, что ты для них недостаточно хорош? Они смотрели на тебя свысока? Так? — свирепо спрашивал Бен.

— Нет, — сказал Юджин, весь красный. — Нет. Не в этом дело. У меня, наверное, смешной вид. Я им казался смешным.

— То есть как это смешным? — задиристо сказал Бен. — У тебя самый обычный вид, если, конечно, ты не ходишь растерзанный, как бродяга. Господи Боже, — сердито воскликнул он, — когда ты последний раз стригся? Кем ты себя воображаешь — дикарем с Борнео?

— Я ненавижу парикмахеров! — яростно крикнул Юджин. — Вот почему. Мне не нравится, когда они суют мне в рот свои грязные пальцы. Кому какое дело, стригусь я или нет?

— В наши дни о человеке судят по внешности, — назидательно сказал Бен. — Недавно я читал в «Ивнинг пост» статью одного крупного дельца. По его словам, он всегда смотрит на обувь человека, прежде чем нанять его на работу.

Он говорил серьезно, запинаясь так же, как когда читал вслух, без внутреннего убеждения. Юджин весь больно сжался, слушая, как его яростный кондор лепечет эти пошлые измышления ловких миллионеров, точно любой послушный попугай в клетке кассира. Голос Бена, когда он изрекал эти похвальные мнения, был невыразителен и глух; он словно искал где-то за всем этим ответа. В глазах у него были недоумение и боль. С хмурым напряжением он, запинаясь, продолжал эту проповедь успеха, и в его усилии было что-то разяще трогательное — его странный одинокий дух пытался найти вход в жизнь, найти успех, твердое положение, общество других людей. И казалось, что какой-то житель Бронкса*, переселившийся туда с плодородных равнин Ломбардии, читает календарь, стараясь постичь новый мир кругом, что какой-то лесоруб, отрезанный снегами от людей, томимый тяжелой неведомой болезнью, ищет ее симптомы и средства ее излечения в «Домашнем медицинском справочнике».

— Старик посылал тебе достаточно денег? — спросил Бен. — Ты мог держаться наравне с другими? Ему это вполне по карману, ты же знаешь. Не позволяй, чтобы он на тебе экономил. Заставь его раскошелиться, Джин.

— Мне хватало, — сказал Юджин. — Мне больше было не нужно.

— Тебе деньги нужны сейчас, а не потом, — сказал Бен. — Заставь его обеспечить тебя на время учения. Мы живем в веке специалистов. Люди с университетским образованием нужны везде.

— Да, — сказал Юджин.

Он отвечал послушно, безразлично — град избитых истин не оставлял следа на блестящей твердой броне его сознания, но внутри Тот Другой, лишенный дара речи, все видел.

— Так получи образование, — говорил Бен, неопределенно хмурясь. — Все большие люди: Форд, Эдисон, Рокфеллер — говорят, что оно необходимо, хотя не каждый из них его получил.

— А почему ты сам не учился? — с любопытством спросил Юджин.

— Некому было объяснить мне это, — сказал Бен. — Да и, кроме того, неужели ты думаешь, что старик дал бы мне что-нибудь? — Он зло засмеялся. — А теперь уже поздно.

Он немного помолчал и покурил.

— А ты не знал, что я учусь на курсах рекламы? — спросил он с усмешкой.

— Нет. Где?

— Заочно, — сказал Бен. — Я каждую неделю получаю задание. Не знаю, — он смущенно засмеялся, — у меня, кажется, есть к этому способности. Я все время получаю самые высокие оценки — девяносто восемь или сто. Если я кончу курс, то получу диплом.

Слепящий туман заволок глаза младшего брата. Он сам не знал почему. В его горле поднялся судорожный комок. Он быстро нагнул голову и порылся в кармане, нащупывая сигареты. Через секунду он сказал:

— Я рад, Бен. Надеюсь, ты кончишь.

— Знаешь, — сказал Бен серьезно, — некоторые их студенты стали большими людьми. Я как-нибудь покажу тебе их рекомендации. Люди начали с пустого места, а теперь занимают важные должности.

— И у тебя будет то же, — сказал Юджин.

— Так что ты здесь не единственный студент, — сказал Бен и усмехнулся. Потом он добавил уже серьезно: — Ты — наша последняя надежда, Джин. Кончи обязательно, даже если тебе пришлось бы украсть нужные для этого деньги. Мы, остальные, ничего не стоим. Постарайся достичь чего-то. Держи голову высоко! Ты не хуже их всех — гораздо лучше, чем эти проклятые хлыщи. — Он пришел в ярость; он был вне себя от возбуждения. Внезапно он встал из-за стола. — Не допускай, чтобы они над тобой смеялись! Черт побери, мы ничем их не хуже! Если кто-нибудь из них попробует опять над тобой смеяться, хватай что попадет под руку и оглуши его хорошенько. Слышишь? — В диком

волнении он схватил со стола большой нож для разрезания жаркого и размахивал им.

— Да, — сказал Юджин неловко. — Но теперь, наверное, все
будет в порядке. Я просто сначала не знал, как себя вести.

— Надеюсь, у тебя теперь хватит ума держаться подальше от
этих старых шлюх? — строго сказал Бен и продолжал, когда
Юджин ничего не ответил: — Занимаясь этим, ничего добиться
нельзя. Всегда можно подхватить какую-нибудь дрянь. А она как
будто симпатичная девушка, — добавил он тихо после паузы. —
Ради всего святого, приведи себя в порядок, постарайся не ходить
таким грязным. Женщины ведь очень замечают подобные вещи.
Следи за ногтями, гладь одежду. У тебя есть деньги?

— Все, что мне надо, — сказал Юджин, нервно поглядывая на
дверь. — Перестань, Бога ради!

— Вот, возьми, дурак, — сердито сказал Бен, всовывая ему в
руку бумажку. — Тебе нужны деньги. Храни, пока не понадобятся.

Когда они уходили, Хелен вышла с ними на высокое крыльцо.
Конечно, она, как всегда, снабдила их припасами в двойном количестве. Еще одна коробка была наполнена бутербродами, яйцами и
помадкой.

Она стояла на верхней ступеньке, голова ее была обмотана
косынкой, худые, испещренные шрамами руки были уперты в бока.
Теплый солнечный запах настурций, жирной земли и жимолости
плескался вокруг горячими животворящими волнами.

— Ого! Ага! — подмигнула она комически. — Я кое-что знаю.
Я ведь не так слепа, как вы думаете.

Она кивнула многозначительно и шутливо — ее крупное улыба-
ющееся лицо было пронизано тем странным чистым сиянием, которое иногда так его преображало. Когда он видел ее такой, то
всегда вспоминал омытое дождем небо и хрустальные дали, прохладные и светлые.

С грубоватым хихиканьем она ткнула его в ребра:

— Любовь великая штука! Ха-ха-ха! Поглядите-ка на его лицо,
Лора. — Она притянула девушку к себе в щедром объятии и
отпустила, смеясь жалостливым смехом; и пока они поднимались
по склону, она продолжала стоять там на солнце, слегка приоткрыв
рот, улыбаясь, озаренная сиянием, красотой и удивлением.

По длинной уходящей вверх Академи-стрит, границе Негритянского квартала, они медленно взбирались к восточной окраине
города. В конце улицы вздымалась гора; справа по ее склону

вилась асфальтированная дорога. Они свернули на нее и шли
теперь над восточным краем Негритянского квартала. Он круто
изгибался под ними, стремительно сбегал вниз длинными немощё-
ными улицами. По сторонам дороги кое-где стояли дощатые лачуги — жилища негров и белых бедняков, но чем выше они поднимались, тем меньше их становилось. Они неторопливо шли по
прохладной дороге, испещренной пляшущими пятнами света, который просачивался сквозь листву смыкавшихся над ней деревьев,
но ее левая сторона лежала в глубокой тени леса на склоне. Из
этой зеленой красоты вставала массивная грубая башня цементно-
го резервуара — она вся была в прохладных потеках и пятнах,
оставленных водой. Юджину захотелось пить. Немного дальше из
отводной трубы резервуара поменьше бил пенный водяной рукав,
шириной с человеческое туловище.

Они вскарабкались напрямик по скалистой тропке, срезав последнюю петлю дороги, и остановились у расселины, за которой
дорога уходила вниз. Они были всего в нескольких сотнях футов
над городом — он лежал под ними, отчетливый, как картина
сиенской школы, далекий и близкий одновременно. На самом
высоком холме города Юджин разглядел массивные здания Главной площади, слагавшиеся из резких кубиков света и тени, ползу-
щий игрушечный трамвай, людей, которые были не больше воро-
бьев. Вокруг площади смыкались лишенные деревьев кирпичные
джунгли делового района — дешевые, бесформенные и безобразные; за ними расплывчатыми пятнами располагались дома, где
жили все эти люди, а еще дальше — обнаженные яркие язвы
предместий и целительная благость смыкающегося покрова древесных крон. А прямо под ним, выплескиваясь из оврага на склоны и уступы гор, — Негритянский квартал. Главная площадь казалась как бы центром, к которому карабкались все трамваи, однако
осмысленности не было ни в чем.

Но горы были величественны целеустремленностью. К западу
они развертывались к солнцу, устремляясь ввысь с могучих кряжей.
Город был разбросан по плато, как бивак, — ничто там не могло
противостоять времени. Там не было идей. Он ощущал, что под ним
в чаше сосредоточилась вся жизнь: он увидел ее, как мог бы
увидеть средневековый схоласт, описывающий на монастырской ла-
тыни «Театр жизни человеческой», или как Питер Брейгель — в
одной из своих насыщенных фигурами картин. Ему вдруг показалось, что он не поднялся на гору из города, а вышел из чащи, как
зверь, и глядит теперь немигающим звериным взглядом на это

крохотное скопление дерева и штукатурки, которое рано или поздно чаща снова захватит и поглотит.

Троя была седьмой сверху, но там жила Елена, и потому немец ее откопал.

Отдохнув, они отошли от перил и прошли через расселину под огромным мостом Филиппа Розберри. Слева на вершине стоял замок богатого еврея с его конюшнями, лошадьми, коровами и дочерьми. Когда они вошли в тень моста, Юджин задрал голову и крикнул. Его голос отскочил от свода, как камень. Они прошли под мостом и остановились на другом конце расселины, глядя в долину. Но оттуда долина еще не была видна — только зелень внизу. Склон тут густо порос лесом, и дорога уходила вниз вечным белым штопором. Но им были видны прекрасные дикие горы по ту сторону долины, до половины расчищенные под поля и огороженные луга, а выше — в зеленых волнах леса.

День был как золото и сапфиры: повсюду стояло сверкание, неуловимое и вездесущее, как солнечный свет на подернутой рябью воде. Теплый благодатный ветер поворачивал все листья в одну сторону и творил негромкую музыку на лютнях трав, цветов и плодов. Этот ветер стонал, но не бешеным дьявольским голосом зимы среди жестких сучьев, а как плодоносящая женщина, полногрудая, величественная, исполненная любви и мудрости; как Деметра, невидимо охотящаяся в лесу. В долине еле слышно лаяла собака, ветер ломал и рассеивал ее лай. Сочно звякал коровий колокольчик. В густом лесу под ними звонкие птичьи трели падали прямо вниз, как золотые самородки. Дятел барабанил по обнаженному стволу разбитого молнией каштана. Синий залив неба был усеян легкими плотными облаками, — они, как быстрые галионы, плыли полным бакштагом над горами, деревья внизу темнели под их скользящими тенями.

Юджин ослеп от любви и желания, чаша его сердца была переполнена всеми этими чудесами. Они ошеломляли его и лишали сил. Он сжал прохладные пальцы Лоры. Они стояли нога к ноге, впаянные в плоть друг друга. Потом они свернули с дороги, срезая ее петли по крутым лесным тропинкам. Лес был огромным зеленым храмом, щебет птиц падал, как сливы. Большая бабочка с крыльями из синего бархата с золотыми и алыми знаками неторопливо взлетела перед ними в брызгах солнечного света, опустилась на ветку шиповника и замерла. В густых кустах по сторонам тропки раздавались летучие шорохи, мелькали быстрые продолговатые тени птиц. Травяной уж, зеленее влажного мха, длинный,

как шнурок от ботинка, толщиной с женский мизинец, стремительно скользнул через тропинку — его крохотные глазки блестели от страха, раздвоенный язычок выскакивал изо рта, как элект-
рическая искра. Лора вскрикнула и в страхе отпрянула назад;
услышав ее крик, он схватил камень с яростным желанием убить
крошечное существо, чье извивающееся тело поразило их извечным страхом перед змеей, приобщило к красоте, ужасу, чему-то
потустороннему. Но змейка ускользнула в заросли. Испытывая
жгучий стыд, он отбросил камень.

— Они совсем безвредные, — сказал он.

Наконец они вышли из леса к долине, там, где дорога раздва-
ивалась. Они повернули налево, на север — туда, где долина,
сужаясь, поднималась к горам. К югу долина расширялась в маленький пышный Эдем ферм и пастбищ. Среди лугов были разбросаны аккуратные домики, поблескивала вода. Молодая зеленая
пшеница плавно клонилась на ветру; молодая кукуруза по пояс
вышиной скрещивала легкие мечи листьев. Из купы кленов вставали трубы дома Рейнхарта; тучные дойные коровы щипали траву,
медленно продвигаясь вперед. Еще ниже, наполовину заслоненные
деревьями и кустарниками, простирались плодородные владения
судьи Уэбстера Тейлоу. На дороге лежала густая белая пыль; внезапно дорога нырнула в небольшой ручей. Они перешли его по
белым камням, уложенным поперек русла. Несколько уток, которых нисколько не потревожило их появление, вперевалку выбрались из прозрачной воды и чинно уставились на них, как маленькие певчие в белых стихарях. Мимо, погромыхивая пустыми бидо-
нами, проехал в бричке молодой парень. Его красное добродушное лицо расплылось в дружеской улыбке, он помахал им рукой и
укатил, оставив после себя запах молока, пота и масла. В поле над
ними какая-то женщина с любопытством глядела на них, приставив
руку козырьком над глазами. Неподалеку косарь губительной полоской света срезал траву, точно Бог — вражьи полчища.

У верхнего конца долины они свернули с дороги и пошли
напрямик вверх по лугу к лесистой чаще гор. Здесь стоял сильный
мужской запах щавеля, горячий сорный запах. Они шли по колено
в сухом бурьяне, собирая на одежде бурые гроздья репейников.
Поле было усеяно горячими пахучими маргаритками. Потом они
снова вошли в лес и поднимались, пока не достигли островка
мягкой травы возле маленького ручья, который сверкающими кас-
кадами падал среди папоротников с уступа на уступ.

— Остановимся здесь, — сказал Юджин.

Лужайка заросла одуванчиками: их острый и безъязыкий аромат инкрустировал землю желтым волшебством. Они были как гномы и эльфы, как крохотные колдовские чары из цветов и желудей.

Лора и Юджин лежали на спине и глядели сквозь зеленое мерцание листьев в карибское небо с его облачными кораблями. Вода в ручье журчала, как тишина. Город позади горы был в другом, невозможном мире. Они забыли его боль и противоречия.

— Который час? — спросил Юджин.

Ведь они пришли туда, где времени не было. Лора подняла изящную кисть и взглянула на часы.

— Не может быть! — воскликнула она с удивлением. — Всего лишь половина первого.

Но он почти не слышал ее.

— Какое мне дело до времени! — сказал он глухо и, схватив прелестную руку, перехваченную шелковой тесьмой от часов, поцеловал ее. Длинные прохладные пальцы переплелись с его пальцами; она притянула его лицо к своим губам.

Они лежали, сплетясь в объятии, на этом магическом ковре, в этом раю. Ее серые глаза были глубже и светлее, чем заводь прозрачной воды; он целовал маленькие веснушки на ее чудесной коже; он благоговейно взирал на ее вздернутый нос; он следил за отраженной пляской струй на ее лице. И все, из чего состоял этот магический мир — и цветы, и трава, и небо, и горы, и чудесные лесные крики, звуки, запахи, вид, — вошло в его сердце, как один голос, в его сознание, как один язык, гармоничный, целостный, сияющий, как единый страстный лирический напев.

— Милая! Любимая! Ты помнишь вчерашнюю ночь? — спросил он нежно, словно вспоминая далекий эпизод ее детства.

— Да. — Она крепко обвила руками его шею. — Почему ты думаешь, что я могла забыть?

— Ты помнишь, что я сказал — о чем я просил тебя? — сказал он горячо и настойчиво.

— Что нам делать? Что нам делать? — стонала она, отвернув голову и прикрыв глаза рукой.

— В чем дело? Что случилось? Милая!

— Юджин, милый, ты еще ребенок. А я такая старая... я уже взрослая женщина.

— Тебе только двадцать один год, — сказал он. — Всего пять лет разницы. Это пустяки.

— Ах! — сказала она. — Ты не знаешь, что говоришь. Разница огромная.

— Когда мне будет двадцать, тебе будет двадцать пять. Когда мне будет двадцать шесть, тебе будет тридцать один. Когда мне будет сорок восемь, тебе будет пятьдесят три. Разве это много? — сказал он презрительно. — Чепуха!

— Нет, — сказала она. — Нет! Если бы мне было шестнадцать, а тебе — двадцать один, да, это было бы чепуха. Но ты мальчик, а я женщина. Когда ты будешь молодым человеком, я буду старой девой, когда ты начнешь стареть, я буду дряхлой старухой. Откуда ты знаешь, где ты будешь и что ты будешь делать через пять лет? — продолжала она. — Ты ведь совсем мальчик, ты только еще поступил в университет. У тебя нет никаких планов. Ты не знаешь, кем станешь.

— Нет, знаю! — яростно вскричал он. — Я буду адвокатом. Затем меня и послали учиться. Я буду адвокатом и займусь политикой. Может быть, — добавил он с мрачным удовлетворением, — ты пожалеешь об этом, когда я составлю себе имя. — С горькой радостью он увидел свою одинокую славу. Губернаторская резиденция. Сорок комнат. Один. Один.

— Ты станешь адвокатом, — сказала Лора, — и будешь разъезжать по всему свету, а я должна ждать тебя и никогда не выходить замуж. Бедное дитя! — Она тихонько засмеялась. — Ты не знаешь, чем ты будешь заниматься.

Он повернул к ней несчастное лицо; солнечный свет погас.

— Ты не любишь? — с трудом сказал он. — Не любишь? — Он наклонил голову, чтобы спрятать влажные глаза.

— Ах, милый, — сказала она. — Нет, я люблю. Но люди так не живут. Это бывает только в романах. Пойми же, я взрослая женщина! В моем возрасте, милый, большинство девушек подумывает о замужестве. Что... что, если и я тоже?

— Замужество! — Это слово вырвалось у него, как вопль ужаса, словно она упомянула нечто чудовищное, предложила неприемлемое. Но, едва услышав невероятное предположение, он тотчас же принял его как факт. Таким уж он был.

— Ах, так? — сказал он в ярости. — Ты собираешься замуж, да? У тебя есть поклонники? Ты встречаешься с ними? Ты все время думала об этом и надо мной только смеялась.

Обнаженный, подставив открытую грудь ужасу, он бичевал себя, на мгновение постигнув, что бредовая жестокость жизни — это не что-то отдаленное и выдуманное, но вероятное и близкое: ужас любви, утраты, брак, девяносто секунд предательства во тьме.

— У тебя есть поклонники, ты разрешаешь им трогать себя. Они трогают твои ноги, гладят твою грудь, они... — Он умолк, словно задушенный.

— Нет. Нет, милый. Я не говорила этого. — Она быстро села и взяла его за руки. — Но в замужестве нет ничего необыкновенного. Люди женятся каждый день, мой милый! Не гляди так! Ничего не случилось. Ничего! Ничего!

Он яростно обнял ее, не в силах говорить. Потом он спрятал лицо у нее на плече.

— Лора! Милая! Любимая! Не оставляй меня одного! Я был один! Я всегда был один!

— Это то, чего ты ищешь, милый. И так будет всегда. Другого ты не вынесешь. Я надоем тебе. Ты забудешь обо всем. Ты забудешь меня. Забудешь... забудешь.

— Забуду! Я никогда не забуду! Я не проживу так долго!

— А я никогда не полюблю никого другого! Я никогда не оставлю тебя! Я буду ждать тебя вечно! Мой мальчик, мой мальчик!

В это светлое мгновение чуда они прильнули друг к другу — на своем магическом острове, где царил покой, — и они верили в то, что они говорили. И кто посмеет сказать — какие бы разочарования ни ждали нас потом, — что мы способны забыть волшебство или предать на этой свинцовой земле яблоню, поющую и золотую? Далеко за пределами этой вневременной долины поезд, мчавшийся на восток, испустил свой призрачный вопль — жизнь, как цветной дымок, как клочок облака, скользнула мимо. Их мир снова стал единым поющим голосом: они были молоды и бессмертны. И это — останется.

Он целовал ее великолепные глаза; он врастал в ее юное тело менады, и сердце его сладостно немело от прикосновения ее маленьких грудей. Она была гибка и податлива на его ладони, как ивовая ветвь, — она была быстра, как птица, и неуловима в покое, как пляшущие отражения брызг на ее лице. Он крепко держал ее, чтобы она не превратилась снова в дерево, не рассеялась по лесу, как дым.

Поднимись в горы, о юная моя любовь. Возвратись! О утраченный и ветром оплаканный призрак, вернись — вернись таким, каким я впервые узнал тебя во вневременной долине, где мы вновь обретаем себя на магическом ложе июня. Там было место, где все солнце сияло в твоих волосах, а с горы можно было дотянуться рукой до звезды. Где тот день, который расплавился в единый звенящий звук? Где музыка твоего тела, стихи твоих зубов, светлая истома твоих ног, твои легкие руки и тонкие длинные пальцы, свежие, как яблоки, и маленькие вишневые соски твоих белых грудей? И где все шелковые нити девичьих кудрей? Быстры пасти земли, и быстры зубы, грызущие эту красоту. Рожденная для музыки, ты больше ее не услышишь, в твоем темном доме ветры молчат. Призрак, призрак, возвратись из брака, которого мы не предвидели, вернись не в жизнь, а в волшебство, где мы живем вечно, в заколдованный лес, где мы все еще лежим, раскинувшись на траве. Поднимись в горы, о юная моя любовь! Возвратись! О утраченный и ветром оплаканный призрак, вернись, вернись!

XXXI

Однажды, когда июнь близился к концу, Лора Джеймс сказала ему:

— На следующей неделе мне придется поехать домой.

Затем, увидев, как исказилось его лицо, она добавила:

— Всего на несколько дней, не больше чем на неделю.

— Но зачем? Лето же только началось. Ты там зажаришься.

— Да. Это глупо, я знаю. Но Четвертое июля* я должна провести с родными. Видишь ли, у нас огромная семья — сотни тетушек, всяких двоюродных и свойственников. И каждый год у нас устраивается семейный съезд — традиционный большой пикник, на котором жарится туша быка. Я ненавижу все это. Но мне не простят, если я не приеду.

Он некоторое время глядел на нее с испугом.

— Лора! Но ты же вернешься, правда? — сказал он негромко.

— Ну, конечно! — ответила она. — Будь спокоен.

Он весь дрожал; он боялся расспрашивать ее подробнее.

— Будь спокоен, — прошептала она, — спокоен! — И она обняла его.

В жаркий день он провожал ее на вокзал. Улицы пахли растопленным асфальтом. Она держала его за руку в дребезжащем трамвае, сжимала его пальцы, чтобы утешить его, и шептала время от времени:

— Всего неделя! Всего неделя, милый.

— Не понимаю, зачем, — бормотал он. — Четыреста с лишним миль. Всего на несколько дней.

Неся ее багаж, он свободно прошел на платформу мимо старого одноногого контролера. Потом он сидел рядом с ней в тяжелой зеленой духоте пульмановского вагона, дожидаясь отхода по-

зда. Небольшой электрический вентилятор беспомощно жужжал
в проходе; чопорная молодая девушка, с которой он был знаком,
располагалась среди своих блестевших кожей новеньких чемода-
нов. Она изящно, с легким аристократическим высокомерием ответила на его приветствие и потом отвернулась к окну, строя
выразительные гримасы родителям, в упоении глядевшим на нее с
платформы. Несколько процветающих коммерсантов прошли по
проходу в дорогих бежевых башмаках, которые поскрипывали в
унисон жужжанию вентилятора.

— Неужели вы нас покидаете, мистер Моррис?

— Привет, Джим. Нет, мне нужно в Ричмонд на несколько дней.

Но даже серая погода их жизней не могла свести на нет
возбуждения этой жаркой колесницы, устремленной на восток.

— Отправление!

Он встал, дрожа.

— Через несколько дней, милый! — Она взглянула на него и
сжала его руку маленькими ладонями в перчатках.

— Вы напишете, как только приедете? Пожалуйста!

— Да. Завтра же.

Он вдруг наклонился к ней и прошептал:

— Лора, ты вернешься. Ты вернешься.

Она отвернула лицо и горько заплакала. Он снова сел рядом с
ней; она обняла его крепко, как ребенка.

— Милый, милый! Не забывай меня!

— Никогда. Вернись. Вернись.

Соленые отпечатки ее поцелуя на его губах, лице, глазах. Он
знал, что это потрескивает огарок времени. Поезд тронулся. Он
слепо бросился в проход, задушив в горле крик:

— Вернись!

Но он знал. Ее крик преследовал его, как будто он что-то
вырвал у нее из рук.

Через три дня он получил обещанное письмо. На четырех
страницах, в бордюре из победоносных американских флажков, —
вот это:

«Милый!

Я добралась до дома в половине второго и так устала, что не
могла пошевелиться. В поезде мне так и не удалось уснуть, в пути
он раскалялся все больше. Я добралась сюда в таком ужасном
настроении, что чуть не плакала. Литтл-Ричмонд кошмарен — все

выгорело, и все разъехались в горы или к морю. Не знаю, как я вытерплю неделю! («Хорошо, — подумал он. — Если жара продержится, она вернется раньше».) Какое блаженство было бы вдохнуть сейчас горный воздух. Можешь ли ты разыскать наше место в долине? («Да, даже если бы я ослеп», — подумал он.) Обещаешь следить за своей рукой, пока она не заживет? Когда ты ушел, я очень расстроилась, потому что забыла сменить вчера повязку. Папа очень обрадовался мне: он сказал, что не отпустит меня больше, но не волнуйся, я в конце концов настою на своем. Как всегда. У меня здесь совсем не осталось знакомых: все мальчики ушли в армию или работают на верфях в Норфолке. Большинство моих знакомых девушек или выходят замуж, или уже вышли. Остались одни дети. (Он вздрогнул: «Такие, как я, или старше».) Кланяйся от меня миссис Бартон и скажи своей маме, чтобы она не работала так много в раскаленной кухне. А все крестики внизу — для тебя. Угадай, что они означают.

Лора»

Он читал ее прозаическое письмо с застывшим лицом, впивая каждое слово, точно лирические стихи. Она вернется! Она вернется! Скоро.

Оставался еще листок. Ослабев от пережитого волнения, он успокоенно взял его в руки. И там нашел неразборчиво нацарапанные, но зато ее собственные слова, словно выпрыгнувшие из старательной бесцельности этого письма:

«4 июля

Вчера приехал Ричард. Ему двадцать пять лет, он работает в Норфолке. Я уже почти год обручена с ним. Завтра мы уедем в Норфолк и обвенчаемся там без шума. Мой милый! Милый! Я не могла сказать тебе! Пыталась, но не смогла. Я не хотела лгать. Все остальное правда. Все, что я говорила. Если бы ты был старше... но какой толк говорить об этом? Постарайся простить мне, но не забывай меня, пожалуйста. Прощай, да благословит тебя Бог. Любимый мой, это был рай! Я никогда не забуду тебя».

Кончив письмо, он перечитал его еще раз, медленно и внимательно. Потом он сложил его, положил во внутренний карман, ушел из «Диксиленда» и через сорок минут поднялся к ущелью над городом. Был закат. Огромный кроваво-красный край солнца опирался на западные горы, на поле дымной пыльцы. Оно уходило за западные отроги. Прозрачный душистый воздух омылся золотом.

кемчугом. Огромные вершины погружались в лиловое одиночество: они были как Ханаан и тяжелые виноградные гроздья. Авто-
мобили жителей долины карабкались по подкове дороги. Спустились сумерки. Вспыхнули яркие мерцающие огоньки города. Тьма
пала на город, как роса; она смывала горести дня, безжалостное
смятение. Со стороны Негритянского квартала доносились едва
слышные рыдающие звуки.

А над ним в небесах вспыхивали гордые звезды; одна была
особенно большой и близкой, он мог бы достать ее, если бы
взобрался на вершину за домом еврея. Одна, как фонарь, повисла
над головами людей, спешащих домой. (О Геспер*, ты приносишь
нам благое...) Одна мерцала тем светом, который падал на него в
ту ночь, когда Руфь лежала у ног Вооза*, одна светила королеве
Изольде*, одна — Коринфу и Трое. Это была ночь, необъятная
задумчивая ночь, матерь одиночества, смывающая с нас пятна. Он
омылся в огромной реке ночи, в Ганге* искупления. Его жгучая
рана на миг исцелилась: он обратил лицо вверх к гордым и
нежным звездам, которые делали его богом и песчинкой, братом
вечной красоты и сыном смерти — один, один.

— Ха-ха-ха-ха-ха! — хрипловато смеялась Хелен и тыкала его в
ребра. — Значит, твоя девушка взяла и вышла замуж? Она провела
тебя. Тебе натянули нос.

— Что-о-о? — шутливо сказала Элиза. — Да неужто мой
мальчик стал, как говорится (она хихикнула, из-за ладони), ухаже-
ром? — И она поджала губы с притворным упреком.

— О, Бога ради! — пробормотал он сердито. — Кем это
говорится?

Нахмуренные брови разошлись в сердитой усмешке, когда он
встретился глазами с сестрой. Они рассмеялись.

— Вот что, Джин, — серьезно сказала Хелен, — забудь об
этом. Ты же совсем мальчик. А Лора — взрослая женщина.

— Видишь ли, сынок, — сказала Элиза с некоторым злорадством, — она же с тобой просто шутила. Дурачила тебя, и все.

— Ну, перестань!

— Не унывай! — весело сказала Хелен. — Твое время еще
придет. Ты забудешь ее через неделю. Будет еще много других.
Это телячья любовь. Покажи ей, что ты не хлюпик. Пошли ей
поздравительное письмо.

— Конечно, — сказала Элиза. — Я бы обратила все это в
веселую шутку. Я бы не показала ей, что принимаю это к сердцу.

Я бы написала ей как ни в чем не бывало и посмеялась бы над всей историей. Я бы им показала! Вот что я бы...

— О, Бога ради! — застонал он, вскакивая. — Неужели вы н можете оставить меня в покое?

Он ушел из дома.

Но он написал ей. И едва крышка почтового ящика захлопну лась над его письмом, как его ожег стыд. Потому что это был гордое хвастливое письмо, начиненное греческими и латинскими цитатами, полное отрывков из стихов, вставленных в текст бе всякого смысла, без толку, из одного только явного и жалкого стремления показать ей блеск своего остроумия, глубину своей учености. Она пожалеет, когда поймет, кого она лишилась! Н на мгновение, в конце его бешено бьющееся сердце смело вс преграды:

«...и я надеюсь, что он достоин получить тебя, — он не може быть равен тебе, Лора, этого не может никто. Но если он пони мает, что он приобрел, это уже нечто. Какое ему выпало счастье Ты права — я слишком молод. Я бы с радостью отрубил себ сейчас руку, лишь бы стать на десять лет старше. Бог да благосло вит и хранит тебя, милая, милая Лора.

Что-то во мне готово разорваться. Тщится — и не может. Господи! Если бы только! Я никогда не забуду тебя. Теперь затерян и никогда уже не найду пути. Ради Бога, напиши мне хот строчку, когда получишь мое письмо. Скажи мне, какое имя т носишь теперь, — ты же этого не сказала. Скажи, где ты будеш жить. Не покидай меня совсем, молю тебя, не оставляй мен совсем одного».

Он послал письмо по тому адресу, который она оставила ему, — это был адрес ее отца. Неделя сменялась неделей: изо дня в день о в судорожном напряжении ждал утренней и дневной почты и по гружался в ядовитую трясину, вновь не получив ни слова, — этому сводилась теперь вся его жизнь. Июль кончился. Лето по шло на убыль. Она не ответила.

На темнеющей веранде в ожидании еды качались постояльцы — качались от смеха.

Постояльцы говорили:

— Юджин потерял свою девушку. Он не знает, что ему делат он потерял свою девушку.

— Ну-ну! Так он потерял свою девушку?

Толстая девчонка, дочка одной из двух толстых сестер, чьи мужья служили счетоводами в чарлстонских отелях, прыгала перед ним в неторопливом танце, и ее толстые икры коричневого цвета вспыхивали над белыми носочками.

— Потерял свою девушку! Потерял свою девушку! Юджин, Юджин, потерял свою девушку!

Толстая девчонка запрыгала обратно к своей толстой матери, ожидая одобрения: они посмотрели друг на друга с самодовольными улыбками, дрябло повисшими на мясистых губах.

— Не обращай на них внимания, парень. В чем дело? Кто-то отбил у тебя девушку? — спросил мистер Хэйк, торговец мукой. Это был молодой франт двадцати шести лет, куривший большие сигары; его лицо сужалось к подбородку, высокий купол головы с проплешиной на макушке был покрыт жидкими белокурыми волосами. Его мать, грузная соломенная вдова лет пятидесяти с могучим рубленым лицом индианки, огромной гривой крашеных желтых волос и грубой улыбкой, полной золота и сердечности, мощно качалась и сочувственно похохатывала:

— Найди себе другую девушку, Джин. Ха! Я бы не задумалась ни минуты.

Ему всегда казалось, что свою речь она вот-вот завершит смачным плевком.

— Подумаешь, горе, малый! Подумаешь, горе! — сказал мистер Фарелл из Майами, учитель танцев. — Женщины, как трамваи: упустишь одну, через пятнадцать минут будет другая. Верно, сударыня? — нахально спросил он у мисс Кларк из Валдосты, штат Джорджия, ради которой это было сказано.

Она ответила смущенным горловым щебечущим хихиканьем:

— Мужчины ужасные...

Прислонившись к перилам в сгущающейся тьме, мистер Джек Клэпп, зажиточный вдовец из Старого Хомини, украдкой ухаживал за мисс Флорри Мэнгл, дипломированной сиделкой. Ее пухлое лицо маячило во тьме белым пятном; ее голос был визгливо усталым:

— Я сразу подумала, что она стара для него. Джин еще совсем мальчик. Он сильно переживает, по лицу видно, как ему тяжело. Если так будет продолжаться, он заболеет. Он худ, как скелет. И почти ничего не ест. Человек, когда он так изведется, подхватывает первую же болезнь...

Она продолжала меланхолично скулить, а вороватое бедро Джека прижималось к ней все крепче, и она тщательно подпирала дряблую грудь скрещенными руками.

В серой тьме мальчик повернул к ним изголодавшееся лицо Грязная одежда плескалась на тощем, как у пугала, теле; его глаза горели в темноте, как у кошки, волосы падали на лоб спутанной сеткой.

— Это у него пройдет, — сказал Джек Клэпп с четкой, деревенской оттяжкой, в которую вплеталась непристойная нота. — Каждый мальчик должен пройти стадию телячьей любви. Когда я был в его возрасте... — Он нежно прижал жесткое бедро к Флорри, улыбаясь во весь рот редкими золотыми зубами. Это был высокий, плотный мужчина с жестким, чеканным, похотливо благообразным лицом и раскосыми монгольскими глазами. Голова у него была лысая и шишковатая.

— Ему надо бы поберечься, — печально скулила Флорри. — Я знаю, что говорю. У него слабое здоровье — ему нельзя бродить допоздна, как он делает. Он, того и гляди...

Юджин тихонько покачивался на пятках, глядя на постояльцев с немигающей ненавистью. Внезапно он рявкнул, как дикий зверь и начал спускаться по ступенькам, не в силах вымолвить ни слова, пошатываясь и рыча от душащей безумной ярости.

Тем временем «мисс Браун» чинно сидела в глубине веранды, в стороне от остальных. Из темного солярия быстро появилась высокая элегантная мисс Айрин Маллард, двадцати восьми лет, из Тампы, штат Флорида. Она догнала его на последней ступеньке и резко повернула к себе, цепко и легко сжав его плечи прохладными длинными пальцами.

— Куда вы идете, Джин? — сказала она спокойно. Светлофиалковые глаза были слегка усталыми. От нее исходил тонкий изысканный аромат розовой воды.

— Оставьте меня в покое! — пробормотал он.

— Так нельзя, — сказала она тихо. — Она не стоит этого — никто не стоит. Возьмите себя в руки.

— Оставьте меня в покое! — сказал он яростно. — Я знаю, что делаю! — Он вырвался от нее, спрыгнул со ступеньки и, пошатываясь, побежал по двору за угол дома.

— Бен! — резко сказала Айрин Маллард.

Бен поднялся с темных качелей, где он сидел с миссис Перт.

— Попробуйте как-нибудь остановить его, — сказала Айрин Маллард.

— Он помешался, — пробормотал Бен. — В какую сторону он пошел?

— Вон туда... за дом. Скорее!

Бен быстро спустился по ступенькам и косолапо зашагал по газону за дом. Двор резко спускался под уклон, и угловатая задняя часть «Диксиленда» опиралась на десяток побеленных столбов из щербатого кирпича высотой в четырнадцать футов. В смутном свете у одной из этих хрупких подпор, уже окруженное рассыпающимися обломками отсыревшего кирпича, возилось пугало, поднявшее тонкие виноградные плети рук на храм.

— Я убью тебя, дом, — задыхался он. — Гнусный, проклятый дом, я снесу тебя. Я обрушу тебя на шлюх и постояльцев. Я разобью тебя, дом. — Новое конвульсивное движение его плеч обрушило на землю мелкий дождь щебня и пыли.

— Ты упадешь и погребешь под собой их всех, дом, — сказал он.

— Дурак! — крикнул Бен, бросаясь на него. — Что ты делаешь? — Он обхватил Юджина сзади и оттащил его от столбов. — По-твоему, ты вернешь ее, если сломаешь дом? Разве на свете нет других женщин? Почему ты позволяешь, чтобы одна забрала все лучшее в тебе?

— Пусти меня! Пусти меня! — говорил Юджин. — Какое тебе до этого дело?

— Не думай, дурак, что меня это трогает, — яростно сказал Бен. — Ты причиняешь вред только себе. По-твоему, ты заставишь постояльцев страдать, если обрушишь дом себе на голову? Ты думаешь, идиот, кому-нибудь будет жалко, если ты себя убьешь? — Он встряхнул брата. — Нет. Нет. Мне все равно, что ты с собой сделаешь. Я просто хочу избавить семью от забот и расходов на похороны.

С воплем ярости и недоумения Юджин попытался вырваться. Но старший брат вцепился в него отчаянно, хваткой Морского Старика. Потом огромным усилием рук и плеч мальчик приподнял своего противника с земли и швырнул его о белую стену подвала. Бен отпустил его и перегнулся от сухого кашля, прижимая руку к впалой груди.

— Не дури! — выдохнул он.

— Я ушиб тебя? — тупо сказал Юджин.

— Нет. Иди в дом и умойся. Раза два в неделю тебе стоило бы причесываться. Нельзя ходить дикарем. Пойди съешь чего-нибудь. У тебя есть деньги?

— Да... достаточно.

— Ты теперь опомнился?

— Да... не говори об этом, пожалуйста.

— Я не хочу говорить об этом, дурак. Я хочу, чтобы ты научился немного соображать, — сказал Бен. Он выпрямился и отряхнул испачканный известкой пиджак. Потом он продолжал спокойно: — К черту их, Джин! К черту их всех! Не расстраивайся из-за них. Бери от них все, что можешь. И плюй на все. Никому до тебя нет дела. К черту все это! К черту! Бывает много плохих дней. Бывают и хорошие. Ты забудешь. Дни бывают разные. Пойдем!

— Да, — сказал Юджин устало, — пойдем! Теперь все в порядке. Я слишком устал. Когда устаешь, то становится все равно, правда? Я слишком устал, чтобы испытывать боль. Мне теперь все равно. Я слишком устал. Солдаты во Франции устают, и им все равно. Если бы сейчас кто-нибудь навел на меня винтовку, я бы не испугался. Я слишком устал. — Он начал растерянно смеяться, испытывая блаженное облегчение. — Мне наплевать на все и на всех. Прежде я всего боялся, но теперь я устал, и мне нет дела ни до чего. Вот как я буду переносить все, что угодно, — я буду уставать.

Бен закурил сигарету.

— Это уже лучше, — сказал он. — Пойдем поедим! — Он улыбнулся узкой улыбкой. — Идем, Самсон*.

Они медленно пошли вокруг дома.

Он умылся и плотно поел. Постояльцы уже кончили ужинать и разбрелись во тьме: одни ушли на площадь слушать духовой оркестр, другие — в кино, третьи — гулять по городу. Насытившись, он вышел на крыльцо. Было темно и почти пусто, только на качелях сидела миссис Селборн с богатым лесоторговцем из Теннесси. Ее низкий звучный смех с мягким журчанием лился из чана мрака. «Мисс Браун» тихо и чинно покачивалась в одиночестве. Это была грузная, скромно одевавшаяся женщина тридцати девяти лет; она держалась с тем легким и комичным оттенком чопорности, старательной добропорядочности, который всегда отличает проститутку, живущую инкогнито. Она была очень благовоспитанна. Она была настоящая леди, — о чем не замедлила бы заявить, если бы ее рассердили.

«Мисс Браун» жила, по ее словам, в Индианаполисе. Она не была уродом: просто ее лицо было пропитано неумолимой тупостью Среднего Запада. Несмотря на похотливость ее широкого тонкогубого рта, она выглядела невозмутимо самодовольной, у нее были пышные, но тусклые каштановые волосы, маленькие карие глазки и рыжеватая кожа.

— Пф! — сказала Элиза. — Она такая же «мисс Браун», как я, можете мне поверить.

Днем прошел дождь. Вечер был прохладным и темным; влажная клумба перед домом пахла геранью и намокшими анютиными глазками. Он сел на перила и закурил. «Мисс Браун» качалась.

— Стало прохладно, — сказала она. — Этот небольшой дождь принес много пользы, не так ли?

— Да, было жарко, — сказал он. — Я ненавижу жару.

— Я тоже не выношу ее, — сказала она. — Вот почему я и уезжаю на лето. У нас там пекло. Вы здесь и не знаете, что такое жара.

— Вы ведь из Милуоки?

— Из Индианаполиса.

— Я помнил, что откуда-то оттуда. Большой город? — спросил он с любопытством.

— Да. Весь Алтамонт уместится в одном его уголке.

— Ну, а насколько большой? — алчно расспрашивал он. — Сколько у вас там жителей?

— Точно не знаю. Больше трехсот тысяч, если считать с пригородами.

Он обдумал этот ответ с жадным удовлетворением.

— Красивый город? Много красивых домов и общественных зданий?

— Да... пожалуй, — ответила она задумчиво. — Это очень хороший, уютный город.

— А люди какие? Чем они занимаются? Они богатые?

— Да-а... Это деловой и промышленный город. Там много богатых людей.

— Наверное, они живут в больших домах и разъезжают в больших автомобилях? — настойчиво спрашивал он. Потом, не дожидаясь ответа, продолжал: — Они едят вкусные вещи? Какие?

Она неловко засмеялась, смущенная и сбитая с толку.

— Да, пожалуй. Немецкие блюда. Вы любите немецкую кухню?

— Пиво, — пробормотал он с вожделением. — Пиво, а? Вы его там делаете?

— Да. — Она сладострастно засмеялась. — По-моему, вы плохой мальчик, Юджин.

— А театры и библиотеки? У вас там часто гастролируют? Разные труппы?

— Да, очень. В Индианаполис привозят свои представления все труппы, имевшие успех в Чикаго и в Нью-Йорке.

— А библиотека у вас большая, а?

— Да, у нас хорошая библиотека.

— Сколько в ней книг?

— Ну, этого я не знаю. Но это хорошая, большая библиотека.

— Больше ста тысяч книг, как вам кажется? Полмиллиона там, наверно, не будет? — Он не дожидался ответов и говорил сам с собой. — Нет, конечно, нет. А сколько книг можно брать сразу?

Великая тень его голода склонилась над ней: он рвался из себя, наружу, пожирая ее вопросами.

— А какие у вас девушки? Блондинки или брюнетки?

— Да те и другие, — но темноволосых, пожалуй, больше.

Она смотрела на него сквозь тьму, посмеиваясь.

— Красивые?

— Ну, не знаю. Это уж вы сами должны решать, Юджин. Я ведь одна из них. — Она поглядела на него со скромным бесстыдством, предлагая себя для обозрения. Потом с дразнящим смешком сказала: — По-моему, вы плохой мальчик, Юджин. Очень плохой.

Он лихорадочно закурил еще одну сигарету.

— Все бы отдала за папиросу, — пробормотала «мисс Браун». — Но тут, наверное, нельзя? — Она посмотрела по сторонам.

— Почему бы и нет? — нетерпеливо сказал он. — Никто вас не увидит. Сейчас темно. Да и какое это имеет значение?

По его спине пробегали электрические токи возбуждения.

— Пожалуй, я покурю, — шепнула она. — У вас найдется сигарета?

Он протянул ей пачку; она встала, чтобы прикурить от крохотного пламени, которое он прятал в ладонях. Прикуривая, она прислонилась к нему тяжелым телом, закрыв глаза и сморщив лицо. Она придержала его дрожащие руки, чтобы огонек не колебался, и не сразу отпустила их.

— А что, — сказала «мисс Браун» с лукавой улыбкой, — если ваша мама увидит нас? Вам влетит!

— Она нас не увидит, — сказал он. — К тому же, — добавил он великодушно, — почему женщины не могут курить, как мужчины? Ничего плохого в этом нет.

— Да, — сказала «мисс Браун». — Я тоже считаю, что на такие вещи следует смотреть широко.

Но в темноте он усмехнулся, потому что, закурив, она выдала себя. Это был знак — признак профессии, безошибочный признак разврата.

Потом, когда он сел возле нее на перила и положил ей на плечи руки, она пассивно отдалась его объятию.

— Юджин! Юджин! — сказала она с насмешливым упреком.

— Где ваша комната? — спросил он.

Она сказала.

Позднее Элиза во время одного из своих быстрых налетов из кухни бесшумно возникла возле них.

— Кто тут? Кто тут? — сказала она, подозрительно вглядываясь в темноту. — А? Э? Где Юджин? Кто-нибудь видел Юджина?

Она прекрасно знала, что он здесь.

— Да, я здесь, — сказал он. — Что тебе нужно?

— А! Кто это с тобой? Э?

— Со мной мисс Браун.

— Почему бы вам не посидеть тут, миссис Гант? —сказала «мисс Браун». — Вам же, наверно, жарко, и вы устали.

— О! — неловко сказала Элиза. — Это вы, «мисс Браун»? Я не могла разглядеть, кто тут. — Она включила тусклую лампочку над дверью. — Здесь очень темно. Кто-нибудь может сломать ногу на ступеньках. Вот что я вам скажу, — продолжала она светским тоном, — как легко дышится на воздухе. Если бы я могла все бросить и жить в свое удовольствие...

Она продолжала этот добродушный монолог еще полчаса, все время быстро зондируя взглядом две темные фигуры перед собой. Потом нерешительно, неуклюже обрывая одну фразу за другой, она вернулась в дом.

— Сын, — тревожно сказала она перед уходом, — уже поздно. Ложись-ка ты спать. Да и всем пора.

«Мисс Браун» любезно согласилась и направилась к двери.

— Я пошла. Я что-то устала. Спокойной ночи.

Он неподвижно сидел на перилах, курил и прислушивался к звукам в доме. Дом отходил ко сну. Он поднялся по черной лестнице и увидел, что Элиза собралась удалиться в свою келью.

— Сын, — сказала она тихо, несколько раз укоризненно покачав сморщенным лицом. — Вот что я тебе скажу — мне это не нравится. Это нехорошо, что ты так поздно засиживаешься наедине с этой женщиной. Она тебе в матери годится.

— Она ведь у тебя живет? — сказал он грубо. — Не у меня. Я ее сюда не звал.

— Во всяком случае, — обиженно сказала Элиза, — я с ними не якшаюсь. Я держу свою голову высоко, не хуже других. — Она улыбнулась ему горькой улыбкой.

— Ну, спокойной ночи, мама, — сказал он с болью и стыдом. — Забудем о них хоть на время. Какое это имеет значение?

— Будь хорошим мальчиком, — сказала Элиза робко. — Я хочу, чтобы ты был хорошим мальчиком, сын,

В ее тоне была виноватость, оттенок сожаления и раскаяния.

— Не беспокойся! — сказал он резко, отворачиваясь, как всегда болезненно пронзенный ощущением детской невинности и упорства, которые лежали в основе ее жизни. — Не твоя вина, если я не такой. Я тебя не виню. Спокойной ночи!

Свет в кухне погас, он услышал, как тихонько стукнула дверь его матери. По темному дому веяли прохладные сквозняки. Медленно. с бьющимся сердцем, он начал подниматься по лестнице.

Но на темной лестнице, где звук его шагов глох в толстом ковре, он столкнулся с телом женщины и по благоуханию, похожему на аромат магнолии, узнал миссис Селборн. Они вцепились друг другу в плечи, застигнутые врасплох, затаившие дыхание. Она наклонилась к нему, и по его лицу, воспламеняя щеки, скользнули пряди ее белокурых волос.

— Тсс! — прошептала она.

И секунду они простояли, обнявшись, грудь к груди, — единственный раз соприкоснувшись так. Затем, получив подтверждение темному знанию, которое жило в них обоих, они разошлись, разделив жизнь друг друга, чтобы и дальше встречаться на людях со спокойными, ничего не говорящими глазами.

Он бесшумно нащупывал дорогу в темном коридоре, пока не добрался до двери «мисс Браун». Дверь была чуть-чуть приоткрыта. Он вошел.

Она забрала его медали, все медали, которые он получил в школе Леонарда — одну за искусство ведения спора, одну за декламацию и одну, бронзовую, за Вильяма Шекспира. «V. III. 1616 — 1916» — пошла за дукат!

У него не было денег, чтобы платить ей. Она не требовала много — одну-две монеты каждый раз. Дело, говорила она, не в деньгах, а в принципе. Он признавал справедливость такой точки зрения.

— Если бы мне были нужны деньги, — говорила она, — я бы не стала путаться с тобой. Меня каждый день кто-нибудь да приглашает. Один из богатейших людей города (старик Тайсон) пристает ко мне с самого моего приезда. Он предложил мне десять долларов, если я поеду покататься с ним в автомобиле. Твои деньги мне не нужны. Но ты должен мне что-нибудь давать. Хоть самую малость. Без этого я не смогу чувствовать себя порядочной женщиной. Ведь я не какая-нибудь потаскушка из общества вроде тех, которые шляются по городу каждый день. Я слишком себя уважаю для этого.

Поэтому вместо денег он давал ей медали, как залоги.

— Если ты не выкупишь их, — сказала «мисс Браун», — я отдам их своему сыну, когда вернусь домой.

— У вас есть сын?

— Да. Ему восемнадцать лет. Он почти такой же высокий, как ты, и вдвое шире в плечах. Все девушки от него без ума.

Он резко отвернул голову, побелев от тошноты и ужаса, чувствуя себя оскверненным кровосмешением.

— Ну, хватит, — сказала «мисс Браун» со знанием дела, — теперь пойди к себе в комнату и немного поспи.

Но, в отличие от той первой в табачном городке, она никогда не называла его «сынком».

> Бедняжка Баттерфляй, как тяжело ей было,
> Бедняжка Баттерфляй так его любила...

Мисс Айрин Маллард сменила иголку граммофона в солярии и перевернула заигранную пластинку. Затем, когда торжественно и громко зазвучали первые такты «Катеньки», она подняла тонкие прелестные руки, как два крыла, ожидая его объятия, — стройная, улыбающаяся, красивая. Она учила его танцевать. Лора Джеймс танцевала прекрасно: он приходил в бешенство, видя, как в танце ее обвивают руки какого-нибудь молодого человека. Теперь он неуклюже начал движение с непослушной левой ноги, считая про себя: раз, два, три, четыре! Айрин Маллард скользила и поворачивалась под его нескладной рукой, бестелесная, как прядка дыма. Ее левая рука касалась его костлявого плеча легко, как птичка, прохладные пальцы вплетались в его горящую дергающуюся ладонь.

У нее были густые каштановые волосы, расчесанные на прямой пробор; перламутрово-бледная кожа была прозрачной и нежной; подбородок полный, длинный и чувственный — лицо прерафаэлитских женщин. В прекрасной прямизне ее высокой грациозной фигуры таилась какая-то доля пригашенной чувственности, рожденной хрупкостью и утомлением; ее чудесные глаза были фиалковыми, всегда чуть-чуть усталыми, но полными неторопливого удивления и нежности. Она была как мадонна Луини — смесь святости

и соблазна, земли и небес. Он держал ее с благоговейной осто-
рожностью, как человек, который страшится подойти слишком
близко, страшится разбить священный образ. Изысканный аромат
ее тонких духов обволакивал его, как невнятный шепот, язычес-
кий и божественный. Он боялся прикасаться к ней — и его
горячая ладонь потела под ее пальцами.

Иногда она тихо кашляла, улыбаясь, поднося к губам смятый
платочек с голубой каемкой.

Она приехала в горы не ради собственного здоровья, а из-за
матери — шестидесятипятилетней женщины, старомодно одетой, с
капризным лицом, проникнутым безнадежностью старости и болезней. У старухи была астма и порок сердца. Они приехали из Флориды. Айрин Маллард была очень способной деловой женщиной, она
служила главным бухгалтером в одном из алтамонтских банков. Каждый вечер Рэндолф Гаджер, президент банка, звонил ей по телефону.

Айрин Маллард закрывала телефонную трубку рукой, иронически улыбалась Юджину и умоляюще возводила глаза к потолку.

Иногда Рэндолф Гаджер заезжал за ней и приглашал ее куда-
нибудь. Юджин угрюмо удалялся, чтобы ожидать ухода богача;
банкир с горечью глядел ему вслед.

— Он хочет жениться на мне, Джин, — сказала Айрин Маллард. — Что мне делать?

— Он же годится вам в дедушки, — сказал Юджин. — У него
на макушке плешь, зубы у него вставные и мало ли еще что! —
сказал он сердито.

— Он богатый человек, Джин, — сказала Айрин, улыбаясь. —
Не забывайте об этом.

— Ну, так давайте выходите за него! — яростно воскликнул
он. — Да, выходите! Самое подходящее для вас. Продайте себя!
Он же старик! — сказал он мелодраматически. Рэндолфу Гадже-
ру было почти сорок пять лет.

Но они медленно танцевали в серых сумерках, которые были
как боль и красота; как утраченный свет в морских глубинах, в
которых плавала его жизнь, затерянная русалка, вспоминая свое
изгнание. И пока они танцевали, та, которой он не решался
коснуться, отдавалась ему всем телом, нежно нашептывала ему на
ухо, тонкими пальцами, сжимала его горячую ладонь. И та, которой он не хотел коснуться, лежала пшеничным снопом на его
руке, залог исцеления, убежище от единственного утраченного из
всех лиц, противоядие от раны по имени Лора, тысяча мимолет-

ных ликов красоты, несущих ему утешение и радость. Великий карнавал боли, гордости и смерти развернул в сумерках свое жуткое видение, окрашивая его печаль одинокой радостью. Он утратил, но все паломничество по земле — это утрата: миг отсекания, миг потери, тысячи манящих призрачных образов и высокое страстное горе звезд.

Стало темно. Айрин Маллард взяла его за руку и вывела на крыльцо.

— Сядьте, Джин. Мне надо поговорить с вами. — Ее голос был серьезным, негромким. Он послушно сел рядом с ней на качели в ожидании неминуемого нравоучения.

— Я наблюдала за вами последние несколько дней, — сказала Айрин Маллард. — Я знаю, что происходит.

— О чем вы говорите? — сказал он сипло, его сердце отчаянно застучало.

— Вы знаете о чем, — сказала Айрин Маллард строго. — Вы слишком хороший мальчик, Джин, чтобы тратить себя на эту женщину. Сразу видно, кто она такая. Мы с мамой говорили об этом. Такая женщина может погубить мальчика вроде вас. Вы должны положить этому конец.

— Откуда вы знаете? — пробормотал он. Ему было страшно и стыдно. Она взяла его дрожащую руку и держала в своих прохладных ладонях, пока он не успокоился. Но он не стал ближе к ней — он остановился, испуганный ее красотой. Как и Лора Джеймс, она казалась ему слишком высокой для его страсти. Он боялся ее плоти; плоть «мисс Браун» его не пугала. Но теперь эта женщина ему надоела, и он не знал, как расплатиться с ней. У нее были все его медали.

Все убывающее лето он проводил с Айрин Маллард. Вечером они гуляли по прохладным улицам, полным шороха усталых листьев. Они ходили вместе на крышу отеля и танцевали; позднее «Папаша» Рейнхард, добрый, нескладный и застенчивый, пахнущий своей лошадью, подходил к их столику, сидел и пил вместе с ними. После школы Леонарда он учился в военной школе, стараясь выпрямить иронически искривленную шею. Но он остался прежним: лукавым, суховатым, насмешливым. Юджин глядел на это доброе, застенчивое лицо и вспоминал утраченные годы, утраченные лица. И в его душе была печаль о том, что никогда не вернется. Август кончился.

Наступил сентябрь, полный улетающих крыльев. Мир был полон отъездами. Он услышал барабаны. Молодые люди уходили на войну. Бена снова забраковали при призыве. Теперь он готовился уехать искать занятие в других городах. Люк ушел с военного завода в Дайтоне, штат Огайо, и поступил во флот. Перед отъездом в военно-морскую школу в Ньюпорте, штат Род-Айленд, он приехал домой в короткий отпуск. Улица взревела, когда он прошел по ней своей вульгарной раскачивающейся походкой — полощущие синие штаны, ухмылка до ушей, густые кудри непокорных волос, выбивающиеся из-под шапочки. Ни дать ни взять моряк-доброволец с плаката.

— Люк! — крикнул мистер Фоссет, агент по продаже земельных участков, затаскивая его с улицы в аптеку Вуда. — Черт подери, сынок, ты внес свою лепту! Я угощаю тебя. Что будешь пить?

— Чего-нибудь покрепче, — сказал Люк. — Полковник, мое почтение! — Он поднял заиндевевший стакан трясущейся рукой и выпрямился перед ухмыляющейся стойкой. — С-с-сорок лет назад, — начал он хриплым голосом, — я мог бы отказаться, но сейчас не могу. Ей-богу, не могу!

Болезнь Ганта возобновилась с удвоенной силой. Его лицо стало изможденным и желтым, ноги подгибались от слабости. Было решено, что он снова поедет в Балтимор. И Хелен поедет с ним.

— Мистер Гант, — уговаривала Элиза, — почему бы вам не бросить все и не отдохнуть на старости лет? Вы уже слишком слабы для того, чтобы продолжать дело; на вашем месте я бы ушла на покой. За мастерскую мы без труда получим двадцать тысяч долларов... Если бы у меня были такие деньги, я бы им показала! — Она хитро подмигнула. — За два года я бы удвоила или утроила эту сумму. Сейчас надо действовать быстро, чтобы не отстать. Вот как надо вести дела.

— Боже милосердный! — простонал он. — Это мой последний приют на земле. Женщина, есть ли в тебе милосердие? Прошу, дай мне умереть спокойно! Теперь уж недолго осталось. После моей смерти делай что хочешь, только оставь меня в покое теперь. Христом Богом прошу. — Он громко захныкал.

— Пф! — сказала Элиза, без сомнения думая этим его подбодрить. — Вы же совсем здоровы. Все это одно воображение.

Он застонал и отвернулся.

Лето в горах умерло. Листва приобрела едва заметный оттенок ржавчины. По ночам улицы наполнялись печальным лепетом, и всю ночь на своей веранде он, словно в забытьи, слышал странные шорохи осени. И все люди, которым город был обязан своим веселым шумным обликом, таинственно исчезли за одну ночь. Они вернулись назад в просторы Юга. Страну все больше охватывало торжественное напряжение войны. Вокруг него и над ним слышался сумрак суровых усилий. Он ощущал смерть радости, но внутри него слепо нарастали изумление и восторг. Первый лихорадочный припадок, охвативший страну, теперь стал трансформироваться в машины войны — машины, чтобы молоть и печатать ненависть и ложь, машины, чтобы накачивать славу, машины, чтобы заковывать в цепи и сокрушать протест, машины, чтобы муштровать людей и превращать их в солдат.

Но страну осенило и истинное чудо: взрывы на полях сражений бросали свой отблеск и на прерии. Молодые люди из Канзаса уезжали, чтобы умереть в Пикардии. Где-то в чужой земле лежало еще не выплавленное железо, которое должно было их сразить. Тайны смерти и судьбы читались в жизнях и на лицах, у которых не было никакой своей тайны. Ведь чудо возникает из союза обыденного и необычного.

Люк уехал в ньюпортскую военную школу. Бен отправился в Балтимор с Хелен и Гантом, который, перед тем как снова лечь в больницу для лечения радием, предался буйному запою, из-за чего им пришлось переменить гостиницу, а самого Ганта в конце концов уложить в постель, где он стенал и обрушивал проклятия на Бога вместо того, чтобы адресовать их устрицам, съеденным в невероятных количествах и запитым пивом и виски. Они все пили много; но эксцессы Ганта ввергли Хелен в дикую ярость, а Бена исполнили хмурым и злобным отвращением.

— Проклятый старик! — кричала Хелен, хватая за плечи и встряхивая его несопротивляющееся осоловелое тело, распростертое на постели. — Так бы и избила тебя! Разве ты болен? Я всю свою жизнь загубила, ухаживая за тобой, а ты здоровее меня! Ты надолго переживешь меня, старый эгоист! Просто зло берет!

— Деточка! — ревел он, широко разводя руками. — Благослови тебя Бог, я пропал бы без тебя.

— Не смей называть меня деточкой! — кричала она.

Но на следующий день, по дороге в больницу, она держала его за руку, когда он, дрожа, на мгновение оглянулся на город, который лежал позади и впереди них.

— Здесь я жил мальчиком, — пробормотал он.

— Не тревожься, — сказала она, — мы тебя поставим на ноги. Ты снова станешь мальчиком.

Рука об руку они вошли в приемную, где — обрамленный смертью, ужасом, деловитой практичностью сиделок и мелькающими фигурами спокойных мужчин, с глазами-буравчиками и серыми лицами, которые так уверенно проходят среди разбитых жизней, — раскинув руки в жесте безграничного милосердия, во много раз больше самого большого из ангелов Ганта, со стены смотрит образ кроткого Христа.

Юджин несколько раз навестил Леонардов. Маргарет выглядела исхудавшей и больной, но великий свет в ней, казалось, пылал от этого только ярче. Еще никогда он не ощущал так ее огромного безмятежного терпения, великого здоровья ее духа. Все его грехи, вся его боль, все усталое смятение его души были смыты этим бездонным сиянием; суета и зло жизни спали с него, как грязные лохмотья. Он словно вновь облекся в одеяние из света без единого шва.

Но он не мог открыть ей того, что переполняло его сердце: он свободно говорил о своих занятиях в университете, — и больше почти ни о чем. Его сердце изнемогало от бремени признаний, но он знал, что не может говорить, — она не поймет. Она была так мудра, что могла только верить. Один раз в отчаянии попытался рассказать ей о Лоре: он выпалил свое признание неловко, в нескольких словах. Он еще не кончил, а она уже начала смеяться.

— Мистер Леонард! — позвала она. — Представьте себе этого негодяя с девушкой! Вздор, мальчик! Ты даже не знаешь, что такое любовь. Не выдумывай! Успеется через десять лет. — Она нежно посмеивалась про себя, глядя вдаль рассеянным туманным взором.

— Старина Джин с девушкой! Бедная девушка! О Господи, мальчик! Тебе еще долго этого ждать. Благодари судьбу!

Он резко опустил голову и закрыл глаза. «Моя чудесная святая! — думал он. — Вы были ближе ко мне, чем кто бы то ни было. Как я обнажал перед вами свой мозг и был бы рад обнажить сердце, если бы посмел! И как я одинок, — и сейчас и всегда».

Вечерами он гулял по улицам с Айрин Маллард; город опустел и погрустнел от отъездов. Редкие прохожие спешили мимо, словно увлекаемые короткими внезапными порывами ветра. Он был заворожен ее тонкой усталостью; она давала ему утешение, и он никогда не касался ее. Но трепещуще и страстно он обнажал перед ней бремя, давившее его сердце. Она сидела рядом с ним и гладила его руку. Ему казалось, что он узнал ее, только когда много лет спустя вспомнил про нее.

Дом почти опустел. Вечером Элиза тщательно уложила его чемодан, удовлетворенно пересчитывая выглаженные рубашки и заштопанные носки.

— Теперь у тебя много теплой одежды, сын. Побереги ее.

Она положила чек Ганта в его внутренний карман и заколола английской булавкой.

— Следи за деньгами, милый. Ведь неизвестно, с кем тебе придется ехать в поезде.

Он нервно мялся возле двери — он предпочел бы незаметно исчезнуть, а не кончить прощанием.

— По-моему, ты мог бы провести последний вечер с матерью, — сказала она ворчливо. Ее глаза сразу затуманились, а губы задергались в полной жалости к себе горькой улыбке. — Вот что я тебе скажу! Очень это странно, а? Ты и пяти минут со мной не посидишь, а уже думаешь, как бы уйти куда-нибудь с первой попавшейся женщиной. Хорошо. Хорошо. Я не жалуюсь. Наверное, я только на то и гожусь, чтобы стряпать, шить и собирать тебя в дорогу. — Она разразилась громким плачем. — Наверное, только на это я и годна. Все лето я почти не видела тебя.

— Да, — сказал он горько, — ты была слишком занята постояльцами. Не думай, мама, что тебе удастся растрогать меня в последнюю минуту, — воскликнул он, уже глубоко растроганный. — Плакать легко. Но я все время был здесь, только у тебя не было на меня времени. О, Бога ради! Давай покончим с этим! Все и без этого достаточно скверно. Почему ты всегда ведешь себя так, когда я уезжаю? Тебе хочется сделать меня как можно несчастнее?

— Вот что, — бодро сказала Элиза, мгновенно перестав плакать. — Если у меня получатся два-три дела и все пойдет хорошо, то весной я, может быть, встречу тебя в большом прекрасном доме. Я уже выбрала участок, — продолжала она с веселым кивком.

— Аа! — В горле у него захрипело, и он рванул воротник. — Ради Бога, мама! Прошу тебя!

Наступило молчание.

— Ну, — торжественно сказала Элиза, пощипывая подбородок. — Веди себя хорошо, сын, и учись как следует. Береги деньги, я хочу, чтобы ты хорошо питался и тепло одевался, но денег на ветер не бросай. Болезнь твоего отца потребовала больших расходов. Тратим, тратим и ничего не получаем. Неизвестно, откуда возьмется следующий доллар. Так что будь бережлив.

Опять наступило молчание. Она сказала свое слово; она приблизилась к нему, насколько могла, и вдруг почувствовала себя безъязыкой, отрезанной, отгороженной от горькой и одинокой замкнутости его жизни.

— Как мне тяжело, что ты уезжаешь, сын, — сказала она негромко, с глубокой и неопределенной грустью.

Он внезапно вскинул руки в страдальческом незавершенном жесте.

— Какое это имеет значение! О Господи, какое это имеет значение!

Глаза Элизы наполнились слезами настоящей боли. Она схватила его руку и сжала ее.

— Постарайся быть счастливым, сын, — заплакала она. — Будь хоть немного счастлив. Бедное дитя! Бедное дитя! Никто не знает тебя. До того, как ты родился, — сказала она голосом, охрипшим от слез, медленно покачала головой и, хрипло покашляв, повторила: — До того, как ты родился...

XXXII

Когда он вернулся в университет, там все переменилось, трезво настроившись на войну. Университет стал тише, печальнее, число студентов уменьшилось, они были моложе. Все, кто был постарше, ушли воевать. Остальные томились от невыносимого, хотя и сдержанного беспокойства. Их не интересовали занятия, карьера, успехи — война захватила их своим торжествующим Теперь. Какой смысл в Завтра? Какой смысл трудиться во имя Завтра? Большие пушки разнесли в клочья тщательно составленные планы, и они приветствовали конец всякой обдуманной наперед работы с дикой, с тайной радостью. Учились они без всякой охоты, рассеянно. В аудиториях их взгляды были невидяще устремлены на книги, а уши чутко ловили сигналы тревоги и действий снаружи.

Юджин начал год усердно, поселившись с молодым человеком, который был лучшим учеником алтамонтской государственной школы. Звали его Боб Стерлинг. Бобу Стерлингу было девятнадцать лет, он был сыном вдовы. Он был среднего роста, всегда аккуратно и скромно одет; ничто в нем не бросалось в глаза. Поэтому он мог добродушно и чуть-чуть самодовольно посмеиваться над всем, что бросалось в глаза. У него был хороший ум — быстрый, внимательный, прилежный, лишенный оригинальности и изобретательности. Он все делал по расписанию: он отводил определенное время на приготовление каждого задания и проходил его трижды, быстро бормоча про себя. Он отдавал белье в стирку каждый понедельник. В веселой компании он смеялся от души и искренне развлекался, но не забывал о времени. Когда подходил срок, он глядел на часы и говорил: «Все это прекрасно, но работа-то стоит», — и уходил.

Все прочили ему блестящее будущее. Он с ласковой серьезностью выговаривал Юджину за его привычки. Не надо разбрасывать одежду. Не надо сваливать в кучу грязные рубашки и трусы. Надо отвести постоянное время для каждого занятия; надо жить по расписанию.

Они жили на частной квартире в конце парка, в большой светлой комнате, украшенной большим количеством вымпелов университета, которые все принадлежали Бобу Стерлингу.

У Боба Стерлинга было больное сердце. Однажды, поднявшись по лестнице, он остановился на площадке, задыхаясь. Юджин открыл ему дверь. Приятное лицо Боба Стерлинга в бледных пятнышках веснушек было свинцово-белым. Посиневшие губы дергались.

— В чем дело, Боб? Что с тобой? — спросил Юджин.

— Поди сюда, — сказал Боб Стерлинг и усмехнулся. — Приложи сюда голову. — Он притянул голову Юджина к своей груди. Чудесный насос работал медленно и неравномерно, с каким-то присвистом.

— Господи Боже! — воскликнул Юджин.

— Слышал? — сказал Боб Стерлинг, начиная смеяться. Потом он вошел в комнату, потирая сухие руки.

Но он совсем разболелся и не мог посещать лекции. Его положили в университетскую клинику, где он пролежал несколько недель — вид у него был не очень больной, но губы оставались синими, пульс бился медленно, а температура все время держалась ниже нормальной. Ничто ему не помогало.

Приехала мать и увезла его домой. Юджин писал ему регулярно, каждую неделю и получал в ответ короткие, но бодрые записочки. Потом он умер.

Две недели спустя вдова приехала за вещами сына. Она молча собирала одежду, которую уже никто больше не будет носить. Это была толстая женщина лет сорока пяти. Юджин снял со стены все вымпелы и сложил их. Она упаковала их в чемодан и собралась уходить.

— Вот еще один, — сказал Юджин.

Она вдруг заплакала и схватила его за руку.

— Он был такой мужественный, — сказала она, — такой мужественный. Эти последние дни... я не хотела... ваши письма доставляли ему такую радость.

Теперь она одна, подумал Юджин.

«Я не могу оставаться здесь, — думал он, — там, где он был. Мы были здесь вместе. Я всегда буду видеть его на площадке с синими губами и присвистывающим клапаном или слышать, как он твердит задания. А ночью кровать рядом будет пуста. Пожалуй, с этих пор я буду жить один».

Но остаток семестра он прожил в общей спальне. Кроме него, там было еще двое — один алтамонтец, которого звали Л. К. Данкен (Л. означало Лоуренс, но все звали его Элк), и еще один, сын священника епископальной церкви, — Харольд Гэй. Оба были гораздо старше Юджина: Элку Данкену исполнилось двадцать четыре, Харольду Гэю — двадцать два. Однако сомнительно, чтобы более редкостная компания чудаков когда-либо собиралась в двух маленьких комнатках, одну из которых они отвели под «кабинет».

Элк Данкен был сыном алтамонтского прокурора, мелкого деятеля демократической партии, всемогущего в делах графства. Элк Данкен был высок — выше шести футов — и невероятно худ, вернее, узок. Он уже начал лысеть; лоб у него был выпуклый, а глаза большие, выпученные и бесцветные: под ними его длинное белое лицо постепенно скашивалось к подбородку. Плечи у него были чуть-чуть сутулые и очень узкие; в остальном его фигура обладала симметричностью карандаша. Он одевался щегольски в узкие костюмы из голубой фланели, носил высокие крахмальные воротнички, пышные шелковые галстуки и яркие шелковые носовые платки. Он учился на юридическом факультете, но большую часть времени трудолюбиво тратил на то, чтобы не учиться.

Младшие студенты, особенно первокурсники, собирались вокруг него после трапез с открытыми ртами и ловили его слова, как манну небесную, и чем нелепее становились его выдумки, тем алчнее они требовали новых. Он относился к жизни, как зазывала на ярмарке: многословно, покровительственно и цинично.

Второй их сожитель — Харольд Гэй — был добрая душа, совсем ребенок. Он носил очки, и только они придавали блеск унылой серости его лица: он был невзрачно безобразен и ничем не облагорожен; он так долго изумлялся непонятности, по крайней мере, четырех пятых всех феноменов бытия, что больше уже и не старался их понять. Вместо этого он прятал свою застенчивость и растерянность за ослиным хохотом, который раздавался всегда некстати, и за глупой усмешкой, исполненной нелепого и дьявольского всезнания. Приятельские отношения с Элком Данкеном были одним из высочайших взлетов в его жизни; он упивался багряным светом, заливавшим этого джентльмена, курил сигареты с развращенной усмешкой и ругался громко и неловко, с интонациями гуляки священника.

— Харольд! Харольд! — укоризненно говорил Элк Данкен. — Черт побери, сынок! Ты совсем, не знаешь меры! Если так пойдет и дальше, ты начнешь жевать резинку и тратить на кино деньги, которые должен был опустить в церковную кружку. Подумай о нас, прошу тебя. Вот Джин, совсем еще юный мальчик, чистый, как нужник в хлеву; ну, а я всегда вращался в лучшем обществе и водил знакомство только с самыми выдающимися буфетчиками и великосветскими уличными девками. Что бы сказал твой отец, если бы он услышал тебя? Разве ты не понимаешь, как он был бы шокирован? Он перестал бы давать тебе деньги на папиросы, сынок!

— Мне наплевать на него и на тебя, Элк! — отвечал Харольд нераскаянно и с ухмылкой. — Ну их к черту, — орал он так громко, как только мог.

Из окон других дортуаров доносился ответный рев — вопли: «Катись к черту!», «Заткнись», — и иронические подбадривания, которые доставляли ему большое удовольствие.

Разбросанная семья собралась на Рождество вся. Ощущение надвигающегося разрушения, утрат и смертей свело их вместе. Хирург в Балтиморе не сказал ничего обнадеживающего. Наоборот, он скорее подтвердил смертный приговор Ганту.

— Сколько он может прожить? — спросила Хелен.

Он пожал плечами.

— Моя милая! — сказал он. — Понятия не имею. Ведь он — живое чудо. Вы знаете, что он здесь экспонат номер один? Его осматривали все наши хирурги. Сколько он протянет? Я ничего не смогу сказать — я больше не возьмусь предсказывать. Когда ваш отец уехал после первой операции, я никак не думал, что увижу его снова. Я полагал, что он не доживет до весны. Но он снова здесь. Возможно, он вернется еще не раз.

— Неужели вы ничем не можете ему помочь? Как, по-вашему, от радия есть какая-нибудь польза?

— Я могу облегчить на время его страдания. Я даже могу на время остановить развитие болезни. Но это — все. Однако его жизнеспособность огромна. Он как скрипучая калитка, которая висит на одной петле — но все же висит.

Она привезла его домой, и тень его смерти повисла над ними, как дамоклов меч. Страх крался по их сознанию на мягких лео-пардовых лапах. Хелен жила в состоянии подавленной истерии, которая ежедневно вырывалась наружу в «Диксиленде» или в ее собственном доме. Хью Бартон купил дом и заставил ее переехать в него.

— Ты не придешь в себя, — сказал он, — пока ты с ними. Оттого ты сейчас и стала такой!

Она часто болела. Она постоянно ходила к докторам за помо-щью и советом. Иногда она на несколько дней ложилась в больни-цу. Болезнь ее проявлялась по-разному — иногда в страшных болях в груди, иногда в нервном истощении, иногда в истериче-ских припадках, во время которых она смеялась и плакала пооче-редно и которые были вызваны отчасти болезнью Ганта, а отчасти гнетущим отчаянием, потому что она оставалась бесплодной. Она постоянно украдкой пила — понемножку для бодрости, никогда не напиваясь допьяна. Она пила отвратительные жидкости, ища только воздействия алкоголя и получая его не обычным путем, а с помощью ядовитых гнусностей, которые называются «экстракта-ми» и «тонизирующими средствами». Почти сознательно она губила в себе вкус к хорошим спиртным напиткам и «принимала лекар-ства», пряча от себя истинную природу мерзкой жажды, жившей в ее крови. Этот самообман был в ее характере. Ее жизнь проявля-лась в серии обманов-символов; свои антипатии, привязанности, обиды она объясняла любыми причинами, кроме истинных.

Но, кроме тех случаев, когда ей действительно не разрешали вставать, она никогда надолго не оставляла отца. Тень его смерти лежала на их жизнях. Они содрогались от ужаса; эта затянувшаяся угроза, эта неразрешимая загадка лишала их достоинства и муже-ства. Они были порабощены усталым и унижающим эгоизмом жизни, которая воспринимает чужие смерти с философским благодуши-ем, но свою считает нарушением всех законов природы. О смерти Ганта им было так же трудно думать, как о смерти Бога, и даже труднее, потому что для них он был реальнее, чем Бог, он был бессмертнее, чем Бог, он был сам Бог.

Этот жуткий сумрак, в котором они жили, оледенял Юджина ужасом, заставлял задыхаться от ярости. Прочитав письмо из дому, он приходил в бешенство и колотил кулаками по оштукатуренной стене спальни, пока не обдирал суставы пальцев в кровь. «Они отняли у него мужество! — думал он. — Они превратили его в скулящего труса! Нет, если я буду умирать, никакой семьи! Дышат на тебя назойливым дыханием! Хлюпают над тобой назойливыми носами! Обступают тебя так, что невозможно дышать. С веселыми улыбками говорят тебе, как ты хорошо выглядишь, и причитают у тебя за спиной. О, назойливая, назойливая смерть! Неужели нас никогда не оставят одних? Неужели мы не можем жить одни, думать одни, жить в своем доме сами по себе? Нет, я буду! Буду! Один, один и далеко, за завесой дождя».

Потом, неожиданно ворвавшись в кабинет, он увидел Элка Данкена, который тупо устремлял непривычный взгляд на страницу с определением правонарушений, — пестрая птица, завороженная пристальным взором змеи, которая зовется юриспруденцией.

— Неужели мы должны умирать, как крысы? — сказал он. — Неужели мы должны задохнуться в норе?

— Черт! — сказал Элк Данкен, закрывая большой кожаный фолиант и прячась за него. — Да, верно, верно! Успокойся. Ты Наполеон Бонапарт, а я твой старый друг Оливер Кромвель. Харольд! — крикнул он. — На помощь! Он убил сторожа и убежал.

— Джин! — завопил Харольд Гэй, отбрасывая толстый том при звуке громких имен, упомянутых Элком. — Что ты знаешь об истории? Кто подписал Великую Хартию?

— Она не была подписана, — ответил Юджин. — Король не умел писать, пришлось отпечатать ее на мимеографе.

— Верно! — взревел Харольд Гэй. — А кто был Этельред Ленивый?

— Он был сыном Синевульфа Глупого и Ундины Неумытой, — сказал Юджин.

— Через своего дядю Джаспера, — сказал Элк Данкен, — он был в родстве с Полем Сифилитиком и Женевьевой Неблагородной.

— Он был отлучен папой в булле от девятьсот третьего года, но продолжал отлучаться для случек, — сказал Юджин.

— Тогда он созвал все местное духовенство, включая архиепископа Кентерберийского доктора Гэя, который и был избран папой, — сказал Элк Данкен. — Это вызвало великий раскол в церкви.

— Но, как всегда, Бог был на стороне больших батальонов*, — сказал Юджин. — Позднее семья эмигрировала в Калифорнию и разбогатела во время золотой лихорадки сорок девятого года.

— Вы, ребята, мне не по зубам! — завопил Харольд Гэй, внезапно вскакивая с места. — Пошли! Кто со мной в киношку?

Это было единственное постоянное платное развлечение в городке. Кинотеатр по вечерам захватывала воющая орда студентов, которые под метким градом арахиса лавиной катились по проходам, вымощенным ореховой скорлупой, а затем трудолюбиво посвящали себя до конца вечера несчастным шеям и головам первокурсников и гораздо менее — рассеянно-жалкому мерцающему танцу марионеток на заплатанном экране, хотя они сопровождали его дружным ревом одобрения и негодования или советами. Усталая, но трудолюбивая молодая женщина с тощей шеей почти непрерывно барабанила по разбитому пианино. Стоило ей остановиться на несколько минут, как вся стая начинала насмешливо выть и требовать: «Музыки, Мертл! Музыки!»

Необходимо было разговаривать со всеми. Тот, кто разговаривал со всеми, был «демократичен», тот, кто не разговаривал, был снобом и получал мало голосов. Оценка личности, как и все другие оценки, производилась ими грубо и тупо. Все выдающееся внушало им подозрение. Они испытывали непримиримую крестьянскую враждебность к необычному. Человек блистательно умен? В нем кроется яркая искра? Плохо, плохо! Он ненадежен, он не здравомыслящ. Университет был микрокосмосом демократии, пронизанным политическими интересами — общенациональными, региональными, местными.

В студенческом городке были свои кандидаты, свои агенты, свои боссы, свои политические машины, как и в штате. Юнцы приобретали в университете политическую сноровку, которую позже использовали, верша дела демократической партии. Сын политика на проходил обучение у своего ловкого родителя еще до того, как с его щек исчезал детский пушок, — уже в шестнадцать лет его жизненный путь был твердо намечен и вел в резиденцию губернатора или к гордым обязанностям конгрессмена. Такой юноша поступал в университет для того, чтобы сознательно ставить первые свои капканы с приманками, он сознательно заводил дружбу с теми, кто мог пригодиться ему впоследствии. К третьему курсу, если его усилия увенчивались успехом, он обзаводился политическим агентом, который помогал осуществлению его чаяний в пределах студенческого городка; он внимательно следил за каждым своим действием и говорил с легкой напыщенностью, которая мило уравновешивалась сердечностью: «А, господа!», «Как поживаете, господа?», «Хорошая погода, господа».

Безграничные просторы мира раскидывали перед ними неиссякаемые чудеса, но лишь немногие позволяли выманить себя из крепости штата, лишь немногие умели расслышать далекие раскаты идей. Они не могли представить себе большей чести, чем место в сенате, а путь к этой чести — путь к пределу власти, величия и славы — лежал через юриспруденцию, узкий галстук и шляпу. Отсюда рождались политика, юридические факультеты, дискуссионные клубы и речи. Рукоплескания сената, выслушивающего приказ.

Разумеется, в седле были мужланы — они составляли девять десятых всех студентов; звучные титулы находились в их распоряжении, и они принимали все меры предосторожности, чтобы надежно сохранить свой мир для мужланства и домотканых добродетелей. И обычно эти высокие посты — председательство в студенческих обществах и клубах и в Ассоциации молодых христиан, а также руководство спортивными командами — поручались какому-нибудь честному серву, который утвердил свое величие за плугом, прежде чем выйти на университетские поля, или какому-нибудь трудолюбивому зубриле, который показал себя во всех отношениях безупречным середнячком. Такого трудолюбивого зубрилу называли «человеком что надо». Он был надежен, здравомыслящ и безопасен. Он был неспособен на дикие идеи. Он был прекрасным цветком, взращенным университетом. Он был приличным футболистом и успевал по всем предметам. Он во всем показывал хорошие успехи. И всегда получал хорошие оценки — за исключением нравственности, которая была у него сияюще отличной. Если он не посвящал себя юриспруденции и не шел в священники, ему давали стипендию Родса.

В этом странном месте Юджин процветал на удивление. Он оставался за пределами зависгей и интриг — все видели, что он ненадежен, что он не здравомыслящ, что он в любом отношении неправильная личность. Он явно не мог стать человеком что надо. Было очевидно. что губернатора из него не выйдет. Было очевидно, что политика из него тоже не выйдет, потому что он имел обыкновение говорить какие-то странные вещи. Он был не из тех, кто ведет за собой остальных или читает молитвы перед занятиями; он годился только для необычного. Ну что же, снисходительно думали они, такие нам тоже нужны. Не все мы созданы для весомых дел.

Он никогда еще не был так счастлив и так беззаботен. Его физическое одиночество стало еще более полным и восхитительным. Избавление от унылого ужаса болезни, истерии и надвигающейся смерти, который нависал над его скорчившейся семьей, исполняло его ощущением воздушной легкости, пьянящей свободы. Он пришел сюда один, без спутников. У него не было связей. Даже теперь у него не было ни одного близкого друга. И такая обособленность была преимуществом. Все знали его в лицо, все называли его по имени и говорили с ним дружески. Он не вызывал неприязни. Он был счастлив, полон заразительной радости и каждого встречал с восторженной пылкостью. Он испытывал огромную нежность ко всей чудесной и неизведанной земле, которая слепила глаза. Никогда еще он не был так близок к ощущению братства со всеми людьми, и никогда еще он не был так одинок. Он был полон божественного пренебрежения к условностям. Радость, как великолепное вино, струилась по его молодому растущему телу; он прыжками, с дикими воплями в горле, мчался по дорожкам, он подскакивал за жизнью, как яблоко, стараясь сосредоточить раздирающее его слепое желание, сплавить в единую идею всю свою бесформенную страсть, сразить смерть, сразить любовь.

Он начал вступать. Он вступал во все, во что только можно было вступить. Раньше он не «принадлежал» ни к одной группе, но его манили все группы. Без особого труда он завоевал себе место в редакции университетского журнала и газеты. Маленькая капель отличий превратилась в мощную струю. Сначала дождик брызгал, потом полил как из ведра. Он был принят в литературные клубы, драматические клубы, театральные клубы, ораторские клубы, журналистские клубы, а весной — и в светский клуб. Он вступал в них с восторгом, с фанатическим упоением переносил рукоприкладство в процессе инициаций и ходил с синяками, прихрамывая, но больше ребенка или дикаря радовался цветным ленточкам в петлице и жилету в булавках, значках, эмблемах, греческих буквах.

Но эти титулы дались ему не без труда. Ранняя осень была бесцветна и пуста; тень Лоры все еще тяготела над ним. Она преследовала его. Когда он вернулся домой на Рождество, горы показались ему унылыми и тесными, а город — подлым и зажатым в угрюмой скаредности зимы. Семья была исполнена нелепой судорожной веселости.

— Ну, — печально сказала Элиза, щурясь над плитой, — попробуем хотя бы это Рождество провести весело и спокойно. Кто знает, что будет! Кто знает! — Она покачала головой, не в силах продолжать. Ее глаза увлажнились. — Может быть, мы последний раз собрались все вместе. Старая болезнь! Старая болезнь! — сказала она хрипло, поворачиваясь к нему.

— Какая старая болезнь? — спросил он сердито. — Господи Боже, почему ты не можешь сказать прямо и ясно?

— Сердце! — прошептала она с мужественной улыбкой. — Я никому ничего не говорила. Но на прошлой неделе... я уже думала, что пришел мой час. — Это было произнесено зловещим шепотом.

— О Господи! — простонал он. — Ты будешь жить, когда все мы давно сгнием.

Поглядев на его насупленное лицо, Хелен разразилась скрипучим сердитым смехом и ткнула его в ребра крупным пальцем.

— К-к-к-к! Вечная история, разве ты не знаешь? Если у тебя удалят почку, сразу окажется, что ей пришлось еще хуже. Да, сэр! Вечная история!

— Смейтесь! Смейтесь! — сказала Элиза, улыбаясь с водянистой горечью. — Но, может быть, вам уже недолго осталось надо мной смеяться.

— Ради всего святого, мама! — раздраженно воскликнула дочь. — У тебя ничего нет. Не ты больна! Болен папа! И в заботах нуждается он. Неужели ты не понимаешь, что... что он умирает. Он, возможно, не доживет до конца зимы. И я больна. А ты переживешь нас обоих.

— Кто знает, — загадочно сказала Элиза. — Кто знает, чья очередь наступит раньше. Вот только на прошлой неделе мистер Косгрейв, здоровее человека было не найти...

— Начинается! — с безумным смехом взвизгнул Юджин в исступлении, мечась по кухне. — Черт побери! Начинается!

В эту минуту одна из старых гарпий, которые постоянно коротали в «Диксиленде» угрюмую зиму, возникла в дверях из полутьмы коридора. Это была крупная, костлявая старуха, давняя наркоманка, которая при ходьбе конвульсивно дергала худыми ногами и цеплялась за воздух скрюченными пальцами.

— Миссис Гант, — сказала она, после того как долго и жутко подергивала отвисшими серыми губами. — Я получила письмо? Вы его видели?

— Кого видела? А, подите вы! — раздраженно сказала Элиза. — Не понимаю, о чем вы говорите, да вы и сами не понимаете.

Жутко улыбаясь им всем и цепляясь за воздух, старуха удали лась, как ветхий фургон на разболтанных колесах. Хелен, увиде тупо ошеломленное лицо Юджина, его полуоткрытый рот, приня лась хрипло хохотать. Элиза тоже лукаво рассмеялась и потерл широкую ноздрю.

— Хоть присягнуть! — сказала она. — По-моему, она спятила Она принимает какие-то наркотики — это точно. Как увижу ее так прямо мороз по коже дерет.

— Тогда почему ты держишь ее в доме? — возмущенно сказал Хелен. — Ради всего святого, мама! Ты могла бы избавиться о нее, если бы захотела. Бедняга Джин! — снова засмеялась она. — Тебе всегда достается, а?

— Близится час рождения Христа, — сказал он благочестиво

Она рассмеялась; потом, глядя в никуда, рассеянно подергал себя за крупный подбородок.

Его отец почти весь день сидел в гостиной, устремив невидящи глаза на огонь. Мисс Флорри Мэнгл, сиделка, утешала его мрачны молчанием; она непрерывно покачивалась перед камином — трид цать ударов каблуком по полу в минуту, — крепко скрестив рук на жидкой груди. Иногда она начинала говорить о болезнях смерти. На Ганта было больно смотреть, так он состарился исхудал. Тяжелая одежда складками ложилась на его тощие бедр лицо стало восковым и прозрачным — оно походило на громадны клюв. Он выглядел чистым и хрупким. Рак, думал Юджин, расцвета ет в нем, как какой-то ужасный, но красивый цветок. Его сознани оставалось ясным, не тронутым маразмом, но оно было печальны и старым. Говорил он мало, с почти смешной легкостью, но пере ставал слушать раньше, чем ему отвечали.

— Как твои дела, сын? — спросил он. — Все в порядке?

— Да. Я теперь репортер университетской газеты; может быт на будущий год стану редактором. Меня приняли в разные обще ства, — продолжал он оживленно, обрадовавшись редкому случа поговорить с кем-нибудь из них о своей жизни. Но когда о взглянул на отца, он увидел, что тот снова пристально смотрит н огонь. Юджин смущенно умолк, пронзенный острой болью.

— Это хорошо, — сказал Гант, услышав, что он переста говорить. — Будь хорошим мальчиком, сын. Мы гордимся тобо

Бен приехал домой за два дня до Рождества; он бродил по дом как призрак. Он уехал ранней осенью, сразу после возвращения

Балтимора. Три месяца он скитался один по Югу, продавая торговцам в маленьких городках место для рекламы на квитанциях прачечных. Он не говорил, насколько удалось это странное предприятие; его одежда была безукоризненно аккуратна, но сильно поношена, а сам он исхудал и был еще более яростно замкнут, чем прежде. В конце концов он устроился в газету в богатом табачном городе Пидмонте. Он должен был уехать туда после Рождества.

Как всегда, он вернулся к ним с дарами.

Люк приехал из ньюпортской морской школы в сочельник. Они услышали его звучный тенор на улице — он здоровался с соседями. В дом он ворвался с сильным порывом сквозняка. Все заулыбались.

— Ну вот и мы! Адмирал вернулся! Папа, как делишки? Ну, Бога ради! — кричал он, обнимая Ганта и хлопая его по спине. — Я-то думал, что увижу больного человека, а ты выглядишь как весенний цветок.

— Ничего, мальчик, ничего. А ты как? — сказал Гант с довольной усмешкой.

— Лучше быть не может, полковник. Джин! Как поживаешь, старый вояка? Отлично! — воскликнул он, не дожидаясь ответа. — Ну-ну, да никак это старый Лысик! — воскликнул он, тряся руку Бена. — Я не знал, приедешь ты или нет. Мама, старушка, — сказал он, обнимая ее, — как дела? На все сто. Прекрасно! — завопил он, прежде чем кто-нибудь успел что-то ответить.

— Погоди-ка, сын! Что такое? — воскликнула Элиза и отступила на шаг, разглядывая его. — Что с тобой случилось? Ты как будто бы хромаешь?

Он идиотски расхохотался при виде ее встревоженного лица и ткнул ее под ребра.

— Уах-уах! Меня торпедировала подводная лодка, — сказал он. — Это пустяки, — добавил он скромно, — я отдал немного кожи, чтобы помочь знакомому парню из электротехникума.

— Как? — взвизгнула Элиза. — Сколько ты отдал?

— А, всего лоскуток в шесть дюймов, — сказал он небрежно. — Парень здорово обгорел, так мы с ребятами сложились и дали каждый по кусочку своей шкуры.

— Боже милостивый! — сказала Элиза. — Ты останешься хромым на всю жизнь. Это чудо, что ты еще можешь ходить.

— Он всегда думает о других, этот мальчик! — с гордостью сказал Гант. — Он рад бы сердце вынуть.

Моряк приобрел лишний чемодан и наполнил его по дороге домой разнообразными напитками для отца: несколько бутылок

шотландского и ржаного виски, две бутылки джина, одна бутылка
рома и по бутылке портвейна и хереса.

Перед ужином все слегка опьянели.

— Дайте бедному ребенку выпить, — сказала Хелен. — Это
ему не повредит.

— Что? Моему ма-аленькому? Сын, ты не станешь пить, правда? —
шутливо сказала Элиза.

— Не станет! — сказала Хелен, тыча его в ребра. — Хо-хо-хо!
И она налила ему большую рюмку виски.

— Вот! — весело сказала она. — Это ему не повредит!

— Сын, — сказала Элиза серьезно, покачивая своей рюмкой. —
Я не хочу, чтобы ты привыкал к этому.

Она все еще была верна заветам почтенного майора.

— Да! — сказал Гант. — Это тебя сразу погубит.

— Если ты привыкнешь к этой дряни, твое дело каюк, парень, —
сказал Люк. — Поверь мне на слово.

Пока он подносил рюмку к губам, они не жалели предостере-
жений. Огненная жидкость обожгла его юную глотку, он поперхнулся, из глаз брызнули слезы. Он и раньше пил — крошечные
порции, которые сестра давала ему на Вудсон-стрит. А один раз с
Джимом Триветтом он вообразил, что совсем пьян.

После еды они выпили еще. Ему налили маленькую рюмку.
Потом все отправились в город заканчивать предпраздничные покупки. Он остался один в доме.

Выпитое виски приятным теплом разливалось в его жилах,
омывало кончики издерганных нервов, дарило ощущение силы и
покоя, каких он еще не знал. Вскоре он пошел в кладовую, куда
убрали вино. Он взял стакан, на пробу смешал в нем в равных
количествах виски, джин и ром. Потом, усевшись у кухонного
стола, он начал медленно потягивать эту смесь.

Жуткое питье оглушило его сразу, как удар тяжелого кулака.
Он мгновенно опьянел и тут же понял, зачем люди пьют. Это
была, он знал, одна из величайших минут его жизни — он лежал
и, подобно девушке, впервые отдающейся объятиям возлюбленного, алчно наблюдал, как алкоголь овладевает его девственной плотью. И внезапно он понял, насколько он истинный сын своего отца,
насколько, — с какой новой силой и тонкостью ощущений, — он
настоящий Гант. Он наслаждался длиной своего тела, рук и ног,
потому что у могучего напитка было больше простора творить
свое колдовство. На всей земле не было человека, подобного ему,
никого достойного и способного так великолепно и восхититель-

но напиться. Это было величественнее всей музыки, какую ему доводилось слышать, это было величественно, как самая высокая поэзия. Почему ему этого не объяснили? Почему никто ни разу не написал об этом, как надо? Почему, если возможно купить бога в бутылке, выпить его и стать самому богом, люди не остаются вечно пьяными?

Он испытал миг чудесного изумления — великолепного изумления, с которым мы обнаруживаем то простое и невыразимое, что лежит в нас погребенным и ведомо нам, хотя мы в этом не признаемся. Такое чувство мог бы испытать человек, если бы он пробудился от смерти в раю.

Потом божественный паралич постепенно сковал его плоть. Его конечности онемели, язык все больше распухал, и он уже не мог согнуть его для произнесения хитрых звуков, слагающихся в слова. Он заговорил громко, повторяя трудные фразы по нескольку раз, бешено хохоча и радуясь своим усилиям. А над его пьяным телом парящим соколом повис его мозг, глядя на него с презрением, с нежностью, глядя на его смех с печалью и жалостью. В нем крылось что-то, чего нельзя было увидеть и нельзя было коснуться, что-то над ним и вне его — глаз внутри глаза, мозг внутри мозга. Неизвестный, который обитал в нем и глядел на него со стороны, и был им, и которого он не знал. «Но, — подумал он, — сейчас я в доме один, и, если можно его узнать, я узнаю».

Он встал и, шатаясь, выбрался из чуждой света и тепла кухни в холл, где горела тусклая лампочка, а от стен веяло могильной сыростью. Это, подумал он, и есть дом.

Он сел на жесткий деревянный диванчик и стал слушать холодную капель безмолвия.

Это дом, в котором я жил в изгнании. В доме есть чужой, и чужой во мне.

О дом Адмета*, в котором (хоть я был богом) я столько вынес. Теперь, дом, я не боюсь. И призраки могут без страха подходить ко мне. Если есть дверь в безмолвии, пусть она распахнется. Мое безмолвие может быть более великим, чем твое. И ты, таящийся во мне, который и есть я, выйди из тихой оболочки тела, не отвергающей тебя. Нас некому увидеть. О, выйди, мой брат и господин, с неумолимым лицом. Если бы у меня было сорок тысяч лет, я все, кроме последних девяноста, отдал бы безмолвию. Я врос бы в землю, как гора или скала. Распусти ткань ночей и дней, размотай мою жизнь назад к рождению, доведи меня вычитанием до наготы и построй меня вновь всеми сложениями, которых я не считал. Или дай мне взглянуть в живое лицо мрака; дай мне услышать страшный приговор твоего голоса.

Но не было ничего, кроме живого безмолвия дома, никакая дверь не распахнулась.

Вскоре он встал и вышел из дома. Он не надел ни шляпы, ни пальто — он не сумел их найти. Вечер обволакивали густые пары тумана; звуки доносились смутно и радостно. Земля уже полнилась Рождеством. Он вспомнил, что не купил подарков. В кармане у него было несколько долларов — пока не закрылись магазины, он должен всем купить подарки. С непокрытой головой он направился в город. Он знал, что пьян и шатается, но он верил, что сумеет скрыть свое состояние от встречных, если постарается. Он упрямо шагал по линии, разделявшей бетонный тротуар пополам, не спуская с нее глаз, и сразу возвращался на нее, когда его относило в сторону. Около площади улицы кишели запоздалыми покупателями. На всем лежала печать завершенности. Люди густым потоком возвращались домой праздновать Рождество. Он свернул с площади в узкую улочку, шагая среди оглядывающихся прохожих. Он не спускал глаз с черты. Он не знал, куда идти. Он не знал, что купить.

Когда он проходил мимо аптеки Вуда, компания у входа захохотала. Секунду спустя он смотрел на дружески улыбающиеся лица Джулиуса Артура и Ван Йетса.

— Куда это ты направляешься? — сказал Джулиус Артур.

Он попробовал объяснить, но получалось только хриплое бормотание.

— Он пьян в стельку, — сказал Ван Йетс.

— Присмотри-ка за ним, Ван, — сказал Джулиус. — Поставь его где-нибудь в подъезде, чтобы никто из родственников на него не наткнулся. Я схожу за машиной.

Ван Йетс аккуратно прислонил его к стене; Джулиус Артур бегом свернул в Чёрч-стрит и минуту спустя подъехал к тротуару. Юджин испытывал непреодолимое желание повиснуть на первой попавшейся опоре. Он обнял их плечи и обмяк. Они крепко стиснули его между собой на переднем сиденье. Где-то звонили колокола.

— Дин-дон! — сказал он весело. — Рож-ство!

Они ответили взрывом смеха.

Когда они подъехали, дом все еще был пуст. Они вытащили его из автомобиля и, пошатываясь, повели его вверх, по ступенькам крыльца. Ему было очень грустно, что их дружба кончилась.

— Где твоя комната, Джин? — сказал запыхавшийся Джулиус Артур, когда они вошли в холл.

— Сойдет и эта, — сказал Ван Йетс.

Дверь большой спальни напротив гостиной была открыта. Они повели его туда и положили на постель.

— Давай снимем с него башмаки, — сказал Джулиус Артур. Они расшнуровали их и сняли.

— Что-нибудь еще, сынок? — сказал Джулиус.

Он попытался сказать им, чтобы они раздели его, положили под одеяло и закрыли за собой дверь, чтобы скрыть его эскападу от семьи, но он утратил дар речи.

Они, улыбаясь, поглядели на него и ушли, не закрыв двери.

Когда они ушли, он продолжал лежать, не в силах пошевелиться. Он утратил ощущение времени, однако его сознание было ясно. Он знал, что должен встать, закрыть дверь и раздеться. Но он был парализован.

Вскоре Ганты вернулись домой. Только Элиза еще задержалась в городе, выбирая подарки. Был уже двенадцатый час. Гант, его дочь и два сына вошли в комнату и уставились на него. Когда они заговорили с ним, он беспомощно залепетал.

— Говори же! Говори! — завопил Люк, кидаясь к нему и энергично его встряхивая. — Ты что, онемел, идиот?

Это я буду помнить, подумал он.

— Нет у тебя гордости? Нет у тебя чести? Вот до чего дошло! — театрально взывал моряк, расхаживая по комнате.

«Как он себе нравится!» — думал Юджин. Слова у него не получались, но ему удалось иронически забормотать в такт поучениям брата.

— Ту-ту-ту-ту! Ту-ту-ту-ту! Ту-ту-ту-ту! — сказал он, точно воспроизведя его интонацию.

Хелен, расстегивавшая его воротник, согнулась над ним от смеха. Бен быстро усмехнулся под сведенными бровями.

— Нет у тебя этого? Нет у тебя того? Нет у тебя этого? — Он был окутан этим ритмом. Да, сударыня. Сегодня честь у нас вся вышла, но есть свежий запасец самоуважения.

— А, да замолчи, — пробормотал Бен. — Никто же не умер!

— Пойдите согрейте воды, — сказал Гант профессионально. — Надо очистить ему желудок. — Он больше не казался старым. Его жизнь на одно чудесное мгновение возвратилась из иссушающего сумрака тени. Она обрела здоровую крепость и энергию.

— Не трать порох попусту, — сказала Хелен Люку, выходя из
комнаты. — Закрой дверь. Ради всего святого, постарайся, чтобы
мама об этом не узнала.

«В этом великая нравственная проблема», — подумал Юджин.
Его начинало мутить.

Хелен вернулась очень скоро с чайником, полным горячей
воды, стаканом и коробочкой соды. Гант безжалостно поил его
этой смесью, пока его не начало рвать. Когда пароксизм достиг
высшей точки, появилась Элиза. Он тупо приподнял раскалываю-
щуюся голову над тазом и увидел в дверях ее белое лицо и
близорукие карие глаза, которые умели сверлить и сверкать, когда
в ней просыпались подозрения.

— А? Э? В чем дело? — сказала Элиза.

Но она, конечно, сразу поняла, в чем было дело.

— Что ты сказал? — спросила она резко. Никто ничего не
говорил. Он слабо ухмыльнулся в ее сторону — несмотря на
тошноту и тоску, его насмешило это неуклюжее изображение
слепой наивности, которое всегда предшествовало ее открытию.
И, увидев ее такой, они все рассмеялись.

— О Господи! — сказала Хелен. — Вот и она. А мы надеялись,
что ты придешь, когда все уже кончится. Посмотри-ка на своего
маленького, — сказала она с добродушным смешком, ловко поддерживая его голову широкой ладонью.

— Ну, как ты теперь себя чувствуешь, сын? — ласково спросил Гант.

— Лучше, — пробормотал он, с некоторой радостью обнаруживая, что онемел не навсегда.

— Вот видишь, — начала Хелен довольно ласково, но с угрюмым удовлетворением, — это доказывает, что мы все похожи. У
нас у всех есть такая склонность. Это у нас в крови.

— Это ужасное проклятие! — сказала Элиза. — Я надеялась,
что хоть один из моих сыновей его избежит. Наверное, — сказала
она, разражаясь слезами, — Господь нас карает. Грехи отцов...

— О, ради всего святого! — сердито воскликнула Хелен. —
Прекрати это! Он же не умрет. А уроком это ему послужит.

Гант пожевал узкую губу и облизал большой палец, как когда-то.

— Сразу можно было догадаться, — сказал он, — что виноватым во всем окажусь я. Да... сломай один из них ногу, было бы то
же самое.

— Одно точно! — сказала Элиза. — Никто не унаследовал
этого с моей стороны. Говорите что хотите, но его дед майор
Пентленд капли никому не позволял выпить в своем доме.

— Черт бы побрал майора Пентленда! — сказал Гант. — У него в доме все ходили голодными.

«Во всяком случае, жаждущими», — подумал Юджин.

— Забудь об этом! — сказала Хелен. — Сегодня Рождество. Хоть раз в году проведем время тихо и мирно!

Когда они ушли, Юджин попробовал представить себе их в сладком покое, к которому они так часто взывали. Результат, подумал он, мог бы оказаться хуже, чем результат любой войны.

В темноте все вокруг и внутри него отвратительно поплыло. Но вскоре он провалился в пропасть тяжелого сна.

Все подчеркнуто простили его. Они с навязчивой тщательностью обходили его проступок, приятно исполненные рождественского милосердия. Бен хмурился на него совершенно естественным образом, Хелен усмехалась и тыкала его в ребра, Элиза и Люк растворялись в нежности, печали и молчании. От их всепрощения у него гудело в ушах.

Утром отец пригласил его прогуляться. Гант был смущен и растерян: на него легла обязанность деликатного увещевания — на этом настояли Хелен и Элиза. Хотя в свое время Гант, как никто, умел метать громы и молнии, трудно было найти человека менее пригодного для того, чтобы рассыпать цветы прощения и благости. Его гнев бывал внезапным, его тирады рождались сами собой, но на этот раз в его колчане не было ни одной громовой стрелы и его задача не доставляла ему никакой радости. Он чувствовал себя виноватым, он испытывал такое же чувство, с каким судья мог бы приговорить к штрафу своего вчерашнего собутыльника. А кроме того: вдруг сын унаследовал его вакхические склонности?

Они молча прошли через площадь мимо фонтана в кольце льда. Гант несколько раз нервно откашлялся.

— Сын, — сказал он наконец. — Надеюсь, вчерашний вечер послужит тебе предостережением. Будет ужасно, если ты пристрастишься к виски. Я не собираюсь бранить тебя, я надеюсь, что это будет тебе уроком. Лучше умереть, чем стать пьяницей. Ну вот! Слава Богу, это позади.

— Конечно! — сказал Юджин. Он испытывал благодарность и облегчение. Как все они были добры к нему! Ему хотелось давать страстные клятвы и торжественные зароки. Он попытался что-то сказать. И не сумел. Сказать надо было слишком много.

Итак, они получили свое Рождество, начавшееся с отеческих увещеваний и продолжавшееся в раскаянии, любви и благопристойности. Они набросили на свои яростные жизни покров условностей, усердно выполняли все церемонии, соблюдали все ритуалы и думали: «Ну, мы ничем не отличаемся от всех других семей»; но они были робки, застенчивы и неуклюжи, как крестьяне во фраках.

Однако молчание они сумели сохранить лишь ненадолго. Они не были мелочны или злопамятны, а просто не умели сдерживаться. Хелен бросали из стороны в сторону ветра ее истерии, могучие прихотливые волны ее темперамента. Иногда у огня в своем доме она слышала завывание ветра снаружи, жизнерадостность ее угасала и она испытывала к Юджину почти ненависть.

— Просто нелепо, — сказала она Люку. — Это его поведение. Он еще совсем ребенок, и у него было все, а у нас не было ничего. И видишь, к чему это привело? Видишь?

— Высшее образование его погубило, — сказал моряк, не слишком огорчаясь тем, что его свеча запылает ярче на фоне всеобщей испорченности.

— Почему ты не поговоришь с ней? — раздраженно сказала она. — Тебя она, может быть, послушает, не то что меня! Скажи ей! Ты же видел, как она свалила все на бедного папу? Неужели ты думаешь, что старик, больной старик — виноват? И вообще Джин совсем не Гант. Он пошел в ее родню. Он свихнутый, как все они! Ганты — это мы! — закончила она, горько подчеркивая последние слова.

— У папы были оправдания, — сказал моряк. — Ему приходилось со многим мириться.

Все его мнения о положении дел в семье предварительно одобрялись ею.

— Вот и сказал бы ей об этом. Хотя он и вечно копается в книгах, он ничем не лучше нас. Если он думает, что может задирать передо мной нос, так он глубоко ошибается.

— Пусть только попробует, когда я рядом! — мрачно сказал Люк.

Юджин отбывал множественную эпитимью — его первый великий грех заключался в том, что одновременно он был и слишком далек, и слишком близок им. Нынешняя беда усугублялась выпадами Элизы против его отца и осложнялась скрытым, но постоянно вспыхивающим антагонизмом между матерью и дочерью. Вдобавок он был непосредственной мишенью ворчания и упреков Элизы. Ко всему этому он был готов — таково было свойство характера его матери (она любила его не меньше остальных, думал он), а враждебность Люка и Хелен была чем-то неумолимым, бессознательным, неизбежным — чем-то вырастающим из самого существа их жизни. Он был один из них и нес то же клеймо, но он не был с ними и не был похож на них. Много лет его ставила в тупик жгучая загадка их неприязни, а их внезапная теплота и нежность бывали ему непонятны — он принимал их с благодарностью и удивлением, которого ему не удавалось скрыть. Он оброс скорлупой угрюмости и безмолвия — он почти не разговаривал дома.

Этот случай и его последствия изранили его. Он сознавал, что к нему несправедливы, но чем больше ему давали почувствовать его вину, тем упрямее он наклонял голову и молчал, считая дни до окончания каникул. Он безмолвно воззвал к Бену — а взывать не следовало ни к кому. Старший брат, его давняя опора, исполосованный и ожесточенный собственными невзгодами, мрачно хмурился и резко отчитывал его. В конце концов это стало невыносимым. Он чувствовал себя преданным — на него восстали все.

Взрыв произошел за три дня до его отъезда, когда он стоял в гостиной, весь напрягшись, не показывая и вида. Почти час со свирепой монотонностью Бен, казалось, сознательно старался вызвать его на нападение. Он слушал, ничего не отвечая, захлебнувшись болью и яростью и разъяряя своим молчанием старшего брата, который пытался дать выход собственному скрытому крушению.

— ...и нечего дуться на меня, уличный хулиган. Я говорю тебе все это для твоей же пользы. Я ведь только хочу уберечь тебя от тюрьмы.

— Вся беда в том, — сказал Люк, — что ты не ценишь того, что для тебя делают. Для тебя делают все, а у тебя не хватает ума это понять. Университет тебя погубил.

Юджин медленно повернулся к Бену.

— Хватит, Бен, — пробормотал он. — Достаточно. Мне все равно, что говорит он, но от тебя я больше ничего не желаю слушать.

Именно этого и ждал старший брат. Все они были раздражены и взвинчены.

— Не смей отвечать мне, дурак, или я раскрою тебе голову!

С придушенным криком мальчик прыгнул на брата, как кошка. Он опрокинул его на пол, точно ребенка, но осторожно подхватил его и стал над ним на колени, потому что был потрясен хрупкостью противника и легкостью своей победы. Он старался побороть в себе ярость и стыд, точно человек, который пытается спокойно выдерживать истерики капризного ребенка. Он склонял-

ся над Беном, прижав его руки к полу, но тут ему на спину
тяжело навалился Люк: возбужденно крича, он душил его одной
рукой и неловко колотил другой.

— Ничего, Б-б-бен, — частил он, — хватай его за ноги.

Началась свалка на полу, сопровождавшаяся таким грохотом
опрокинутых совков, утюгов и стульев, что из кухни быстрым
галопом примчалась Элиза.

— Господи! — взвизгнула она в дверях. — Они убьют его!

Но, хотя его и одолели, — или, на гордом языке старых
южан, «победили, сэр, но не разбили», — Юджин для своих лет
держался прекрасно и продолжал замораживать кровь в жилах
противников горловым рычанием, даже когда они, задыхаясь,
поднялись на ноги.

— По-м-м-моему, он сошел с ума, — сказал Люк. — Он н-набросил-
ся на нас без всякого предупреждения.

Герой в ответ на это пьяно дернул головой, раздул ноздри и
снова жутко зарычал.

— Что с нами будет! — плакала Элиза. — Если брат поднимает
руку на брата, то это конец всему. — Она подняла кресло и
поставила его на место.

Когда Юджин обрел дар речи, он сказал тихо, стараясь справиться с дрожью в голосе:

— Прости, что я набросился на тебя, Бен. А ты, — сказал он
возбужденному моряку, — набросился на меня сзади, как трус. Но
я жалею, что так случилось. Я жалею и о том, что произошло в
тот вечер. И я сказал об этом, а вы все-таки не могли оставить
меня в покое. Ты меня нарочно доводил до исступления своими
разговорами. А я и подумать не мог, — голос его прервался, —
я и подумать не мог, что ты тоже будешь против меня. От
остальных я другого и не ждал, я знаю, что они меня ненавидят.

— Мы тебя ненавидим? — возбужденно воскликнул Люк. —
Что т-т-ты выдумываешь! Не говори глупостей. Мы хотели помочь
тебе для твоей же пользы. С какой стати нам ненавидеть тебя!

— Нет, вы меня ненавидите, — сказал Юджин, — и вам стыдно
признаться в этом. Я не знаю, с какой стати, но ненавидите. Вы ни
за что в этом не признаетесь, но это так. Вы боитесь правды. Но
с тобой всегда было по-другому, — сказал он Бену. — Мы были
как братья, а теперь и ты против меня.

— А! — пробормотал Бен, нервно отворачиваясь. — Ты свих-
нулся. Я не понимаю, о чем ты говоришь!

Он закурил сигарету, рука, державшая спичку, дрожала.

Но хотя мальчик говорил с детской обидой и озлоблением, они почувствовали, что в его словах есть доля правды.

— Дети! Дети! — грустно сказала Элиза. — Мы должны стараться любить друг друга. Давайте проведем это Рождество мирно — то, что осталось. Может быть, это последнее Рождество, которое мы празднуем все вместе. — Она заплакала. — Я прожила такую тяжелую жизнь, — сказала она, — все время волнения и невзгоды. По-моему, я заслужила немного покоя и счастья на старости лет.

В них проснулся старый горький стыд, они не осмеливались взглянуть друг на друга. Но потрясла их и усмирила бездонная загадка боли и смятения, искромсавшая их жизнь.

— Никто не против тебя, Джин, — спокойно начал Люк. — Мы хотим помочь тебе, увидеть, что из тебя что-то вышло. Ты — наша последняя надежда, если ты пристрастишься к спиртному, как все мы, с тобой будет покончено.

Юджина охватило утомление. Его голос стал глухим и монотонным, и в том, что он сказал, была необоримая окончательность.

— А как ты собираешься помешать мне пристраститься к спиртному, Люк? — сказал он. — Бросаясь на меня сзади и начиная меня душить? Больше ты никогда ничего не делал, чтобы узнать меня поближе.

— А? — иронически заметил Люк. — Ты считаешь, что мы тебя не понимаем?

— Да, — негромко сказал Юджин. — По-моему, не понимаете. Вы ничего обо мне не знаете. Я ничего не знаю ни о тебе, ни о ком из вас. Я прожил рядом с вами семнадцать лет, и я чужой вам. За все это время ты хоть раз разговаривал со мною как брат? Рассказал ли ты мне что-нибудь о себе? Ты когда-нибудь пробовал стать моим другом или хотя бы товарищем?

— Я не знаю, чего ты хочешь, — ответил Люк, — но мне казалось, что я делаю как лучше. Рассказать о себе — но что бы ты хотел знать?

— Ну, — сказал медленно Юджин, — ты на шесть лет старше меня: ты уезжал учиться, ты работал в больших городах, а теперь ты служишь в военном флоте Соединенных Штатов. Почему ты всегда держишься, как Господь Всемогущий? — продолжал он с едкой горечью. — Я ведь знаю, как ведут себя моряки! Ты не лучше меня! Как насчет выпивки? А насчет женщин?

— Так при матери не говорят, — строго сказал Люк.

— Да, сын, — сказала Элиза обеспокоенно, — мне не нравятся такие разговоры.

— Хорошо, я не буду говорить так, — сказал Юджин. — Но я заранее знал, что ты скажешь именно это. Мы не хотим, чтобы нам говорили то, что нам и так известно. Мы не хотим называть вещи своими именами, хотя и готовы называть друг друга оскорбительными кличками. Мы называем подлость благородством, а ненависть — честью. Чтобы превратить себя в героя, ты должен выставить меня подлецом. Ты и в этом не сознаешься, но это так. Ну, хорошо, Люк, мы не будем говорить ни о черных, ни о белых дамах, с которыми ты, быть может, знаком, раз это тебя смущает. Продолжай изображать из себя бога, а я буду внимать твоим наставлениям, как мальчик в воскресной школе. Но я предпочел бы просто перечесть десять заповедей, в которых все это изложено короче и лучше.

— Сын, — сказала Элиза со старой своей тревогой и безнадежностью, — нам надо стараться ладить друг с другом.

— Нет, — сказал он. — Я один. Я пробыл тут у вас в ученичестве семнадцать лет, но оно приходит к концу. Я знаю теперь, что мне удастся спастить; я знаю, что не повинен перед вами ни в каком преступлении, и больше я вас не боюсь.

— Что ты, милый! — сказала Элиза. — Мы делали для тебя все, что могли. В каком преступлении мы тебя обвиняем?

— В том, что я дышу вашим воздухом, ем вашу еду, сплю под вашей крышей; в том, что ваша кровь течет в моих жилах; в том, что я принимал ваши жертвы и одолжения, и в том, что я неблагодарен.

— Мы все должны быть благодарны за то, что имеем, — нравоучительно сказал Люк. — Много людей с радостью отдали бы правый глаз за те возможности, которые тебе предоставляли.

— Мне ничего не предоставляли! — страстно сказал Юджин, повышая охрипнувший голос. — Я больше не намерен смиренно сносить в этом доме все. Мои возможности я создал сам вопреки вам всем и вашему сопротивлению. Вы послали меня в университет, потому что у вас не оставалось другого выхода, когда весь город осудил бы вас, если бы вы этого не сделали. Вы послали меня после того, как Леонарды три года превозносили меня, и послали на год раньше, чем следовало бы, когда мне не было еще шестнадцати — с коробкой бутербродов, одним сменным костюмом и наставлениями вести себя хорошо.

— Они, кроме этого, посылали тебе деньги, — сказал Люк. — Не забывай этого.

— Если бы я и позабыл, то вы, остальные, мне об этом напомнили бы, — ответил Юджин. — В этом-то все и дело, верно? Мое преступление в тот вечер заключалось не в том, что я напился, а в том, что я напился не на свои деньги. Если бы я плохо учился в университете на свои деньги, вы бы не посмели ничего мне сказать, но если я хорошо учусь на ваши деньги, вы не забываете напоминать мне о своей доброте и о моей недостойности.

— Да что ты, сын? — дипломатично сказала Элиза. — Никто и слова дурного не сказал о том, как ты учишься. Мы гордимся тобой.

— Напрасно, — сказал он угрюмо. — Я потратил зря немало времени и денег. Но я кое-что извлек из этого... во всяком случае, больше других — и работал за свое жалованье так, как вы этого заслуживали. Я дал вам за ваши деньги все, что положено, и мне не за что вас благодарить.

— То есть как? То есть как?! — резко сказала Элиза.

— Я сказал, что мне не за что вас благодарить, но я беру свои слова назад.

— Так-то лучше, — сказал Люк.

— Да, мне есть за что вас благодарить, — сказал Юджин. — Благодарю за каждую грязную страстишку и похоть, живущую в оскверненной крови моих благородных предков. Благодарю за каждую язву, которая может разъесть меня. Благодарю за любовь и милосердие, которые мяли меня о лохань за день до рождения. Благодарю за деревенскую бабку, которая принимала меня и загноила мой пупок. Благодарю за каждый удар и проклятие, полученные от всех вас в детстве, за все грязные каморки, в которых я спал по вашей милости, за десять миллионов часов жестокости или равнодушия и за тридцать минут дешевых советов.

— Противоестественный сын! — прошептала Элиза. — Противоестественный! Ты понесешь кару, если в небесах есть справедливый Господь.

— О, конечно, есть! Не сомневаюсь! — воскликнул Юджин. — Потому что я уже несу кару. Черт побери! Всю оставшуюся мне жизнь я должен буду по кусочкам возвращать себе мужество, заживляя и забывая все раны, которые вы наносили мне, пока я был ребенком. Когда я в первый раз выбрался из колыбели, я пополз к двери, и с тех пор я все время пытаюсь спастись. И теперь наконец я освободился от вас всех, хотя вы еще можете удержать меня на несколько лет. Если я и не свободен, то я, во всяком случае, заперт в моей собственной тюрьме, и я постараюсь навести хоть какой-нибудь порядок, внести хоть чуточку красоты в путаницу моей жизни. Я найду выход, пусть хоть через двадцать лет, и найду его один.

— Один? — подозрительно спросила Элиза. — Куда ты собираешься?

— А! — сказал он. — Ты и не заметила? Я уже ушел.

XXXIII

Оставшиеся несколько дней каникул он почти не бывал дома, появляясь только, чтобы торопливо поесть, и поздно ночью. Он ждал отъезда, как узник свободы. Скорбная, прощальная увертюра — мокрые глаза на перроне, внезапное излучение лихорадочной теплоты чувств, изъявление любви при звуке свистка — на этот раз не растрогала его. Слезные железы, начал он понимать, подобно потовым, развились из клеток кожи, и достаточно одного вида паровоза, чтобы выбить из них соленую искру. А потому он держался со спокойной невозмутимостью джентльмена, который, отправляясь в гости за город, стоит в шумной толпе в ожидании парома.

Он благословил слова, с помощью которых столь удачно определил свое положение как человека на жалованье. Они выражали и утверждали жизненную позицию, а кроме того, в известной степени оберегали его от постоянной предательской власти чувств. Всю весну он деятельно отличался во всевозможных областях, зная, что звон подобной монеты будет понятен их ушам. Он добросовестно сообщал о всех своих достижениях; его имя не раз появлялось в снисходительных алтамонтских газетах. Гант с гордостью сохранял вырезки и при каждом удобном случае читал их постояльцам.

Юджин получил два коротких неловких письма от Бена, который жил теперь в ста милях от него, в табачном городе. На Пасху Юджин гостил у него — в квартире, где безошибочная судьба Бена вновь бросила его в гостеприимные объятия седовласой вдовы. Ей было под пятьдесят — красивая глупая женщина, которая ласкала и дразнила его, как обожаемое дитя. Она с бессмысленным хихиканьем называла его «Кудрянчиком», на что он отвечал обычной угрюмой мольбой к своему Творцу: «О, Бога ради! Нет, только послушать!» Она вновь обрела поразительную девичью проказливость и в припадке игривости вдруг подскакивала к «Кудрянчику», тыкала его под ребра и упархивала с торжествующим возгласом: «Ага! Попался!»

Этот город был навсегда окутан запахом сырого табака, густым и едким, от которого щипало в ноздрях, — он оглушал приезжих, когда они выходили из вагонов, но местные жители отрицали это и говорили: «Нет, ничем не пахнет!» И через день приезжий тоже переставал его замечать.

В пасхальное воскресенье Юджин встал в синеве рассвета и пошел с другими паломниками на Моравское кладбище.

— Тебе надо поглядеть его, — сказал Бен. — Это знаменитый обычай. Люди съезжаются отовсюду.

Но сам он не пошел.

Вслед за сводным духовым оркестром под торжествующий рев тромбонов огромная толпа повалила на странное кладбище, где на всех могилах лежали плоские плиты — символ, как ему объяснили, все уравнивающей Смерти. Но трубы продолжали греметь, и под их звуки он вновь представил себе смерть вампиром, потому что плиты показались ему похожими на скатерти, и его охватило тягостное чувство, словно он принимал участие в каком-то непристойном пиршестве.

Весна вновь летела над землей, как легкие сверкающие брызги дождя: все умершие свершали свое чудесное возвращение к жизни в развертывающихся листьях и цветах. Бен ходил по улицам табачного города, похожий на асфодель. Здесь, в этом месте было странно видеть призрак — его древняя душа устало бродила среди приевшихся кирпичных стен и юных фасадов.

На холме была площадь со зданием суда. Машины стояли тесными рядами. Молодые люди околачивались возле аптеки.

«Как все это реально, — думал Юджин. — Словно мы всегда это знали и нам незачем глядеть. Не город показался бы странным Фоме Аквинскому*, а он городу».

Бен бродил по улицам, хмурясь, здоровался с торговцами и наклонял свой череп над прилавком навстречу их круглым практичным черепам — фантом, тихим монотонным голосом выпрашивающий рекламу.

— Это мой младший брат, мистер Фултон.

— Как поживаешь, сынок! У вас там выращивают долговязых деток, Бен! Ну, если вы похожи на Бена, молодой человек, мы жаловаться не будем. Мы о нем высокого мнения.

«Вот так в Коннектикуте будут самого лучшего мнения о Бальдуре*», — думал Юджин.

— Я пробыл здесь всего три месяца, — сказал Бен, приподнявшись в постели на локте и куря сигарету. — Но я уже знаю всех местных воротил. Обо мне здесь все самого лучшего мнения.

Он быстро взглянул на брата — эта редкая откровенность придала его усмешке робкое очарование. Но его яростные глаза были отчаявшимися и одинокими. Тоска по горам? По дому? Он курил.

— Видишь ли, стоит уехать из дома, и нетрудно заслужить самое лучшее мнение. А дома это невозможно, Джин. Они все погубят. Ради Бога, уезжай, как только сможешь. Что с тобой? Почему ты на меня так смотришь? — сказал он резко, испуганный пристальным взглядом брата. Потом он продолжал: — Они испортят тебе жизнь. А ее ты все еще не забыл?

— Нет, — сказал Юджин и добавил: — С началом весны она все время со мной.

Он обжег свое горло надсадным криком.

Весенние месяцы проходили в нарастающем гуле войны. Студенты постарше незаметно исчезали и отправлялись на призывные пункты. Студенты помоложе напряженно ждали. Война не приносила им горя: это был пышный и веселый праздник, на котором, как они полагали, их могла мгновенно озарить слава. Нация купалась в изобилии. Ходили странные слухи, что к северу, на побережье Виргинии, среди военных заводов лежит страна Эльдорадо. Некоторые студенты побывали там в прошлом году и привезли с собой рассказы о баснословных заработках. Можно было получать двенадцать долларов в день, не обладая никаким опытом. Можно было наняться плотником, имея при себе молоток, пилу и угольник. Никто ни о чем не спрашивал.

Война для молодых людей не смерть, война для них жизнь. Никогда еще земля не облачалась в столь яркий наряд, как в этом году. Война, казалось, открыла залежи руд, о которых страна и не подозревала, обнаруживались колоссальные богатства, росла мощь. И почему-то это царственное богатство, этот парад мужества людей и денег претворялся в лирическую музыку. В сознании Юджина богатство, любовь и слава сливались в симфонию, в мир вернулся век мифов и чудес. Все стало возможным. Он поехал домой, натянутый, как тетива лука, и заявил о своем намерении отправиться в Виргинию. Это вызвало протесты, но недостаточно громкие, чтобы удержать его. Мысли Элизы были заняты недвижимой собственностью и летним сезоном, Гант глядел во мрак на свою жизнь. Хелен смеялась над ним и ругала его; потом задумчиво пощипала подбородок.

— Не можешь жить без нее? Меня ты не обманешь! Нет, сэр. Я знаю, зачем тебе понадобилось ехать туда, — сказала она шутливо. — Она теперь замужняя женщина; может быть, у нее уже есть ребенок. Ты не имеешь права преследовать ее.

Потом внезапно она добавила:

— Ну, пусть едет, если ему так хочется. По-моему, это глупо, но решать он должен сам.

Он получил от отца двадцать пять долларов — этого было достаточно, чтобы оплатить железнодорожный билет до Норфолка, и еще оставалось несколько долларов.

— Помяни мое слово, — сказал Гант, — ты вернешься через неделю. Все это нелепая затея.

Он уехал.

Всю ночь он приближался к ней через Виргинию, приподнявшись на локте на своей полке и зачарованно глядя на романтический край в дремлющих лесах, белый в пылающем свете луны, как нездешний рассвет.

На заре они прибыли в Ричмонд. Здесь была пересадка, и ему пришлось ждать. Он вышел с вокзала и поднялся по холму к прекрасному старинному Капитолию штата, залитому юным утренним светом. Он позавтракал в закусочной на Борд-стрит, по которой уже шли на работу люди. Это случайное и краткое соприкосновение с их жизнями, свершившееся после одинокого и дивного приближения к ним сквозь ночь, восхитило его именно своей случайностью. Все негромкие тикающие звуки города, который начинает свой день, странная привычность голосов в чужом месте, жадно воспринимаемые слухом после грома колес, казались мистическими и нереальными. Город существовал только через него, и он удивлялся, как он жил до его приезда, как будет жить после его отъезда. Он глядел на людей жадными глазами, которые еще хранили бескрайние лунные луга ночи и прохладную зеленую ширь земли. Они были точно люди в зоопарке, и он смотрел на них, ища особые опознавательные знаки города, стараясь обнаружить на их телах и лицах еле заметную карту их особого микрокосма. В нем проснулась великая жажда путешествий — чтобы всегда приезжать, как сейчас, на заре в неведомые города, ходить среди их людей, сидеть с ними, подобно Богу в изгнании, несущему в себе огромное видение земли.

Буфетчик зевнул и перевернул шуршащие листы утренней газеты. Это было странно.

Мимо громыхали трамваи, разъезжаясь по городу. Торговцы опускали маркизы; он покинул их с наступлением дня.

Час спустя он уже ехал к морю. В восьмидесяти милях впереди были и море и Лора. Она спала, не подозревая, что глотающие пространство колеса везут его к ней. Он глядел на прозрачную голубизну неба, побеленную облачками, на край, поросший соснами и несущий на себе неуловимые признаки болот и сверкающей соли.

Поезд вкатил под пароходный навес Ньюпорт-Ньюс. Потрясающий паровоз, прекрасный, как корабль, пыхтел с неутомленной усталостью у конца путей. Здесь, возле плещущих волн, он остановился, как свершившаяся судьба.

Небольшой пароходик ждал у причала. Через несколько минут Юджин уже оставил жаркий сумрачный запах пристани и плыл по голубым водам Родса. Великолепный легкий бриз бороздил воду и пел в такелаже пароходика, рождая в его сердце музыку и упоение. Он широким шагом мерил крохотные палубы, стремительно проходя мимо удивленно оборачивающихся людей, и в его горле клокотали дикие звуки. Поджарые эсминцы, яркий сумасшедший камуфляж грузовых и транспортных судов, ленивый красный вихрь винта, полупогруженного в воду, и легкий винный блеск волн сливались в единое сияние и переполняли его восторгом. Он кричал прямо в глотку громадного ветра, и его глаза были влажны.

На палубах судов сновали аккуратные фигурки в белом; под кормовым подзором огромного французского судна плавали молодые нагие люди. Они из Франции, — думал он, — как странно, что они здесь.

О, чудо, волшебство и утрата! Его жизнь походила на большую волну, разбивающуюся в одиноком море; его жадные плечи не находили преграды — он швырял свою силу о пустоту, затеривался и рассеивался, как прядь тумана. Но он верил, что этот высший экстаз, владевший им и опьянявший его, когда-нибудь сольет свой свет в единой вспышке. Он был Фаэтон с грозными конями Солнца, он верил, что его жизнь способна постоянно пульсировать на пределе напряжения и достигнуть извечной вершины.

Раскаленная Виргиния пылала под синим горнилом неба, но на Родсе корабли покачивались в свежеющем бризе войны и славы.

Юджин провел в норфолкском пекле четыре дня, пока у него не кончились деньги. Он смотрел, как они иссякают, не испытывая страха, его сердце билось чаще, и он смаковал острое удовольствие от своего одиночества и неведомых изменений своей судьбы. Он ощущал бьющийся пульс мира, жизнь гудела, как спрятанная динамо-машина, от безграничного возбуждения, которое обещали десять тысяч пьянящих угроз. Он все может, все смеет, станет всем. Далекие и могущественные были рядом с ним, вокруг него, над ним. Не надо было перекидывать мосты через пропасти и взбираться к недоступным вершинам. Из неизвестности, голода, одиночества он мог быть в один миг вознесен к могуществу, славе, любви. Транспорт, грузящийся в порту, мог в среду вечером увезти его к войне, к любви, к славе.

Он бродил в темноте у плещущей воды. Он слышал ее зеленые влажные шлепки по обросшим водорослями сваям; он впивал ее запах, резкий запах трески, и наблюдал, как грузящиеся в ослепительном свете прожекторов огромные суда медленно оседают в воде. Ночь была наполнена грохотом огромных кранов, внезапным лязгом лебедок, криками боцманов и непрерывным громыханием грузовиков на пристани.

Его великая страна впервые собирала воедино свою мощь. Атмосфера была заряжена убийственным изобилием, буйной разлагающей расточительностью.

Жаркие улицы этого города кишели хулиганами, мошенниками, бродягами со всей страны — чикагские бандиты, отчаянные негры из Техаса, оборванцы из Бауэри*, бледные евреи с мягкими ладонями из городских лавок, шведы со Среднего Запада, ирландцы из Новой Англии, горцы из Теннесси и Северной Каролины, косяки проституток — отовсюду. Для них война была гигантски жирной курицей, осыпающей их золотыми яйцами. О будущем не думали, в него не верили. Царило одно торжествующее «сегодня». И жизнь ограничивалась этой минутой. Ничего, кроме безумных приливов приобретений и трат.

По вечерам молодые люди с ферм Джорджии, работавшие в порту и на верфях, выходили на улицы щеголять павлиньими перьями. Мускулистые, загорелые, поджарые, они стояли на тротуарах, в восемнадцатидолларовых бежевых башмаках, восьмидесятидолларовых костюмах и восьмидолларовых шелковых рубашках в широкую красную и синюю полоску. Это были плотники, каменщики, десятники — во всяком случае, так они говорили, — и получали они по десять, двенадцать, четырнадцать, восемнадцать долларов в день.

Они переходили с места на место, работали месяц, богато бездельничали неделю, наслаждались краткой оплаченной любовью девушек, с которыми знакомились на пляже или в борделе.

Могучие черные грузчики с руками горилл и черными лапами пантер зарабатывали шестьдесят долларов в неделю и спускали их за один вечер алого буйства в обществе какой-нибудь мулатки.

В этой толпе незаметно и трезво проходили пожилые, бережливые рабочие: настоящие плотники, настоящие каменщики, настоящие механики — практичные полушотландцы-полуирландцы из Северной Каролины, рыбаки с виргинского побережья, степенные крестьяне со Среднего Запада, которые приехали сюда, чтобы заработать, скопить, нажиться на войне.

Повсюду в этой густой толпе мелькали яркие одеяния крови и славы: улицы наполняли матросы в полощущихся синих брюках и безукоризненно белых рубашках — загорелые, крепкие и чистые. Военные моряки проходили надменными парами, прямые, как палки, в чванливой броскости шевронов и полосатых брюк. Серые, угрюмые командоры, тяжелые на руку унтер-офицеры, элегантные младшие лейтенанты, только что из училища, под руку с чем-то златоволосым и воздушным, проходили среди красных помпонов французских моряков и косолапо шагающих, умудренных морем англичан.

Со спутанными нестрижеными волосами, которые падали ему на глаза, завитками выбивались из прорех его старой шляпы и пышно курчавились на его немытой шее, по этой толпе рыскал Юджин, пожирал ее горячечными глазами — днем он обливался потом, который вечером пахнул резко и затхло.

В этом огромном таборе бесприютных бродяг он утратил себя, в этот мир он пришел из одиночества, как в родной дом. Жажда путешествий, жажда, томящая американцев, потому что они — раса кочевников, находила некоторое утоление здесь, в этом водовороте войны.

Он утратил себя в толпе. Он утратил счет дням. Его небольшие деньги таяли. Он переехал из дешевой гостиницы, которую переполнял блуд, в маленькую меблированную мансарду — в духовку из горячих сосновых досок и просмоленной крыши, из меблированных комнат он перебрался на пятидесятицентовую койку в общежитии Ассоциации молодых христиан, куда возвращался каждую ночь, платил за ночлег и спал в одной комнате с сорока храпящими матросами.

В заключение, когда его деньги кончились, он спал в ночных закусочных, пока его оттуда не выгоняли, на портсмутском пароме и над плещущей водой на гниющей пристани.

По ночам он бродил среди негров и слушал их смачные разговоры; он ходил туда, куда ходили матросы, — по Черч-стрит, где были женщины. Он бродил в ночи, полной молодой звериной похоти, его худое мальчишеское тело пахло потом, горячечные глаза прожигали темноту.

Ему постоянно хотелось есть. Деньги кончились. Но в нем жили голод и жажда, которые нельзя было утолить. Над хаосом в его мозгу нависла тень Лоры Джеймс. Тень ее нависла над городом, над всей жизнью. Эта тень привела его сюда; сердце его распухало от боли и гордости; он не станет ее искать.

Он был одержим мыслью, что встретит ее в толпе, на улице, за углом. Если он ее встретит, он с ней не заговорит. Он гордо и равнодушно пройдет мимо. Он ее не увидит. Она его увидит. Она увидит его в какой-нибудь блистательный момент, когда прекрасные женщины будут нести ему дань любви и уважения. Она заговорит с ним; он не ответит ей. Она будет уничтожена; она будет сломлена; она будет молить его о любви и прощении.

Вот так, грязный, непричесанный, одетый в лохмотья, в голод и безумие, он видел себя победоносным, героическим, прекрасным. Эта навязчивая идея сводила его с ума. По десять раз на дню ему казалось, что он видит на улице Лору, и его сердце рассыпалось в прах: он не знал, что делать и что говорить, убежать или остаться. Он часами глядел на ее адрес в телефонной книге; сидя у телефона, он дрожал от возбуждения, потому что это грозное волшебство покорилось бы одному движению руки, потому что менее чем через минуту он мог бы оказаться с ней — голос к голосу.

Он разыскал ее дом. Она жила в старом деревянном особняке далеко от центра города. Он рыскал по соседству, принимая все предосторожности, не приближаясь к дому ближе, чем на квартал, и разглядывая его под углом, по касательной, сзади и спереди — украдкой, с бьющимся сердцем, но он ни разу не подошел к нему прямо, не прошел мимо него.

Он был гнусен и грязен. Подметки его башмаков прохудились, и мозолистые подошвы стукались о горячий асфальт. От него воняло.

Наконец он попытался устроиться на работу. Работы было сколько угодно, но баснословную заработную плату, о которой он был наслышан, найти оказалось не так-то легко. Он не мог поклясться, что он плотник или каменщик. Он был грязным мальчишкой и выглядел именно так. Его охватил страх. Он побывал в военном порту в Портсмуте, на военной базе в Норфолке, на товарной станции. И всюду была работа, сколько угодно тяжелого физического труда за четыре доллара в день. Он с радостью согласился бы на это, но выяснилось, что первую плату он получит только через две недели, а деньги, причитающиеся за первую неделю, будут удержаны, чтобы ему было чем перебиться, если он заболеет, попадет в беду или уйдет с работы.

А у него не осталось денег.

Он заложил часы, которые Элиза подарила ему на день рождения. Еврей-закладчик дал ему за них пять долларов. Тогда он снова отправился на пароходике в Ньюпорт-Ньюс, а оттуда на трамвае по берегу в Хэмптон. В норфолкской толпе он подхватил слух, что тут можно получить работу на аэродроме и что рабочие получают и стол и жилье за счет компании.

У длинного моста, который вел на летное поле, в дощатой будочке конторы по найму его записали чернорабочим, после чего его обыскал часовой, приказавший ему открыть чемодан. Потом он побрел по мосту, подталкивая коленями тяжелый чемодан, кое-как набитый его грязными пожитками.

В конце концов он, пошатываясь, вошел во временное здание управления и обратился к управляющему — человеку лет тридцати пяти, бритому, бледному, усталому, носившему голубой козырек над глазами и нарукавники, и говорившему, не вынимая изо рта жеваной, прилипшей к губе сигареты.

Юджин дрожащими пальцами сунул ему направление, которое ему дали в конторе. Управляющий бросил на листок беглый взгляд.

— Студент, а, сынок? — сказал он, оглядев Юджина.

— Да, сэр, — сказал Юджин.

— Ты когда-нибудь копал землю весь день напролет? — спросил управляющий.

— Нет, сэр, — ответил Юджин.

— Сколько тебе лет, сынок? — спросил управляющий.

Юджин немного помолчал.

— Мне... девятнадцать, — сказал он наконец, недоумевая, почему у него не хватило храбрости сказать «двадцать», раз уж он все равно солгал.

Управляющий устало улыбнулся.

— Это тяжелый труд, сынок, — сказал он. — Тебе придется работать с итальяшками, шведами и всякими там венграми. Тебе придется жить в одном бараке с ними и есть с ними. Они не слишком-то благоухают, сынок.

— У меня нет денег, — сказал Юджин. — Я буду стараться. Я не заболею. Возьмите меня чернорабочим. Пожалуйста!

— Нет, — сказал управляющий, — не возьму.

Юджин слепо повернулся, чтобы уйти.

— Я вот что сделаю, — продолжал управляющий. — Я возьму тебя учетчиком. Так ты будешь служащим. Как тебе и положено. Будешь жить в бараке для служащих. Они все хорошие ребята, — добавил он любезно, — такие же студенты, как и ты.

— Спасибо, — сказал Юджин, с хриплым волнением стискивая пальцы. — Спасибо.

— Наш теперешний учетчик уходит, — сказал управляющий. — Утром пойдешь с ним в конюшню за лошадью.

— За л-л-лошадью? — спросил Юджин.

— Тебе будет нужна лошадь, — сказал управляющий, — чтобы объезжать поле.

Со щемящим волнением под ложечкой, с радостью и страхом Юджин представил себе эту лошадь. Он повернулся, чтобы уйти. Ему было невыносимо говорить о деньгах.

— С-с-колько?.. — наконец просипел он, чувствуя, что без этого не обойтись. Дело есть дело.

— Я дам тебе восемьдесят долларов в месяц для начала, — сказал управляющий с оттенком щедрого великодушия. — А если ты себя хорошо покажешь, будешь получать сто.

— И содержание? — прошептал Юджин.

— Само собой! — сказал управляющий. — Это входит в условия.

Юджин, пошатываясь, ушел со своим чемоданом — в голове у него взрывались шутихи.

Эти месяцы, хотя они и были наполнены страхом и голодом, следует дать лишь в самом кратком изложении, бегло упомянув людей и поступки, с которыми сталкивался затерянный мальчик. Они принадлежат повести о спасении и странствованиях, а здесь ценны только, как инициация перед путешествием, которое совершит эта жизнь. Они — прелюдия изгнания, и в их кошмарном хаосе невозможно усмотреть никакого назначения, кроме слепых блужданий души, ощупью ищущей путь к свободе и уединению.

Юджин проработал на аэродроме месяц. Трижды в день он объезжал летное поле, проверяя номера рабочих в двадцати командах, которые выравнивали, трамбовали, выкорчевывали из губчатой земли неуклюжие древесные пни и наполняли без конца и устали, словно в тягучем бесплодном бреду, болотистые земляные кратеры, которые бесследно поглощали труд их лопат. Команды состояли из людей всех рас и состояний: португальские негры, смоляно-черные, доверчивые и простодушные, приветствовали его белыми зубастыми улыбками и, указывая на большие белые бляхи со своими номерами, выкрикивали непривычными, экзотическими голосами «пятьдесят девятый, девяносто шестой» и так далее; бездомные бродяги в грязных саржевых костюмах и помятых котелках с отвращением сжимали рукоятки кирок, которые в кровь обдирали их грязные, лишенные мозолей ладони, — их угрюмые злые лица с полоской бороды походили на гнилые зеленовато-желтые грибы, вырастающие под бочками. И еще там были рыбаки с виргинского побережья, говорившие тягуче и неторопливо, дюжие великаны-негры из Джорджии и с крайнего Юга, итальянцы, шведы, ирландцы — часть огромного компоста, называемого Америкой.

Он познакомился с ними и с их десятниками — жесткими бесшабашными людьми, седыми и плотоядными, полными быстрой энергии и грубого юмора.

Трясущейся куклой восседая на лошади, которой он боялся, Юджин разъезжал по полю, глядел в небо и иногда почти переставал замечать огромную машину, которая поднималась и опускалась под ним в буром чувственном ритме. Люди-птицы заполонили синее виргинское небо басистым жужжанием.

Наконец, снова томимый голодом по кораблям и лицам, он ушел с аэродрома и за одну буйную и пеструю неделю истратил в Норфолке и на виргинских пляжах все заработанные деньги. Снова почти без гроша, увозя с собой только свирепый калейдоскоп тысячи улиц, миллиона фонарей и въедливый шум карнавала, он вернулся в Ньюпорт-Ньюс, чтобы заняться поисками работы в обществе еще одного юнца из Алтамонта, такого же безалаберного искателя счастья в работе на войну, с которым он познакомился на пляже. Этот достойный джентльмен по имени Синкер Джордан был на три года старше Юджина. Это был красивый беззаботный мальчишка, невысокого роста; он слегка прихрамывал в результате травмы, полученной на футбольном поле. Характер у него был слабый и неустойчивый, он ненавидел всякие усилия и проявлял упорство только в проклятиях, которые слал своим неудачам.

У них у каждого было по нескольку долларов. Они сложились и с безалаберным оптимизмом купили у закладчика в Ньюпорт-Ньюс кое-какие плотничьи инструменты — молотки, пилы, угольники. Они отправились на пятнадцать — двадцать миль от моря в унылый правительственный лагерь, расстилавшийся среди виргинских сосен. Там они не получили работы и в черном отчаянии вернулись в город, который покидали утром с такими радужными надеждами. До захода солнца они нанялись на верфь, но их рассчитали через пять минут после того, как они приступили к работе, когда они признались ухмыляющемуся мастеру в помещении, полном стружек и негромко похлопывающих приводных ремней, что понятия не имеют о плотницких работах в кораблестроении. Как, могли бы они добавить, и о любых других.

Теперь они остались совсем без денег, и едва они вышли на улицу, как Синкер Джордан швырнул на мостовую злосчастные инструменты, яростно проклиная глупость, из-за которой они теперь рискуют остаться голодными. Юджин подобрал инструменты и отнес их к невозмутимому закладчику, который дал за них лишь немногим меньше, чем они заплатили ему утром.

Так прошел день. Они нашли приют в скверном домишке, где Синкер Джордан достойно увенчал свое легкомыслие, вложив остаток их капитала в жадную лапу их хозяйки, которая к тому же, по собственному ее признанию, была порядочной женщиной. Но так как они успели плотно поесть, их окрыляли все надежды, даримые сытым желудком и юностью, — они уснули, и Синкер уснул спокойно, не мучаясь никакими угрызениями.

На другое утро Юджин поднялся с зарей и после бесплодных попыток разбудить блаженно спящего Синкера отправился к убогим желтым причалам, заваленным военным снаряжением. Все утро проходив взад и вперед по пыльной дороге вдоль охраняемых заборов, он получил работу для себя и Синкера у главного учетчика, нервного уродливого человека, упивающегося мелкой тиранией. Его глазки-буравчики поблескивали из-под очков, а на жестких щеках постоянно вздувались желваки.

Юджин вышел на работу на следующее утро в семь утра, а Синкер на несколько дней позже, когда истратил последний цент. Юджин укротил свою гордость и занял несколько долларов у одного из учетчиков. На эти деньги он и Синкер вели скудное существование до получки — до нее оставалось несколько дней. Заработанные деньги быстро просочились сквозь их беззаботные пальцы. И снова у них осталось несколько монет, а до следующей получки было почти две недели. Синкер играл в кости с учетчиками за огромной стеной из мешков с овсом, высившейся на пристани, — проиграл, выиграл, проиграл и встал без гроша, проклиная Бога. Юджин присел на корточки около учетчиков, зажав в ладони последние полдоллара и не обращая внимания на горькие насмешки Синкера. Он никогда еще не играл в кости и, естественно, выиграл — восемь долларов пятьдесят центов. Он, ликуя, встал под аккомпанемент их кощунственного удивления и повел Синкера обедать в лучший ресторан.

Дня через два он снова пошел за овсяной штабель со своим последним долларом — и проиграл.

Он начал голодать. Один томительный день переходил в другой. Яростный глаз июля обрушивал на пристань нестерпимый блеск. Подходили и отходили поезда и пароходы, нагруженные до отказа оружием и продовольствием для солдат. Горячий зернистый воздух над пристанью плыл перед его глазами, наполненный пляшущими точками, черные грузчики вереницей катили мимо него свои тачки, а он делал надоевшие пометки на листе. Синкер Джордан занимал по мелочам у других учетчиков и перебивался с содовой на сыр в маленькой лавочке возле порта. Юджин не мог просить или занимать. Отчасти из гордости, но в основном из-за властной инертности характера, которой все больше подчинялась его воля к действию, он не находил в себе сил заговорить. Каждый день он обещал себе: «Я поговорю с кем-нибудь из них завтра. Я скажу, что мне надо есть и что у меня нет денег». Но когда он пытался заговорить, у него ничего не получалось.

Когда они приобрели сноровку, их стали оставлять после дневной работы на ночь. При других обстоятельствах он только радовался бы этой сверхурочной работе, оплачивавшейся в полуторном размере, но когда он еле волочил ноги от утомления, распоряжение задержаться преисполняло его ужасом. Он уже несколько дней не возвращался в жалкую комнатушку, в которой жил с Синкером Джорданом. Окончив дневную работу, он забирался в маленький оазис среди мешков овса и погружался в сонное оцепенение, — лязг кранов и лебедок, непрерывный грохот тачек и отдаленное рявканье судов на рейде мешались в его ушах в странную тихую симфонию.

Он лежал там в затухающих отблесках окружающего мира, а война в течение этого месяца приближалась к своему кровавому апогею. Он лежал там, как собственный призрак, и с болью, с горем думал о миллионах городов и лиц, которые он никогда не видел. Он был атом, ради которого существовала вся жизнь, — Цезарь умер, и безымянная вавилонская женщина, и где-то здесь, в этой чудесной умирающей плоти, в этом мириадогранном мозге хранился их след, их дух.

И он думал о странных утраченных лицах, которые он знал, об одиноких фигурах его близких, проклятых, обреченных на хаос, — каждый из них прикован к своему року гибели и утрат: Гант, низвергнутый титан, впиряющий взгляд в необъятные дали прошлого, равнодушный к окружающему его миру; Элиза, как жук, занятая слепым накоплением; Хелен, бездетная, лишенная цели, яростная — огромная волна, разбивающаяся о пустынный бесплодный берег; и, наконец, Бен — призрак, чужак, в эту минуту бродящий по другому городу, проходящий по тысячам улиц жизни и не находящий ни одной двери.

Но на следующий день Юджин почувствовал себя еще более ослабевшим. Он сидел, развалившись, на троне из пухлых мешков с овсом, затуманенными глазами следил, как летят мешки на желоб, и ставил кривые галочки на листе, а мимо сновали и сновали грузчики. Жуткая жара текла сквозь зернистую пыль воздуха, и каждое свое движение он обдумывал заранее, поднимая руку, а потом опуская ее так, словно это был посторонний предмет.

В конце дня его попросили вернуться в ночную смену. Он слышал, качаясь от слабости, далекий голос главного учетчика.

На раскаленной пристани настал час ужина и внезапно зашумела тишина. По всему огромному навесу раздавались завершенные звуки: слабая дробь шагов — это к выходу шли рабочие, плеск воды о корпус корабля, шум на сходнях.

Юджин зашел за штабель и слепо полез наверх в свою укромную крепость. Мир отхлынул от его гаснущего сознания, все звуки слабели, отдалялись. «Я немного отдохну, — думал он, — и спущусь работать. День был жаркий. Я очень устал». Но когда он попробовал привстать, то не смог. Его воля тщетно боролась с неподатливым свинцом его тела, безнадежно напрягаясь, как человек в клетке. Он подумал спокойно, с облегчением, с тихой радостью: «Они не найдут меня здесь. Я не могу пошевелиться. Все кончено. Если бы я заранее мог себе это представить, мне было бы страшно. А теперь — нисколько. Здесь... на этой груде овса... внося свой вклад... в дело демократии. Потом начну вонять, и они меня найдут».

Мерцание жизни покидало его усталые глаза. Он лежал в полузабытьи, растянувшись на мешках. Он думал о лошади.

Таким нашел его молодой учетчик, одолживший ему деньги. Учетчик нагнулся над ним, подсунул руку ему под голову, а другой прижал к его губам бутылку с самогоном. Когда Юджин немного ожил, учетчик помог ему спуститься и медленно повел его по длинной деревянной платформе пристани.

Они пошли через дорогу в маленькую бакалейную лавку. Учетчик купил бутылку молока, коробку сухариков и большой кусок сыра. Юджин ел, а по его чумазому лицу текли слезы, промывая борозды в грязи. Это были слезы голода и слабости, он не мог сдержать их.

Учетчик стоял и следил за ним обеспокоенным добрым взглядом. Это был молодой человек с квадратным подбородком и узким лицом; он носил интеллигентные очки и задумчиво покуривал трубку.

— Почему ты не сказал мне, малый? Я бы дал тебе денег, — сказал он.

— Я... не... знаю, — сказал Юджин, жуя сыр. — Просто не мог.

На занятые у учетчика пять долларов он и Синкер Джордан дотянули до получки. Потом, после того как они съели на обед четыре фунта бифштекса, Синкер Джордан уехал в Алтамонт тратить наследство, которое он обрел право получить несколько дней назад, когда ему исполнился двадцать один год. Юджин остался.

Он был, как человек, который умер и родился вновь. Все, что произошло прежде, пребывало в призрачном мире. Он думал о своей семье, о Бене, о Лоре Джеймс так, словно это были призраки. Даже самый мир обернулся призраком. Весь этот август, пока война подвигалась к своему завершению, он наблюдал умирающий карнавал лета. Больше уже ничто не казалось жестким и жарким, грубым и новым. Все было старым. Все умирало. В его ушах звучала воздушная музыка, вовеки далеко-неслышная, как язык его забытого мира. Он познал рождение. Он познал боль и любовь. Он познал голод. И почти познал смерть.

По вечерам, когда его не оставляли на сверхурочную работу, он уезжал на трамвае на какой-нибудь пляж. Но единственный звук, который был реален, который был близким и сущим, был звук вечного моря в его мозгу и в его сердце. Он обращал к морю свое лицо, и за его спиной миллион дешевых огней кафе, стук ножей и вилок, гомон, конфетти, визгливый рев саксофонов, весь жесткий безрадостный шум его страны смягчался, становился печальным, далеким и примерещившимся. Возле крутящейся карусели оглушительный оркестр наяривал «Кэ-кэ-кэ-кэ-Кэти, душечка Кэти», «Бедный лютик» и «Только молится дитя в сумерках».

И дешевая музыка становилась колдовской и прелестной; она смешивалась в волшебство, становилась частью романтичной и прелестной Виргинии, частью морских валов, которые накатывались на песок из вечного мрака, частью его собственной великолепной тоски, его торжествующего одиночества после боли, любви и голода.

Его лицо под пышной копной вьющихся волос было узким и незамутненным, как лезвие; тело было худым, как у изголодавшейся кошки; глаза были блестящими и яростными.

«О море! — думал он. — Я — рожденный в горах, узник, призрак, чужой, — и я хожу здесь возле тебя. О море, я одинок, как ты; я печален, как ты; мой мозг, мое сердце, моя жизнь, как твои, касались неизведанных берегов. Ты подобно женщине, лежащей под твоим же сводом на коралловом дне. Ты — необъятная и плодоносная женщина с пышными бедрами и огромными густыми вьющимися волосами, которые колышутся, подобно зеленым мхам, над твоим животом. И ты унесешь меня в счастливый край, ты омоешь меня для славы на светлых кораблях».

Там, на морском берегу темной Виргинии, он думал о забытых улицах, о всех миллионах сплетений самого себя — призрак своей утраченной плоти. Ребенок, который услышал мычание коровы Суэйна, мальчик, затерянный на плато Озарка, разносчик газет для черных подписчиков и юноша, который вошел с Джимом Триветтом в решетчатую дверь. И официантка, и Бен, и Лора? Тоже мертвы? Где? Как? Зачем? Зачем была соткана паутина? Зачем мы умираем столькими смертями? Как я очутился здесь, у моря? О, затерянный, о, далекий и одинокий — где?

Порой, когда он, возвращаясь, проходил между танцующими — пугало в развевающихся лохмотьях, — он оглядывался и видел себя среди них. Он, казалось, был двумя людьми, он постоянно видел, как он сидит, склоняя темное лицо, на верхней жерди изгороди и смотрит на себя, проходящего мимо в веселой компании молодежи. Он видел себя в толпе, где все были на несколько дюймов ниже его, и уютно устраивался в мире, в любом отношении достаточно большом для него.

И пока он пристально глядел перед собой и видел себя любимым и своим, до него доносился их смех, он внезапно ощущал вокруг себя жесткое белое кольцо их лиц и бросался прочь с проклятиями на губах.

О мои милые шлюхи! Мои прелестные дешевые девки! Вы, мелкая зудящая сыпь, — вы хихикаете надо мной! Надо мной!

Надо мной! (Он бил себя кулаком по ребрам.) Вы насмехаетесь надо мной со своими прыщавыми кавалерами из аптек, со своими напомаженными шимпанзе, со своими гориллами-морячками — вы, острословящие потаскушки с крылечек! Что вы понимаете. Козлиная похоть, вонь вам подобных — вот что вам надо, милые девочки. И вы смеетесь надо мной! Но я объясню вам, почему вы смеетесь: вы меня боитесь, потому что я не похож на других. Вы ненавидите меня, потому что я не свой. Вы видите, что я лучше и значительнее всех ваших знакомых, вы не можете дотянуться до меня, и вы меня ненавидите. Вот в чем все дело. Эфирная (и в то же время мужественная) красота моих черт, мое мальчишеское обаяние (ведь я «всего только мальчик»), оттеняемое трагической мудростью моих глаз (древних, как сама жизнь, и полных сумрачной трагедии всех веков), чуткое изящество моих губ и мое изумительное темное лицо, расцветающее изнутри загадочной прелестью, как цветок, — все это вы хотели бы уничтожить, потому что для вас это недостижимо. Увы мне! (Пока он думал о своей загадочной красоте, его глаза увлажнились от любви и славы, так что ему пришлось высморкаться.) О, но Она поймет! Любовь истинной леди. Гордо, затуманившимися глазами он глядел на нее — стоявшую рядом с ним, как вызов черни, глядел на ее маленькую изящную головку у его плеча обвитую обручем сияющих кос, на две великолепные жемчужины в ее ушках. Любимая! Любимая! Мы стоим тут, на звезде. Теперь мы вне их досягаемости. Гляди! Они съеживаются, они стираются они проходят — победная, несокрушимая, дивная любовь, моя возлюбленная, мы остаемся.

Вот как, упиваясь видением собственной красоты, взволнованный собственной музыкой, с затуманившимися глазами, он уходил в запретный квартал, где бдительные патрули флотской и армейской полиции выискивали своих подопечных, и тихонько крался по темной улочке к неказистому деревянному домишке с задернутыми занавесками, где обитала любовь, которую можно было купить за три доллара и облечь в уборы собственных вымыслов. Ее звали Стелла Блейк. Она никогда не торопилась.

С ней жила молоденькая золотоволосая девушка двадцати лет чья семья жила в Пулпит-Хилле. Иногда он навещал ее.

Дважды в неделю на транспорты грузились войска. Коричневые истомленные тысячи солдат плотными рядами стояли на пристани пока совет офицеров за столиками у сходен проверял их документы. Затем, изнемогая под потной пыткой ранцев, они по одному переходили из жаркого пекла пристани в еще более жаркую тюрьму транспорта. Огромные суда в пестрых зазубренных пятнах камуфляжа ждали на рейде, причаливая и отчаливая бесконечной вереницей.

Иногда солдаты бывали черными — полки землекопов из Джорджии и Алабамы, широкоплечие великаны из Техаса. Они блестели от пота и басисто хохотали; они были послушны, как дети, и называли своих ругающихся офицеров «хозяин».

— Не сметь называть меня «хозяин», сукины дети! — вопил юный лейтенант из Теннесси, который медленно сходил с ума за время переброски, нянча своих подопечных в аду. Они ухмылялись ему весело, с симпатией, как послушные дети, а он, бешено ругаясь, расхаживал по пристани. Время от времени они вновь ввергали его в исступление, докладывая о потерянных касках, штыках, револьверах и документах. Каким-то образом он отыскивал пропажи, каким-то образом он с помощью ругательств благополучно доставил их сюда. Поэтому они улыбались ему с симпатией и называли его «хозяин».

— Ну, что, черт побери, вы теперь натворили? — завопил он, когда дюжий черный сержант и несколько солдат, стоявшие у стола, где шла проверка документов, вдруг разразились горестными криками.

Бешеный лейтенант, ругаясь, бросился туда.

Сержант и несколько солдат — все техасцы — уехали из лагеря, не пройдя медицинской проверки: они болели венерическими болезнями и не кончили курса лечения.

— Хозяин! — бормотал великан-сержант. — Мы хотим ехать во Францию. Мы не хотим оставаться в этой Богом проклятой дыре.

(«За это их винить не приходится», — подумал Юджин.)

— Я вас убью! Разрази меня Бог, убью! — вопил офицер, бросая наземь фуражку и топча ее. Но через секунду он уже повел их с армейским врачом на осмотр за гигантскую стену из мешков с овсом. Пять минут спустя они появились оттуда. Негры прыгали от радости, они толпились вокруг своего бешеного начальника, хватали его руку, целовали ее, преданно ему улыбались.

— Вот видишь, — сказал узколицый учетчик, который смотрел на эту сцену с Юджином, — каково это: справляться с толпой черномазых. С ними нельзя по-хорошему. А на этого парня они молятся и что хочешь для него сделают.

— А он для них, — сказал Юджин.

Эти негры, думал он, вели свое происхождение из Африки, их продавали на невольничьих рынках Луизианы, они поселились в Техасе, а теперь отправляются во Францию.

Мистер Финч, старший учетчик с уродливыми глазами-щелочками, подошел к Юджину, улыбаясь фальшивой улыбкой. Его серый подбородок подергивался.

— У меня есть для вас работа, Гант, — сказал он. — Двойная оплата. Хочу, чтобы и вы немного подработали.

— Какая? — сказал Юджин.

— Это судно пойдет с важным грузом, — сказал мистер Финч. — Его для погрузки выводят на рейд. Я хочу послать вас на него. Вернетесь вечером на буксире.

Учетчик с узким лицом, когда Юджин радостно сообщил ему свою новость, сказал:

— Мне предлагали, но я отказался.

— Почему? — спросил Юджин.

— Мне не настолько нужны деньги. На него грузят тринитротолуол и нитроглицерин. А грузчики швыряют ящики как попало. Если они уронят хоть один, вас придется собирать по кусочкам.

— Такая у нас работа, — эффектно сказал Юджин.

Это была опасность, война. И он идет ей навстречу, рискуя жизнью во имя Демократии. Он был в восторге.

Когда большое грузовое судно медленно отошло от пристани, он стоял на носу, расставив ноги, кидая по сторонам пронзительные орлиные взгляды. Железная палуба обжигала его ноги сквозь тонкие подметки. Он не обращал на это внимания. Он был капитаном.

Судно стало на якорь в Родсе ближе к морю. И буксиры подтащили к нему большие баржи. Весь день под палящим солнцем они грузили судно с качающихся барж; большие желтые краны опускались и поднимались; к вечеру судно глубоко осело в воду, по горло нагруженное снарядами и порохом, а на раскаленных плитах палубы оно несло тысячу двести угрюмых тонн грозных полевых орудий.

Юджин оценивал все пронзительными взглядами, расхаживал среди орудий с видом знатока и записывал груз по весу, по количеству, поштучно. Время от времени он совал в рот горсть влажного табака и с удовольствием жевал. Он выплевывал на железную палубу горячие шипящие комочки.

«Черт! — думал он. — Вот это мужская работа. Э-эй, пошевеливайтесь, черные дьяволы! Идет война!» — И он сплевывал.

Вечером пришел буксир и увез его на берег. Он сел отдельно от грузчиков, стараясь вообразить, что буксир прислали за ним одним. На дальних виргинских берегах мерцали огоньки. Он сплевывал в бурлящую воду.

Когда подходили и отходили товарные составы, грузчики поднимали деревянные мостки, перекрывавшие пути. Фут за футом, ритмическими рывками они тянули канат, распевая под руководством своего десятника песню любви и труда.

«Джелли Ролл! (Хех!) Джелли Ролл!»

Это были великаны-негры, каждый жил со своей женщиной. Они зарабатывали от пятидесяти до шестидесяти долларов в неделю.

Раза два в конце лета Юджин ездил в Норфолк. Он повидался с моряком, но больше не пытался увидеть Лору. Она казалась далекой и давно утраченной.

Все лето он не писал домой. Он нашел письмо от Ганта, написанное обычным кудрявым готическим почерком, — больное и дряхлое письмо, написанное горестно и очень издалека. Утрата! Утрата! Элиза, крутящаяся в водовороте летнего сезона, приписала несколько практичных слов, чтобы он берег деньги. Чтобы он ел как следует. Чтобы он не хворал. И был хорошим мальчиком.

Мальчик был узкой колонной коричневой кожи и костей. За лето он похудел на тридцать фунтов: при росте в шесть футов четыре дюйма с лишним он весил чуть больше ста тридцати фунтов.

Моряк был ошеломлен его худобой и принялся пилить его сердито и шумно.

— Почему ты не с-с-сообщил мне, где ты, идиот? Я бы послал тебе денег. Г-господи помилуй! Пойдем поедим!

Они поели.

Лето шло на убыль. Когда настал сентябрь, Юджин ушел с работы и после двух блаженных дней в Норфолке уехал домой. Но в Ричмонде, где нужно было три часа ждать пересадки, он вдруг передумал и поселился в хорошем отеле.

Он был преисполнен победоносной гордости. В его карманах лежало сто тридцать долларов, тяжко заработанных его собственным трудом. Он жил один, он познал боль и голод, но выжил. Старая жажда путешествий сосала его сердце. Великолепие тайной жизни наполняло его восторгом. Страх перед толпой, недоверие и ненависть к групповой жизни, ужас перед всяческими уза-

ми, которыми он был связан с ужасной земной семьей, вновь
творили безграничную утопию его одиночества. Отправляться одному, как он отправился в незнакомые города, встречать незнако-
мых людей и уходить, прежде чем они успеют узнать его, бродить,
подобно собственной легенде, по всей земле — ему казалось, что
ничего не может быть лучше этого.

Он думал о своей семье со страхом, почти с ненавистью.
«Господи! Неужели я никогда не буду свободен? — думал он. —
Чем я заслужил такое рабство? Предположим... предположим, я
был бы сейчас в Китае, или в Африке, или на Южном полюсе. И
я всюду боялся бы, что он умрет в мое отсутствие. (Он изогнул
шею при этой мысли.) И как они будут попрекать меня, если я не
окажусь на месте! Развлекался в Китае (сказали бы они), в то
время как твой отец умирал. Противоестественный сын! Да! И
будь они прокляты! Почему я должен быть там? Неужели они не
могут умереть в одиночестве? В одиночестве! О Господи! Неужели
на земле нет свободы?»

С внезапным ужасом он понял, что такая свобода лежит по ту
сторону томительного мира, и купить ее можно лишь ценой упор-
ного мужества, каким наделены лишь немногие люди.

Он пробыл в Ричмонде несколько дней, роскошествуя в великолепном отеле, ел с серебряных блюд в ресторане и беспечно
бродил по широким улицам старинного романтического города, в
котором он уже побывал однажды первокурсником в День Благодарения, когда университетская команда играла здесь против команды
Виргинии. Он потратил три дня, стараясь соблазнить официантку в
кафе-кондитерской: в конце концов ему удалось заманить ее в
занавешенный кабинет китайского ресторана, но все его усилия
пропали даром — тщательно продуманный обед ей не понравился,
потому что она не любила лука.

Перед отъездом домой он написал длинное письмо Лоре Джеймс
в Норфолк — жалкое и хвастливое письмо, которое завершалось
сумасшедшим петушиным криком: «Я пробыл там все лето и ни
разу не зашел к вам. У вас не хватило порядочности ответить на
мои письма, и я не видел причин снова вас беспокоить. К тому же
мир полон женщин; этим летом я получил свою долю сполна».

Он опустил письмо со злорадным торжеством. Но в тот миг,
когда крышка почтового ящика, звякнув, закрылась за ним, его
лицо перекосилось от стыда и раскаяния. В эту ночь он долго не
мог заснуть и корчился, вспоминая ребяческую глупость написан-
ного. Она опять взяла над ним верх.

XXXIV

Юджин вернулся в Алтамонт за две недели до начала занятий в Пулпит-Хилле. Город и вся страна бродили от дрожжевой закваски войны. Страна превращалась в один огромный военный лагерь. Колледжи и университеты преобразовывались в офицерские курсы. Каждый «вносил свой вклад».

Людям было не до туризма. И Юджин застал «Диксиленд» почти пустым, если не считать горстки постоянных жильцов. Миссис Перт была там, тихая, кроткая, немного более подвыпившая, чем обычно. Мисс Ньютон, страдающая астмой, худая и нервная старая дева, которая постепенно стала неофициальной помощницей Элизы, тоже была там. Мисс Мелоун, тощая наркоманка с отвислыми серыми губами, тоже была там. Фаулер, гражданский инженер со светлыми волосами и красным лицом, появлявшийся и исчезавший всегда незаметно, оставляя после себя густой запах перегара, тоже был там. Гант, который теперь окончательно перебрался из дома на Вудсон-стрит (его он сдал) в большую заднюю комнату Элизы, тоже был там — став чуть более восковым, чуть более капризным, чуть более слабым, чем раньше. И Бен был там.

Он приехал недели за две до Юджина. Его снова не взяли в армию и во флот, признав негодным; он вдруг бросил свою работу в табачном городе и тихо и угрюмо вернулся домой. Он еще больше похудел и, как никогда прежде, казался вырезанным из старой слоновой кости. Он бесшумно бродил по дому, курил бесчисленные сигареты и ругался в кратких приступах свирепой ярости, проникнутой отчаянием и бессилием. Былая хмурая усмешка, сердитое ворчание исчезли; тихий презрительный смешок, в котором было столько скрытой нежности, уступил место сдержанной, но бешеной злобе.

Те короткие две недели, которые Юджин провел дома до отъезда в Пулпит-Хилл, он жил с Беном наверху в маленькой комнате со спальной верандой. И молчаливый заговорил — он говорил, пока тихое яростное ворчание не перешло в воющую анафему горечи и ненависти, и его страстный крик разносился по спящему миру ночи и шелестящей осени.

— Что ты с собой сделал, дурачок? — начал он, разглядывая торчащие ребра мальчика. — Ты похож на воронье пугало.

— Это ничего, — сказал Юджин. — Одно время я не ел. Но я им не писал, — добавил он гордо. — Они думали, что я один не

продержусь. А я продержался. Я не попросил помощи. И вернулся
домой с собственными деньгами. Видишь? — Он сунул руку в
карман, вытащил засаленную пачку банкнот и хвастливо показал
их брату.

— Кому нужны твои паршивые гроши? — яростно завопил
Бен. — Идиот! Вернулся домой похожий на мертвеца и думает,
что тут есть чем гордиться. Что ты делал? Что ты делал, кроме
того, что валял дурака?

— Я жил на свои деньги, — возмущенно крикнул Юджин,
обиженный и уязвленный. — Вот что я делал!

— А! — сказал Бен со свирепой усмешкой. — Дурак ты! Этого
они и добивались! А ты думаешь, что доказал им что-то? Да?
Думаешь, им не все равно, жив ты или умер, лишь бы не пришлось
тратиться на тебя? Чем ты хвастаешь? Получи что-нибудь от них,
вот тогда хвастай...

Приподнявшись на локте, он несколько секунд глубоко затяги-
вался в горьком молчании. Потом продолжал спокойнее:

— Нет, Джин. Забери их деньги — любым способом. Заставь их!
Выпроси, отними, укради — только заполучи эти деньги! Если ты
этого не сделаешь, они их сгноят. Получи деньги и беги от них.
Уезжай и не возвращайся назад. Ну их к черту! — завопил он.

Элиза, которая поднялась наверх, чтобы погасить свет, и некоторое время стояла за дверью, прислушиваясь, теперь постучала и
вошла. Одетая в старый рваный свитер и во что-то вроде юбки,
она немного постояла, скрестив на груди руки, повернув к ним
белое озабоченное лицо и прищурившись.

— Дети, — сказала она, с упреком поджимая губы и качая
головой, — всем давно пора спать. Вы никому не даете уснуть
своими разговорами.

— А-ах! — сказал Бен со злобным смехом. — Ну их к черту!

— Хоть присягнуть, милый! — сказала она раздраженно. — Ты
нас разоришь. У вас и на веранде свет горит? — Ее глаза подозрительно шарили по сторонам. — Ну, зачем вы жжете столько
электричества!

— Только послушать! — сказал Бен, вздергивая голову с уничи-
тожающим смехом.

— Мне не по карману оплачивать такие счета, — сердито
сказала Элиза, резко мотнув головой. — Я не настолько богата;
я этого не потерплю. Мы все должны экономить.

— О, Бога ради! — усмехнулся Бен. — Экономить! Зачем?
Чтобы ты отдала все это старику Доуку за один из его участков.

— Можешь не задирать носа, — сказала Элиза. — Ведь не ты платишь по счетам. Если бы платил ты, то запел бы по-другому. Мне не нравятся такие разговоры. Ты бросал на ветер все, что зарабатывал, потому что ты и понятия не имеешь, сколько стоит доллар!

— А-ах! — сказал он. — Сколько стоит доллар! Черт побери, я это знаю лучше тебя. Во всяком случае, за свои доллары я хоть что-то получал. А ты? Что ты за свои получила, хотел бы я знать? Какая от них польза была хоть для кого-нибудь? Ну-ка, скажи мне! — закричал он.

— Можешь смеяться сколько хочешь, — строго сказала Элиза, — но если бы мы с вашим папой не приобрели немного недвижимости, у вас не было бы и крыши над головой. Вот какую благодарность получаю я за все мои труды на старости лет, — сказала она, разражаясь слезами. — Неблагодарность! Одна неблагодарность!

— Неблагодарность! — усмехнулся он. — А за что нам быть благодарными? Ты же не думаешь, что я благодарен тебе или старику? Что вы мне дали? Вы послали меня ко всем чертям, едва мне исполнилось двенадцать лет. С тех пор ни один из вас не дал мне ни цента. Погляди на этого малыша. Ты позволила, чтобы он таскался по стране как полоумный. Ты хотя бы одну открытку послала ему за это лето? Ты знала, где он? Пока ты можешь нажить пятьдесят центов на своих паршивых постояльцах, тебе на все наплевать.

— Неблагодарность! — хрипло прошептала она, зловеще покачивая головой. — Грядет день расплаты.

— О, Бога ради! — сказал он с презрительным смешком. Он глубоко затянулся и потом продолжал уже спокойнее: — Нет, мама. Ты ничего не сделала, чтобы заслужить нашу благодарность. Мы все бегали без призора, а малыш вырос здесь среди проституток и наркоманок. Ты экономила каждый грош и все вложила в недвижимость, от которой никому нет никакой пользы. Так не удивляйся, что твои дети не испытывают к тебе благодарности.

— Сын, который так говорит с матерью, — сказала Элиза с оскорбленной горечью, — плохо кончит. Погоди, и ты увидишь!

— Как бы не так! — усмехнулся он.

Они глядели друг на друга ожесточенными глазами. Бен на мгновение отвернулся, хмурясь от свирепой досады, но он уже испытывал острое раскаянье.

— Ну, хорошо! Ради всего святого, уйди! Оставь нас в покое. Я не хочу, чтобы ты здесь была! — Он закурил, чтобы показать свое равнодушие. Тонкие белые пальцы дрожали, и огонек погас.

— Не надо этого! — устало сказал Юджин. — Не надо этого! Никто из нас не переменится! Ничто не станет лучше. Мы все останемся такими, как были. Все было уже много раз сказано. И не надо больше говорить. Мама, пожалуйста, иди спать. Давайте все ляжем спать и забудем об этом. — Он подошел к ней и поцеловал ее, испытывая острый стыд.

— Ну, спокойной ночи, сын, — медленно и торжественно сказала Элиза. — На твоем месте я бы погасила свет и легла спать. Выспись хорошенько, милый. Следи за своим здоровьем.

Она поцеловала его и вышла, не взглянув на старшего сына. И он не глядел на нее. Их разделяла жестокая и горькая вражда.

Она ушла, и Бен мгновение спустя сказал без всякого гнева:

— Я ничего не добился в жизни. Я неудачник. Я слишком долго оставался с ними. Мои легкие никуда не годятся: меня даже в армию не берут. Не хотят даже дать немцам шанс убить меня. Мне так ничего и не удалось достичь. Черт побери! — воскликнул он с нарастающим бешенством. — Зачем все это? Ты способен это понять, Джин? Действительно ли все так или кто-то сыграл с нами дурную шутку? Может быть, нам все это снится. Как по-твоему?

— Да, — сказал Юджин. — Именно так. Но я хотел бы, чтобы нас разбудили. — Он помолчал, задумчиво глядя на свое худое голое тело, на секунду изогнувшееся в постели. — А может быть, — сказал он медленно, — может быть, ничего нет и некого будить.

— К черту! — сказал Бен. — Поскорее бы уж все это кончилось!

Юджин вернулся в Пулпит-Хилл в разгар военной лихорадки. Университет превратился в военный лагерь. Юноши, достигшие восемнадцати лет, набирались в офицерские школы. Но ему еще не исполнилось восемнадцати. До его дня рождения оставалось две недели. Напрасно умолял он комиссию о снисхождении. Какое значение имеют две недели? Не могут ли его зачислить сразу после дня рождения? Нет, сказали они. Что же ему делать? Они сказали, что он должен ждать следующего набора. Сколько придется ждать? Всего два-три месяца, — уверяли они. Он воспрянул духом. Его снедало нетерпение. Не все еще было потеряно.

Если ему повезет, к Рождеству он будет достоин надеть хаки, а к весне, с Божьей помощью, приобщится к высоким привилегиям, сулящим окопных вшей, горчичный газ, размозженные мозги, пробитые легкие, распоротые кишки, удушение, грязь и гангрену. Из-за края земли доносился великолепный топот марширующих ног, яростная, манящая песня труб. С нежной улыбкой, адресованной любимому себе, он видел на своих юных смелых плечах полковничьи орлы. Он видел себя асом Гантом, соколом воздушных небес с шестьюдесятью тремя гуннами на счету в девятнадцать лет. Он видел, как идет по Елисейским полям с красивой сединой на висках, с левой рукой из самой лучшей пробки и в обществе пышной молодой вдовы французского фельдмаршала. Впервые он узрел романтическую прелесть увечья. Безупречно сложенные герои его детства казались ему теперь дешевкой — они годились лишь на рекламу воротничков или зубной пасты. Он жаждал того скрытого благородства, той умудренности жизнью и страданиями, достичь которых никак невозможно без деревянной ноги, восстановленного носа или багрового шрама от пули на виске.

А пока он усердно ел и выпивал галлоны воды в надежде увеличить свой вес. Он взвешивался раз десять на дню. Он даже пытался систематически заниматься гимнастикой: разводил руки в стороны, делал наклоны корпусом и прочее.

И он обсуждал свою дилемму с преподавателями. Истово, серьезно он вел схватку со своей душой, со смаком пускал в ход вдохновенный жаргон этого крестового похода. Но разве, говорили преподаватели, пока его место не здесь? Велит ли ему идти его совесть? Если так, говорили они торжественно, им больше нечего добавить. Но подумал ли он обо всем в более широком аспекте?

— Разве не здесь, — убедительно говорил заместитель декана, — ваш Сектор? Разве ваш фронт не здесь, в университете? Разве не здесь должны вы Приложить Все Свои Силы? О, я знаю, — продолжал он с горестной улыбкой, — было бы гораздо легче отправиться туда. Мне самому пришлось выдержать такую же борьбу с собой. Но ведь все мы теперь часть Армии; мы все — Солдаты Свободы! Мы все Мобилизованы во имя Истины. И каждый должен Вносить Свой Вклад там, где он всего полезнее.

— Да, — сказал Юджин с бледным мученическим лицом, — я знаю. Я знаю, что не прав. Но, сэр, когда я думаю об этих кровожадных чудовищах, когда я думаю о том, чем они грозят всему, что Нам Дорого, когда я думаю о Маленькой Бельгии, а потом о Моей Собственной Матери, Моей Собственной Сестре... — Он отвернулся, сжимая кулаки, без памяти влюбленный в себя.

— Да, да, — мягко сказал заместитель декана, — для юноши с такой душой, как ваша, это очень нелегко.

— О сэр, это тяжко! — страстно воскликнул Юджин. — Уверяю вас, очень тяжко!

— Мы должны терпеть, — сказал декан негромко. — Мы должны закалиться в огне. На весы брошено Будущее Человечества.

Глубоко взволнованные, они немного постояли молча, осиянные лучезарной красой своих героических душ.

Юджин был заместителем редактора университетской газеты. Но, поскольку редактор был в армии, вся работа лежала на нем. Все были в армии. За исключением нескольких десятков худосочных первокурсников, горстки калек и его самого, все, казалось, были в армии. Все члены его землячества, все его однокурсники, которые не успели завербоваться раньше, и многие молодые люди, прежде и не помышлявшие об университете, — все были в армии. «Папаша» Рейнхарт, Джордж Грейвс, Джулиус Артур, некоторое время неудачно подвизавшиеся в других университетах, и множество молодых алтамонтцев, никогда не переступавших порог высших учебных заведений, все были зачислены в студенческую армию.

В первые дни, пока не установился новый порядок, Юджин виделся с ними часто. Затем, когда шестеренки машины заработали более плавно и университет превратился в большой военный лагерь с размеренной монотонностью учений, еды, занятий, смотров и сна, он опять оказался в стороне, одиноким, занимающим особое и влиятельное положение.

Он Исполнял Свой Долг. Он Высоко Держал Факел. Он Вносил Свой Вклад. Он был редактором, репортером, цензором и выпускающим. Он писал последние известия. Он писал передовицы. Он опалял их пламенными словами. Он возвеличивал крестовый поход. Им владела вдохновенная жажда убийства.

Он приходил и уходил, когда хотел. Когда ночью в казармах гасли огни, он бродил по парку, презрительно не обращая внимания на электрические фонарики и на небрежные извинения усердных желторотых лейтенантов. Он поселился в городе вместе с долговязым трупом — студентом-медиком с ввалившимися щеками и куриной грудью, по фамилии Хестон. Три-четыре раза в неделю его возили по разбитой дороге в Эксетер, где в маленькой типографии он впивал добротный теплый запах стали и краски.

Потом, когда вспыхивали фонари, он бродил по унылой главной улице города, ужинал в греческом ресторане, флиртовал с двумя-тремя случайными, пугливо озиравшимися женщинами, пока к десяти часам ресторан не затихал, а тогда он возвращался обратно в автобусе, сидя рядом с пьяным старым моржом, который гнал, как бешеный, и которого звали «Пьянчуга» Янг.

Начался октябрь и период холодных моросящих дождей. Земля стала размокшим месивом грязи и гнилых листьев. Деревья устало и беспрерывно роняли капли. Настал его восемнадцатый день рожденья, и он снова, в трепещущем напряжении, обратился к войне.

Он получил короткое больное письмо от отца; несколько страниц от Элизы — практичных, прямолинейно-конкретных:

«Дейзи была у нас со всем своим выводком. Она уехала домой два дня назад, оставив у нас Каролину и Ричарда. Они все переболели инфлюэнцей. У нас здесь была настоящая эпидемия. Нет никого, кто бы не заболел, и неизвестно, кто будет следующим. Первыми она как будто укладывает самых сильных и здоровых. Мистер Хэнби, методистский священник, умер на прошлой неделе. Перешло в воспаление легких. Это был крепкий здоровый мужчина в расцвете лет. Доктора сказали, что он был обречен с самого начала. Хелен пролежала несколько дней. Говорит, опять почки. В четверг они позвали Макгайра. Но меня им не провести, что бы они ни говорили. Сын, я надеюсь, что ты никогда не поддашься этой ужасной наклонности. Это было бы проклятием всей моей жизни. Твой папа чувствует себя как всегда. Он хорошо ест и много спит. С прошлого года он, по-моему, нисколько не изменился. Он, наверное, будет жив еще долго после того, как многие из нас упокоятся в сырой земле. Бен все еще здесь. Он весь день бродит по дому и жалуется на отсутствие аппетита. По-моему, ему следует снова взяться за работу, чтобы поменьше думать о себе. Постояльцев почти не осталось. Миссис Перт и мисс Ньютон, как обычно, тут. Кросби вернулись в Майами. Если наступят холода, я тоже соберусь и уеду. Наверное, это старость. Я не могу переносить холод, как раньше, в молодости. Купи себе хорошее теплое пальто до наступления зимы. И ешь как следует — много и сытно. Не трать деньги зря, но...»

После этого письма из дома несколько недель не было никаких известий. Затем в один моросящий вечер, когда он в шесть часов вернулся в комнату, где он жил вместе с Хестоном, на столе его ждала телеграмма. В ней говорилось: «Приезжай домой немедленно. У Бена воспаление легких. Мама».

XXXV

До утра поездов не было. Чтобы он не совсем извелся за вечер, Хестон напоил его джином, изготовленным из спирта, заимствованного в медицинской лаборатории. Юджин то молчал, то бессвязно бормотал — он засыпал Хестона вопросами о ходе болезни и ее проявлениях.

— Если бы у него было двустороннее воспаление, она бы так и сообщила. Как ты думаешь? А? — лихорадочно спрашивал он.

— Наверное, — отвечал Хестон. Он был тихим и добрым.

Утром Юджин поехал в Эксетер к поезду. Весь серый унылый день поезд громыхал через набухший от воды штат. Потом была пересадка и несколько часов жуткого ожидания. Наконец, когда стемнело, другой поезд снова повез его к горам.

Он лежал на полке, глядя бессонными, горячими глазами на черную массу земли, на громаду гор. Наконец после полуночи он забылся беспокойным сном. Его разбудил лязг буферов, когда поезд уже подходил к Алтамонту. Еще не очнувшись, полуодетый, он вскочил, потому что вагон, дернувшись, остановился, и мгновение спустя увидел за занавеской мрачные лица Люка и Хью Бартона.

— Бен очень болен, — сказал Хью Бартон.

Юджин натянул башмаки и соскочил на пол, засовывая воротник и галстук в карман пиджака.

— Пошли, — сказал он. — Я готов.

Они тихонько прошли по проходу сквозь протяжный темный храп спящих. Когда они шли через пустой вокзал к машине Хью Бартона, Юджин сказал моряку:

— Когда ты приехал, Люк?

— Вчера вечером, — сказал тот. — Я здесь всего несколько часов.

Было половина четвертого утра. Безобразные околовокзальные улицы лежали застывшие и ужасные, как что-то приснившееся. Неожиданное необычное возвращение сюда усиливало ощущение нереальности. В одном из автомобилей, выстроившихся вдоль вокзала, на сиденье спал шофер, завернувшись в одеяло. В греческой закусочной сидел какой-то человек, уткнувшись лицом в стойку. Фонари горели тускло и устало — светились ленивой похотью нескольких окон в дешевых привокзальных гостиницах.

Хью Бартон, который всегда ездил осторожно, рванул машину с места, свирепо переключив скорости. Они понеслись к городу через ветхие трущобы со скоростью пятьдесят миль в час.

— Боюсь, что Б-б-бен очень болен, — начал Люк.

— Как это случилось? — спросил Юджин. — Скажи мне.

Он заразился инфлюэнцей, сказали они Юджину, от кого-то из детей Дейзи. Дня два он ходил больной и с температурой, не желая лечь в постель.

— В этом п-проклятом холодном с-сарае, — сорвался Люк. — Если он умрет, так только потому, что не м-мог согреться.

— Сейчас это неважно, — сердито сказал Юджин. — Дальше? В конце концов он слег, и миссис Перт ухаживала за ним дня два.

— Только она одна и п-позаботилась о нем, — сказал моряк. Элиза в конце концов пригласила Кардьяка.

— П-проклятый старый знахарь, — заикался Люк.

— Неважно! — кричал Юджин. — Зачем сейчас ворошить все это? Что было дальше?

Дня через два он как будто бы начал выздоравливать, и Кардьяк разрешил ему вставать, если он захочет. Он встал и день бродил по дому, яростно ругаясь, а на другой день слег с высокой температурой. После этого наконец позвали Коукера, два дня назад...

— Вот что следовало бы сделать с самого начала, — проворчал Хью Бартон за рулем.

— Неважно! — взвизгнул Юджин. — Что было дальше?

Уже более суток Бен лежал в критическом состоянии с двусторонним воспалением легких. Грустная пророческая повесть, краткий и страшный итог напрасности, запоздалость и гибельность их жизней заставили их умолкнуть от неумолимого ощущения трагедии. Им нечего было сказать.

Мощный автомобиль с ревом вылетел на промерзшую мертвую площадь. Ощущение нереальности становилось все сильнее. Юджин искал свою жизнь, яркие утраченные годы в этом жалком скученном скоплении кирпича и камней.

«Бен и я здесь, возле ратуши, банка, бакалейной лавки, — думал он. — Почему здесь? В Гатах* или в Исфагани. В Коринфе или Византии. Не здесь. Это лишено реальности».

Мгновение спустя большой автомобиль затормозил перед «Диксилендом». В холле тускло горела лампочка, пробуждая в нем тоскливые воспоминания о сырости и сумраке. Более теплый свет горел в гостиной, окрашивая опущенную штору на высоком окне в теплый и мягкий оранжевый цвет.

— Бен в той комнате наверху, где свет, — прошептал Люк.

Юджин с похолодевшими сухими губами взглянул вверх, на мрачную спальню с безобразным викторианским фонарем. Она была рядом со спальной верандой, где всего три недели назад Бен швырнул во тьму яростное проклятие своей жизни. Свет в комнате больного был серым, и перед ним возникло угрюмое виденье беспомощной борьбы и неприкрытого ужаса.

Они, все трое, тихо прошли по дорожке и вошли в дом. В кухне слышались голоса и негромкий звон посуды.

— Папа вон там, — сказал Люк.

Юджин вошел в гостиную, где в одиночестве перед ярким огнем сидел Гант. Он тупо и рассеянно поглядел на сына.

— Здравствуй, папа, — сказал Юджин, подходя к нему.

— Здравствуй, сын, — сказал Гант. Он поцеловал мальчика щетинистыми подстриженными усами. Его узкая губа задрожала.

— Ты слышал о своем брате? — всхлипнул он. — Только подумать, что такое обрушилось на меня, старого и больного. О Иисусе, это ужасно...

Из кухни пришла Хелен.

— Здравствуй, Верзила! — сказала она, крепко обнимая его. — Как поживаешь, голубчик? Он вырос дюйма на четыре с тех пор, как уехал, — насмешливо сказала она и хихикнула. — Да ну же, Джин, развеселись! Не гляди так мрачно. Пока есть жизнь, есть и надежда. Он же еще не умер! — И она разразилась слезами, хриплыми, неудержимыми, истерическими.

— Подумать, что меня ждало такое испытание, — всхлипывал Гант, машинально реагируя на ее горе. Он глядел в огонь и раскачивался взад и вперед, опираясь на палку. — Ох-хо-хо-хо! Что я сделал, чтобы Господь...

— Да замолчи же! — крикнула она, в бешенстве поворачиваясь к нему. — Заткнись сию же минуту! Я не желаю слушать твое хныканье! Я отдала тебе всю мою жизнь! Для тебя все было сделано, и ты нас всех переживешь. Сейчас не ты болен.

В эту минуту она испытывала по отношению к нему горькое ожесточение.

— Где мама? — спросил Юджин.

— Она в кухне, — сказала Хелен. — На твоем месте я пошла бы поздороваться с ней перед тем, как идти к Бену. — Тихим задумчивым голосом она добавила: — Забудь об этом. Теперь уж ничем не поможешь.

Элиза хлопотала над блестящими кастрюлями с кипящей водой на газовой плите. Она неуклюже сновала по кухне и при виде Юджина удивилась и растерялась.

— Как же так! Когда ты приехал?

Он поцеловал ее. Но под ее будничностью он разглядел ужас, наполнявший ее сердце. Ее тусклые черные глаза отсвечивали яркими лезвиями страха.

— Как Бен, мама? — негромко спросил он.

— Да как тебе сказать, — она задумчиво поджала губы. — Я как раз говорила доктору Коукеру перед твоим приходом: «Послушайте, — сказала я. — Вот что я вам скажу, по-моему, он далеко не так плох, как выглядит. Только бы продержаться до утра, а тогда дело пойдет на поправку».

— Ради всего святого, мама! — яростно крикнула Хелен. — Как ты можешь говорить такие вещи? Разве ты не понимаешь, что Бен в критическом состоянии? Когда же ты проснешься?

В ее голосе звучала былая надтреснутая истерическая нота.

— Вот что, сын, — сказала Элиза с белой дрожащей улыбкой, — когда ты пойдешь к нему, сделай вид, что, по-твоему, он вовсе не болен. На твоем месте я обратила бы все дело в шутку. Я бы посмеялась и сказала: «Послушай, а я-то думал, что увижу больного. Пф! — сказала бы я. — Ничего у тебя нет. Все это одно воображение!»

— Мама! Ради Христа! — отчаянно сказал Юджин. — Ради Христа!

Он с мукой отвернулся и схватился пальцами за горло.

Потом он тихонько поднялся наверх с Люком и Хелен и приблизился к комнате больного. Его сердце иссохло, ноги похолодели, словно вся кровь отлила от них. Они на мгновение остановились, перешептываясь, прежде чем войти. Этот жалкий заговор перед лицом смерти ужаснул его.

— П-по-моему, надо п-побыть всего минутку, — прошептал Люк. — А то он м-может разволноваться.

Юджин сделал над собой усилие и слепо вошел за Хелен в комнату.

— Погляди-ка, кто к тебе пришел, — бодро сказала она. — Это Верзила.

В первое мгновение Юджин ничего не увидел от страха и головокружения. Потом в сером приглушенном свете он различил Бесси Гант, сиделку, и длинную желтую мертвую голову Коукера, которая устало улыбалась ему большими зеленоватыми зубами из-за длинной изжеванной сигары. Потом в страшном свете, безжалостно падавшем только на одну постель, он увидел Бена. И в этот миг жгучего узнавания он увидал то, что уже увидели все они, — Бен умирал.

Длинное худое тело Бена было на три четверти укрыто; костлявый абрис под одеялом был судорожно изогнут, словно в пытке. Тело, казалось, не принадлежало Бену, оно было изуродовано и отчуждено, как тело обезглавленного преступника. Желтоватое

лицо стало серым, и на этом гранитном отливе смерти, прочерченном двумя алыми флагами лихорадки, черным дроком щетинилась трехдневная борода. Эта борода почему-то производила жуткое впечатление, она приводила на память гнусную живучесть
волос, растущих даже на разлагающемся трупе. Узкие губы Бена
были раздвинуты в застывшей мучительной гримасе удушья, открывая белые мертвые зубы, — он дюйм за дюймом втягивал в легкие
ниточку воздуха.

И звук его затрудненного дыхания — громкий, хриплый, частый, невероятный, наполнявший комнату и аккомпанировавший
всему в ней — был последним, завершающе жутким штрихом.

Бен лежал на постели ниже них, залитый светом, как огромное насекомое на столе натуралиста, и они смотрели, как он
отчаянно борется, чтобы его жалкое истощенное тело сохранило
жизнь, которую никто не мог спасти. Это было чудовищно,
жестоко.

Когда Юджин приблизился, блестящие от страха глаза Бена в
первый раз остановились на нем, и бестелесно, ни на что не
опираясь, он поднял с подушек свои измученные легкие и, яростно стиснув запястье младшего брата в белом горячем кольце
своих пальцев, прошептал, захлебываясь ужасом, как ребенок:

— Почему ты приехал? Почему ты приехал домой, Джин?

Юджин, побелев, простоял мгновение молча; в нем, клубясь,
поднимались жалость и страх.

— Нас отпустили, Бен, — сказал он наконец. — Университет
закрыли из-за инфлюэнцы.

Потом он внезапно отвернулся в черный сумрак, стыдясь своей
неумелой лжи и не в силах больше смотреть на страх в серых
глазах Бена.

— Довольно, Джин, — властно распорядилась Бесси Гант. —
Уходите-ка отсюда и ты и Хелен. С меня хватит одного полоумного Ганта. Еще двое мне ни к чему.

Она говорила резко, с неприятным смехом.

Это была худая женщина, тридцативосьмилетняя жена Гилберта,
племянника Ганта. Она была родом с гор — грубая, суровая,
вульгарная; жалость была ей не свойственна, а взамен в ней
таилась холодная страсть к страданиям, приносимым болезнью и
смертью. Свою бесчеловечность она скрывала под маской профессионализма, говоря:

— Если бы я давала волю своим чувствам, что стало бы с
моими пациентами?

Когда они снова вышли в холл, Юджин сердито сказал Хелен:

— Зачем вы позвали эту костлявую? Как он может поправиться, пока она около него? Мне она не нравится.

— Говори что хочешь — она хорошая сиделка. — Потом тихим голосом Хелен добавила: — Что ты думаешь?..

Он отвернулся, судорожно пожав плечами. Она расплакалась и схватила его за руку.

Люк беспокойно прохаживался рядом, тяжело дыша и куря сигарету, а Элиза, шевеля губами, стояла, прислушиваясь, у двери больного. В руках она держала бесполезный чайник с кипятком.

— А? Э? Что вы говорите? — спросила Элиза прежде, чем кто-нибудь что-нибудь сказал. — Как он? — Ее глаза перебегали с одного на другого.

— Уйди! Уйди! Уйди! — злобно пробормотал Юджин. — Неужели ты не можешь уйти?

Его разъярило пыхтение моряка, его большие неуклюжие ноги. Еще больше его рассердила Элиза, ее бесполезный чайник, суетливые «а?» и «э?».

— Неужели вы не видите что ему трудно дышать? Вы хотите задушить его? Это нечисто! Нечисто! Слышите? — Его голос снова поднялся.

Уродливость и мучительность смерти стискивали его грудь; а собравшаяся семья, перешептывающаяся за дверями, бесполезно топчущаяся вокруг, утоляющая свою жуткую потребность в смертях удушением Бена, приводила его в исступление, в котором ярость чередовалась с жалостью.

Немного погодя они нерешительно спустились вниз, все еще прислушиваясь.

— Вот что я вам скажу, — оптимистично начала Элиза, — у меня такое чувство, не знаю, как вы его назовете... — Она неловко поглядела по сторонам и обнаружила, что осталась одна. Тогда она вернулась к своим кастрюлям и сковородкам.

Хелен с перекошенным лицом отвела его в сторону и истерически заговорила вполголоса:

— Ты видел, в каком она свитере? Видел? Он грязный! — Голос ее понизился до шепота. — Знаешь, он видеть ее не может. Вчера она вошла в комнату, так ему стало совсем плохо. Он отвернул голову и сказал: «Хелен, Бога ради, уведи ее отсюда!» Ты слышишь? Слышишь? Он не выносит, чтобы она подходила к нему. Он не хочет, чтобы она была в комнате.

— Перестань! Перестань! Ради Бога, перестань! — сказал Юджин, хватаясь за горло.

Хелен на мгновение совсем обезумела от истерики и ненависти.

— Возможно, говорить так — ужасно, но если он умрет, я ее возненавижу. Думаешь, я могу забыть, как она вела себя? А? — Ее голос перешел в визг. — Она допустила, чтобы он умер прямо у нее на глазах. Еще позавчера, когда у него была температура тридцать девять, она договорилась со старым доктором Доуком об участке. Ты это знал?

— Забудь об этом! — сказал он с отчаянием. — Она всегда будет такой! Это не ее вина! Неужели ты не понимаешь? О Господи, как это ужасно! Как ужасно!

— Бедная мамочка! — сказала Хелен и заплакала. — Она не перенесет этого. Она насмерть испугана! Ты видел ее глаза? Она знает, конечно, она знает!

Потом вдруг в сумасшедшей задумчивости она добавила:

— Иногда мне кажется, что я ее ненавижу! Мне кажется, что я ее ненавижу. — Она рассеянно пощипала свой крупный подбородок. — Ну, нам не стоит так говорить, — сказала она. — Это нехорошо. Подбодрись. Мы все устали и изнервничались. Я верю, что он все-таки поправится.

Настал день, серый и зябкий, пропахший сырым мглистым туманом. Элиза усердно суетилась, трогательно поглощенная приготовлением завтрака. Один раз она неуклюже взбежала по лестнице с чайником в руках и секунду простояла у двери, которую открыла, вглядываясь в страшную постель, морща белое лицо. Бесси Гант не дала ей войти и грубо захлопнула дверь. Элиза ушла, бормоча растерянные извинения.

Ибо Хелен сказала правду: Элиза знала. Ее не пускали в комнату больного, умирающий сын не хотел ее видеть. Она видела, как он устало отвернул голову, когда она вошла. За ее белым лицом жил ужас этого, но она никому не признавалась в нем и не жаловалась. Она суетилась, занимаясь бесполезными делами с усердной будничностью. И Юджин то задыхался, доведенный до исступления ее старательным оптимизмом, то слеп от жалости, замечая ужас и боль в ее тусклых черных глазах. Он вдруг бросился к ней, когда она стояла над раскаленной плитой, и принялся целовать ее шершавую натруженную руку, беспомощно бормоча:

— Мама! Мама! Все хорошо! Все хорошо! Все хорошо!

А Элиза, внезапно лишившись всех своих масок, припала к нему, уткнула белое лицо в его рукав и заплакала горько, отчаянно, беспомощно о бессмысленно истраченных невозвратимых годах, — о бессмертных часах любви, которые нельзя прожить вновь, о великом зле равнодушия и забвения, которого уж не исправишь. Как ребенок, она была благодарна ему за ласку, и его сердце дергалось, как дикий израненный зверек, а он бормотал: «Все хорошо! Все хорошо! Все хорошо!» — прекрасно зная, что ничего хорошего нет и никогда не будет.

— Если бы я только знала, детка, если бы я только знала, — плакала она так же, как много лет назад плакала, когда умер Гровер.

— Не падай духом! — сказал он. — Он еще выкарабкается. Худшее позади.

— Вот что, — сказала Элиза, сразу утерев глаза. — Я тоже так думаю. По-моему, прошлой ночью у него был кризис. Я как раз говорила Бесси...

Стало светлее. Наступал день, принося надежду. Они сели завтракать в кухне, черпая бодрость из любого скудного утешения, которого удавалось добиться от врача или сиделки. Коукер ушел, обнадеживающе не сказав ничего определенного. Бесси Гант спустилась к завтраку и была профессионально бодра.

— Если мне удастся не пускать его проклятую семейку к нему в комнату, может, он еще и выживет.

Они смеялись истерически благодарно, радуясь ее грубой брани.

— Как он сегодня утром? — спросила Элиза. — Ему лучше?

— Температура понизилась, если ты об этом.

Они знали, что понижение температуры утром ни о чем не свидетельствует, но их это известие подкрепило; их больные эмоции упились им — в одно мгновение в них пышным цветом расцвела надежда.

— И сердце у него хорошее, — сказала Бесси Гант. — Если сердце выдержит и он не перестанет бороться, он выкарабкается.

— Об этом не б-б-беспокойтесь, — сказал Люк с энтузиазмом. — Уж он-то б-будет бороться до п-п-послед-него вздоха.

— Ну да, — начала Элиза, — я помню, когда ему было семь лет... я как-то днем стояла на крыльце... я помню, потому что старый мистер Букнер только что принес яйца и масло, которые ваш папа...

— О Господи! — простонала Хелен с усмешкой. — Начинается!

— Уах! Уах! — заклохтал Люк, тыкая Элизу под ребра.

— Хоть присягнуть, милый, — сердито сказала Элиза, — ты ведешь себя, как идиот. Я бы постыдилась!

— Уах! Уах! Уах!

Хелен хихикнула и подтолкнула Юджина локтем.

— Совсем с ума сошел! Ха-ха-ха-ха! — Потом с влажными глазами она заключила Юджина в широкие костлявые объятия.

— Бедняга Джин. Вы ведь с ним всегда ладили, правда? Тебе будет тяжелее, чем всем нам.

— Он еще не п-п-похоронен, — бодро воскликнул Люк. — Этот малый будет здесь, когда из всех нас вырастут маргаритки.

— А где миссис Перт? — сказал Юджин. — Она в доме?

Наступило напряженное и озлобленное молчание.

— Я ее выгнала, — угрюмо сказала Элиза немного погодя. — Я прямо сказала ей, кто она такая — потаскуха.

Она говорила с былой суровой праведностью, но тут же ее лицо сморщилось и она расплакалась:

— Если бы не эта женщина, я уверена, он был бы сейчас совсем здоров! Хоть присягнуть!

— Мама, ради всего святого! — яростно крикнула Хелен. — Как ты можешь говорить такие вещи? Она была его единственным другом. Когда он заболел, она не отходила от него. Подумать только! Подумать только! — Она задыхалась от негодования. — Если бы не миссис Перт, его бы уже не было в живых. Никто, кроме нее, не заботился о нем. Ты не отказывалась, по-моему, держать ее в доме и получать от нее деньги, пока он не заболел. Нет, сэр! — заявила она с ударением. — Мне она нравится. И я не собираюсь теперь поворачиваться к ней спиной.

— Это б-б-бог знает что! — сказал Люк, преданный своей богине. — Если бы не ты и не миссис П-п-перт, Бена бы уже не было. Всем остальным здесь было наплевать. Если он умрет, т-т-так потому только, что никто о нем вовремя не позаботился. Слишком много тут всегда заботились о том, чтобы с-сберечь лишний грош и слишком мало — о своей плоти и крови.

— Ну, забудь об этом! — устало сказала Хелен. — Одно ясно: я сделала все, что могла. Я две ночи не спала. Что бы ни случилось, мне себя не в чем упрекнуть. — Ее голос был исполнен задумчивого уродливого самодовольства.

— Я знаю! Я знаю! — Моряк возбужденно повернулся к Юджину, размахивая руками. — Эта д-д-девочка работала как каторжная. Если бы не она... — Его глаза увлажнились, он отвернулся и высморкался.

— О, ради Христа! — закричал Юджин, выскакивая из-за
стола. — Прекратите это! Еще успеете!

Вот так тянулись жуткие утренние часы, пока они изощря-
лись, стараясь вырваться из трагических сетей разочарования и
утраты, в которых запутались. На короткий миг их охватывала
безумная радость и торжество, а затем они снова низвергались в
черные пропасти истерики и отчаяния. Одна Элиза, по-видимому,
ни на мгновение не отказывалась от надежды. Вздрагивая — так
были истерзаны их нервы, — моряк и Юджин шагали по холлу,
непрерывно курили, ощетинивались, приближаясь друг к другу, и
иронически извинялись, если нечаянно сталкивались. Гант дремал
в гостиной или у себя в комнате, засыпал, просыпался, капризно
хныкая, ни в чем не участвуя и лишь смутно сознавая, что
именно происходит, и сердясь, потому что внезапно о нем забыли. Хелен непрерывно входила и выходила из комнаты больного,
подчиняя умирающего власти своего жизнелюбия, внушая ему на
мгновение надежду и уверенность. Но когда она выходила, ее
веселая бодрость сменялась напряженной смутностью истерики:
она то плакала, то смеялась, то задумывалась, то любила, то
ненавидела.

Элиза только однажды вошла к больному. Она явилась с грел-
кой, робко, неуклюже, как ребенок, и впилась в лицо Бена тусклыми черными глазами. Но когда над громким и трудным дыханием его блестящие глаза остановились на ней, скрюченные белые
пальцы крепче сжали простыни и он словно в ужасе громко
выдохнул:

— Уйди! Вон! Не хочу тебя!

Элиза ушла. Она немного спотыкалась, как будто ее ноги онемели. Белое лицо стало пепельным, а тусклые глаза заблестели и
неподвижно уставились вдаль. Когда дверь за ней закрылась, она
прислонилась к стене и прижала ладонь к лицу. Затем она вернулась к своим кастрюлям.

Отчаянно, злобно, подергиваясь всем телом, они требовали
друг от друга спокойствия и хладнокровия; они говорили друг
другу, что нужно держаться подальше от комнаты больного, но,
как будто притягиваемые каким-то грозным магнитом, они вновь и
вновь оказывались у его двери и, затаив дыхание, прислушивались
на цыпочках, с неутолимой жаждой ужаса, к его хрипению, к его
судорожным усилиям втянуть воздух в задушенные, зацементиро-
ванные легкие. И жадно, ревниво они искали поводов войти к

нему, с нетерпением ожидая своей очереди принести воду, полотенца, еще что-нибудь.

Миссис Перт из своего убежища в пансионе напротив каждые полчаса звонила Хелен, и пока та разговаривала с ней, Элиза, выйдя из кухни в холл, стояла, скрестив руки на груди и поджав губы, а в ее глазах блестела ненависть.

Хелен говорила, плача и смеясь:

— Ну... ничего, Толстушка... Вы знаете, как я к этому отношусь... Я всегда говорила, что если у него есть настоящий друг, так это вы... и не думайте, что мы все такие неблагодарные...

Когда Хелен умолкала, Юджин слышал в трубке голос миссис Перт и ее всхлипывания.

А Элиза говорила угрюмо:

— Если она еще позвонит, позовите меня, я с ней разделаюсь!

— Господи Боже, мама! — сердито кричала Хелен. — Ты уже достаточно натворила. Ты выгнала ее из дома, а она сделала для него больше, чем все его родные вместе взятые. — Ее крупное напряженное лицо конвульсивно дергалось. — Это просто нелепо!

Пока Юджин шагал взад и вперед по холлу или бродил по дому в поисках какого-то выхода, которого ему до сих пор еще не удалось найти, у него внутри, как пойманная птица, билось что-то яркое и смятенное. Это яркое и смятенное — самая его суть, его Незнакомец — продолжало судорожно отворачивать голову, не в силах взглянуть на ужас, пока наконец не уставилось, точно во власти жуткого гипноза, прямо в глаза смерти и тьмы. И его душа бросилась в бездонную пропасть и тонула в ней — он чувствовал, что никогда уже не выберется из обрушившегося на него обвала боли и безобразия, из слепящего ужаса и жалостности всего происходящего. И, продолжая расхаживать, он выворачивал шею и бил по воздуху рукой, как крылом, словно, кто-то ударил его по почкам. Он чувствовал, что мог бы освободиться и очиститься, если бы только ему удалось найти спасение в какой-нибудь одной страсти — жесткой, жаркой, сверкающей, будь то любовь, ненависть, ужас или отвращение. Но он был пойман, он задыхался в паутине тщеты — любой миг его ненависти был пронзен стрелами жалости: в своем бессилии он хотел бы схватить их, отшлепать, встряхнуть, как надоедливого ребенка, и в то же время он хотел бы ласкать их, любить, утешать.

Когда он думал об умирающем наверху, о нечистом безобразии всего этого — он задыхается, а они стоят вокруг и хнычут, — он давился яростью и ужасом. Его опять мучил старый кошмар его детства — ему вспоминалось, как он ненавидел незапиравшуюся ванную, каким нечистым он чувствовал себя, когда, сидя на горшке, глядел на грязное белье в ванной, которое вздувалось в холодной серой мыльной воде. Он думал об этом в то время, как Бен умирал.

Около полудня они снова воспрянули духом, потому что температура больного стала ниже, пульс сильнее, состояние легких лучше. Но в час, после приступа кашля, он начал бредить, температура подскочила, дыхание стало еще более затрудненным. Юджин и Люк помчались в машине Хью Бартона в аптеку к Вуду за кислородными подушками. Когда они вернулись, Бен почти задохнулся.

Они быстро внесли подушки в комнату и положили около его изголовья. Бесси Гант схватила наконечник, поднесла его к губам Бена и велела ему вдохнуть. Он по-тигриному сопротивлялся, и сиделка резко приказала Юджину держать его руки.

Юджин сжал горячие запястья Бена, его сердце похолодело. Бен горячечно приподнялся на подушках, изворачиваясь, как ребенок, чтобы освободить руки, хрипя и задыхаясь, с неистовым ужасом в глазах:

— Нет! Нет! Джин! Джин! Нет! Нет!

Юджин попятился, выпустил его и, побелев, отвернулся, чтобы не видеть обвиняющего страха в блестящих умирающих глазах. Кто-то другой схватил руки Бена. Ему стало немного легче. Потом он опять начал бредить.

К четырем часам стало ясно, что смерть близка. Бен то был в бессознательном состоянии, то приходил в сознание, то начинал бредить — но большую часть времени он бредил. Он меньше хрипел, напевал песенки, — и давно забытые, возникавшие из тайных глубин его утраченного детства, и другие; но снова и снова он начинал тихонько напевать популярную песенку военного времени — пошлую, сентиментальную, но теперь трагически трогательную: «Только молится дитя в сумерках».

...Тихо плачет дитя,
Когда гаснут огни.

В затемненную комнату вошла Хелен.

Горьких слез полны...

Страх исчез из его глаз; поверх хрипа он сосредоточенно посмотрел на нее, хмурясь, прежним озадаченным детским взглядом. Потом, в мимолетный момент просветления, он узнал ее. Он усмехнулся — прекрасная узкая улыбка отблеском мелькнула на его губах.

— Здравствуй, Хелен! Это же Хелен! — радостно воскликнул он.

Она вышла из комнаты с перекошенным, подергивающимся лицом и, только уже спускаясь по лестнице, дала волю сотрясавшим ее рыданиям.

Когда темнота надвинулась на серый мокрый день, семья собралась в гостиной на последний страшный совет перед смертью — молча ожидая. Гант обиженно раскачивал качалку, сплевывал в огонь и испускал хныкающие стоны. Время от времени они по очереди уходили из гостиной, тихонько поднимались по лестнице и прислушивались у двери больного, И они слышали, как Бен снова и снова, как ребенок, без конца напевал свою песенку:

> В сумерках мать
> Так хотела б узнать...

Элиза невозмутимо сидела перед камином, сложив руки. Ее мертвенно-белое лицо, словно вырезанное из камня, хранило странное выражение — неподвижную невозмутимость безумия.

— Ну, — наконец медленно сказала она, — заранее знать нельзя. Может быть, это кризис... Может быть... — Лицо ее снова затвердело в гранит. Больше она ничего не сказала.

Пришел Коукер и сразу же молча поднялся к больному. Незадолго до девяти часов Бесси Гант спустилась вниз.

— Ну, хорошо, — сказала она негромко. — Вам всем лучше пойти теперь туда. Это конец.

Элиза встала и вышла из комнаты с невозмутимым лицом. Хелен последовала за ней — она истерически дышала и начала ломать свои крупные руки.

— Не распускайся, Хелен, — предостерегающе сказала Бесси Гант. — Сейчас не время давать себе волю.

Элиза поднималась по лестнице ровными бесшумными шагами. Но, подойдя к двери, она приостановилась, прислушиваясь. В тишине до них донеслась еле слышная песенка Бена. И, внезапно отбросив притворство, Элиза зашаталась и припала к стене, пряча лицо в ладони со страшным рвущимся наружу криком.

— О Господи! Если бы я только знала! Если бы я только знала!

И с горьким неудержимым плачем, с безобразно исказившимися от горя лицами мать и дочь крепко обнялись. Потом они успокоились и тихо вошли в комнату.

Юджин и Люк поставили Ганта на ноги и повели его наверх. Он повисл на них, причитая на долгих дрожащих выдохах.

— Боже ми-ло-сердный! За что должен я нести такую кару на старости лет. За что...

— Папа! Ради Бога! — крикнул Юджин. — Возьми себя в руки! Ведь умирает Бен, а не мы. Попробуй хотя бы сейчас обойтись с ним по-человечески.

Это на некоторое время утихомирило Ганта. Но когда он вошел в комнату и увидел Бена в полубессознательном состоянии, которое предшествует смерти, им овладел ужас перед собственной смертью, и он снова застонал. Они усадили его на стул в ногах кровати, и он принялся раскачиваться взад и вперед, причитая:

— О Иисусе! Я этого не вынесу! За что ты меня так караешь? Я стар и болен и не знаю, откуда возьмутся деньги. Как мы переживем эту ужасную и жесто-окую зиму? Похороны обойдутся нам в тысячу долларов, не меньше, и я не знаю, откуда возьмутся деньги. — И он аффектированно заплакал, громко всхлипывая.

— Тш! Тш! — крикнула Хелен, бросаясь к нему. Вне себя она схватила его за плечи и встряхнула. — Проклятый старик! Так бы и убила тебя! Как ты смеешь говорить такие вещи, когда твой сын умирает? Я загубила шесть лет своей жизни, ухаживая за тобой, а ты переживешь нас всех! — И с той же дикой яростью она обрушила обвинения на Элизу. — Это ты довела его до этого! Ты во всем виновата. Если бы ты не экономила каждый грош, он бы не стал таким. Да и Бен был бы с нами! — На мгновение она замолчала, переводя дыхание. Элиза ничего не ответила. Она ее не слышала.

— Теперь — все! Я думала, что умрешь ты, а умирать пришлось Бену. — Голос ее поднялся до отчаянного визга. Она снова встряхнула Ганта. — Теперь довольно! Слышишь ты, себялюбивый старик? Для тебя делали все, а для Бена — ничего. А теперь он умирает. Я тебя ненавижу!

— Хелен! Хелен! — негромко сказала Бесси Гант. — Вспомни, где ты находишься.

— Да, мы придаем этому большое значение! — горько пробормотал Юджин.

И тут сквозь безобразные вопли их раздора, сквозь скрежет и рычание их нервов они услышали тихое бормотание угасающего дыхания Бена. Лампу заслонили, и он лежал, как собственная тень, во всей своей яростной, серой, одинокой красоте. И когда они поглядели и увидели его блестящие глаза, уже замутненные смертью, увидели слабое содрогание его бедной худой груди, на них хлынула неизмеримая прелесть того непонятного дива, того темного неисчерпаемого чуда, которым была его жизнь. Они затихли и успокоились, они погрузились в глубины далеко под разбитыми в щепы обломками их жизней, и в гармоничном единении причастились любви и доблести, недосягаемые для ужаса и хаоса, недосягаемые для смерти.

И глаза Юджина ослепли от любви и изумления; в его сердце гремела необъятная органная музыка — на мгновение они принадлежали ему, он был частью их прелести, его жизнь гордо воспарила над трясиной боли и безобразия. Он подумал: «Это было не все! Это правда было не все!»

Хелен тихо повернулась к Коукеру, который стоял в тени у окна и жевал длинную незажженную сигару.

— Неужели вы больше ничего не можете? Вы все испробовали? Я хочу сказать — совсем все?

Ее голос был молитвенно негромок. Коукер медленно повернулся к ней, зажав сигару в больших пожелтевших пальцах. Потом мягко, с усталой желтой улыбкой ответил:

— Да. И вся королевская конница, и все врачи, и все сиделки в мире ничем не могут помочь ему теперь.

— Вы давно это знаете? — спросила она.

— Два дня, — ответил он. — С самого начала. — Он помолчал. — Уже десять лет! — продолжал он с нарастающей энергией. — С тех самых пор, когда я в первый раз увидел его в «Жирной ложке» с плюшкой в одной руке и с сигаретой в другой. Моя милая, — сказал он мягко, когда она попыталась заговорить. — Мы не можем вернуть прошедшие дни. Мы не можем повернуть жизнь к тем часам, когда легкие у нас были здоровые, кровь горячая, тело юное. Мы вспышка огня — мозг, сердце, дух. И на три цента извести и железа — которых не можем вернуть.

Он взял свою засаленную черную шляпу с обвислыми полями и небрежно нахлобучил ее себе на голову. Потом порылся в кармане, достал спички и закурил изжеванную сигару.

— Все ли было сделано? — снова сказала она. — Я хочу знать! Может быть, стоит попробовать еще что-нибудь? Он устало пожал плечами.

— Моя милая! — сказал он. — Он тонет. Тонет.

Она застыла от ужаса.

Коукер еще мгновение смотрел на серую изогнувшуюся тень на постели. Потом тихо, печально, с нежностью и усталым удивлением сказал:

— Старина Бен. Когда еще мы увидим такого человека?

Потом он бесшумно вышел, крепко прикусив длинную сигару.

Немного погодя Бесси Гант безжалостно прервала их молчание, сказав с безобразной и торжествующей деловитостью:

— Ну, поскорее бы это кончилось. Уж лучше сорок дежурств у чужих людей, чем одно, к которому имеют отношение проклятые родственнички. Умираю, спать хочу!

Хелен тихо повернулась к ней.

— Уходите! — сказала она. — Теперь это касается только нас. Мы имеем право, чтобы нас оставили одних.

Удивленная Бесси Гант мгновение смотрела на нее сердито и озлобленно. Потом вышла из комнаты.

Теперь в комнате было слышно лишь дыхание Бена — тихое клокочущее бормотание. Он больше не задыхался; не было видно ни проблесков сознания, ни борьбы. Его глаза были почти закрыты, их серый блеск потускнел, исчез под пленкой бесчувственности и смерти. Он спокойно лежал на спине очень прямо, без признаков боли, как-то странно, и его острое худое лицо было вздернуто кверху. Рот его был плотно закрыт. Уже, если бы не еле слышное бормотание в его груди, он казался мертвым, — он казался отрешенным, никак не связанным с уродливостью этого звука, который заставлял их думать об ужасной химии тела и разрушал все иллюзии, всякую веру в чудесный переход и продолжение жизни.

Он был мертв, если не считать все замедляющейся работы изношенной машины, если не считать этого жуткого бормотания внутри него, к которому он не имел отношения. Он был мертв.

Но в их всепоглощающем молчании нарастало изумление. Они вспоминали странное мерцающее одиночество его жизни, они думали о тысячах забытых поступков и мгновений — и во всех них теперь чудилось что-то нездешнее и странное; он прошел сквозь их жизни, как тень, — они глядели теперь на его серую покинутую оболочку с трепетом грозного узнавания, как человек, вспоминающий забытое колдовское слово, как люди, которые смотрят на труп и в первый раз видят вознесшегося Бога.

Люк, стоявший в ногах постели, нервно повернулся к Юджину и, заикаясь, прошептал, недоверчиво и удивленно:

— П-п-по-моему, Бен скончался.

Гант затих: он сидел в темноте в ногах постели, опираясь на палку и скрывшись от мыслей о собственной смерти в бесплодных пустырях прошлого, с острой печалью высвечивая в утраченных годах тропу, которая вела к рождению странного сына.

Хелен сидела в темноте у окна лицом к постели. Ее глаза были устремлены не на Бена, а на лицо матери. Все в безмолвном согласии отошли в тень, позволяя Элизе вновь вступить в обладание плотью, которой она дала жизнь.

И Элиза теперь, когда он уже не мог от нее отречься, когда его яростные блестящие глаза уже не в силах были отвернуться от нее с болью и отвращением, сидела у его изголовья, сжимая его холодную руку в своих шершавых натруженных ладонях.

Она как будто ничего не замечала вокруг. Она была точно во власти гипноза: сидела на стуле, чопорно выпрямившись, ее белое лицо окаменело, тусклые черные глаза были устремлены на серое холодное лицо.

Они сидели и ждали. Наступила полночь. Пропел петух. Юджин тихонько подошел к окну и посмотрел наружу. Вокруг дома бесшумно бродил великий зверь ночи. Стены и окна, казалось, прогибались внутрь под нарастающим давлением темноты. Слабое клокотание в исхудалом теле почти замерло. Оно раздавалось изредка, почти неслышно, на еле заметном трепете вздохов.

Хелен сделала знак Ганту и Люку. Они встали и тихо вышли. У двери она остановилась и поманила Юджина. Он подошел к ней.

— Останься с ней, — сказала она. — Ты ее младший. Когда все кончится, приди скажи нам.

Он кивнул и закрыл за ней дверь. Когда они ушли, он подождал немного, прислушиваясь. Потом пошел туда, где сидела Элиза. Он наклонился к ней.

— Мама! — прошептал он. — Мама!

Она как будто не слышала его. Ее лицо осталось неподвижным, она не отвела глаз.

— Мама! — сказал он громче. — Мама!

Он прикоснулся к ее плечу. Она не шевельнулась.

— Мама! Мама!

Она сидела чопорно и чинно, как маленькая девочка.

В нем поднялась клубящаяся жалость. Ласково, отчаянно он попытался разжать ее пальцы, державшие руку Бена. Они только сильнее стиснули холодную руку. Потом медленно, каменно, справа налево, без всякого выражения она покачала головой.

Сломленный этим неумолимым жестом, он отступил и заплакал. Внезапно он с ужасом понял, что она наблюдает за своей собственной смертью, что вцепившаяся в руку Бена рука соединяет ее с собственной плотью, что для нее умирает не Бен, а умирает часть ее самой, ее жизни, ее крови, ее тела. Часть ее — моложе, прекраснее, лучше, вычеканенная из ее плоти, выношенная, вскормленная и с такой болью рожденная на свет двадцать шесть лет назад и с тех пор забытая, — теперь умирала.

Юджин, спотыкаясь, обошел кровать с другой стороны и упал на колени. Он начал молиться. Он не верил ни в Бога, ни в рай, ни в ад, но он боялся, что они все-таки могут существовать. Он не верил в ангелов с нежными лицами и блестящими крыльями, но он верил в темных духов, кружащих над головами одиноких людей. Он не верил в дьяволов и ангелов, но он верил в сверкающего демона, к которому Бен так часто обращался в его присутствии.

Юджин не верил во все это, но он боялся, что все это правда. Он боялся, что Бен снова заплутается. Он чувствовал, что никто, кроме него, не может сейчас молиться за Бена, что темный союз их душ дает силу только его молитве. Все, о чем он читал в книгах, вся безмятежная мудрость, которую он так красноречиво исповедовал на занятиях философией, великие имена Платона, Плотина, Спинозы и Иммануила Канта, Гегеля и Декарта — все это исчезло под нахлынувшей волной дикой кельтской суеверности. Он чувствовал, что должен исступленно молиться, пока затихающее дыхание еще не совсем замерло в теле его брата.

И с сумасшедшей напевностью он снова и снова бормотал:

— Кто бы ты ни был, будь добр к Бену сегодня... Покажи ему путь... Кто бы ты ни был, будь добр к Бену сегодня... Покажи ему путь...

Он утратил счет минут, часов — он слышал только слабое клокотание умирающего дыхания и свою исступленную вторящую ему мольбу.

Свет и сознание угасли в его мозгу. Усталость и нервное истощение взяли верх. Он распростерся на полу, опираясь локтями на кровать, и сонно бормотал и бормотал... По ту сторону неподвижно сидела Элиза и держала руку Бена. Юджин, невнятно лепеча, погрузился в тревожную дремоту.

Он внезапно проснулся, с острым ужасом осознав, что заснул. Он боялся, что затухающее дыхание совсем замерло и его молитва была напрасной. Тело на кровати почти окостенело: не было слышно ни звука. Затем прерывисто и неровно раздался тихий клекот дыхания. Он понял, что это конец. Он быстро поднялся и побежал к двери. По ту сторону площадки в холодной спальне на двух широких кроватях лежали измученные Гант, Люк и Хелен.

— Идите! — крикнул Юджин. — Он кончается.

Они быстро вошли в комнату. Элиза сидела неподвижно. не замечая их. Входя в комнату, они услышали легкий умирающий вздох — его последнее дыхание.

Клокотание в изможденном теле, которое в течение долгих часов отдавало смерти все то, что достойно спасения в жизни, теперь прекратилось. Тело, казалось, костенело у них на глазах. Мгновение спустя Элиза медленно отняла свои руки. Но внезапно — как будто совершилось чудо, как будто настало его воскрешение и обновление — Бен сделал глубокий и сильный вдох. Его серые глаза открылись. Охватив в единый миг страшное видение всей жизни, он, казалось, бестелесно, без опоры приподнялся с подушек — пламя, свет, сияние, наконец воссоединившись в смерти с темным духом, который сумрачно размышлял над каждым его шагом на одиноком земном пути; и, опустив яростный меч все постигшего и объявшего взгляда на комнату с ее серым парадом дешевых любовей и тупых совестей и на всех растерянных мимов напрасных потерь и путаницы, уже исчезавших из сверкающих окон его глаз, он сразу ушел презрительно и бесстрашно, как жил, в сумрак смерти.

Можно поверить, что жизнь — ничто, можно поверить, что смерть и загробная жизнь — ничто, но кто способен поверить, что Бен — ничто? Подобно Аполлону*, который искупал свою вину перед верховным богом в скорбном доме царя Адмета, он пришел — бог со сломанными ногами — в серую лачугу этого мира. И он жил здесь — чужой, пытаясь вновь обрести музыку утраченного мира, пытаясь вспомнить великий забытый язык, утраченные лица, камень, лист, дверь.

Прощай, о Артемидор!

XXXVI

В необъятной тишине, в которой встретились боль и мрак, просыпались птицы. Был октябрь. Было почти четыре часа утра. Элиза выпрямила ноги Бена и сложила ему руки на груди. Она расправила смятые простыни и одеяло и потом взбила подушки так, чтобы его голова покоилась в аккуратной впадине. Его блестящие волосы, коротко подстриженные по благородной форме его головы, были упругими и кудрявыми, как у мальчика. Она отрезала ножницами маленький локон на неприметном месте.

— У Гровера волосы были черные, как вороново крыло, и совсем прямые. Никто бы не подумал, что они близнецы, — сказала она.

Они спустились в кухню.

— Ну, Элиза, — сказал Гант, впервые за тридцать лет назвав ее по имени, — у тебя была тяжелая жизнь. Если бы я вел себя по-другому, мы могли бы ладить лучше. Так постараемся не портить оставшихся лет. Никто тебя не винит. В общем-то, ты делала все, что могла.

— Есть много вещей, которые я была бы рада сделать по-другому, — грустно сказала Элиза. Она покачала головой. — Никогда нельзя знать заранее.

— Мы поговорим об этом в другой раз, — сказала Хелен. — Сейчас все, наверное, измучены. Я — во всяком случае. Я собираюсь немного поспать. Папа, ляг, во имя всего святого. Теперь ты ничему помочь не можешь. Мама, и ты легла бы...

— Нет, — сказала Элиза, покачивая головой, — Вы, дети, ложитесь. А я все равно не засну. Слишком много надо сделать. Сейчас я позвоню Джону Хайнсу.

— Пусть о деньгах не думает, — сказал Гант. — Я оплачу все счета.

— Ну, — сказала Хелен, — давайте похороним Бена как следует, во что бы это ни обошлось. Это последнее, что мы можем для него сделать. Я не хочу, чтобы меня потом из-за этого мучила совесть.

— Да, — сказала Элиза, медленно кивнув. — Я хочу, чтобы похороны были самые лучшие, какие только можно устроить за деньги. Я обо всем договорюсь с Джоном Хайнсом, когда буду с ним разговаривать. Вы, дети, идите теперь спать.

— Бедняга Джин, — сказала Хелен со смехом, — он выглядит, как последняя роза лета. Совсем измучен. Иди-ка выспись хорошенько, дружок.

— Нет! — сказал он. — Я хочу есть. Последний раз я ел еще в университете.

— Ну, Б-б-бога ради! — заикался Люк. — Почему же ты не сказал, идиот? Я бы что-нибудь тебе устроил. Вот что, — сказал он, усмехаясь, — я и сам не прочь перекусить. Пошли в город, поедим!

— Да, — сказал Юджин. — Я буду рад ненадолго выбраться из семейного круга.

Он и Люк захохотали как безумные. Юджин повертелся вокруг плиты и заглянул в духовку.

— А? Э? Чего тебе, милый? — подозрительно спросила Элиза.

— Что у вас есть вкусненького, мисс Элиза? — сказал он, скаля на нее зубы, как сумасшедший. Он взглянул на моряка, и они оба разразились идиотским хохотом, тыча друг друга под ребра. Юджин поднял кофейник, наполовину полный холодной светло-желтой бурдой, и понюхал его.

— Черт подери! — сказал он. — Вот уж это Бену больше не грозит! Ему не придется больше пить маминого кофе.

— Уах! Уах! Уах! — сказал моряк.

Гант усмехнулся и облизнул большой палец.

— Постыдились бы! — сказала Хелен с хриплым смешком. — Бедняга Бен!

— А чем плох кофе? — спросила Элиза с досадой. — Это хороший кофе.

Они взвыли. Элиза поджала губы.

— Мне не нравятся такие разговоры, — сказала она. Ее глаза вдруг налились слезами. Юджин схватил и поцеловал ее шершавую руку.

— Ничего, мама! — сказал он. — Ничего. Я не то хотел сказать! — Он обнял ее. Она расплакалась — внезапно и горько.

— Никто его не знал. Он никогда не говорил о себе. Он был самый тихий. Теперь я потеряла их обоих.

Затем, вытирая глаза, добавила:

— Вы идите поешьте, мальчики. Вам будет полезно немножко прогуляться. И еще, — добавила она, — почему бы вам не зайти в редакцию «Ситизен»? Им надо сообщить. Они каждый день звонили — справлялись о нем.

— Они были о нем самого высокого мнения, — сказал Гант.

Все они испытывали усталость, и еще — огромное облегчение. Больше суток каждый из них знал, что смерть неизбежна, и теперь после ужаса беспрерывного удушливого хрипа этот покой, этот конец мучений наполнил их глубокой усталой радостью.

— Ну, Бен умер, — медленно сказала Хелен. Ее глаза были влажны, но она плакала теперь тихо, с кротким горем, с любовью. — Я рада, что это кончилось. Бедняга Бен! Я узнала его только в эти последние дни. Он был самый лучший из нас. Слава Богу, что он отмучился.

Юджин думал теперь о смерти с любовью, с радостью. Смерть была подобна прелестной и нежной женщине — друг и возлюбленная Бена, она пришла освободить его, исцелить, спасти от пытки жизни.

Они стояли все вместе, молча, в захламленной кухне Элизы, и глаза их слепли от слез потому, что они думали о прелестной и ласковой смерти, и потому, что они любили друг друга.

Юджин и Люк бесшумно прошли через холл и вышли в темноту. Они осторожно закрыли за собой большую дверь и спустились по ступенькам веранды. В этой необъятной тишине просыпались птицы. Был пятый час утра. Ветер гнул ветки. Еще не рассвело. Но над их головами густые тучи, которые долгие дни окутывали землю унылым серым одеялом, теперь разорвались. Юджин взглянул вверх на глубокий рваный свод неба и увидел гордые великолепные звезды, яркие и немигающие. Засохшие листья подрагивали.

Петух испустил свой пронзительный утренний клич начинающейся и пробуждающейся жизни. Крик петуха, который раздался в полночь (подумал Юджин), был нездешним и призрачным. Кукареканье того петуха было пропитано дурманом сна и смерти, он был, как дальний рог, звучащий в морской пучине; он нес предупреждение всем умирающим людям и всем призракам, которым наступила пора возвращаться к себе.

Но у петуха, который поет по утрам (думал он), голос пронзителен, как флейта. Он говорит: мы покончили со сном. Мы покончили со смертью. О, пробуждайся, пробуждайся к жизни, говорит его голос, пронзительный, как флейта. В этой необъятной тишине просыпались птицы.

Он снова услышал ясную песню петуха, а из темноты у реки донесся величавый гром чугунных колес и долгий удаляющийся вопль гудка. И он услышал тяжелый, звенящий стук подкованных копыт, медленно поднимающихся по пустынной застывшей улице. В этой необъятной тишине просыпалась жизнь.

Радость пробудилась в нем и упоение. Они вырвались из темницы смерти; они снова включились в яркий механизм жизни. Жизнь, жизнь с рулем и ветрилами, которым можно довериться, начинала мириады своих отплытий.

Разносчик газет деловито шел им навстречу той прихрамывающей деревянной походкой, которая была так хорошо знакома Юджину, и с середины улицы ловко швырнул газету на крыльцо «Брауншвейга». Поравнявшись с «Диксилендом», он свернул к тротуару и бросил свежую газету так, что она упала с мягким шлепком. Он знал, что этот дом посетила болезнь.

Засохшие листья подрагивали.

Юджин выскочил на тротуар с размокшей земли двора. Он остановил разносчика.

— Как тебя зовут, парень? — сказал он.

— Тайсон Смазерс, — сказал мальчик, повернув к нему шотландско-ирландское лицо, полное жизни и энергии.

— Меня зовут Джин Гант. Ты слыхал обо мне?

— Да, — сказал Тайсон Смазерс, — слыхал. У вас был номер семь.

— Это было давно, — высокопарно сказал Юджин, усмехаясь. — Я тогда был еще мальчишкой.

В этой необъятной тишине просыпались птицы.

Он сунул руку в карман и нащупал доллар.

— Держи! — сказал он. — Я тоже носил эту проклятую штуку. После моего брата Бена я был у них лучшим разносчиком. Счастливого Рождества, Тайсон!

— До Рождества еще долго, — сказал Тайсон Смазерс.

— Ты прав, Тайсон, — сказал Юджин. — Но оно все равно будет.

Тайсон Смазерс взял деньги с озадаченной веснушчатой ухмылкой. Затем он пошел дальше по улице, швыряя газеты.

Клены были тонкие и сухие. Их гниющие листья покрывали землю. Но деревья еще не совсем лишились листьев. Листья дрожали мелкой дрожью. Какие-то птицы защебетали на деревьях. Ветер гнул ветки, засохшие листья подрагивали. Был октябрь.

Когда Люк и Юджин свернули на улицу, ведущую к площади, из большого кирпичного дома напротив вышла какая-то женщина. Когда она подошла ближе, они увидели, что это миссис Перт. Был октябрь, но некоторые птицы просыпались.

— Люк, — сказала она невнятно. — Люк? Это ты, старина Люк?

— Да, — сказал Люк.

— И Джин? Это старина Джин? — Она тихонько рассмеялась, похлопывая его по руке, комично щуря на него свои мутные дымчатые глаза и покачиваясь с пьяным достоинством. Листья, засохшие листья подрагивали, дрожали мелкой дрожью. Был октябрь, и листья подрагивали.

— Они выгнали Толстушку, Джин, — сказала она. — Они больше не пускают ее в дом. Они выгнали ее, потому что ей нравился старина Бен. Бен. Старина Бен. — Она тихонько покачивалась, рассеянно собираясь с мыслями. — Старина Бен. Как старина Бен, Джин? — сказала она просительно. — Толстушка хочет знать.

— М-м-мне очень жаль, миссис Перт... — начал Люк.

Ветер гнул ветки, засохшие листья подрагивали.

— Бен умер, — сказал Юджин.

Она смотрела на него, покачиваясь.

— Толстушке нравился Бен, — сказала она тихо, немного погодя. — Толстушка и старина Бен были друзьями.

Она повернулась и уставилась перед собой смутным взглядом, вытянув вперед одну руку для равновесия.

В этой необъятной тишине просыпались птицы. Был октябрь, но некоторые птицы просыпались.

Тогда Люк и Юджин быстро пошли к площади, исполненные великой радости, потому что они слышали звуки жизни и рассвета. И, шагая, они часто заговаривали о Бене со смехом, со счастливыми воспоминаниями, не как об умершем, а как о брате, уезжавшем на долгие годы, который теперь должен вот-вот вернуться домой. Они говорили о нем с торжеством и нежностью, как о том, кто победил боль и радостно вырвался на свободу. Сознание Юджина неуклюже шарило вокруг и около. Оно, как ребенок, возилось с пустяками.

Они испытывали друг к другу глубокую, ровную любовь и разговаривали без напряжения, без аффектации, со спокойной уверенностью и пониманием.

— А помнишь, — начал Люк, — к-к-как он остриг сиротку тети Петт — Марка?

— Он... надел... ему на голову... ночной горшок... чтобы стричь ровнее, — взвизгнул Юджин, будя улицу диким смехом.

Они шли, хохоча, здороваясь с редкими ранними прохожими преувеличенно почтительно, весело посмеиваясь над миром в братском союзе. Затем они вошли в устало расслабившуюся редакцию газеты, служению которой Бен отдал столько лет, и передали свое известие усталому сотруднику.

И в этой комнате, где умерло столько стремительно запечатленных дней, возникло сожаление и ощущение чуда — воспоминание, которое не умрет, воспоминание о чем-то странном и проходящем.

— Черт! Как жаль! Он был отличный парень! — сказали люди.

Когда над пустынными улицами забрезжил серый свет и первый трамвай задребезжал, подъезжая к площади, они вошли в маленькую закусочную, где он провел в дыму и за кофе столько предрассветных часов.

Юджин заглянул внутрь и увидел, что они были там все вместе, как много лет назад, как кошмарное подтверждение пророчества: Макгайр, Коукер, усталый раздатчик и дальше в углу — печатник Гарри Тагмен.

Люк и Юджин вошли и сели у стойки.

— Господа! Господа! — звучным голосом сказал Люк.

— Здорово, Люк! — рявкнул Макгайр. — Когда же ты научишься уму-разуму? Как живешь, сынок? Как учение? — сказал он Юджину и несколько секунд смотрел на них пьяными добрыми глазами; мокрая сигарета смешно прилипла к его нижней губе.

— Генерал, как дела? Что вы пьете теперь — скипидар или лак? — сказал моряк, грубо щекоча его заплывшие жиром ребра. Макгайр крякнул,

— Кончено, сынок? — тихо спросил Коукер.

— Да, — сказал Юджин.

Коукер вынул изо рта длинную сигару и малярийно улыбнулся ему.

— Чувствуешь себя получше, сынок, а? — сказал он.

— Да, — сказал Юджин, — гораздо.

— Ну, Юджиникс, — деловито сказал моряк, — что будешь есть?

— Что тут имеется? — сказал Юджин, глядя на засаленное меню. — Не осталось ли жареного китенка?

— Нет, — сказал раздатчик, — был, но весь вышел.

— Как насчет фрикассе из быка? — сказал Люк. — Это имеется?

— Фрикассе из быка не для такого здорового быка, сынок, — сказал Макгайр.

Их бычий смех мычаньем разнесся по закусочной.

Собрав лоб складками, Люк заикался над меню.

— Ж-жареный цыпленок по-мэрилендски, — бормотал он. — По-мэрилендски? — повторил он с деланным удивлением. — Разве это не прелестно? — жеманно спросил он, оглядываясь по сторонам.

— Мне дайте бифштекс не больше чем недельной давности, — сказал Юджин, — хорошо прожаренный, а также топор и мясорубку.

— А зачем мясорубку, сынок? — сказал Коукер.

— Для мясного пирога, — ответил Юджин.

— Мне того же, — сказал Люк, — и пару чашек мокко не хуже, чем дома у мамы.

Он ошалело оглянулся на Юджина и разразился громкими «уах-уах-уах», тыча его под ребра.

— Где вы сейчас служите, Люк? — спросил Гарри Тагмен, вытаскивая нос из кружки с кофе.

— В н-настоящее время в Норфолке на военно-морской базе, — ответил Люк. — Обеспечиваем безопасность лицемерию.

— Ты когда-нибудь бывал в море, сынок? — спросил Коукер.

— Всеконечно! — сказал Люк. — За пять центов трамвай домчит меня до пляжа в любую минуту.

— В этом парне были задатки моряка еще в ту пору, как он мочил простыни, — сказал Макгайр. — Я это давно предсказал.

Деловито вошел «Конь» Хайнс, но замедлил шаг, увидя молодых людей.

— Берегись! — прошептал моряк Юджину с сумасшедшей усмешкой. — Ты следующий. Он так и вперил в тебя свои рыбьи глаза. Он уже снимает с тебя мерку.

Юджин сердито оглянулся на «Коня» Хайнса и что-то буркнул. Моряк прыснул как безумный.

— Доброе утро, господа! — сказал «Конь» Хайнс тоном аристократической печали. — Мальчики, — сказал он, печально подходя к ним, — я был очень расстроен, услышав про ваше несчастье. Будь этот мальчик моим родным братом, я не мог бы быть о нем более высокого мнения.

— Хватит, «Конь»! — сказал Макгайр, поднимая четыре жирных протестующих пальца. — Мы видим, что вы скорбите. Если вы будете продолжать, то можете впасть от горя в истерику и расхохотаться. А этого мы не вынесем, «Конь». Мы большие сильные мужчины, но у нас была тяжелая жизнь. Молю, пощадите нас, «Конь».

«Конь» Хайнс не обратил на него внимания.

— Он сейчас у меня, — сказал он мягко. — Я хочу, чтобы вы, мальчики, зашли попозже поглядеть на него. Когда я кончу, вы его не узнаете.

— Черт! Исправление ошибок природы! — сказал Коукер. — Его мать будет довольна.

— У вас похоронное бюро, «Конь», — сказал Макгайр, — или институт красоты?

— Мы знаем, вы сделаете все в-в-возможное, мистер Хайнс, — сказал моряк с живой увлеченной неискренностью. — Поэтому мы и обратились к вам.

— Вы будете доедать свой бифштекс? — спросил раздатчик Юджина.

— Бифштекс! Бифштекс! Это не бифштекс! — пробормотал Юджин. — Теперь я понял, что это такое. — Он встал с табуретки и подошел к Коукеру. — Можете вы спасти меня? Я умру? У меня больной вид, Коукер? — спросил он хриплым шепотом.

— Нет, сынок, — ответил Коукер. — Не больной, а безумный.

«Конь» Хайнс сел у другого конца стойки. Юджин, опираясь на засаленный мрамор стойки, запел:

Хей-хо, хей-хо, стервятник,
Дерри, дерри, дерри-о!

— Заткнись, дурак!! — вполголоса хрипло сказал моряк и ухмыльнулся.

Сел стервятник на скалу,
Дерри, дерри, дерри-о!

Снаружи в юном сером свете энергично пробуждалась жизнь. Трамвай медленно свернул в поперечную улицу после того, как вожатый высунулся в окно и аккуратно перевел стрелки длинным крюком, выдувая теплый туман дыхания в холодный воздух. Полицейский Лесли Робертс, худой и желчный, апатично прошаркал мимо, помахивая дубинкой. Негр-уборщик из аптеки Вуда быстро вошел в почтамт за утренней корреспонденцией. Дж. Т. Стирис, железнодорожный агент, ждал на тротуаре напротив трамвая, идущего к вокзалу. У него было красное лицо, и он читал утреннюю газету.

— Вон они ходят! — внезапно крикнул Юджин. — Как будто они не знают про это!

— Люк, — сказал Гарри Тагмен, отрываясь от газеты, — мне было очень грустно узнать про Бена. Он был чудесный парень. — И он снова занялся чтением.

— Черт побери! — сказал Юджин. — А мы и не знали!

И он разразился неудержимым всхлипывающим смехом, который рвался из него со свирепой яростью. «Конь» Хайнс хитро посмотрел на него. А потом опять занялся своей газетой.

Братья вышли из закусочной и направились домой среди утреннего оживления. Сознание Юджина продолжало возиться с пустяками. На улицах слышалось морозное потрескивание и грохот жизни: хищное дребезжание колес, скрип ставен; перламутровое небо приобрело холодный розовый оттенок. На площади вожатые стояли среди своих трамваев, громко болтая в клубах пара. В «Диксиленде» была атмосфера изнеможения, нервного истощения. Дом спал; на ногах была одна Элиза, зато в ее плите потрескивал яркий огонь и она была полна деловитости.

— Теперь, дети, ложитесь спать. Нам всем предстоит много работы днем.

Люк и Юджин пошли в большую столовую, которую Элиза превратила в спальню.

— Будь я п-п-проклят, если буду теперь спать наверху, — сердито сказал моряк. — После этого — ни за что!

— Пф! — сказала Элиза. — Это только суеверие. Меня бы это ничуть не испугало.

Братья проспали тяжелым сном до полудня. После этого они пошли к «Коню» Хайнсу. Он сидел, удобно задрав ноги на письменный стол, в своей маленькой темной конторе, пропахшей папоротниками, ладаном и старыми гвоздиками.

Когда они вошли, он поспешно встал, затрещав накрахмаленной жесткой рубашкой, и торжественно зашуршал черным сюртуком. Потом он заговорил с ними приглушенным голосом, слегка наклонившись вперед.

Как похож на Смерть этот человек (думал Юджин). Он думал о страшных тайнах похорон — темный вурдалакский ритуал, непотребное сопричащение с мертвым, пронизанное черным колдовством. Где чан, куда они выбрасывают части? Поблизости есть ресторан. Потом он взял протянутую ему холодную немощную руку с веснушками на тыльной стороне ладони, и ему показалось, что он коснулся чего-то набальзамированного. Гробовщик держался не так, как утром: манеры его стали официальными, профессиональными. Он был бдительным распорядителем их горя, опытным конферансье. Он тонко дал им почувствовать, что в смерти есть порядок и декорум, что надо соблюдать траурный ритуал. Это произвело на них впечатление.

— Мы решили, что нам с-с-следует сначала п-п-поговорить с вами, мистер Хайнс, по поводу г-г-гроба, — нервно прошептал Люк. — Мы хотим спросить вашего совета. Помогите нам выбрать что-нибудь подходящее.

«Конь» Хайнс одобрительно и достойно кивнул. Потом он мягко провел их в большую темную комнату с натертым полом, где в густом мертвом запахе дерева и бархата стояли на подставках с колесиками роскошные гробы, тая гордую угрозу.

— Ну, — сказал «Конь» Хайнс негромко, — я знаю, что ваша семья не хочет ничего дешевого.

— Да, сэр, — решительно сказал моряк, — мы хотим с-с-самое лучшее, что у вас есть.

— Эти похороны представляют для меня личный интерес, — сказал «Конь» Хайнс с мягким чувством. — Я знаю семейства Гантов и Пентлендов больше тридцати лет. Я вел дела с вашим отцом почти двадцать лет.

— А я х-х-хочу сказать вам от имени семьи, мистер Хайнс, что мы очень ц-ценим ваше отношение, — сказал Люк очень убедительно.

Ему это нравится, думал Юджин, любовь всего мира. Он должен добиваться ее во что бы то ни стало.

— Ваш отец, — продолжал «Конь» Хайнс, — один из старейших и наиболее уважаемых коммерсантов в городе. А семья Пентлендов — одна из наиболее богатых и видных.

На мгновение Юджин зажегся гордостью.

— Вам не годится что-нибудь поддельное. Это я знаю. Вам надо что-нибудь в лучшем вкусе и благородное. Верно?

Люк энергично кивнул.

— Да, мы именно так к этому относимся, мистер Хайнс. Нам нужно лучшее, что у вас есть. Раз дело касается Бена, м-м-мы не экономим, — гордо сказал он.

— Ну, в таком случае, — сказал «Конь» Хайнс, — я скажу вам свое честное мнение. Я мог бы отдать вам вот этот по дешевке. — Он положил руку на один из гробов. — Но это не то, что вам нужно. Конечно, — сказал он, — он не плох за такую цену. Он стоит этих денег. Он послужит хорошо, будьте уверены. Он окупит свою стоимость...

«Вот это мысль», — подумал Юджин.

— Они все хороши, Люк. Ни одного плохого у меня нет. Но...

— Нам нужно что-нибудь п-п-получше, — убедительно сказал Люк. — Ты согласен, Джин? — спросил он Юджина.

— Да, — сказал Юджин.

— Ну, — сказал «Конь» Хайнс, — я могу предложить вам вот этот. — Он указал на самый пышный гроб в комнате. — Лучше не бывает, Люк. Это высший класс. Он стоит тех денег, какие я за него прошу.

— Ладно, — сказал Люк. — Тут вы судья. Если этот самый л-л-лучший, мы возьмем его.

«Нет, нет, — думал Юджин. — Не перебивай его. Пусть продолжает».

— Но, — безжалостно сказал «Конь» Хайнс, — вам не обязательно брать и этот. Ведь вы ищете, Люк, благородство и простоту. Верно?

— Да, — сказал моряк покорно. — Вы совершенно правы, мистер Хайнс.

«Вот теперь он развернется, — думал Юджин. — Этот человек извлекает радость из своего дела».

— В таком случае, — сказал «Конь» Хайнс решительно, — я хочу предложить вам, мальчики, вот этот. — Он любовно положил руку на красивый гроб, около которого стоял.

— Он не слишком невзрачен и не слишком затейлив. Он прост и в лучшем вкусе. Серебряные ручки и вот серебряная табличка для имени. Здесь вы не ошибетесь. Это выгодная покупка. Окупите свои деньги полностью.

Они обошли вокруг гроба, взыскательно его осматривая.

Немного погодя Люк нервно сказал:

— Сколько он с-с-стоит?

— Продажная цена четыреста пятьдесят долларов, — сказал «Конь» Хайнс, — но, — добавил он, после недолгих темных размышлений, — вот что я сделаю. Мы с вашим отцом старые друзья. Из уважения к вашей семье я отдам его вам за триста семьдесят пять долларов.

— Что ты скажешь, Джин? — спросил моряк. — Как он тебе кажется?

Покупайте рождественские подарки заранее.

— Да, — сказал Юджин, — давай возьмем его. Жаль, что он не другого цвета. Я не люблю черный, — добавил он. — Нет ли у вас другого цвета?

«Конь» Хайнс поглядел на него.

— Цвет обязательно черный, — сказал он.

Затем, помолчав, добавил:

— Не хотите ли взглянуть на тело, мальчики?

— Да, — сказали они.

Он на цыпочках провел их по проходу между рядами гробов и открыл дверь в заднюю комнату. Там было темно. Они вошли и остановились, затаив дыхание. «Конь» Хайнс зажег свет и закрыл дверь.

Бен, одетый в свой лучший темно-серый костюм, лежал в окостенелом спокойствии на столе. Его руки, холодные и белые, с чистыми сухими ногтями, слегка сморщенные, как старые яблоки, были скрещены на животе. Он был гладко выбрит и безукоризненно причесан. Застывшая голова была резко вздернута кверху, на лице жуткая подделка улыбки; ноздри поддерживались кусочками воска, между холодными твердыми губами был проложен восковой валик. Рот был закрыт и чуть вздут. Он выглядел более пухлым, чем при жизни.

В комнате стоял слабый сладковато-липкий запах.

Моряк смотрел суеверным нервным взглядом и собирая морщины на лбу. Потом он прошептал Юджину:

— По-видимому, это д-действительно Бен.

«Потому что, — думал Юджин, — это не Бен и мы заблудились». Он глядел на эту холодную блестящую мертвечину, на это скверное подобие, которое не воссоздавало образ даже в той мере, в какой его передает восковая фигура. Здесь не могло быть погребено и частицы Бена. В этом бедном чучеле вороны, хоть его и побрили и аккуратно застегнули на все пуговицы, не осталось ничего от былого хозяина. Все это было творением «Коня» Хайнса, который стоял рядом, жадно ожидая похвал.

Нет, это не Бен (думал Юджин). Никакого следа не осталось от него в этой покинутой оболочке. Никакого знака. Куда он ушел? Неужели это его светлая неповторимая плоть, созданная по его подобию, наделенная жизнью благодаря только ему присущему жесту, благодаря его единственной в мире душе. Нет, он покинул свою плоть. И это здесь — только мертвечина и вновь смешается с землей. А Бен? Где? Утрата! Утрата!

Моряк, не отводя взгляда, сказал:

— Он с-с-сильно страдал! — И вдруг, отвернувшись и спрятав лицо в ладони, всхлипнул, мучительно и горько: его путаная заикающаяся жизнь на миг утратила рыхлость и сосредоточилась в одном жестком мгновении горя.

Юджин заплакал — но не оттого, что увидел здесь Бена, а оттого, что Бен ушел, и оттого, что он помнил все смятение и боль.

— Это все кончено, — мягко сказал «Конь» Хайнс. — Он упокоился с миром.

— Черт подери, мистер Хайнс, — убежденно сказал моряк, вытирая глаза рукавом. — Он был отличный парень.

«Конь» Хайнс с упоением глядел на холодное чужое лицо.

— Прекрасный молодой человек, — пробормотал он, когда его рыбьи глаза с нежностью обозрели его работу. — Я постарался воздать ему должное.

Они немного помолчали.

— Вы п-прекрасно все сделали, — сказал моряк. — Надо вам отдать справедливость. Что ты скажешь, Джин?

— Да, — сказал Юджин сдавленным голосом. — Да.

— Он н-н-немного б-б-бледноват, вам не кажется? — заикаясь, сказал моряк, не сознавая, что говорит.

— Одну минуту! — поспешно сказал «Конь» Хайнс, подняв палец. Он достал из кармана палочку румян, сделал шаг вперед и ловко, споро навел на серые мертвые щеки жуткую розовую подделку под жизнь и здоровье.

— Вот, — удовлетворенно сказал он, и, держа в пальцах румяна, он склонил голову набок и, как живописец, разглядывающий свою картину, отступил в страшную темницу их ужаса.

— В каждой профессии, мальчики, есть художники, — помолчав, продолжал «Конь» Хайнс с тихой гордостью. — И хоть это и не мне говорить, Люк, но я горжусь своей работой. Поглядите на него! — вдруг энергично воскликнул он, и на его сером лице проступила краска. — Видели вы когда-нибудь в жизни такую естественность?

Юджин обратил на него мрачный багровый взгляд и с жалостью, почти с нежностью, заметил искреннюю гордость на длинном лошадином лице, а его горло уже рвали псы смеха.

— Поглядите на него! — снова с медлительным изумлением сказал «Конь» Хайнс. — Мне уже никогда не достичь такого совершенства! Хоть бы я прожил миллион лет! Это искусство, мальчики.

Медленное задушенное G бульканье вырвалось из закрученных губ Юджина. Моряк быстро взглянул на него с сумасшедшей подавленной усмешкой.

— Что с тобой? — сказал он предостерегающе. — Не смей, дурак! — Его усмешка вырвалась на волю.

Юджин шатаясь добрался до стула и рухнул на него, оглушительно хохоча и беспомощно взмахивая длинными руками.

— ...стите! — задыхался он. — Нечаянно. Искусство! Да! Да! Именно! — взвизгивал он, выбивая костяшками сумасшедшую дробь на натертом полу. Он мягко съехал со стула, расстегнул жилет и темной рукой распустил галстук. Из его усталого горла доносилось слабое бульканье, голова томно перекатывалась по полу, слезы текли по распухшему лицу.

— Что с тобой? Ты с-с-с ума сошел? — сказал моряк, расплываясь в улыбке.

«Конь» Хайнс сочувственно нагнулся и помог мальчику подняться на ноги.

— Это нервное напряжение, — многозначительно сказал он моряку. — У бедняги истерика.

XXXVII

Вот так мертвому Бену было отдано больше внимания, больше времени, больше денег, чем когда-либо отдавалось живому Бену. Его похороны были завершающим штрихом иронии и бессмыслицы: попытка компенсировать мертвечине смерти невыплаченную плату жизни — любовь и милосердие. У него были великолепные похороны. Все Пентленды прислали венки и явились каждый со своим кланом. Поспешно принятый погребальный вид не мог отбить запашок ненадолго отложенных дел. Уилл Пентленд говорил с мужчинами о политике, о войне, о состоянии торговли, задумчиво подравнивал ногти, поджимал губы, кивал со странной задумчивостью и иногда каламбурил, подмигивая по-птичьи. Его довольный самосмех мешался с гоготом Генри. Петт стала старее, добрее и ласковее, чем помнил Юджин, — она ходила по комнатам, шелестя серым шелком и смягченной горечью. И Джим был здесь — с женой, имени которой Юджин не помнил, с четырьмя веселыми здоровыми дочерьми, имена которых Юджин путал, но которые все прекрасно закончили колледжи, и с сыном, которого исключили из пресвитерианского колледжа за то, что, став редактором студенческой газеты, он начал проповедовать в ней свободную любовь и социализм. Теперь он играл на скрипке, любил музыку и помогал отцу в его деле; это был женственный и жеманный молодой человек, но, несомненно, той же породы. Был здесь и Тэддес Пентленд, бухгалтер Уилла, самый молодой и бедный из трех братьев. Это был пятидесятилетний мужчина с приятным красным лицом, каштановыми усами и спокойными манерами. Он сыпал каламбурами и лучился добродушием или цитировал Карла Маркса и Юджина Дебса*. Он был социалистом и однажды, баллотируясь в конгресс, получил восемь голосов. Он пришел со словоохотливой женой, которую Хелен прозвала «Тараторкой», и двумя дочерьми, томными красивыми блондинками двадцати и двадцати четырех лет.

Они были здесь во всей своей славе — этот странный богатый клан, невероятная смесь успеха и непрактичности, жесткого корыстолюбия и фанатических видений. Они собрались здесь со всеми своими поразительными противоречиями — делец, который не обладал деловым методом и все же нажил свой миллион; яростный противник капитала, который всю жизнь верой и правдой служил тому, что обличал; непутевый сын, наделенный бычьим жизнелюбием атлета, басистым смехом, животным обаянием — и только;

сын — музыкант, бунтарь в университете, интеллигент, фанатик и отличный бухгалтер; безумная скаредность по отношению к себе, щедрые траты на детей.

Они были здесь, и каждый являл фамильные черты клана — широкие носы, пухлые рты, широкие плоские щеки, поджатые губы, протяжные плоские голоса, самодовольный плоский смех. Они были здесь со своей колоссальной жизнеспособностью, со своей нечистой кровью, со своим мясистым здоровьем, со своим здравомыслием, со своим сумасшествием, со своим юмором, со своим суеверием, со своей скаредностью, со своей щедростью, со своим фанатическим идеализмом и своим несгибаемым материализмом. Они были здесь, отдавая запахом земли и Парнаса, — этот странный клан, воссоединявшийся лишь на свадьбах и похоронах, всегда верный себе, неразделимый и вовеки разделенный — он был здесь со своей меланхолией, своим безумием, своим весельем, более стойкий, чем жизнь, более сильный, чем смерть.

И, глядя на них, Юджин вновь ощутил кошмарный ужас судьбы — он был одним из них, и спасенья не было. Их плотоядность, их слабость, их чувственность, их фанатизм, их сила, их порча укоренилась в самых его костях.

Но Бен с его узким серым лицом (думал он) не принадлежал к ним. Их печати на нем не было.

И среди них, больной и старый, опираясь на палку, бродил Гант — посторонний, чужак. Он был подавлен и печален, но иногда с проблеском былой риторики он говорил о своем горе и о смерти своего сына.

Дом наполняли женские причитания. Элиза плакала, почти не переставая; Хелен — взрывами, в самозабвенных истерических припадках. И все остальные женщины плакали со вкусом, утешая Элизу и ее дочь, падая друг другу в объятия, стеная с острой жадностью. А мужчины грустно стояли вокруг, одетые в лучшие костюмы, прикидывая, когда все это кончится. Бен лежал в гостиной, покоясь в своем дорогом гробу. В комнате было душно от ладана и погребальных цветов.

Вскоре прибыл шотландский священник; его пристойная душа простиралась над всеми громкими позами горя, как кусок жесткой чистой шерстяной ткани. Он начал заупокойную службу сухим гнусавым голосом, далеким, монотонным, холодным и страстным.

Затем последовал вынос: по указанию «Коня» Хайнса, молодые люди из газеты и города, которые близко знали усопшего, медленно двинулись вперед, крепко держа ручки гроба проникотиненными пальцами. Остальные последовали за ними в надлежащем порядке и растянулись по каретам, которые источали похоронный запах затхлости и старой кожи.

Юджина опять посетила былая вурдалакская фантазия — труп и холодная свинина, запах падали и рубленого бифштекса — повапленная мерзость христианского погребения, непотребная пышность, надушенная мертвечина. Испытывая легкую тошноту, он сел в экипаж рядом с Элизой и попытался думать об ужине.

Процессия быстро покатила вперед, увлекаемая ровной рысцой бархатных крупов. Скорбящие женщины посматривали из закрытых карет на глазеющий город. Они плакали под густыми вуалями и посматривали, глядит ли на них город. Из-за великой маски горя глаза скорбящих сверкали жутким и непристойным голодом, неназываемой жаждой.

Была ненастная октябрьская погода — серая и сырая. Служба длилась недолго — этого требовала осторожность, так как эпидемия свирепствовала по-прежнему. Похоронная процессия вступила на кладбище. Оно было расположено в красивом месте, на холме. Оттуда открывался прекрасный вид на город. Когда подъехал катафалк, два человека, рывшие могилу, отошли в сторону. Женщины громко застонали, увидев зияющую сырую яму.

Гроб был медленно опущен на широкие ремни, перекинутые через могилу.

Снова Юджин услышал гнусавый голос пресвитерианского священника. Его сознание возилось с пустяками. «Конь» Хайнс торжественно нагнулся, захрустев крахмальной рубашкой, чтобы бросить свою горсть земли в могилу. «Прах праху...» Он покачнулся и упал бы, если бы Гилберт Гант не поддержал его. Он был навеселе. «Я воскресенье и жизнь...» Хелен плакала не переставая, хрипло и горько. «Верующему в меня...» Рыдания женщин перешли в визг, потому что гроб соскользнул на ремнях в глубь земли.

Потом скорбящие расселись по каретам, и их быстро увезли оттуда. В этом отъезде была лихорадочная непристойная поспешность. Долгое варварство похорон закончилось. Когда карета тронулась, Юджин взглянул в заднее стекло. Могильщики вернулись к своей работе. Он следил за ними, пока первая лопата земли не упала в могилу. Он увидел свежие могилы, сухую длинную траву и отметил про себя, что венки вянут очень быстро. Потом он посмотрел на серое сырое небо. Ему хотелось, чтобы ночью не было дождя.

Похороны кончились. Карета за каретой отделялась от процессии. Мужчины выходили у редакции, у аптеки, у табачного магазина. Женщины отправились домой. И все. И все.

Настал вечер, по пустым улицам гулял тощий ветер. Хелен лежала перед камином в доме Хью Бартона. В руке у нее была баночка с хлороформовой мазью. Она мрачно смотрела на огонь, в сотый раз переживая смерть, горько плача и снова успокаиваясь.

— Когда я думаю об этом, я ненавижу ее. Я не смогу забыть. А вы слышали, что она говорит? Слышали? Она уже начинает притворяться, будто он ее очень любил. Но меня-то не обманешь! Я знаю! Он не хотел, чтобы она была рядом. Вы ведь это видели? Он все время звал меня. Только меня одну он и подпускал к себе. Вы это знаете? Знаете?

— Тебе всегда приходится быть козлом отпущения, — кисло сказал Хью Бартон. — Мне это начинает надоедать. Вот что довело тебя до такого состояния. Если они не оставят тебя в покое, я тебя увезу отсюда.

После этого он вернулся к своим схемам и проспектам, важно хмурясь над сигарой и царапая цифры на старом конверте огрызком карандаша.

«Она его тоже вышколила», — подумал Юджин.

Потом, услышав пронзительный посвист ветра, она снова заплакала.

— Бедняга Бен! — сказала она. — Как подумаю, что он сейчас там!

Она помолчала, глядя в огонь.

— Теперь все, — сказала она. — Пусть сами заботятся о себе. Мы с Хью имеем право на свою жизнь. Ты согласен?

— Да, — сказал Юджин. «Я всего лишь хор», — подумал он.

— Папа не умрет, — продолжала она, — я ухаживала за ним, как рабыня, шесть лет, а он еще переживет меня. Все ждали, что папа умрет, а умер Бен. Никогда не знаешь, что случится. Теперь все.

В ее голосе была злобная досада. Они все чувствовали, какую мрачную шутку сыграла с ними Смерть, которая вышла из подполья, пока они подстерегали ее у окна.

— Папа не имеет права ждать от меня этого, — раздраженно крикнула она. — Он прожил свою жизнь. Он старик. Мы тоже имеем право на собственную жизнь, как и все другие. Господи Боже! Неужели они не могут этого понять! Я вышла замуж за Хью Бартона! Я его жена!

«Да? — подумал Юджин. — Да?»

А Элиза сидела перед огнем в «Диксиленде», сложив руки, и переживала прекрасное прошлое, полное нежности и любви, которого никогда не было. И пока ветер завывал на унылой улице, а Элиза сплетала сотни сказок об этом утраченном темном духе, светлое и раненое нечто в Юджине извивалось в ужасе, вымаливая спасения из дома смерти. Никогда больше! Никогда! (говорило оно). Теперь ты один. Ты затерялся. Иди ищи себя, заблудившийся мальчик, там за горами.

Это маленькое, светлое и раненое вставало в сердце Юджина и говорило его губами.

О, но я не могу уйти сейчас, сказал ему Юджин. (Почему нет? — шепнуло оно.) Потому, что ее лицо такое белое, а лоб такой широкий и высокий, когда ее черные волосы зачесаны назад, и потому, что тогда, у его постели, она была похожа на маленькую девочку. Я не могу уйти теперь и оставить ее здесь одну. (Она одна, — сказало оно. — И ты один.) И когда она поджимает губы и смотрит перед собой так серьезно и задумчиво, она похожа на маленькую девочку. (Теперь ты один, — шепнуло оно. — Ты должен спастись, или ты умрешь.) Все это похоже на смерть: она кормила меня грудью, я спал в ее постели, она брала меня с собой в свои поездки. Все это теперь кончено, и каждый раз оно было похоже на смерть. (И на жизнь, — сказало оно ему. — Каждый раз, умирая, ты рождаешься вновь. Ты умрешь сотни раз, прежде чем станешь взрослым.) Я не могу! Не могу! Не теперь, позже, медленнее. (Нет. Теперь, — сказало оно.) Я боюсь. Мне некуда идти. (Ты должен найти место, — сказало оно.) Я заблудился. (Ты должен сам найти дорогу, — сказало оно.) Я один. Где ты? (Ты должен найти меня, — сказало оно.)

Потом, пока светлое нечто извивалось в нем, Юджин услышал унылый посвист ветра в доме, который он должен был покинуть, и голос Элизы, вызывавшей из прошлого прекрасное и утраченное, которого никогда не было.

— ...я и сказала: «Да что ты, милый! Тебе надо потеплее одеться и хорошенько закутать шею, не то ты простудишься».

Юджин схватился за горло и бросился к двери.

— Э-эй! Куда ты? — спросила Элиза, быстро взглядывая на него.

— Мне надо уехать, — сказал он сдавленным голосом. — Мне надо уехать отсюда.

Тогда он увидел страх в ее глазах и серьезный тревожный детский взгляд. Он бросился к ней и схватил ее за руку. Она крепко обняла его и прижалась лицом к его руке.

— Не уезжай, — сказала она. — У тебя вся жизнь впереди. Побудь со мной день или два.

— Хорошо, мама, — сказал он, падая на колени. — Хорошо, мама. — Он отчаянно прижал ее к себе. — Хорошо, мама. Да благословит тебя Бог, мама. Ничего, мама. Ничего.

Элиза горько плакала.

— Я старуха, — сказала она. — И одного за другим я теряю вас всех. Он умер, а я так и не узнала его. Сын, не покидай меня пока! Ты у меня остался один, ты был моим маленьким. Не уезжай! Не уезжай! — Она прижала белое лицо к его руке.

Уехать нетрудно (думал он). Но когда мы сможем забыть?

Был октябрь, и листья дрожали мелкой дрожью. Начинало смеркаться. Солнце зашло, западные хребты расплывались в холодной лиловой мгле, но западное небо еще пылало рваными оранжевыми языками. Был октябрь.

Юджин быстро шагал по крутым мощеным извивам Рэтледж-роуд. В воздухе пахло туманом и ужином; окна помутнели от тепла и влаги, духовито шипели сковородки. Раздавались далекие туманные голоса, пахло горящими листьями, огни расплывались в теплые желтые пятна.

Он свернул на немощеную дорогу у большого деревянного санатория. Он слышал звучный кухонный смех негров, жаркое шипение жарящейся еды, сухое покашливание больных на верандах.

Он быстро шагал по неровной дороге, шурша палой листвой. Воздух был холодным тусклым жемчугом; над его головой засветилось несколько бледных звезд. Город и дом остались позади. Пели огромные горные сосны.

Мимо прошли две женщины. Он увидел, что они — деревенские. Одежда на них была черной и порыжелой, и одна из них плакала. Он подумал о всех мужчинах, которых погребли в этот день, и о всех женщинах, которые плакали. Вернутся ли они?

Кладбищенская калитка была открыта. Он быстро вошел и торопливо зашагал по вьющейся тропинке, которая огибала вершину холма. Трава была сухой и ломкой; на какой-то могиле лежал увядший лавровый венок. Когда он приблизился к их участку, его сердце учащенно забилось. Кто-то медленно, осторожно пробирался среди могильных плит. Но, подойдя ближе, он увидел, что это миссис Перт.

— Добрый вечер, миссис Перт! — сказал Юджин.

— Кто это? — спросила она, мутно прищурившись. Она направилась к нему своей сосредоточенной неверной походкой.

— Это Джин, — сказал он.

— А, так это старина Джин! — сказала она. — Как поживаешь, Джин?

— Терпимо, — сказал он.

Он стоял неуклюже, похолодев, не зная, как продолжать. Темнело. В великолепных соснах бились длинные одинокие прелюдии зимы, ветер свистел в длинных травах. Под ними, в овраге, настала ночь. Там находился Негритянский квартал. Звучные африканские голоса возносились к ним, стеная в похоронной песне джунглей.

Но в отдалении, на одном уровне с собой и выше, на других холмах, они видели город. Медленно, мерцающими гнездами загорались его огни, и были морозные дальние голоса, и музыка, и смех девушки.

— Очень милое место, — сказал Юджин. — Отсюда очень милый вид на город.

— Да, — сказала миссис Перт, — а у старины Бена самое милое место. Отсюда вид лучше, чем откуда бы ни было. Я была здесь раньше, днем. — Через секунду она продолжала: — Старина Бен превратится в прекрасные цветы. Розы, по-моему.

— Нет, — сказал Юджин, — в одуванчики... и в большие цветы с острыми колючками.

Она стояла, глядя вокруг затуманенным взглядом со смазанной ласковой улыбкой на губах.

— Уже темнеет, миссис Перт, — неуверенно сказал Юджин, — Вы здесь одна?

— Одна? Но со мной старина Джин и старина Бен, разве нет? — сказала она.

— Пожалуй, нам лучше вернуться, миссис Перт, — сказал он. — Ночью будет холодно. Я провожу вас.

— Толстушка и сама дойдет, — сказала она с достоинством. — Не беспокойся, Джин. Я оставлю тебя одного.

— Ничего, — сказал Юджин смущенно. — Мы ведь оба пришли сюда по одной причине.

— Да, — сказала миссис Перт. — Кто придет сюда в этот день на будущий год? Старина Джин придет снова?

— Нет, — сказал Юджин. — Нет, миссис Перт. Я никогда сюда больше не приду.

— Я тоже, Джин, — сказала она. — Когда ты возвращаешься в университет?

— Завтра, — сказал он.

— Тогда Толстушка должна попрощаться с тобой, — сказала она с упреком. — Я тоже уезжаю.

— Куда вы едете? — удивленно спросил он.

— Я буду жить у дочери в Теннесси. Вы и не знали, что Толстушка уже бабушка? А? — сказала она со смазанной улыбкой. — У меня есть внучок, ему два года.

— Мне жаль, что вы уезжаете, — сказал Юджин.

Миссис Перт помолчала, рассеянно покачиваясь.

— Так что же было у Бена? — спросила она.

— У него было воспаление легких, миссис Перт, — сказал Юджин.

— Воспаление легких! Да-да! — Она многозначительно и удовлетворенно кивнула. — Мой муж торгует лекарствами, но я никак не могу запомнить, чем люди болеют. Воспаление легких.

Она опять помолчала, размышляя.

— А когда они кладут вас в ящик и зарывают в землю, как старину Бена, как они это называют? — спросила она с мягкой недоумевающей улыбкой.

Он не засмеялся.

— Они называют это смертью, миссис Перт.

— Смертью! Да, верно, — весело сказала миссис Перт, согласно кивая. — Это один вид смерти, Джин. Бывают и другие. Ты это знаешь?

Она улыбнулась ему.

— Да, — сказал Юджин. — Я это знаю, миссис Перт.

Она внезапно протянула к нему руки и сжала его холодные пальцы. Она больше не улыбалась.

— Прощай, милый, — сказала она. — Мы оба знали Бена, не правда ли? Благослови тебя Бог.

Потом она повернулась и ушла по дороге тяжелой неверной походкой и исчезла в сгущающейся темноте.

Большие звезды гордо загорались в небе. А прямо над ним, прямо над городом пылала одна такая яркая и близкая, что он мог бы ее коснуться. В этот день могилу Бена обложили дерном и ее окружал резкий холодный запах земли. Юджин подумал о весне, об остром безъязыком запахе одуванчиков, которые вырастут здесь. В морозной тьме далекий, слабеющий прозвучал прощальный вопль гудка.

И вдруг, пока он глядел на весело мигающие огни города, их теплая весть о жизни людского улья пробудила в нем тупую тоску по всем словам и лицам. Он слышал далекие голоса и смех. И на мгновение мощный автомобиль, следуя изгибу горной дороги, бросил на этот одинокий холм мертвых свой ослепительный луч света и жизни. В онемевшем сознании Юджина, которое все эти дни увлеченно возилось с пустяками, и только с пустяками, как ребенок возится с кубиками, начал разгораться свет.

Его сознание выбиралось из нагромождения пустяков — из всего, что показал, чему научил его мир, он помнил теперь только огромную звезду над городом и свет, который взметнулся над холмом, и свежий дерн над могилой Бена, и ветер, и далекие звуки, и музыку, и миссис Перт.

Ветер гнул ветки, засохшие листья подрагивали. Был октябрь, но листья подрагивали. Звезда подрагивала. Занимался свет. Ветер дрожал мелкой дрожью. Звезда была далекой. Ночь, свет. Свет был ярок. Гимн, песня, медленный танец пустяков внутри него. Звезда над городом, свет над холмом, дерн над Беном, ночь надо всем. Его сознание возилось с пустяками. Над всеми нами есть что-то. Звезда, ночь, земля, свет... свет... Утрата! Утрата!.. Камень... лист... дверь... О, призрак! Свет... песня... свет... свет, взметнувшийся над холмом... над всеми нами... звезда сияет над городом... над всеми нами... свет.

Мы не вернемся. Мы никогда не вернемся. Но над нами всеми, над нами всеми, над нами всеми есть — что-то.

Ветер гнул ветки; засохшие листья подрагивали. Был октябрь, но некоторые листья подрагивали.

Свет, взметнувшийся над холмом. (Мы не вернемся.) А над городом — звезда. (Над нами всеми, над нами всеми, кто не вернется.) А над днем — тьма. Но над мраком... что?

Мы не вернемся. Мы никогда не вернемся.

Над рассветом жаворонок. (Он не вернется.) И ветер, и дальняя музыка. Утрата! Утрата! (То, что не вернется.) А над твоим ртом земля. О, призрак! Но над мраком... что?

Ветер гнул ветки; засохшие листья подрагивали.

Мы не вернемся. Мы никогда не вернемся. Был октябрь, но мы никогда не вернемся.

Когда они вернутся? Когда они вернутся?

Лавр, ящерица и камень больше не вернутся. Женщины, плакавшие у ворот, ушли и не вернутся. И боль, и гордость, и смерть пройдут и не вернутся. И свет и заря пройдут, и звезды и трель жаворонка пройдут и не вернутся. И мы пройдем и не вернемся.

Что же вернется? О, весна, жесточайшее и прекраснейшее время года, весна вернется. И чужие погребенные люди вернутся, цветами и листьями чужие погребенные люди вернутся, а смерть и прах никогда не вернутся, ибо смерть и прах умрут. И Бен вернется, он больше не умрет, в цветах и листьях, в ветре и в дальней музыке он вернется.

О утраченный и ветром оплаканный призрак, вернись, вернись!

Стемнело. Морозная ночь сверкала огромными алмазными звездами. Огни города светились резко и ярко. Пролежав на холодной земле некоторое время, Юджин поднялся и ушел по направлению к городу.

Ветер гнул ветки; засохшие листья подрагивали.

XXXVIII

Через три недели после возвращения Юджина в университет война кончилась. Студенты, ругаясь, сняли военную форму. Но они звонили в большой бронзовый колокол и разожгли в парке огромный костер, прыгая вокруг него, как дервиши.

Жизнь возвращалась в штатское русло. Серый хребет зимы был переломлен, приближалась весна.

Юджин стал важной особой в маленьком университетском мирке. Он ликующе погрузился в его жизнь. Он выкликал в горле свою радость; по всей стране возвращалась, воскресала, пробуждалась жизнь. Молодые люди возвращались в университет. Листья развертывались нежной зеленой дымкой; перья нарциссов вырывались из жирной черной земли, персиковый цвет опадал на пронзительные островки травы. Повсюду возвращалась, пробуждалась, воскресала жизнь. С победной радостью Юджин думал о цветах над могилой Бена.

Он пребывал в экстатическом исступлении, потому что весна победила смерть. Скорбь по Бену ушла куда-то на забытое дно его существа. Он был заряжен соком жизни и движением. Он не ходил — он несся прыжками. Он вступал во все общества, в которые еще не вступил. Он произносил забавные речи в молельне, у курильщиков, на самых различных собраниях. Он редактировал газету, писал стихи и рассказы — он разбрасывался, не останавливаясь и не размышляя.

Иногда ночью он мчался рядом с пьяным шофером в Эксетер или Сидней и там за заложенными цепочкой решетчатыми дверями искал женщин, взывая к ним в свежем сумраке весеннего рассвета юным козлиным криком вожделения и голода.

Лили! Луиза! Руфь! Эллен! О матерь любви, колыбель рождений и жизни, каким миллионом имен тебя ни называли бы, я пришел, твой сын, твой возлюбленный. Встань, Майя*, у своей открытой двери, затерявшейся в дебрях Негритянского квартала.

Иногда, бесшумно проходя мимо, он слышал, как молодые люди говорили в своих комнатах о Юджине Ганте. Юджин Гант сумасшедший. Юджин Гант свихнутый. Это я (думал он) — Юджин Гант!

Затем какой-то голос сказал: «Он не меняет нижнего белья по шесть недель. Это мне рассказал один студент из его землячества». А другой добавил: «Он принимает ванну раз в месяц, надо не надо». Они рассмеялись. Кто-то сказал, что у него «блестящий ум», и все согласились.

Он сжал когтями свое узкое горло. Они говорят обо мне, обо мне! Я — Юджин Гант — покоритель народов, владыка земли, Шива, воплощенный в тысяче дивных форм.

В наготе и одиночестве души он бродил по улицам. Никто не сказал — я знаю тебя. Никто не сказал — я здесь. Огромное колесо жизни, осью которого он был, неуклонно вращалось.

Почти все мы считаем себя черт-те чем, думал Юджин. Во всяком случае, я. Я считаю себя черт-те чем. Потом на темной дорожке он услышал разговор студентов в их комнате и до крови сдавил свое лицо, рыча от ненависти к себе.

Считаю себя черт-те чем, а они говорят, что от меня воняет, потому что я не принимаю ванну. Но от меня не могло бы вонять, даже если бы я никогда не мылся. Воняет только от других. Моя неопрятность лучше их опрятности. Ткань моего тела тоньше; моя кровь — тончайший эликсир, волосы на моей голове, мой спинной мозг, хитрые соединения моих костей и все соки, жиры, мышцы, масла и сухожилия моей плоти, слюна моего рта и пот моей кожи смешаны с редчайшими элементами, — они прекрасней и благородней их грубого крестьянского мяса.

В этом году у него на шее появился маленький лишай — знак его принадлежности к Пентлендам, залог его родства с великой болезнью, имя которой жизнь. Он раздирал это место ногтями, выжег на шее язву карболовой кислотой, но пятно оставалось, словно питаемое неисцелимой проказой, таящейся в его крови. Иногда в прохладную погоду оно почти исчезало, но в теплую погоду оно опять воспалялось, и он расчесывал шею в кровь от невыносимого зуда.

Он боялся допустить, чтобы кто-нибудь оказался позади него. Он старательно садился спиной к стене; спускаясь по лестнице в толпе, он испытывал невыносимые муки и поднимал плечи, чтобы воротник пиджака прикрыл жуткое пятно. Его волосы превратились в косматую гриву, он не стригся отчасти из желания спрятать пятно, отчасти же потому, что при мысли об устремленных на его шею глазах парикмахера он испытывал стыд и ужас.

Порой он начинал болезненно ощущать вокруг себя ничем не оскверненную юность: его страшило громогласное здоровье Америки, которое на самом деле — скверная болезнь, так как никто не признается в своих болячках. Он съеживался при воспоминании о своих утраченных героических фантазиях, он вспоминал Брюса-Юджина, все тысячи своих перевоплощений — с зудящим лишаем на теле ему нигде не было места. Он болезненно воспринимал все свои физические изъяны — действительные или мнимые. Иногда по нескольку дней подряд он был неспособен видеть ничего, кроме чужих зубов, — он заглядывал в рот своим собеседникам, замечал все пломбы, пустоты, протезы, мосты. Он с завистью и страхом смотрел на безупречные челюсти молодых людей и по сто раз на дню разглядывал свои здоровые, но слегка пожелтевшие от курения зубы. Он яростно тер их жесткой щеткой, пока его десны не начинали кровоточить; он часами тоскливо размышлял об испорченном коренном зубе, который со временем придется вытащить, и в диком отчаянии вычислял на бумажке, в каком возрасте он останется совсем без зубов.

Однако, думал он, если я буду терять по одному зубу в два года, после того как мне исполнится двадцать лет, к пятидесяти годам у меня еще останется больше пятнадцати, потому что всего их у нас тридцать два, включая зубы мудрости. И это будет почти незаметно, если бы мне только удалось сохранить передние. Затем с обычной своей верой в будущее он подумал: к тому времени, наверное, дантисты научатся вставлять настоящие зубы. Он прочел несколько стоматологических журналов, чтобы выяснить, есть ли надежда на пересадку здоровых зубов взамен прежних. И наконец он с задумчивым удовлетворением разглядывал свой чувственный, глубоко вырезанный рот с выпяченной нижней губой, заметив, что даже в улыбке он почти не открывает зубов.

Он засыпал студентов-медиков вопросами о лечении наследственных болезней крови, венерических болезней, рака кишечника и о пересадке желез животных человеку. Он ходил в кино, специально чтобы поглядеть на зубы и мышцы героя; он изучал рекламы зубной пасты и воротничков в журналах; он заходил в душевые гимнастического зала и созерцал прямые пальцы на ногах молодых людей, с тоской думая о собственных, искривленных и шишковатых. Он, стоя нагишом перед зеркалом, рассматривал свое длинное худое тело, гладкое и белое, если не считать кривых пальцев ног и ужасного пятна на шее, — оно было поджарым, но слеплено с изящной и мощной симметрией.

Потом постепенно он начал извлекать жуткую радость из своего лишая. Этот изъян, который не удавалось ни содрать, ни выжечь, он связал с трагической наклонностью в своей крови, которая иногда ввергала его в меланхолию и безумие. Но он убедился, что ему, кроме того, присуще изумительное здоровье, благодаря которому он победоносно возвращался из пучин отчаяния. В книгах, в кино, на рекламах воротничков, в собственных фантазиях о Брюсе-Юджине ему никогда не встречались герои с кривыми пальцами, испорченными зубами и лишаем на шее. Не встречал он и героини с таким недостатком ни среди светских дам Чемберса и Филлипса, ни среди элегантных львиц Мередита и Уйды*. Однако во всех своих теперешних фантазиях он любил женщину с шелковистыми ярко-рыжими волосами и чуть усталыми фиалковыми глазами, с легкими морщинками в уголках. Зубы у нее были мелкие, белые и неровные, а когда она улыбалась, на одном коренном зубе блестела золотая коронка. Она была изысканной и немного усталой: дитя и мать, столь же древняя и непостижимая, как Азия, и столь же юная, как животворный апрель, который вечно возвращается к нам, как девушка, любовница, мать и сиделка.

Вот так, через смерть брата и болезнь, коренившуюся в его собственной плоти, Юджин познал глубокую и темную мудрость, дотоле ему неизвестную. Он начал понимать, что все изысканное и прекрасное в человеческой жизни всегда тронуто божественной порчей, как жемчужница. Здоровье мы находим в пристальных взглядах собак и кошек, на гладких румяных щеках глупой крестьянки. Но он глядел на лица владык земли — и видел, что они опалены и истощены прекрасной болезнью мысли и страстей. На страницах тысяч книг он находил их портреты. Колридж в двадцать пять лет: чувственный вислогубый рот, нелепо разинутый, бездонные неподвижные глаза, таящие в своей бездне видение морей со зловещим альбатросом, высокий белый лоб — голова, в которой Зевс смешался с деревенским идиотом; худая морщинистая голова Цезаря, чуть помеченная жаждой с боков; и грезящее застывшее лицо хана Хубилая, освещенное глазами, в которых мерцали зеленые огни. И он видел лица великого Тутмоса, Аспаль-

ты и Микерина и все головы непостижимого Египта — эти гладкие, без единой морщины, лица, хранившие мудрость тысячи двухсот богов. И странные дикие лица готов, и франков, и вандалов,
которые явились как буря под взглядом старых усталых глаз Рима.
И утомленная расчетливость на лице этого великого еврея —
Дизраэли; ужасный черепной оскал Вольтера, безумная напыщен-
ная свирепость лица Бена Джонсона; суровая дикая мука Карлей-
ля, и лица Гейне, Руссо, Данте, Тиглатпаласара, Сервантеса — все
это были лица, питавшие жизнь. Это были лица, истерзанные
коршуном Мыслью; это были лица, опаленные и обугленные пламенем Красоты.

Вот так, помеченный ужасной судьбой своей крови, пойманный
в ловушку самого себя и Пентлендов, с цветком греха и мрака на
шее, Юджин навеки бежал от добродетельных и приятных на вид
в темный край, запретный для стерилизованных. Персонажи романтической литературы, порочные кукольные личики киногеро-
инь, грубо идиотичная правильность лиц на рекламах и лица большинства студентов и студенток были отштампованы по модели
глазурованной глупости и казались ему теперь нечистыми.

Национальный спрос на белые сверкающие унитазы, зубную
пасту, кафельные закусочные, аккуратную стрижку, белозубые
протезы, роговые очки, ванны; безумный страх заразиться, который гнал избирателей к аптекарю после грубого торопливого
блуда, — все это казалось мерзким. Их внешняя чистота превратилась в признак внутренней испорченности — что-то, что блес-
тит, а внутри сухая гниль и смрад. Он чувствовал, что, какую бы
проказу он ни носил на своем теле, в нем было здоровье, неведомое им, — что-то яростное, жестоко раненное, но живое, не
шарахающееся от подземной реки жизни; что-то отчаянное и
безжалостное, что, не дрогнув, глядело на тайные неназываемые
страсти, которые объединяют трагическую семью, населяющую землю.

И все-таки Юджин не был бунтарем. Потребность в бунте у
него была такая же, как у большинства американцев, — другими
словами, ее не было вовсе. Его удовлетворяла любая социальная
система, которая обеспечила бы ему удобства, безопасность, деньги в достаточном количестве, а также свободу думать, есть, пить,
любить, читать и писать, что он хочет. И ему было безразлично,
какое правительство управляет его страной — республиканское,
демократическое, консервативное или социалистическое, лишь бы
оно гарантировало ему все вышеизложенное. Он не хотел ни

переделывать мир, ни улучшать его: он был убежден, что мир полон прекрасных мест, зачарованных мест, и надо только суметь найти их. Окружающая жизнь начинала стеснять и раздражать его — ему хотелось бежать от нее. Он был уверен, что в другом месте будет лучше. Он всегда был уверен, что в другом месте будет лучше.

Его романтизм выражался в бегстве не от жизни, а в жизнь. Ему не была нужна выдуманная страна: его фантазии проецировались в действительность, и он не видел причин сомневаться в том, что в Египте действительно было тысяча двести богов и что в надлежащем месте можно встретить кентавра, гиппогрифа и крылатого быка. Он верил, что в Византии существовала магия, а колдуны запечатывали джиннов в бутылки. Кроме того, после смерти Бена он пришел к убеждению, что не люди бегут от жизни, потому что она скучна, а жизнь убегает от людей, потому что они мелки. Он чувствовал, что страсти пьесы превосходят способности актеров. Ему казалось, что он не сумел стать достойным ни одного из тех великих мгновений бытия, какие уже выпадали ему на долю. Боль, которую причинила ему смерть Бена, была много больше, чем он сам, любовь и утрата Лоры изранила его и ввергла в растерянность, а когда он обнимал молодых девушек и женщин, он испытывал жгучую неудовлетворенность. Он, вопреки пословице, хотел и есть свой пирог, и иметь его, — он хотел бы скатать их в шарик, погрести в своей плоти, завладеть ими целиком, как ими вообще невозможно было завладеть.

Кроме того, его оскорбляло и ранило то, что его считали «чудаком». Он наслаждался своей популярностью среди студентов, сердце его гордо билось под всеми значками и эмблемами, но ему не нравилось, что его считают эксцентричным, и он завидовал тем, кого выбирали за их солидную золотую посредственность. Он хотел подчиняться правилам и пользоваться уважением; он верил, что искренне соблюдает все условности, — но кто-нибудь да видел, как далеко за полночь он несся прыжками по дорожке, испуская козлиные крики в лучах луны. Костюмы его обвисали, рубашки и кальсоны становились грязными, башмаки протирались (тогда он вкладывал в них картонки), шляпы утрачивали форму и рвались на сгибах. Но он вовсе не стремился быть неряшливым — просто мысль о починках пробуждала в нем усталый ужас. Он ненавидел действовать, ему хотелось размышлять над своими внутренностями по четырнадцать часов в день. В конце концов, выведенный из терпения, он швырял свое огромное тело, убаюканное мощной инертностью видений, в яростное, сыплющее проклятиями движение.

Он отчаянно боялся толпы: на студенческих собраниях и вечеринках он нервничал и стеснялся, пока не начинал говорить и не подчинял себе всех. Он вечно боялся стать предметом шуток и всеобщего смеха. Но он не боялся ни одного человека в отдельности: он считал, что может справиться с любым, если только сумеет увести его подальше от толпы. Помня свой свирепый страх перед толпой и ненависть к ней, оставаясь с человеком наедине, он затевал жестокую кошачью игру, тихонько рычал на него, мягко кружил вокруг, держа занесенной и безмолвной страшную тигриную лапу своего духа. Вся их накрахмаленность сползала с них; они, казалось, попискивали и оглядывались в поисках двери. Он уводил в сторону какого-нибудь зычного самодовольного мужлана — председателя университетского отделения Ассоциации молодых христиан или старосту курса — и обрушивался на него со злокозненно кроткой безыскусственностью.

— Не кажется ли вам, — начинал он с благочестивой истовостью, — что муж должен целовать жену в живот?

И он сосредоточивал всю алчущую невинность своего лица в пристальном взгляде.

— Ведь в конце концов живот порой бывает прекраснее рта и куда чище. Или вы верите в безживотный брак? Что до меня, — продолжал он с гордой убежденностью, — то я в него не верю! Я стою за учащение и улучшение целования живота. Наши жены, наши матери, наши сестры ждут от нас этого. Это акт благоговения перед источником жизни. Более того — это даже акт религиозный. Если бы мы могли заинтересовать в этом крупнейших наших промышленников и всех людей правильного образа мыслей, наша страна пережила бы величайший переворот за всю свою историю. Через пять лет с разводами было бы покончено и престиж семейного очага восстановлен. Через двадцать лет наша страна стала бы средоточием цивилизации и искусств. Вы согласны? Или вы не согласны?

Сам Юджин был согласен. Это была одна из его немногих утопий.

Иногда в нервном раздражении, услышав взрыв смеха в чьейнибудь комнате, он оборачивался с рычащим проклятием, уверенный, что они смеются над ним. Он унаследовал от отца способность время от времени проникаться убеждением, что весь мир в заговоре против него: воздух таил угрозу и насмешку, листья коварно перешептывались, на тысячах тайных сборищ люди сговаривались, как унизить, опозорить, предать его. Он часами ощущал жуткую близость неведомой опасности; хотя его нельзя было бы ни в чем обвинить, кроме его же собственных кошмарных фантазий, он входил в класс или на собрание студентов со стесненным сердцем, ожидая разоблачения, кары, гибели неизвестно за какое преступление. Или, наоборот, он бывал исполнен бешеной и ликующей бесшабашности, торжествующе вопил прямо им в лицо и мчался прыжками во власти козлиной радости, готовый сорвать жизнь, как сливу с ветки.

И в такую минуту, мчась вечером по парку, упоенный мечтами о славе, он услышал, как молодые люди добродушно и грубо обсуждают его, смеются над его странностями и говорят, что ему надо почаще менять белье и мыться. Слушая, он терзал когтями свое горло.

Я считаю, что я черт-те что, думал Юджин, а они говорят, что от меня воняет, потому что я давно не принимал ванны. Я! Я! Брюс-Юджин. Гроза мазил и величайший из защитников Йела! Маршал Гант, спаситель своей страны! Ас Гант, ястреб неба, сбивший Рихтгофена*! Сенатор Гант, губернатор Гант, президент Гант, избавитель и объединитель раздираемой раздорами страны, скромно удаляющийся в частную жизнь, несмотря на слезные мольбы ста миллионов людей, — но лишь до тех пор, пока, как Артур и Барбаросса*, он вновь не услышит барабанов, вещающих о нужде и гибели.

Иисус Назареянин Гант, подвергающийся насмешкам и поношениям, оплеванный, ввергнутый в темницу за чужие грехи, но благородно молчащий, предпочитая смерть, лишь бы не причинить боль любимой женщине. Гант — Неизвестный Солдат, президент-мученик*, убитый бог Последнего Снопа*, чья смерть приносит богатый урожай. Герцог Гант Уэстморлендский, виконт Пондишерри, двенадцатый лорд Раннимед, который инкогнито ищет истинную любовь в девонских спелых хлебах и находит белые ноги под ситцем на душистом сене. Да, Джордж Гордон Ноэль Байрон Гант, несущий великолепие свое кровоточащего сердца через всю Европу, и Томас Чаттертон* Гант (этот блистательный юноша!), и Франсуа Вийон Гант, и Агасфер Гант, и Митридат* Гант, и Артаксеркс* Гант, и Эдуард Черный Принц* Гант, и Стилихон Гант, и Югурта Гант, и Верцингеторикс Гант, и царь Иван Грозный Гант. И Гант — Олимпийский Бык*; и Геракл

Гант, и Гант — Лебедь-соблазнитель*, и Аштарет*, и Азраил* Гант, Протей* Гант, Анубис и Озирис и Мумбо-Юмбо* Гант.

Но что, очень медленно сказал Юджин во тьму, если я не гений? Он не часто задавал себе этот вопрос. Он был один; он сказал это вслух, хотя и негромко, чтобы почувствовать всю нелепость такого кощунственного предположения. Это была безумная ночь, полная звезд. Не последовало ни грома, ни молнии.

Да, но что, подумал он с исступленным рыком, что, если кто-нибудь другой думает, будто я не гений? Они бы рады, свиньи! Они ненавидят меня и завидуют мне, потому что не могут быть такими, как я, — и стараются принизить меня, когда могут. Они бы с радостью сказали это, если бы посмели, только для того, чтобы ранить меня. На мгновение его лицо исказилось от боли и горечи: он вывернул шею и схватился за горло.

Затем, как всегда, когда его сердце выгорало, он начал взвешивать этот вопрос обнаженно и критически.

Ну и что, продолжал он спокойно, если я и не гений? Перережу я себе горло, посыплю главу пеплом или проглочу мышьяк? Он медленно, но решительно покачал головой. Нет, сказал он. Кроме того, гениев и так больше чем достаточно. В любой школе есть хотя бы один, и в оркестре кинематографа любого заштатного городишки. Иногда миссис фон Зек, богатая патронесса искусств, посылает парочку гениев в Нью-Йорк учиться. Так что, подсчитал он, в нашей обширной стране согласно переписи имеется не меньше двадцати шести тысяч четырехсот гениев и восьмидесяти трех тысяч семисот пятидесяти двух художников, не считая тех, кто уже при деле или занимается рекламой. Для собственного удовлетворения Юджин пробормотал имена двадцати двух гениев, пишущих стихи, и еще тридцати семи, посвятивших себя роману и драме. После этого он почувствовал значительное облегчение.

Кем, думал он, мог бы я стать, кроме гения? Гением я пробыл уже достаточно долго. Наверное, есть занятия получше.

За этим последним барьером, думал он, не смерть, как я раньше полагал, а новая жизнь — и новые страны.

Он стоял прямо, уперев руки в бока, обратив к свету купол головы — шестидесятилетний, гибкий и стройный, с мохнатыми бровями, с глазами, не утратившими ястребиного блеска, с впалыми яблочными щеками и колючей щеточкой усов. Лицо, на котором насыщался кондор Мысль, в изломах тончайшей злокозненности и софистического злорадства.

Внизу на скамейках они с раболепной упоенностью ожидали его первого глуховатого слова. Юджин глядел на тупые сосредоточенные лица, которых сманили с почтенных скамей кальвинизма в метафизику, край теней. Сейчас его насмешка как молния заблистает у них над головой, но они не увидят ее, не ощутят ее удара. Они кинутся схватиться с его тенью, и услышат его демонический смех, и будут торжественно бороться со своими нерожденными душами.

Чистая рука в манжете поднимает обструганную палочку. Их взгляд покорно скользит по ее гладкой поверхности.

— Мистер Уиллис!

Белое, ошеломленное, подобострастное лицо терпеливого раба.

— Да, сэр.

— Что я держу?

— Палочку, сэр.

— Что такое палочка?

— Это... кусок дерева, сэр.

Пауза. Иронические брови ждут от них смеха. Они уродливо хихикают для волка, который их пожрет.

— Мистер Уиллис говорит, что палочка — это кусок дерева. Их смех стучит по стенам. Абсурд.

— Но палочка все-таки кусок дерева, — говорит мистер Уиллис.

— Так же как дуб или телеграфный столб. Нет, боюсь, это не подойдет. Класс согласен с мистером Уиллисом?

Их серьезные пыжащиеся лица обдумывают вопрос.

— Палочка — это кусок дерева определенной длины.

— Следовательно, мы согласны, мистер Рэнсом, что палочка — не просто дерево неограниченной протяженности.

Оглушенное лицо крестьянина, моргающее от напряжения.

— Я вижу, что мистер Гант наклоняется вперед. На его лице свет, который я и прежде видел там. Мистер Гант по ночам не спит, а мыслит.

— Палочка, — сказал Юджин, — не только дерево, но и отрицание дерева. Это встреча в пространстве дерева и не дерева. Палочка — конечное и непротяженное дерево, факт, определяемый его собственным отрицанием.

Старая голова слушает серьезно сквозь их иронический вдох. Он подтвердит мои слова и похвалит меня, ибо я сопоставлен с этой крестьянской землей. Он видит меня носителем высоких знаний, а он любит победы.

— Мы теперь нашли ему новое имя, профессор Уэлдон, — сказал Ник Мебли. — Мы зовем его Гегель Гант.

Он слушал раскат хохота; он видел, как их довольные лица отвернулись от него. Это были добрые намерения. Я улыбнусь — их великий оригинал, любимый чудак, поэт среди деревенщин.

— Это имя, которого он может стать достойным, — сказал Верджил Уэлдон серьезно.

Старый Лис, я тоже умею жонглировать твоими фразами так, что им никогда меня не изловить. Над чащобой их умишек наши отточенные умы высекают иронию и страсть. Истина? Реальность? Абсолют? Всеобщность? Мудрость? Опыт? Знание? Факт? Понятие? Смерть — великое отрицание? Парируй и коли, Вольпоне*! Разве у нас нет слов? Мы докажем что угодно. Но Бен и демонический отблеск его улыбки? Где теперь?

Весна возвращается. Я вижу овец на холме. Коровы с колокольчиками идут по дороге в гирляндах пыли, фургоны, поскрипывая, возвращаются домой под бледным призраком луны. Но что шевельнулось в погребенном сердце? Где утраченные слова? И кто видел его тень на площади?

— А если бы они спросили вас, мистер Раунтри?

— Я бы ответил правду, — сказал мистер Раунтри, снимая очки.

— Но они разожгли большой костер, мистер Раунтри.

— Это не играет никакой роли, — сказал мистер Раунтри, снова надевая очки.

Как благородно способны мы умереть за истину — в разговорах.

— Это был очень жаркий костер, мистер Раунтри. Они сожгли бы вас, если бы вы не отреклись.

— И пусть бы сожгли, — сказал святой мученик Раунтри сквозь увлажнившиеся очки.

— Мне кажется, это было бы больно, — предположил Верджил Уэлдон. — Ведь даже маленький ожог болезнен.

— Кому хочется гореть на костре? — сказал Юджин. — Я бы сделал, как Галилей, — отрекся бы.

— Я тоже, — сказал Верджил Уэлдон.

На их лицах над тяжеловесным хохотом класса — изломы веселого злорадства.

И все-таки она вертится.

— По одну сторону стола стояли объединенные силы Европы, по другую — Мартин Лютер*, сын кузнеца.

Голос жгучей страсти, потрясенной души. Это они могут запомнить и записать.

— Перед таким испытанием могла бы дрогнуть и самая сильная душа. Но ответ был мгновенным: Ich kann nicht anders — я не могу иначе. Это одно из величайших изречений истории.

Эта фраза, пускаемая в ход уже тридцать лет, сувенир Гарварда и Йеля; Ройса и Мюнстербурга*. Жонглировать словами Уэлдон научился у тевтонов, но поглядите-ка, как жадно класс лакает все это. Он не хочет, чтобы они читали, — а вдруг кто-нибудь обнаружит лоскутки, которые он надрал из всех философов от Зенона до Иммануила Канта. Пестрое лоскутное одеяло трех тысяч лет, насильственное сочетание непримиримого, суммирование всей человеческой мысли в его старой голове. Сократ роди Платона. Платон роди Плотина. Плотин роди Блаженного Августина... Кант роди Гегеля. Гегель роди Верджила Уэлдона. Здесь мы останавливаемся. Родить больше нечего. Ответ на все сущее в Тридцати Общедоступных Уроках. И как они все уверены, что нашли этот ответ!

А сегодня они потащат к нему в кабинет свои тупые души, будут изливать бесплотные признания, будут корчиться в наспех состряпанных пытках духа, исповедоваться в борьбе с собой, которой никогда не вели.

— Чтобы так поступить, нужен характер. Для этого требовался человек, которого не мог сломить никакой нажим. Вот этого-то я и хочу от своих мальчиков! Я хочу, чтобы они побеждали! Я хочу, чтобы они впитывали отрицание самих себя. Я хочу, чтобы они хранили чистоту, как зубы гончей.

Юджин сморщился и оглянулся вокруг на лица, исполненные решимости отчаянно бороться за моногамию, политическую программу своей партии и осуществление воли большинства.

И баптисты боятся этого человека! Почему? Он обрил бакенбарды с их бога, но в остальном он только научил их голосовать за кандидатов их партии.

Вот он, Гегель хлопкового Юга!

В те годы, когда апрель был юной зеленой дымкой или когда весна раскрывалась в спелой зрелости, Юджин часто уходил из Пулпит-Хилла и ночью и днем. Но ему больше нравилось уходить по ночам и бежать по прохладным весенним просторам, полным росы и звездного света, под необъятными песками луны в ряби облаков.

Он отправлялся в Эксетер или Сидней; иногда он уезжал в маленькие городки, в которых никогда раньше не бывал. Он регистрировался в гостиницах как «Роберт Геррик»*, «Джон Донн», «Джордж Пиль»*, «Уильям Блейк» или «Джон Милтон». И никто ни разу ничего не сказал ему по этому поводу. Жители этих городков носили и такие имена.

Иногда в гостиницах со скверной репутацией он с темным жгучим злорадством регистрировался как «Роберт Браунинг», «Альфред Теннисон» и «Уильям Вордсворт».

Однажды он зарегистрировался как «Генри У. Лонгфелло».

— Меня не проведешь, — сказал портье с жесткой недоверчивой усмешкой. — Это фамилия писателя.

Его томила беспредельная, странная жажда жизни. Ночью он прислушивался к миллионоголосому завыванию маленьких ночных существ, к огромной задумчивой симфонии мрака, к звону далеких церковных колоколов. И его мысленный взгляд все ширился и разбегался кругами, вбирая в себя залитые луной луга, грезящие леса, могучие реки, катящие свои воды во мраке, и десять тысяч спящих городов. Он верил в бесконечно богатое разнообразие городов и улиц; он верил, что в любом из миллионов жалких домишек таится странная погребенная жизнь, тончайшая сокрушенная романтика, что-то темное и неведомое. Когда проходишь мимо дома, думал он, то именно в этот миг там внутри, быть может, кто-то испускает последний вздох, быть может, любовники лежат, сплетаясь в жарком объятии, быть может, там совершается убийство.

Он испытывал жесточайшее разочарование, словно его не допускали на пышное пиршество жизни. И вопреки благоразумию, он решал пренебречь требованиями обычаев и заглянуть внутрь. Подгоняемый этой жаждой, он внезапно мчался прочь из Пулпит-Хилла и, когда сгущались сумерки, рыскал по тихим улицам окрестных городков. Наконец, отбрасывая путы сдержанности, он быстро поднимался на какое-нибудь крыльцо и звонил. Затем, кто бы ни выходил к нему, он прислонялся к стене и, схватившись рукой за горло, говорил:

— Воды! Ради Бога, воды! Мне плохо!

Иногда это были женщины, соблазнительные и улыбающиеся, — они догадывались об уловке, но не хотели его прогонять; иногда это были женщины, способные к состраданию и нежности. Тогда, выпив воду, он мужественно и виновато улыбался удивленным сочувственным лицам и бормотал:

— Извините меня. Это случилось неожиданно... обычный приступ. Не к кому было обратиться. У вас горел свет.

Тогда они спрашивали его, где его друзья.

— Друзья! — Он дико и мрачно оглядывался по сторонам. Затем с горьким смехом он говорил: — Друзья! У меня их нет! Я здесь чужой.

Тогда они спрашивали, чем он занимается.

— Я плотник*, — говорил он, странно улыбаясь.

Тогда они спрашивали, откуда он приехал.

— Издалека. Очень издалека, — говорил он многозначительно. — Вы не знаете этого места.

Затем он вставал и оглядывался с величием и состраданием.

— Теперь я должен идти, — таинственно говорил он. — Мне предстоит еще долгий путь. Да благословит вас Бог! Я вам чужой, а вы приютили меня. Сын Человеческий встречал не столь радушный прием.

Иногда он звонил в дверь и робко спрашивал:

— Это дом номер двадцать шесть? Меня зовут Томас Чаттертон*. Мне нужен джентльмен по фамилии Колридж... мистер Сэмюэл Т. Колридж. Он живет здесь?.. Нет?.. Простите. Да, двадцать шесть, я совершенно уверен... Благодарю вас... Я ошибся... Проверю по телефонной книге.

Но что, думал Юджин, если однажды на одной из миллиона улиц жизни я действительно его найду?

Это были золотые годы.

XXXIX

Гант и Элиза приехали на выпускной вечер. Он нашел им комнаты в городке; наступил июнь — жаркий, зеленый, яростно и томно южный. Студенческий городок был зеленой духовкой; выпускники разгуливали потными парами; прохладные хорошенькие девушки, никогда не потевшие, съезжались, чтобы посмотреть, как их поклонники будут получать дипломы и чтобы потанцевать; по университету смущенно и немо водили родителей.

Университет был очаровательным и опустевшим. Большинство студентов, кроме кончавших, разъехалось. Воздух был пропитан свежей чувственной жарой, темно-зеленым блеском тяжелой листвы, тысячью запахов плодоносящей земли и цветов. Молодыми людьми владела легкая печаль, безотчетное возбуждение, ликующая радость.

На этой великолепной сцене Гант, который на три дня покинул свой смертный склеп, увидел своего сына Юджина. Он приехал, вновь вырванный к жизни из могилы. Он увидел своего сына царящим в ореоле насыщенного ощущения начала нового пути, и его сердце воспряло из праха. На тронной лужайке под огромными деревьями, в кольце из торжественно серьезных сокурсников и их родных, Юджин прочел стихотворение курса («О матерь бесчисленных наших надежд»). Затем произнес речь Верджил Уэлдон — с проникновенной хрипотцой, глубокомысленно, торжественно-печально, и Живая Истина переполнила их сердца. Это было Великое Словоизлияние. Будьте верны! Будьте чисты! Будьте безупречны! Будьте мужчинами! Впитывайте отрицание! Мир нуждается в этом. Никогда еще жизнь не была столь достойной. За всю историю. Ни один другой курс не был столь многообещающ, как. Среди прочих достижений редактор газеты поднял моральный и интеллектуальный уровень штата на два дюйма. Университетский дух! Характер! Служение! Способность руководить!

Лицо Юджина стало темным от гордости и радости — там, в этом прелестном диком уголке. Он не мог говорить. Мир был пронизан сиянием; жизнь нетерпеливо ждала его объятий.

Элиза и Гант внимательно слушали все песни и речи. Их сын был здесь великим человеком. Они видели и слышали, как он говорил перед своим курсом в парке и потом, при получении диплома, когда объявили о его призах и наградах. Его наставники и товарищи говорили с ними о нем и прочили ему «блестящую карьеру». Элизу и Ганта коснулось обманчивое золотое сияние юности. На миг они поверили, что все возможно.

— Ну, сын, — сказал Гант, — остальное зависит от тебя. Я верю, что ты прославишь свое имя. — Он неуклюже положил большую сухую ладонь на плечо своего сына, и на мгновение Юджин увидел в мертвых глазах темность старой умбры и ненайденного желания.

— Гм! — начала Элиза с дрожащей шутливой улыбкой. — Как бы у тебя голова не закружилась от всех этих похвал. — Она взяла его руку в свои шершавые теплые ладони. Ее глаза вдруг увлажнились. — Ну, сын, — сказала она торжественно, — я хочу, чтобы ты продолжал и постарался стать Кем-то. Ни у кого из остальных не было таких возможностей, и я надеюсь, ты сумеешь ими воспользоваться. Твой папа и я сделали все, что могли. Остальное зависит от тебя.

На миг исполнясь отчаянной преданности, он взял ее руку и поцеловал.

— Я воспользуюсь, — сказал он. — Обязательно.

Они робко глядели на его чужое темное лицо, пронизанное страстным и наивным пылом, и испытывали нежность и любовь к его юности и неведению. А в нем поднялись великая любовь и жалость к их странному неловкому одиночеству — какая-то страшная интуиция подсказывала ему, что он уже равнодушен к почестям и отличиям, которых они желали ему, а те, которых он желал себе, лежали за пределами их шкалы ценностей. И перед этим видением жалости, утрат и одиночества он отвернулся, вцепляясь худой рукой себе в горло.

Все кончилось. Гант, который под воздействием радостного возбуждения во время церемонии почти обрел былую бодрость, снова впал в хнычущий маразм. Страшная жара обрушилась на него и сокрушила. Он с усталым ужасом думал о длинном жарком пути назад в горы.

— Боже милосердный! — хныкал он. — И зачем я только поехал! О Иисусе, как я еще раз выдержу этот путь! Я не вынесу! Я умру раньше, чем доеду! Это страшно, это ужасно, это жестоко. — И он начинал жалобно всхлипывать.

Юджин проводил их до Эксетера и удобно устроил в пульмановском вагоне. Сам он оставался еще на несколько дней, чтобы собрать накопившееся за четыре года имущество, — письма, книги, старые рукописи, всевозможный никому не нужный хлам, так как он, по-видимому, унаследовал манию Элизы к слепому накоплению. Деньги он швырял и не умел их беречь, но зато сберегал все остальное, даже когда его дух изнемогал от душной и пыльной томительности прошлого.

— Ну, сын, — сказала Элиза в спокойную минуту перед отходом поезда. — ты уже решил, что собираешься делать дальше?

— Да, — сказал Гант, облизывая большой палец. — Ведь с этих пор тебе придется самому о себе заботиться. Ты получил самое лучшее образование, какое можно получить за деньги. Остальное зависит от тебя.

— Мы поговорим об этом через несколько дней, когда я приеду домой, — сказал Юджин. — Я все вам тогда скажу.

К счастью, поезд тронулся, и, быстро поцеловав их обоих, он побежал к выходу.

Ему нечего было им сказать. Ему было девятнадцать лет, он кончил университет, но он не знал, что будет делать дальше. План отца, желавшего, чтобы он изучал право и «занялся политикой», был забыт еще со второго курса, когда он понял, что право его не интересует. Семья смутно чувствовала, что он не укладывается в рамки, — «свихнутый», как они выражались, — что склонности у него непрактичные, или «литературные».

Не задаваясь четким вопросом — почему, они чувствовали всю нелепость попытки облечь эту мчащуюся прыжками фигуру с темным диким лицом в сюртук и узкий галстук; он существовал вне деловых предприятий, торговли и права. Еще более смутно они относили его к книжникам и мечтателям. Элиза говорила, что он — «ученый», а он им не был. Он просто был блестящ во всем, что питало его жажду. И туп, небрежен и равнодушен во всем, что ее не касалось. Никто не представлял себе ясно, чем он будет заниматься дальше, — и он сам меньше всех, — но семья, вслед за его товарищами, неопределенно и убедительно говорила о «журналистской карьере». Это означало работу в газете. И каким бы малоудовлетворительным это ни было, их неизбежный вопрос на время утонул в дурманном блеске его университетских успехов.

Но Юджина не тревожила мысль о цели. Он обезумел от экстаза, какого еще не знал. Он был кентавром, лунноглазым, дикогривым, исступленно жаждущим золотого мира. По временам он разучивался говорить связно. Разговаривая с людьми, он вдруг испускал восторженное ржание прямо в их удивленные лица и уносился прыжками прочь, с лицом, искаженным бессмысленной радостью. Он, повизгивая, мчался по улицам и по дорожкам парка, вне себя от экстаза тысяч невысказанных желаний. Мир лежал перед ним, предлагая себя, — полный богатых городов, золотых виноградников, великолепных побед, прекрасных женщин, полный тысяч неизведанных и чудесных возможностей. Ничего скучного и тусклого. Еще не были открыты дальние зачарованные берега. Он был молод и не мог умереть — никогда.

Он вернулся в Пулпит-Хилл и провел три восхитительно одиноких дня в опустевшем университете. Ночами он бродил по безлюдному парку под необыкновенными лунами поздней пышной весны, он дышал тысячью благоуханий деревьев, травы и цветов, тысячью благоуханий обильного соблазнительного Юга; и, думая о своем отъезде, он испытывал сладостную печаль и видел в лунном свете тысячи призрачных образов тех юношей, которых он знал и которые больше не вернутся.

А днем он разговаривал с Верджилом Уэлдоном. Старик был обаятелен, полон мудрого дружеского расположения, доверия равного к равному, мягкого юмора. Они сидели под огромными деревьями его сада и пили ледяной чай. Юджин думал о Калифорнии, Перу, Азии, Аляске, Европе, Африке, Китае. Но заговорил он о Гарварде. Для него это слово было не названием университета, это было заклинание, полное могучих чар, богатство, элегантность, радость, гордое одиночество, плодоносные книги и золотое пиршество мысли; это было колдовское название, как Каир или Дамаск. И он почему-то чувствовал, что оно дает причину, плодотворную цель его буйному экстазу.

— Да, — с одобрением сказал Верджил Уэлдон. — Это наиболее подходящее место для вас, мистер Гант. Остальных это не касается — они уже готовы. Но ум, подобный вашему, не следует вырывать еще зеленым. Вы должны дать ему время дозреть. И там вы найдете себя.

И он чарующе говорил о прекрасной свободной жизни духа, о монастырском уединении ученого, о богатой культуре Бостона и о еде.

— Там вам предлагают еду, которую можно есть, мистер Гант, — сказал он. — Она позволит вашему интеллекту работать в полную силу.

И он начал говорить о своих собственных студенческих годах там и о великих именах Ройса, Эверетта* и Уильяма Джеймса*.

Юджин со страстной преданностью смотрел на величественную старую голову — спокойную, мудрую, ободряющую. В миг прозрения он увидел, что для него это был последний герой, последний из тех гигантов, кому мы отдаем веру нашей юности, как дети, не сомневаясь, что их спокойное суждение может разрешить загадку наших собственных жизней. Он верил (и знал, что никакой дальнейший опыт не заставит его разувериться в этом), что одна из величайших жизней его времени тихо развертывалась к своему концу в этом маленьком университетском городке.

О мой старый софист! — думал он. Что все старые философии, которые ты брал взаймы и кроил по собственному вкусу, что они тебе, который был больше их всех? Что наука о мысли тебе, кто был сама Мысль? Что, если твоя древняя метафизическая игра так и не коснулась темных джунглей моей души? Ты думаешь, ты заменил бога моего детства своим Абсолютом? Нет, ты только заменил его бороду на усы и добавил холодный блеск демонских ястребиных глаз. Для меня ты был выше добра, выше истины, выше праведности. Для меня ты был достаточным отрицанием всего, чему учил. Что бы ты ни делал, было — уже в силу того, что оно делалось, — верным. И теперь я покидаю тебя на троне памяти. Больше ты не увидишь, как мое темное лицо пылает на твоих скамьях; память обо мне смешается с другими воспоминаниями и раздробится; новые юноши явятся заслуживать твое благоволение и похвалы. Но ты? Вовеки тот же, не выцветающий, яркий, мой владыка.

И тут, пока старик еще говорил, Юджин внезапно вскочил на ноги и крепко сжал худую руку в своих руках.

— Мистер Уэлдон! — сказал он. — Вы великий человек! Я никогда вас не забуду!

Затем, повернувшись, он слепо бросился прочь по дорожке.

Он все еще медлил, хотя его багаж был уже давно сложен. С отчаянной болью расставался он с Аркадскими кущами, где познал так много радости. По ночам он бродил по опустевшему парку, тихо разговаривая до утра с несколькими студентами, которые так же, как и он, почему-то медлили среди призрачных зданий, среди фантомов утраченных друзей. Он не мог решиться уехать навсегда. Он говорил, что вернется осенью на несколько дней, а потом будет приезжать хотя бы раз в год.

Затем в одно жаркое утро, подчиняясь внезапному порыву, он уехал. Когда машина, увозившая его в Эксетер, рыча, мчалась по извилистой улице под жаркой зеленой лиственностью июня, он услышал, словно из морских глубин сна, слабо-далекие гармоничные удары университетского колокола. И внезапно ему показалось, что все утоптанные дорожки гудят под ногами утраченных юношей — и его самого в их числе, — бегущих на занятия. Затем дальний колокол замер и бегущие фантомы скрылись в забвении.

Вскоре автомобиль прорычал мимо дома Верджила Уэлдона, и Юджин увидел, что старик сидит под своим деревом.

— До свидания! — крикнул он. — До свидания!

Старик встал со спокойным жестом прощания — медленным, безмятежным, красноречиво нежным.

Затем, пока Юджин еще смотрел назад, автомобиль, рыча, поднялся на гребень холма и покатил под крутой уклон к жаркой, опаленной равнине внизу. Но когда утраченный мир скрылся из его глаз, Юджин испустил пронзительный крик тоски и боли, потому что он знал, что колдовская дверь закрылась за ним и что он никогда не вернется сюда.

Он видел огромную пышную громаду гор в сочных волнах зелени — испещренную тенями далеких облаков. Но он знал, что это конец.

Далеко-лесная звенела песнь рога. Его преисполняла дикая жажда
освобождения: необъятные просторы земли расстилались перед
ним бесконечным соблазном.

Это был конец, конец. Это было начало путешествия, поиска
новых стран.

Гант был мертв. Гант жил жизнью в смерти. В большой задней
комнате в доме Элизы он ждал смерти, побежденный и сломленный,
влача полужизнь обиженных воспоминаний. С жизнью его связывала
истлевшая нить — труп, освещаемый редкими вспышками сознания.
Внезапная смерть, под угрозой которой они жили так долго, что
она утратила всякий смысл, так и не поразила его. Она нанесла
удар там, где они его совсем не ждали, — по Бену. И убеждение,
которое пришло к Юджину в день смерти Бена, более полутора лет
назад, теперь стало материализовавшейся реальностью. Величественный
безумный уклад их семьи разрушился навсегда. Смерть брата уничтожила ту дисциплину, которая еще объединяла их, кошмар бессмысленной гибели и утрат уничтожил в них надежду. С сумасшедшим фатализмом они отдались на волю свирепого хаоса жизни.

Все, кроме Элизы. В шестьдесят лет она была крепка телом и
духом и торжествующе здорова. Она все еще управляла «Диксилендом», но временные постояльцы в нем сменились постоянными
жильцами, а большую часть забот по ведению хозяйства она препоручила жившей там старой деве. Почти все свое время Элиза
отдавала операциям с недвижимостью.

За последний год она добилась полного контроля над собственностью Ганта и немедленно начала беспощадно распродавать ее,
не обращая внимания на его бормочущие протесты. Она продала
старый дом на Вудсон-стрит за семь тысяч долларов — неплохая
цена, сказала она, если учесть район. Но оголенный, ободранный,
лишенный обвивавших его лоз, превратившийся в придаток к
санаторию какого-то шарлатана для «нервных больных», плодоносный труд их жизни стал ничем. Именно в этом усматривал Юджин
окончательный распад их семьи.

Кроме того, Элиза продала участок в горах за шесть тысяч
долларов, а пятьдесят акров по дороге в Рейнолдсвилл за пятнадцать тысяч долларов и еще несколько маленьких участков. И
наконец, она продала мастерскую Ганта на площади за двадцать
пять тысяч долларов синдикату, который собирался построить на
ее месте первый в городе «небоскреб». С этим оборотным капиталом она начала «операции», плетя сложную паутину покупок, продаж и аренд.

Стоимость «Диксиленда» неимоверно возросла. Улица, которую она видела еще четырнадцать лет назад, была проложена позади ее владений. До золотой магистрали ей не хватило тридцати футов, но она купила эту полоску, без жалоб заплатив очень высокую цену. После этого она, сморщив губы в улыбке, отказалась продать «Диксиленд» за сто тысяч долларов.

Она была как одержимая. Она без конца говорила о недвижимости. Половину своего времени она тратила на переговоры с агентами по продаже земли — они толклись в доме, как мясные мухи. По нескольку раз в день она ездила с ними осматривать участки. По мере того как ее земельные владения росли в количестве и стоимости, ее скаредность все больше начинала граничить с манией. Она громко ворчала, если в доме забывали погасить какую-нибудь лампу, и говорила, что ее ждут разорение и нищета. Она ела, только если ее угощали, и ходила по дому с чашкой жидкого кофе и коркой хлеба. Кое-как приготовленный скудный завтрак был все, на что могли с уверенностью рассчитывать Люк и Юджин. Сердито посмеиваясь и фыркая, они ели его в тесной кладовке — столовая была отдана жильцам.

За Гантом ухаживала и кормила его Хелен. Она металась между домом Элизы и домом Хью Бартона в постоянном ритме бешеной энергии и апатии, гнева, истерики, усталости и равнодушия. У нее не было детей, и, по-видимому, ей предстояло остаться бездетной. Поэтому она надолго впадала в болезненную мрачность — во время таких периодов она одурманивалась частыми малыми дозами патентованных тонизирующих средств, лекарствами с высоким содержанием спирта, домашними винами и кукурузным виски. Ее большие глаза становились тусклыми и мутными, большой рот был постоянно истерически напряжен, она щипала себя за длинный подбородок и разражалась слезами. Она говорила беспокойно, раздраженно, непрерывно, растрачивая и оглушая себя по воле истерзанных нервов бесконечным потоком сплетен, бессвязной болтовней о соседях, болезнях, докторах, больницах, смертях.

Невозмутимое спокойствие Хью Бартона иногда доводило ее до исступления. По вечерам он сидел, не замечая ее разглагольствований, сосредоточенно пожевывая длинную сигару над своими схемами или выпуском «Систем» и «Америкен мэгезин»*. Эта способность уходить в себя вызывала в ней бешенство. Она не знала, что именно ей было нужно, но молчание, которым он отвечал на ее злобное поношение жизни, приводило ее в ярость. Она кидалась к нему, всхлипывая от злобы, вырывала журнал у него из рук и вцеплялась в его редеющие волосы длинными сильными пальцами.

— Отвечай, когда с тобой разговаривают, — кричала она, истерически захлебываясь. — Я не намерена сидеть здесь вечер за вечером и смотреть, как ты читаешь. Только подумать! Только подумать! — Она разражалась слезами. — С таким же успехом я могла бы выйти замуж за портновский манекен.

— Я же готов с тобой разговаривать, — кисло возражал он, — но ведь что бы я ни говорил, это тебя только раздражает. Что ты хочешь, чтобы я сказал?

И действительно, казалось, что ей, когда она бывала в таком настроении, угодить вообще невозможно. Она сердилась и раздражалась, если с ней во всем послушно соглашались, но возражения или молчание раздражали ее не меньше. Ее выводили из себя простые замечания о погоде или старательно нейтральные мнения.

Иногда ночью она принималась истерически рыдать в подушку и яростно кричала своему супругу:

— Уходи от меня! Убирайся! Пошел вон! Я тебя ненавижу!

Он послушно вставал и спускался вниз, но прежде чем он успевал дойти до гостиной, она уже со страхом звала его обратно.

Она по очереди осыпала его то поцелуями, то ругательствами; материнскую нежность, которая душила ее, потому что у нее не было ребенка, она отдала грязной дворняжке, которая как-то вечером забрела к ним полумертвая от голода. Это был злобный маленький пес, белый с черным, свирепо скаливший зубы на всех, кроме хозяина и хозяйки. На отборном мясе и печенке он скоро разжирел и ходил вперевалку, спал он на бархатной подушке и ездил с ними в машине, рыча на прохожих. Хелен душила собачонку поцелуями и шлепками, сюсюкала с ней, как с младенцем, и ненавидела всех, кому не нравилась злобность дворняжки. Но большую часть своего времени, любви и бешеной энергии она отдавала отцу. Ее ожесточение против Элизы еще усилилось — мать вызывала в ней жгучее раздражение, часто переходившее в ненависть. Она могла поносить ее часами.

— По-моему, она сошла с ума. Как ты думаешь? Иногда я думаю, что нам следовало бы установить над ней опеку. Ты знаешь, что я покупаю для них чуть ли не всю еду? Знаешь? Если бы не я, он умер бы от голода у нее на глазах. Ты ведь знаешь, что так оно и было бы? Она стала такой скрягой, что не покупает еду даже для себя. Боже великий! — крикнула она в ярости. — Разве мое дело заботиться об этом! Ведь он ее муж, а не мой! По-твоему, это справедливо? Справедливо? — Она почти плакала от бешенства.

Она набрасывалась и на Элизу:

— Мама, ради Бога! Неужели ты допустишь, чтобы бедный старик умер от отсутствия ухода? Неужели ты так никогда и не поймешь, что папа больной человек? Ему необходимо хорошее питание и присмотр.

А Элиза, смущенная и расстроенная, отвечала:

— Да что ты, детка! О чем это ты? Я сама отнесла ему глубокую тарелку овощного супа на завтрак — он съел все, не останавливаясь... «Пф! мистер Гант, — сказала я (просто чтобы подбодрить его). — Я не верю, что человек с таким аппетитом может быть болен. Вот что...» — сказала я...

— О, ради всего святого! — злобно кричала Хелен. — Папа больной человек. Неужели ты никогда не поймешь этого? Смерть Бена, казалось, должна была бы нас чему-то научить... — Ее голос срывался на исступленный визг.

Гант был привидением в желто-восковых тонах. Его болезнь, которая разметала свои ветви почти по всему его телу, придала ему почти прозрачную хрупкость. Его сознание ушло от жизни в смутную страну теней — он устало и равнодушно слушал разражавшиеся вокруг него скандалы, стонал и плакал, когда чувствовал боль, холод и голод, и улыбался, когда ему было тепло и удобно. Теперь его два-три раза в год возили в Балтимор лечить радием; после каждой поездки наступал короткий период улучшения, но все знали, что это ненадолго. Его тело было гнилой тканью, которая каким-то чудом еще не расползлась.

Тем временем Элиза говорила только о недвижимости, продавала, покупала, прицениваясь. Свои сделки она с сумасшедшей старательностью хранила в секрете; в ответ на вопросы она хитро улыбалась, многозначительно подмигивала и поддразнивающе хмыкала.

— Я не все говорю, что знаю, — отвечала она.

Этим она нестерпимо разжигала горькое любопытство дочери, так как, несмотря на все злобные насмешки, Хелен, как и Хью Бартон, тоже заразилась манией стяжательства; в глубине души они уважали мнение Элизы и советовались с ней об участках, в которые Хью Бартон вкладывал все свободные деньги. Но когда Элиза отказывалась рассказывать о своих операциях, Хелен истерически кричала:

— Она не имеет права так поступать! Ты же знаешь, что не имеет! Все это принадлежит и папе. Если она сейчас вдруг умрет, нельзя будет найти никаких концов. Никто не знает, что она сделала — что она продает, что покупает. По-моему, она и сама не знает. Все записи, документы и бумаги она прячет по коробочкам и ящичкам.

Ее недоверие и опасения были так велики, что, к большому неудовольствию Элизы, она за год-два до этого уговорила Ганта составить завещание: он оставил по пять тысяч долларов каждому из детей, а все остальное жене. И в конце этого лета она убедила его назначить душеприказчиками двух людей, честности которых она доверяла: Хью Бартона и Люка Ганта.

Люку, который после увольнения из флота стал коммивояжером и продавал электрические движки фермерам в горах, она сказала:

— Мы с тобой всегда принимали к сердцу интересы семьи и не получили за это ничего. Мы вели себя щедро и благородно, а все в конце концов достанется Стиву и Юджину. Джин получал все, а мы — ничего. Теперь он намерен поступить в Гарвард. Ты слышал?

— Его в-в-величество! — иронически сказал Люк. — А кто будет п-п-платить по счетам?

Вот так, пока лето шло на убыль, над медленным ужасом смерти Ганта разыгрывалась безобразная война алчности и ненависти. Из Индианы приехал Стив — через четыре дня он уже обезумел от виски и веронала. Он начал ходить за Юджином по всему дому, он зловеще загонял его в угол, воинственно хватал его за плечо и, обдавая его отвратительной желтой вонью, принимался говорить вызывающе и плаксиво:

— У меня не было таких возможностей, как у тебя. Все были против Стиви. Если бы у него были такие возможности, как у некоторых, он бы был сейчас большой шишкой. А уж если на то пошло, так у него побольше мозгов, чем у многих из моих знакомых, которые учились в университетах. Понимаешь, нет?

Он придвигал к лицу Юджина свою прыщавую, мерзкую, злобно оскаленную физиономию.

— Уйди, Стив! Отстань! — бормотал Юджин. Он старался вырваться, но брат не пускал его. — Говорю тебе отстань, свинья! — вдруг взвизгнул он и ударом отбросил от себя гнусное лицо.

Потом, пока Стив, оглушенный, тупо лежал на полу, на него с заикающимся проклятием бросился Люк и, обезумев, начал возить его по полу. Юджин прыгнул на Люка, чтобы остановить его, и все трое заикались, и ругались, и уговаривали, и обвиняли друг друга, а жильцы сгрудились у двери, а Элиза, плача, звала на помощь, а Дейзи, приехавшая с юга с детьми, ломала пухлые руки и стонала:

— Они убьют его! Они убьют его! Пожалейте меня и моих несчастных малюток, прошу вас!

Потом — стыд, отвращение, слезливые обиды, плачущие женщины, возбужденные мужчины.

— Ты п-п-подлый дегенерат! — кричал Люк. — Ты п-п-приехал домой, потому что думал, что п-п-папа умрет и оставит тебе деньжат. Ты н-н-н-не заслуживаешь ни гроша!

— Я знаю, чего вы все добиваетесь, — визжал Стив в мучительной тревоге. — Вы все против меня! Вы стакнулись и стараетесь лишить меня моей доли.

Он плакал от искренней злости и страха с сердитой подозрительностью высеченного ребенка. Юджин глядел на него с жалостью и гадливостью: он был такой гнусный, избитый, испуганный. Потом с ощущением недоверчивого ужаса он слушал, как они выкрикивают взаимные обвинения. Эта болезнь сребролюбия и алчности поражала других людей, в книгах, но не близких и родных! Они рычали, как бездомные псы над единственной костью, — из-за ничтожной доли денег непогребенного мертвеца, который стонал от боли всего в тридцати шагах от них.

Семья разделилась на два враждебных настороженных лагеря: Хелен и Люк с одной стороны, Дейзи и Стив, притихший, но упрямый, — с другой. Юджин, не умевший примыкать к кликам, кружил во внереальном пространстве, ненадолго приставая к земле. Он слонялся по улицам, заходил в аптеку Вуда, болтал с завсегдатаями аптеки и ухаживал за приезжими девушками на верандах пансионов; он посетил Роя Брока в горной деревушке и обнимался в лесу с красивой девушкой; он ездил в Южную Каролину; в «Диксиленде» его соблазнила жена дантиста. Это была чопорная безобразная женщина сорока трех лет, в очках. Она носила очки, и волосы у нее были жидкие. Она состояла в лиге Дочерей Конфедерации* и гордо носила значок на крахмальной блузке.

Он думал о ней только как об очень сухой и порядочной женщине. Он играл в казино — единственную игру, которую он знал, — с ней и другими жильцами и называл ее «сударыня». Затем однажды вечером она взяла его за руку, говоря, что покажет ему, как надо ухаживать за девушками. Она пощекотала его ладонь, положила ее к себе на талию, потом на грудь и привалилась к его плечу, прерывисто дыша сквозь узкие ноздри и повторяя: «Господи, мальчик!» Он метался по темным улицам до трех утра, не зная, что ему делать. Потом он вернулся в спящий дом и прокрался на цыпочках в ее комнату. Страх и отвращение охватили его сразу же. Он уходил в горы, ища облегчения пытке, терзавшей его дух, и старался реже возвращаться домой. Но она преследовала его по коридорам или вдруг распахивала дверь, появляясь перед ним в красном кимоно. Она была полна злобы и обвиняла его в том, что он предал, обесчестил и бросил ее. Она говорила, что в тех местах, откуда она родом — в доброй старой Южной Каролине, — мужчина, который так обошелся бы с женщиной, получил бы пулю в лоб. Юджин думал о новых краях. Его томило раскаяние и сознание вины — он сочинил длинную мольбу о прощении и вставил ее в молитву перед сном, так как все еще молился, хотя и не потому, что верил, а только по суеверной привычке и подчиняясь магии чисел: он шестнадцать раз на одном дыхании повторял неизменную формулу. Он с детства верил в магическую силу некоторых чисел (по воскресеньям он делал только то, что приходило ему в голову вторым, а не первым), и этот сложный ритуал молитвы и чисел он рабски соблюдал не для того, чтобы умилостивить Бога, а чтобы ощутить таинственную гармоническую связь со вселенной или помолиться демонической силе, которая витала над ним. Без этого он не мог заснуть.

В конце концов Элиза что-то заподозрила, нашла предлог поссориться с этой женщиной и потребовала, чтобы она съехала.

С ним никто не говорил о его намерении отправиться в Гарвард. Он сам не очень ясно представлял, зачем ему это нужно, и только в сентябре, за несколько дней до начала семестра, твердо решил ехать. Он несколько раз заговаривал об этом в течение лета, но, как и все его близкие, он принимал решение только под давлением необходимости. Ему предлагали работу в нескольких газетах штата и место преподавателя в захиревшей военной академии, которая венчала красивый холм в двух милях от города.

Но в глубине души он знал, что уедет. И никто особенно не возражал. Хелен иногда негодовала на него в разговорах с Люком, но ему самому сказала по этому поводу лишь несколько равнодушных и неодобрительных слов. Гант устало застонал и сказал:

— Пусть делает, что хочет. Я больше не могу платить за его образование. Если он хочет ехать, пусть его посылает мать.

Элиза задумчиво поджала губы, поддразнивающе хмыкнула и сказала:

— Хм! Гарвард! Что-то ты слишком высоко замахиваешься, милый! Откуда ты возьмешь деньги?

— Я достану, — сказал он темно. — Мне одолжат.

— Нет, сын, — предостерегающе сказала она, сразу насторожившись. — Я не хочу, чтобы ты затевал что-нибудь подобное. Нельзя начинать жизнь, влезая в долги.

Он молчал, стараясь заставить пересохшие губы выговорить жуткие слова.

— В таком случае, — сказал он наконец, — почему бы мне не заплатить за учение из моей доли в папином состоянии?

— Что ты, детка! — сердито сказала Элиза. — Ты говоришь так, словно мы миллионеры. Я не знаю даже, получит ли кто-нибудь какую-нибудь долю! Твоего папу убедили сделать это рассудку вопреки, — добавила она ворчливо.

Юджин внезапно начал колотить себя по ребрам.

— Я хочу уехать! — сказал он. — Мне нужны деньги сейчас! Сейчас!

Он обезумел от ощущения своего бессилия.

— Когда я сгнию, они мне будут не нужны! Они нужны мне сейчас! К черту недвижимость! Мне не нужна твоя грязь! Я ее ненавижу! Отпустите меня! — взвизгнул он и в ярости начал биться головой о стену.

Элиза несколько секунд молча поджимала губы.

— Ну, — сказала она наконец. — Я пошлю тебя на год. А там будет видно.

Но дня за два до его отъезда Люк, который на следующий день уезжал с Гантом в Балтимор, сунул ему в руку отпечатанную на машинке бумагу.

— Что это? — спросил Юджин, глядя на нее с угрюмым подозрением.

— А! Просто небольшой документ, который Хью просит тебя подписать на всякий случай.

Когда его мозг медленно добрался до смысла округлого юридического языка, он понял, что это расписка, которой он подтверждал, что уже получил сумму в пять тысяч долларов на оплату за учение в университете и другие расходы. Он повернул к брату нахмурившееся лицо. Люк поглядел на него и разразился сумасшедшими «уах-уах», тыча его под ребра. Юджин угрюмо усмехнулся и сказал:

— Дай мне ручку.

Он подписал бумагу и отдал ее брату с чувством грустного торжества.

— Уах! Уах! Вот ты и подписал! — сказал Люк с бессмысленным смехом.

— Да, — сказал Юджин, — и ты считаешь меня дураком. Но я предпочитаю покончить с этим теперь же. Это расписка в моем освобождении.

Он подумал о глубоко серьезном лисьем лице Хью Бартона. Тут его не ждала победа, и он это знал. «В конце концов, — подумал он, — у меня в кармане билет и деньги, дающие мне освобождение. Я покончил со всем этим чисто. Счастливый конец, как ни посмотри».

Когда Элиза узнала о том, что произошло, она возмутилась.

— Как же так! — сказала она. — У них нет на это права. Мальчик еще несовершеннолетний. Ваш папа всегда говорил, что намерен дать ему образование.

Потом, после паузы, она добавила с сомнением:

— Ну, мы еще посмотрим. Я обещала послать его туда на год.

В темноте возле дома Юджин схватился за горло. Он плакал обо всех прекрасных людях, которые не вернутся.

Элиза стояла на крыльце, сложив на животе руки. Юджин вышел из дома и направился в город. Это было за день до его отъезда, спускались сумерки, горы цвели в странной лиловой дымке. Элиза глядела ему вслед.

— Подтянись, милый! — крикнула она. — Подтянись! Расправь плечи!

Он знал, что в сумерках она улыбается ему дрожащей улыбкой, поджимая губы. Она расслышала его раздраженное бормотание.

— Ну да, — сказала она, энергично кивая. — Я бы им показала. Я бы себя так держала, чтобы было видно, что я не кто-нибудь. Сын, — добавила она уже серьезнее, внезапно оставив дрожащее поддразнивание, — меня беспокоит, что ты так ходишь. У тебя наверняка начнется чахотка, если ты будешь так сутулиться. Что ни говори. а ваш папа всегда держался прямо. Конечно, теперь он уж не такой прямой, но, как говорится (она улыбнулась дрожащей улыбкой), все мы к старости съеживаемся. А в молодые годы он был прямее всех в городе.

И тут между ними вновь наступило молчание. Он угрюмо повернулся к ней, пока она говорила. Она нерешительно остановилась и прищурилась на него, наклонив белое лицо с поджатыми губами — за пустяковым сплетением ее слов он услышал горькую песнь ее жизни.

Дивные горы цвели в сумраке. Элиза задумчиво поджала губы, потом продолжала:

— Ну, а когда ты приедешь туда... как говорится, к янки... обязательно зайди к дяде Эмерсону и всем твоим бостонским родственникам. Когда они тут были, ты очень понравился твоей тете Люси... Они всегда говорили, что будут рады видеть у себя любого из нас, если мы туда поедем... Когда ты чужой в чужих краях, иногда бывает очень нужно, чтобы у тебя там были знакомые. И вот что: когда увидишь дядю Эмерсона, так скажи ему, чтобы он не удивлялся, если я вдруг туда приеду. (Она игриво кивнула.) Уж наверное, я не хуже всякого другого могу собраться, когда придет время... уложусь, да и приеду... и никого не предупредив... не собираюсь до конца дней возиться на кухне... этим не проживешь, — если этой осенью я устрою одно-два дельца, то смогу отправиться повидать свет, как я всегда собиралась... Я как раз на днях говорила об этом с Кэшем Рэнкином... «Эх, миссис Гант, — говорит он, — мне бы вашу голову, так я бы разбогател за пять лет... Вы самый ловкий делец в городе», — сказал он. Не говорите со мной о делах, — говорю я. — Вот только разделаюсь с тем, что у меня есть, и брошу, и слушать даже не стану про недвижимость... с собой ее не возьмешь, Кэш, — говорю я, — в саванах карманов нет, и нужно-то нам в конце концов только шесть футов земли для могилы... так что я сверну все дела и поживу всласть, как говорится, пока не поздно. «И правильно сделаете, миссис Гант, — говорит он. — Это вы правильно сказали: с собой ничего не возьмешь, — говорит он, — а даже и взяли бы, так какой нам там от этого будет толк?»... Так вот, — она обратилась прямо к Юджину, резко переменив тон, взмахнув рукой в былом мужском жесте, — я вот что сделаю... ты знаешь, я тебе говорила про участок, который у меня был в Сансет-Кресчент...

Между ними вновь наступило жуткое молчание.

Дивные горы цвели в сумраке. Мы не вернемся. Мы никогда не вернемся.

Без слов они стояли теперь друг перед другом, без слов знали друг о друге все. Через мгновение Элиза быстро отвернулась и пошла к двери той странной неверной походкой, какой она вышла из комнаты умирающего Бена.

Он бросился назад через дорожку и одним прыжком взлетел по ступенькам. Он схватил шершавые руки, которые она прижимала к телу, и быстро, яростно, притянул их к груди.

— Прощай! — пробормотал он резко. — Прощай! Прощай, мама! — Из его горла вырвался дикий, странный крик, как крик изнемогающего от боли зверя. Его глаза ослепли от слез; он пытался заговорить, вложить в слово, во фразу всю боль, всю красоту и чудо их жизней — того страшного путешествия, каждый шаг которого его невероятная память и интуиция прослеживали до пребывания в ее утробе. Но слово не было сказано, его не могло быть; он только хрипло выкрикивал снова и снова: — Прощай, прощай!

Она поняла, она знала все, что он чувствовал и хотел сказать, и ее маленькие подслеповатые глаза, как и его, были влажны от слез, лицо исказилось мучительной гримасой печали; она твердила:

— Бедный мальчик! Бедный мальчик! Бедный мальчик! — Потом прошептала хрипло, едва слышно: — Мы должны стараться любить друг друга.

Ужасная и прекрасная фраза, последняя, конечная мудрость, какую может дать земля, вспоминается в конце и произносится слишком поздно, слишком устало. И она стоит, грозная и неизменяемая, над пыльным шумным хаосом жизни. Ни забвения, ни прощения, ни отрицания, ни объяснения, ни ненависти.

О смертная и гибнущая любовь, рожденная с этой плотью и умирающая с этим мозгом, память о тебе вечным призраком будет пребывать на земле.

А теперь в путь. Куда?

XL

Площадь лежала в пылании лунного света. Фонтан выбрасывал неколеблемую ветром струю, вода падала в бассейн размеренными шлепками. На площади не было никого.

Когда Юджин вошел на площадь с севера по Академи-стрит, куранты на башне банка пробили четверть четвертого. Он медленно прошел мимо пожарного депо и ратуши. У гантовского угла площадь круто уходила вниз к Негритянскому кварталу, словно у нее был отогнут край.

В лунном свете Юджин увидел поблекшую фамилию отца на старом кирпиче. На каменном крыльце мастерской ангелы застыли в мраморных позах, — казалось, их заморозил лунный свет.

Прислонившись к железным перилам крыльца, над тротуаром стоял человек и курил. Обеспокоенно, немного боясь, Юджин подошел ближе. Он медленно поднялся по длинным деревянным

ступенькам, внимательно вглядываясь в лицо стоящего, скрытое
тенью.

— Тут кто-нибудь есть? — спросил Юджин.

Никто не ответил.

Но, поднявшись на крыльцо, он увидел, что этот человек был Бен.
Бен мгновение молча смотрел на него. Хотя Юджин и не мог
разглядеть его лица, скрытого тенью полей его серой фетровой
шляпы, он знал, что он хмурится.

— Бен? — сказал Юджин с сомнением, останавливаясь на
верхней ступеньке. — Это ты, Бен?

— Да, — сказал Бен. Помолчав, он добавил ворчливо: — А
кто, по-твоему, это мог быть, идиот?

— Я не был уверен, — робко ответил Юджин. — Мне не было
видно твоего лица.

Они немного помолчали. Потом Юджин, откашлявшись из-за
смущения, сказал:

— Я думал, ты умер, Бен.

— А-ах! — презрительно сказал Бен, резко вздергивая голову. —
Только послушать!

Он глубоко затянулся — спиральки дыма развертывались и
растворялись в лунно-ярком безмолвии.

— Нет, — негромко сказал он немного погодя. — Нет, я не умер.

Юджин прошел по крыльцу и сел на поставленную на ребро
известняковую плиту постамента. Немного погодя Бен повернулся
и взобрался на перила, удобно упершись в колени.

Юджин рылся в карманах, ища сигарету негнущимися дрожащими пальцами. Он не был испуган, он онемел от удивления и
властной радости и боялся предать свои мысли на осмеяние. Он
закурил. Вскоре он сказал с трудом, неуверенно, как извинение:

— Бен, ты — призрак?

Это не вызвало насмешки.

— Нет, — сказал Бен. — Я не призрак.

Снова наступило молчание, пока Юджин робко искал слова.

— Надеюсь, — сказал он потом с тихим надтреснутым смешком, — надеюсь, это не значит, что я сумасшедший?

— Почему бы и нет? — сказал Бен с быстрым отблеском
улыбки. — Конечно, ты сумасшедший.

— Тогда, — сказал медленно Юджин, — мне все это только
кажется?

— О, Бога ради! — раздраженно крикнул Бен. — Откуда я
знаю? Что — это?

— Я имею в виду, — сказал Юджин, — вот что: разговариваем мы с тобой или нет?

— Не спрашивай меня, — ответил Бен. — Откуда я знаю?

Громко зашелестев мрамором, с холодным вздохом усталости, ближайший к Юджину ангел переставил каменную ногу и поднял руку повыше. Тонкий стебель лилии жестко трепетал в его изящных холодных пальцах.

— Ты видел? — возбужденно воскликнул Юджин.

— Видел что? — с досадой сказал Бен.

— Эт-т-того ангела! — пробормотал Юджин, показывая на него дрожащей рукой. — Ты видел, что он пошевелился? Он поднял руку.

— Ну и что? — раздраженно спросил Бен. — Он же имеет на это право, разве нет? Знаешь ли, — добавил он со жгучим сарказмом, — по закону ангелу не возбраняется поднимать руку, если ему так хочется.

— Да, конечно, — медленно признал Юджин после краткого молчания. — Только я всегда слышал...

— А! Разве ты веришь всему, что слышишь, дурак? — яростно крикнул Бен. — Потому что, — добавил он, успокаиваясь и затягиваясь сигаретой, — ничего хорошего из этого для тебя не выйдет.

Снова наступила тишина, пока они курили. Потом Бен спросил:

— Когда ты уезжаешь, Джин?

— Завтра, — ответил Юджин.

— Ты знаешь, зачем едешь, или ты просто решил прокатиться в поезде?

— Знаю! Конечно, я знаю... зачем я еду! — сердито, недоуменно сказал Юджин. Он вдруг умолк, растерянный, образумленный. Бен продолжал хмуриться. Потом негромко и смиренно Юджин сказал:

— Да, Бен. Я не знаю, зачем я еду. Может быть, ты прав. Может быть, я просто хочу прокатиться в поезде.

— Когда ты вернешься, Джин? — спросил Бен.

— Ну... в конце года, наверное, — ответил Юджин.

— Нет, — сказал Бен.

— О чем ты, Бен? — сказал Юджин тревожно.

— Ты не вернешься, Джин, — мягко сказал Бен. — Ты это знаешь?

Наступила пауза.

— Да, — сказал Юджин. — Я знаю.

— Почему ты не вернешься? — сказал Бен.

Юджин скрюченными пальцами вцепился в ворот рубашки.

— Я хочу уехать! Слышишь? — крикнул он.

— Да, — сказал Бен. — И я хотел. Почему ты хочешь уехать?

— Здесь у меня ничего нет! — пробормотал Юджин.

— Давно ты это чувствуешь? — спросил Бен.

— Всегда, — сказал Юджин. — С тех пор как помню себя. Но я не знал об этом, пока ты... — Он замолчал.

— Пока я что? — сказал Бен.

Наступила пауза.

— Ты умер, Бен, — пробормотал Юджин. — Иначе быть не может. Я видел, как ты умирал, Бен. — Его голос стал пронзительным. — Слышишь, я видел, как ты умирал. Разве ты не помнишь? В большой спальне, наверху, которая сейчас сдана жене дантиста. Разве ты не помнишь, Бен? Коукер, Хелен, Бесси Гант, которая ходила за тобой, миссис Перт? Кислородная подушка? Я пытался держать тебя за руки, когда тебе давали кислород. — Его голос перешел в визг. — Разве ты не помнишь? Говорю тебе, ты умер, Бен.

— Дурак! — яростно сказал Бен. — Я не умер.

Наступило молчание.

— В таком случае, — очень медленно сказал Юджин, — кто же из нас двоих призрак?

Бен не ответил.

— Это площадь, Бен? И я говорю с тобой? Здесь ли я в действительности или нет? И лунный свет на площади? Это все есть?

— Откуда я знаю? — снова сказал Бен.

В мастерской Ганта раздались тяжелые шаги мраморных ног. Юджин вскочил и заглянул внутрь сквозь широкое стекло грязной витрины Жаннадо. На столе часовщика разбросанные внутренности часов мерцали тысячью крохотных точек голубоватого света. А за барьером, отделявшим владения Жаннадо, там, где лунный свет лился в склад сквозь боковое окно, расхаживали взад и вперед ангелы, как огромные заводные куклы из камня. Длинные холодные складки их одеяний гремели ломко и гулко, пухлые целомудренные груди вздымались в каменном ритме, а в лунном свете, стуча крыльями, кружили и кружили мраморные херувимы. В залитом лунным сиянием проходе с холодным блеянием неуклюже паслись каменные агнцы.

— Ты видишь это? — крикнул Юджин. — Ты видишь, Бен?

— Да, — сказал Бен. — Ну и что? Они же имеют на это право, разве нет?

— Не здесь! Не здесь! — страстно сказал Юджин. — Здесь этого нельзя! Господи, это же площадь! Вон фонтан! Вон ратуша! Вон греческая закусочная!

Куранты на башне банка пробили полчаса.

— И вон банк! — крикнул он.

— Это неважно, — сказал Бен.

— Нет, важно! — сказал Юджин.

Я дух. Я твой отец, приговоренный скитаться по ночам...

— Но не здесь! Не здесь, Бен! — сказал Юджин.

— Где? — устало спросил Бен.

— В Вавилоне! В Фивах! В любом другом месте. Но не здесь! — с нарастающей страстностью ответил Юджин. — Есть места, где все возможно. Но не здесь, Бен!

Мои боги с птичьей трелью в солнечных лучах парят.

— Не здесь, Бен! Этого нельзя! — снова сказал Юджин.

Множественные боги Вавилона. Юджин мгновение созерцал темную фигуру на перилах и бормотал, возмущаясь и не веря:

— Призрак! Призрак!

— Дурак! — снова сказал Бен. — Говорю тебе, я не призрак!

— В таком случае кто ты? — сказал Юджин в сильном волнении. — Ты же умер, Бен.

Мгновение спустя он добавил спокойнее:

— Ведь люди умирают?

— Откуда я знаю, — сказал Бен.

— Говорят, папа умирает. Ты это знал, Бен? — спросил Юджин.

— Да, — сказал Бен.

— Его мастерскую продали. Ее снесут и построят на этом месте небоскреб.

— Да, — сказал Бен. — Я знаю.

Мы не вернемся. Мы никогда не вернемся.

— Все проходит. Все меняется и исчезает. Завтра я уеду, и это... — Он умолк.

— Что — это? — сказал Бен.

— Это исчезнет или... О Господи! Было ли все это? — крикнул Юджин.

— Откуда я знаю, дурак? — сердито крикнул Бен.

— Что происходит, Бен? Что происходит на самом деле? — сказал Юджин. — Помнишь ли ты что-то из того, что помню я? Я забыл старые лица. Где они, Бен? Как их звали? Я забываю имена людей, которых знал много лет. Я путаю их лица. Я насаживаю головы одних на тела других. Приписываю одному то, что сказал другой. И забываю... забываю. Что-то я утратил и забыл. Я не могу вспомнить, Бен.

— Что ты хочешь вспомнить? — сказал Бен.

Камень, лист, ненайденная дверь. И забытые лица.

— Я забыл имена. Я забыл лица. И я помню мелочи, — сказал Юджин. — Я помню муху, которую проглотил с персиком, и маленьких мальчиков на трехколесных велосипедах в Сент-Луисе, и родинку на шее Гровера, и товарный вагон из Лакавонны номер шестнадцать тысяч триста пятьдесят шесть на запасном пути под Галфпортом. Однажды в Норфолке австралийский солдат, отплывавший во Францию, спросил у меня дорогу; я помню его лицо.

Он вглядывался, ища ответа, в тень на лице Бена, а потом обратил лунно-яркие глаза на площадь.

И на мгновение все серебряное пространство заполнилось тысячами образов его и Бена. На углу Академи-стрит Юджин смотрел на себя, идущего к площади; у ратуши он широко шагал, высоко поднимая колени; на краю крыльца он стоял, населяя ночь неисчислимым утраченным легионом самого себя — тысячами фигур, которые приходили, которые исчезали, которые переплетались и перемещались в бесконечном изменении и которые оставались неизменным им самим.

И по всей площади сплетенная из утраченного времени яростная яркая орда Бенов сходила и сходила с бессмертной прялки. Бен в тысячах мгновений шагал по площади утраченных лет, забытых дней, ускользнувших из памяти часов, рыскал у залитых луной фасадов, скрывался, возвращался, покидал и встречал себя, был одним и многими — бессмертный Бен в поисках утраченных мертвых желаний, конченых дел, ненайденной двери, неизменный Бен, умножающийся в тысячах фигур, у всех кирпичных фасадов, входящий и выходящий.

Пока Юджин следил за армией себя и Бенов, которые не были призраками и которые были утрачены, он увидел, как он — его сын, его мальчик, его утраченная и девственная плоть — прошел мимо фонтана, сгибаясь под тяжестью набитой парусиновой сумки, и направился быстрой подсеченной походкой мимо мастерской Ганта к Негритянскому кварталу в юной нерожденной заре. И когда он проходил мимо крыльца, с которого смотрел, он увидел утраченное детское лицо под мятой рваной кепкой, одурманенное магией неуслышанной музыки, слушающее далеко лесную песню рога, безъязыкий, почти уловленный пароль. Быстрые мальчишечьи руки складывали свежие газеты, но сказочное утраченное лицо промелькнуло мимо, завороженное своими песнопениями.

Юджин прыгнул к перилам.

— Ты! Ты! Мой сын! Мое дитя! Вернись! Вернись!

Его голос задохнулся у него в горле, мальчик ушел, оставив воспоминание о своем зачарованном слушающем лице, которое было обращено к потаенному миру. Утрата! Утрата!

Теперь площадь заполнилась их утраченными яркими образами, и все минуты утраченного времени собрались и замерли. Потом, отброшенная от них со скоростью снаряда, площадь, стремительно уменьшаясь, унеслась по рельсам судьбы и исчезла со всем, что было сделано, со всеми забытыми образами его самого и Бена.

И перед ним предстало видение сказочных утраченных городов, погребенных в движущихся наносах Земли — Фивы семивратные, все храмы Давлиды* и Фокиды и вся Энотрия* вплоть до Тирренского залива. Он увидел в погребальной урне Земли исчезнувшие культуры — странное бескорневое величие инков, фрагменты утраченных эпопей на кносских черепках*, погребенные гробницы мемфисских* царей и властный прах, запеленутый в золото и гниющее полотно, — мертвый, вместе с тысячью богов-животных, с немыми непробуженными ушебти в их кончившейся вечности.

Он видел миллиард живых и тысячи миллиардов мертвых: моря иссушались, пустыни затоплялись, горы тонули, боги и демоны приходили с юга, правили над краткими вспышками веков и исчезали, обретая свое северное сияние смерти — бормочущие, пронизанные отблесками смерти сумерки завершенных богов.

Но в беспорядочном шествии рас к вымиранию гигантские ритмы Земли пребывали неизменными. Времена года сменяли друг друга величественной процессией, и вновь и вновь возвращалась животворящая весна — новые урожаи, новые люди, новые жатвы и новые боги.

И путешествия, поиски счастливого края. В этот миг ужасного прозрения он увидел на извилистых путях тысяч неведомых мест свои бесплодные поиски самого себя. И его зачарованное лицо приобщилось той смутной страстной жажде, которая некогда погнала свой челнок по основе волн и повесила уток у немцев в Пенсильвании, которая сгустилась в глазах его отца в неосязаемое желание резать по камню и сотворить голову ангела. Порабощенный горами, стеной заслонявшими от него мир, он увидел, как золотые города померкли в его глазах, как пышные темные чудеса обернулись унылой серостью. Его мозг изнемогал от миллиона прочитанных книг, глаза — от миллиона картин, тело — от сотни царственных вин.

И, оторвавшись от своего видения, он воскликнул:

— Я не там — среди этих городов. Я обыскал миллион улиц, и козлиный крик замер у меня в горле, но я не нашел города, где был я, не нашел двери, в которую я вошел, не нашел места, на котором я стоял.

Тогда с края озаренной луной тишины Бен ответил:

— Дурак, зачем ты искал на улицах?

Тогда Юджин сказал:

— Я ел и пил землю, я затерялся и потерпел поражение, и я больше не пойду.

— Дурак, — сказал Бен. — Что ты хочешь найти?

— Себя, и утоление жажды, и счастливый край, — ответил он. — Ибо я верю в гавани в конце пути. О Бен, брат, и призрак, и незнакомец, ты, не умевший никогда говорить, ответь мне теперь!

И тогда, пока он думал, Бен сказал:

— Счастливого края нет. И нет утоления жажды.

— А камень, лист, дверь? Бен?

Говорил, продолжал, не говоря, говорить.

— Ты сущий, ты никогда не бывший, Бен, образ моего мозга, как я — твоего, мой призрак, мой незнакомец, который умер, который никогда не жил, как я! Но что, если, утраченный образ моего мозга, ты знаешь то, чего не знаю я, — ответ?

Безмолвие говорило. (— Я не могу говорить о путешествиях. Я принадлежу этому месту. Я не смог уйти, — сказал Бен.)

— Значит, я — образ твоего мозга, Бен? Твоя плоть мертва и погребена в этих горах; моя незакованная душа бродит по миллиону улиц жизни, проживая свой призрачный кошмар жажды и желания. Где, Бен? Где мир?

— Нигде, — сказал Бен. — Твой мир — это ты.

Неизбежное очищение через нити хаоса. Неотвратимая пунктуальность случайности. Подведение завершающего итога того, что сделано, через миллиард смертей возможного.

— Одну страну я сберегу и не поеду в нее, — сказал Юджин. — Et ego in Arcadia[1].

---

[1] И я в Аркадии (лат.).

И, говоря это, он увидел, что покинул миллионы костей бесчисленных городов, клубок улиц. Он был один с Беном, и их ноги опирались на мрак, их лица были освещены холодным высоким ужасом звезд.

На краю мрака стоял он, и с ним была только мечта о городах, о миллионе книг, о призрачных образах людей, которых он любил, которые любили его, которых он знал и утратил. Они не вернутся. Они никогда не вернутся.

Стоя на утесе темноты, он поглядел и увидел огни не городов. Это, подумал он, сильное благое лекарство смерти.

— Значит, конец? — сказал он. — Я вкусил жизни и не нашел его? Тогда мне некуда больше идти.

— Дурак, — сказал Бен, — это и есть жизнь. Ты еще нигде не был.

— Но в городах?

— Их нет. Есть одно путешествие, первое, последнее, единственное.

— На берегах, более чуждых, чем Сипанго*, в местах, далеких, как Фес, я буду преследовать его, призрака, преследующего меня. Я утратил кровь, которая питала меня; я умер сотней смертей, которые ведут к жизни. Под медленный гром барабанов в зареве умирающих городов я пришел на это темное место. И это истинное путешествие, самое правильное, самое лучшее. А теперь приготовься, моя душа, к началу преследования. Я буду бороздить море, более странное, чем море призрачного альбатроса*.

Он стоял нагой и одинокий, в темноте, далеко от утраченного мира улиц и лиц; он стоял на валах своей души перед утраченной страной самого себя. Он слышал замкнутый сушей ропот утраченных морей, далекую внутреннюю музыку рогов. Последнее путешествие, самое длинное, самое лучшее.

— О внезапный неуловимый фавн, затерянный в чащах меня самого, я буду преследовать тебя до тех пор, пока ты не перестанешь поить мои глаза жаждой. Я слышал твои шаги в пустыне, я видел твою тень в древних погребенных городах, я слышал твой смех, убегающий по миллионам улиц, но я не нашел тебя там. И для меня в лесу нет ни единого листа, я не подниму камня на горах; я не найду двери ни в одном городе. Но в городе меня самого, на континенте своей души я найду забытый язык, утраченный мир, дверь, в которую мне будет дано войти, и музыку, какой никогда не звучало; я буду преследовать тебя, призрак, по лабиринтам души, пока... пока? О Бен, мой призрак, ответь!

Но пока он говорил, свиток привидевшихся лет свернулся, и только глаза Бена грозно горели в темноте, и не было ответа.

И настал день, и песня просыпающихся птиц, и площадь, купающаяся в юном жемчужном свете утра. Ветер зашелестел на площади, и, пока он смотрел, Бен прядью дыма растворился в заре.

Ангелы на крыльце Ганта были заморожены в суровом мраморном молчании, а в отдалении пробуждалась жизнь, и раздался стук поджарых колес, медленный перезвон подкованных копыт. И он услышал вопль гудка, уносящийся вдоль реки.

И все же, когда он в последний раз остановился возле ангелов на отцовском крыльце, площадь уже казалась далекой и утраченной; или, следовало бы мне сказать, он был как человек, который стоит на холме над только что покинутым городом, но не скажет «город близко», а обратит глаза к далеким уходящим в небо горам.

КОММЕНТАРИИ

Стр. 27. *Тарр* и *Макмерри* — авторы школьного учебника географии, изданного в США в 1900 году.

Стр. 29. *Джонсон* Сэмюэл (1709—1784) — английский критик, лексикограф и эссеист.

Стр. 33. *...ведет англичанина к немцам...* — В XVII—XVIII веках Пенсильванию заселяли выходцы из юго-западной Германии и из Швейцарии.

Алексин — защитное тело в сыворотке крови.

Эдмунд Кин (1787 — 1833) — знаменитый английский трагик, славившийся чрезвычайной экспрессивностью своей игры.

Стр. 34. *Геттисберг.* — Под пенсильванским городом Геттисбергом 1—3 июля 1863 года произошло крупнейшее сражение американской Гражданской войны 1861—1865 годов; северяне нанесли поражение армии генерала Роберта Ли (1807—1870) и остановили продвижение южан на север.

Бут Эдвин (1833—1893) — известный американский актер. *Сальвини* Томмазо (1829—1916) — знаменитый итальянский трагик, неоднократно гастролировавший в США. Выступал там в «Отелло» вместе с Бутом, который играл Яго.

Стр. 35. *Реконструируемый Юг.* — После окончания Гражданской войны в США последовал так называемый «период Реконструкции Юга», когда Конгресс начал преобразование политического устройства южных штатов. К 1877 году «реконструкция» завершилась практически победой реакционных сил.

Стр. 36. *Армагеддон* (библ.) — предсказанная в «Откровении святого Иоанна Богослова» решающая битва между силами добра и зла.

Стр. 42. *Семидневная битва.* — Под этим названием объединяются сражения, развернувшиеся 25 июня — 1 июля 1862 года в Виргинии между армиями северян и южан. *Шайло* — местность на юго-западе штата Теннесси, где 6—7 апреля 1862 года произошло большое сражение.

...отставшей от арьергарда Шермана. — Шерман Уильям (1820—1891) — один из генералов северян. В 1864 году армия Шермана совершила победоносный поход через южные штаты к морю.

Стр. 47. *Гровер Кливленд* (1837—1908) — президент Соединенных Штатов в 1885—1889 и 1893—1897 годах. *Бенджамин Гаррисон* (1833—1901) — президент Соединенных Штатов в 1889—1893 годах. Гаррисон был кандидатом республиканской партии, а Кливленд — демократической, но в 1885 году его кандидатуру поддерживала и часть республиканцев.

Стр. 55. *Тащи его тело...* — Цитата из стихотворения Томаса Ноэла (1799—1861) «Поездка нищего».

Смотрите... — Отрывок из монолога, который произносит Марк Антоний над трупом Юлия Цезаря в трагедии Шекспира «Юлий Цезарь» (акт III, сцена 2). Здесь и далее Шекспир цитируется по Полному собранию сочинений, «Искусство», 1958 год.

Стр. 61. *Оскар Уайлд* (1856—1900) — английский писатель, мастер парадокса. По воспоминаниям современников, он был необыкновенно остроумным собеседником. *Джеймс Мак-Нейл Уистлер* (1834—1903) — американский художник и гравер. Человек весьма воинственного темперамента, он не скупился на остроумные саркастические выпады в адрес своих противников. Написал книгу «Высокое искусство наживать врагов».

Стр. 62. *Кроме того, Уоррен Гастингс...* — В этом перечне исторических личностей и событий автор сознательно отступает от хронологии и сопоставляет их то по принципу сходства, то по принципу противоположности. Так, Уоррен Гастингс, первый английский генерал-губернатор Индии (1774—1785 гг.), *папа Сикст Пятый* (1585—1590 гг.), римский император *Тиберий* (14—37 гг.) и византийский император *Юстиниан* (527—565 гг.) вошли в историю как честолюбивые, расчетливые и жестокие правители. Поражение испанской Великой армады в 1588 году означало поражение католической реакции в Европе, а *президент Авраам Линкольн* был убит в 1865 году фанатиком-южанином, орудием наиболее реакционных сил США.

Стр. 67. *...краткой похвальбы Цезаря...* — Римский историк Плутарх сообщает, что Юлий Цезарь известил своего друга о победе над понтийским царем тремя словами: «Пришел, увидел, победил».

Стр. 70. *Вещие Сестры* — в греческой мифологии богини судьбы Парки, предопределяющие все, что должно произойти с человеком на протяжении его жизни.

Стр. 86. *«Мы погибли...»* — стихотворение американского поэта Дж. Филдса (1817—1881) «Баллада о буре». *«Мальчик стоял...»* — стихотворение английской поэтессы Дороти Хеманс (1793—1835)

«Касабьянка». *«В полулиге...»* — стихотворение английского поэта А. Теннисона (1809—1892) «Атака бригады легкой кавалерии». *«И школьный дом еще стоит...»* — стихотворение американского поэта Джона Уитьера (1807—1892) «В школьные дни».

Стр. 90. *«Элегия» Грея.* — Грей Томас (1716—1771) — английский поэт. Славу ему принесла «Элегия, написанная на сельском кладбище» (1751), в которой воплощены основные черты лирики сентиментализма — меланхолия, созерцательность, мысль о смерти, уравнивающей великих и малых, счастливых и несчастных.

Стр. 94. *...перипатетически воспринимал окружающий мир...* — Перипатетики — последователи древнегреческого философа Аристотеля (384—322 гг. до н. э.), утверждавшего материалистический взгляд на мир в противовес идеалистическому учению Платона (427—347 гг. до н. э.).

Стр. 96. *Юпитер и эта...* — Имеется в виду один из мифов о Зевсе (у римлян — Юпитере), который, влюбившись в смертную девушку Европу, похитил ее, для чего превратился в быка.

Стр. 97. *Мулы в Гаррисбергском лагере.* — Гаррисберг — столица Пенсильвании. В начале Гражданской войны там был организован лагерь, в котором формировались отряды северян.

Фицхью Ли (1835—1905) — племянник Роберта Ли (см. коммент. к стр. 34). Во время Гражданской войны командовал кавалерийской бригадой.

Белл Бойд (1843—1900) — шпионка южан. В 1862 и 1863 годах арестовывалась по обвинению в шпионаже, но была выпущена за отсутствием улик. После войны стала актрисой, а кроме того, совершала турне по стране, рассказывая, как она собирала сведения для южан.

Стр. 98. *Красавица-креолка...* — Далее следует эпизод из романа американского писателя Майн Рида (1818—1883) «Квартеронка» (1856).

А Брут... — Фраза из монолога Марка Антония (см. коммент. к стр. 55).

Стр. 105. *В аду нет фурии...* — Фраза из трагедии английского драматурга У. Конгрива (1670 — 1729) «Невеста в трауре».

Стр. 106. *Сантос-Дюмон* Альберто (1873 — 1932) — один из пионеров воздухоплаванья и авиации. В 1899 году совершил полет над Парижем на управляемом воздушном шаре сигарообразной формы, несколько раз облетев Эйфелеву башню.

Уильям Крукс (1832 — 1919) — знаменитый английский физик. В 1900 году выделил из урана особо активный изотоп уран-х.

...падшие ангелы «Потерянного рая» Доре. — Доре Гюстав (1832—1883) — французский художник, прославившийся как иллюстратор. В частности, он иллюстрировал поэму английского поэта Д. Милтона (1608—1674) «Потерянный рай», действие которой развертывается в аду.

Стр. 111. *...пышные фаунтлероевские локоны.* — Семилетний герой слащавой повести для детей американской писательницы Ф. Бернет (1849—1924) «Маленький лорд Фаунтлерой» изображался на иллюстрациях с пышными локонами, ниспадающими на плечи.

Стр. 117. *...они слышат тростниковую флейту... перестук козьих копыт.* — Атрибутом древнегреческого бога полей и лесов Пана была тростниковая флейта; Пан и соответствующее ему римское божество Фавн изображались козлоногими.

Стр. 122. *Рузвельт Теодор* (1858—1919) — американский политический деятель. Принадлежал к республиканской партии. В 1897—1898 годах — помощник морского министра. С 1901 по 1909 год президент США. Проводил империалистическую политику «большой дубинки». В период его президентства США захватили зону Панамского канала и оккупировали Кубу.

Стр. 124. *Ник Картер* — сыщик, герой бульварно-детективных романов американского писателя Ф. Дея (1861—1922), выходивших отдельными выпусками. Эти романы Дей писал под псевдонимом «Ник Картер».

...победы «Бойцов свободы семьдесят шестого года» над ненавистными красномундирниками. — Американская Война за независимость началась в 1776 году. В ту эпоху английские солдаты носили красные мундиры.

Стр. 125. *Горацио Олджер* (1832—1899) — американский священник, автор нравоучительных повестей.

Стр. 126. *Жан Кальвин* (1509—1564) — основоположник кальвинизма, протестантского вероучения, отличавшегося крайней суровостью и нетерпимостью. Кальвин, в частности, запрещал развлечения, танцы, ношение яркой одежды и т. п.

Стр. 128. *Аз есмь...* — соединение двух цитат из Евангелия (Иоанн, 11, 25, и Откровение, 22, 13).

Стр. 131. *...на мифических Балканах.* — Во многих английских и американских приключенческих романах начала XX века действие развертывалось в вымышленных государствах, которые довольно часто помещались на Балканский полуостров.

Ах, быть царем... — Согласно библейской легенде, царь Давид с кровли царского дворца увидел купающуюся красавицу Вирсавию, жену военачальника Урии, и велел слугам привести ее к нему. Затем он тайно приказал поставить Урию в самое опасное место. Урия был убит, и Давид женился на Вирсавии (2 Книга царств, XI).

Стр. 136. *«Сатердей ивнинг пост»* — американский литературный журнал, основанный в 1821 году. В начале XX века пользовался в США огромной популярностью, так как его издатель старательно приспосабливал его ко вкусам буржуазной публики.

Стр. 146. *Гордость предшествует падению.* — Библия, Книга притчей Соломоновых, XVI, 18.

Стр. 154. *Мы утопили их флот...* — Имеется в виду испано-американская война 1898 года. Сразу же после ее начала американский флот под командованием адмирала Дьюи (1837—1917) разгромил испанскую эскадру в Манильской бухте (Филиппинские острова), затем испанский флот потерпел решительное поражение в морском бою у берегов Кубы. *Тедди* — прозвище Теодора Рузвельта (см. коммент. к стр. 122). Во время испано-американской войны Рузвельт командовал дивизией добровольческой кавалерии, которая в бою у кубинского города Сант-Яго атаковала высоты, занятые главными испанскими силами.

Стр. 158. *...баракки и филатеянки* — члены религиозных организаций для юношей и девушек.

Стр. 161. *«Вильгельм Телль»* — опера Д. Россини (1792—1868), созданная по одноименной трагедии Ф. Шиллера (1759—1805).

Стр. 168. *Уоллингфорд «Богатей-Не-Зевай»* — обаятельный мошенник, действующий в нескольких романах американского писателя Дж. Честера (1869—1924).

Стр. 173. *...овладел сердцем несравненного романтика...* — Колридж Сэмюэл (1772—1834) — английский поэт, крупнейший представитель «озерной школы» — одного из течений английского романтизма. В его «Поэме о старом моряке» корабль героя попадает к Южному полюсу, где плавают ледяные горы, «зеленые, как изумруд».

Стр. 175. *Гомбо* — густой суп из стручков бамии, тропического растения, культивируемого во многих южных странах.

Стр. 179. *Герои Чэмберса, Филиппса...* — Чэмберс Роберт Уильям (1865—1933) — американский художник-иллюстратор и романист. Филиппс Дэвид Грэхем (1867—1911) — американский писатель, чьи произведения, как и произведения Чэмберса, представляют собой развлекательные ремесленные поделки.

Стр. 185. *...по поводу капитуляции Ли.* — Генерал Ли с остатками разгромленной армии южан капитулировал 9 апреля 1865 года. Этой капитуляцией завершилась Гражданская война в США.

Стр. 193. *«А Кассий тощ...»* — Шекспир, «Юлий Цезарь», акт 1, сцена 2. Эту фразу Цезарь заканчивает так: «Он много думает. Такой опасен».

Стр. 198. *...своего весноватого фицсиммоновского тела.* — П. Фицсиммонс (1862—1917), американский боксер, был абсолютным чемпионом мира в 1897 году.

Стр. 200. *Горгонзола и Лимбургский* — сорта сыра.

Стр. 202. *«Общий закон» Р. У. Чэмберса* (см. коммент. к стр. 179) — вышел в 1912 году.

Стр. 204. *...два бой-скаута...* — Бой-скауты — буржуазная детская организация. Члены скаутских отрядов учились оказывать первую помощь, разбираться в следах, разжигать костры в трудных условиях и т. п. По уставу они должны были «совершать хорошие поступки», а потом отчитываться в них.

Стр. 208. *За горами лежали...* — Весь этот абзац построен на сложных литературных реминисценциях. *«Копи царя Соломона»* — приключенческий роман английского писателя Р. Хаггарда (1856—1925), *Граушарк* — вымышленное европейское королевство, в котором развертывается действие романов американского писателя Дж. Маккатчена (1866—1928), *Лорна Дун* — исторический роман английского писателя Р. Блэкмора (1825—1900).

Стр. 209. *Сокровища гробниц.* — В историческом романе Р. Хаггарда «Клеопатра» герой похищает сокровище из саркофага фараона.

Стр. 215. *Помните про «Мэн»!* — Американский броненосный крейсер «Мэн» погиб от взрыва на рейде Гаваны 15 февраля 1898 года. Американская следственная комиссия объявила, что «Мэн» был подорван миной. Этот инцидент послужил поводом к испано-американской войне.

Стр. 229. *Эразм* — Эразм Роттердамский (1466—1536), один из крупнейших гуманистов эпохи Возрождения. *«Монастырь и очаг»* — исторический роман английского писателя Ч. Рида (1814—1884). Действие его происходит в XV веке.

Стр. 230. *...чистой четкости Цезаря...* — Имеются в виду «Записки о галльской войне» римского полководца Юлия Цезаря (100—44 гг. до н.э.).

Вергилий (70—19 гг. до н. э.) — римский поэт. В его эпической поэме «Энеида» описываются, в частности, скитания троянца Энея по Средиземному морю.

Стр. 231. *Овидий* (43 г. до н. э.—17 г. н. э.) — римский поэт. «Любовные элегии» были его первым произведением.

Лукреций — Тит Лукреций Кар (99—17 гг. до н. э.) — римский философ-материалист, автор философской поэмы «О природе вещей».

«Nox est perpetua». — Слегка измененная цитата из стихотворения римского поэта Гая Валерия Катулла (84—54 гг. до н. э.), прославившегося своей любовной лирикой. Лучшие стихи Катулла посвящены его возлюбленной, знатной римлянке Клодии, которую он воспевал под именем Лесбии. Клодия была известна своим распутством. Ее также подозревали в том, что она была причастна к убийству ее мужа Метелла Целера.

Стр. 232. *Odi et amo...* — Катулл, стих. LXXXI. Перевод Ф. Петровского.

...как Данте и Беатриче. — Данте Алигьери (1265—1321) — знаменитый итальянский поэт. Его первая книга «Новая жизнь» посвящена истории его идеальной любви к рано умершей Беатриче Портинари.

Стр. 233. *Nulla potest mulier...* — Начальные строки LXXXVII стихотворения Катулла. Перевод А. Пиотровского.

«Анабасис» — произведение древнегреческого историка Ксенофонта (430—355 гг. до н. э.), в котором рассказывается о походе десятитысячного отряда греческих наемников в глубь Персии с войсками претендента на персидский престол Кира и об их возвращении после его поражения из внутренних областей Персидского царства к Черному морю, что для них означало спасение.

Стр. 235. *Лесбос* — остров в Эгейском море, родина древнегреческой поэтессы Сапфо (VII—VI вв. до н. э.), воспевавшей в своих стихах любовь и природу. В античные времена Лесбос славился своим вином.

Стр. 236. *Старый город Глостер...* — Этот абзац навеян морской повестью Р. Киплинга (1865—1937) «Храбрые капитаны», действие которой происходит в основном на борту американской рыбачьей шхуны из города Глостера, стоящего на берегу Массачусетского залива, к которому примыкают залив Кейп-Кол и полуостров того же названия.

Стр. 256. *Кривда вечно на престоле.* — Строка из стихотворения американского поэта Джеймса Лоуэлла (1819—1891) «Современный кризис».

Стр. 261. *«Бераити»* — американский коммерческий театральный журнал, основанный в 1873 году и сообщавший все новости театральной жизни США.

Стр. 280. *Чикагская Всемирная ярмарка* — происходила в 1893 году.

«Тащи его тело». — См. коммент. к стр. 55.

Стр. 282. *Их лица покрыты густым слоем желтой краски.* — В описываемую эпоху из-за несовершенства кинопленки чисто-белым на экране получался желтый цвет.

Уильям Харт, Андерсон — американские звезды немого кино, снимавшиеся главным образом в ковбойских фильмах в ролях благородных бандитов, шерифов и т. п. Один из фильмов Харта, снятый в 1917 году, назывался «Молчаливый мужчина». *«Эссеней»* — одна из крупнейших американских кинофирм эпохи немого кино.

Стр. 286. *Ис* — сказочный город, который, по преданию, находился на полуострове Бретань и в V в. н. э. был поглощен морем.

Стр. 287. *Копи царя Соломона...* — В романах Р. Хаггарда (см. коммент. к стр. 208) «Копи царя Соломона» и «Та» герои блуждают по таинственным подземным пещерам. В греческом мифе о Прозерпине (Персефоне) рассказывается, что она была похищена Аидом, богом подземного царства. Герой арабской сказки «Али-Баба и сорок разбойников» находит в пещере несметные сокровища. Певец Орфей, согласно древнегреческому мифу, спустился за своей возлюбленной Эвридикой в подземное царство Аида.

Стр. 292. *«Местный запрет»* — запрещение продажи алкогольных напитков на территории отдельных графств, городов и т. д. в США, вводимое путем всеобщего прямого голосования внутри данной административной единицы.

Стр. 296. *Тор, мечущий молот* — в скандинавской мифологии бог грома. Атрибутом Тора был магический молот, возвращавшийся к нему, когда он метал его во врагов.

Стр. 302. *Ринг Ларднер* (1885—1933) — американский писатель-юморист.

Стр. 305. *В начале был Логос* — первая фраза Евангелия от Иоанна. Логос по-гречески означает «слово, разум, сущность». В богословии Логос-Слово — одно из проявлений Бога.

Стр. 309. *Меркурий* — в римской мифологии посланец богов, обутый в крылатые сандалии. *Ариэль* — персонаж пьесы Шекспира «Буря», стихийный дух воздуха.

Стр. 315. *Оттуда он прошел...* — Цитата из «Анабасиса» Ксенофонта (см. коммент. к стр. 233). *Парасанг* — персидская мера длины — около 5,5 км.

Стр. 316. *«Тэм О'Шентер»* — поэма шотландского поэта Р. Бернса (1759—1796), полная лукавого народного юмора. Герой подсматривает шабаш нечистой силы в разрушенной церкви и с трудом спасается бегством от чертей и ведьм, которые, однако, успевают оторвать хвост у его кобылы.

...вордсвортовские стихотворения. — Вордсворт Уильям (1770—1850) — английский лирический поэт, принадлежавший к «озерной школе» (см. коммент. к стр. 173). Многие его стихотворения, посвященные описанию родной природы и прелестей сельской жизни, стали хрестоматийными.

Стр. 317. *«Где ты, милая, блуждаешь».* — Шекспир, «Двенадцатая ночь», акт II, сцена 2.

Оселок — персонаж комедии Шекспира «Как вам это понравится». Далее следует реплика Оселка, акт II, сцена 4.

Стр. 318. *Бен.* — Имеется в виду Бен Джонсон (1573—1637), английский драматург, поэт и теоретик драмы, младший современник Шекспира, творческие принципы которого он критиковал в прологах к своим пьесам, хотя и восхищался его гением. Джонсон прожил очень бурную жизнь — был непременным участником всех литературных споров той эпохи, сидел в тюрьме за убийство на дуэли и за острые политические намеки, которые допускал в своих произведениях. В 1616 году получил почетное звание поэта-лауреата, но затем впал в немилость при дворе и умер в нищете.

Стр. 319. *Сохо* — район в Лондоне, славящийся своими ресторанами. Традиционно считался приютом богемы, а также темных дельцов, связанных с преступным миром.

Честертон Гилберт (1874—1936) — английский писатель и литературный критик. В описываемую эпоху был журналистом. *Льюкас* Эдвард Веррол (1868—1938) — английский журналист и эссеист. Написал несколько книг путевых очерков и, в частности, «Путешественник в Лондоне».

...величайшая дань уважения... — Имеется в виду написанная Беном Джонсоном эпитафия «Памяти моего возлюбленного мастера Уильяма Шекспира и о том, что он нам оставил».

Стр. 320. *Лебедь Эйвона* и далее *Бард* — поэтические наименования Шекспира (город Стрэффорд, в котором он родился, стоит на реке Эйвоне).

«Сражался добрый час» — реплика Фальстафа. (Шекспир, «Король Генрих IV», часть II, акт V, сцена 4.)

Стр. 322. *Геррик* Роберт (1591—1678) — один из крупнейших лирических поэтов Англии XVII века.

Блейк Уильям (1757—1827) — английский поэт эпохи предромантизма, в творчестве которого сложно переплетались бунтарско-демократические тенденции и мистицизм. Слава пришла к Блейку только после смерти.

Донн Джон (1573—1631) — английский поэт, родоначальник и наиболее видный представитель так называемой «метафизической поэзии».

Крешо... — Тут перечисляются английские лирические поэты XVII века, принадлежавшие к придворно-аристократическому кругу.

Деккер Томас (1570—1641) — английский драматург. *«О, сладостная безмятежность»* — строка из пьесы Т. Деккера «Терпеливая Гриссиль».

Стр. 323. *...в президенство Кливленда* — см. коммент. к стр. 47. В годы второго президентства Кливленда США переживали тяжелейший торгово-промышленный и аграрный кризис.

Билл Най (1850—1896) — американский юморист.

Стр. 325. *Майами* — город на атлантическом побережье штата Флорида, в настоящее время один из крупнейших курортных центров США.

Стр. 326. *«Иммензее»* — повесть немецкого писателя Теодора Шторма (1817—1888). *«Выше, чем церковь»* — роман немецкой писательницы Вильгельмины Гиллерн (1836—1882).

«Разбитый кувшин» — комедия немецкого романтика Генриха Клейста (1777—1811).

Генри Патрик (1736—1779) — американский политический деятель и оратор. *Джордж Вашингтон* (1732—1799) — главнокомандующий американскими войсками во время Войны за независимость, первый президент США (1789—1797). В американской школьной истории Вашингтон изображается бескорыстным патриотом и безупречно добродетельным человеком. *Поль Ревир* (1735—1818) — бостонский гравер, член тайной организации американских колонистов, подготовлявшей восстание против англичан. В апреле 1775 года из Бостона был секретно выслан отряд английских войск с приказом захватить тайные склады оружия. Узнав об этом, Ревир ночью объехал верхом соседние городки и предупредил своих товарищей о намерениях англичан, которые в результате были встречены народной милицией и потерпели сокрушительное поражение.

Стр. 331. *И под луной ущербной плакал голос...* — Цитата из неоконченной поэмы С. Колриджа (см. коммент. к стр. 173) «Кубла-хан».

Кто лишь стоит и ждет, тот тоже служит. — Строка из стихотворения английского поэта Д. Милтона (см. коммент. к стр. 106) «На его слепоту».

Другие ждут нашего вопроса... — Цитата из сонета «К Шекспиру» английского поэта Мэтью Арнольда (1822—1888).

Стр. 332. *«Речные малыши»* — сказка для детей английского писателя Ч. Кингсли (1819—1875).

Не говори, что ничего борьба не даст. — Первая строка стихотворения английского поэта Артура Клафа (1819—1861).

Милая Темза, тише лейся. — Строка из брачного гимна «Проталамион» крупнейшего английского поэта XVI века Эдмунда Спенсера (1552—1598).

...слишком поздно постигли коварство мужчин. — Перефразированная строка из романса, который поет обманутая девушка в романе Оливера Голдсмита (1728—1774) «Векфилдский священник».

Стр. 333. *...четырехкопытный гром...* — Вергилий, «Энеида», IX, 596. Строчка, которая обычно приводится как образец звукоподражания.

Как зачат? — Слегка перефразированная строка из песни, в которой речь идет о зарождении любви (Шекспир, «Венецианский купец», акт III, сцена 1).

Хел — так называют друзья принца Генри в исторической драме Шекспира «Генрих IV». В первых актах драмы принц Генри, притворяясь легкомысленным шалопаем, проводит время в тавернах в обществе веселых собутыльников, главный из которых — пьяница, обжора и хвастун Фальстаф.

Стр. 334. *О древние шпили, о дальние башни!* — Строка из «Оды на вид Итонского колледжа издали» Т. Грея.

Вилья Франциско (1877—1923) — руководитель партизанских крестьянских отрядов во время мексиканской революции 1910—1917 годов.

Стр. 335. *Пусть Гордость не презрит их труд полезный.* — Строка из «Элегии» Т. Грея (см. коммент. к стр. 90).

О, слишком тебе подобный... — Строка из стихотворения «Ода к западному ветру» Перси Биши Шелли (1792—1822).

Пребудь со мною. — Строка из поэмы английского священника Джона Кобла (1792—1860) «Год христианина. Вечер». Поэт здесь обращается к Христу.

Из плакальщиков самый гармоничный... — Строка из стихотворения Шелли «Андонис».

Стр. 336. *...в струение своих одежд.* — Несколько перефразированная цитата из стихотворения Р. Геррика «К одеждам Джулли».

Стр. 337. *Идти степенно в Божий храм...* — С. Колридж. «Поэма о старом моряке».

От Августина... до Джереми Тейлора. — Имеется в виду Блаженный Августин (354—430), один из отцов церкви; Тейлор Джереми (1630—1667) — английский богослов.

Варфоломей, Иларий... — Тут перечисляются богословы первых веков христианства, которых католическая церковь объявила святыми или мучениками.

Стр. 338. *С тобой беседуя, я забываю время.* — Цитата из поэмы Д. Милтона «Потерянный рай».

Как спят бойцы... — Строка из «Оды, написанной в 1746 году» английского поэта Уильяма Коллинза (1721—1759). *«Не забывай, хотя б еще немного».* — Строка из стихотворения «Упорство» английского поэта Томаса Уайатта (1504—1542).

Стр. 340. *О, если б эти губы говорили!* — Строка из стихотворения «На получение портрета моей матери» английского поэта Уильяма Купера (1731—1800).

Приди же, нежная смерть... — Несколько сокращенная цитата из стихотворения «Когда в последний раз цвела сирень в саду» Уолта Уитмена (1819—1892), крупнейшего американского поэта XIX века.

Стр. 341. *Без отдыха по суше и по морю...* — Цитата из стихотворения Д. Милтона «На его слепоту».

Милтон, ты должен был бы жить сейчас. — Цитата из стихотворения Вордсворта (см. коммент. к стр. 316) «Национальная независимость и свобода». Фраза эта заканчивается так: «Англия в тебе нуждается».

Даже и в нашем пепле... — Томас Грей, «Элегия» (см. коммент. к стр. 90).

Стр. 343. *Состарься со мною рядом!* — Строка из стихотворения «Рабби бен Эзра» английского поэта Роберта Браунинга (1812—1889).

Стр. 344. *Уильям Дженнингс Брайан* (1860—1925) — американский реакционный политический деятель, юрист по образованию. Славился как блестящий оратор и получил прозвище «Гражданин». Был членом конгресса от демократической партии, которая трижды выставляла его кандидатуру на пост президента, но избран он не был ни разу. В 1913 году стал государственным секретарем в правительстве Вудро Вильсона, но в 1915 году вышел в отставку из-за разногласий с президентом относительно вступления США в войну. В 1925 году, в последний месяц перед смертью, выступал обвинителем в знаменитом «обезьяньем процессе».

Силки волос Неэры. — Цитата из поэмы Д. Милтона «Лисидас».

Дуб высотой своей отличен... — Строки из «Пиндарической оды на смерть сэра Морисона» Бена Джонсона.

Амхерст. — Имеется в виду одно из известнейших высших учебных заведений США. Амхерстский колледж находится в штате Массачусетс. Он был основан в 1821 году, и в нем преподаются только гуманитарные науки.

Стр. 345. *Я встретил странника...* — Первая строка сонета Шелли «Озимандия».

О веселый дух... — Строка из стихотворения Шелли «К жаворонку».

Стр. 346. *Наш наставник...* — Строка из стихотворения Роберта Браунинга «Похороны учителя грамматики».

«Нью-Рипаблик» — американский еженедельник, основанный в 1914 г. Он считался «либеральным» и в описываемую эпоху поддерживал Вудро Вильсона. *Норман Энджел* (род. в 1874 г.) — английский экономист. В книге «Великая иллюзия» (1910) он разбирал возможность мировой войны и ее экономические последствия. *Оуэн Уистер* (1860—1938) — американский писатель, известный главным образом своими романами о Дальнем Западе.

Стр. 348. *«Когда свернут войны знамена».* — В действительности эти строки принадлежат не Лонгфелло, а Теннисону.

Путь далекий до Типперери. — Строка из английской песни, написанной в 1908 году и очень популярной в годы первой мировой войны.

Медвяную пила росу. — Слегка перефразированная цитата из поэмы С. Колриджа «Кубла-Хан» (см. коммент. к стр. 173).

Стр. 349. *Напитки, что благородно пьянили их...* — Строка из «Оды к Бену Джонсону» Р. Геррика (см. коммент. к стр. 322). Цитата слегка перефразирована — у Геррика написано: «пьянили нас».

Стр. 351. *Пей за меня одну...* — Цитата из стихотворения Бена Джонсона «К Селии».

У нее был нежный голосок... — Шекспир, «Король Лир», акт V, сцена 3.

О ради Бога, придержи язык... — Строка из стихотворения Джона Донна (см. коммент. к стр. 322) «Канонизация».

...в ...задорном танце. Как не возликовать поэту... — Цитаты из стихотворения Вордсворта «Желтые нарциссы».

Нет, только тот, кто знал свиданья жажду... — Строка из стихотворения Гете «Тоска по милой», положенного на музыку Бетховеном и Чайковским.

Стр. 352. *Ах, вальсируй со мною...* — песня американского поэта-песенника Уилла Кобба (1876—1930), написанная в 1906 году.

Стр. 353. *Войну пророчат...* — С. Колридж, «Кубла-Хан» (см. коммент. к стр. 173).

Стр. 354. *О, если бы глоток напитка...* — Строка из стихотворения английского поэта-романтика Джона Китса (1795—1827) «Ода к соловью».

Стр. 356. *Жоффр* Жозеф (1852—1931) — французский маршал. С 1914 по 1916 год был главнокомандующим французской армии.

Стр. 357. *Руперт Брук* (1887—1931) — английский поэт.

Галахед — здесь: идеальный рыцарь.

И честь и радость пасть... — Строка из оды (кн. III, 2) римского поэта Горация (65—8 гг. до н. э.).

Стр. 361. *...мне только что вкатили шестьсот шесть.* — Сальварсен 606 — мышьяковистый препарат, употреблявшийся для лечения сифилиса.

Стр. 369. *Адмирал Дьюи* — См. коммент. к стр. 154.

Гридли Чарльз (1845—1898) — американский морской офицер, в морском сражении в Манильской бухте (см. коммент. к стр. 154) командовал флагманским кораблем.

Стр. 370. *Камелот* — город, где находился дворец короля Артура, легендарного правителя Британии.

Аппоматокс — город в штате Виргиния, где капитулировал генерал Ли (см. коммент. к стр. 34).

Стр. 375. *Восстань, мой Шекспир!* — Строка из «Эпитафии» Бена Джонсона (см. коммент. к стр. 318).

А главное: себе не изменяй. — Шекспир, «Гамлет», акт 1, сц. 3.

Стр. 377. *Реставрация* — период восстановления английской монархии после революции 1649 года, включающий годы правления королей Карла II и Иакова II (1660—1702).

Стр. 378. *Розалинда* — героиня комедии Шекспира «Как вам это понравится».

...чекан изящества... — Шекспир, «Гамлет», акт III, сцена 1.

Стр. 379. *Виола* — героиня комедии Шекспира «Двенадцатая ночь». На протяжении почти всей пьесы Виола выдает себя за юношу-пажа.

Стр. 398. *Стипендия Родса.* — Сесил Родс (1853—1902), английский колониальный деятель, наживший огромное состояние, учредил в Оксфордском университете двести две стипендии для студентов из британских доминионов и колоний, а также из США (девяносто шесть стипендий) и Германии.

Вудро Вильсон (1856—1924) — профессор государственного права и политической экономии. В 1913 году демократическая партия выдвинула его своим кандидатом на пост президента США, на котором он оставался до 1921 года. *Брайс* Джеймс (1838 — 1922) — английский историк и дипломат. *Бриггс* Чарльз (1841 — 1913) — американский богослов.

...Твиде и Таммани, о «большой дубинке»... — Твид Уильям — глава группы политиканов, которая в конце 60-х годов XIX века забрала в свои руки политическую власть в Нью-Йорке и присвоила миллионы долларов. Таммани-Холл — штаб-квартира демократической партии в Нью-Йорке. «Большая дубинка» — выражение, принадлежащее Теодору Рузвельту (см. коммент. к стр. 122). Настаивая на увеличении военного флота США, он сказал: «Мы должны говорить мягко, но держать в руке большую дубинку». Империалистическая политика, проводившаяся Рузвельтом, вошла в историю как «политика большой дубинки».

Стр. 399. *Барри* Джеймс (1860—1937) — второстепенный английский драматург и романист. *Шоу* Бернард (1856—1950) — знаменитый английский драматург и публицист. Социальная тематика его пьес и левые взгляды делали Шоу одиозной фигурой в глазах благонамеренной буржуазной профессуры.

Стр. 420. *Виндзорская Вдова* — прозвище английской королевы Виктории, царствовавшей с 1837 по 1901 год.

«Гептамерон» — сборник новелл Маргариты Наваррской (1492—1549).

Мэрреевский Еврипид. — Мэррей Гилберт (1866—1957) — английский филолог, знаток греческого языка и литературы. Издал трагедии Еврипида и Эсхила на греческом языке и переводил Еврипида на английский язык.

«Алкеста» — трагедия Еврипида.

Стр. 421. *«Золотой осел»* — роман римского писателя Апулея (135-180).

«Франкенштейн» — роман Мэри Шелли (1797—1851) об искусственном человеке, который в конце концов убивает своего создателя. *Дансени* Эдвард (1878—1957) — ирландский писатель и драматург. Большинство его произведений носит мрачный полуфанта-

стический характер. *«Сэр Гавейн и Зеленый Рыцарь»* — английская рыцарская поэма XIV века. Ее герой является на условленное свидание с противником, которому за год до этого он собственноручно отрубил голову. *«Книга Товита»* — одна из книг Ветхого завета, которая не включена в протестантскую Библию.

Я дух... — Первые две строки взяты из «Гамлета» (акт 1, сцена 5). Третья строка принадлежит Вулфу.

Стр. 424. *Аттила* — предводитель гуннских племен, которые в V веке подчинили себе значительную часть Европы. Слово «гунн», ставшее нарицательным для обозначения жестоких и тупых варваров, во время первой мировой войны часто применялось по отношению к немцам.

Першинг Джон (1860—1948) — американский генерал, командовавший американскими войсками в Европе после того, как Америка вступила в войну с Германией. *Лафайет* Мари-Жозеф (1757—1834) — французский генерал и политический деятель. В юности уехал в Америку, чтобы помочь американским колонистам в их войне за независимость против Англии.

Стр. 435. *Рано ложись и рано вставай.* — Первая строка нравоучительного двустишья знаменитого американского ученого и политического деятеля Бенджамина Франклина (1706—1790). Вторая строка гласит: «Будешь здоров, умен и богат».

Стр. 443. *Бронкс* — район Нью-Йорка, бурно застраивавшийся в начале XX века.

Стр. 452. *Четвертое июля* — День независимости, когда в США празднуется годовщина их создания.

Стр. 455. *Геспер* — поэтическое наименование Венеры, «вечерней звезды».

Руфь лежала у ног Вооза. — Согласно библейской легенде, наученная свекровью бедная вдова Руфь, надев свой лучший наряд, пришла ночью на гумно, где богатый родственник ее покойного мужа Вооз веял зерно, и легла у его ног, что означало просьбу о покровительстве и защите. Повинуясь древнему обычаю, Вооз женился на ней. *Королева Изольда* — возлюбленная Тристана, героя большого цикла кельтских легенд. Трагическая любовь Тристана и Изольды послужила сюжетом для ряда литературных и музыкальных произведений.

Ганг — река в Индии, считавшаяся в индуистской религии священной. Паломник, совершивший ритуальное омовение в Ганге, считался очищенным от грехов.

Стр. 460. *Самсон* — библейский богатырь, захваченный в плен коварными врагами, которые ослепили его и выставили в храме на всеобщее посмеяние. Самсон переломил столбы, поддерживавшие свод, и погиб под обломками вместе со всеми, кто находился в храме.

Стр. 478. *Бог... на стороне больших батальонов.* — Фраза из переписки великого французского писателя Франсуа-Мари Вольтера (1694—1778), превратившаяся в поговорку.

Стр. 485. *О дом Адмета!* — Начало монолога Аполлона, открывающего трагедию Еврипида «Алкеста». Согласно мифу, Аполлон, искупая свою вину перед Зевсом, несколько лет прослужил пастухом у царя Адмета.

Стр. 497. *Фома Аквинский* (1225—1274) — крупнейший средневековый богослов и христианский философ.

Бальдур — в скандинавской мифологии бог света, прекрасный юноша, предательски убитый.

Стр. 501. *Бауэри* — трущобный район в Нью-Йорке.

Стр. 525. *Гаты* — горы в Индии.

Стр. 542. *Подобно Аполлону...* — См. коммент. к стр. 485.

Стр. 556. *Юджин Дебс* (1855—1926) — деятель рабочего движения в США, один из создателей профсоюзной организации «Индустриальные рабочие мира» (1905 г.).

Стр. 566. *Майя* — в индуистской религии олицетворение иллюзии; в буддизме — мать Будды.

Стр. 568. *Мередит* Джордж (1828—1909) — английский писатель-реалист, разоблачавший в своих романах эгоизм и лицемерие английского буржуазного общества. *Уйда* — псевдоним английской писательницы Мари-Луизы де ля Раме (1839—1908), автора многочисленных романов из жизни светского общества.

Стр. 572. *Рихтгофен* Манфред (1892—1918), — немецкий летчик-ас, погибший в Амьенском сражении.

...как Артур и Барбаросса... — Фридрих I Барбаросса (1125—1190) — император Священной Римской империи. Существует легенда, что он не умер, а спит в недрах горы Кифгаузер, откуда выйдет на помощь Германии, когда ей будет грозить гибель. Сходная легенда существует и о британском короле Артуре.

...президент-мученик — Авраам Линкольн (см. коммент. к стр. 62). *...бог Последнего снопа.* — Во многих первобытных религиях существовал обряд человеческих жертвоприношений, который символизировал гибель и воскресение бога плодородия. Обряд этот должен был обеспечить плодородие полей. *Томас Чаттертон*

(1752—1770) — молодой, очень одаренный английский поэт. Сын могильщика, Чаттертон научился читать по старинным церковным рукописям. Писать он начал в двенадцать лет, подделываясь под средневековый стиль и приписывая свои произведения священнику, якобы жившему в XV веке. Не сумев найти литературного заработка в Лондоне и крайне нуждаясь, Чаттертон в семнадцать лет покончил с собой. Английские поэты-романтики высоко ценили Чаттертона. У Вордсворта, Колриджа, Китса и др. есть стихотворения, посвященные Чаттертону. *Митридат* (132—63 гг. до н. э.) — понтийский царь, крупный полководец. *Артаксеркс* II (404—359 гг. до н. э.) — персидский царь, победивший при Кунаксе (401 г. до н.э.) войска своего восставшего брата Кира, на службе у которого находился десятитысячный греческий отряд (см. коммент. к стр. 250). *Эдуард Черный Принц* (1330—1376) — старший сын английского короля Эдуарда III, талантливый полководец, прославившийся победами над французами при Креси и Пуатье. *Олимпийский Бык и Лебедь-соблазнитель.* — Имеются в виду мифы о Зевсе, явившемся Европе в образе быка, а Леде в образе лебедя.

Стр. 573. *Аштарет* (Астарта) — финикийская богиня плодородия, материнства и любви. *Азраил* — в мусульманской религии ангел смерти. *Протей* — в греческой мифологии морской бог, обладавший способностью принимать любой облик. *Мумбо-Юмбо* — злой лесной дух в легендах некоторых африканских племен.

Стр. 575. *Вольпоне* — богатый, хитроумный и циничный купец, главный герой комедии Бена Джонсона (см. коммент. к стр. 318) «Вольпоне». Бен Джонсон давал своим героям значимые имена. «Вольпоне» по-итальянски значит «лис».

Мартин Лютер (1483—1546) — основатель протестантской религии в Германии. Фразу, цитируемую в тексте, Лютер произнес на Вормсском сейме (1521 г.) в ответ на требование признать свои сочинения еретическими.

Стр. 576. *Ройс* Джозия (1855—1916) — американский философ и педагог. *Мюнстербург* Гуго (1863—1916) — психолог и философ, профессор Гарвардского университета.

Стр. 577. *Роберт Геррик.* — См. коммент. к стр. 322. *Джордж Пиль* (1558—1597) — английский драматург и поэт.

Стр. 578. *Я плотник.* — Согласно евангельской легенде, Христос был плотником.

Меня зовут Томас Чаттертон... — См. коммент. к стр. 572.

Стр. 582. *Эверетт* Эдвард (1794—1865) — американский политический деятель и оратор. С 1846 по 1849 год — президент

Гарвардского университета. Знаток греческого языка и литературы. *Уильям Джеймс* (1842—1910) — американский психолог и философ.

Стр. 585. *«Америкен мэгезин»* — американский журнал, публиковавший в основном произведения, рассчитанные на мещанские вкусы.

Стр. 589. *Дочери Конфедерации* — реакционная женская организация на юге США, объединяющая прямых потомков женского пола солдат и офицеров, сражавшихся в армии южан.

Стр. 600. *Давлида* — город у подножия горы Парнас в Фокиде, одной из областей Древней Греции. *Энотрия* — древнее название южной Италии. *Инки* — имеется в виду индейское государство инков, находившееся на территории нынешнего Перу и в XVI веке уничтоженное испанцами. *Кносские черепки...* — Кносс — древняя столица Критского царства (3 — 2 тыс. гг. до н.э.); в начале XX века там велись интенсивные раскопки. *Мемфис* — древнеегипетский город, в 3 тыс. гг. до н. э. столица Египта.

Стр. 602. *Сипанго* — средневековое название Японии.

Море призрачного альбатроса. — В «Поэме о старом моряке» С. Колриджа (см. коммент. к стр. 173) герой поэмы убивает альбатроса, и в наказание за это его корабль попадает в неведомые моря, а самого моряка преследует призрак убитой птицы.

И. Гурова

СОДЕРЖАНИЕ

Томас Вулф

В88   Взгляни на дом свой, ангел: Пер. с англ. М.: Издательство
«Гудьял-Пресс», 1999. — 624 с. (Серия «Гранд Либрис»).

ISBN 5-8026-0039-X

    Томас Вулф (1900—1938). Литературная деятельность писателя
продолжалась всего десятилетие, но оставила яркий след в истории
литературы США. С течением времени масштаб творчества Т. Вулфа
становится все очевиднее и потому его имя справедливо связано с
плеядой крупнейших писателей, сформировавших американскую прозу
в 20—30 годах XX столетия.

УДК 821.111.73Вулф
ББК 84(7Сое)-6

Серия «Гранд Либрис»

Литературно-художественное издание

Томас Вулф

ВЗГЛЯНИ НА ДОМ СВОЙ, АНГЕЛ

Ответственный за выпуск *В. Эфрос*
Художественный редактор *А. Касьяненко*
Технолог *Г. Трушина*
Технический редактор *И. Маханёва*
Корректор *Г. Пятышева*

Изд. лиц. № 065333 от 7.08.97. Подписано в печать 12.07.99. Бумага офсетная.
Формат 60×90^1/$_{16}$. Гарнитура гарамонд. Офсетная печать. Печ. л. 39,0.
Тираж 5000 экз. Заказ 1835.

Издательство «Гудьял-Пресс». 111524, Москва, ул. Электродная, 10.
Отпечатано с диапозитивов в ГУП «Саратовский полиграфкомбинат».
410004, г. Саратов, ул. Чернышевского, 59.